סִדּוּר מְפֹרָשׁ

A PRAYER BOOK

WITH
EXPLANATORY NOTES

explanatory notes by

Rabbi Ralph De Koven

KTAV PUBLISHING HOUSE INC.

Dedicated

to the memory of

our parents and grandparents

דובער בן ישראל וחנה בת שמואל לבית שארפשטיין, תנצב״ה

מאת

אשר ופייגע שארפשטיין ובניהם שלמה ודובער

בעלי הוצאת ״כתב״

Our thanks to the following scholars who participated in the editing, arranging, and preparation of Siddur Meforash.

Mr. Isaiah Berger
Rabbi Chaim Brecher
Rabbi Ralph De Koven
Mr. Elias Persky
Mr. Asher Scharfstein

The Publishers

5

הַתֹּכֶן
A GUIDE TO THE SIDDUR AND ITS EXPLANATORY NOTES

9

WHAT IS A JEWISH PRAYER?

A Jewish prayer can be many things.

It can be a way of saying "thank you" to God for His many wonderful gifts to us.

It can be a song of praise, telling how great and wonderful God and His world are.

It can be a story of the great deeds of Jewish heroes and leaders, of God's miracles and wonders, of great happenings in the past of our people, or it can tell us about Jewish laws, holidays, or customs.

In very few of our prayers do we ask favors for ourselves. Most of our prayers are for Israel and for all people everywhere.

Prayer is the way we talk to God. It is the way we tell God how much we love and respect Him.

The Hebrew word for prayer is תְּפִלָּה. One of the original meanings of תְּפִלָּה is "think."

Don't you often "think" about the great and unusual things that you see in our beautiful and wonderful world? Don't you often feel that you would like to show your joy and appreciation? And aren't there times when you feel sad, or sick, or lonely? Or when you see things happen that are wrong and cruel, don't you often feel like crying out about it?

Prayer is a way to show our feelings. Our great Jewish prophets, rabbis, teachers, and poets have written down in beautiful language many of the ideas that we have about our world. They wrote our prayers in our holy language — **Hebrew.**

13 תְּפִלַּת שַׁחֲרִית

SIGNS IN THE PRAYERBOOK

In the Prayerbook, there are signs to help us with our reading.

A short straight line up and down under a letter, like this ֽ means that the letter is sounded longer and stronger than any other letter in the word. It is called an accent mark (מֶֽתֶג).

A short straight line across, over a letter like this ֿ means that the ְ (שְׁוָא) under it, is the beginning of a syllable and is connected vocally with the letter that follows. It is not silent but is sounded like the first "e" in believe.

In many letters you will find a dot (דָּגֵשׁ). You already know that when a dot is in the letters בּ, כּ, פּ, תּ, they have a different sound. Also the letters דּ and גּ with a dot were at one time sounded differently.

When in the middle of a syllable (a word or part of a word that is sounded together), there is a letter with a dot, the sound of the letter is doubled. For example, in the word מַה־טֹּֽבוּ on page 29, the טּ is sounded as if it were a double "t," as if the word was written מַהט־טֹֽבוּ.

We must be especially careful in words like צִוָּה to be sure that we do not mistake the letter וָו for the vowel וּ.

When a word has no accent mark, the accent always falls on the last syllable.

MUSICAL ACCENTS, TROPE

The טְעָמִים serve three purposes: accents, punctuation, and cantillation. They also show the connection between words and, sometimes, even their correct meaning.

Although the טְעָמִים are written in the same manner for all books of the Bible, there is a great difference in the way they are chanted for the תּוֹרָה, the נְבִיאִים, and the Sacred Writings. There are special chants for the חָמֵשׁ מְגִלּוֹת (the Books of Esther, Ruth, Lamentations, Ecclesiastes, and Song of Songs). The Books of Job, Proverbs, and Psalms are also chanted in a special manner, almost like a song.

The names of the טְעָמִים come to us from Babylonia and are mainly in Aramaic, a language spoken among Jews until the ninth century.

There are differences in the names which were given to the טְעָמִים by Ashkenazim (those who originated from Germany, Russia, and Poland), Sephardim (those from Spain, Portugal, Turkey, Greece, North Africa, and the Middle East), and Italian Jews. There are also differences between them in the number of טְעָמִים. Some sages believe that the טְעָמִים and the vowels were composed by Ezra (the scribe of the fifth century B. C. E) and the Men of the Great Assembly. There is no question that the טְעָמִים were known to the Rabbis of the Talmud (see Tractates Megillah 3a; Nedarim 37a; Berakhot 62a, Eruvin 53a; also Zohar, Genesis 15b).

The וְאָהַבְתָּ with the טְעָמִים can be found on page 103.

שְׁמוֹת הַטְּעָמִים

1 קַדְמָא֢ מֻנַּח זַרְקָא֔ מֻנַּח סֶגּוֹל֒ מֻנַּח ׀ מֻנַּח רְבִיעִ֔י

2 מַהְפָּ֤ךְ פַּשְׁטָא֙ מֻנַּ֣ח זָקֵף־קָטֹן֙ זָקֵף־גָּד֔וֹל

3 מֵרְכָ֥א טִפְּחָ֖א מֻנַּ֣ח אֶתְנַחְתָּ֑א פָּזֵ֡ר תְּלִישָׁא־

4 קְטַנָּ֩ה תְּלִישָׁא־גְדוֹלָ֠ה קַדְמָ֨א וְאַזְלָ֝א אַזְלָא־

5 גֵּ֜רֵשׁ גֵּרְשַׁ֞יִם דַּרְגָּ֧א תְּבִ֖יר יְתִ֚יב פְּסִיק ׀

6 סוֹף־פָּסוּק׃ שַׁלְשֶׁ֓לֶת קַרְנֵי־פָרָ֟ה מֵרְכָא־

7 כְּפוּלָה יֶרַח־בֶּן־יוֹמ֪וֹ׃

WHY DO WE PRAY?

A very long time ago people did not pray. They did not know how to pray. Instead they would take one of their animals or some grain from their field, place it on a stone altar, and burn it as a "sacrifice" to God.

They thought that the best way to show God that they loved and respected Him was to give up something of value.

Today we do the same thing when we give money to *Keren Ami* or to other good causes.

Also, when we come to our Synagogue on the Sabbath or on holidays instead of sleeping late or playing, we are making a sacrifice for God.

The first Jewish prayer recorded in the Bible was composed by Abraham when he asked God to spare the wicked cities of Sodom and Gomorrah.

The great Rabbis of the Talmud said, "Prayer is greater than sacrifices." They said that even Moses was answered by God only after he had prayed.

We pray in order to open our heart to God, to become more pure, wise, kind, and good, and to show that we belong to the great people of Israel — sharing in their joys and in their sorrows.

BLESSINGS בְּרָכוֹת

The Hebrew word for blessing is בְּרָכָה. In every בְּרָכָה we bless God and thank Him for the good things that we enjoy and for being able to obey His laws.

Every בְּרָכָה begins with the words:

"Blessed art Thou, O Lord." בָּרוּךְ אַתָּה יְיָ (אֲדֹנָי)

In our Holy Bible אֲדֹנָי is usually written יְהֹוָה. In our prayers we usually shorten it to יְיָ.

God's name is very holy to us. The third of the Ten Commandments is "You shall not take the name of the Lord, your God, in vain." For this reason, unless we are praying or reciting a בְּרָכָה we do not say אֲדֹנָי. We say הַשֵּׁם (the Name) instead.

When we hear someone say a בְּרָכָה, we, too, wish to bless God. Therefore, when he has finished the blessing we express our hope that his words will be heard and answered by God.

When the reader, reciting a בְּרָכָה, says בָּרוּךְ אַתָּה יְיָ, after the word יְיָ, we say:

Blessed is He and blessed is His name. בָּרוּךְ הוּא וּבָרוּךְ שְׁמוֹ.

When the reader finishes the בְּרָכָה we answer:

So be it. (Amen) אָמֵן

Our Rabbis of old said, "He who recites a blessing is blessed himself." We answer בָּרוּךְ הוּא וּבָרוּךְ שְׁמוֹ to a בְּרָכָה to show our respect and love for God who created the world and all that is in it. Our Rabbis also tell us that when we say אָמֵן at the end of a בְּרָכָה, we should think to ourselves, "The בְּרָכָה that I have heard is true."

מוֹדֶה אֲנִי לְפָנֶיךָ מֶלֶךְ חַי וְקַיָּם

I thank You, O living and eternal King

We say the מוֹדֶה אֲנִי when we wake up in the morning, while we are still in bed. In it we give thanks to the living God, our King, for keeping us alive and for letting us enjoy good health as we greet each new day.

Upon waking in the morning say:

1 מוֹדֶה * אֲנִי לְפָנֶיךָ, מֶלֶךְ חַי וְקַיָּם, שֶׁהֶחֱזַרְתָּ

2 בִּי נִשְׁמָתִי בְּחֶמְלָה, רַבָּה אֱמוּנָתֶךָ.

*) *females say:* מוֹדָה

Before we eat our meal, we wash our hands. We believe that "cleanliness is next to Godliness." We also wash ourselves when we arise in the morning. We do this not only to keep our body clean, but to be clean and pure in soul — clean and pure in all that we say and do.

After washing the hands say:

3 בָּרוּךְ אַתָּה יְיָ, אֱלֹהֵינוּ מֶלֶךְ הָעוֹלָם, אֲשֶׁר

4 קִדְּשָׁנוּ בְּמִצְוֹתָיו, וְצִוָּנוּ עַל נְטִילַת יָדַיִם.

5 בָּרוּךְ אַתָּה יְיָ, אֱלֹהֵינוּ מֶלֶךְ הָעוֹלָם, אֲשֶׁר יָצַר אֶת

6 הָאָדָם בְּחָכְמָה, וּבָרָא בוֹ נְקָבִים נְקָבִים, חֲלוּלִים

7 חֲלוּלִים. גָּלוּי וְיָדוּעַ לִפְנֵי כִסֵּא כְבוֹדֶךָ, שֶׁאִם יִפָּתֵחַ

8 אֶחָד מֵהֶם, אוֹ יִסָּתֵם אֶחָד מֵהֶם, אִי אֶפְשָׁר לְהִתְקַיֵּם

9 וְלַעֲמוֹד לְפָנֶיךָ. בָּרוּךְ אַתָּה יְיָ, רוֹפֵא כָל בָּשָׂר וּמַפְלִיא

10 לַעֲשׂוֹת.

1   רֵאשִׁית חָכְמָה יִרְאַת יְיָ, שֵׂכֶל טוֹב לְכָל

2   עֹשֵׂיהֶם, תְּהִלָּתוֹ עוֹמֶדֶת לָעַד.

For comments see pages 101-102

3   שְׁמַע יִשְׂרָאֵל, יְיָ אֱלֹהֵינוּ, יְיָ אֶחָד!

4   בָּרוּךְ שֵׁם כְּבוֹד מַלְכוּתוֹ לְעוֹלָם וָעֶד.

תּוֹרָה צִוָּה־לָנוּ מֹשֶׁה

Moses commanded us the Torah

This verse comes from the Book of Deuteronomy (33:4), the last of the Five Books of Moses, the חוּמָשׁ. It tells us that the תּוֹרָה which Moses gave us is our inheritance.

Most of us are very happy when we inherit large sums of money or precious jewels. But we Jews feel that the תּוֹרָה is the greatest and finest inheritance we can receive. Money and jewels may bring comfort and power, but only faith in God and observance of His laws can bring us true happiness and peace of mind and soul.

5   תּוֹרָה צִוָּה לָנוּ מֹשֶׁה, מוֹרָשָׁה קְהִלַּת

6   יַעֲקֹב. תּוֹרָה תְּהֵא אֱמוּנָתִי, וְאֵל שַׁדַּי

7   בְּעֶזְרָתִי.

THE PRAYER-SHAWL טַלִּית

The טַלִּית is the holiest garment worn by Jews. טַלִּית means a prayer-shawl. It is made of silk or wool, and is usually white, white and blue, or white and black. The flag of Israel took its white and blue colors from the טַלִּית. The טַלִּית is worn by men every morning when they pray.

There is also a small טַלִּית called אַרְבַּע כַּנְפוֹת (four corners). It is worn by boys as well as by men.

The טַלִּית has four long fringes, one on each corner. It is the custom to kiss the long fringes when we recite the שְׁמַע יִשְׂרָאֵל. When a man is called to the reading of the תּוֹרָה, he places a corner of the טַלִּית on the word where the portion begins, and then kisses the corner of the טַלִּית.

The Hebrew word for fringes is צִיצִת. The law of צִיצִת comes from the תּוֹרָה. When we look at the צִיצִת we think of the laws of the תּוֹרָה, and of how lucky we are to have such wonderful laws that tell us to love our neighbors, to live a holy life, to be kind to the poor, the widow, the orphan and the stranger, to do justice and to seek peace and freedom for all men.

Upon putting on the טַלִּית קָטָן *say:*

בָּרוּךְ אַתָּה יְיָ, אֱלֹהֵינוּ מֶלֶךְ הָעוֹלָם, אֲשֶׁר קִדְּשָׁנוּ בְּמִצְוֹתָיו, וְצִוָּנוּ עַל מִצְוַת צִיצִית.

יְהִי רָצוֹן מִלְּפָנֶיךָ, יְיָ אֱלֹהַי וֵאלֹהֵי אֲבוֹתַי, שֶׁתְּהֵא חֲשׁוּבָה מִצְוַת צִיצִית לְפָנֶיךָ, כְּאִלּוּ קִיַּמְתִּיהָ בְּכָל פְּרָטֶיהָ וְדִקְדּוּקֶיהָ וְתַרְיַ״ג מִצְוֹת הַתְּלוּיִם בָּהּ, אָמֵן סֶלָה.

MORNING PRAYER תְּפִלַּת שַׁחֲרִית

The word שַׁחֲרִית comes from שַׁחַר, meaning "dawn." The prayers תְּפִלַּת שַׁחֲרִית, the morning service, may be recited from the beginning of daylight until four hours later.

If it is impossible for us to pray in the morning, we must recite the עֲמִידָה (or שְׁמוֹנֶה עֶשְׂרֵה) of the מִנְחָה (afternoon) service twice.

It is believed that תְּפִלַּת שַׁחֲרִית began with the first of the patriarchs, Abraham. This belief is based on the words of the תּוֹרָה: "And Abraham got up early in the morning to the place where he had stood before the Lord" (Genesis 19:27). Our Rabbis say that "stood before the Lord" means that Abraham prayed to God. Also the שַׁחֲרִית service reminds us of the daily burnt-offering that was sacrificed every morning (and evening) in the Holy Temple.

1. INTRODUCTION: תְּפִלַּת שַׁחֲרִית begins with an introduction of songs, blessings, and selections from the תּוֹרָה, the מִשְׁנָה and the גְּמָרָא.

2. VERSES OF SONG: Next follow פְּסוּקֵי דְזִמְרָא, verses of song, beginning with בָּרוּךְ שֶׁאָמַר and ending with יִשְׁתַּבַּח. This section is made up mostly of the Psalms of David. It also contains verses from the תּוֹרָה.

On the Sabbath and holidays we add Psalms 19, 34, 90, 91, 135, 136, 33, 92, and 93, in that order. We also add the special prayers of נִשְׁמַת and שׁוֹכֵן עַד before יִשְׁתַּבַּח.

3. THE SHEMA: Next come the two blessings before the שְׁמַע, beginning with the call to prayer — the בָּרְכוּ, the שְׁמַע itself, the אֱמֶת וְיַצִּיב, the מִי־כָמֹכָה and the צוּר יִשְׂרָאֵל, ending with the blessing, "Blessed are You, O Lord, who has redeemed Israel". *For comment see page 109*

4. THE SILENT DEVOTION: This is followed by the עֲמִידָה or שְׁמוֹנֶה עֶשְׂרֵה, the section that is said standing erect, feet together, and in silence. (Actually, it should be said in a whisper, for we must be careful to pronounce each word carefully, and this cannot be done in complete silence.) It has nineteen blessings on weekdays. (Originally it had eighteen blessings. One blessing, the twelfth one, was added after the Second Temple was destroyed.)

On the Sabbath and holidays the number is reduced to seven. The blessings that contain ideas about our sinfulness, our troubles and problems, are left out so as not to spoil the joy of the Sabbath or holiday.

5. ADDITIONS: Next there are additions to the service. On Monday and Thursday mornings, as well as on Sabbaths and holidays, the תּוֹרָה is read. Also on Mondays and Thursdays there are special prayers in which we ask forgiveness for our sins.

6. CONCLUSION: Finally, there is the last part of the service, the repetition of אַשְׁרֵי (Psalm 145. The first two verses are from Psalms 84:5 and 144:15 respectively) and Psalm 20, וּבָא לְצִיּוֹן, עָלֵינוּ, the mourner's קַדִּישׁ and the Psalm for the day. On the Sabbath we sing אֲדוֹן עוֹלָם, and on holidays we sing יִגְדַּל.

For comment see page 20

Before putting on the טַלִית *say:*

1. בָּרְכִי נַפְשִׁי אֶת יְיָ, יְיָ אֱלֹהַי גָּדַלְתָּ מְּאֹד

2. הוֹד וְהָדָר לָבָשְׁתָּ: עֹטֶה אוֹר כַּשַּׂלְמָה,

3. נוֹטֶה שָׁמַיִם כַּיְרִיעָה:

4. הֲרֵינִי מְעַטֵּף גּוּפִי בַּצִּיצִת, כֵּן תִּתְעַטֵּף נִשְׁמָתִי וּרְמַ״ח

5. אֵבָרַי וּשְׁסָ״ה גִּידַי בְּאוֹר הַצִּיצִת הָעוֹלָה תַּרְיַ״ג, וּכְשֵׁם

6. שֶׁאֲנִי מִתְכַּסֶּה בְּטַלִית בָּעוֹלָם הַזֶּה כַּךְ אֶזְכֶּה לַחֲלוּקָא

7. דְרַבָּנָן וּלְטַלִית נָאָה לָעוֹלָם הַבָּא בְּגַן עֵדֶן. וְעַל יְדֵי מִצְוַת

8. צִיצִת תִּנָּצֵל נַפְשִׁי וְרוּחִי וְנִשְׁמָתִי וּתְפִלָּתִי מִן הַחִיצוֹנִים,

9. וְהַטַּלִית תִּפְרוֹשׂ כְּנָפֶיהָ עֲלֵיהֶן וְתַצִּילֵן כְּנֶשֶׁר יָעִיר קִנּוֹ עַל

10. גּוֹזָלָיו יְרַחֵף, וּתְהֵא חֲשׁוּבָה מִצְוַת צִיצִת לִפְנֵי הַקָּדוֹשׁ

11. בָּרוּךְ הוּא כְּאִלּוּ קִיַּמְתִּיהָ בְּכָל פְּרָטֶיהָ וְדִקְדּוּקֶיהָ וְכַוָּנוֹתֶיהָ

12. וְתַרְיַ״ג מִצְוֹת הַתְּלוּיִים בָּהּ, אָמֵן סֶלָה:

Upon putting on the טַלִית *say:*

13. בָּרוּךְ אַתָּה יְיָ אֱלֹהֵינוּ מֶלֶךְ הָעוֹלָם, אֲשֶׁר

14. קִדְּשָׁנוּ בְּמִצְוֹתָיו וְצִוָּנוּ לְהִתְעַטֵּף בַּצִּיצִת:

מַה־יָּקָר חַסְדְּךָ אֱלֹהִים, וּבְנֵי אָדָם בְּצֵל כְּנָפֶיךָ יֶחֱסָיוּן:
יִרְוְיֻן מִדֶּשֶׁן בֵּיתֶךָ, וְנַחַל עֲדָנֶיךָ תַשְׁקֵם: כִּי עִמְּךָ מְקוֹר
חַיִּים, בְּאוֹרְךָ נִרְאֶה אוֹר: מְשֹׁךְ חַסְדְּךָ לְיֹדְעֶיךָ,
וְצִדְקָתְךָ – לְיִשְׁרֵי לֵב:

PHYLACTERIES תְּפִלִּין

There are two תְּפִלִּין (phylacteries):

Phylactery for the head תְּפִלָּה שֶׁל רֹאשׁ

Phylactery for the hand תְּפִלָּה שֶׁל יָד

The תְּפִלָּה שֶׁל רֹאשׁ has a little square box and two long straps. It is worn high up on the forehead opposite the brain. This is to remind us that we should think good and holy thoughts at all times, and especially when we pray.

Inside the box are words of the Bible written on four strips of parchment. Two strips contain the words of the שְׁמַע; a third tells us to remember how our fathers were freed from the slavery of Egypt and to celebrate the holiday of פֶּסַח (Passover); and a fourth tells us that we must "redeem" the first-born male child from a כֹּהֵן (Priest). This is done on the thirty-first day after the son is born.

The תְּפִלָּה שֶׁל יָד also has a little box and one long strap that is wound seven times around the arm and three times around the middle finger. The box is worn high up on the muscle of the arm opposite the heart. It reminds us that we should love God and serve Him with all our heart, with love and feeling. It contains the same four passages from the תּוֹרָה. Left-handed men wear it on the right arm. All others wear it on the left arm.

On the side of the תְּפִלָּה שֶׁל רֹאשׁ is the letter שׁ. The knot
on the straps for the head forms the letter ד. The knot on the
strap of the hand forms the letter י. Together, these three
letters form the word שַׁדַּי (Almighty).

We do not wear the תְּפִלִּין on the Sabbath (שַׁבָּת) or on a
holiday (יוֹם טוֹב).

Before putting on the תְּפִלִּין *say:*

1 הִנְנִי מְכַוֵּן בְּהַנָּחַת תְּפִלִּין לְקַיֵּם מִצְוַת בּוֹרְאִי,

2 שֶׁצִוָּנוּ לְהָנִיחַ תְּפִלִּין, כַּכָּתוּב בַּתּוֹרָה, וּקְשַׁרְתָּם לְאוֹת

3 עַל יָדֶךָ, וְהָיוּ לְטֹטָפֹת בֵּין עֵינֶיךָ. וְהֵם אַרְבַּע פָּרְשִׁיּוֹת

4 אֵלּוּ, שְׁמַע, וְהָיָה אִם שָׁמֹעַ, קַדֶּשׁ, וְהָיָה כִּי יְבִאֲךָ, שֶׁיֵּשׁ

5 בָּהֶם יִחוּדוֹ וְאַחְדוּתוֹ יִתְבָּרַךְ שְׁמוֹ בָּעוֹלָם, וְשֶׁנִּזְכּוֹר

6 נִסִּים וְנִפְלָאוֹת, שֶׁעָשָׂה עִמָּנוּ בְּהוֹצִיאָנוּ מִמִּצְרָיִם, וַאֲשֶׁר

7 לוֹ הַכֹּחַ וְהַמֶּמְשָׁלָה בָּעֶלְיוֹנִים וּבַתַּחְתּוֹנִים לַעֲשׂוֹת בָּהֶם

8 כִּרְצוֹנוֹ, וְצִוָּנוּ לְהָנִיחַ עַל הַיָּד, לְזִכְרוֹן זְרוֹעַ הַנְּטוּיָה

9 וְשֶׁהִיא נֶגֶד הַלֵּב לְשַׁעְבֵּד בָּזֶה תַּאֲוֹת וּמַחְשְׁבוֹת לִבֵּנוּ

10 לַעֲבוֹדָתוֹ יִתְבָּרַךְ שְׁמוֹ, וְעַל הָרֹאשׁ נֶגֶד הַמֹּחַ, שֶׁהַנְּשָׁמָה

11 שֶׁבְּמוֹחִי עִם שְׁאָר חוּשַׁי וְכֹחוֹתַי כֻּלָּם יִהְיוּ מְשֻׁעְבָּדִים

12 לַעֲבוֹדָתוֹ יִתְבָּרַךְ שְׁמוֹ, וּמִשֶּׁפַע מִצְוַת תְּפִלִּין יִתְמַשֵּׁךְ

13 עָלַי לִהְיוֹת לִי חַיִּים אֲרֻכִּים, וְשֶׁפַע קֹדֶשׁ, וּמַחְשָׁבוֹת

14 קְדוֹשׁוֹת, בְּלִי הִרְהוּר חֵטְא, וְעָוֹן כְּלָל. וְשֶׁלֹּא יְפַתֵּנוּ,

1 וְלֹא יִתְגָּרֶה־בָּנוּ יֵצֶר הָרָע, וְיַנִּיחֵנוּ לַעֲבוֹד אֶת יְיָ,

2 כַּאֲשֶׁר עִם לְבָבֵנוּ, וִיהִי רָצוֹן מִלְּפָנֶיךָ, יְיָ אֱלֹהֵינוּ וֵאלֹהֵי

3 אֲבוֹתֵינוּ, שֶׁתְּהֵא חֲשׁוּבָה מִצְוַת הֲנָחַת תְּפִלִּין, לְפָנֶיךָ

4 כְּאִלּוּ קִיַּמְתִּיהָ בְּכָל פְּרָטֶיהָ, וְדִקְדּוּקֶיהָ וְכַוָּנוֹתֶיהָ,

5 וְתַרְיַ"ג מִצְוֹת הַתְּלוּיִם בָּהּ, אָמֵן סֶלָה:

Upon putting on the תְּפִלִּין שֶׁל יָד *say:*

6 בָּרוּךְ אַתָּה יְיָ אֱלֹהֵינוּ מֶלֶךְ הָעוֹלָם, אֲשֶׁר

7 קִדְּשָׁנוּ בְּמִצְוֹתָיו וְצִוָּנוּ לְהָנִיחַ תְּפִלִּין:

Upon putting on the תְּפִלִּין שֶׁל רֹאשׁ *say:*

8 בָּרוּךְ אַתָּה יְיָ אֱלֹהֵינוּ מֶלֶךְ הָעוֹלָם, אֲשֶׁר

9 קִדְּשָׁנוּ בְּמִצְוֹתָיו וְצִוָּנוּ עַל מִצְוַת תְּפִלִּין:

10 בָּרוּךְ שֵׁם כְּבוֹד מַלְכוּתוֹ לְעוֹלָם וָעֶד:

11 וּמֵחָכְמָתְךָ אֵל עֶלְיוֹן תַּאֲצִיל עָלָי, וּמִבִּינָתְךָ תְּבִינֵנִי,

12 וּבְחַסְדְּךָ תַּגְדִּיל עָלָי: וּבִגְבוּרָתְךָ תַּצְמִית אֹיְבַי וְקָמַי,

13 וְשֶׁמֶן הַטּוֹב תָּרִיק עַל שִׁבְעָה קְנֵי הַמְּנוֹרָה, לְהַשְׁפִּיעַ

14 טוּבְךָ לִבְרִיּוֹתֶיךָ: פּוֹתֵחַ אֶת יָדֶךָ, וּמַשְׂבִּיעַ לְכָל חַי

15 רָצוֹן:

Wind the רְצוּעָה *three times round the middle finger and say:*

1   וְאֵרַשְׂתִּיךְ לִי לְעוֹלָם, וְאֵרַשְׂתִּיךְ לִי בְּצֶדֶק

2   וּבְמִשְׁפָּט וּבְחֶסֶד וּבְרַחֲמִים: וְאֵרַשְׂתִּיךְ לִי

3   בֶּאֱמוּנָה וְיָדַעַתְּ אֶת יְיָ:

After putting on the תְּפִלִּין *say:*

4   וַיְדַבֵּר יְיָ אֶל מֹשֶׁה לֵּאמֹר: קַדֶּשׁ־לִי כָל בְּכוֹר פֶּטֶר

5   כָּל רֶחֶם בִּבְנֵי יִשְׂרָאֵל בָּאָדָם וּבַבְּהֵמָה, לִי הוּא: וַיֹּאמֶר

6   מֹשֶׁה אֶל הָעָם, זָכוֹר אֶת הַיּוֹם הַזֶּה אֲשֶׁר יְצָאתֶם מִמִּצְרַיִם

7   מִבֵּית עֲבָדִים, כִּי בְּחֹזֶק יָד הוֹצִיא יְיָ אֶתְכֶם מִזֶּה, וְלֹא

8   יֵאָכֵל חָמֵץ: הַיּוֹם אַתֶּם יֹצְאִים, בְּחֹדֶשׁ הָאָבִיב: וְהָיָה

9   כִי יְבִיאֲךָ יְיָ אֶל אֶרֶץ הַכְּנַעֲנִי וְהַחִתִּי וְהָאֱמֹרִי וְהַחִוִּי

10   וְהַיְבוּסִי, אֲשֶׁר נִשְׁבַּע לַאֲבֹתֶיךָ לָתֶת לָךְ, אֶרֶץ זָבַת חָלָב

11   וּדְבַשׁ, וְעָבַדְתָּ אֶת הָעֲבֹדָה הַזֹּאת בַּחֹדֶשׁ הַזֶּה: שִׁבְעַת

12   יָמִים תֹּאכַל מַצֹּת, וּבַיּוֹם הַשְּׁבִיעִי חַג לַייָ: מַצּוֹת יֵאָכֵל

13   אֵת שִׁבְעַת הַיָּמִים, וְלֹא יֵרָאֶה לְךָ חָמֵץ וְלֹא יֵרָאֶה לְךָ

14   שְׂאֹר בְּכָל גְּבֻלֶךָ: וְהִגַּדְתָּ לְבִנְךָ בַּיּוֹם הַהוּא לֵאמֹר,

15   בַּעֲבוּר זֶה עָשָׂה יְיָ לִי בְּצֵאתִי מִמִּצְרָיִם: וְהָיָה לְךָ לְאוֹת

16   עַל יָדְךָ וּלְזִכָּרוֹן בֵּין עֵינֶיךָ, לְמַעַן תִּהְיֶה תּוֹרַת יְיָ בְּפִיךָ

17   כִּי בְּיָד חֲזָקָה הוֹצִיאֲךָ יְיָ מִמִּצְרָיִם: וְשָׁמַרְתָּ אֶת הַחֻקָּה

הַזֹּאת לְמוֹעֲדָהּ, מִיָּמִים יָמִימָה׃ וְהָיָה כִּי יְבִאֲךָ יְיָ אֶל אֶרֶץ הַכְּנַעֲנִי, כַּאֲשֶׁר נִשְׁבַּע לְךָ וְלַאֲבֹתֶיךָ, וּנְתָנָהּ לָךְ׃ וְהַעֲבַרְתָּ כָל־פֶּטֶר רֶחֶם לַייָ, וְכָל־פֶּטֶר שֶׁגֶר בְּהֵמָה אֲשֶׁר יִהְיֶה לְךָ הַזְּכָרִים, לַייָ׃ וְכָל פֶּטֶר חֲמֹר תִּפְדֶּה בְשֶׂה וְאִם לֹא תִפְדֶּה וַעֲרַפְתּוֹ, וְכֹל בְּכוֹר אָדָם בְּבָנֶיךָ תִּפְדֶּה׃ וְהָיָה כִּי־יִשְׁאָלְךָ בִנְךָ מָחָר לֵאמֹר מַה־זֹּאת, וְאָמַרְתָּ אֵלָיו, בְּחֹזֶק יָד הוֹצִיאָנוּ יְיָ מִמִּצְרַיִם מִבֵּית עֲבָדִים׃ וַיְהִי כִּי הִקְשָׁה פַרְעֹה לְשַׁלְּחֵנוּ, וַיַּהֲרֹג יְיָ כָּל בְּכוֹר בְּאֶרֶץ מִצְרַיִם, מִבְּכֹר אָדָם וְעַד בְּכוֹר בְּהֵמָה, עַל כֵּן אֲנִי זֹבֵחַ לַייָ כָּל פֶּטֶר רֶחֶם הַזְּכָרִים, וְכָל בְּכוֹר בָּנַי אֶפְדֶּה׃ וְהָיָה לְאוֹת עַל יָדְכָה וּלְטוֹטָפֹת בֵּין עֵינֶיךָ, כִּי בְּחֹזֶק יָד הוֹצִיאָנוּ יְיָ מִמִּצְרָיִם׃

מַה טֹּבוּ אֹהָלֶיךָ יַעֲקֹב מִשְׁכְּנוֹתֶיךָ יִשְׂרָאֵל

How goodly are your tents, O Jacob, your dwellings, O Israel

When we come into the synagogue, this is the first prayer we recite.

It is a beautiful prayer, telling how good it is to be in the house of God, how much we love and respect Him, and hope that He will accept and answer our prayers.

The first sentence comes from the Book of Numbers (the fourth of the Five Books of Moses). Balak, the King of Moab, sent a prophet named Balaam to curse the people of Israel.

But when Balaam saw the Israelites living in their tents, side by side, in peace and harmony, he changed his curse into these splendid words of blessing and praise.

The other verses come from different chapters in the Book of Psalms, a book of beautiful songs and hymns that is part of the Bible.

Upon entering the synagogue say:

1 מַה־טֹּבוּ אֹהָלֶיךָ, יַעֲקֹב,

2 מִשְׁכְּנֹתֶיךָ יִשְׂרָאֵל.

3 וַאֲנִי, בְּרֹב חַסְדְּךָ, אָבֹא בֵיתֶךָ,

4 אֶשְׁתַּחֲוֶה אֶל הֵיכַל קָדְשְׁךָ בְּיִרְאָתֶךָ.

5 יְיָ, אָהַבְתִּי מְעוֹן בֵּיתֶךָ,

6 וּמְקוֹם מִשְׁכַּן כְּבוֹדֶךָ.

7 וַאֲנִי אֶשְׁתַּחֲוֶה וְאֶכְרָעָה,

8 אֶבְרְכָה לִפְנֵי יְיָ עֹשִׂי.

9 וַאֲנִי תְפִלָּתִי לְךָ יְיָ, עֵת רָצוֹן,

10 אֱלֹהִים, בְּרָב־חַסְדֶּךָ, עֲנֵנִי בֶּאֱמֶת יִשְׁעֶךָ.

אֲדוֹן עוֹלָם אֲשֶׁר מָלַךְ, בְּטֶרֶם כָּל יְצִיר נִבְרָא

**Lord of the universe who reigned before any creature
was yet formed**

The אֲדוֹן עוֹלָם is a hymn of praise to God and faith in His
protection and care. It tells us that God had no beginning
and He will have no end. It is also the closing hymn of the
prayers which we say before going to bed at night, and of the
Sabbath services.

1 אֲדוֹן עוֹלָם אֲשֶׁר מָלַךְ,

2 בְּטֶרֶם כָּל־יְצִיר נִבְרָא.

3 לְעֵת נַעֲשָׂה בְחֶפְצוֹ כֹּל,

4 אֲזַי מֶלֶךְ שְׁמוֹ נִקְרָא,

5 וְאַחֲרֵי כִּכְלוֹת הַכֹּל,

6 לְבַדּוֹ יִמְלוֹךְ נוֹרָא.

7 וְהוּא הָיָה וְהוּא הֹוֶה,

8 וְהוּא יִהְיֶה בְּתִפְאָרָה.

9 וְהוּא אֶחָד וְאֵין שֵׁנִי,

10 לְהַמְשִׁיל לוֹ לְהַחְבִּירָה,

11 בְּלִי רֵאשִׁית בְּלִי תַכְלִית,

12 וְלוֹ הָעֹז וְהַמִּשְׂרָה.

1   וְהוּא אֵלִי וְחַי גֹּאֲלִי,

2   וְצוּר חֶבְלִי בְּעֵת צָרָה.

3   וְהוּא נִסִּי וּמָנוֹס לִי,

4   מְנָת כּוֹסִי בְּיוֹם אֶקְרָא.

Reader 5   בְּיָדוֹ אַפְקִיד רוּחִי,

6   בְּעֵת אִישָׁן וְאָעִירָה,

7   וְעִם רוּחִי גְוִיָּתִי;

8   יְיָ לִי וְלֹא אִירָא.

יִגְדַּל אֱלֹהִים חַי וְיִשְׁתַּבַּח

Magnified and praised be the living God

The author of this beautiful hymn was Daniel Ben Judah who lived in Rome over 600 years ago. He based it on the famous Thirteen Principles of Faith of the great philosopher, physician, and writer, Moses Maimonides, (known as the Rambam from the first letters of his full Hebrew name — Rabbi Moses ben Maimon). Our rabbis considered him so great that they said, "From Moses (the lawgiver) to Moses (Maimonides) there was no one like Moses."

The יִגְדַּל tells us that (1) God was, is, and always will be; (2) He is one God; (3) He has no form or shape; (4) He existed before anything was created; (5) He is the Lord of the whole universe; (6) He chose great men to be our prophets;

For comment see page 18

בָּרוּךְ אַתָּה יְיָ, אֱלֹהֵינוּ מֶלֶךְ הָעוֹלָם, אֲשֶׁר 1

קִדְּשָׁנוּ בְּמִצְוֹתָיו וְצִוָּנוּ עַל נְטִילַת יָדַיִם. 2

בָּרוּךְ אַתָּה יְיָ, אֱלֹהֵינוּ מֶלֶךְ הָעוֹלָם, אֲשֶׁר 3

יָצַר אֶת הָאָדָם בְּחָכְמָה, וּבָרָא בוֹ נְקָבִים 4

נְקָבִים, חֲלוּלִים חֲלוּלִים. גָּלוּי וְיָדוּעַ לִפְנֵי 5

כִסֵּא כְבוֹדֶךָ שֶׁאִם יִפָּתֵחַ אֶחָד מֵהֶם, אוֹ 6

יִסָּתֵם אֶחָד מֵהֶם, אִי אֶפְשָׁר לְהִתְקַיֵּם 7

וְלַעֲמוֹד לְפָנֶיךָ. בָּרוּךְ אַתָּה יְיָ, רוֹפֵא כָל 8

בָּשָׂר וּמַפְלִיא לַעֲשׂוֹת. 9

This בְּרָכָה comes from the Talmud. It tells us that we are commanded by God to occupy ourselves with the words of the תּוֹרָה. This means that we are to study the תּוֹרָה well so that we may understand it and live up to its teachings. Reading and studying the תּוֹרָה makes us better Jews, more religious and pure, as well as wiser and nobler.

בָּרוּךְ אַתָּה יְיָ, אֱלֹהֵינוּ מֶלֶךְ הָעוֹלָם, אֲשֶׁר 10

קִדְּשָׁנוּ בְּמִצְוֹתָיו, וְצִוָּנוּ לַעֲסוֹק בְּדִבְרֵי 11

תּוֹרָה. 12

1   וְהַעֲרֶב־נָא יְיָ אֱלֹהֵינוּ אֶת דִּבְרֵי תוֹרָתְךָ בְּפִינוּ, וּבְפִי

2   עַמְּךָ בֵּית יִשְׂרָאֵל, וְנִהְיֶה אֲנַחְנוּ וְצֶאֱצָאֵינוּ, וְצֶאֱצָאֵי עַמְּךָ

3   בֵּית יִשְׂרָאֵל כֻּלָּנוּ, יוֹדְעֵי שְׁמֶךָ וְלוֹמְדֵי תוֹרָתֶךָ לִשְׁמָהּ.

4   בָּרוּךְ אַתָּה יְיָ, הַמְלַמֵּד תּוֹרָה לְעַמּוֹ יִשְׂרָאֵל.

5   בָּרוּךְ אַתָּה יְיָ, אֱלֹהֵינוּ מֶלֶךְ הָעוֹלָם, אֲשֶׁר

6   בָּחַר בָּנוּ מִכָּל הָעַמִּים, וְנָתַן לָנוּ אֶת תּוֹרָתוֹ.

7   בָּרוּךְ אַתָּה יְיָ, נוֹתֵן הַתּוֹרָה.

PRIESTLY BLESSING בִּרְכַּת כֹּהֲנִים

8   יְבָרֶכְךָ יְיָ וְיִשְׁמְרֶךָ!

9   יָאֵר יְיָ פָּנָיו אֵלֶיךָ וִיחֻנֶּךָּ!

10   יִשָּׂא יְיָ פָּנָיו אֵלֶיךָ וְיָשֵׂם לְךָ שָׁלוֹם!

אֵלּוּ דְבָרִים שֶׁאֵין לָהֶם שִׁעוּר

And these are the things which cannot be measured

This prayer comes from the מִשְׁנָה. The מִשְׁנָה was written by very great rabbis a long, long time ago. It explains the laws of the תּוֹרָה. Later, our Rabbis wrote an explanation of the מִשְׁנָה called the גְּמָרָא. The מִשְׁנָה and the גְּמָרָא together make up that great Jewish encyclopedia of law and legend called the תַּלְמוּד.

This prayer tells us about laws of the תּוֹרָה that are so important that they cannot even be measured. Examples are גְּמִילוּת חֲסָדִים, the practice of kindness and תַּלְמוּד תּוֹרָה, the study of תּוֹרָה. We cannot say how much they are worth, because they are worth more than anything made of silver or gold or even of precious jewels.

Many wonderful מִצְוֹת (duties; good deeds; commandments) are mentioned here, such as honoring our parents, attending Hebrew school, visiting the sick, and making peace between people. But great as all these מִצְוֹת are, our prayer ends with the words: The study of the תּוֹרָה is greater than all of these. וְתַלְמוּד תּוֹרָה כְּנֶגֶד כֻּלָּם.

1 אֵלּוּ דְבָרִים שֶׁאֵין לָהֶם שִׁעוּר: הַפֵּאָה, וְהַבִּכּוּרִים,
2 וְהָרֵאָיוֹן וּגְמִילוּת חֲסָדִים וְתַלְמוּד תּוֹרָה.
3 אֵלּוּ דְבָרִים שֶׁאָדָם אוֹכֵל פֵּרוֹתֵיהֶם בָּעוֹלָם הַזֶּה וְהַקֶּרֶן
4 קַיֶּמֶת לוֹ לָעוֹלָם הַבָּא, וְאֵלּוּ הֵן: כִּבּוּד אָב וָאֵם, וּגְמִילוּת
5 חֲסָדִים, וְהַשְׁכָּמַת בֵּית הַמִּדְרָשׁ שַׁחֲרִית וְעַרְבִית, וְהַכְנָסַת
6 אוֹרְחִים, וּבִקּוּר חוֹלִים וְהַכְנָסַת כַּלָּה, וּלְוָיַת הַמֵּת, וְעִיּוּן
תְּפִלָּה, וַהֲבָאַת שָׁלוֹם בֵּין אָדָם לַחֲבֵרוֹ, וְתַלְמוּד תּוֹרָה
כְּנֶגֶד כֻּלָּם.

1 אֱלֹהַי! נְשָׁמָה שֶׁנָּתַתָּ בִּי טְהוֹרָה הִיא. אַתָּה בְרָאתָהּ,

2 אַתָּה יְצַרְתָּהּ, אַתָּה נְפַחְתָּהּ בִּי, וְאַתָּה מְשַׁמְּרָהּ בְּקִרְבִּי,

3 וְאַתָּה עָתִיד לִטְּלָהּ מִמֶּנִּי, וּלְהַחֲזִירָהּ בִּי לֶעָתִיד לָבֹא. —

4 כָּל זְמַן שֶׁהַנְּשָׁמָה בְקִרְבִּי, מוֹדֶה* אֲנִי לְפָנֶיךָ, יְיָ אֱלֹהַי

5 וֵאלֹהֵי אֲבוֹתַי, רִבּוֹן כָּל הַמַּעֲשִׂים, אֲדוֹן כָּל הַנְּשָׁמוֹת!

6 בָּרוּךְ אַתָּה יְיָ, הַמַּחֲזִיר נְשָׁמוֹת לִפְגָרִים מֵתִים.

*) females say: מוֹדָה

בִּרְכוֹת הַשַּׁחַר EARLY MORNING BLESSINGS

We begin our early morning prayers with fifteen blessings, thanking God for letting us wake up to greet the new day, for being able to perform the מִצְוֹת of a Jew, for being free, healthy, well-clothed, prosperous and strong. We also thank God for the world which we enjoy, for keeping our people alive and for crowning us with glory. The main idea of the prayer is contained in the last blessing in which we thank God for the simple fact that we are awake. It is good to sleep soundly and well, but it is so much better to wake up. Only when we are awake can we improve ourselves through study and good deeds.

The blessing שֶׁלֹּא עָשַׂנִי גּוֹי ("Who has not made me a heathen") is found in the Talmud as שֶׁעָשַׂנִי יִשְׂרָאֵל, ("Who has made me an Israelite"). This form is used in some prayerbooks.

The blessing שֶׁלֹּא עָשַׂנִי אִשָּׁה ("Who has not made me a woman") does not mean that woman is less important than man. The blessing merely means that men are glad that they have to fulfill all the duties of a man. For in Jewish law a man has many more duties than a woman.

Reader 1 בָּרוּךְ אַתָּה יְיָ, אֱלֹהֵינוּ מֶלֶךְ הָעוֹלָם,

2 אֲשֶׁר נָתַן לַשֶּׂכְוִי בִינָה לְהַבְחִין בֵּין יוֹם

3 וּבֵין לָיְלָה: Cong. אָמֵן

Reader 4 בָּרוּךְ אַתָּה יְיָ, אֱלֹהֵינוּ מֶלֶךְ הָעוֹלָם,

5 שֶׁלֹּא עָשַׂנִי גּוֹי *: Cong. אָמֵן

*) females say: גּוֹיָה

Reader 6 בָּרוּךְ אַתָּה יְיָ, אֱלֹהֵינוּ מֶלֶךְ הָעוֹלָם,

7 שֶׁלֹּא עָשַׂנִי עָבֶד *: Cong. אָמֵן

*) females say: שִׁפְחָה

males say:

Reader 8 בָּרוּךְ אַתָּה יְיָ, אֱלֹהֵינוּ מֶלֶךְ הָעוֹלָם,

9 שֶׁלֹּא עָשַׂנִי אִשָּׁה: Cong. אָמֵן

females say:

10 בָּרוּךְ אַתָּה יְיָ, אֱלֹהֵינוּ מֶלֶךְ הָעוֹלָם, שֶׁעָשַׂנִי כִּרְצוֹנוֹ.

Reader 11 בָּרוּךְ אַתָּה יְיָ, אֱלֹהֵינוּ מֶלֶךְ הָעוֹלָם,

12 פּוֹקֵחַ עִוְרִים: Cong. אָמֵן

1   Reader   בָּרוּךְ אַתָּה יְיָ, אֱלֹהֵינוּ מֶלֶךְ הָעוֹלָם,

2   מַלְבִּישׁ עֲרֻמִּים: Cong. אָמֵן

3   Reader   בָּרוּךְ אַתָּה יְיָ, אֱלֹהֵינוּ מֶלֶךְ הָעוֹלָם,

4   מַתִּיר אֲסוּרִים: Cong. אָמֵן

5   Reader   בָּרוּךְ אַתָּה יְיָ, אֱלֹהֵינוּ מֶלֶךְ הָעוֹלָם,

6   זוֹקֵף כְּפוּפִים: Cong. אָמֵן

7   Reader   בָּרוּךְ אַתָּה יְיָ, אֱלֹהֵינוּ מֶלֶךְ הָעוֹלָם,

8   רוֹקַע הָאָרֶץ עַל הַמָּיִם: Cong. אָמֵן

9   Reader   בָּרוּךְ אַתָּה יְיָ, אֱלֹהֵינוּ מֶלֶךְ הָעוֹלָם,

10   שֶׁעָשָׂה לִּי כָּל צָרְכִּי: Cong. אָמֵן

11   Reader   בָּרוּךְ אַתָּה יְיָ, אֱלֹהֵינוּ מֶלֶךְ הָעוֹלָם,

12   הַמֵּכִין מִצְעֲדֵי גָבֶר: Cong. אָמֵן

13   Reader   בָּרוּךְ אַתָּה יְיָ, אֱלֹהֵינוּ מֶלֶךְ הָעוֹלָם,

14   אוֹזֵר יִשְׂרָאֵל בִּגְבוּרָה: Cong. אָמֵן

Reader 1 בָּרוּךְ אַתָּה יְיָ, אֱלֹהֵינוּ מֶלֶךְ הָעוֹלָם,

2 עוֹטֵר יִשְׂרָאֵל בְּתִפְאָרָה: Cong. אָמֵן

Reader 3 בָּרוּךְ אַתָּה יְיָ, אֱלֹהֵינוּ מֶלֶךְ הָעוֹלָם,

4 הַנּוֹתֵן לַיָּעֵף כֹּחַ: Cong. אָמֵן

Reader 5 בָּרוּךְ אַתָּה יְיָ, אֱלֹהֵינוּ מֶלֶךְ הָעוֹלָם,

6 הַמַּעֲבִיר שֵׁנָה מֵעֵינַי וּתְנוּמָה מֵעַפְעַפָּי.

7 וִיהִי רָצוֹן מִלְּפָנֶיךָ יְיָ אֱלֹהֵינוּ וֵאלֹהֵי אֲבוֹתֵינוּ, שֶׁתַּרְגִּילֵנוּ

8 בְּתוֹרָתֶךָ, וְדַבְּקֵנוּ בְּמִצְוֹתֶיךָ. וְאַל תְּבִיאֵנוּ לֹא לִידֵי

9 חֵטְא, וְלֹא לִידֵי עֲבֵרָה וְעָוֹן, וְלֹא לִידֵי נִסָּיוֹן, וְלֹא לִידֵי

10 בִזָּיוֹן. וְאַל תַּשְׁלֶט בָּנוּ יֵצֶר הָרָע. וְהַרְחִיקֵנוּ מֵאָדָם רָע,

11 וּמֵחָבֵר רָע. וְדַבְּקֵנוּ בְּיֵצֶר הַטּוֹב וּבְמַעֲשִׂים טוֹבִים. וְכוֹף

12 אֶת יִצְרֵנוּ לְהִשְׁתַּעְבֶּד לָךְ. Reader וּתְנֵנוּ הַיּוֹם וּבְכָל יוֹם

13 לְחֵן וּלְחֶסֶד וּלְרַחֲמִים בְּעֵינֶיךָ וּבְעֵינֵי כָל רוֹאֵינוּ.

14 וְתִגְמְלֵנוּ חֲסָדִים טוֹבִים.

15 בָּרוּךְ אַתָּה יְיָ, גּוֹמֵל חֲסָדִים טוֹבִים לְעַמּוֹ

16 יִשְׂרָאֵל. Cong. אָמֵן

יְהִי רָצוֹן מִלְּפָנֶיךָ, יְיָ אֱלֹהַי וֵאלֹהֵי אֲבוֹתַי, שֶׁתַּצִּילֵנִי הַיּוֹם וּבְכָל יוֹם מֵעַזֵּי פָנִים, וּמֵעַזּוּת פָּנִים, מֵאָדָם רָע, וּמֵחָבֵר רָע. וּמִשָּׁכֵן רָע. וּמִפֶּגַע רָע, וּמִשָּׂטָן הַמַּשְׁחִית, מִדִּין קָשֶׁה, וּמִבַּעַל דִּין קָשֶׁה, בֵּין שֶׁהוּא בֶן־בְּרִית, וּבֵין שֶׁאֵינוֹ בֶן־בְּרִית.

THE BINDING OF ISAAC עֲקֵדַת יִצְחָק

We now come to the beautiful story from the Bible (Genesis 22:1–19), the עֲקֵדָה or the binding of Isaac up on the altar.

This story tells us that God decided to test Abraham to see whether he deserved to be the father of the Jewish people. He asked Abraham to make the greatest sacrifice that any father can make.

We see the picture of Abraham walking side by side with his beloved son, Isaac, and with his servants toward Mount Moriah. The words וַיֵּלְכוּ שְׁנֵיהֶם יַחְדָּו ("the two of them walked together") runs like a beautiful refrain through the story. It makes us think how good it is when father and son "walk together"; when they are in harmony and when they understand and love each other.

On their way up the mountainside Isaac asks the innocent question:

הִנֵּה הָאֵשׁ וְהָעֵצִים, וְאַיֵּה הַשֶּׂה לְעֹלָה?

"Here are the fire and the wood, but where is the lamb for the offering?"

Did Isaac sense that he himself was to be the "lamb" for the offering? Did he perhaps not want to hurt his father's feelings by challenging him?

Abraham answers:

אֱלֹהִים יִרְאֶה לוֹ הַשֶּׂה לְעֹלָה, בְּנִי

"God will see to the lamb for the offering, my son."

On the mountain, Abraham tied Isaac up and placed him on the altar. But just as he was about to reach for the sword to slay his son, an angel of God called to him from heaven and said, "Do not lay your hand on the boy, and do nothing to him, for now I know that you revere God." Then Abraham found a ram (a male sheep) caught in a thicket by its horns, and sacrificed it instead. We are reminded of this on Rosh Hashanah when we blow the שׁוֹפָר. The שׁוֹפָר is the horn of a ram.

אֱלֹהֵינוּ וֵאלֹהֵי אֲבוֹתֵינוּ!
זָכְרֵנוּ בְּזִכָּרוֹן טוֹב לְפָנֶיךָ, וּפָקְדֵנוּ בִּפְקֻדַּת יְשׁוּעָה וְרַחֲמִים
מִשְּׁמֵי שְׁמֵי קֶדֶם. וּזְכָר־לָנוּ יְיָ אֱלֹהֵינוּ אַהֲבַת הַקַּדְמוֹנִים:
אַבְרָהָם יִצְחָק וְיִשְׂרָאֵל עֲבָדֶיךָ, אֶת הַבְּרִית וְאֶת הַחֶסֶד
וְאֶת הַשְּׁבוּעָה, שֶׁנִּשְׁבַּעְתָּ לְאַבְרָהָם אָבִינוּ בְּהַר הַמּוֹרִיָּה,
וְאֶת הָעֲקֵדָה, שֶׁעָקַד אֶת יִצְחָק בְּנוֹ עַל גַּבֵּי הַמִּזְבֵּחַ,
כַּכָּתוּב בְּתוֹרָתֶךָ:

וַיְהִי אַחַר הַדְּבָרִים הָאֵלֶּה, וְהָאֱלֹהִים נִסָּה אֶת אַבְרָהָם,
וַיֹּאמֶר אֵלָיו: אַבְרָהָם! וַיֹּאמֶר: הִנֵּנִי!
וַיֹּאמֶר: קַח נָא אֶת בִּנְךָ, אֶת יְחִידְךָ, אֲשֶׁר אָהַבְתָּ – אֶת
יִצְחָק, וְלֶךְ־לְךָ אֶל אֶרֶץ הַמֹּרִיָּה, וְהַעֲלֵהוּ שָׁם לְעֹלָה
עַל אַחַד הֶהָרִים, אֲשֶׁר אֹמַר אֵלֶיךָ.

1 וַיַּשְׁכֵּם אַבְרָהָם בַּבֹּקֶר, וַיַּחֲבֹשׁ אֶת חֲמֹרוֹ, וַיִּקַּח אֶת שְׁנֵי

2 נְעָרָיו אִתּוֹ וְאֵת יִצְחָק בְּנוֹ; וַיְבַקַּע עֲצֵי עֹלָה, וַיָּקָם וַיֵּלֶךְ

3 אֶל הַמָּקוֹם, אֲשֶׁר אָמַר לוֹ הָאֱלֹהִים.

4 בַּיּוֹם הַשְּׁלִישִׁי וַיִּשָּׂא אַבְרָהָם אֶת עֵינָיו, וַיַּרְא אֶת הַמָּקוֹם

5 מֵרָחֹק. וַיֹּאמֶר אַבְרָהָם אֶל נְעָרָיו: שְׁבוּ לָכֶם פֹּה עִם

6 הַחֲמוֹר, וַאֲנִי וְהַנַּעַר נֵלְכָה עַד כֹּה, וְנִשְׁתַּחֲוֶה וְנָשׁוּבָה

7 אֲלֵיכֶם.

8 וַיִּקַּח אַבְרָהָם אֶת עֲצֵי־הָעֹלָה, וַיָּשֶׂם עַל יִצְחָק בְּנוֹ, וַיִּקַּח

9 בְּיָדוֹ אֶת הָאֵשׁ וְאֶת הַמַּאֲכֶלֶת, וַיֵּלְכוּ שְׁנֵיהֶם יַחְדָּו.

10 וַיֹּאמֶר יִצְחָק אֶל אַבְרָהָם אָבִיו, וַיֹּאמֶר: אָבִי! וַיֹּאמֶר:

11 הִנֶּנִּי, בְּנִי! וַיֹּאמֶר: הִנֵּה הָאֵשׁ וְהָעֵצִים, וְאַיֵּה הַשֶּׂה

12 לְעֹלָה?

13 וַיֹּאמֶר אַבְרָהָם: אֱלֹהִים יִרְאֶה־לּוֹ הַשֶּׂה לְעֹלָה, בְּנִי;

14 וַיֵּלְכוּ שְׁנֵיהֶם יַחְדָּו. וַיָּבֹאוּ אֶל הַמָּקוֹם, אֲשֶׁר אָמַר לוֹ

15 הָאֱלֹהִים; וַיִּבֶן שָׁם אַבְרָהָם אֶת הַמִּזְבֵּחַ, וַיַּעֲרֹךְ אֶת

16 הָעֵצִים, וַיַּעֲקֹד אֶת יִצְחָק בְּנוֹ, וַיָּשֶׂם אֹתוֹ עַל הַמִּזְבֵּחַ

17 מִמַּעַל לָעֵצִים.

18 וַיִּשְׁלַח אַבְרָהָם אֶת יָדוֹ, וַיִּקַּח אֶת הַמַּאֲכֶלֶת לִשְׁחֹט אֶת

19 בְּנוֹ.

וַיִּקְרָא אֵלָיו מַלְאַךְ יְיָ מִן הַשָּׁמַיִם וַיֹּאמֶר: אַבְרָהָם, אַבְרָהָם! וַיֹּאמֶר: הִנֵּנִי, וַיֹּאמֶר: אַל תִּשְׁלַח יָדְךָ אֶל הַנַּעַר, וְאַל תַּעַשׂ לוֹ מְאוּמָה, כִּי עַתָּה יָדַעְתִּי, כִּי יְרֵא אֱלֹהִים אַתָּה, וְלֹא חָשַׂכְתָּ אֶת בִּנְךָ אֶת יְחִידְךָ מִמֶּנִּי.

וַיִּשָּׂא אַבְרָהָם אֶת עֵינָיו, וַיַּרְא וְהִנֵּה אַיִל, אַחַר, נֶאֱחַז בַּסְּבַךְ בְּקַרְנָיו, וַיֵּלֶךְ אַבְרָהָם וַיִּקַּח אֶת הָאַיִל, וַיַּעֲלֵהוּ לְעֹלָה תַּחַת בְּנוֹ.

וַיִּקְרָא אַבְרָהָם שֵׁם הַמָּקוֹם הַהוּא, "יְיָ יִרְאֶה", אֲשֶׁר יֵאָמֵר הַיּוֹם: בְּהַר יְיָ יֵרָאֶה.

וַיִּקְרָא מַלְאַךְ יְיָ אֶל אַבְרָהָם, שֵׁנִית מִן הַשָּׁמָיִם, וַיֹּאמֶר: בִּי נִשְׁבַּעְתִּי, נְאֻם יְיָ, כִּי יַעַן אֲשֶׁר עָשִׂיתָ אֶת הַדָּבָר הַזֶּה, וְלֹא חָשַׂכְתָּ אֶת בִּנְךָ, אֶת יְחִידֶךָ – כִּי בָרֵךְ אֲבָרֶכְךָ, וְהַרְבָּה אַרְבֶּה אֶת זַרְעֲךָ, כְּכוֹכְבֵי הַשָּׁמַיִם וְכַחוֹל אֲשֶׁר עַל שְׂפַת הַיָּם, וְיִרַשׁ זַרְעֲךָ אֵת שַׁעַר אֹיְבָיו. וְהִתְבָּרְכוּ בְזַרְעֲךָ כֹּל גּוֹיֵי הָאָרֶץ, עֵקֶב אֲשֶׁר שָׁמַעְתָּ בְּקֹלִי.

וַיָּשָׁב אַבְרָהָם אֶל נְעָרָיו, וַיָּקֻמוּ וַיֵּלְכוּ יַחְדָּו אֶל בְּאֵר שָׁבַע, וַיֵּשֶׁב אַבְרָהָם בִּבְאֵר שָׁבַע.

רִבּוֹנוֹ שֶׁל עוֹלָם,

יְהִי רָצוֹן מִלְּפָנֶיךָ, יְיָ אֱלֹהֵינוּ וֵאלֹהֵי אֲבוֹתֵינוּ, שֶׁתִּזְכֹּר לָנוּ

1 בְּרִית אֲבוֹתֵינוּ, כְּמוֹ שֶׁכָּבַשׁ אַבְרָהָם אָבִינוּ אֶת רַחֲמָיו מִבֶּן

2 יְחִידוֹ. וְרָצָה לִשְׁחוֹט אוֹתוֹ כְּדֵי לַעֲשׂוֹת רְצוֹנֶךָ, כֵּן יִכְבְּשׁוּ

3 רַחֲמֶיךָ אֶת כַּעַסְךָ מֵעָלֵינוּ, וְיִגְּלוּ רַחֲמֶיךָ עַל מִדּוֹתֶיךָ,

4 וְתִכָּנֵס אִתָּנוּ לִפְנִים מִשּׁוּרַת דִּינֶךָ, וְתִתְנַהֵג עִמָּנוּ, יְיָ אֱלֹהֵינוּ,

5 בְּמִדַּת הַחֶסֶד וּבְמִדַּת הָרַחֲמִים. וּבְטוּבְךָ הַגָּדוֹל יָשׁוּב חֲרוֹן

6 אַפְּךָ מֵעַמְּךָ וּמֵעִירְךָ וּמֵאַרְצְךָ וּמִנַּחֲלָתֶךָ. וְקַיֶּם לָנוּ, יְיָ

7 אֱלֹהֵינוּ, אֶת הַדָּבָר שֶׁהִבְטַחְתָּנוּ עַל יְדֵי מֹשֶׁה עַבְדֶּךָ,

8 כָּאָמוּר: "וְזָכַרְתִּי אֶת בְּרִיתִי יַעֲקוֹב, וְאַף אֶת בְּרִיתִי

9 יִצְחָק, וְאַף אֶת בְּרִיתִי אַבְרָהָם אֶזְכֹּר, וְהָאָרֶץ אֶזְכֹּר."

לְעוֹלָם יְהֵא אָדָם יְרֵא שָׁמַיִם בַּסֵּתֶר וּבַגָּלוּי

At all times let a man revere God in private as well as in public

This prayer dates back to the fifth century when the Jews were greatly persecuted and it was dangerous to recite the שְׁמַע in public. It tells us that when we cannot say the שְׁמַע and practice our religion in public, we must do so at least secretly, in private.

The following two paragraphs beginning with רִבּוֹן כָּל הָעוֹלָמִים is a יוֹם כִּפּוּר prayer. In it we point out how much we depend on God, and that most of man's deeds on this earth are worthless and useless. In short, as the great philosopher Kohelet (Ecclesiastes) has said, "All is vanity."

It stresses however, that we are Jews, descended from Abraham, Isaac and Jacob with whom God made a covenant of love, and to whom He promised the Land of Israel and a happy future.

1 לְעוֹלָם יְהֵא אָדָם יְרֵא שָׁמַיִם בַּסֵּתֶר וּבַגָּלוּי, וּמוֹדֶה עַל

2 הָאֱמֶת, וְדוֹבֵר אֱמֶת בִּלְבָבוֹ, וְיַשְׁכֵּם וְיֹאמַר:

3 רִבּוֹן כָּל הָעוֹלָמִים!

4 לֹא עַל צִדְקוֹתֵינוּ אֲנַחְנוּ מַפִּילִים תַּחֲנוּנֵינוּ לְפָנֶיךָ, כִּי

5 עַל רַחֲמֶיךָ הָרַבִּים. מָה אֲנַחְנוּ? מֶה חַיֵּינוּ? מֶה חַסְדֵּנוּ?

6 מַה צִּדְקוֹתֵינוּ? מַה יְשׁוּעָתֵנוּ? מַה כֹּחֵנוּ? מַה גְּבוּרָתֵנוּ?

7 מַה נֹּאמַר לְפָנֶיךָ, יְיָ אֱלֹהֵינוּ וֵאלֹהֵי אֲבוֹתֵינוּ? הֲלֹא כָּל

8 הַגִּבּוֹרִים כְּאַיִן לְפָנֶיךָ, וְאַנְשֵׁי הַשֵּׁם – כְּלֹא הָיוּ, וַחֲכָמִים –

9 כִּבְלִי מַדָּע, וּנְבוֹנִים – כִּבְלִי הַשְׂכֵּל, כִּי רוֹב מַעֲשֵׂיהֶם –

10 תֹּהוּ, וִימֵי חַיֵּיהֶם – הֶבֶל לְפָנֶיךָ, וּמוֹתַר הָאָדָם מִן

11 הַבְּהֵמָה אָיִן, כִּי הַכֹּל הָבֶל.

12 אֲבָל אֲנַחְנוּ עַמְּךָ, בְּנֵי בְרִיתֶךָ, בְּנֵי אַבְרָהָם

13 אֹהַבְךָ, שֶׁנִּשְׁבַּעְתָּ לּוֹ בְּהַר הַמֹּרִיָּה, זֶרַע

14 יִצְחָק יְחִידוֹ, שֶׁנֶּעֱקַד עַל גַּב הַמִּזְבֵּחַ,

15 עֲדַת יַעֲקֹב, בִּנְךָ בְּכוֹרֶךָ, שֶׁמֵּאַהֲבָתְךָ

16 שֶׁאָהַבְתָּ אוֹתוֹ, וּמִשִּׂמְחָתְךָ שֶׁשָּׂמַחְתָּ בּוֹ,

17 קָרָאתָ אֶת שְׁמוֹ יִשְׂרָאֵל וִישֻׁרוּן.

The third paragraph, beginning with לְפִיכָךְ states that we must therefore be grateful to God for all His blessings, appreciate our good fortune, and understand how wonderful it is to be a Jew.

לְפִיכָךְ אֲנַחְנוּ חַיָּבִים לְהוֹדוֹת לְךָ, וּלְשַׁבֵּחֲךָ, וּלְפָאֶרְךָ,
וּלְבָרֵךְ וּלְקַדֵּשׁ וְלָתֵת שֶׁבַח וְהוֹדָיָה לִשְׁמֶךָ. אַשְׁרֵינוּ, מַה
טּוֹב חֶלְקֵנוּ, וּמַה נָּעִים גּוֹרָלֵנוּ, וּמַה יָּפָה יְרֻשָּׁתֵנוּ.
Reader אַשְׁרֵינוּ, שֶׁאֲנַחְנוּ מַשְׁכִּימִים וּמַעֲרִיבִים עֶרֶב וָבֹקֶר,
וְאוֹמְרִים פַּעֲמַיִם בְּכָל יוֹם:

The שְׁמַע was placed at this part of the service because of the danger of persecution. It was made very short for the same reason. The early morning prayers were often said at home. But the rest of the service which includes the complete שְׁמַע had to be recited in the synagogue.

Cong. and Reader

שְׁמַע יִשְׂרָאֵל, יְיָ אֱלֹהֵינוּ, יְיָ אֶחָד!
בָּרוּךְ שֵׁם כְּבוֹד מַלְכוּתוֹ לְעוֹלָם וָעֶד!

The next paragraph closes with one of the most important ideas in Judaism, the idea of martyrdom. Throughout the ages, whenever Jews were persecuted and were forbidden to observe their religion, many of our great leaders and rabbis purposely chose to die rather than to break the Jewish laws. These people are called martyrs, and we believe that they died עַל קִדּוּשׁ הַשֵּׁם, for the sanctification (holiness) of God's name.

The most famous of them was the great Rabbi Akiba. Rabbi Akiba was murdered by the Romans because he taught the תּוֹרָה in secret.

Although Rabbi Akiba died, his students carried on his great work. His spirit, and the spirit of all our great martyrs, is still with us today whenever we fight against tyrants and slavery and uphold our religion even under the most difficult conditions.

1 אַתָּה הוּא עַד שֶׁלֹּא נִבְרָא הָעוֹלָם, אַתָּה

2 הוּא מִשֶּׁנִּבְרָא הָעוֹלָם, אַתָּה הוּא בָּעוֹלָם

3 הַזֶּה, וְאַתָּה הוּא לָעוֹלָם הַבָּא. קַדֵּשׁ אֶת

4 שִׁמְךָ עַל מַקְדִּישֵׁי שְׁמֶךָ, וְקַדֵּשׁ אֶת שִׁמְךָ

5 בְּעוֹלָמֶךָ, Reader וּבִישׁוּעָתְךָ תָּרִים וְתַגְבִּיהַּ

6 קַרְנֵנוּ. בָּרוּךְ אַתָּה יְיָ, מְקַדֵּשׁ אֶת שִׁמְךָ

7 בָּרַבִּים. Cong. אָמֵן

8 אַתָּה הוּא יְיָ אֱלֹהֵינוּ בַּשָּׁמַיִם וּבָאָרֶץ, וּבִשְׁמֵי

9 הַשָּׁמַיִם הָעֶלְיוֹנִים. אֱמֶת אַתָּה הוּא רִאשׁוֹן,

10 וְאַתָּה הוּא אַחֲרוֹן, וּמִבַּלְעָדֶיךָ אֵין אֱלֹהִים.

קַבֵּץ קֹוֶיךָ מֵאַרְבַּע כַּנְפוֹת הָאָרֶץ. יַכִּירוּ וְיֵדְעוּ כָּל בָּאֵי עוֹלָם, כִּי אַתָּה הוּא הָאֱלֹהִים לְבַדְּךָ לְכֹל מַמְלְכוֹת הָאָרֶץ. אַתָּה עָשִׂיתָ אֶת הַשָּׁמַיִם וְאֶת הָאָרֶץ, אֶת הַיָּם וְאֶת כָּל אֲשֶׁר בָּם, וּמִי בְּכָל מַעֲשֵׂה יָדֶיךָ בָּעֶלְיוֹנִים אוֹ בַתַּחְתּוֹנִים שֶׁיֹּאמַר לְךָ: מַה־תַּעֲשֶׂה?

אָבִינוּ שֶׁבַּשָּׁמַיִם! עֲשֵׂה עִמָּנוּ חֶסֶד, בַּעֲבוּר שִׁמְךָ הַגָּדוֹל שֶׁנִּקְרָא עָלֵינוּ. וְקַיֶּם לָנוּ יְיָ אֱלֹהֵינוּ מַה־שֶּׁכָּתוּב: ״בָּעֵת הַהִיא אָבִיא אֶתְכֶם: וּבָעֵת קַבְּצִי אֶתְכֶם, כִּי אֶתֵּן אֶתְכֶם לְשֵׁם וְלִתְהִלָּה בְּכֹל עַמֵּי הָאָרֶץ, בְּשׁוּבִי אֶת שְׁבוּתֵיכֶם לְעֵינֵיכֶם – אָמַר יְיָ״.

וַיְדַבֵּר יְיָ אֶל מֹשֶׁה לֵּאמֹר: וְעָשִׂיתָ כִּיּוֹר נְחֹשֶׁת וְכַנּוֹ נְחֹשֶׁת לְרָחְצָה, וְנָתַתָּ אֹתוֹ בֵּין אֹהֶל מוֹעֵד וּבֵין הַמִּזְבֵּחַ, וְנָתַתָּ

1 שָׁמָּה מָיִם. וְרָחֲצוּ אַהֲרֹן וּבָנָיו מִמֶּנּוּ, אֶת יְדֵיהֶם וְאֶת

2 רַגְלֵיהֶם. בְּבֹאָם אֶל אֹהֶל מוֹעֵד יִרְחֲצוּ מַיִם – וְלֹא יָמֻתוּ,

3 אוֹ בְגִשְׁתָּם אֶל הַמִּזְבֵּחַ לְשָׁרֵת, לְהַקְטִיר אִשֶּׁה לַיְיָ. וְרָחֲצוּ

4 יְדֵיהֶם וְרַגְלֵיהֶם וְלֹא יָמֻתוּ, וְהָיְתָה לָהֶם חָק עוֹלָם לוֹ

5 וּלְזַרְעוֹ לְדֹרֹתָם.

6 יְהִי רָצוֹן מִלְּפָנֶיךָ, יְהֹוָה אֱלֹהֵינוּ וֵאלֹהֵי אֲבוֹתֵינוּ, שֶׁתְּרַחֵם

7 עָלֵינוּ, וְתִמְחָל לָנוּ עַל כָּל חַטֹּאתֵינוּ, וּתְכַפֵּר לָנוּ אֶת כָּל

8 עֲוֹנוֹתֵינוּ, וְתִסְלַח לְכָל פְּשָׁעֵינוּ, וְתִבְנֶה בֵּית הַמִּקְדָּשׁ

9 בִּמְהֵרָה בְיָמֵינוּ, וְנַקְרִיב לְפָנֶיךָ קָרְבַּן הַתָּמִיד שֶׁיְּכַפֵּר

10 בַּעֲדֵנוּ, כְּמוֹ שֶׁכָּתַבְתָּ עָלֵינוּ בְּתוֹרָתֶךָ עַל יְדֵי מֹשֶׁה עַבְדֶּךָ

11 מִפִּי כְבוֹדֶךָ, כָּאָמוּר:

קָרְבָּנוֹת SACRIFICES

The practice to sacrifice animals is as old as man. While among other peoples the sacrifices were connected with magic, idol worship and superstition, such practices were never allowed among Jews. The Hebrew word for sacrifice is קָרְבָּן, which comes from the verb קָרַב, meaning "to come near." The purpose of sacrifices was to bring the Jews close to God. When the people came into the Holy Temple in Jerusalem to sacrifice animals, they also prayed to God and heard the beautiful, inspiring music of the לְוִיִם (Levites) and the singing of the Psalms.

Since the destruction of the Second Temple (in 70 C. E.) we no longer have animal sacrifices. In their place, the study of the laws about sacrifices was considered just as worthy as the sacrifices themselves. The prophet Hosea said, "We will render the offering of our lips in place of bullocks" (14:3).

וַיְדַבֵּר יְיָ אֶל מֹשֶׁה לֵּאמֹר: צַו אֶת בְּנֵי יִשְׂרָאֵל וְאָמַרְתָּ אֲלֵהֶם: אֶת קָרְבָּנִי לַחְמִי לְאִשַּׁי רֵיחַ נִיחֹחִי, תִּשְׁמְרוּ לְהַקְרִיב לִי בְּמוֹעֲדוֹ. וְאָמַרְתָּ לָהֶם: זֶה הָאִשֶּׁה אֲשֶׁר תַּקְרִיבוּ לַייָ: כְּבָשִׂים בְּנֵי שָׁנָה תְמִימִם, שְׁנַיִם לַיּוֹם, עֹלָה תָמִיד. אֶת הַכֶּבֶשׂ אֶחָד תַּעֲשֶׂה בַבֹּקֶר, וְאֵת הַכֶּבֶשׂ הַשֵּׁנִי תַּעֲשֶׂה בֵּין הָעַרְבָּיִם. וַעֲשִׂירִית הָאֵיפָה סֹלֶת לְמִנְחָה, בְּלוּלָה בְּשֶׁמֶן כָּתִית רְבִיעִת הַהִין. עֹלַת תָּמִיד, הָעֲשֻׂיָה בְּהַר סִינַי, לְרֵיחַ נִיחֹחַ אִשֶּׁה לַייָ, וְנִסְכּוֹ רְבִיעִת הַהִין לַכֶּבֶשׂ הָאֶחָד, בַּקֹּדֶשׁ הַסֵּךְ נֶסֶךְ שֵׁכָר לַייָ. וְאֵת הַכֶּבֶשׂ הַשֵּׁנִי תַּעֲשֶׂה בֵּין הָעַרְבָּיִם, כְּמִנְחַת הַבֹּקֶר וּכְנִסְכּוֹ תַּעֲשֶׂה, אִשֵּׁה רֵיחַ נִיחֹחַ לַייָ.

וְשָׁחַט אֹתוֹ עַל יֶרֶךְ הַמִּזְבֵּחַ צָפֹנָה לִפְנֵי יְיָ, וְזָרְקוּ בְּנֵי אַהֲרֹן הַכֹּהֲנִים אֶת דָּמוֹ עַל הַמִּזְבֵּחַ סָבִיב.

יְהִי רָצוֹן מִלְּפָנֶיךָ יְיָ אֱלֹהֵינוּ וֵאלֹהֵי אֲבוֹתֵינוּ, שֶׁתְּהֵא אֲמִירָה זוּ חֲשׁוּבָה וּמְקֻבֶּלֶת וּמְרֻצָּה לְפָנֶיךָ, כְּאִלּוּ הִקְרַבְנוּ קָרְבַּן הַתָּמִיד בְּמוֹעֲדוֹ, וּבִמְקוֹמוֹ וּכְהִלְכָתוֹ.

אַתָּה הוּא יְיָ אֱלֹהֵינוּ, שֶׁהִקְטִירוּ אֲבוֹתֵינוּ לְפָנֶיךָ אֶת קְטֹרֶת הַסַּמִּים, בִּזְמַן שֶׁבֵּית הַמִּקְדָּשׁ הָיָה קַיָּם, כַּאֲשֶׁר צִוִּיתָ אוֹתָם עַל יְדֵי מֹשֶׁה נְבִיאֶךָ, כַּכָּתוּב בְּתוֹרָתֶךָ:

״וַיֹּאמֶר יְיָ אֶל מֹשֶׁה: קַח לְךָ סַמִּים: נָטָף, וּשְׁחֵלֶת, וְחֶלְבְּנָה; סַמִּים וּלְבֹנָה זַכָּה, בַּד בְּבַד יִהְיֶה. וְעָשִׂיתָ אֹתָהּ קְטֹרֶת, רֹקַח מַעֲשֵׂה רוֹקֵחַ, מְמֻלָּח טָהוֹר קֹדֶשׁ. וְשָׁחַקְתָּ מִמֶּנָּה הָדֵק, וְנָתַתָּה מִמֶּנָּה לִפְנֵי הָעֵדֻת בְּאֹהֶל מוֹעֵד, אֲשֶׁר אִוָּעֵד לְךָ שָׁמָּה. קֹדֶשׁ קָדָשִׁים תִּהְיֶה לָכֶם״.

וְנֶאֱמַר: ״וְהִקְטִיר עָלָיו אַהֲרֹן קְטֹרֶת סַמִּים, בַּבֹּקֶר בַּבֹּקֶר, בְּהֵיטִיבוֹ אֶת הַנֵּרֹת יַקְטִירֶנָּה. וּבְהַעֲלֹת אַהֲרֹן אֶת הַנֵּרֹת בֵּין הָעַרְבַּיִם יַקְטִירֶנָּה; קְטֹרֶת תָּמִיד לִפְנֵי יְיָ לְדֹרֹתֵיכֶם״.

תָּנוּ רַבָּנָן: פִּטּוּם הַקְּטֹרֶת כֵּיצַד? שְׁלֹשׁ מֵאוֹת וְשִׁשִּׁים וּשְׁמוֹנָה מָנִים הָיוּ בָהּ: שְׁלֹשׁ מֵאוֹת וְשִׁשִּׁים וַחֲמִשָּׁה כְּמִנְיַן יְמוֹת הַחַמָּה, מָנֶה לְכָל יוֹם – פְּרַס בְּשַׁחֲרִית וּפְרַס בֵּין הָעַרְבַּיִם – וּשְׁלֹשָׁה מָנִים יְתֵרִים שֶׁמֵּהֶם מַכְנִיס כֹּהֵן גָּדוֹל מְלֹא חָפְנָיו בְּיוֹם הַכִּפּוּרִים; וּמַחֲזִירָם לְמַכְתֶּשֶׁת בְּעֶרֶב יוֹם הַכִּפֻּרִים, וְשׁוֹחֲקָן יָפֶה־יָפֶה, כְּדֵי שֶׁתְּהֵא דַקָּה מִן הַדַּקָּה. וְאַחַד עָשָׂר סַמָּנִין הָיוּ בָהּ, וְאֵלּוּ הֵן: הַצֳּרִי וְהַצִּפֹּרֶן, הַחֶלְבְּנָה וְהַלְּבוֹנָה – מִשְׁקַל שִׁבְעִים שִׁבְעִים

1 מָנֶה; מוֹר וּקְצִיעָה, שִׁבֹּלֶת־נֵרְדְּ וְכַרְכֹּם – מִשְׁקַל שִׁשָּׁה

2 עָשָׂר שִׁשָּׁה עָשָׂר מָנֶה; הַקֹּשְׁטְ שְׁנֵים עָשָׂר, וְקִלּוּפָה שְׁלֹשָׁה,

3 וְקִנָּמוֹן תִּשְׁעָה; בֹּרִית כַּרְשִׁינָה תִּשְׁעָה קַבִּין, יֵין קַפְרִיסִין

4 סְאִין תְּלָתָא וְקַבִּין תְּלָתָא, וְאִם אֵין לוֹ יֵין קַפְרִיסִין, מֵבִיא

5 חֲמַר חִוַּרְיָן עַתִּיק. מֶלַח סְדוֹמִית רוֹבַע הַקַּב, מַעֲלֶה עָשָׁן

6 כָּל שֶׁהוּא. רַבִּי נָתָן אוֹמֵר: אַף כִּפַּת הַיַּרְדֵּן כָּל שֶׁהוּא.

7 וְאִם נָתַן בָּהּ דְּבַשׁ פְּסָלָהּ; וְאִם חִסַּר אַחַת מִכָּל סַמָּנֶיהָ

8 חַיָּב מִיתָה.

9 רַבָּן שִׁמְעוֹן בֶּן גַּמְלִיאֵל אוֹמֵר: הַצֳּרִי אֵינוֹ אֶלָּא שְׂרָף

10 הַנּוֹטֵף מֵעֲצֵי הַקְּטָף. בֹּרִית כַּרְשִׁינָה לָמָּה הִיא בָּאָה? –

11 כְּדֵי לְיַפּוֹת בָּהּ אֶת הַצִּפֹּרֶן, כְּדֵי שֶׁתְּהֵא נָאָה. יֵין קַפְרִיסִין

12 לָמָה הוּא בָא? – כְּדֵי לִשְׁרוֹת בּוֹ אֶת הַצִּפֹּרֶן, כְּדֵי שֶׁתְּהֵא

13 עַזָּה. וַהֲלֹא מֵי רַגְלַיִם יָפִין לָהּ, אֶלָּא שֶׁאֵין מַכְנִיסִין מֵי

14 רַגְלַיִם בַּמִּקְדָּשׁ מִפְּנֵי הַכָּבוֹד.

15 תַּנְיָא רַבִּי נָתָן אוֹמֵר: כְּשֶׁהוּא שׁוֹחֵק – אוֹמֵר: "הָדֵק

16 הֵיטֵב, הֵיטֵב־הָדֵק!" מִפְּנֵי שֶׁהַקּוֹל יָפֶה לַבְּשָׂמִים. פִּטְּמָהּ

17 לַחֲצָאִין – כְּשֵׁרָה; לִשְׁלִישׁ וְלִרְבִיעַ – לֹא שָׁמַעְנוּ. אָמַר

18 רַבִּי יְהוּדָה: זֶה הַכְּלָל, אִם כְּמִדָּתָהּ – כְּשֵׁרָה לַחֲצָאִין,

19 וְאִם חִסַּר אַחַת מִכָּל סַמָּנֶיהָ – חַיָּב מִיתָה.

20 תַּנְיָא בַּר קַפָּרָא אוֹמֵר: אַחַת לְשִׁשִּׁים אוֹ לְשִׁבְעִים שָׁנָה

21 הָיְתָה בָאָה שֶׁל שִׁירַיִם לַחֲצָאִין. וְעוֹד תָּנֵי בַּר קַפָּרָא:

1. אִלּוּ הָיָה נוֹתֵן בָּהּ קֹרְטוֹב שֶׁל דְּבַשׁ, אֵין אָדָם יָכוֹל
2. לַעֲמוֹד מִפְּנֵי רֵיחָהּ, וְלָמָּה אֵין מְעָרְבִין בָּהּ דְּבַשׁ? מִפְּנֵי
3. שֶׁהַתּוֹרָה אָמְרָה: כִּי כָל שְׂאֹר וְכָל דְּבַשׁ לֹא תַקְטִירוּ
4. מִמֶּנּוּ אִשֶּׁה לַיְיָ:

three times:

5. יְיָ צְבָאוֹת עִמָּנוּ, מִשְׂגָּב לָנוּ אֱלֹהֵי יַעֲקֹב,
6. סֶלָה.

three times:

7. יְיָ צְבָאוֹת, אַשְׁרֵי אָדָם בֹּטֵחַ בָּךְ.

three times:

8. יְיָ הוֹשִׁיעָה, הַמֶּלֶךְ יַעֲנֵנוּ בְיוֹם קָרְאֵנוּ.
9. אַתָּה סֵתֶר לִי, מִצַּר תִּצְּרֵנִי, רָנֵּי פַלֵּט תְּסוֹבְבֵנִי, סֶלָה.
10. וְעָרְבָה לַיְיָ מִנְחַת יְהוּדָה וִירוּשָׁלָיִם, כִּימֵי עוֹלָם וּכְשָׁנִים
11. קַדְמֹנִיּוֹת.

12. אַבַּיֵּי הֲוָה מְסַדֵּר סֵדֶר הַמַּעֲרָכָה מִשְּׁמָא דִגְמָרָא וְאַלִּבָּא
13. דְאַבָּא שָׁאוּל: מַעֲרָכָה גְדוֹלָה קוֹדֶמֶת לְמַעֲרָכָה שְׁנִיָּה שֶׁל
14. קְטֹרֶת, וּמַעֲרָכָה שְׁנִיָּה שֶׁל קְטֹרֶת קוֹדֶמֶת לְסִדּוּר שְׁנֵי
15. גִזְרֵי עֵצִים, וְסִדּוּר שְׁנֵי גִזְרֵי עֵצִים קוֹדֵם לְדִשּׁוּן מִזְבֵּחַ
16. הַפְּנִימִי, וְדִשּׁוּן מִזְבֵּחַ הַפְּנִימִי קוֹדֵם לַהֲטָבַת חָמֵשׁ נֵרוֹת,
17. וַהֲטָבַת חָמֵשׁ נֵרוֹת קוֹדֶמֶת לְדַם הַתָּמִיד, וְדַם הַתָּמִיד
18. קוֹדֵם לַהֲטָבַת שְׁתֵּי נֵרוֹת, וַהֲטָבַת שְׁתֵּי נֵרוֹת קוֹדֶמֶת
19. לִקְטֹרֶת, וּקְטֹרֶת קוֹדֶמֶת לְאֵבָרִים, וְאֵבָרִים לְמִנְחָה

1 וּמִנְחָה לַחֲבִתִּין, וַחֲבִתִּין לִנְסָכִין, וּנְסָכִין לְמוּסָפִין,

2 וּמוּסָפִין לִבְזִיכִין, וּבְזִיכִין קוֹדְמִין לְתָמִיד שֶׁל בֵּין

3 הָעַרְבָּיִם. שֶׁנֶּאֱמַר: "וְעָרַךְ עָלֶיהָ הָעֹלָה, וְהִקְטִיר עָלֶיהָ

4 חֶלְבֵי הַשְּׁלָמִים", עָלֶיהָ הַשְׁלֵם כָּל הַקׇּרְבָּנוֹת כֻּלָּם.

אָנָּא בְּכֹחַ גְּדֻלַּת יְמִינְךָ תַּתִּיר צְרוּרָה

**O Lord we beg you to loosen with the greatness of your
powerful right hand those who are in captivity**

This is a prayer-poem written in rhyme, except for the last
two lines. It is made up of eight lines, each line having six
words. Its author is not known. Some think it was written by
Nechunya ben Hakanah, who lived during the first century.

This prayer asks God to guard those who believe in Him.
We pray that God may bless us, keep us pure, have pity
on us when we suffer pain or injustice, and lead us in the
right path.

5 אָנָּא, בְּכֹחַ גְּדֻלַּת יְמִינְךָ, תַּתִּיר צְרוּרָה.

6 קַבֵּל רִנַּת עַמְּךָ, שַׂגְּבֵנוּ, טַהֲרֵנוּ, נוֹרָא.

7 נָא גִבּוֹר! דּוֹרְשֵׁי יִחוּדְךָ, כְּבָבַת שָׁמְרֵם.

8 בָּרְכֵם, טַהֲרֵם, רַחֲמֵם, צִדְקָתְךָ תָּמִיד

9 גׇּמְלֵם.

10 חֲסִין קָדוֹשׁ! בְּרוֹב טוּבְךָ נַהֵל עֲדָתֶךָ.

1 יָחִיד, גֵּאֶה! לְעַמְּךָ פְּנֵה, זוֹכְרֵי קְדֻשָּׁתֶךָ.

2 שַׁוְעָתֵנוּ קַבֵּל, וּשְׁמַע צַעֲקָתֵנוּ, יוֹדֵעַ

3 תַּעֲלֻמוֹת!

4 בָּרוּךְ שֵׁם כְּבוֹד מַלְכוּתוֹ לְעוֹלָם וָעֶד:

5 רִבּוֹן הָעוֹלָמִים!

6 אַתָּה צִוִּיתָנוּ, לְהַקְרִיב קָרְבַּן הַתָּמִיד בְּמוֹעֲדוֹ, וְלִהְיוֹת

7 כֹּהֲנִים בַּעֲבוֹדָתָם וּלְוִיִּם בְּדוּכָנָם, וְיִשְׂרָאֵל בְּמַעֲמָדָם.

8 וְעַתָּה בַּעֲוֹנוֹתֵינוּ, חָרַב בֵּית הַמִּקְדָּשׁ וּבָטֵל הַתָּמִיד, וְאֵין

9 לָנוּ לֹא כֹהֵן בַּעֲבוֹדָתוֹ, וְלֹא לֵוִי בְּדוּכָנוֹ, וְלֹא יִשְׂרָאֵל

10 בְּמַעֲמָדוֹ. וְאַתָּה אָמַרְתָּ: "וּנְשַׁלְּמָה פָרִים שְׂפָתֵינוּ"; לָכֵן

11 יְהִי רָצוֹן מִלְּפָנֶיךָ, יְיָ אֱלֹהֵינוּ וֵאלֹהֵי אֲבוֹתֵינוּ, שֶׁיְּהֵא שִׂיחַ

12 שִׂפְתוֹתֵינוּ חָשׁוּב וּמְקֻבָּל וּמְרֻצֶה לְפָנֶיךָ כְּאִלּוּ הִקְרַבְנוּ

13 קָרְבַּן הַתָּמִיד בְּמוֹעֲדוֹ, וְעָמַדְנוּ עַל מַעֲמָדוֹ.

The following paragraph tells us about the special sacrifices
for the Sabbath. We say it only on the Sabbath. This paragraph
comes from the Book of Numbers (28:9–10).

on Sabbath:

14 שַׁבָּת וּבְיוֹם הַשַּׁבָּת שְׁנֵי כְבָשִׂים בְּנֵי שָׁנָה

15 תְּמִימִם, וּשְׁנֵי עֶשְׂרֹנִים סֹלֶת מִנְחָה בְּלוּלָה

בַּשֶּׁמֶן וְנִסְכּוֹ. עֹלַת שַׁבַּת בְּשַׁבַּתּוֹ, עַל עֹלַת הַתָּמִיד וְנִסְכָּהּ.

וּבְרָאשֵׁי חָדְשֵׁיכֶם תַּקְרִיבוּ עֹלָה לַייָ

And in the beginnings of your months you shall offer a burnt offering to the Lord

This paragraph tells us about the sacrifices that were offered on רֹאשׁ חֹדֶשׁ, the first day or first two days at the beginning of the month. (When רֹאשׁ חֹדֶשׁ is celebrated two days, we observe the last day of the old month and the first day of the new month.) This passage, too, comes from the Book of Numbers (28:11–15). Sacrifices were offered by our ancestors every day of the year. Today reading and studying the chapters describing them takes the place of the actual sacrifices.

On Rosh Hodesh

רֹאשׁ חֹדֶשׁ וּבְרָאשֵׁי חָדְשֵׁיכֶם תַּקְרִיבוּ עֹלָה לַייָ: פָּרִים בְּנֵי בָקָר שְׁנַיִם, וְאַיִל אֶחָד, כְּבָשִׂים בְּנֵי שָׁנָה שִׁבְעָה, תְּמִימִם. וּשְׁלֹשָׁה עֶשְׂרֹנִים סֹלֶת מִנְחָה בְּלוּלָה בַשֶּׁמֶן לַפָּר הָאֶחָד, וּשְׁנֵי עֶשְׂרֹנִים סֹלֶת מִנְחָה בְּלוּלָה בַשֶּׁמֶן לָאַיִל הָאֶחָד. וְעִשָּׂרֹן עִשָּׂרוֹן סֹלֶת מִנְחָה בְּלוּלָה בַשֶּׁמֶן לַכֶּבֶשׂ הָאֶחָד. עֹלָה רֵיחַ נִיחֹחַ אִשֶּׁה לַייָ. וְנִסְכֵּיהֶם, חֲצִי הַהִין יִהְיֶה לַפָּר, וּשְׁלִישִׁת הַהִין לָאַיִל, וּרְבִיעִת הַהִין לַכֶּבֶשׂ יָיִן; זֹאת עֹלַת חֹדֶשׁ בְּחָדְשׁוֹ, לְחָדְשֵׁי הַשָּׁנָה. וּשְׂעִיר עִזִּים אֶחָד לְחַטָּאת לַייָ, עַל עֹלַת הַתָּמִיד יֵעָשֶׂה, וְנִסְכּוֹ:

אֵיזֶהוּ מְקוֹמָן שֶׁל זְבָחִים? קָדְשֵׁי קָדָשִׁים שְׁחִיטָתָן בַּצָּפוֹן, פַּר וְשָׂעִיר שֶׁל יוֹם הַכִּפּוּרִים שְׁחִיטָתָן בַּצָּפוֹן, וְקִבּוּל דָּמָן בִּכְלִי שָׁרֵת בַּצָּפוֹן, וְדָמָן טָעוּן הַזָּיָה עַל בֵּין הַבַּדִּים וְעַל הַפָּרֹכֶת וְעַל מִזְבַּח הַזָּהָב; מַתָּנָה אַחַת מֵהֶן מְעַכָּבֶת. שְׁיָרֵי הַדָּם הָיָה שׁוֹפֵךְ עַל יְסוֹד מַעֲרָבִי שֶׁל מִזְבֵּחַ הַחִיצוֹן: אִם לֹא נָתַן לֹא עִכֵּב. פָּרִים הַנִּשְׂרָפִים וּשְׂעִירִים הַנִּשְׂרָפִים שְׁחִיטָתָן בַּצָּפוֹן, וְקִבּוּל דָּמָן בִּכְלִי שָׁרֵת בַּצָּפוֹן, וְדָמָן טָעוּן הַזָּיָה עַל הַפָּרֹכֶת, וְעַל מִזְבַּח הַזָּהָב; מַתָּנָה אַחַת מֵהֶן מְעַכָּבֶת. שְׁיָרֵי הַדָּם, הָיָה שׁוֹפֵךְ עַל יְסוֹד מַעֲרָבִי שֶׁל מִזְבֵּחַ הַחִיצוֹן, אִם לֹא נָתַן לֹא עִכֵּב; אֵלּוּ וָאֵלּוּ נִשְׂרָפִין בְּבֵית הַדֶּשֶׁן. חַטֹּאת הַצִּבּוּר וְהַיָּחִיד—אֵלּוּ הֵן חַטֹּאת הַצִּבּוּר: שְׂעִירֵי

רָאשֵׁי חֳדָשִׁים, וְשֶׁל מוֹעֲדוֹת – שְׁחִיטָתָן

בַּצָּפוֹן, וְקִבּוּל דָּמָן בִּכְלֵי שָׁרֵת בַּצָּפוֹן,

וְדָמָן טָעוּן אַרְבַּע מַתָּנוֹת עַל אַרְבַּע קְרָנוֹת.

כֵּיצַד? עָלָה בַכֶּבֶשׁ וּפָנָה לַסּוֹבֵב, וּבָא לוֹ

לְקֶרֶן דְּרוֹמִית מִזְרָחִית, מִזְרָחִית צְפוֹנִית,

צְפוֹנִית מַעֲרָבִית, מַעֲרָבִית דְּרוֹמִית; שְׁיָרֵי

הַדָּם הָיָה שׁוֹפֵךְ עַל יְסוֹד דְּרוֹמִי. וְנֶאֱכָלִין

לִפְנִים מִן הַקְּלָעִים לְזִכְרֵי כְהֻנָּה בְּכָל

מַאֲכָל, לְיוֹם וָלַיְלָה עַד חֲצוֹת.

הָעוֹלָה – קֹדֶשׁ קָדָשִׁים; שְׁחִיטָתָהּ בַּצָּפוֹן, וְקִבּוּל דָּמָהּ

בִּכְלֵי שָׁרֵת בַּצָּפוֹן, וְדָמָהּ טָעוּן שְׁתֵּי מַתָּנוֹת שֶׁהֵן אַרְבַּע,

וּטְעוּנָה הֶפְשֵׁט וְנִתּוּחַ, וְכָלִיל לָאִשִּׁים. זִבְחֵי שַׁלְמֵי צִבּוּר

וַאֲשָׁמוֹת – אֵלּוּ הֵן אֲשָׁמוֹת: אֲשַׁם גְּזֵלוֹת, אֲשַׁם מְעִילוֹת,

אֲשַׁם שִׁפְחָה חֲרוּפָה, אֲשַׁם נָזִיר, אֲשַׁם מְצוֹרָע, אָשָׁם

תָּלוּי – שְׁחִיטָתָן בַּצָּפוֹן, וְקִבּוּל דָּמָן בִּכְלֵי שָׁרֵת בַּצָּפוֹן,

וְדָמָן טָעוּן שְׁתֵּי מַתָּנוֹת שֶׁהֵן אַרְבַּע; וְנֶאֱכָלִין לִפְנִים מִן

הַקְּלָעִים לְזִכְרֵי כְהֻנָּה, בְּכָל מַאֲכָל, לְיוֹם וָלַיְלָה עַד

חֲצוֹת.

1 הַתּוֹדָה וְאֵיל נָזִיר – קָדָשִׁים קַלִּים; שְׁחִיטָתָן בְּכָל מָקוֹם

2 בָּעֲזָרָה, וְדָמָן טָעוּן שְׁתֵּי מַתָּנוֹת שֶׁהֵן אַרְבַּע; וְנֶאֱכָלִין

3 בְּכָל הָעִיר, לְכָל אָדָם, בְּכָל מַאֲכָל, לְיוֹם וָלַיְלָה עַד

4 חֲצוֹת. הַמּוּרָם מֵהֶם כַּיּוֹצֵא בָהֶם, אֶלָּא, שֶׁהַמּוּרָם נֶאֱכָל

5 לַכֹּהֲנִים לִנְשֵׁיהֶם וְלִבְנֵיהֶם וּלְעַבְדֵיהֶם.

6 שְׁלָמִים – קָדָשִׁים קַלִּים; שְׁחִיטָתָן בְּכָל מָקוֹם בָּעֲזָרָה

7 וְדָמָן טָעוּן שְׁתֵּי מַתָּנוֹת שֶׁהֵן אַרְבַּע, וְנֶאֱכָלִין בְּכָל הָעִיר,

8 לְכָל אָדָם, בְּכָל מַאֲכָל, לִשְׁנֵי יָמִים וְלַיְלָה אֶחָד. הַמּוּרָם

9 מֵהֶם, כַּיּוֹצֵא בָהֶם, אֶלָּא, שֶׁהַמּוּרָם נֶאֱכָל לַכֹּהֲנִים,

10 לִנְשֵׁיהֶם וְלִבְנֵיהֶם וּלְעַבְדֵיהֶם.

11 הַבְּכוֹר וְהַמַּעֲשֵׂר וְהַפֶּסַח – קָדָשִׁים קַלִּים; שְׁחִיטָתָן בְּכָל

12 מָקוֹם בָּעֲזָרָה, וְדָמָן טָעוּן מַתָּנָה אֶחָת, וּבִלְבָד שֶׁיִּתֵּן

13 כְּנֶגֶד הַיְסוֹד. שִׁנָּה בַּאֲכִילָתָן: הַבְּכוֹר – נֶאֱכָל לַכֹּהֲנִים,

14 וְהַמַּעֲשֵׂר – לְכָל אָדָם, וְנֶאֱכָלִין בְּכָל הָעִיר, בְּכָל

15 מַאֲכָל, לִשְׁנֵי יָמִים וְלַיְלָה אֶחָד. הַפֶּסַח, אֵינוֹ נֶאֱכָל אֶלָּא

16 בַלַּיְלָה, וְאֵינוֹ נֶאֱכָל אֶלָּא עַד חֲצוֹת, וְאֵינוֹ נֶאֱכָל אֶלָּא

17 לִמְנוּיָו, וְאֵינוֹ נֶאֱכָל אֶלָּא צָלִי.

רַבִּי יִשְׁמָעֵאל אוֹמֵר בִּשְׁלֹשׁ עֶשְׂרֵה מִדּוֹת הַתּוֹרָה נִדְרָשֶׁת

Rabbi Ishmael says the Torah may be interpreted by these thirteen principles of logic

This passage is taken from the introduction to סִפְרָא, which is an explanation of the Book of Leviticus. Jews are required to study a portion of the תּוֹרָה, the מִשְׁנָה, and the גְּמָרָא (an explanation of the מִשְׁנָה) every day. The reading of this paragraph from a book written by the Rabbis of the Talmud completes the minimum daily requirement of study.

It tells us the thirteen rules for explaining the words of the תּוֹרָה. Actually the word תּוֹרָה means much more than just the חוּמָשׁ, the Five Books of Moses. It includes all that was said by our great Rabbis of all ages about the words of the תּוֹרָה.

Its author is Rabbi Ishmael who was descended from a כֹּהֵן גָּדוֹל, a High Priest. He lived during the lifetime of Rabbi Akiba after the Second Temple was destroyed (in the year 70 of the Common Era), and died in the War of Independence led by the famous Bar Kochba in the year 135.

1 רַבִּי יִשְׁמָעֵאל אוֹמֵר: בִּשְׁלֹשׁ עֶשְׂרֵה מִדּוֹת הַתּוֹרָה

2 נִדְרָשֶׁת: מִקַּל וָחֹמֶר; וּמִגְּזֵרָה שָׁוָה; מִבִּנְיַן אָב מִכָּתוּב

3 אֶחָד, וּמִבִּנְיַן אָב מִשְּׁנֵי כְתוּבִים; מִכְּלָל וּפְרָט; וּמִפְּרָט

4 וּכְלָל; כְּלָל וּפְרָט וּכְלָל – אִי אַתָּה דָן אֶלָּא כְּעֵין

5 הַפְּרָט; מִכְּלָל שֶׁהוּא צָרִיךְ לִפְרָט, וּמִפְּרָט שֶׁהוּא צָרִיךְ

6 לִכְלָל. כָּל דָּבָר שֶׁהָיָה בִּכְלָל וְיָצָא מִן הַכְּלָל לְלַמֵּד –

7 לֹא לְלַמֵּד עַל עַצְמוֹ יָצָא, אֶלָּא לְלַמֵּד עַל הַכְּלָל כֻּלּוֹ

יָצָא. כָּל דָּבָר שֶׁהָיָה בִּכְלָל, וְיָצָא לִטְעוֹן טוֹעַן אֶחָד שֶׁהוּא כְעִנְיָנוֹ – יָצָא לְהָקֵל וְלֹא לְהַחֲמִיר. כָּל דָּבָר שֶׁהָיָה בִּכְלָל, וְיָצָא לִטְעוֹן טוֹעַן אַחֵר שֶׁלֹּא כְעִנְיָנוֹ – יָצָא לְהָקֵל וּלְהַחֲמִיר. כָּל דָּבָר שֶׁהָיָה בִּכְלָל וְיָצָא לִדּוֹן בַּדָּבָר הֶחָדָשׁ – אִי אַתָּה יָכוֹל לְהַחֲזִירוֹ לִכְלָלוֹ, עַד שֶׁיַּחֲזִירֶנּוּ הַכָּתוּב לִכְלָלוֹ בְּפֵרוּשׁ. דָּבָר הַלָּמֵד מֵעִנְיָנוֹ, וְדָבָר הַלָּמֵד מִסּוֹפוֹ; וְכֵן שְׁנֵי כְתוּבִים הַמַּכְחִישִׁים זֶה אֶת זֶה, עַד שֶׁיָּבֹא הַכָּתוּב הַשְּׁלִישִׁי וְיַכְרִיעַ בֵּינֵיהֶם.

יְהִי רָצוֹן מִלְּפָנֶיךָ, יְיָ אֱלֹהֵינוּ וֵאלֹהֵי אֲבוֹתֵינוּ, שֶׁיִּבָּנֶה בֵּית הַמִּקְדָּשׁ בִּמְהֵרָה בְיָמֵינוּ, וְתֵן חֶלְקֵנוּ בְּתוֹרָתֶךָ, וְשָׁם נַעֲבָדְךָ בְּיִרְאָה כִּימֵי עוֹלָם וּכְשָׁנִים קַדְמוֹנִיּוֹת.

RABBINICAL KADDISH קַדִּישׁ דְּרַבָּנָן

This form of קַדִּישׁ is recited after ten or more men have engaged in the study of the Rabbinical Writings. We therefore say the קַדִּישׁ after the preceding selection from the מִשְׁנָה.

For comments see pages 62 and 162

יִתְגַּדַּל וְיִתְקַדַּשׁ שְׁמֵהּ רַבָּא, בְּעָלְמָא דִּי־בְרָא כִרְעוּתֵהּ, וְיַמְלִיךְ מַלְכוּתֵהּ, בְּחַיֵּיכוֹן וּבְיוֹמֵיכוֹן, וּבְחַיֵּי דְכָל־בֵּית יִשְׂרָאֵל, בַּעֲגָלָא וּבִזְמַן קָרִיב. וְאִמְרוּ אָמֵן.

Cong. אָמֵן

Cong. יְהֵא שְׁמֵהּ רַבָּא מְבָרַךְ לְעָלַם
וּלְעָלְמֵי עָלְמַיָּא.

יִתְבָּרַךְ וְיִשְׁתַּבַּח וְיִתְפָּאַר וְיִתְרוֹמַם
וְיִתְנַשֵּׂא וְיִתְהַדָּר וְיִתְעַלֶּה וְיִתְהַלָּל שְׁמֵהּ
דְּקֻדְשָׁא. Cong. בְּרִיךְ הוּא
לְעֵלָּא (During the Ten Days of Penitence, add: וּלְעֵלָּא)
מִן כָּל־בִּרְכָתָא, וְשִׁירָתָא תֻּשְׁבְּחָתָא,
וְנֶחֱמָתָא דַּאֲמִירָן בְּעָלְמָא וְאִמְרוּ אָמֵן.
Cong. אָמֵן

עַל יִשְׂרָאֵל וְעַל רַבָּנָן. וְעַל תַּלְמִידֵיהוֹן
וְעַל כָּל־תַּלְמִידֵי תַלְמִידֵיהוֹן. וְעַל כָּל־מָן
דְּעָסְקִין בְּאוֹרַיְתָא. דִּי בְּאַתְרָא הָדֵין,
וְדִי בְכָל־אֲתַר וַאֲתַר. יְהֵא לְהוֹן וּלְכוֹן.
שְׁלָמָא רַבָּא. חִנָּא. וְחִסְדָּא. וְרַחֲמִין וְחַיִּין
אֲרִיכִין וּמְזוֹנָא רְוִיחֵי. וּפֻרְקָנָא. מִן־קֳדָם
אֲבוּהוֹן דְּבִשְׁמַיָּא וְאַרְעָא. וְאִמְרוּ אָמֵן.
Cong. אָמֵן

1 יְיָ, בִּרְצוֹנְךָ הֶעֱמַדְתָּה

2 לְהַרְרִי עֹז,

3 הִסְתַּרְתָּ פָנֶיךָ הָיִיתִי נִבְהָל.

4 אֵלֶיךָ יְיָ אֶקְרָא,

5 וְאֶל אֲדֹנָי אֶתְחַנָּן;

6 מַה בֶּצַע בְּדָמִי,

7 בְּרִדְתִּי אֶל שָׁחַת?

8 הֲיוֹדְךָ עָפָר,

9 הֲיַגִּיד אֲמִתֶּךָ?

10 שְׁמַע יְיָ וְחָנֵּנִי,

11 יְיָ הֱיֵה עוֹזֵר לִי.

12 הָפַכְתָּ מִסְפְּדִי לְמָחוֹל לִי,

13 פִּתַּחְתָּ שַׂקִּי וַתְּאַזְּרֵנִי שִׂמְחָה.

Reader 14 לְמַעַן יְזַמֶּרְךָ כָבוֹד וְלֹא יִדֹּם.

15 יְיָ אֱלֹהַי! לְעוֹלָם אוֹדֶךָּ.

תְּפִלַּת שַׁחֲרִית

MOURNERS KADDISH קַדִּישׁ יָתוֹם

For parents who have died the קַדִּישׁ יָתוֹם is recited at every service of every day for eleven months; and though it contains no mention of the dead or of death, it expresses faith in final comfort and healing for all men.

For comment see page 162

1 יִתְגַּדַּל וְיִתְקַדַּשׁ שְׁמֵהּ רַבָּא, בְּעָלְמָא

2 דִּי־בְרָא כִרְעוּתֵהּ, וְיַמְלִיךְ מַלְכוּתֵהּ,

3 בְּחַיֵּיכוֹן וּבְיוֹמֵיכוֹן, וּבְחַיֵּי דְכָל־בֵּית

4 יִשְׂרָאֵל, בַּעֲגָלָא וּבִזְמַן קָרִיב. וְאִמְרוּ אָמֵן.

Cong. אָמֵן

Cong.

5 יְהֵא שְׁמֵהּ רַבָּא מְבָרַךְ לְעָלַם

6 וּלְעָלְמֵי עָלְמַיָּא.

7 יִתְבָּרַךְ וְיִשְׁתַּבַּח וְיִתְפָּאַר וְיִתְרוֹמַם

8 וְיִתְנַשֵּׂא וְיִתְהַדָּר וְיִתְעַלֶּה וְיִתְהַלָּל שְׁמֵהּ

9 דְּקֻדְשָׁא. Cong. בְּרִיךְ הוּא

10 (During the Ten Days of Penitence, add: לְעֵלָּא (וּלְעֵלָּא

11 מִן כָּל־בִּרְכָתָא, וְשִׁירָתָא תֻּשְׁבְּחָתָא,

12 וְנֶחָמָתָא דַּאֲמִירָן בְּעָלְמָא וְאִמְרוּ אָמֵן.

יְהֵא שְׁלָמָא רַבָּא מִן־שְׁמַיָּא וְחַיִּים 1

עָלֵינוּ וְעַל כָּל־יִשְׂרָאֵל. וְאִמְרוּ 2

Cong. אָמֵן אָמֵן. 3

עוֹשֶׂה שָׁלוֹם בִּמְרוֹמָיו, הוּא יַעֲשֶׂה 4

שָׁלוֹם עָלֵינוּ. וְעַל כָּל־יִשְׂרָאֵל. 5

וְאִמְרוּ אָמֵן. Cong. אָמֵן 6

בָּרוּךְ שֶׁאָמַר וְהָיָה הָעוֹלָם

**Blessed be He who spoke and the world came
into existence**

We now begin the second part of שַׁחֲרִית, called פְּסוּקֵי דְזִמְרָא
(Verses of Song). When we say the בָּרוּךְ שֶׁאָמַר, we rise and hold
the fringes of the טַלִית in our hands. This prayer introduces
Psalms 145–150 that follow later on. It is found in the
סִדּוּר (Prayerbook) of Amram Gaon, which was written in
the ninth century. Its purpose is to remind us that
everything worthwhile comes from God, and that we must
depend on His mercy for all that we have and for our very
lives. It is He who created the world and who is all-powerful.
We also remind ourselves that God is eternal and lives forever.

הֲרֵינִי מְזַמֵּן אֶת פִּי לְהוֹדוֹת וּלְהַלֵּל וּלְשַׁבֵּחַ אֶת בּוֹרְאִי:

1 בָּרוּךְ שֶׁאָמַר וְהָיָה הָעוֹלָם, בָּרוּךְ הוּא!

2 בָּרוּךְ עֹשֶׂה בְרֵאשִׁית.

3 בָּרוּךְ אוֹמֵר וְעֹשֶׂה.

4 בָּרוּךְ גּוֹזֵר וּמְקַיֵּם.

5 בָּרוּךְ מְרַחֵם עַל הָאָרֶץ.

6 בָּרוּךְ מְרַחֵם עַל הַבְּרִיּוֹת.

7 בָּרוּךְ מְשַׁלֵּם שָׂכָר טוֹב לִירֵאָיו.

8 בָּרוּךְ חַי לָעַד וְקַיָּם לָנֶצַח

9 בָּרוּךְ פּוֹדֶה וּמַצִּיל, בָּרוּךְ שְׁמוֹ.

10 בָּרוּךְ אַתָּה יְיָ אֱלֹהֵינוּ מֶלֶךְ הָעוֹלָם,

11 הָאֵל, הָאָב הָרַחֲמָן, הַמְהֻלָּל בְּפִי עַמּוֹ,

12 מְשֻׁבָּח וּמְפֹאָר בִּלְשׁוֹן חֲסִידָיו וַעֲבָדָיו,

13 וּבְשִׁירֵי דָוִד עַבְדֶּךָ נְהַלֶּלְךָ יְיָ אֱלֹהֵינוּ,

14 בִּשְׁבָחוֹת וּבִזְמִירוֹת נְגַדֶּלְךָ וּנְשַׁבֵּחֲךָ

15 וּנְפָאֶרְךָ, וְנַזְכִּיר שְׁמֶךָ,

16 וְנַמְלִיכְךָ מַלְכֵּנוּ אֱלֹהֵינוּ,

1 Reader יָחִיד חֵי הָעוֹלָמִים,

2 מֶלֶךְ מְשֻׁבָּח וּמְפֹאָר, עֲדֵי עַד שְׁמוֹ הַגָּדוֹל,

3 בָּרוּךְ אַתָּה יְיָ, מֶלֶךְ מְהֻלָּל בַּתִּשְׁבָּחוֹת.

Cong. אָמֵן

הוֹדוּ לַיְיָ קִרְאוּ בִשְׁמוֹ הוֹדִיעוּ בָעַמִּים עֲלִילוֹתָיו

Give thanks to the Lord, call upon His name, make
known His doings among the peoples

4 הוֹדוּ לַיְיָ קִרְאוּ בִשְׁמוֹ הוֹדִיעוּ בָעַמִּים עֲלִילוֹתָיו.

5 שִׁירוּ לוֹ, זַמְּרוּ לוֹ, שִׂיחוּ בְּכָל נִפְלְאוֹתָיו.

6 הִתְהַלְלוּ בְּשֵׁם קָדְשׁוֹ, יִשְׂמַח לֵב מְבַקְשֵׁי יְיָ.

7 דִּרְשׁוּ יְיָ וְעֻזּוֹ, בַּקְּשׁוּ פָנָיו תָּמִיד.

8 זִכְרוּ נִפְלְאוֹתָיו אֲשֶׁר עָשָׂה, מֹפְתָיו וּמִשְׁפְּטֵי פִיהוּ.

9 זֶרַע יִשְׂרָאֵל עַבְדּוֹ, בְּנֵי יַעֲקֹב בְּחִירָיו.

10 הוּא יְיָ אֱלֹהֵינוּ, בְּכָל הָאָרֶץ מִשְׁפָּטָיו.

11 זִכְרוּ לְעוֹלָם בְּרִיתוֹ, דָּבָר צִוָּה לְאֶלֶף דּוֹר,

12 אֲשֶׁר כָּרַת אֶת אַבְרָהָם, וּשְׁבוּעָתוֹ–לְיִצְחָק,

13 וַיַּעֲמִידֶהָ לְיַעֲקֹב לְחֹק, לְיִשְׂרָאֵל–בְּרִית עוֹלָם,

14 לֵאמֹר: "לְךָ אֶתֵּן אֶרֶץ כְּנַעַן, חֶבֶל נַחֲלַתְכֶם

15 בִּהְיוֹתְכֶם מְתֵי מִסְפָּר, כִּמְעַט וְגָרִים בָּהּ".

1   וַיִּתְהַלְּכוּ מִגּוֹי אֶל גּוֹי, וּמִמַּמְלָכָה אֶל עַם אַחֵר;

2   לֹא הִנִּיחַ לְאִישׁ לְעָשְׁקָם, וַיּוֹכַח עֲלֵיהֶם מְלָכִים:

3   "אַל תִּגְּעוּ בִמְשִׁיחָי, וּבִנְבִיאַי אַל תָּרֵעוּ":

4   שִׁירוּ לַיָי כָּל הָאָרֶץ, בַּשְּׂרוּ מִיּוֹם אֶל יוֹם יְשׁוּעָתוֹ.

5   סַפְּרוּ בַגּוֹיִם אֶת כְּבוֹדוֹ, בְּכָל הָעַמִּים נִפְלְאֹתָיו.

6   **Reader**   כִּי גָדוֹל יְיָ וּמְהֻלָּל מְאֹד, וְנוֹרָא הוּא עַל כָּל אֱלֹהִים.

7   כִּי כָּל אֱלֹהֵי הָעַמִּים – אֱלִילִים, וַיְיָ שָׁמַיִם עָשָׂה.
         Cong.

8   הוֹד וְהָדָר לְפָנָיו, עֹז וְחֶדְוָה בִּמְקוֹמוֹ.

9   הָבוּ לַיָי, מִשְׁפְּחוֹת עַמִּים; הָבוּ לַיָי כָּבוֹד וָעֹז.

10   הָבוּ לַיָי כְּבוֹד שְׁמוֹ, שְׂאוּ מִנְחָה וּבֹאוּ לְפָנָיו.

11   הִשְׁתַּחֲווּ לַיָי בְּהַדְרַת קֹדֶשׁ, חִילוּ מִלְּפָנָיו כָּל הָאָרֶץ,

12   אַף תִּכּוֹן תֵּבֵל בַּל תִּמּוֹט.

13   יִשְׂמְחוּ הַשָּׁמַיִם וְתָגֵל הָאָרֶץ, וְיֹאמְרוּ בַגּוֹיִם: יְיָ מָלָךְ!

14   יִרְעַם הַיָּם וּמְלֹאוֹ, יַעֲלֹץ הַשָּׂדֶה וְכָל אֲשֶׁר בּוֹ;

15   אָז יְרַנְּנוּ עֲצֵי הַיָּעַר, מִלִּפְנֵי יְיָ כִּי בָא לִשְׁפּוֹט אֶת הָאָרֶץ.

16   הוֹדוּ לַיָי, כִּי טוֹב, כִּי לְעוֹלָם חַסְדּוֹ!

17   וְאִמְרוּ: הוֹשִׁיעֵנוּ אֱלֹהֵי יִשְׁעֵנוּ, וְקַבְּצֵנוּ וְהַצִּילֵנוּ מִן הַגּוֹיִם,

18   לְהוֹדוֹת לְשֵׁם קָדְשֶׁךָ, לְהִשְׁתַּבֵּחַ בִּתְהִלָּתֶךָ.

19   בָּרוּךְ יְיָ אֱלֹהֵי יִשְׂרָאֵל, מִן הָעוֹלָם וְעַד הָעוֹלָם!

20   וַיֹּאמְרוּ כָל הָעָם: אָמֵן וְהַלֵּל לַיָי.

Reader 1 רוֹמְמוּ יְיָ אֱלֹהֵינוּ וְהִשְׁתַּחֲווּ לַהֲדֹם רַגְלָיו קָדוֹשׁ הוּא.

2 רוֹמְמוּ יְיָ אֱלֹהֵינוּ וְהִשְׁתַּחֲווּ לְהַר קָדְשׁוֹ,

3 כִּי קָדוֹשׁ יְיָ אֱלֹהֵינוּ.

*

Cong.

4 וְהוּא רַחוּם יְכַפֵּר עָוֹן וְלֹא יַשְׁחִית,

5 וְהִרְבָּה לְהָשִׁיב אַפּוֹ, וְלֹא יָעִיר כָּל חֲמָתוֹ.

6 אַתָּה יְיָ לֹא תִכְלָא רַחֲמֶיךָ מִמֶּנִּי, חַסְדְּךָ וַאֲמִתְּךָ

7 תָּמִיד יִצְּרוּנִי.

8 זְכֹר רַחֲמֶיךָ יְיָ וַחֲסָדֶיךָ, כִּי מֵעוֹלָם הֵמָּה.

9 תְּנוּ עֹז לֵאלֹהִים

10 עַל יִשְׂרָאֵל גַּאֲוָתוֹ, וְעֻזּוֹ – בַּשְּׁחָקִים.

11 נוֹרָא אֱלֹהִים מִמִּקְדָּשֶׁיךָ, אֵל יִשְׂרָאֵל, הוּא נוֹתֵן עֹז

12 וְתַעֲצֻמוֹת לָעָם –

13 בָּרוּךְ אֱלֹהִים!

14 אֵל נְקָמוֹת יְיָ, אֵל נְקָמוֹת, הוֹפִיעַ!

15 הִנָּשֵׂא, שֹׁפֵט הָאָרֶץ! הָשֵׁב גְּמוּל עַל גֵּאִים.

16 לַיְיָ הַיְשׁוּעָה, עַל עַמְּךָ בִרְכָתֶךָ סֶּלָה.

17 יְיָ צְבָאוֹת עִמָּנוּ, מִשְׂגָּב לָנוּ אֱלֹהֵי יַעֲקֹב סֶלָה.

Reader 18 יְיָ צְבָאוֹת, אַשְׁרֵי אָדָם בֹּטֵחַ בָּךְ.

19 יְיָ הוֹשִׁיעָה! הַמֶּלֶךְ יַעֲנֵנוּ בְיוֹם קָרְאֵנוּ.

Cong.

1 הוֹשִׁיעָה אֶת עַמֶּךָ וּבָרֵךְ אֶת נַחֲלָתֶךָ,

2 וּרְעֵם וְנַשְּׂאֵם עַד הָעוֹלָם

3 נַפְשֵׁנוּ חִכְּתָה לַיָי, עֶזְרֵנוּ וּמָגִנֵּנוּ הוּא.

4 כִּי בוֹ יִשְׂמַח לִבֵּנוּ, כִּי בְשֵׁם קָדְשׁוֹ בָטָחְנוּ.

5 יְהִי חַסְדְּךָ יְיָ עָלֵינוּ, כַּאֲשֶׁר יִחַלְנוּ לָךְ.

*

6 הַרְאֵנוּ יְיָ חַסְדֶּךָ, וְיֶשְׁעֲךָ תִּתֶּן לָנוּ.

7 קוּמָה עֶזְרָתָה־לָּנוּ, וּפְדֵנוּ לְמַעַן חַסְדֶּךָ.

8 אָנֹכִי יְיָ אֱלֹהֶיךָ, הַמַּעַלְךָ מֵאֶרֶץ מִצְרָיִם.

9 הַרְחֶב פִּיךָ וַאֲמַלְאֵהוּ.

10 אַשְׁרֵי הָעָם שֶׁכָּכָה־לּוֹ, — אַשְׁרֵי הָעָם שֶׁיְיָ אֱלֹהָיו!

11 Reader וַאֲנִי בְּחַסְדְּךָ בָטַחְתִּי, יָגֵל לִבִּי בִּישׁוּעָתֶךָ;

12 אָשִׁירָה לַיָי, כִּי גָמַל עָלָי.

מִזְמוֹר לְתוֹדָה, הָרִיעוּ לַיָי כָּל הָאָרֶץ

A song of thanks; shout for joy to the Lord, all the earth

The following Psalm is omitted on   עֶרֶב פֶּסַח *on*, עֶרֶב יוֹם כִּפּוּר

and on   חוֹל הַמּוֹעֵד שֶׁל פֶּסַח:

13 מִזְמוֹר לְתוֹדָה.

14 הָרִיעוּ לַיָי כָּל הָאָרֶץ!

1   עִבְדוּ אֶת יְיָ בְּשִׂמְחָה,

2   בֹּאוּ לְפָנָיו בִּרְנָנָה.

3   דְּעוּ כִּי יְיָ הוּא אֱלֹהִים,

4   הוּא עָשָׂנוּ וְלוֹ אֲנַחְנוּ,

5   עַמּוֹ, וְצֹאן מַרְעִיתוֹ.

6   בֹּאוּ שְׁעָרָיו בְּתוֹדָה,

7   חֲצֵרוֹתָיו – בִּתְהִלָּה

8   הוֹדוּ לוֹ בָּרְכוּ שְׁמוֹ!

Reader 9   כִּי טוֹב יְיָ, לְעוֹלָם חַסְדּוֹ,

10   וְעַד דֹּר וָדֹר אֱמוּנָתוֹ.

On Hoshana-Rabbah add here : לַמְנַצֵּחַ מִזְמוֹר לְדָוִד
page 294, line 1, to page 306, line 18:

יְהִי כְבוֹד יְיָ לְעוֹלָם יִשְׂמַח יְיָ בְּמַעֲשָׂיו

**Let the glory of the Lord endure for ever; let the Lord
rejoice in His works**

11   יְהִי כְבוֹד יְיָ לְעוֹלָם, יִשְׂמַח יְיָ בְּמַעֲשָׂיו.

12   יְהִי שֵׁם יְיָ מְבֹרָךְ, מֵעַתָּה וְעַד עוֹלָם.

13   מִמִּזְרַח שֶׁמֶשׁ עַד מְבוֹאוֹ, מְהֻלָּל שֵׁם יְיָ.

14   רָם עַל כָּל גּוֹיִם יְיָ, עַל הַשָּׁמַיִם – כְּבוֹדוֹ.

1 יְיָ, שִׁמְךָ לְעוֹלָם, יְיָ, זִכְרְךָ לְדֹר וָדֹר.

2 יְיָ בַּשָּׁמַיִם הֵכִין כִּסְאוֹ, וּמַלְכוּתוֹ בַּכֹּל מָשָׁלָה.

3 יִשְׂמְחוּ הַשָּׁמַיִם וְתָגֵל הָאָרֶץ, וְיֹאמְרוּ בַגּוֹיִם: יְיָ מָלָךְ!

4 יְיָ מֶלֶךְ, יְיָ מָלָךְ, יְיָ יִמְלֹךְ לְעֹלָם וָעֶד.

5 יְיָ מֶלֶךְ עוֹלָם וָעֶד; אָבְדוּ גוֹיִם מֵאַרְצוֹ.

6 יְיָ הֵפִיר עֲצַת גּוֹיִם, הֵנִיא מַחְשְׁבוֹת עַמִּים.

7 רַבּוֹת מַחֲשָׁבוֹת בְּלֶב אִישׁ, וַעֲצַת יְיָ הִיא תָקוּם.

8 עֲצַת יְיָ לְעוֹלָם תַּעֲמֹד, מַחְשְׁבוֹת לִבּוֹ לְדֹר וָדֹר.

9 כִּי הוּא אָמַר – וַיֶּהִי, הוּא צִוָּה – וַיַּעֲמֹד.

10 כִּי בָחַר יְיָ בְּצִיּוֹן, אִוָּהּ לְמוֹשָׁב לוֹ.

11 כִּי יַעֲקֹב בָּחַר לוֹ יָהּ, יִשְׂרָאֵל – לִסְגֻלָּתוֹ.

12 כִּי לֹא יִטֹּשׁ יְיָ עַמּוֹ, וְנַחֲלָתוֹ לֹא יַעֲזֹב.

13 Reader וְהוּא רַחוּם יְכַפֵּר עָוֹן וְלֹא יַשְׁחִית.

14 וְהִרְבָּה לְהָשִׁיב אַפּוֹ, וְלֹא יָעִיר כָּל חֲמָתוֹ.

15 יְיָ הוֹשִׁיעָה! הַמֶּלֶךְ יַעֲנֵנוּ בְיוֹם קָרְאֵנוּ.

אַשְׁרֵי יוֹשְׁבֵי בֵיתֶךָ

Happy are those who dwell in Your House

The אַשְׁרֵי is a beautiful prayer of praise to God written by King David. It is taken from the Book of Psalms in the Bible. When the Levites sang this song in the Holy Temple in Jerusalem, they were accompanied by music on stringed instruments, the flute and cymbals.

The אַשְׁרֵי asks all men to praise and to glorify God's name. It tells us that God will rule forever, and that He loves all those who love and respect Him.

We say the אַשְׁרֵי twice in the Morning Service (תְּפִלַּת שַׁחֲרִית) and once in the Afternoon Service (תְּפִלַּת מִנְחָה) each day.

If we look at the first letter of each line of the אַשְׁרֵי, we see that we have the entire Hebrew alphabet in order. The first line, after תְּהִלָּה לְדָוִד, begins with an א, the second with a ב, and so on. Only one letter, the נ, is missing.

1 אַשְׁרֵי יוֹשְׁבֵי בֵיתֶךָ, עוֹד יְהַלְלוּךָ סֶּלָה.

2 אַשְׁרֵי הָעָם שֶׁכָּכָה לּוֹ, אַשְׁרֵי הָעָם שֶׁיְיָ

3 אֱלֹהָיו. תְּהִלָּה לְדָוִד:

4 אֲרוֹמִמְךָ אֱלֹהַי הַמֶּלֶךְ! וַאֲבָרְכָה שִׁמְךָ

5 לְעוֹלָם וָעֶד.

6 בְּכָל יוֹם אֲבָרְכֶךָ, וַאֲהַלְלָה שִׁמְךָ לְעוֹלָם

7 וָעֶד.

8 גָּדוֹל יְיָ וּמְהֻלָּל מְאֹד, וְלִגְדֻלָּתוֹ אֵין חֵקֶר.

9 דּוֹר לְדוֹר יְשַׁבַּח מַעֲשֶׂיךָ, וּגְבוּרֹתֶיךָ יַגִּידוּ.

10 הֲדַר כְּבוֹד הוֹדֶךָ, וְדִבְרֵי נִפְלְאֹתֶיךָ

11 אָשִׂיחָה.

1   וֶעֱזוּז נוֹרְאוֹתֶיךָ יֹאמֵרוּ, וּגְדֻלָּתְךָ אֲסַפְּרֶנָּה.

2   זֵכֶר רַב טוּבְךָ יַבִּיעוּ, וְצִדְקָתְךָ יְרַנֵּנוּ.

3   חַנּוּן וְרַחוּם יְיָ, אֶרֶךְ אַפַּיִם וּגְדָל חָסֶד.

4   טוֹב יְיָ לַכֹּל, וְרַחֲמָיו עַל כָּל מַעֲשָׂיו.

5   יוֹדוּךָ יְיָ כָּל מַעֲשֶׂיךָ, וַחֲסִידֶיךָ יְבָרְכוּכָה.

6   כְּבוֹד מַלְכוּתְךָ יֹאמֵרוּ, וּגְבוּרָתְךָ יְדַבֵּרוּ.

7   לְהוֹדִיעַ לִבְנֵי הָאָדָם גְּבוּרֹתָיו, וּכְבוֹד הֲדַר

8   מַלְכוּתוֹ.

9   מַלְכוּתְךָ, מַלְכוּת כָּל עוֹלָמִים, וּמֶמְשַׁלְתְּךָ

10   בְּכָל דֹּר וָדֹר.

11   סוֹמֵךְ יְיָ לְכָל הַנֹּפְלִים, וְזוֹקֵף לְכָל

12   הַכְּפוּפִים.

13   עֵינֵי כֹל אֵלֶיךָ יְשַׂבֵּרוּ, וְאַתָּה נוֹתֵן לָהֶם

14   אֶת אָכְלָם בְּעִתּוֹ.

15   פּוֹתֵחַ אֶת יָדֶךָ, וּמַשְׂבִּיעַ לְכָל חַי רָצוֹן.

1 צַדִּיק יְיָ בְּכָל דְּרָכָיו, וְחָסִיד בְּכָל מַעֲשָׂיו.

2 קָרוֹב יְיָ לְכָל קֹרְאָיו, לְכֹל אֲשֶׁר יִקְרָאֻהוּ

3 בֶאֱמֶת.

4 רְצוֹן יְרֵאָיו יַעֲשֶׂה, וְאֶת שַׁוְעָתָם יִשְׁמַע

5 וְיוֹשִׁיעֵם.

6 שׁוֹמֵר יְיָ אֶת כָּל אֹהֲבָיו, וְאֵת כָּל הָרְשָׁעִים

7 יַשְׁמִיד.

Reader 8 תְּהִלַּת יְיָ יְדַבֶּר פִּי, וִיבָרֵךְ כָּל בָּשָׂר

9 שֵׁם קָדְשׁוֹ לְעוֹלָם וָעֶד.

10 וַאֲנַחְנוּ נְבָרֵךְ יָהּ מֵעַתָּה וְעַד עוֹלָם,

11 הַלְלוּיָהּ!

הַלְלוּיָהּ הַלְלִי נַפְשִׁי אֶת יְיָ

Praise the Lord! Praise the Lord, O my soul

This is Psalm 146. It tells us to trust only in God and not in man. By this we do not mean that we cannot trust the word of any man under usual conditions. But there are times when even our very best friend will fail us — such as when we ask him to put his life in danger for us. Even at such times we can always depend on God's help. Furthermore, man is mortal and dies, while God lives forever.

הַלְלוּיָהּ,
הַלְלִי נַפְשִׁי אֶת יְיָ!
אֲהַלְלָה יְיָ בְּחַיָּי, אֲזַמְּרָה לֵאלֹהַי בְּעוֹדִי.
אַל תִּבְטְחוּ בִנְדִיבִים, בְּבֶן אָדָם שֶׁאֵין לוֹ תְשׁוּעָה.
תֵּצֵא רוּחוֹ יָשֻׁב לְאַדְמָתוֹ, בַּיּוֹם הַהוּא אָבְדוּ עֶשְׁתֹּנֹתָיו.
אַשְׁרֵי שֶׁאֵל יַעֲקֹב בְּעֶזְרוֹ, שִׂבְרוֹ עַל יְיָ אֱלֹהָיו.
עֹשֶׂה שָׁמַיִם וָאָרֶץ, אֶת הַיָּם וְאֶת כָּל אֲשֶׁר בָּם.
הַשֹּׁמֵר אֱמֶת לְעוֹלָם.
עֹשֶׂה מִשְׁפָּט לַעֲשׁוּקִים, נֹתֵן לֶחֶם לָרְעֵבִים.
יְיָ מַתִּיר אֲסוּרִים.
יְיָ פֹּקֵחַ עִוְרִים, יְיָ זֹקֵף כְּפוּפִים
יְיָ אֹהֵב צַדִּיקִים.

יְיָ שֹׁמֵר אֶת גֵּרִים, יָתוֹם וְאַלְמָנָה יְעוֹדֵד, 1

וְדֶרֶךְ רְשָׁעִים יְעַוֵּת. 2

Reader 3 יִמְלֹךְ יְיָ לְעוֹלָם, אֱלֹהַיִךְ צִיּוֹן – לְדֹר

וָדֹר. הַלְלוּיָהּ! 4

הַלְלוּיָהּ כִּי טוֹב זַמְּרָה אֱלֹהֵינוּ

Praise the Lord! For it is good to sing praises to our God

This is Psalm 147. It describes God's love and power which can be seen in nature and in His help to Israel. God will "build up Jerusalem and gather all the people of Israel together." He has mercy on all His creatures. "He heals the broken-hearted, . . . gives to the beast its food, and to the young ravens when they cry." What beautiful thoughts! So much compassion for all the creatures of the world!

הַלְלוּיָהּ! 5

6 כִּי טוֹב זַמְּרָה אֱלֹהֵינוּ, כִּי נָעִים נָאוָה תְהִלָּה.

7 בּוֹנֵה יְרוּשָׁלַיִם יְיָ, נִדְחֵי יִשְׂרָאֵל יְכַנֵּס.

8 הָרוֹפֵא לִשְׁבוּרֵי לֵב, וּמְחַבֵּשׁ לְעַצְּבוֹתָם.

1 מוֹנֶה מִסְפָּר לַכּוֹכָבִים, לְכֻלָּם שֵׁמוֹת יִקְרָא.
2 גָּדוֹל אֲדוֹנֵינוּ וְרַב כֹּחַ, לִתְבוּנָתוֹ אֵין מִסְפָּר.
3 מְעוֹדֵד עֲנָוִים יְיָ, מַשְׁפִּיל רְשָׁעִים עֲדֵי אָרֶץ.
4 עֱנוּ לַייָ בְּתוֹדָה, זַמְּרוּ לֵאלֹהֵינוּ בְכִנּוֹר.
5 הַמְכַסֶּה שָׁמַיִם בְּעָבִים, הַמֵּכִין לָאָרֶץ מָטָר,
6 הַמַּצְמִיחַ הָרִים חָצִיר.

7 נוֹתֵן לִבְהֵמָה לַחְמָהּ, לִבְנֵי עֹרֵב אֲשֶׁר יִקְרָאוּ.
8 לֹא בִגְבוּרַת הַסּוּס יֶחְפָּץ, לֹא בְשׁוֹקֵי הָאִישׁ יִרְצֶה.
9 רוֹצֶה יְיָ אֶת יְרֵאָיו, אֶת הַמְיַחֲלִים לְחַסְדּוֹ.
10 שַׁבְּחִי יְרוּשָׁלַיִם, אֶת יְיָ! הַלְלִי אֱלֹהַיִךְ צִיּוֹן!
11 כִּי חִזַּק בְּרִיחֵי שְׁעָרָיִךְ, בֵּרַךְ בָּנַיִךְ בְּקִרְבֵּךְ.
12 הַשָּׂם גְּבוּלֵךְ שָׁלוֹם, חֵלֶב חִטִּים יַשְׂבִּיעֵךְ.
13 הַשֹּׁלֵחַ אִמְרָתוֹ אָרֶץ, עַד מְהֵרָה יָרוּץ דְּבָרוֹ.
14 הַנֹּתֵן שֶׁלֶג כַּצָּמֶר, כְּפוֹר כָּאֵפֶר יְפַזֵּר.
15 מַשְׁלִיךְ קַרְחוֹ כְפִתִּים, לִפְנֵי קָרָתוֹ מִי יַעֲמֹד.
16 יִשְׁלַח דְּבָרוֹ וְיַמְסֵם, יַשֵּׁב רוּחוֹ יִזְּלוּ מָיִם.
17 מַגִּיד דְּבָרָיו לְיַעֲקֹב חֻקָּיו וּמִשְׁפָּטָיו לְיִשְׂרָאֵל.
18 Reader לֹא עָשָׂה כֵן לְכָל גּוֹי, וּמִשְׁפָּטִים בַּל יְדָעוּם.
19 הַלְלוּיָהּ!

תְּפִלַּת שַׁחֲרִית

הַלְלוּיָהּ הַלְלוּ אֶת יְיָ מִן הַשָּׁמַיִם

Praise the Lord! Praise the Lord from the heavens

This is Psalm 148. In the previous Psalm, man was told to praise God. Now the angels and all God's hosts — the heavens, the sun, the moon and the stars, all creatures including old men and little children, and everything that exists on earth — even fire, hail, snow and smoke are called upon to praise God. The whole universe is to join in a great chorus to sing the praises of God.

1   הַלְלוּיָהּ!

2   הַלְלוּ אֶת יְיָ מִן הַשָּׁמַיִם, הַלְלוּהוּ בַּמְּרוֹמִים.

3   הַלְלוּהוּ כָל מַלְאָכָיו, הַלְלוּהוּ כָּל צְבָאָיו

4   הַלְלוּהוּ שֶׁמֶשׁ וְיָרֵחַ, הַלְלוּהוּ כָּל כּוֹכְבֵי אוֹר.

5   הַלְלוּהוּ שְׁמֵי הַשָּׁמָיִם, וְהַמַּיִם אֲשֶׁר מֵעַל הַשָּׁמָיִם.

6   יְהַלְלוּ אֶת שֵׁם יְיָ, כִּי הוּא צִוָּה – וְנִבְרָאוּ,

7   וַיַּעֲמִידֵם לָעַד לְעוֹלָם, חָק נָתַן וְלֹא יַעֲבוֹר.

8   הַלְלוּ אֶת יְיָ מִן הָאָרֶץ, תַּנִּינִים וְכָל תְּהֹמוֹת,

9   אֵשׁ וּבָרָד, שֶׁלֶג וְקִיטוֹר, רוּחַ סְעָרָה עֹשָׂה דְבָרוֹ.

10   הֶהָרִים וְכָל גְּבָעוֹת, עֵץ פְּרִי וְכָל אֲרָזִים.

11   הַחַיָּה וְכָל בְּהֵמָה, רֶמֶשׂ וְצִפּוֹר כָּנָף.

12   מַלְכֵי אֶרֶץ וְכָל לְאֻמִּים, שָׂרִים וְכָל שֹׁפְטֵי אָרֶץ.

13   בַּחוּרִים וְגַם בְּתוּלוֹת, זְקֵנִים עִם נְעָרִים.

1 יְהַלְלוּ אֶת שֵׁם יְיָ, כִּי נִשְׂגָּב שְׁמוֹ לְבַדּוֹ,

2 הוֹדוֹ עַל אֶרֶץ וְשָׁמָיִם.

3 Reader וַיָּרֶם קֶרֶן לְעַמּוֹ.

4 תְּהִלָּה לְכָל חֲסִידָיו, לִבְנֵי יִשְׂרָאֵל עַם קְרֹבוֹ. הַלְלוּיָהּ!

הַלְלוּיָהּ שִׁירוּ לַייָ שִׁיר חָדָשׁ

Praise the Lord! Sing to the Lord a new song

This is Psalm 149. It is a שִׁיר חָדָשׁ (a new song). It tells us that "the Lord is pleased with His people." God has finally accepted our prayers and is ready to reward us for our faithfulness to Him.

A very striking idea is expressed in the verse "Let the praises of God be in their mouth and a double-edged sword in their hand." This is a perfect description of the Maccabees who "fought with their hands and prayed with their hearts." Very often prayer alone is not enough. When our people are in danger, it is time for action as well as prayer. No matter how much or how long we may pray, if our prayers are not followed by מִצְוֹת, good deeds, kindness, justice and mercy, then our prayers are meaningless.

5 הַלְלוּיָהּ!

6 שִׁירוּ לַייָ שִׁיר חָדָשׁ, תְּהִלָּתוֹ בִּקְהַל חֲסִידִים.

7 יִשְׂמַח יִשְׂרָאֵל בְּעֹשָׂיו, בְּנֵי צִיּוֹן יָגִילוּ בְמַלְכָּם.

8 יְהַלְלוּ שְׁמוֹ בְמָחוֹל, בְּתֹף וְכִנּוֹר יְזַמְּרוּ לוֹ.

9 כִּי רוֹצֶה יְיָ בְּעַמּוֹ, יְפָאֵר עֲנָוִים בִּישׁוּעָה.

10 יַעְלְזוּ חֲסִידִים בְּכָבוֹד, יְרַנְּנוּ עַל מִשְׁכְּבוֹתָם.

1 רוֹמְמוֹת אֵל בִּגְרוֹנָם, וְחֶרֶב פִּיפִיּוֹת בְּיָדָם.

2 לַעֲשׂוֹת נְקָמָה בַּגּוֹיִם, תּוֹכֵחוֹת בַּלְאֻמִּים.

Reader

3 לֶאְסֹר מַלְכֵיהֶם בְּזִקִּים, וְנִכְבְּדֵיהֶם בְּכַבְלֵי בַרְזֶל.

4 לַעֲשׂוֹת בָּהֶם מִשְׁפָּט כָּתוּב, הָדָר הוּא לְכָל חֲסִידָיו.

5 הַלְלוּיָהּ!

הַלְלוּיָהּ הַלְלוּ אֵל בְּקָדְשׁוֹ

Praise the Lord! Praise the Lord in His sanctuary

This is Psalm 150, the end of the Book of Psalms. All men join together and raise their voices in a great song of praise. The word הַלְלוּ (praise) appears in this Psalm thirteen times (either as הַלְלוּ, as הַלְלוּהוּ, or as הַלְלוּיָהּ). This reminds us of the thirteen attributes of God proclaimed on Mount Sinai.

All of the musical instruments, the Shofar, the harp, the lyre, the drum, the flute and the cymbals join in one great symphony to God.

6 הַלְלוּיָהּ!

7 הַלְלוּ אֵל בְּקָדְשׁוֹ, הַלְלוּהוּ בִּרְקִיעַ עֻזּוֹ!

8 הַלְלוּהוּ בִגְבוּרֹתָיו, הַלְלוּהוּ כְּרֹב גֻּדְלוֹ!

9 הַלְלוּהוּ בְּתֵקַע שׁוֹפָר, הַלְלוּהוּ בְּנֵבֶל וְכִנּוֹר!

10 הַלְלוּהוּ בְּתֹף וּמָחוֹל, הַלְלוּהוּ בְּמִנִּים וְעֻגָב.

11 הַלְלוּהוּ בְצִלְצְלֵי שָׁמַע, הַלְלוּהוּ בְּצִלְצְלֵי תְרוּעָה.

12 Reader כֹּל הַנְּשָׁמָה תְּהַלֵּל יָהּ. הַלְלוּיָהּ!

13 כֹּל הַנְּשָׁמָה תְּהַלֵּל יָהּ. הַלְלוּיָהּ!

בָּרוּךְ יְיָ לְעוֹלָם אָמֵן וְאָמֵן

Blessed be the Lord for evermore. Amen and Amen

Here we have the last verses of three different Psalms (89, 135, and 72 — in that order). Each verse begins with the word בָּרוּךְ ("blessed"). The highest praise that we can give God is to bless Him and His glorious name. As we bless God, we should count and be thankful for the many blessings of good health and happiness that we receive from Him.

בָּרוּךְ יְיָ לְעוֹלָם אָמֵן וְאָמֵן!

בָּרוּךְ יְיָ מִצִּיּוֹן שֹׁכֵן יְרוּשָׁלָיִם – הַלְלוּיָהּ!

בָּרוּךְ יְיָ אֱלֹהִים אֱלֹהֵי יִשְׂרָאֵל עֹשֵׂה נִפְלָאוֹת לְבַדּוֹ.

Reader וּבָרוּךְ שֵׁם כְּבוֹדוֹ לְעוֹלָם, וְיִמָּלֵא כְבוֹדוֹ אֶת כָּל הָאָרֶץ, אָמֵן וְאָמֵן.

וַיְבָרֶךְ דָּוִיד אֶת יְיָ לְעֵינֵי כָּל הַקָּהָל

And David blessed the Lord in the presence of all the congregation.

There now follow three great songs from the Bible: one from the Book of Chronicles, one from Nehemiah, and lastly, one from the תּוֹרָה itself, the beautiful Song of the Sea. The first, וַיְבָרֶךְ דָּוִיד, comes from the First Book of Chronicles (29:10–13). This prayer reminds us of our duty, no matter how great or rich we may be, never to say, "My power and the strength of my hand have gotten me this wealth" (Deuteronomy 8:17), but to be humble and grateful to God as David was.

King David had conquered more lands than any other king of Israel. Besides, he had gathered much wealth — gold, silver and precious jewels. Yet he was not too proud to admit that he could have done none of this without God's help. He thanked God in public for all His goodness, and gave money and precious jewels for the building of the Holy Temple.

1 וַיְבָרֶךְ דָּוִיד אֶת יְיָ לְעֵינֵי כָּל הַקָּהָל, וַיֹּאמֶר

2 דָּוִיד:

3 בָּרוּךְ אַתָּה יְיָ אֱלֹהֵי יִשְׂרָאֵל, אָבִינוּ, מֵעוֹלָם

4 וְעַד עוֹלָם. לְךָ יְיָ הַגְּדֻלָּה, וְהַגְּבוּרָה,

5 וְהַתִּפְאֶרֶת, וְהַנֵּצַח, וְהַהוֹד, כִּי כֹל בַּשָּׁמַיִם

6 וּבָאָרֶץ: לְךָ יְיָ הַמַּמְלָכָה, וְהַמִּתְנַשֵּׂא לְכֹל

7 לְרֹאשׁ. וְהָעֹשֶׁר וְהַכָּבוֹד מִלְּפָנֶיךָ, וְאַתָּה

8 מוֹשֵׁל בַּכֹּל, וּבְיָדְךָ כֹּחַ וּגְבוּרָה, וּבְיָדְךָ,

9 לְגַדֵּל וּלְחַזֵּק לַכֹּל. וְעַתָּה אֱלֹהֵינוּ, מוֹדִים

10 אֲנַחְנוּ לָךְ, וּמְהַלְלִים לְשֵׁם תִּפְאַרְתֶּךָ.

אַתָּה הוּא יְיָ לְבַדֶּךָ
You alone are the Lord

The next two paragraphs come from the Book of Nehemiah
(9:6–11). We have here a brief review of Jewish history, with
emphasis on the idea that all of our good fortune comes from
God. It tells us that God created the universe, chose Abraham
as our leader and promised to give the Land of Canaan (Israel)
to his descendants; that he had pity on the Jews when they
were slaves in Egypt, and freed them by the great miracle
of dividing the Red Sea so that they could pass through it
unharmed.

1 אַתָּה הוּא יְיָ לְבַדֶּךָ, אַתָּה עָשִׂיתָ אֶת

2 הַשָּׁמַיִם, שְׁמֵי הַשָּׁמַיִם, וְכָל צְבָאָם, הָאָרֶץ

3 וְכָל אֲשֶׁר עָלֶיהָ, הַיַּמִּים וְכָל אֲשֶׁר בָּהֶם;

4 וְאַתָּה מְחַיֶּה אֶת כֻּלָּם, וּצְבָא הַשָּׁמַיִם לְךָ

5 מִשְׁתַּחֲוִים. Reader אַתָּה הוּא יְיָ הָאֱלֹהִים,

6 אֲשֶׁר בָּחַרְתָּ בְּאַבְרָם, וְהוֹצֵאתוֹ מֵאוּר

7 כַּשְׂדִּים, וְשַׂמְתָּ שְׁמוֹ אַבְרָהָם. וּמָצָאתָ אֶת

8 לְבָבוֹ נֶאֱמָן לְפָנֶיךָ.

9 וְכָרוֹת עִמּוֹ הַבְּרִית לָתֵת אֶת אֶרֶץ הַכְּנַעֲנִי,

10 הַחִתִּי, הָאֱמֹרִי וְהַפְּרִזִּי וְהַיְבוּסִי וְהַגִּרְגָּשִׁי,

11 לָתֵת לְזַרְעוֹ, וַתָּקֶם אֶת דְּבָרֶיךָ כִּי צַדִּיק

12 אָתָּה. וַתֵּרֶא אֶת עֳנִי אֲבוֹתֵינוּ בְּמִצְרָיִם, וְאֶת

13 זַעֲקָתָם שָׁמַעְתָּ עַל יַם סוּף. וַתִּתֵּן אֹתֹת

14 וּמֹפְתִים בְּפַרְעֹה וּבְכָל עֲבָדָיו וּבְכָל עַם

15 אַרְצוֹ, כִּי יָדַעְתָּ כִּי הֵזִידוּ עֲלֵיהֶם; וַתַּעַשׂ

לְךָ שֵׁם כְּהַיּוֹם הַזֶּה. Reader וְהַיָּם בָּקַעְתָּ
לִפְנֵיהֶם, וַיַּעַבְרוּ בְתוֹךְ הַיָּם בַּיַּבָּשָׁה, וְאֶת
רֹדְפֵיהֶם הִשְׁלַכְתָּ בִמְצוֹלֹת כְּמוֹ אֶבֶן בְּמַיִם
עַזִּים.

וַיּוֹשַׁע יְיָ בַּיּוֹם הַהוּא אֶת יִשְׂרָאֵל מִיַּד
מִצְרָיִם. וַיַּרְא יִשְׂרָאֵל אֶת מִצְרַיִם מֵת עַל
שְׂפַת הַיָּם. Reader וַיַּרְא יִשְׂרָאֵל אֶת הַיָּד
הַגְּדֹלָה, אֲשֶׁר עָשָׂה יְיָ בְּמִצְרַיִם וַיִּירְאוּ
הָעָם אֶת יְיָ, וַיַּאֲמִינוּ בַּיְיָ וּבְמֹשֶׁה עַבְדּוֹ.

אָז יָשִׁיר־מֹשֶׁה וּבְנֵי יִשְׂרָאֵל אֶת־הַשִּׁירָה הַזֹּאת לַיְיָ

Then sang Moses and the children of Israel this song to the Lord

This beautiful hymn taken from the book of Exodus (15, 1–18) was sung by Moses and the Children of Israel after they crossed the Sea of Reeds (or the Red Sea).

In this prayer God is called "a man of war." By this we mean that although God's greatest wish is to have peace in the world, He becomes "a man of war," when His people are in danger and are threatened with destruction, and leads us in battle through His inspiration and love for us.

The שִׁירַת הַיָּם closes with ה׳ יִמְלֹךְ לְעוֹלָם וָעֶד, "The Lord will reign forever and ever." These words are repeated to show that the song is finished. Verse 19 is then added.

The Song of the Sea is followed by three verses from the Book of Psalms (22:29), Obadiah (1:21) and Zechariah (14:9). We pray that "the Lord shall be King over all the earth. In that day the Lord will be One and His name One." If the people of Israel will become a true people of God, teaching and living His laws and ways, the day will finally come when all people will accept His rule and will live lives of goodness, justice, kindness, love and righteousness.

We have now completed the פְּסוּקֵי דְזִמְרָא (Verses of Song).

אָז יָשִׁיר מֹשֶׁה וּבְנֵי יִשְׂרָאֵל, 1

אֶת־הַשִּׁירָה הַזֹּאת לַיְיָ, וַיֹּאמְרוּ לֵאמֹר. 2

אָשִׁירָה לַיְיָ כִּי גָאֹה גָּאָה, 3

סוּס וְרֹכְבוֹ רָמָה בַיָּם: 4

עָזִּי וְזִמְרָת יָהּ, וַיְהִי־לִי לִישׁוּעָה, 5

זֶה אֵלִי וְאַנְוֵהוּ, אֱלֹהֵי אָבִי וַאֲרֹמְמֶנְהוּ: 6

יְיָ אִישׁ מִלְחָמָה, יְיָ שְׁמוֹ: 7

מַרְכְּבֹת פַּרְעֹה וְחֵילוֹ, יָרָה בַיָּם, 8

וּמִבְחַר שָׁלִשָׁיו, טֻבְּעוּ בְיַם סוּף: 9

תְּהֹמֹת יְכַסְיֻמוּ, יָרְדוּ בִמְצוֹלֹת, כְּמוֹ־אָבֶן: 10

יְמִינְךָ יְיָ, נֶאְדָּרִי בַּכֹּחַ, 1

יְמִינְךָ יְיָ, תִּרְעַץ אוֹיֵב: 2

וּבְרֹב גְּאוֹנְךָ, תַּהֲרֹס קָמֶיךָ, 3

תְּשַׁלַּח חֲרֹנְךָ יֹאכְלֵמוֹ כַּקַּשׁ: 4

וּבְרוּחַ אַפֶּיךָ נֶעֶרְמוּ־מַיִם, 5

נִצְּבוּ כְמוֹ־נֵד נֹזְלִים, 6

קָפְאוּ תְהֹמֹת בְּלֶב־יָם: 7

אָמַר אוֹיֵב: אֶרְדֹּף אַשִּׂיג, 8

אֲחַלֵּק שָׁלָל, תִּמְלָאֵמוֹ נַפְשִׁי, 9

אָרִיק חַרְבִּי, תּוֹרִישֵׁמוֹ יָדִי: 10

נָשַׁפְתָּ בְרוּחֲךָ, כִּסָּמוֹ יָם, 11

צָלְלוּ כַּעוֹפֶרֶת, בְּמַיִם אַדִּירִים: 12

מִי־כָמֹכָה בָּאֵלִם יְיָ, 13

מִי כָּמֹכָה נֶאְדָּר בַּקֹּדֶשׁ, 14

נוֹרָא תְהִלֹּת, עֹשֵׂה פֶלֶא: 15

נָטִיתָ יְמִינְךָ, תִּבְלָעֵמוֹ אָרֶץ: 16

1 נָחִיתָ בְחַסְדְּךָ עַם־זוּ גָּאָלְתָּ,

2 נֵהַלְתָּ בְעָזְּךָ אֶל־נְוֵה קָדְשֶׁךָ:

3 שָׁמְעוּ עַמִּים יִרְגָּזוּן,

4 חִיל אָחַז, יֹשְׁבֵי פְּלָשֶׁת:

5 אָז נִבְהֲלוּ אַלּוּפֵי אֱדוֹם,

6 אֵילֵי מוֹאָב, יֹאחֲזֵמוֹ רָעַד,

7 נָמֹגוּ, כֹּל יֹשְׁבֵי כְנָעַן:

8 תִּפֹּל עֲלֵיהֶם אֵימָתָה וָפַחַד,

9 בִּגְדֹל זְרוֹעֲךָ יִדְּמוּ כָּאָבֶן:

10 עַד־יַעֲבֹר עַמְּךָ, יְיָ, עַד־יַעֲבֹר עַם־זוּ

11 קָנִיתָ:

12 תְּבִאֵמוֹ וְתִטָּעֵמוֹ בְּהַר נַחֲלָתְךָ,

13 מָכוֹן לְשִׁבְתְּךָ פָּעַלְתָּ יְיָ,

14 מִקְּדָשׁ, אֲדֹנָי, כּוֹנְנוּ יָדֶיךָ:

15 יְיָ יִמְלֹךְ לְעֹלָם וָעֶד: יְיָ יִמְלֹךְ לְעֹלָם וָעֶד:

1 ‏(יְיָ מַלְכוּתֵהּ קָאֵם, לְעָלַם וּלְעָלְמֵי עָלְמַיָּא):

2 כִּי בָא סוּס פַּרְעֹה, בְּרִכְבּוֹ וּבְפָרָשָׁיו בַּיָּם

3 וַיָּשֶׁב יְיָ עֲלֵהֶם אֶת־מֵי הַיָּם,

4 וּבְנֵי יִשְׂרָאֵל הָלְכוּ בַיַּבָּשָׁה, בְּתוֹךְ הַיָּם:

כִּי לַיְיָ הַמְּלוּכָה וּמוֹשֵׁל בַּגּוֹיִם

For the kingdom is the Lord's; and He is the ruler over the nations

5 כִּי לַיְיָ הַמְּלוּכָה, וּמוֹשֵׁל בַּגּוֹיִם:

6 Reader וְעָלוּ מוֹשִׁיעִים בְּהַר צִיּוֹן לִשְׁפֹּט אֶת־הַר עֵשָׂו

7 וְהָיְתָה לַיְיָ הַמְּלוּכָה:

8 וְהָיָה יְיָ לְמֶלֶךְ עַל־כָּל־הָאָרֶץ, בַּיּוֹם הַהוּא,

9 יִהְיֶה יְיָ אֶחָד וּשְׁמוֹ אֶחָד:

יִשְׁתַּבַּח שִׁמְךָ לָעַד מַלְכֵּנוּ

Praised be Your name forever, O our King

This is a very old prayer. In it fifteen different words are used to praise God. Some believe that this number was chosen in honor of the fifteen Songs of Degrees (or Ascents) (Chapters 120 to 134) in the Book of Psalms.

10 יִשְׁתַּבַּח שִׁמְךָ לָעַד מַלְכֵּנוּ, הָאֵל הַמֶּלֶךְ

11 הַגָּדוֹל וְהַקָּדוֹשׁ בַּשָּׁמַיִם וּבָאָרֶץ. כִּי לְךָ

12 נָאֶה, יְיָ אֱלֹהֵינוּ וֵאלֹהֵי אֲבוֹתֵינוּ, שִׁיר

1   וּשְׁבָחָה, הַלֵּל וְזִמְרָה, עֹז וּמֶמְשָׁלָה, נֶצַח,

2   גְּדֻלָּה וּגְבוּרָה, תְּהִלָּה וְתִפְאֶרֶת, קְדֻשָּׁה

3   וּמַלְכוּת,   Reader   בְּרָכוֹת וְהוֹדָאוֹת מֵעַתָּה

4   וְעַד עוֹלָם.

5   בָּרוּךְ אַתָּה יְיָ, אֵל מֶלֶךְ גָּדוֹל בַּתִּשְׁבָּחוֹת,

6   אֵל הַהוֹדָאוֹת, אֲדוֹן הַנִּפְלָאוֹת, הַבּוֹחֵר

7   בְּשִׁירֵי זִמְרָה, מֶלֶךְ, אֵל, חֵי הָעוֹלָמִים.

HALF KADDISH חֲצִי קַדִּישׁ

חֲצִי קַדִּישׁ means Half-קַדִּישׁ. It is said several times during
our prayers.

For comment see page 162

8   Reader   יִתְגַּדַּל וְיִתְקַדַּשׁ שְׁמֵהּ רַבָּא, בְּעָלְמָא דִי־בְרָא

9   כִרְעוּתֵהּ, וְיַמְלִיךְ מַלְכוּתֵהּ, בְּחַיֵּיכוֹן וּבְיוֹמֵיכוֹן, וּבְחַיֵּי

10   דְכָל־בֵּית יִשְׂרָאֵל, בַּעֲגָלָא וּבִזְמַן קָרִיב. וְאִמְרוּ אָמֵן.

Cong. אָמֵן

11   Cong. and Reader   יְהֵא שְׁמֵהּ רַבָּא מְבָרַךְ לְעָלַם וּלְעָלְמֵי

12   עָלְמַיָּא.

1 Reader יִתְבָּרַךְ וְיִשְׁתַּבַּח וְיִתְפָּאַר וְיִתְרוֹמַם וְיִתְנַשֵּׂא וְיִתְהַדַּר

2 וְיִתְעַלֶּה וְיִתְהַלַּל שְׁמֵהּ דְּקֻדְשָׁא. Cong. and Reader בְּרִיךְ הוּא

3 Reader לְעֵלָּא (*During the Ten Days of Pentinence, add:* וּלְעֵלָּא)

4 מִן כָּל־בִּרְכָתָא, וְשִׁירָתָא, תֻּשְׁבְּחָתָא, וְנֶחֱמָתָא

5 דַּאֲמִירָן בְּעָלְמָא. וְאִמְרוּ אָמֵן. Cong. אָמֵן

בָּרְכוּ אֶת יְיָ הַמְבֹרָךְ

Bless the Lord who is to be blessed

The בָּרְכוּ is a call to worship. It is a signal to the congregation that in a little while the most important of all our prayers, the שְׁמַע, will begin.

We know that the בָּרְכוּ is a very old call to prayer. It was used even in the days of the Holy Temple in Jerusalem (the capital city of Israel). In the early morning, just as soon as the sun arose in the sky, a כֹּהֵן (Priest) would call out בָּרְכוּ אֶת יְיָ הַמְבֹרָךְ ("Bless the Lord who is to be blessed"), and all who could hear him would answer בָּרוּךְ יְיָ הַמְבֹרָךְ לְעוֹלָם וָעֶד ("Blessed is the Lord who is to be blessed for ever and ever").

To be able to recite the בָּרְכוּ, we must have a מִנְיָן (ten Jewish males over thirteen years of age) present.

When the חַזָּן (cantor) says the word בָּרְכוּ, he bows his head, and when we say בָּרוּךְ, we bow our heads.

Reader

6 בָּרְכוּ אֶת יְיָ הַמְבֹרָךְ.

Cong. and Reader

7 בָּרוּךְ יְיָ הַמְבֹרָךְ לְעוֹלָם וָעֶד.

Congregation (silently):

1 יִתְבָּרַךְ וְיִשְׁתַּבַּח וְיִתְפָּאַר וְיִתְרוֹמַם וְיִתְנַשֵּׂא שְׁמוֹ שֶׁל מֶלֶךְ

2 מַלְכֵי הַמְּלָכִים הַקָּדוֹשׁ בָּרוּךְ הוּא, שֶׁהוּא רִאשׁוֹן וְהוּא

3 אַחֲרוֹן, וּמִבַּלְעָדָיו אֵין אֱלֹהִים. סֹלּוּ לָרֹכֵב בָּעֲרָבוֹת,

4 בְּיָהּ שְׁמוֹ, וְעִלְזוּ לְפָנָיו. וּשְׁמוֹ מְרוֹמָם עַל כָּל בְּרָכָה

5 וּתְהִלָּה. בָּרוּךְ שֵׁם כְּבוֹד מַלְכוּתוֹ לְעוֹלָם וָעֶד. יְהִי שֵׁם

6 יְיָ מְבֹרָךְ מֵעַתָּה וְעַד עוֹלָם.

7 בָּרוּךְ אַתָּה יְיָ, אֱלֹהֵינוּ מֶלֶךְ הָעוֹלָם, יוֹצֵר

8 אוֹר וּבוֹרֵא חֹשֶׁךְ, עֹשֶׂה שָׁלוֹם, וּבוֹרֵא

9 אֵת הַכֹּל.

הַמֵּאִיר לָאָרֶץ וְלַדָּרִים עָלֶיהָ בְּרַחֲמִים

**Who in his mercy gives light to the earth and to those
who dwell on it**

A most beautiful thought is expressed in this lovely prayer in which we thank God for the wonders of the world that He created. It begins with "Who in his mercy gives light to the earth." Yes, God is merciful to us every day that we are well and free from pain and trouble.

Another wonderful thought here is that "in Thy goodness Thou renewest the creation every day continually." Again the point is that we take nature's wonders for granted. We forget that even the bright sun can be eclipsed in the middle of the day. We forget that it is only by the grace of God that the sun rises in the morning and sets at night. Yes, the work of creation is truly "renewed" every single day!

1 הַמֵּאִיר לָאָרֶץ וְלַדָּרִים עָלֶיהָ בְּרַחֲמִים, וּבְטוּבוֹ מְחַדֵּשׁ

2 בְּכָל יוֹם תָּמִיד מַעֲשֵׂה בְרֵאשִׁית. מָה רַבּוּ מַעֲשֶׂיךָ יְיָ!

3 כֻּלָּם בְּחָכְמָה עָשִׂיתָ מָלְאָה הָאָרֶץ קִנְיָנֶךָ. הַמֶּלֶךְ הַמְּרוֹמָם

4 לְבַדּוֹ מֵאָז, הַמְשֻׁבָּח וְהַמְפֹאָר וְהַמִּתְנַשֵּׂא מִימוֹת עוֹלָם.

5 אֱלֹהֵי עוֹלָם! בְּרַחֲמֶיךָ הָרַבִּים רַחֵם עָלֵינוּ.

6 אֲדוֹן עֻזֵּנוּ צוּר מִשְׂגַּבֵּנוּ, מָגֵן יִשְׁעֵנוּ מִשְׂגָּב בַּעֲדֵנוּ.

The verses beginning with אֵל בָּרוּךְ גְּדוֹל דֵּעָה are most
interesting. Notice that every word begins with another
letter of the Hebrew alphabet up to the word תָּמִיד. This is
called an alphabetic acrostic. It tells us that the glory of God
is revealed in nature. This prayer was written in the eighth
century by the believers in קַבָּלָה (ancient mystical teaching).

7 אֵל בָּרוּךְ גְּדוֹל דֵּעָה,

8 הֵכִין וּפָעַל זָהֲרֵי חַמָּה,

9 טוֹב יָצַר כָּבוֹד לִשְׁמוֹ,

10 מְאוֹרוֹת נָתַן סְבִיבוֹת עֻזּוֹ.

11 פִּנּוֹת צְבָאָיו קְדוֹשִׁים, רוֹמְמֵי שַׁדַּי

12 תָּמִיד, מְסַפְּרִים כְּבוֹד אֵל וּקְדֻשָּׁתוֹ.

1 תִּתְבָּרַךְ יְיָ אֱלֹהֵינוּ עַל שֶׁבַח מַעֲשֵׂה יָדֶיךָ, וְעַל מְאוֹרֵי

2 אוֹר שֶׁעָשִׂיתָ יְפָאֲרוּךָ סֶּלָה.

3 תִּתְבָּרַךְ צוּרֵנוּ, מַלְכֵּנוּ וְגוֹאֲלֵנוּ, בּוֹרֵא קְדוֹשִׁים; יִשְׁתַּבַּח

4 שִׁמְךָ לָעַד מַלְכֵּנוּ, יוֹצֵר מְשָׁרְתִים; וַאֲשֶׁר מְשָׁרְתָיו כֻּלָּם

5 עוֹמְדִים בְּרוּם עוֹלָם, וּמַשְׁמִיעִים בְּיִרְאָה יַחַד בְּקוֹל

6 דִּבְרֵי אֱלֹהִים חַיִּים וּמֶלֶךְ עוֹלָם. כֻּלָּם אֲהוּבִים, כֻּלָּם

7 בְּרוּרִים, כֻּלָּם גִּבּוֹרִים, וְכֻלָּם עֹשִׂים בְּאֵימָה וּבְיִרְאָה

8 רְצוֹן קוֹנָם.   Reader   וְכֻלָּם פּוֹתְחִים אֶת פִּיהֶם בִּקְדֻשָּׁה

9 וּבְטָהֳרָה, בְּשִׁירָה וּבְזִמְרָה, וּמְבָרְכִים, וּמְשַׁבְּחִים,

10 וּמְפָאֲרִים, וּמַעֲרִיצִים, וּמַקְדִּישִׁים וּמַמְלִיכִים —

11 אֶת שֵׁם הָאֵל, הַמֶּלֶךְ הַגָּדוֹל, הַגִּבּוֹר וְהַנּוֹרָא

12 קָדוֹשׁ הוּא. — וְכֻלָּם מְקַבְּלִים עֲלֵיהֶם עֹל

13 מַלְכוּת שָׁמַיִם זֶה מִזֶּה, וְנוֹתְנִים רְשׁוּת זֶה

14 לָזֶה,   Reader   לְהַקְדִּישׁ לְיוֹצְרָם בְּנַחַת רוּחַ,

15 בְּשָׂפָה בְרוּרָה וּבִנְעִימָה; קְדֻשָּׁה כֻלָּם

16 כְּאֶחָד עוֹנִים וְאוֹמְרִים בְּיִרְאָה:

קָדוֹשׁ קָדוֹשׁ קָדוֹשׁ יְיָ צְבָאוֹת

Holy, Holy, Holy is the Lord of Hosts

These words come from the prophet Isaiah (6:3). The ministering angels are supposed to say them in praise of God. According to Targum Jonathan ("The Translation by Jonathan." Jonathan was the greatest of Hillel's students), the word קָדוֹשׁ ("holy") is said three times to teach us three things: (1) God is holy in the highest heaven, the place where He dwells, (2) He is holy on earth, which He created with His power, and (3) He will be holy forever and ever.

Cong. and Reader

1 קָדוֹשׁ קָדוֹשׁ קָדוֹשׁ יְיָ צְבָאוֹת, מְלֹא כָל

2 הָאָרֶץ כְּבוֹדוֹ:

3 וְהָאוֹפַנִּים וְחַיּוֹת הַקֹּדֶשׁ בְּרַעַשׁ גָּדוֹל

4 מִתְנַשְּׂאִים לְעֻמַּת שְׂרָפִים, Reader לְעֻמָּתָם

5 מְשַׁבְּחִים וְאוֹמְרִים:

6 בָּרוּךְ כְּבוֹד יְיָ מִמְּקוֹמוֹ.

1 לָאֵל בָּרוּךְ נְעִימוֹת יִתֵּנוּ, לַמֶּלֶךְ אֵל חַי וְקַיָּם, זְמִרוֹת

2 יֹאמֵרוּ וְתִשְׁבָּחוֹת יַשְׁמִיעוּ. כִּי הוּא לְבַדּוֹ פּוֹעֵל גְּבוּרוֹת,

3 עֹשֶׂה חֲדָשׁוֹת, בַּעַל מִלְחָמוֹת, זוֹרֵעַ צְדָקוֹת, מַצְמִיחַ

4 יְשׁוּעוֹת, בּוֹרֵא רְפוּאוֹת, נוֹרָא תְהִלּוֹת, אֲדוֹן הַנִּפְלָאוֹת,

5 הַמְּחַדֵּשׁ בְּטוּבוֹ בְּכָל יוֹם תָּמִיד מַעֲשֵׂה בְרֵאשִׁית, כָּאָמוּר:

6 "לְעֹשֵׂה אוֹרִים גְּדוֹלִים, כִּי לְעוֹלָם חַסְדּוֹ".

7 Reader אוֹר חָדָשׁ עַל צִיּוֹן תָּאִיר וְנִזְכֶּה כֻלָּנוּ מְהֵרָה לְאוֹרוֹ.

8 בָּרוּךְ אַתָּה יְיָ, יוֹצֵר הַמְּאוֹרוֹת. Cong. אָמֵן

אַהֲבָה רַבָּה אֲהַבְתָּנוּ

With abounding love You have loved us

This is one of our most beautiful prayers in which we show our great love for God and our devotion to the תּוֹרָה. It was probably written in the days of the Second Temple by the Men of the Great Assembly. This and the paragraph before it make up the last two blessings before the שְׁמַע. A third blessing is the one right after the בָּרְכוּ, ending with וּבוֹרֵא אֶת הַכֹּל. Thus we have three blessings before the שְׁמַע, the three paragraphs of the שְׁמַע, and one more blessing, גָּאַל יִשְׂרָאֵל right before the עֲמִידָה ("silent devotion"), a total of seven, reminding us of the seven days of creation. The main idea in this prayer is our great love for תּוֹרָה (learning). No other people on the face of the earth through all the ages has had so great a love for learning as the Jewish people.

9 אַהֲבָה רַבָּה אֲהַבְתָּנוּ יְיָ אֱלֹהֵינוּ. חֶמְלָה גְדוֹלָה וִיתֵרָה

10 חָמַלְתָּ עָלֵינוּ, אָבִינוּ מַלְכֵּנוּ, בַּעֲבוּר אֲבוֹתֵינוּ שֶׁבָּטְחוּ

1 בָּךְ, וַתְּלַמְּדֵם חֻקֵּי חַיִּים. כֵּן תְּחָנֵּנוּ וּתְלַמְּדֵנוּ, אָבִינוּ הָאָב

2 הָרַחֲמָן, הַמְּרַחֵם רַחֵם עָלֵינוּ, וְתֵן בְּלִבֵּנוּ לְהָבִין

3 וּלְהַשְׂכִּיל, לִשְׁמֹעַ לִלְמֹד וּלְלַמֵּד, לִשְׁמֹר וְלַעֲשׂוֹת, וּלְקַיֵּם

4 אֶת־כָּל־דִּבְרֵי תַלְמוּד תּוֹרָתֶךָ, בְּאַהֲבָה: וְהָאֵר עֵינֵינוּ

5 בְּתוֹרָתֶךָ, וְדַבֵּק לִבֵּנוּ בְּמִצְוֹתֶיךָ, וְיַחֵד לְבָבֵנוּ לְאַהֲבָה

6 וּלְיִרְאָה אֶת־שְׁמֶךָ, וְלֹא נֵבוֹשׁ לְעוֹלָם וָעֶד: כִּי בְשֵׁם

7 קָדְשְׁךָ הַגָּדוֹל וְהַנּוֹרָא בָּטָחְנוּ, נָגִילָה וְנִשְׂמְחָה בִּישׁוּעָתֶךָ:

8 Reader וַהֲבִיאֵנוּ לְשָׁלוֹם מֵאַרְבַּע כַּנְפוֹת הָאָרֶץ,

9 וְתוֹלִיכֵנוּ קוֹמְמִיּוּת לְאַרְצֵנוּ,

10 כִּי אֵל פּוֹעֵל יְשׁוּעוֹת אָתָּה,

11 וּבָנוּ בָחַרְתָּ מִכָּל־עַם וְלָשׁוֹן,

12 וְקֵרַבְתָּנוּ לְשִׁמְךָ הַגָּדוֹל סֶלָה בֶּאֱמֶת,

13 לְהוֹדוֹת לְךָ וּלְיַחֶדְךָ בְּאַהֲבָה:

14 בָּרוּךְ אַתָּה יְיָ, הַבּוֹחֵר בְּעַמּוֹ יִשְׂרָאֵל בְּאַהֲבָה. Cong. אָמֵן

תְּפִלַּת שַׁחֲרִית

שְׁמַע יִשְׂרָאֵל יְיָ אֱלֹהֵינוּ יְיָ אֶחָד

Hear, O Israel: The Lord is our God, the Lord is One

The שְׁמַע is our most important prayer. It was already part of our prayers over 2000 years ago.

It has three paragraphs, all taken from the תּוֹרָה. The first and second paragraphs come from the Book of Deuteronomy; the last paragraph comes from the Book of Numbers.

There was a time when all people believed in many gods. Do you remember the story of Abraham and the idols? Even today there are some people who still pray to idols.

Money, power and strength are false gods. They are idols. The שְׁמַע tells us that we must not believe in them but only in the One God who made heaven and earth.

By the word יִשְׂרָאֵל, we mean the Children of Israel. You remember the story in the תּוֹרָה of how Jacob fought with the angel and his name was changed to Israel. All Jews are descended from Jacob. That is why we call ourselves the Children of Israel.

The שְׁמַע tells us that we should love God and be willing and glad to obey His laws, that, when we become fathers or mothers we should teach His laws to our children, and that we should always talk about God's laws, wherever we may be. It also tells us to wear the תְּפִלִּין (boys must do this once they become בַּר מִצְוָה) and to put a מְזֻזָה on the door-posts of our houses. In the boxes of the תְּפִלִּין and in the מְזֻזָה there are passages from the תּוֹרָה.

The שְׁמַע is very holy to us, because in times when Jews were hurt or killed on account of their religion, many of our great Jewish martyrs, such as Rabbi Akiba, went proudly to their death while reciting the words of the שְׁמַע.

A great modern rabbi has said, "The word וְדִבַּרְתָּ (in the fifth sentence of the שְׁמַע) means not only "and you shall speak," but also "and you shall control." We must control our words. We must not speak in anger. We must not tell falsehoods. We must not praise others a great deal unless we really mean what we say. In one of the Psalms of David, we read, "I have set the Lord always before me" (Psalms 16:8). We must act as if the Lord were always near us.

The last sentence of the first paragraph tells us about the duties of תְּפִלִּין and the מְזוּזָה. When boys and men wear the תְּפִלִּין, they tie the straps tightly around their left arm to show that they are bound to the laws of the תּוֹרָה. The תְּפִלָּה that is worn on the head is called תְּפִלָּה שֶׁל רֹאשׁ. It reminds us that we should think good and holy thoughts at all times. The תְּפִלָּה that is worn on the arm is called תְּפִלָּה שֶׁל יָד. It is worn opposite the heart to remind us that we should love and serve God with all our heart — with all our feelings.

מְזוּזָה means "doorpost." The מְזוּזָה is a container made of wood or metal. Rolled up inside is a small piece of parchment on which the שְׁמַע יִשְׂרָאֵל, the וְאָהַבְתָּ, and the second paragraph beginning with וְהָיָה אִם שָׁמֹעַ are written. The מְזוּזָה is attached to the doorpost on the right side of the entrance to a house and to the doorposts of the rooms inside the house. The word שַׁדַּי ("Almighty") is written in back of the parchment so that it can be seen through the opening of the מְזוּזָה. The מְזוּזָה is a reminder to the people in the house that they are Jews and that they must obey the laws of the תּוֹרָה. It is not a charm.

For comments see page 14

1   *When praying alone:*   אֵל מֶלֶךְ נֶאֱמָן.

2   שְׁמַע יִשְׂרָאֵל, יְיָ אֱלֹהֵינוּ, יְיָ אֶחָד:

3   בָּרוּךְ שֵׁם כְּבוֹד מַלְכוּתוֹ לְעוֹלָם וָעֶד.

4   וְאָהַבְתָּ אֵת יְיָ אֱלֹהֶיךָ, בְּכָל לְבָבְךָ, וּבְכָל

5   נַפְשְׁךָ, וּבְכָל מְאֹדֶךָ: וְהָיוּ הַדְּבָרִים הָאֵלֶּה,

6   אֲשֶׁר אָנֹכִי מְצַוְּךָ הַיּוֹם, עַל לְבָבֶךָ: וְשִׁנַּנְתָּם

7   לְבָנֶיךָ, וְדִבַּרְתָּ בָּם, בְּשִׁבְתְּךָ בְּבֵיתֶךָ,

8   וּבְלֶכְתְּךָ בַדֶּרֶךְ, וּבְשָׁכְבְּךָ וּבְקוּמֶךָ:

9   וּקְשַׁרְתָּם לְאוֹת עַל יָדֶךָ, וְהָיוּ לְטֹטָפֹת בֵּין

10   עֵינֶיךָ: וּכְתַבְתָּם עַל מְזֻזוֹת בֵּיתֶךָ וּבִשְׁעָרֶיךָ:

11   וְהָיָה אִם שָׁמֹעַ תִּשְׁמְעוּ אֶל מִצְוֹתַי, אֲשֶׁר

12   אָנֹכִי מְצַוֶּה אֶתְכֶם הַיּוֹם, לְאַהֲבָה אֶת יְיָ

13   אֱלֹהֵיכֶם וּלְעָבְדוֹ, בְּכָל לְבַבְכֶם וּבְכָל

14   נַפְשְׁכֶם: וְנָתַתִּי מְטַר אַרְצְכֶם בְּעִתּוֹ, יוֹרֶה

15   וּמַלְקוֹשׁ, וְאָסַפְתָּ דְגָנֶךָ וְתִירֹשְׁךָ וְיִצְהָרֶךָ:

1 וְנָתַתִּי עֵשֶׂב בְּשָׂדְךָ לִבְהֶמְתֶּךָ, וְאָכַלְתָּ

2 וְשָׂבָעְתָּ: הִשָּׁמְרוּ לָכֶם פֶּן יִפְתֶּה לְבַבְכֶם,

3 וְסַרְתֶּם וַעֲבַדְתֶּם אֱלֹהִים אֲחֵרִים

4 וְהִשְׁתַּחֲוִיתֶם לָהֶם. וְחָרָה אַף יְיָ בָּכֶם,

5 וְעָצַר אֶת הַשָּׁמַיִם וְלֹא יִהְיֶה מָטָר, וְהָאֲדָמָה

6 לֹא תִתֵּן אֶת יְבוּלָהּ, וַאֲבַדְתֶּם מְהֵרָה מֵעַל

7 הָאָרֶץ הַטֹּבָה, אֲשֶׁר יְיָ נֹתֵן לָכֶם: וְשַׂמְתֶּם

8 אֶת דְּבָרַי אֵלֶּה עַל לְבַבְכֶם וְעַל נַפְשְׁכֶם,

9 וּקְשַׁרְתֶּם אֹתָם לְאוֹת עַל יֶדְכֶם, וְהָיוּ

10 לְטוֹטָפֹת בֵּין עֵינֵיכֶם: וְלִמַּדְתֶּם אֹתָם אֶת

11 בְּנֵיכֶם, לְדַבֵּר בָּם, בְּשִׁבְתְּךָ בְּבֵיתֶךָ,

12 וּבְלֶכְתְּךָ בַדֶּרֶךְ, וּבְשָׁכְבְּךָ וּבְקוּמֶךָ:

13 וּכְתַבְתָּם עַל מְזוּזוֹת בֵּיתֶךָ וּבִשְׁעָרֶיךָ: לְמַעַן

14 יִרְבּוּ יְמֵיכֶם וִימֵי בְנֵיכֶם עַל הָאֲדָמָה,

15 אֲשֶׁר נִשְׁבַּע יְיָ לַאֲבֹתֵיכֶם לָתֵת לָהֶם, כִּימֵי

16 הַשָּׁמַיִם עַל הָאָרֶץ:

This is the third paragraph of the שְׁמַע and contains the commandment of the צִיצִת (fringes).

The צִיצִת like the תְּפִלִּין and מְזוּזָה are to be our constant reminders of the teachings of the תּוֹרָה.

There are also references to the Exodus from Egypt.

1   וַיֹּאמֶר יְיָ אֶל מֹשֶׁה לֵּאמֹר:

2   דַּבֵּר אֶל בְּנֵי יִשְׂרָאֵל וְאָמַרְתָּ אֲלֵהֶם וְעָשׂוּ

3   לָהֶם צִיצִת עַל כַּנְפֵי בִגְדֵיהֶם לְדֹרֹתָם;

4   וְנָתְנוּ עַל צִיצִת הַכָּנָף פְּתִיל תְּכֵלֶת: וְהָיָה

5   לָכֶם לְצִיצִת, וּרְאִיתֶם אֹתוֹ וּזְכַרְתֶּם אֶת

6   כָּל מִצְוֹת יְיָ, וַעֲשִׂיתֶם אֹתָם, וְלֹא תָתוּרוּ

7   אַחֲרֵי לְבַבְכֶם וְאַחֲרֵי עֵינֵיכֶם, אֲשֶׁר אַתֶּם

8   זֹנִים אַחֲרֵיהֶם: לְמַעַן תִּזְכְּרוּ וַעֲשִׂיתֶם אֶת

9   כָּל מִצְוֹתָי, וִהְיִיתֶם קְדֹשִׁים לֵאלֹהֵיכֶם:

10   אֲנִי יְיָ אֱלֹהֵיכֶם, אֲשֶׁר הוֹצֵאתִי אֶתְכֶם

11   מֵאֶרֶץ מִצְרַיִם, לִהְיוֹת לָכֶם לֵאלֹהִים. אֲנִי

12   Reader   יְיָ אֱלֹהֵיכֶם: אֱמֶת.

13

1 Cong. וְיַצִּיב, וְנָכוֹן, וְקַיָּם, וְיָשָׁר, וְנֶאֱמָן,

2 וְאָהוּב, וְחָבִיב, וְנֶחְמָד, וְנָעִים, וְנוֹרָא,

3 וְאַדִּיר, וּמְתֻקָּן, וּמְקֻבָּל, וְטוֹב, וְיָפֶה,

4 הַדָּבָר הַזֶּה עָלֵינוּ לְעוֹלָם וָעֶד.

5 אֱמֶת, אֱלֹהֵי עוֹלָם מַלְכֵּנוּ,

6 צוּר יַעֲקֹב מָגֵן יִשְׁעֵנוּ:

7 Reader לְדֹר וָדֹר הוּא קַיָּם, וּשְׁמוֹ קַיָּם,

8 וְכִסְאוֹ נָכוֹן, וּמַלְכוּתוֹ וֶאֱמוּנָתוֹ לָעַד קַיֶּמֶת:

9 וּדְבָרָיו חָיִים וְקַיָּמִים, נֶאֱמָנִים וְנֶחֱמָדִים,

10 לָעַד וּלְעוֹלְמֵי עוֹלָמִים.

11 עַל־אֲבוֹתֵינוּ וְעָלֵינוּ, עַל־בָּנֵינוּ וְעַל־דּוֹרוֹתֵינוּ,

12 וְעַל כָּל־דּוֹרוֹת זֶרַע יִשְׂרָאֵל עֲבָדֶיךָ:

13 עַל־הָרִאשׁוֹנִים, וְעַל־הָאַחֲרוֹנִים,

14 דָּבָר טוֹב וְקַיָּם לְעוֹלָם וָעֶד.

15 אֱמֶת וֶאֱמוּנָה, חֹק וְלֹא יַעֲבֹר:

16 Reader אֱמֶת, שָׁאַתָּה הוּא, יְיָ אֱלֹהֵינוּ, וֵאלֹהֵי אֲבוֹתֵינוּ,

17 מַלְכֵּנוּ מֶלֶךְ אֲבוֹתֵינוּ,

18 גֹּאֲלֵנוּ גֹּאֵל אֲבוֹתֵינוּ, יוֹצְרֵנוּ צוּר יְשׁוּעָתֵנוּ,

19 פּוֹדֵנוּ וּמַצִּילֵנוּ מֵעוֹלָם שְׁמֶךָ, אֵין אֱלֹהִים זוּלָתֶךָ.

תְּפִלַּת שַׁחֲרִית

עֶזְרַת אֲבוֹתֵינוּ אַתָּה הוּא מֵעוֹלָם

You have been the help of our fathers from of old

This prayer reviews the history of יְצִיאַת מִצְרַיִם, the departure from Egypt. It closes by telling us about God's wonders, His goodness to us, and our duty to praise Him. It is followed by the words from Moses' Song of the Sea, "Who is like Thee, O Lord, among the mighty? Who is like Thee, glorious in holiness, revered in praises, doing wonders?" (Exodus 15:11) and "The Lord shall reign forever and ever" (Exodus 15:18).

1 עֶזְרַת אֲבוֹתֵינוּ אַתָּה הוּא מֵעוֹלָם.

2 מָגֵן וּמוֹשִׁיעַ לִבְנֵיהֶם אַחֲרֵיהֶם, בְּכָל־דּוֹר וָדוֹר:

3 בְּרוּם עוֹלָם מוֹשָׁבֶךָ,

4 וּמִשְׁפָּטֶיךָ וְצִדְקָתְךָ עַד אַפְסֵי־אָרֶץ:

5 אַשְׁרֵי אִישׁ שֶׁיִּשְׁמַע לְמִצְוֹתֶיךָ.

6 וְתוֹרָתְךָ וּדְבָרְךָ יָשִׂים עַל־לִבּוֹ:

7 אֱמֶת, אַתָּה הוּא אָדוֹן לְעַמֶּךָ.

8 וּמֶלֶךְ גִּבּוֹר לָרִיב רִיבָם:

9 אֱמֶת אַתָּה הוּא רִאשׁוֹן, וְאַתָּה הוּא אַחֲרוֹן.

10 וּמִבַּלְעָדֶיךָ, אֵין לָנוּ מֶלֶךְ, גּוֹאֵל וּמוֹשִׁיעַ:

11 מִמִּצְרַיִם גְּאַלְתָּנוּ, יְיָ אֱלֹהֵינוּ,

12 וּמִבֵּית עֲבָדִים פְּדִיתָנוּ.

13 כָּל־בְּכוֹרֵיהֶם הָרַגְתָּ, וּבְכוֹרְךָ גָּאָלְתָּ,

1 וְיַם־סוּף בָּקַעְתָּ, וְזֵדִים טִבַּעְתָּ, וִידִידִים הֶעֱבַרְתָּ,

2 וַיְכַסּוּ מַיִם צָרֵיהֶם, אֶחָד מֵהֶם לֹא נוֹתָר:

3 עַל זֹאת שִׁבְּחוּ אֲהוּבִים וְרוֹמְמוּ אֵל.

4 וְנָתְנוּ יְדִידִים זְמִרוֹת, שִׁירוֹת וְתִשְׁבָּחוֹת,

5 בְּרָכוֹת וְהוֹדָאוֹת, לַמֶּלֶךְ אֵל חַי וְקַיָּם:

6 רָם וְנִשָּׂא, גָּדוֹל וְנוֹרָא, מַשְׁפִּיל גֵּאִים,

7 וּמַגְבִּיהַּ שְׁפָלִים, מוֹצִיא אֲסִירִים וּפוֹדֶה עֲנָוִים,

8 וְעוֹזֵר דַּלִּים, וְעוֹנֶה לְעַמּוֹ בְּעֵת שַׁוְּעָם אֵלָיו:

9 Reader תְּהִלּוֹת לְאֵל עֶלְיוֹן, בָּרוּךְ הוּא וּמְבֹרָךְ,

10 מֹשֶׁה וּבְנֵי יִשְׂרָאֵל לְךָ עָנוּ שִׁירָה

11 בְּשִׂמְחָה רַבָּה, וְאָמְרוּ כֻלָּם:

Cong. and Reader

12 מִי־כָמֹכָה בָּאֵלִם יְיָ ?

13 מִי כָּמֹכָה נֶאְדָּר בַּקֹּדֶשׁ ?

14 נוֹרָא תְהִלֹּת, עֹשֵׂה־פֶלֶא:

15 שִׁירָה חֲדָשָׁה שִׁבְּחוּ גְאוּלִים לְשִׁמְךָ עַל־

16 שְׂפַת הַיָּם, יַחַד כֻּלָּם, הוֹדוּ וְהִמְלִיכוּ

17 וְאָמְרוּ:

18 יְיָ יִמְלֹךְ לְעוֹלָם וָעֶד

צוּר יִשְׂרָאֵל קוּמָה בְּעֶזְרַת יִשְׂרָאֵל

O Rock of Israel, arise to the help of Israel

This prayer introduces the שְׁמוֹנֶה עֶשְׂרֵה or the עֲמִידָה, the Silent Devotion of the service for שַׁחֲרִית (morning). In it we call God צוּר, meaning "rock" or "strength". We ask God to help the people of Israel and to redeem them as He promised. God has promised many times through His prophets that He will redeem us and bring us back to the Land of Israel. For example, Ezekiel said, in the name of God, "I will take the children of Israel from among the nations . . . and will bring them into their own land" (Ezekiel 37:21).

The word Israel appears five times in this prayer to remind us of the Five Books of Moses, the תּוֹרָה.

In the second line we speak of Judah and Israel. Judah, you will remember, was the son of Jacob who saved the life of Joseph when he was thrown into the pit. One of the twelve tribes of Israel was named after him. When Israel became a kingdom, the tribe of Judah was very powerful. After King Solomon died, the Kingdom of Israel was divided into two kingdoms — Judea and Israel. Later the ten tribes of Israel disappeared and only Judea remained. The people of Judea were called Jews.

In the Book of Esther we find that Mordecai is called אִישׁ יְהוּדִי, "a Jewish man." יְהוּדִי comes from יְהוּדָה. Except for those who are כֹּהֲנִים (Priests) and לְוִיִּם (Levites), practically all of us come from the tribe of Judah.

1 צוּר יִשְׂרָאֵל, קוּמָה בְּעֶזְרַת יִשְׂרָאֵל,

2 וּפְדֵה כִנְאֻמֶךָ, יְהוּדָה וְיִשְׂרָאֵל:

3 Reader גֹּאֲלֵנוּ יְיָ צְבָאוֹת שְׁמוֹ קְדוֹשׁ יִשְׂרָאֵל.

4 בָּרוּךְ אַתָּה יְיָ, גָּאַל יִשְׂרָאֵל:

THE EIGHTEEN BLESSINGS שְׁמוֹנֶה עֶשְׂרֵה

The שְׁמוֹנֶה עֶשְׂרֵה is really not just a prayer but a whole service.

Jews have been saying the שְׁמוֹנֶה עֶשְׂרֵה for at least the past 1800 years.

שְׁמוֹנֶה עֶשְׂרֵה means eighteen. At first, the שְׁמוֹנֶה עֶשְׂרֵה that is said on weekdays had eighteen blessings, but now it has nineteen.

The שְׁמוֹנֶה עֶשְׂרֵה is often called the עֲמִידָה, which means "standing"; for when we say it, we stand.

The blessings of the שְׁמוֹנֶה עֶשְׂרֵה for weekdays may be divided into three parts.

1. The three opening blessings, in which we PRAISE God for His kindness, His love, His greatness, and His holiness, and in which we remember the three patriarchs, Abraham, Isaac and Jacob.
2. The middle section starting with blessing number four on page *115* and ending with blessing number sixteen on page *120* are prayers for the individual as well as pleas for the people of Israel.
3. The last three blessings, in which we THANK God for His goodness and mercy, and for giving us peace.

On רֹאשׁ חֹדֶשׁ (the first day of a Hebrew month) or חוֹל הַמּוֹעֵד (the days between the first and last two days of פֶּסַח and סֻכּוֹת) we say the יַעֲלֶה וְיָבֹא before concluding the blessing of רְצֵה. In it we ask God to remember us, our fathers, all the people of Israel, and Jerusalem (the Land of Israel).

On חֲנוּכָּה and פּוּרִים we recite עַל הַנִּסִּים after reading the first paragraph of מוֹדִים.

The שְׁמוֹנֶה עֶשְׂרֵה is recited in a special way:

1. We stand with our feet together, facing the Holy Ark. If there is no Holy Ark, we still face the east, because the Land of Israel is in the east.

2. We recite the שְׁמוֹנֶה עֶשְׂרֵה in silence.

3. In the first blessing, when we say the word בָּרוּךְ, we bend our knees; when we say the word אַתָּה, we bow our heads, and when we say יְיָ, we stand up straight.

We do the same at the end of the first blessing when we say: בָּרוּךְ אַתָּה, יְיָ, מָגֵן אַבְרָהָם.

In the third part of the שְׁמוֹנֶה עֶשְׂרֵה (the last three blessings), when we say מוֹדִים, we also bend our knees and bow.

We do the same in the next to the last blessing, וְעַל כֻּלָּם, when we say: בָּרוּךְ אַתָּה, יְיָ, הַטּוֹב שִׁמְךָ, וּלְךָ נָאֶה לְהוֹדוֹת.

4. As we finish the שְׁמוֹנֶה עֶשְׂרֵה, before we say עוֹשֶׂה שָׁלוֹם בִּמְרוֹמָיו, we walk three steps backward and bow. We do this to show that God is our King. Men never turn their backs on a human king. We should certainly not do so when we stand before the King of Kings.

The שְׁמוֹנֶה עֶשְׂרֵה for תְּפִלַּת שַׁחֲרִית לְשַׁבָּת (the Morning Service for the Sabbath) has only seven blessings. This is also true of the תְּפִלַּת מוּסָף לְשַׁבָּת, the Additional Service for Sabbath morning, which we shall learn later. (Also the Amidot of מִנְחָה and מַעֲרִיב for שַׁבָּת have only seven blessings.)

1. The first three and the last three blessings are the same in both of them. Only the middle blessing is different. Also the קְדוּשָּׁה (the "holiness" prayer) of שַׁחֲרִית is different. There is, in addition a special קְדוּשָּׁה for מוּסָף.

2. The middle blessing, in which we REMEMBER how Moses received the Ten Commandments on Mount Sinai and how God gave us the Sabbath as a day of rest when He Himself rested on the seventh day after creating the heavens and the earth. We also ASK God to be pleased with us, to make us holy so that we may observe the מִצְוֹת of the תּוֹרָה, to be good to us, to help us, and to make our hearts pure so that we may always be able to keep the Sabbath. The middle paragraph of this blessing, the וְשָׁמְרוּ, comes from the תּוֹרָה (Exodus 31:16–17).

On חֲנֻכָּה we recite עַל הַנִּסִּים after reading the first paragraph of מוֹדִים.

תְּפִלַּת שַׁחֲרִית

שְׁמוֹנֶה עֶשְׂרֵה

The following prayer is to be said standing:

1 אֲדֹנָי שְׂפָתַי תִּפְתָּח וּפִי יַגִּיד תְּהִלָּתֶךָ.

2 בָּרוּךְ אַתָּה יְיָ, אֱלֹהֵינוּ וֵאלֹהֵי אֲבוֹתֵינוּ,

3 אֱלֹהֵי אַבְרָהָם, אֱלֹהֵי יִצְחָק, וֵאלֹהֵי יַעֲקֹב,

4 הָאֵל הַגָּדוֹל, הַגִּבּוֹר וְהַנּוֹרָא, אֵל עֶלְיוֹן,

5 גּוֹמֵל חֲסָדִים טוֹבִים, וְקוֹנֵה הַכֹּל, וְזוֹכֵר

6 חַסְדֵי אָבוֹת, וּמֵבִיא גוֹאֵל לִבְנֵי בְנֵיהֶם,

7 לְמַעַן שְׁמוֹ בְּאַהֲבָה.

During the עֲשֶׂרֶת יְמֵי תְּשׁוּבָה *say:*

8 זָכְרֵנוּ לְחַיִּים, מֶלֶךְ חָפֵץ בַּחַיִּים!

9 וְכָתְבֵנוּ בְּסֵפֶר הַחַיִּים לְמַעַנְךָ, אֱלֹהִים חַיִּים!

10 מֶלֶךְ עוֹזֵר וּמוֹשִׁיעַ וּמָגֵן. בָּרוּךְ אַתָּה יְיָ,

11 מָגֵן אַבְרָהָם. Cong. אָמֵן

12 אַתָּה גִבּוֹר לְעוֹלָם אֲדֹנָי, מְחַיֵּה מֵתִים אַתָּה,

13 רַב לְהוֹשִׁיעַ.

From שְׁמִינִי עֲצֶרֶת *till the first day of* פֶּסַח *say:*

1. מַשִּׁיב הָרוּחַ וּמוֹרִיד הַגָּשֶׁם.

2. מְכַלְכֵּל חַיִּים בְּחֶסֶד, מְחַיֶּה מֵתִים בְּרַחֲמִים

3. רַבִּים, סוֹמֵךְ נוֹפְלִים, וְרוֹפֵא חוֹלִים, וּמַתִּיר

4. אֲסוּרִים, וּמְקַיֵּם אֱמוּנָתוֹ לִישֵׁנֵי עָפָר. מִי

5. כָמוֹךָ בַּעַל גְּבוּרוֹת? וּמִי דּוֹמֶה לָּךְ, מֶלֶךְ

6. מֵמִית וּמְחַיֶּה וּמַצְמִיחַ יְשׁוּעָה?

During the עֲשֶׂרֶת יְמֵי תְשׁוּבָה *say:*

7. מִי כָמוֹךָ, אַב הָרַחֲמִים? זוֹכֵר יְצוּרָיו לְחַיִּים בְּרַחֲמִים.

8. וְנֶאֱמָן אַתָּה לְהַחֲיוֹת מֵתִים. בָּרוּךְ אַתָּה יְיָ,

9. מְחַיֵּה הַמֵּתִים. Cong. אָמֵן

When the Reader repeats the שְׁמוֹנֶה עֶשְׂרֵה, *the following* קְדוּשָׁה *is said:*

Cong. and Reader

10. נְקַדֵּשׁ אֶת שִׁמְךָ בָּעוֹלָם, כְּשֵׁם שֶׁמַּקְדִּישִׁים

11. אוֹתוֹ בִּשְׁמֵי מָרוֹם, כַּכָּתוּב עַל יַד נְבִיאֶךָ:

12. וְקָרָא זֶה אֶל זֶה וְאָמַר:

1 אַתָּה קָדוֹשׁ וְשִׁמְךָ קָדוֹשׁ, וּקְדוֹשִׁים בְּכָל יוֹם

2 יְהַלְלוּךָ, סֶּלָה. בָּרוּךְ אַתָּה יְיָ, הָאֵל הַקָּדוֹשׁ.

Cong. אָמֵן

During the עֲשֶׂרֶת יְמֵי תְשׁוּבָה *conclude the blessing thus:* הַמֶּלֶךְ הַקָּדוֹשׁ

Cong. and Reader

3 קָדוֹשׁ, קָדוֹשׁ, קָדוֹשׁ יְיָ צְבָאוֹת! מְלֹא כָל

4 הָאָרֶץ כְּבוֹדוֹ.

5 **Reader** לְעֻמָּתָם בָּרוּךְ יֹאמֵרוּ:

Cong. and Reader

6 בָּרוּךְ כְּבוֹד יְיָ מִמְּקוֹמוֹ.

7 **Reader** וּבְדִבְרֵי קָדְשְׁךָ כָּתוּב לֵאמֹר:

Cong. and Reader

8 יִמְלֹךְ יְיָ לְעוֹלָם, אֱלֹהַיִךְ צִיּוֹן – לְדֹר וָדֹר

9 הַלְלוּיָהּ!

10 **Reader** לְדוֹר וָדוֹר נַגִּיד גָּדְלֶךָ, וּלְנֵצַח נְצָחִים קְדֻשָּׁתְךָ

11 נַקְדִּישׁ, וְשִׁבְחֲךָ אֱלֹהֵינוּ מִפִּינוּ לֹא יָמוּשׁ לְעוֹלָם וָעֶד,

12 כִּי אֵל מֶלֶךְ גָּדוֹל וְקָדוֹשׁ אָתָּה.

13 בָּרוּךְ אַתָּה יְיָ, הָאֵל הַקָּדוֹשׁ. **Cong.** אָמֵן

During the עֲשֶׂרֶת יְמֵי תְשׁוּבָה *conclude the blessing thus:* הַמֶּלֶךְ הַקָּדוֹשׁ

1 אַתָּה חוֹנֵן לְאָדָם דַּעַת, וּמְלַמֵּד לֶאֱנוֹשׁ

2 בִּינָה.

At the conclusion of the Sabbath or of the Festival add:

3 אַתָּה חוֹנַנְתָּנוּ לְמַדַּע תּוֹרָתֶךָ. וַתְּלַמְּדֵנוּ לַעֲשׂוֹת חֻקֵּי

4 רְצוֹנֶךָ, וַתַּבְדֵּל, יְיָ אֱלֹהֵינוּ, בֵּין קֹדֶשׁ לְחוֹל, בֵּין אוֹר

5 לְחָשֶׁךְ. בֵּין יִשְׂרָאֵל לָעַמִּים, בֵּין יוֹם הַשְּׁבִיעִי, לְשֵׁשֶׁת

6 יְמֵי הַמַּעֲשֶׂה. אָבִינוּ מַלְכֵּנוּ, הָחֵל עָלֵינוּ הַיָּמִים הַבָּאִים

7 לִקְרָאתֵנוּ, לְשָׁלוֹם, חֲשׂוּכִים מִכָּל חֵטְא, וּמְנֻקִּים מִכָּל עָוֹן

8 וּמְדֻבָּקִים בְּיִרְאָתֶךָ.

9 חָנֵּנוּ מֵאִתְּךָ דֵּעָה, בִּינָה וְהַשְׂכֵּל. בָּרוּךְ

10 אַתָּה יְיָ, חוֹנֵן הַדָּעַת.

11 הֲשִׁיבֵנוּ אָבִינוּ לְתוֹרָתֶךָ וְקָרְבֵנוּ מַלְכֵּנוּ

12 לַעֲבוֹדָתֶךָ, וְהַחֲזִירֵנוּ בִּתְשׁוּבָה שְׁלֵמָה

13 לְפָנֶיךָ. בָּרוּךְ אַתָּה יְיָ, הָרוֹצֶה בִּתְשׁוּבָה.

Cong. אָמֵן

1. סְלַח לָנוּ אָבִינוּ, כִּי חָטָאנוּ, מְחַל לָנוּ

2. מַלְכֵּנוּ, כִּי פָשָׁעְנוּ, כִּי מוֹחֵל וְסוֹלֵחַ אָתָּה.

3. בָּרוּךְ אַתָּה יְיָ, חַנּוּן הַמַּרְבֶּה לִסְלֹחַ. Cong. אָמֵן

4. רְאֵה נָא בְעָנְיֵנוּ, וְרִיבָה רִיבֵנוּ, וּגְאָלֵנוּ

5. מְהֵרָה לְמַעַן שְׁמֶךָ, כִּי גוֹאֵל חָזָק אָתָּה.

6. בָּרוּךְ אַתָּה יְיָ, גּוֹאֵל יִשְׂרָאֵל. Cong. אָמֵן ✡

7. רְפָאֵנוּ יְיָ וְנֵרָפֵא, הוֹשִׁיעֵנוּ וְנִוָּשֵׁעָה, כִּי

8. תְהִלָּתֵנוּ אָתָּה, וְהַעֲלֵה רְפוּאָה שְׁלֵמָה לְכָל

9. מַכּוֹתֵינוּ. כִּי אֵל מֶלֶךְ רוֹפֵא נֶאֱמָן וְרַחֲמָן

10. אָתָּה. בָּרוּךְ אַתָּה יְיָ, רוֹפֵא חוֹלֵי עַמּוֹ

11. יִשְׂרָאֵל. Cong. אָמֵן

12. בָּרֵךְ עָלֵינוּ יְיָ אֱלֹהֵינוּ אֶת הַשָּׁנָה הַזֹּאת

13. וְאֶת כָּל מִינֵי תְבוּאָתָה לְטוֹבָה:

On Fast Days the Reader here says עֲנֵנוּ, *on page 120 line 7:* ✡
and concludes thus:

14. בָּרוּךְ אַתָּה יְיָ, הָעוֹנֶה בְּעֵת צָרָה:

During the Summer say: וְתֵן בְּרָכָה

During the Winter, from December 4th until the 1st day of פֶּסַח *say:*

1   וְתֵן טַל וּמָטָר לִבְרָכָה

2   עַל פְּנֵי הָאֲדָמָה, וְשַׂבְּעֵנוּ מִטּוּבֶךָ, וּבָרֵךְ

3   שְׁנָתֵנוּ כַּשָּׁנִים הַטּוֹבוֹת. בָּרוּךְ אַתָּה יְיָ,

4   מְבָרֵךְ הַשָּׁנִים.   Cong. אָמֵן

5   תְּקַע בְּשׁוֹפָר גָּדוֹל לְחֵרוּתֵנוּ, וְשָׂא נֵס לְקַבֵּץ

6   גָּלֻיּוֹתֵינוּ, וְקַבְּצֵנוּ יַחַד מֵאַרְבַּע כַּנְפוֹת

7   הָאָרֶץ. בָּרוּךְ אַתָּה יְיָ, מְקַבֵּץ נִדְחֵי עַמּוֹ

8   יִשְׂרָאֵל.   Cong. אָמֵן

9   הָשִׁיבָה שׁוֹפְטֵינוּ כְּבָרִאשׁוֹנָה וְיוֹעֲצֵינוּ

10   כְּבַתְּחִלָּה, וְהָסֵר מִמֶּנּוּ יָגוֹן וַאֲנָחָה, וּמְלוֹךְ

11   עָלֵינוּ אַתָּה יְיָ לְבַדְּךָ בְּחֶסֶד וּבְרַחֲמִים,

12   וְצַדְּקֵנוּ בַּמִּשְׁפָּט. בָּרוּךְ אַתָּה יְיָ, מֶלֶךְ אוֹהֵב

13   צְדָקָה וּמִשְׁפָּט.   Cong. אָמֵן

✡

During the עֲשֶׂרֶת יְמֵי תְּשׁוּבָה *conclude the blessing thus:* הַמֶּלֶךְ הַמִּשְׁפָּט

וְלַמַּלְשִׁינִים אַל תְּהִי תִקְוָה, וְכָל הָרִשְׁעָה

כְּרֶגַע תֹּאבֵד, וְכָל אֹיְבֵי עַמְּךָ מְהֵרָה

יִכָּרֵתוּ, וְהַזֵּדִים מְהֵרָה תְעַקֵּר וּתְשַׁבֵּר

וּתְמַגֵּר וְתַכְנִיעַ בִּמְהֵרָה בְיָמֵינוּ. בָּרוּךְ אַתָּה

יְיָ, שֹׁבֵר אֹיְבִים וּמַכְנִיעַ זֵדִים. **Cong.** אָמֵן

עַל הַצַּדִּיקִים וְעַל הַחֲסִידִים, וְעַל זִקְנֵי

עַמְּךָ בֵּית יִשְׂרָאֵל, וְעַל פְּלֵיטַת סוֹפְרֵיהֶם,

וְעַל גֵּרֵי הַצֶּדֶק וְעָלֵינוּ, יֶהֱמוּ נָא רַחֲמֶיךָ

יְיָ אֱלֹהֵינוּ וְתֵן שָׂכָר טוֹב לְכָל הַבּוֹטְחִים

בְּשִׁמְךָ בֶּאֱמֶת, וְשִׂים חֶלְקֵנוּ עִמָּהֶם לְעוֹלָם,

וְלֹא נֵבוֹשׁ כִּי בְךָ בָּטָחְנוּ. בָּרוּךְ אַתָּה יְיָ,

מִשְׁעָן וּמִבְטָח לַצַּדִּיקִים. **Cong.** אָמֵן

וְלִירוּשָׁלַיִם עִירְךָ בְּרַחֲמִים תָּשׁוּב, וְתִשְׁכּוֹן

בְּתוֹכָהּ כַּאֲשֶׁר דִּבַּרְתָּ, וּבְנֵה אוֹתָהּ בְּקָרוֹב

1   בְּיָמֵינוּ בִּנְיַן עוֹלָם, וְכִסֵּא דָוִד מְהֵרָה

2   לְתוֹכָהּ תָּכִין. ✡

3   בָּרוּךְ אַתָּה יְיָ, בּוֹנֵה יְרוּשָׁלָיִם. Cong. אָמֵן

4   אֶת צֶמַח דָּוִד עַבְדְּךָ מְהֵרָה תַצְמִיחַ, וְקַרְנוֹ

5   תָרוּם בִּישׁוּעָתֶךָ, כִּי לִישׁוּעָתְךָ קִוִּינוּ כָּל

6   הַיּוֹם. בָּרוּךְ אַתָּה יְיָ, מַצְמִיחַ קֶרֶן יְשׁוּעָה.
    Cong. אָמֵן

✡ *At the Afternoon Service of* תִּשְׁעָה בְּאָב *add:* נַחֵם

7   נַחֵם, יְיָ אֱלֹהֵינוּ, אֶת אֲבֵלֵי צִיּוֹן וְאֶת אֲבֵלֵי יְרוּשָׁלָיִם.

8   וְאֶת הָעִיר הָאֲבֵלָה וְהַחֲרֵבָה וְהַבְּזוּיָה וְהַשּׁוֹמֵמָה. הָאֲבֵלָה

9   מִבְּלִי בָנֶיהָ. וְהַחֲרֵבָה מִמְּעוֹנוֹתֶיהָ. וְהַבְּזוּיָה מִכְּבוֹדָהּ.

10   וְהַשּׁוֹמֵמָה מֵאֵין יוֹשֵׁב. וְהִיא יוֹשֶׁבֶת וְרֹאשָׁהּ חָפוּי, כְּאִשָּׁה

11   עֲקָרָה, שֶׁלֹּא יָלָדָה. וַיְבַלְּעוּהָ לִגְיוֹנוֹת. וַיִּירָשׁוּהָ עוֹבְדֵי

12   כוֹכָבִים. וַיַּטִּילוּ אֶת עַמְּךָ יִשְׂרָאֵל לֶחָרֶב. וַיַּהַרְגוּ בְזָדוֹן

13   חֲסִידֵי עֶלְיוֹן. עַל כֵּן צִיּוֹן בְּמַר תִּבְכֶּה. וִירוּשָׁלַיִם תִּתֵּן

14   קוֹלָהּ. לִבִּי לִבִּי עַל חַלְלֵיהֶם. מֵעַי מֵעַי עַל חַלְלֵיהֶם.

15   כִּי אַתָּה יְיָ בָּאֵשׁ הִצַּתָּהּ. וּבָאֵשׁ אַתָּה עָתִיד לִבְנוֹתָהּ.

16   כָּאָמוּר: וַאֲנִי אֶהְיֶה לָּהּ, נְאֻם יְיָ, חוֹמַת אֵשׁ סָבִיב וּלְכָבוֹד

17   אֶהְיֶה בְתוֹכָהּ. בָּרוּךְ אַתָּה יְיָ, מְנַחֵם צִיּוֹן וּבוֹנֵה יְרוּשָׁלָיִם.

שְׁמַע קוֹלֵנוּ   יְיָ   אֱלֹהֵינוּ

Hear our voice, O Lord our God

1 שְׁמַע קוֹלֵנוּ יְיָ אֱלֹהֵינוּ, חוּס וְרַחֵם עָלֵינוּ,

2 וְקַבֵּל בְּרַחֲמִים וּבְרָצוֹן אֶת תְּפִלָּתֵנוּ, כִּי

3 אֵל שׁוֹמֵעַ תְּפִלּוֹת וְתַחֲנוּנִים אָתָּה, וּמִלְּפָנֶיךָ

4 מַלְכֵּנוּ רֵיקָם אַל תְּשִׁיבֵנוּ. ✡

5 כִּי אַתָּה שׁוֹמֵעַ תְּפִלַּת עַמְּךָ יִשְׂרָאֵל

6 בְּרַחֲמִים. בָּרוּךְ אַתָּה יְיָ, שׁוֹמֵעַ תְּפִלָּה.

אָמֵן Cong.

─────────────────────────────

✡ *On Fast days the Congregation says:* עֲנֵנוּ

7 עֲנֵנוּ יְיָ עֲנֵנוּ, בְּיוֹם צוֹם תַּעֲנִיתֵנוּ, כִּי בְצָרָה גְדוֹלָה אֲנָחְנוּ.

8 אַל תֵּפֶן אֶל רִשְׁעֵנוּ, וְאַל תַּסְתֵּר פָּנֶיךָ מִמֶּנּוּ, וְאַל תִּתְעַלַּם

9 מִתְּחִנָּתֵנוּ, הֱיֵה נָא קָרוֹב לְשַׁוְעָתֵנוּ, יְהִי נָא חַסְדְּךָ

10 לְנַחֲמֵנוּ, טֶרֶם נִקְרָא אֵלֶיךָ עֲנֵנוּ, כַּדָּבָר שֶׁנֶּאֱמַר: "וְהָיָה

11 טֶרֶם יִקְרָאוּ וַאֲנִי אֶעֱנֶה, עוֹד הֵם מְדַבְּרִים וַאֲנִי אֶשְׁמָע".

12 כִּי אַתָּה יְיָ הָעוֹנֶה בְּעֵת צָרָה, פּוֹדֶה וּמַצִּיל בְּכָל עֵת

13 צָרָה וְצוּקָה.

Here the individual continues: ...כִּי אַתָּה שׁוֹמֵעַ

14 Reader בָּרוּךְ אַתָּה יְיָ, הָעוֹנֶה בְּעֵת צָרָה. אָמֵן Cong.

1   רְצֵה יְיָ אֱלֹהֵינוּ בְּעַמְּךָ יִשְׂרָאֵל וּבִתְפִלָּתָם, וְהָשֵׁב אֶת

2   הָעֲבוֹדָה לִדְבִיר בֵּיתֶךָ וְאִשֵּׁי יִשְׂרָאֵל, וּתְפִלָּתָם בְּאַהֲבָה

3   תְקַבֵּל בְּרָצוֹן, וּתְהִי לְרָצוֹן תָּמִיד עֲבוֹדַת יִשְׂרָאֵל עַמֶּךָ.

רֹאשׁ חֹדֶשׁ means the "beginning of the month." It is the first day or the first two days of the Hebrew month. חוֹל הַמּוֹעֵד means the "weekdays" of the holiday — the days between the first and last days of Pesach and Sukkot.)

On רֹאשׁ חֹדֶשׁ *and* חוֹל הַמּוֹעֵד *add the following:*

7   אֱלֹהֵינוּ וֵאלֹהֵי אֲבוֹתֵינוּ. יַעֲלֶה וְיָבֹא וְיַגִּיעַ, וְיֵרָאֶה וְיֵרָצֶה

8   וְיִשָּׁמַע, וְיִפָּקֵד וְיִזָּכֵר זִכְרוֹנֵנוּ וּפִקְדוֹנֵנוּ, וְזִכְרוֹן אֲבוֹתֵינוּ,

9   וְזִכְרוֹן מָשִׁיחַ בֶּן דָּוִד עַבְדֶּךָ, וְזִכְרוֹן יְרוּשָׁלַיִם עִיר

10   קָדְשֶׁךָ, וְזִכְרוֹן כָּל עַמְּךָ בֵּית יִשְׂרָאֵל לְפָנֶיךָ, לִפְלֵיטָה,

11   לְטוֹבָה, לְחֵן וּלְחֶסֶד וּלְרַחֲמִים, לְחַיִּים וּלְשָׁלוֹם בְּיוֹם

12   *On New Moon:* לְרֹאשׁ חֹדֶשׁ רֹאשׁ הַחֹדֶשׁ הַזֶּה.

13   *On Passover:* לְפֶסַח חַג הַמַּצּוֹת הַזֶּה.

14   *On Tabernacles:* לְסֻכּוֹת חַג הַסֻּכּוֹת הַזֶּה.

זָכְרֵנוּ יְיָ אֱלֹהֵינוּ בּוֹ לְטוֹבָה, וּפָקְדֵנוּ בוֹ לִבְרָכָה,
וְהוֹשִׁיעֵנוּ בוֹ לְחַיִּים, וּבִדְבַר יְשׁוּעָה וְרַחֲמִים, חוּס וְחָנֵּנוּ,
וְרַחֵם עָלֵינוּ וְהוֹשִׁיעֵנוּ, כִּי אֵלֶיךָ עֵינֵינוּ, כִּי אֵל מֶלֶךְ
חַנּוּן וְרַחוּם אָתָּה.

וְתֶחֱזֶינָה עֵינֵינוּ בְּשׁוּבְךָ לְצִיּוֹן בְּרַחֲמִים.
בָּרוּךְ אַתָּה יְיָ, הַמַּחֲזִיר שְׁכִינָתוֹ לְצִיּוֹן.

Cong. אָמֵן

When saying מוֹדִים *bow, regaining your posture before* יְיָ

מוֹדִים אֲנַחְנוּ לָךְ,
שָׁאַתָּה הוּא יְיָ אֱלֹהֵינוּ
וֵאלֹהֵי אֲבוֹתֵינוּ לְעוֹלָם
וָעֶד, צוּר חַיֵּינוּ, מָגֵן
יִשְׁעֵנוּ, אַתָּה הוּא לְדוֹר
וָדוֹר. נוֹדֶה לְּךָ וּנְסַפֵּר
תְּהִלָּתֶךָ, עַל חַיֵּינוּ

The Congregation silently:

מוֹדִים אֲנַחְנוּ לָךְ,
שָׁאַתָּה הוּא יְיָ אֱלֹהֵינוּ
וֵאלֹהֵי אֲבוֹתֵינוּ, אֱלֹהֵי
כָל בָּשָׂר, יוֹצְרֵנוּ,
יוֹצֵר בְּרֵאשִׁית.
בְּרָכוֹת וְהוֹדָאוֹת
לְשִׁמְךָ הַגָּדוֹל
וְהַקָּדוֹשׁ, עַל שֶׁהֶחֱיִיתָנוּ
וְקִיַּמְתָּנוּ. כֵּן תְּחַיֵּנוּ

1 הַמְּסוּרִים בְּיָדֶךָ, וְעַל

2 נִשְׁמוֹתֵינוּ הַפְּקוּדוֹת

3 לָךְ, וְעַל נִסֶּיךָ שֶׁבְּכָל

4 יוֹם עִמָּנוּ, וְעַל

5 נִפְלְאוֹתֶיךָ וְטוֹבוֹתֶיךָ

6 שֶׁבְּכָל עֵת—עֶרֶב וָבֹקֶר

7 וְצָהֳרָיִם. הַטּוֹב, —

8 כִּי לֹא כָלוּ רַחֲמֶיךָ, וְהַמְרַחֵם, — כִּי לֹא

9 תַמּוּ חֲסָדֶיךָ — מֵעוֹלָם קִוִּינוּ לָךְ.

וּתְקַיְּמֵנוּ, וְתֶאֱסוֹף גָּלֻיּוֹתֵינוּ לְחַצְרוֹת קָדְשֶׁךָ, לִשְׁמוֹר חֻקֶּיךָ, וְלַעֲשׂוֹת רְצוֹנֶךָ, וּלְעָבְדְּךָ בְּלֵבָב שָׁלֵם, עַל שֶׁאֲנַחְנוּ מוֹדִים לָךְ. בָּרוּךְ אֵל הַהוֹדָאוֹת.

On חֲנֻכָּה and פּוּרִים *add the following:*

10 וְעַל הַנִּסִּים וְעַל הַפֻּרְקָן, וְעַל הַגְּבוּרוֹת, וְעַל הַתְּשׁוּעוֹת,

11 וְעַל הַמִּלְחָמוֹת, שֶׁעָשִׂיתָ לַאֲבוֹתֵינוּ בַּיָּמִים הָהֵם בַּזְּמַן

הַזֶּה.
12

On חֲנֻכָּה

בִּימֵי מַתִּתְיָהוּ בֶּן יוֹחָנָן כֹּהֵן גָּדוֹל חַשְׁמוֹנָאִי וּבָנָיו, כְּשֶׁעָמְדָה מַלְכוּת יָוָן הָרְשָׁעָה עַל עַמְּךָ יִשְׂרָאֵל, לְהַשְׁכִּיחָם תּוֹרָתֶךָ, וּלְהַעֲבִירָם מֵחֻקֵּי רְצוֹנֶךָ, וְאַתָּה בְּרַחֲמֶיךָ הָרַבִּים עָמַדְתָּ לָהֶם בְּעֵת צָרָתָם, רַבְתָּ אֶת רִיבָם, דַּנְתָּ אֶת דִּינָם, נָקַמְתָּ אֶת נִקְמָתָם, מָסַרְתָּ גִבּוֹרִים בְּיַד חַלָּשִׁים, וְרַבִּים בְּיַד מְעַטִּים, וּטְמֵאִים בְּיַד טְהוֹרִים, וּרְשָׁעִים בְּיַד צַדִּיקִים, וְזֵדִים בְּיַד עוֹסְקֵי תוֹרָתֶךָ, וּלְךָ עָשִׂיתָ שֵׁם גָּדוֹל וְקָדוֹשׁ בְּעוֹלָמֶךָ, וּלְעַמְּךָ יִשְׂרָאֵל עָשִׂיתָ תְּשׁוּעָה גְדוֹלָה וּפֻרְקָן כְּהַיּוֹם הַזֶּה. וְאַחַר כֵּן בָּאוּ בָנֶיךָ לִדְבִיר בֵּיתֶךָ, וּפִנּוּ אֶת הֵיכָלֶךָ, וְטִהֲרוּ אֶת מִקְדָּשֶׁךָ, וְהִדְלִיקוּ נֵרוֹת בְּחַצְרוֹת קָדְשֶׁךָ וְקָבְעוּ שְׁמוֹנַת יְמֵי "חֲנֻכָּה" אֵלּוּ לְהוֹדוֹת וּלְהַלֵּל לְשִׁמְךָ הַגָּדוֹל.

On פּוּרִים

בִּימֵי מָרְדְּכַי וְאֶסְתֵּר בְּשׁוּשַׁן הַבִּירָה, כְּשֶׁעָמַד עֲלֵיהֶם הָמָן הָרָשָׁע, בִּקֵּשׁ לְהַשְׁמִיד, לַהֲרוֹג וּלְאַבֵּד אֶת כָּל הַיְּהוּדִים, מִנַּעַר וְעַד זָקֵן, טַף וְנָשִׁים, בְּיוֹם אֶחָד בִּשְׁלֹשָׁה עָשָׂר לְחֹדֶשׁ שְׁנֵים עָשָׂר, הוּא חֹדֶשׁ אֲדָר, וּשְׁלָלָם לָבוֹז. וְאַתָּה בְּרַחֲמֶיךָ הָרַבִּים הֵפַרְתָּ אֶת עֲצָתוֹ, וְקִלְקַלְתָּ אֶת מַחֲשַׁבְתּוֹ, וַהֲשֵׁבוֹתָ לּוֹ גְּמוּלוֹ בְּרֹאשׁוֹ, וְתָלוּ אוֹתוֹ וְאֶת בָּנָיו עַל הָעֵץ.

1 וְעַל כֻּלָּם יִתְבָּרַךְ וְיִתְרוֹמַם שִׁמְךָ מַלְכֵּנוּ

2 תָּמִיד לְעוֹלָם וָעֶד.

During the עֲשֶׂרֶת יְמֵי תְשׁוּבָה *say:*

3 וּכְתוֹב לְחַיִּים טוֹבִים כָּל בְּנֵי בְרִיתֶךָ.

4 וְכָל־הַחַיִּים יוֹדוּךָ סֶּלָה, וִיהַלְלוּ אֶת שִׁמְךָ

5 בֶּאֱמֶת, הָאֵל יְשׁוּעָתֵנוּ וְעֶזְרָתֵנוּ סֶּלָה! בָּרוּךְ

6 אַתָּה יְיָ, הַטּוֹב שִׁמְךָ וּלְךָ נָאֶה לְהוֹדוֹת.

Cong. אָמֵן

At the repetition of שְׁמוֹנֶה עֶשְׂרֵה *the Reader says:*

7 אֱלֹהֵינוּ וֵאלֹהֵי אֲבוֹתֵינוּ, בָּרְכֵנוּ בַבְּרָכָה הַמְשֻׁלֶּשֶׁת,

8 בַּתּוֹרָה, הַכְּתוּבָה עַל יְדֵי מֹשֶׁה עַבְדֶּךָ, הָאֲמוּרָה מִפִּי

9 אַהֲרֹן וּבָנָיו כֹּהֲנִים עַם קְדוֹשֶׁךָ, כָּאָמוּר: יְבָרֶכְךָ יְיָ

10 וְיִשְׁמְרֶךָ! יָאֵר יְיָ פָּנָיו, אֵלֶיךָ וִיחֻנֶּךָּ! יִשָּׂא יְיָ פָּנָיו אֵלֶיךָ

11 וְיָשֵׂם לְךָ שָׁלוֹם!

At the Service of שַׁחֲרִית *say:*

12 שִׂים שָׁלוֹם, טוֹבָה וּבְרָכָה, חֵן וָחֶסֶד

13 וְרַחֲמִים, עָלֵינוּ וְעַל כָּל יִשְׂרָאֵל עַמֶּךָ.

בָּרְכֵנוּ אָבִינוּ כֻּלָּנוּ כְּאֶחָד בְּאוֹר פָּנֶיךָ, כִּי
בְאוֹר פָּנֶיךָ נָתַתָּ לָּנוּ יְיָ אֱלֹהֵינוּ תּוֹרַת חַיִּים
וְאַהֲבַת חֶסֶד, וּצְדָקָה וּבְרָכָה וְרַחֲמִים
וְחַיִּים וְשָׁלוֹם, וְטוֹב בְּעֵינֶיךָ לְבָרֵךְ אֶת
עַמְּךָ יִשְׂרָאֵל בְּכָל עֵת וּבְכָל שָׁעָה
בִּשְׁלוֹמֶךָ. בְּסֵפֶר

בָּרוּךְ אַתָּה יְיָ, הַמְבָרֵךְ אֶת עַמּוֹ יִשְׂרָאֵל
בַּשָּׁלוֹם. Cong. אָמֵן

At the services of מִנְחָה *and* מַעֲרִיב *say:*

שָׁלוֹם רָב עַל יִשְׂרָאֵל עַמְּךָ תָּשִׂים לְעוֹלָם,
כִּי אַתָּה הוּא מֶלֶךְ אָדוֹן לְכָל הַשָּׁלוֹם.
וְטוֹב בְּעֵינֶיךָ לְבָרֵךְ אֶת עַמְּךָ יִשְׂרָאֵל
בְּכָל עֵת וּבְכָל שָׁעָה בִּשְׁלוֹמֶךָ. בְּסֵפֶר

בָּרוּךְ אַתָּה יְיָ, הַמְבָרֵךְ אֶת עַמּוֹ יִשְׂרָאֵל
בַּשָּׁלוֹם. Cong. אָמֵן

During the עֲשֶׂרֶת יְמֵי תְשׁוּבָה *say:*

בְּסֵפֶר חַיִּים בְּרָכָה וְשָׁלוֹם וּפַרְנָסָה טוֹבָה, נִזָּכֵר וְנִכָּתֵב לְפָנֶיךָ, אֲנַחְנוּ וְכָל עַמְּךָ בֵּית יִשְׂרָאֵל, לְחַיִּים טוֹבִים וּלְשָׁלוֹם.

בָּרוּךְ אַתָּה יְיָ, עֹשֵׂה הַשָּׁלוֹם.

אֱלֹהַי! נְצוֹר לְשׁוֹנִי מֵרָע, וּשְׂפָתַי מִדַּבֵּר מִרְמָה; וְלִמְקַלְלַי – נַפְשִׁי תִדֹּם, וְנַפְשִׁי כֶּעָפָר לַכֹּל תִּהְיֶה. פְּתַח לִבִּי בְּתוֹרָתֶךָ, וּבְמִצְוֹתֶיךָ תִּרְדּוֹף נַפְשִׁי. וְכָל הַחוֹשְׁבִים עָלַי רָעָה, מְהֵרָה הָפֵר עֲצָתָם וְקַלְקֵל מַחֲשַׁבְתָּם. עֲשֵׂה לְמַעַן שְׁמֶךָ, עֲשֵׂה לְמַעַן יְמִינֶךָ, עֲשֵׂה לְמַעַן קְדֻשָּׁתֶךָ. עֲשֵׂה לְמַעַן תּוֹרָתֶךָ. לְמַעַן יֵחָלְצוּן יְדִידֶיךָ, הוֹשִׁיעָה יְמִינְךָ וַעֲנֵנִי. יִהְיוּ לְרָצוֹן אִמְרֵי פִי וְהֶגְיוֹן לִבִּי לְפָנֶיךָ, יְיָ צוּרִי וְגוֹאֲלִי! עֹשֶׂה שָׁלוֹם בִּמְרוֹמָיו, הוּא יַעֲשֶׂה שָׁלוֹם עָלֵינוּ, וְעַל כָּל יִשְׂרָאֵל, וְאִמְרוּ אָמֵן!

יְהִי רָצוֹן מִלְּפָנֶיךָ יְיָ אֱלֹהֵינוּ וֵאלֹהֵי אֲבוֹתֵינוּ, שֶׁיִּבָּנֶה בֵּית הַמִּקְדָּשׁ בִּמְהֵרָה בְיָמֵינוּ, וְתֵן חֶלְקֵנוּ בְּתוֹרָתֶךָ. וְשָׁם נַעֲבָדְךָ בְּיִרְאָה כִּימֵי עוֹלָם וּכְשָׁנִים קַדְמוֹנִיּוֹת. וְעָרְבָה לַיְיָ מִנְחַת יְהוּדָה וִירוּשָׁלָיִם, כִּימֵי עוֹלָם וּכְשָׁנִים קַדְמוֹנִיּוֹת.

On Monday and Thursday say וְהוּא רַחוּם *page 134, line 1.*

On other days say וַיֹּאמֶר דָּוִד, *page 141, line 1.*

On Hol Ha Moed, Rosh Hodesh and Chanukah say הַלֵּל *page 492*

אָבִינוּ מַלְכֵּנוּ

Our Father, our King

"Our Father, our King, we have sinned before You!" This is our prayer of confession, similar to the עַל חֵטְא, the confessional on יוֹם כִּפּוּר.

Confession is a beautiful idea. The person who confesses his faults is a humble person and does not think that "my power and the strength of my hand has gotten me this wealth" (Deuteronomy 8:17). Besides, when we admit our faults, we are usually ready to correct them.

We Jews have no private confessor . Both the אָבִינוּ מַלְכֵּנוּ and the עַל חֵטְא are said in public, in the presence of the entire congregation.

The אָבִינוּ מַלְכֵּנוּ originated with Rabbi Akiba. On fast days he would pray: "Our Father, our King, we have no King but You. Our Father, our King, for Your own sake have mercy upon us" (*Tractate Taanit 25b*).

Some of the prayers in אָבִינוּ מַלְכֵּנוּ are personal prayers for health and well-being, such as "fill our hands with Thy blessings," and "Fill our storehouses with plenty." These are like the prayers that we include in the עֲמִידָה (silent devotion) for weekdays, such as "Heal us, O Lord, and we shall be healed," and "Bless this year for us." We therefore do not say אָבִינוּ מַלְכֵּנוּ on the Sabbath.

On Fast-days and during the Ten Days of Penitence (From רֹאשׁ הַשָּׁנָה *till after* יוֹם כִּפּוּר) אָבִינוּ מַלְכֵּנוּ *is said in the Morning and Afternoon Services after* שְׁמוֹנֶה עֶשְׂרֵה*. But it is not said on Sabbath, on the day before* יוֹם כִּפּוּר*, and in the Friday Afternoon Service.*

1 אָבִינוּ, מַלְכֵּנוּ! חָטָאנוּ לְפָנֶיךָ.

2 אָבִינוּ, מַלְכֵּנוּ! אֵין לָנוּ מֶלֶךְ אֶלָּא אָתָּה.

3 אָבִינוּ, מַלְכֵּנוּ! עֲשֵׂה עִמָּנוּ לְמַעַן שְׁמֶךָ.

1 אָבִינוּ, מַלְכֵּנוּ! בָּרֵךְ (חַדֵּשׁ substitute עֲשֶׂרֶת יְמֵי תְשׁוּבָה During the)
עָלֵינוּ שָׁנָה טוֹבָה.

2 אָבִינוּ, מַלְכֵּנוּ! בַּטֵּל מֵעָלֵינוּ כָּל גְּזֵרוֹת קָשׁוֹת.

3 אָבִינוּ, מַלְכֵּנוּ! בַּטֵּל מַחְשְׁבוֹת שׂוֹנְאֵינוּ.

4 אָבִינוּ, מַלְכֵּנוּ! הָפֵר עֲצַת אוֹיְבֵינוּ.

5 אָבִינוּ, מַלְכֵּנוּ! כַּלֵּה כָּל צַר וּמַשְׂטִין מֵעָלֵינוּ.

6 אָבִינוּ, מַלְכֵּנוּ! סְתוֹם פִּיוֹת מַשְׂטִינֵינוּ וּמְקַטְרְגֵינוּ.

7 אָבִינוּ, מַלְכֵּנוּ! כַּלֵּה דֶּבֶר וְחֶרֶב וְרָעָב וּשְׁבִי וּמַשְׁחִית

8 וְעָוֹן וּשְׁמַד מִבְּנֵי בְרִיתֶךָ.

9 אָבִינוּ, מַלְכֵּנוּ! מְנַע מַגֵּפָה מִנַּחֲלָתֶךָ.

10 אָבִינוּ, מַלְכֵּנוּ! סְלַח וּמְחַל לְכָל עֲוֹנוֹתֵינוּ.

11 אָבִינוּ, מַלְכֵּנוּ! מְחֵה וְהַעֲבֵר פְּשָׁעֵינוּ וְחַטֹּאתֵינוּ מִנֶּגֶד

12 עֵינֶיךָ.

13 אָבִינוּ, מַלְכֵּנוּ! מְחוֹק בְּרַחֲמֶיךָ הָרַבִּים כָּל שִׁטְרֵי

14 חוֹבוֹתֵינוּ.

15 אָבִינוּ, מַלְכֵּנוּ! הַחֲזִירֵנוּ בִּתְשׁוּבָה שְׁלֵמָה לְפָנֶיךָ.

16 אָבִינוּ, מַלְכֵּנוּ! שְׁלַח רְפוּאָה שְׁלֵמָה לְחוֹלֵי עַמֶּךָ.

17 אָבִינוּ, מַלְכֵּנוּ! קְרַע רוֹעַ גְּזַר דִּינֵנוּ.

18 אָבִינוּ, מַלְכֵּנוּ! זָכְרֵנוּ בְּזִכָּרוֹן טוֹב לְפָנֶיךָ.

At the concluding service on the Day of Atonement	During the Ten Days of Penitence,	On Fast Days	
לִנְעִילָה	לַעֲשֶׂרֶת יְמֵי תְּשׁוּבָה	לְתַעֲנִית צִבּוּר	
(חָתְמֵנוּ)	אָבִינוּ, מַלְכֵּנוּ! כָּתְבֵנוּ	אָבִינוּ, מַלְכֵּנוּ! זָכְרֵנוּ	1
	בְּסֵפֶר חַיִּים טוֹבִים.	לְחַיִּים טוֹבִים.	2
(חָתְמֵנוּ)	אָבִינוּ, מַלְכֵּנוּ! כָּתְבֵנוּ	אָבִינוּ, מַלְכֵּנוּ! זָכְרֵנוּ	3
	בְּסֵפֶר גְּאֻלָּה וִישׁוּעָה.	לִגְאֻלָּה וִישׁוּעָה.	4
(חָתְמֵנוּ)	אָבִינוּ, מַלְכֵּנוּ! כָּתְבֵנוּ	אָבִינוּ, מַלְכֵּנוּ! זָכְרֵנוּ	5
	בְּסֵפֶר פַּרְנָסָה וְכַלְכָּלָה.	לְפַרְנָסָה וְכַלְכָּלָה.	6
(חָתְמֵנוּ)	אָבִינוּ, מַלְכֵּנוּ! כָּתְבֵנוּ	אָבִינוּ, מַלְכֵּנוּ! זָכְרֵנוּ	7
	בְּסֵפֶר זְכִיּוֹת.	לִזְכִיּוֹת.	8
(חָתְמֵנוּ)	אָבִינוּ, מַלְכֵּנוּ! כָּתְבֵנוּ	אָבִינוּ, מַלְכֵּנוּ! זָכְרֵנוּ	9
	בְּסֵפֶר סְלִיחָה וּמְחִילָה	לִסְלִיחָה וּמְחִילָה.	10

11 אָבִינוּ, מַלְכֵּנוּ! הַצְמַח לָנוּ יְשׁוּעָה בְּקָרוֹב.

12 אָבִינוּ, מַלְכֵּנוּ! הָרֵם קֶרֶן יִשְׂרָאֵל עַמֶּךָ.

13 אָבִינוּ, מַלְכֵּנוּ! הָרֵם קֶרֶן מְשִׁיחֶךָ.

14 אָבִינוּ, מַלְכֵּנוּ! מַלֵּא יָדֵינוּ מִבִּרְכוֹתֶיךָ.

15 אָבִינוּ, מַלְכֵּנוּ! מַלֵּא אֲסָמֵינוּ שָׂבָע.

16 אָבִינוּ, מַלְכֵּנוּ! שְׁמַע קוֹלֵנוּ חוּס וְרַחֵם עָלֵינוּ.

1   אָבִינוּ, מַלְכֵּנוּ! קַבֵּל בְּרַחֲמִים וּבְרָצוֹן אֶת תְּפִלָּתֵנוּ.

2   אָבִינוּ, מַלְכֵּנוּ! פְּתַח שַׁעֲרֵי שָׁמַיִם לִתְפִלָּתֵנוּ.

3   אָבִינוּ, מַלְכֵּנוּ! זְכוֹר כִּי עָפָר אֲנָחְנוּ.

4   אָבִינוּ, מַלְכֵּנוּ! נָא אַל תְּשִׁיבֵנוּ רֵיקָם מִלְּפָנֶיךָ.

5   אָבִינוּ, מַלְכֵּנוּ! תְּהֵא הַשָּׁעָה הַזֹּאת שְׁעַת רַחֲמִים וְעֵת

6   רָצוֹן מִלְּפָנֶיךָ.

7   אָבִינוּ, מַלְכֵּנוּ! חֲמוֹל עָלֵינוּ וְעַל עוֹלָלֵינוּ וְטַפֵּנוּ.

8   אָבִינוּ, מַלְכֵּנוּ! עֲשֵׂה לְמַעַן הֲרוּגִים עַל שֵׁם קָדְשֶׁךָ.

9   אָבִינוּ, מַלְכֵּנוּ! עֲשֵׂה לְמַעַן טְבוּחִים עַל יְחוּדֶךָ.

10   אָבִינוּ, מַלְכֵּנוּ! עֲשֵׂה לְמַעַן בָּאֵי בָאֵשׁ וּבַמַּיִם עַל קִדּוּשׁ

11   שְׁמֶךָ.

12   אָבִינוּ, מַלְכֵּנוּ! נְקוֹם נִקְמַת דַּם עֲבָדֶיךָ הַשָּׁפוּךְ.

13   אָבִינוּ, מַלְכֵּנוּ! עֲשֵׂה לְמַעַנְךָ אִם לֹא לְמַעֲנֵנוּ.

14   אָבִינוּ, מַלְכֵּנוּ! עֲשֵׂה לְמַעַנְךָ וְהוֹשִׁיעֵנוּ.

15   אָבִינוּ, מַלְכֵּנוּ! עֲשֵׂה לְמַעַן רַחֲמֶיךָ הָרַבִּים.

16   אָבִינוּ, מַלְכֵּנוּ! עֲשֵׂה לְמַעַן שִׁמְךָ הַגָּדוֹל, הַגִּבּוֹר וְהַנּוֹרָא

17   שֶׁנִּקְרָא עָלֵינוּ.

18   אָבִינוּ, מַלְכֵּנוּ! חָנֵּנוּ וַעֲנֵנוּ, כִּי אֵין בָּנוּ מַעֲשִׂים, עֲשֵׂה

19   עִמָּנוּ צְדָקָה וָחֶסֶד וְהוֹשִׁיעֵנוּ.

SUPPLICATION FOR PARDON תַּחֲנוּן

In some Congregations the following is said on Mondays and Thursdays
before וְהוּא רַחוּם.

1 אֱלֹהֵינוּ וֵאלֹהֵי אֲבוֹתֵינוּ, תָּבֹא לְפָנֶיךָ, תְּפִלָּתֵנוּ, וְאַל

2 תִּתְעַלַּם מִתְּחִנָּתֵנוּ, שֶׁאֵין אָנוּ עַזֵּי פָנִים וּקְשֵׁי עֹרֶף, לוֹמַר

3 לְפָנֶיךָ יְיָ אֱלֹהֵינוּ וֵאלֹהֵי אֲבוֹתֵינוּ. צַדִּיקִים אֲנַחְנוּ וְלֹא

4 חָטָאנוּ. אֲבָל אֲנַחְנוּ וַאֲבוֹתֵינוּ חָטָאנוּ.

5 אָשַׁמְנוּ. בָּגַדְנוּ. גָּזַלְנוּ. דִּבַּרְנוּ דֹפִי: הֶעֱוִינוּ.

6 וְהִרְשַׁעְנוּ. זַדְנוּ. חָמַסְנוּ. טָפַלְנוּ שֶׁקֶר: יָעַצְנוּ

7 רָע. כִּזַּבְנוּ. לַצְנוּ. מָרַדְנוּ. נִאַצְנוּ. סָרַרְנוּ.

8 עָוִינוּ. פָּשַׁעְנוּ. צָרַרְנוּ. קִשִּׁינוּ עֹרֶף: רָשַׁעְנוּ.

9 שִׁחַתְנוּ. תִּעַבְנוּ. תָּעִינוּ. תִּעְתָּעְנוּ:

10 סַרְנוּ מִמִּצְוֹתֶיךָ וּמִמִּשְׁפָּטֶיךָ הַטּוֹבִים. וְלֹא שָׁוָה לָנוּ:

11 וְאַתָּה צַדִּיק עַל־כָּל־הַבָּא עָלֵינוּ. כִּי אֱמֶת עָשִׂיתָ וַאֲנַחְנוּ

12 הִרְשָׁעְנוּ.

13 אֵל אֶרֶךְ אַפַּיִם אַתָּה, וּבַעַל הָרַחֲמִים נִקְרֵאתָ, וְדֶרֶךְ

14 תְּשׁוּבָה הוֹרֵיתָ: גְּדֻלַּת רַחֲמֶיךָ וַחֲסָדֶיךָ, תִּזְכֹּר הַיּוֹם

1   וּבְכָל־יוֹם לְזֶרַע יְדִידֶיךָ: תֵּפֶן אֵלֵינוּ, בְּרַחֲמִים. כִּי

2   אַתָּה הוּא בַּעַל הָרַחֲמִים: בְּתַחֲנוּן וּבִתְפִלָּה, פָּנֶיךָ נְקַדֵּם,

3   כְּהוֹדַעְתָּ לֶעָנָו מִקֶּדֶם: מֵחֲרוֹן אַפְּךָ שׁוּב, כְּמוֹ, בְּתוֹרָתְךָ

4   כָּתוּב: וּבְצֵל כְּנָפֶיךָ נֶחֱסֶה וְנִתְלוֹנָן. כְּיוֹם וַיֵּרֶד יְיָ בֶּעָנָן:

5   Reader   תַּעֲבוֹר עַל־פֶּשַׁע וְתִמְחֶה אָשָׁם. כְּיוֹם וַיִּתְיַצֵּב

6   עִמּוֹ שָׁם: תַּאֲזִין שַׁוְעָתֵנוּ וְתַקְשִׁיב מֶנּוּ מַאֲמָר, כְּיוֹם

7   וַיִּקְרָא בְשֵׁם יְיָ. וְשָׁם נֶאֱמַר:

When one prays by himself, he need not say the following:

8   וַיַּעֲבֹר יְיָ עַל פָּנָיו וַיִּקְרָא: Cong. and Reader

9   יְיָ יְיָ, אֵל רַחוּם וְחַנּוּן, אֶרֶךְ אַפַּיִם, וְרַב חֶסֶד וֶאֱמֶת: נֹצֵר

10   חֶסֶד לָאֲלָפִים, נֹשֵׂא עָוֹן וָפֶשַׁע וְחַטָּאָה, וְנַקֵּה: וְסָלַחְתָּ

11   לַעֲוֹנֵנוּ וּלְחַטָּאתֵנוּ וּנְחַלְתָּנוּ: סְלַח־לָנוּ אָבִינוּ, כִּי חָטָאנוּ,

12   מְחַל־לָנוּ מַלְכֵּנוּ, כִּי־פָשָׁעְנוּ, כִּי אַתָּה אֲדֹנָי, טוֹב וְסַלָּח.

13   וְרַב־חֶסֶד לְכָל קֹרְאֶיךָ:

וְהוּא רַחוּם יְכַפֵּר עָוֹן וְלֹא יַשְׁחִית

And He, being merciful, forgives sin and destroys not

This is the first of the special prayers that are recited on Mondays and Thursdays. These are the weekdays on which the תּוֹרָה is read in the synagogue. There are seven such prayers in all. Like the עֲמִידָה, these prayers are said quietly while standing. They are very sad prayers. Some pious

Jews fast on Mondays and Thursdays. These prayers were added for their benefit. Also, Monday and Thursday are considered days when God is especially willing to listen to our prayers. Moses received the second set of Ten Commandments on a Thursday and he gave them to the Children of Israel on a Monday. Also, in ancient Israel, the law courts met on Mondays and Thursdays. So these days became a kind of יוֹם הַדִּין, "a Day of Judgment," like רֹאשׁ הַשָּׁנָה or יוֹם כִּפּוּר.

In these prayers we admit our sins and faults, and beg for God's mercy.

Many of the verses in the five paragraphs beginning with וְהוּא רַחוּם come from the Book of Psalms. Others come from the Books of Jeremiah, Daniel and Isaiah.

On Monday and Thursday the following, from וְהוּא רַחוּם *to* אֶחָד, *p.140 is added. On other weekdays continue* וַיֹּאמֶר דָּוִד, *p. 141 Both these prayers are omitted on* רֹאשׁ חֹדֶשׁ, *during the whole month of* נִיסָן, *on* ל״ג בָּעוֹמֶר, *from* רֹאשׁ חֹדֶשׁ סִיוָן *until after* אִסְרוּ חַג שָׁבֻעוֹת, *on* ט׳ בְּאָב, ט״ו בְּאָב *and* עֶרֶב רֹאשׁ הַשָּׁנָה, *from* עֶרֶב יוֹם כִּפּוּר *until after* אִסְרוּ חַג, *on* חֲנֻכָּה, ט״ו בִּשְׁבָט, *on* פּוּרִים *and on the two days of* פּוּרִים קָטָן. *These prayers are also omitted in the house of an* אָבֵל, *and at the celebration of a* בְּרִית מִילָה.

וְהוּא רַחוּם יְכַפֵּר עָוֹן וְלֹא יַשְׁחִית, וְהִרְבָּה לְהָשִׁיב אַפּוֹ, וְלֹא יָעִיר כָּל חֲמָתוֹ. אַתָּה יְיָ לֹא תִכְלָא רַחֲמֶיךָ מִמֶּנּוּ, חַסְדְּךָ וַאֲמִתְּךָ תָּמִיד יִצְּרוּנוּ.

הוֹשִׁיעֵנוּ יְיָ אֱלֹהֵינוּ, וְקַבְּצֵנוּ מִן הַגּוֹיִם, לְהוֹדוֹת לְשֵׁם קָדְשֶׁךָ, לְהִשְׁתַּבֵּחַ בִּתְהִלָּתֶךָ.

אִם עֲוֹנוֹת תִּשְׁמָר יָהּ, – אֲדֹנָי, מִי יַעֲמֹד? כִּי עִמְּךָ הַסְּלִיחָה, לְמַעַן תִּוָּרֵא. לֹא כַחֲטָאֵינוּ תַּעֲשֶׂה לָנוּ, וְלֹא כַעֲוֹנוֹתֵינוּ תִּגְמוֹל עָלֵינוּ. אִם עֲוֹנֵינוּ עָנוּ בָנוּ, יְיָ עֲשֵׂה לְמַעַן שְׁמֶךָ.

זְכֹר רַחֲמֶיךָ יְיָ וַחֲסָדֶיךָ, כִּי מֵעוֹלָם הֵמָּה. יַעֲנֵנוּ יְיָ בְּיוֹם צָרָה, יְשַׂגְּבֵנוּ שֵׁם אֱלֹהֵי יַעֲקֹב. יְיָ הוֹשִׁיעָה. הַמֶּלֶךְ יַעֲנֵנוּ בְיוֹם קָרְאֵנוּ.

אָבִינוּ מַלְכֵּנוּ! חָנֵּנוּ וַעֲנֵנוּ, כִּי אֵין בָּנוּ מַעֲשִׂים, צְדָקָה עֲשֵׂה עִמָּנוּ לְמַעַן שְׁמֶךָ. אֲדוֹנֵינוּ אֱלֹהֵינוּ! שְׁמַע קוֹל תַּחֲנוּנֵינוּ, וּזְכָר לָנוּ אֶת בְּרִית אֲבוֹתֵינוּ. וְהוֹשִׁיעֵנוּ לְמַעַן שְׁמֶךָ.

וְעַתָּה אֲדֹנָי אֱלֹהֵינוּ, אֲשֶׁר הוֹצֵאתָ אֶת עַמְּךָ מֵאֶרֶץ מִצְרַיִם בְּיָד חֲזָקָה, וַתַּעַשׂ לְךָ שֵׁם כַּיּוֹם הַזֶּה – חָטָאנוּ רָשָׁעְנוּ. אֲדֹנָי! כְּכָל צִדְקֹתֶיךָ, יָשָׁב נָא אַפְּךָ וַחֲמָתְךָ מֵעִירְךָ יְרוּשָׁלַיִם הַר קָדְשֶׁךָ. כִּי בַחֲטָאֵינוּ וּבַעֲוֹנוֹת אֲבוֹתֵינוּ, יְרוּשָׁלַיִם וְעַמְּךָ לְחֶרְפָּה לְכָל סְבִיבוֹתֵינוּ. וְעַתָּה, שְׁמַע אֱלֹהֵינוּ אֶל תְּפִלַּת עַבְדְּךָ וְאֶל תַּחֲנוּנָיו, וְהָאֵר פָּנֶיךָ עַל מִקְדָּשְׁךָ הַשָּׁמֵם – לְמַעַן אֲדֹנָי!

הַטֵּה אֱלֹהַי אָזְנְךָ וּשְׁמָע, פְּקַח עֵינֶיךָ וּרְאֵה שׁוֹמְמוֹתֵינוּ, וְהָעִיר אֲשֶׁר נִקְרָא שִׁמְךָ עָלֶיהָ. כִּי לֹא עַל צִדְקוֹתֵינוּ אֲנַחְנוּ מַפִּילִים תַּחֲנוּנֵינוּ לְפָנֶיךָ, כִּי עַל רַחֲמֶיךָ הָרַבִּים. אֲדֹנָי שְׁמָעָה; אֲדֹנָי סְלָחָה; אֲדֹנָי הַקְשִׁיבָה, וַעֲשֵׂה אַל תְּאַחַר, לְמַעַנְךָ אֱלֹהַי, כִּי שִׁמְךָ נִקְרָא עַל עִירְךָ וְעַל עַמֶּךָ.

אָבִינוּ הָאָב הָרַחֲמָן! הַרְאֵנוּ אוֹת לְטוֹבָה, וְקַבֵּץ נְפוּצוֹתֵינוּ מֵאַרְבַּע כַּנְפוֹת הָאָרֶץ. יַכִּירוּ וְיֵדְעוּ כָּל הַגּוֹיִם, כִּי אַתָּה יְיָ אֱלֹהֵינוּ. וְעַתָּה יְיָ אָבִינוּ אָתָּה, אֲנַחְנוּ הַחֹמֶר וְאַתָּה יוֹצְרֵנוּ, וּמַעֲשֵׂה יָדְךָ כֻּלָּנוּ. הוֹשִׁיעֵנוּ לְמַעַן שְׁמֶךָ, צוּרֵנוּ מַלְכֵּנוּ וְגוֹאֲלֵנוּ! חוּסָה יְיָ עַל עַמֶּךָ, וְאַל תִּתֵּן נַחֲלָתְךָ לְחֶרְפָּה לִמְשָׁל בָּם גּוֹיִם. לָמָּה יֹאמְרוּ בָעַמִּים: אַיֵּה אֱלֹהֵיהֶם? —

יָדַעְנוּ כִּי חָטָאנוּ, וְאֵין מִי יַעֲמֹד בַּעֲדֵנוּ, שִׁמְךָ הַגָּדוֹל יַעֲמָד לָנוּ בְּעֵת צָרָה. יָדַעְנוּ כִּי אֵין בָּנוּ מַעֲשִׂים, צְדָקָה עֲשֵׂה עִמָּנוּ לְמַעַן שְׁמֶךָ. כְּרַחֵם אָב עַל בָּנִים, כֵּן תְּרַחֵם יְיָ עָלֵינוּ, וְהוֹשִׁיעֵנוּ לְמַעַן שְׁמֶךָ. חֲמוֹל עַל עַמֶּךָ, רַחֵם עַל נַחֲלָתֶךָ, חוּסָה נָא כְּרוֹב רַחֲמֶיךָ, חָנֵּנוּ וַעֲנֵנוּ, כִּי לְךָ יְיָ הַצְּדָקָה, עֹשֵׂה נִפְלָאוֹת בְּכָל עֵת.

הַבֶּט נָא, רַחֶם נָא עַל עַמְּךָ מְהֵרָה לְמַעַן שְׁמֶךָ, בְּרַחֲמֶיךָ הָרַבִּים, יְיָ אֱלֹהֵינוּ! חוּס וְרַחֵם וְהוֹשִׁיעָה צֹאן

1   מַרְעִיתֶךָ, וְאַל יִמְשָׁל בָּנוּ קֶצֶף, כִּי לְךָ עֵינֵינוּ תְלוּיוֹת.

2   הוֹשִׁיעֵנוּ לְמַעַן שְׁמֶךָ, רַחֵם עָלֵינוּ לְמַעַן בְּרִיתֶךָ, הַבִּיטָה

3   וַעֲנֵנוּ בְּעֵת צָרָה, כִּי לְךָ יְיָ הַיְשׁוּעָה. בְּךָ תוֹחַלְתֵּנוּ, אֱלוֹהַּ

4   סְלִיחוֹת! אָנָּא סְלַח נָא, אֵל טוֹב וְסַלָּח, כִּי אֵל מֶלֶךְ

5   חַנּוּן וְרַחוּם אָתָּה.

6   אָנָּא מֶלֶךְ חַנּוּן וְרַחוּם, זְכוֹר וְהַבֵּט לִבְרִית בֵּין

7   הַבְּתָרִים, וְתֵרָאֶה לְפָנֶיךָ עֲקֵדַת יָחִיד לְמַעַן יִשְׂרָאֵל.

8   אָבִינוּ מַלְכֵּנוּ! חָנֵּנוּ וַעֲנֵנוּ, כִּי שִׁמְךָ הַגָּדוֹל נִקְרָא עָלֵינוּ.

9   עֹשֵׂה נִפְלָאוֹת בְּכָל עֵת! עֲשֵׂה עִמָּנוּ כְּחַסְדֶּךָ. חַנּוּן וְרַחוּם!

10   הַבִּיטָה וַעֲנֵנוּ בְּעֵת צָרָה, כִּי לְךָ יְיָ הַיְשׁוּעָה.

11   אָבִינוּ, מַלְכֵּנוּ, מַחֲסֵנוּ! אַל תַּעַשׂ עִמָּנוּ כְּרוֹעַ מַעֲלָלֵינוּ.

12   זְכוֹר רַחֲמֶיךָ יְיָ, וַחֲסָדֶיךָ, וּכְרוֹב טוּבְךָ הוֹשִׁיעֵנוּ, וַחֲמָל

13   נָא עָלֵינוּ, כִּי אֵין לָנוּ אֱלוֹהַּ אַחֵר מִבַּלְעָדֶיךָ. צוּרֵנוּ! אַל

14   תַּעַזְבֵנוּ; יְיָ אֱלֹהֵינוּ! אַל תִּרְחַק מִמֶּנּוּ, כִּי נַפְשֵׁנוּ קָצְרָה

15   מֵחֶרֶב וּמִשֶּׁבִי וּמִדֶּבֶר וּמִמַּגֵּפָה, וּמִכָּל צָרָה וְיָגוֹן הַצִּילֵנוּ,

16   כִּי לְךָ קִוִּינוּ, וְאַל תַּכְלִימֵנוּ, יְיָ אֱלֹהֵינוּ, וְהָאֵר פָּנֶיךָ בָּנוּ;

17   וּזְכָר לָנוּ אֶת בְּרִית אֲבוֹתֵינוּ וְהוֹשִׁיעֵנוּ לְמַעַן שְׁמֶךָ. רְאֵה

18   בְצָרוֹתֵינוּ וּשְׁמַע קוֹל תְּפִלָּתֵנוּ, כִּי אַתָּה שׁוֹמֵעַ תְּפִלַּת

19   כָּל פֶּה.

אֵל רַחוּם וְחַנּוּן רַחֵם עָלֵינוּ וְעַל כָּל מַעֲשֶׂיךָ

Merciful and gracious God! Have mercy upon us and all your creations

This and the next paragraph are also prayers of confession and mercy. Here we particularly ask God to save us from the enemies of our people who seek to destroy us. We ask God to deliver us from death, and promise to return to Him and follow His ways.

1 אֵל רַחוּם וְחַנּוּן! רַחֵם עָלֵינוּ וְעַל כָּל מַעֲשֶׂיךָ, כִּי אֵין

2 כָּמֽוֹךָ, יְיָ אֱלֹהֵינוּ! אָנָּא שָׂא נָא פְשָׁעֵינוּ, אָבִינוּ, מַלְכֵּנוּ,

3 צוּרֵנוּ וְגוֹאֲלֵנוּ, אֵל חַי וְקַיָּם, הֶחָסִין בַּכֹּחַ, חָסִיד וְטוֹב

4 עַל כָּל מַעֲשֶׂיךָ! כִּי אַתָּה הוּא יְיָ אֱלֹהֵינוּ, אֵל אֶֽרֶךְ אַפַּֽיִם

5 וּמָלֵא רַחֲמִים. עֲשֵׂה עִמָּֽנוּ כְּרוֹב רַחֲמֶֽיךָ, וְהוֹשִׁיעֵֽנוּ לְמַֽעַן

6 שְׁמֶֽךָ. שְׁמַע מַלְכֵּנוּ תְּפִלָּתֵֽנוּ, וּמִיַּד אוֹיְבֵֽינוּ הַצִּילֵֽנוּ. שְׁמַע

7 מַלְכֵּנוּ תְּפִלָּתֵֽנוּ, וּמִכָּל צָרָה וְיָגוֹן הַצִּילֵֽנוּ. אָבִינוּ מַלְכֵּנוּ

8 אַֽתָּה, וְשִׁמְךָ עָלֵינוּ נִקְרָא, אַל תַּנִּיחֵֽנוּ, אַל תַּעַזְבֵֽנוּ אָבִינוּ,

9 וְאַל תִּטְּשֵֽׁנוּ בּוֹרְאֵֽנוּ, וְאַל תִּשְׁכָּחֵֽנוּ יוֹצְרֵֽנוּ, כִּי אֵל מֶֽלֶךְ

10 חַנּוּן וְרַחוּם אָֽתָּה.

11 אֵין כָּמֽוֹךָ חַנּוּן וְרַחוּם יְיָ אֱלֹהֵינוּ, אֵין כָּמֽוֹךָ אֵל אֶֽרֶךְ

12 אַפַּֽיִם וְרַב חֶֽסֶד וֶאֱמֶת, הוֹשִׁיעֵֽנוּ בְּרַחֲמֶֽיךָ הָרַבִּים,

13 מֵרַֽעַשׁ וּמֵרֽוֹגֶז הַצִּילֵֽנוּ. זְכֹר לַעֲבָדֶֽיךָ: לְאַבְרָהָם, לְיִצְחָק

14 וּלְיַעֲקֹב; אַל תֵּֽפֶן אֶל קָשְׁיֵֽנוּ וְאֶל רִשְׁעֵֽנוּ וְאֶל חַטָּאתֵֽנוּ.

15 שׁוּב מֵחֲרוֹן אַפֶּֽךָ וְהִנָּחֵם עַל הָרָעָה לְעַמֶּֽךָ; וְהָסֵר מִמֶּֽנּוּ

1   מַכַּת הַמָּוֶת, כִּי רַחוּם אָתָּה, כִּי כֵן דַּרְכֶּךָ: עֲשֵׂה חֶסֶד

2   חִנָּם בְּכָל דּוֹר וָדוֹר. חוּסָה יְיָ עַל עַמֶּךָ וְהַצִּילֵנוּ מִזַּעְמֶךָ,

3   וְהָסֵר מִמֶּנּוּ מַכַּת הַמַּגֵּפָה וּגְזֵרָה קָשָׁה, כִּי אַתָּה שׁוֹמֵר

4   יִשְׂרָאֵל.

5   לְךָ אֲדֹנָי הַצְּדָקָה וְלָנוּ בְּשֶׁת הַפָּנִים; מַה נִּתְאוֹנֵן? מַה

6   נֹּאמַר? מַה נְּדַבֵּר וּמַה נִּצְטַדָּק? נַחְפְּשָׂה דְרָכֵינוּ וְנַחְקְרָה

7   וְנָשׁוּבָה אֵלֶיךָ כִּי יְמִינְךָ פְּשׁוּטָה לְקַבֵּל שָׁבִים.

8   אָנָּא יְיָ, הוֹשִׁיעָה נָּא! אָנָּא יְיָ, הַצְלִיחָה נָּא!

9   אָנָּא יְיָ, עֲנֵנוּ בְיוֹם קָרְאֵנוּ.

10   לְךָ יְיָ חִכִּינוּ, לְךָ יְיָ קִוִּינוּ, לְךָ יְיָ נְיַחֵל, אַל תֶּחֱשֶׁה וּתְעַנֵּנוּ,

11   כִּי נָאֲמוּ גוֹיִם: אָבְדָה תִקְוָתָם. כָּל בֶּרֶךְ וְכָל קוֹמָה לְךָ

12   לְבַד תִּשְׁתַּחֲוֶה.

הַפּוֹתֵחַ יָד בִּתְשׁוּבָה לְקַבֵּל פּוֹשְׁעִים וְחַטָּאִים

**You, who opens Your hand to repentance, to welcome
transgressors and sinners**

In this paragraph, הַפּוֹתֵחַ יָד, there is an echo of the אָבִינוּ
מַלְכֵּנוּ prayer in the words, "Our Father, our King, though
we be without righteousness or good deeds, remember for our
sake the covenant of our fathers."

13   הַפּוֹתֵחַ יָד בִּתְשׁוּבָה, לְקַבֵּל פּוֹשְׁעִים וְחַטָּאִים! נִבְהֲלָה

14   נַפְשֵׁנוּ מֵרוֹב עִצְּבוֹנֵנוּ. אַל תִּשְׁכָּחֵנוּ נֶצַח. קוּמָה וְהוֹשִׁיעֵנוּ

15   כִּי חָסִינוּ בָךְ.

אָבִינוּ מַלְכֵּנוּ! אִם אֵין בָּנוּ צְדָקָה וּמַעֲשִׂים טוֹבִים – זְכָר לָנוּ אֶת בְּרִית אֲבוֹתֵינוּ וְעֵדוּתֵנוּ בְּכָל יוֹם: "יְיָ אֶחָד!" הַבִּיטָה בְעָנְיֵנוּ, כִּי רַבּוּ מַכְאוֹבֵינוּ , וְצָרוֹת לְבָבֵנוּ. חוּסָה יְיָ עָלֵינוּ בְּאֶרֶץ שִׁבְיֵנוּ, וְאַל תִּשְׁפּוֹךְ חֲרוֹנְךָ עָלֵינוּ, כִּי אֲנַחְנוּ עַמְּךָ בְּנֵי בְרִיתֶךָ. אֵל! הַבִּיטָה, דַּל כְּבוֹדֵנוּ בַּגּוֹיִם, וְשִׁקְּצוּנוּ כְּטֻמְאַת הַנִּדָּה. עַד מָתַי עֻזְּךָ בַּשְּׁבִי, וְתִפְאַרְתְּךָ בְּיַד צָר? עוֹרְרָה גְבוּרָתְךָ וְקִנְאָתְךָ עַל אוֹיְבֶיךָ; הֵם יֵבוֹשׁוּ וְיֵחַתּוּ מִגְּבוּרָתָם, וְאַל יִמְעֲטוּ לְפָנֶיךָ תְּלָאוֹתֵינוּ. מַהֵר יְקַדְּמוּנוּ רַחֲמֶיךָ בְּיוֹם צָרָתֵנוּ, וְאִם לֹא לְמַעֲנֵנוּ – לְמַעַנְךָ פְעַל, וְאַל תַּשְׁחִית זֵכֶר שְׁאֵרִיתֵנוּ, Reader וְחוֹן אוֹם הַמְיַחֲדִים שִׁמְךָ פַּעֲמַיִם בְּכָל יוֹם תָּמִיד בְּאַהֲבָה וְאוֹמְרִים:

שְׁמַע יִשְׂרָאֵל! יְיָ אֱלֹהֵינוּ יְיָ אֶחָד!

SUPPLICATION FOR PARDON תַּחֲנוּן

תַּחֲנוּן is not recited on the Sabbath or holidays, during the month of Nisan, on Rosh Hodesh, Lag Ba-Omer, the first eight days of the month of Sivan, the 9th and 15th of Av, at מִנְחָה on the eve of the Sabbath or holidays, during the period from the eve of Yom Kippur to the second day after Sukkot, on Hanukkah, or the 15th of Shevat, the 14th and 15th of Adar I and II, in the house of a mourner, or at a circumcision.

The first verse of this solemn prayer which begins the תַּחֲנוּן for every weekday (for Mondays and Thursdays there is a longer תַּחֲנוּן which appears on p. 134) comes from the Second Book of Samuel (24:14). The second verse is a prayer of confession ("I have sinned before Thee; have mercy upon me"). The remainder comes from the sixth Psalm. When we say it we rest our forehead on the right arm if the תְּפִלִּין are on our left arm. Otherwise we rest on the left arm. This is done to show how lowly and helpless we are before God, and is similar to bowing down before Him, as Moses did ("And I fell down before the Lord" Deuteronomy 9:18).

This prayer is recited quietly, for in it we express very personal requests and hopes, such as "Rebuke me not in Thy anger"; and "Heal me, O Lord."

The first verse was spoken by David. David committed a sin and was given the choice by God, through the Prophet Gad, to be punished either by people or by God. He chose punishment by God and begged God for mercy. The verse is "I am in great trouble. Let us rather fall into the hand of the Lord, for His mercies are great, and let me not fall into the hand of man."

וַיֹּאמֶר דָּוִד אֶל גָּד, צַר לִי מְאֹד, נִפְּלָה נָּא
בְּיַד יְיָ, כִּי רַבִּים רַחֲמָיו, וּבְיַד אָדָם אַל
אֶפֹּלָה:

רַחוּם וְחַנּוּן חָטָאתִי לְפָנֶיךָ, יְיָ מָלֵא רַחֲמִים, רַחֵם עָלַי
וְקַבֵּל תַּחֲנוּנָי: יְיָ אַל בְּאַפְּךָ תוֹכִיחֵנִי וְאַל בַּחֲמָתְךָ
תְיַסְּרֵנִי: חָנֵּנִי יְיָ, כִּי אֻמְלַל אָנִי, רְפָאֵנִי יְיָ, כִּי נִבְהֲלוּ
עֲצָמָי: וְנַפְשִׁי נִבְהֲלָה מְאֹד, וְאַתָּה יְיָ עַד מָתָי: שׁוּבָה

1 יְיָ, חַלְּצָה נַפְשִׁי, הוֹשִׁיעֵנִי לְמַעַן חַסְדֶּךָ: כִּי אֵין בַּמָּוֶת

2 זִכְרֶךָ, בִּשְׁאוֹל מִי יוֹדֶה לָּךְ: יָגַעְתִּי בְּאַנְחָתִי, אַשְׂחֶה בְכָל

3 לַיְלָה מִטָּתִי, בְּדִמְעָתִי עַרְשִׂי אַמְסֶה: עָשְׁשָׁה מִכַּעַס

4 עֵינִי, עָתְקָה בְּכָל צוֹרְרָי: סוּרוּ מִמֶּנִּי כָּל פֹּעֲלֵי אָוֶן, כִּי

5 שָׁמַע יְיָ קוֹל בִּכְיִי. שָׁמַע יְיָ תְּחִנָּתִי, יְיָ תְּפִלָּתִי יִקָּח.

6 יֵבֹשׁוּ וְיִבָּהֲלוּ מְאֹד כָּל אֹיְבָי, יָשֻׁבוּ יֵבֹשׁוּ רָגַע.

Continue with שׁוֹמֵר יִשְׂרָאֵל *page 143, line 19:*
On Monday and Thursday the following till שׁוֹמֵר יִשְׂרָאֵל *is added:*

7 יְיָ אֱלֹהֵי יִשְׂרָאֵל! שׁוּב מֵחֲרוֹן אַפֶּךָ, וְהִנָּחֵם עַל הָרָעָה

8 לְעַמֶּךָ.

9 א. הַבֵּט מִשָּׁמַיִם וּרְאֵה, כִּי הָיִינוּ לַעַג וָקֶלֶס בַּגּוֹיִם;

10 נֶחְשַׁבְנוּ כְּצֹאן לַטֶּבַח יוּבָל, לַהֲרוֹג וּלְאַבֵּד וּלְמַכָּה

11 וּלְחֶרְפָּה.

12 וּבְכָל זֹאת שִׁמְךָ לֹא שָׁכָחְנוּ, נָא, אַל תִּשְׁכָּחֵנוּ.

13 יְיָ אֱלֹהֵי יִשְׂרָאֵל! שׁוּב מֵחֲרוֹן אַפֶּךָ, וְהִנָּחֵם עַל הָרָעָה

14 לְעַמֶּךָ.

15 ב. זָרִים אוֹמְרִים: אֵין תּוֹחֶלֶת וְתִקְוָה, חוֹן אוֹם לְשִׁמְךָ

16 מְקַוֶּה, טָהוֹר! יְשׁוּעָתֵנוּ קָרְבָה. יָגַעְנוּ וְלֹא הוּנַח לָנוּ,

17 רַחֲמֶיךָ יִכְבְּשׁוּ אֶת כַּעַסְךָ מֵעָלֵינוּ.

18 אָנָּא, שׁוּב מֵחֲרוֹנְךָ, וְרַחֵם סְגֻלָּה אֲשֶׁר בָּחָרְתָּ.

יְיָ אֱלֹהֵי יִשְׂרָאֵל! שׁוּב מֵחֲרוֹן אַפֶּךָ, וְהִנָּחֵם עַל הָרָעָה
לְעַמֶּךָ.

ג. חוּסָה יְיָ עָלֵינוּ בְּרַחֲמֶיךָ, וְאַל תִּתְּנֵנוּ בִּידֵי אַכְזָרִים,

לָמָה יֹאמְרוּ הַגּוֹיִם: "אַיֵּה נָא אֱלֹהֵיהֶם?" לְמַעַנְךָ עֲשֵׂה
עִמָּנוּ חֶסֶד וְאַל תְּאַחַר.

אָנָּא, שׁוּב מֵחֲרוֹנְךָ, וְרַחֵם סְגֻלָּה אֲשֶׁר בָּחֳרְתָּ.

יְיָ אֱלֹהֵי יִשְׂרָאֵל! שׁוּב מֵחֲרוֹן אַפֶּךָ, וְהִנָּחֵם עַל הָרָעָה
לְעַמֶּךָ.

ד. קוֹלֵנוּ תִּשְׁמַע וְתָחוֹן, וְאַל תִּטְּשֵׁנוּ בְּיַד אוֹיְבֵינוּ לִמְחוֹת
אֶת שְׁמֵנוּ, זְכוֹר אֲשֶׁר נִשְׁבַּעְתָּ לַאֲבוֹתֵינוּ, "כְּכוֹכְבֵי הַשָּׁמַיִם
אַרְבֶּה אֶת זַרְעֲכֶם", וְעַתָּה נִשְׁאַרְנוּ מְעַט מֵהַרְבֵּה –

וּבְכָל זֹאת שִׁמְךָ לֹא שָׁכַחְנוּ, נָא, אַל תִּשְׁכָּחֵנוּ.

יְיָ אֱלֹהֵי יִשְׂרָאֵל! שׁוּב מֵחֲרוֹן אַפֶּךָ, וְהִנָּחֵם עַל הָרָעָה
לְעַמֶּךָ.

ה. עָזְרֵנוּ אֱלֹהֵי יִשְׁעֵנוּ עַל דְּבַר כְּבוֹד שְׁמֶךָ. וְהַצִּילֵנוּ
וְכַפֵּר עַל חַטֹּאתֵינוּ לְמַעַן שְׁמֶךָ.

יְיָ אֱלֹהֵי יִשְׂרָאֵל! שׁוּב מֵחֲרוֹן אַפֶּךָ, וְהִנָּחֵם עַל הָרָעָה
לְעַמֶּךָ.

שׁוֹמֵר יִשְׂרָאֵל! שְׁמוֹר שְׁאֵרִית יִשְׂרָאֵל, וְאַל יֹאבַד יִשְׂרָאֵל
הָאוֹמְרִים: "שְׁמַע יִשְׂרָאֵל".

1 שׁוֹמֵר גּוֹי אֶחָד! שְׁמוֹר שְׁאֵרִית עַם אֶחָד, וְעַל יֹאבַד גּוֹי

2 אֶחָד, הַמְיַחֲדִים שִׁמְךָ יְיָ אֱלֹהֵינוּ יְיָ אֶחָד.

3 שׁוֹמֵר גּוֹי קָדוֹשׁ! שְׁמוֹר שְׁאֵרִית עַם קָדוֹשׁ, וְאַל יֹאבַד

4 גּוֹי קָדוֹשׁ הַמְשַׁלְּשִׁים בְּשָׁלֹשׁ קְדֻשּׁוֹת לְקָדוֹשׁ.

5 מִתְרַצֶּה בְּרַחֲמִים וּמִתְפַּיֵּס בְּתַחֲנוּנִים! הִתְרַצֵּה וְהִתְפַּיֵּס

6 לְדוֹר עָנִי, כִּי אֵין עוֹזֵר.

7 אָבִינוּ מַלְכֵּנוּ! חָנֵּנוּ וַעֲנֵנוּ, כִּי אֵין בָּנוּ

8 מַעֲשִׂים, עֲשֵׂה עִמָּנוּ צְדָקָה וָחֶסֶד וְהוֹשִׁיעֵנוּ.

9 וַאֲנַחְנוּ לֹא נֵדַע מַה נַּעֲשֶׂה, כִּי עָלֶיךָ עֵינֵינוּ. זְכֹר רַחֲמֶיךָ

10 יְיָ וַחֲסָדֶיךָ כִּי מֵעוֹלָם הֵמָּה. יְהִי חַסְדְּךָ יְיָ עָלֵינוּ, כַּאֲשֶׁר

11 יִחַלְנוּ לָךְ. אַל תִּזְכָּר לָנוּ עֲוֹנוֹת רִאשֹׁנִים, מַהֵר יְקַדְּמוּנוּ

12 רַחֲמֶיךָ, כִּי דַלּוֹנוּ מְאֹד. חָנֵּנוּ יְיָ חָנֵּנוּ. כִּי רַב שָׂבַעְנוּ בוּז.

13 בְּרֹגֶז רַחֵם תִּזְכּוֹר, כִּי הוּא יָדַע יִצְרֵנוּ, זָכוּר כִּי עָפָר

14 אֲנָחְנוּ. Reader עָזְרֵנוּ אֱלֹהֵי יִשְׁעֵנוּ עַל דְּבַר כְּבוֹד שְׁמֶךָ,

15 וְהַצִּילֵנוּ וְכַפֵּר עַל חַטֹּאתֵינוּ לְמַעַן שְׁמֶךָ.

HALF KADDISH חֲצִי קַדִּישׁ

For comments see pages 93 and 162

16 Reader יִתְגַּדַּל וְיִתְקַדַּשׁ שְׁמֵהּ רַבָּא, בְּעָלְמָא דִּי־בְרָא

1 כִּרְעוּתֵהּ, וְיַמְלִיךְ מַלְכוּתֵהּ, בְּחַיֵּיכוֹן וּבְיוֹמֵיכוֹן, וּבְחַיֵּי

2 דְכָל־בֵּית יִשְׂרָאֵל, בַּעֲגָלָא וּבִזְמַן קָרִיב. וְאִמְרוּ אָמֵן.

Cong. אָמֵן

3 *Cong. and Reader*   יְהֵא שְׁמֵהּ רַבָּא מְבָרַךְ לְעָלַם וּלְעָלְמֵי

4 עָלְמַיָּא.

5 *Reader* יִתְבָּרַךְ וְיִשְׁתַּבַּח וְיִתְפָּאַר וְיִתְרוֹמַם וְיִתְנַשֵּׂא וְיִתְהַדָּר

6 וְיִתְעַלֶּה וְיִתְהַלָּל שְׁמֵהּ דְּקֻדְשָׁא. *Cong. and Reader* בְּרִיךְ הוּא

7 *Reader* לְעֵלָּא (וּלְעֵלָּא (*During the Ten Days of Pentinence, add:*)

8 מִן   כָּל־בִּרְכָתָא,   וְשִׁירָתָא   תֻּשְׁבְּחָתָא,   וְנֶחֱמָתָא

9 דַּאֲמִירָן בְּעָלְמָא. וְאִמְרוּ אָמֵן. *Cong.* אָמֵן

On Mondays and Thursdays אֵל אֶרֶךְ אַפַּיִם *is added. This prayer is, however, omitted on the following days:* רֹאשׁ חֹדֶשׁ, *the day before* פֶּסַח, *on* תִּשְׁעָה בְּאָב, *on the day before* יוֹם כִּפּוּר, *during* חֲנֻכָּה, *the two days of* פּוּרִים, *and of* פּוּרִים קָטָן

Proper rite:

10 אֵל אֶרֶךְ אַפַּיִם וְרַב חֶסֶד וֶאֱמֶת! אַל בְּאַפְּךָ תוֹכִיחֵנוּ.

11 חוּסָה יְיָ עַל עַמֶּךָ, וְהוֹשִׁיעֵנוּ מִכָּל רָע. חָטָאנוּ לָךְ, אָדוֹן:

12 סְלַח נָא כְּרוֹב רַחֲמֶיךָ, אֵל!

In some Congregations the following is added:

13 אֵל אֶרֶךְ אַפַּיִם וְרַב חֶסֶד וֶאֱמֶת, אַל תַּסְתֵּר פָּנֶיךָ מִמֶּנּוּ.

14 חוּסָה יְיָ עַל יִשְׂרָאֵל עַמֶּךָ, וְהַצִּילֵנוּ מִכָּל רָע. חָטָאנוּ לָךְ,

15 אָדוֹן! סְלַח נָא כְּרוֹב רַחֲמֶיךָ, אֵל!

קְרִיאַת הַתּוֹרָה לִימֵי חוֹל

TORAH READING FOR THE WEEKDAYS

The תּוֹרָה is read three times a week. On Saturday the complete סִדְרָה is chanted and on Mondays and Thursdays only the first portion (usually up to שֵׁנִי) is read.

In ancient Palestine Mondays and Thursdays were market days and the farmers would come to town to buy, sell and have their problems judged.

According to tradition Ezra the Scribe instituted the custom of congregational prayers and תּוֹרָה reading on these market days so that "three days would not go by without תּוֹרָה instruction."

For comment see page 363

הוֹצָאַת הַתּוֹרָה

THE REMOVAL OF THE TORAH FROM THE ARK

The first verse comes from the Book of Numbers in the תּוֹרָה. In it we ask that the enemies of God (those who are against justice, truth and righteousness) may be scattered. Notice that we do not ask that our enemies may be destroyed, but only that they may be scattered and disappear from our sight. We do not seek to harm them, but only pray that they may not interfere with the ways and wishes of God.

The second verse comes from the Book of Isaiah. It is a famous verse, telling us that one day the תּוֹרָה, the teachings of Judaism, will come forth from Zion and the Word of God will come forth from Jerusalem. (Isaiah 2:3) In other words, we shall one day be established in the Land of Israel and spread our great ideas and ideals throughout the world.

For Mondays and Thursdays:

The Ark is opened:

Reader and Cong.

1 וַיְהִי בִּנְסֹעַ הָאָרֹן וַיֹּאמֶר מֹשֶׁה:

2 קוּמָה יְיָ וְיָפֻצוּ אֹיְבֶיךָ,

3 וְיָנֻסוּ מְשַׂנְאֶיךָ מִפָּנֶיךָ.

4 כִּי מִצִּיּוֹן תֵּצֵא תוֹרָה,

5 וּדְבַר יְיָ מִירוּשָׁלָיִם.

6 בָּרוּךְ, שֶׁנָּתַן תּוֹרָה לְעַמּוֹ יִשְׂרָאֵל בִּקְדֻשָּׁתוֹ.

בְּרִיךְ שְׁמֵהּ דְּמָרֵא עָלְמָא

Blessed be the name of the Lord of the universe

7 בְּרִיךְ שְׁמֵהּ דְּמָרֵא עָלְמָא, בְּרִיךְ כִּתְרָךְ וְאַתְרָךְ! יְהֵא

8 רְעוּתָךְ, עִם עַמָּךְ יִשְׂרָאֵל לְעָלַם, וּפֻרְקַן יְמִינָךְ אַחֲזֵי

9 לְעַמָּךְ בְּבֵית מַקְדְּשָׁךְ, וּלְאַמְטוּיֵי לָנָא מִטּוּב נְהוֹרָךְ

10 וּלְקַבֵּל צְלוֹתָנָא בְּרַחֲמִין. יְהֵא רַעֲוָא קֳדָמָךְ דְּתוֹרִיךְ

11 לָן חַיִּין בְּטִיבוּתָא, וְלֶהֱוֵי אֲנָא פְּקִידָא בְּגוֹ צַדִּיקַיָּא,

12 לְמִרְחַם עָלַי וּלְמִנְטַר יָתִי, וְיָת כָּל דִּי לִי, וְדִי לְעַמָּךְ

1 יִשְׂרָאֵל. אַנְתְּ הוּא זָן לְכֹלָּא וּמְפַרְנֵס לְכֹלָּא; אַנְתְּ הוּא

2 שַׁלִּיט עַל כֹּלָּא; אַנְתְּ הוּא דְּשַׁלִּיט עַל מַלְכַיָּא, וּמַלְכוּתָא

3 דִּילָךְ הִיא. אֲנָא עַבְדָּא דְקֻדְשָׁא בְּרִיךְ הוּא, דְּסָגֵידְנָא

4 קַמֵּהּ וּמִקַּמָּא דִּיקַר אוֹרַיְתֵהּ בְּכָל עִדָּן וְעִדָּן. לָא עַל

5 אֱנָשׁ רָחִיצְנָא, וְלָא עַל בַּר אֱלָהִין סָמִיכְנָא, אֶלָּא בֵּאלָהָא

6 דִשְׁמַיָּא, דְּהוּא אֱלָהָא קְשׁוֹט, וְאוֹרַיְתֵהּ—קְשׁוֹט, וּנְבִיאוֹהִי—

7 קְשׁוֹט, וּמַסְגֵּא לְמֶעְבַּד טַבְוָן וּקְשׁוֹט. בֵּהּ אֲנָא רָחִיץ,

8 וְלִשְׁמֵהּ קַדִּישָׁא יַקִּירָא אֲנָא אָמַר תֻּשְׁבְּחָן. יְהֵא רַעֲוָא

9 קֳדָמָךְ דְּתִפְתַּח לִבַּאי בְּאוֹרַיְתָא, וְתַשְׁלִים מִשְׁאֲלִין

10 דְלִבַּאי, וְלִבָּא דְכָל עַמָּךְ יִשְׂרָאֵל, לְטַב וּלְחַיִּין וְלִשְׁלָם.

The Reader takes the תּוֹרָה *and says:*

11 גַּדְּלוּ לַיָי אִתִּי, וּנְרוֹמְמָה שְׁמוֹ יַחְדָּו.

12 Cong. לְךָ יְיָ הַגְּדֻלָּה וְהַגְּבוּרָה וְהַתִּפְאֶרֶת וְהַנֵּצַח וְהַהוֹד,

13 כִּי כֹל בַּשָּׁמַיִם וּבָאָרֶץ. לְךָ יְיָ הַמַּמְלָכָה וְהַמִּתְנַשֵּׂא לְכֹל

14 לְרֹאשׁ. רוֹמְמוּ יְיָ אֱלֹהֵינוּ, וְהִשְׁתַּחֲווּ לַהֲדֹם רַגְלָיו, קָדוֹשׁ

15 הוּא. רוֹמְמוּ יְיָ אֱלֹהֵינוּ, וְהִשְׁתַּחֲווּ לְהַר קָדְשׁוֹ, כִּי קָדוֹשׁ

16 יְיָ אֱלֹהֵינוּ.

17 Reader אַב הָרַחֲמִים, הוּא יְרַחֵם עַם עֲמוּסִים, וְיִזְכּוֹר

18 בְּרִית אֵיתָנִים, וְיַצִּיל נַפְשׁוֹתֵינוּ מִן הַשָּׁעוֹת הָרָעוֹת, וְיִגְעַר

1   בְּיֵצֶר הָרָע מִן הַנְּשׂוּאִים, וְיָחוֹן אוֹתָנוּ לִפְלֵיטַת עוֹלָמִים,

2   וִימַלֵּא מִשְׁאֲלוֹתֵינוּ בְּמִדָּה טוֹבָה יְשׁוּעָה וְרַחֲמִים.

The סֵפֶר תּוֹרָה is placed upon the lectern. The Reader unrolls it,
and says the following:

3   וְתִגָּלֶה וְתֵרָאֶה מַלְכוּתוֹ עָלֵינוּ בִּזְמַן קָרוֹב, וְיָחוֹן פְּלֵיטָתֵנוּ

4   וּפְלֵיטַת עַמּוֹ בֵּית יִשְׂרָאֵל, לְחֵן וּלְחֶסֶד וּלְרַחֲמִים וּלְרָצוֹן,

5   וְנֹאמַר אָמֵן. – הַכֹּל הָבוּ גֹדֶל לֵאלֹהֵינוּ, וּתְנוּ כָבוֹד

6   לַתּוֹרָה, כֹּהֵן קְרָב. יַעֲמוֹד:

Here the Reader names the Person who is to be called to
the Reading of the תּוֹרָה:

7   הַכֹּהֵן! בָּרוּךְ שֶׁנָּתַן תּוֹרָה לְעַמּוֹ יִשְׂרָאֵל בִּקְדֻשָּׁתוֹ.

Cong. and Reader

8   וְאַתֶּם הַדְּבֵקִים בַּיְיָ אֱלֹהֵיכֶם, חַיִּים

9   כֻּלְּכֶם הַיּוֹם.

He who is called to the Reading of the תּוֹרָה says the following blessing:

10   בָּרְכוּ אֶת־יְיָ הַמְבֹרָךְ:

Congregation:

11   בָּרוּךְ יְיָ הַמְבֹרָךְ לְעוֹלָם וָעֶד:

Person called up repeats above and continues:

בִּרְכוֹת הַתּוֹרָה TORAH BLESSINGS

The Torah blessings are very old. The first blessing is probably based on two verses in the Book of Exodus (19:5–6), in which God tells us that we are His treasure from among all nations. How are we to be God's treasure? The second verse tells us. "You shall be to Me a kingdom of priests and a holy nation." Therefore, when we say that God has chosen us from all the nations, we do not mean that we are better than other people. Rather, we mean that we have more duties and responsibilities than other people. How did God choose us from all the nations? By giving us His Torah. God gave us the Torah on Mount Sinai. The Torah is now in our charge. It is up to us to be "a light to the nations" by observing the laws of the Torah.

1 בָּרוּךְ אַתָּה יְיָ אֱלֹהֵינוּ מֶלֶךְ הָעוֹלָם. אֲשֶׁר

2 בָּחַר־בָּנוּ מִכָּל־הָעַמִּים וְנָתַן־לָנוּ אֶת־

3 תּוֹרָתוֹ. בָּרוּךְ אַתָּה יְיָ, נוֹתֵן הַתּוֹרָה: Cong. אָמֵן

The second blessing is chanted after the Torah portion has been read. In it we thank God for giving us a Torah of truth, because it has given us everlasting life. As long as the Torah lives and its teachings are practiced, the Jewish people will also live.

4 בָּרוּךְ אַתָּה יְיָ, אֱלֹהֵינוּ מֶלֶךְ הָעוֹלָם, אֲשֶׁר

5 נָתַן לָנוּ תּוֹרַת אֱמֶת, וְחַיֵּי עוֹלָם נָטַע

6 בְּתוֹכֵנוּ. בָּרוּךְ אַתָּה יְיָ, נוֹתֵן הַתּוֹרָה:

Blessing upon deliverance from peril:

1 בָּרוּךְ אַתָּה יְיָ, אֱלֹהֵינוּ מֶלֶךְ הָעוֹלָם, הַגּוֹמֵל לְחַיָּבִים
2 טוֹבוֹת, שֶׁגְּמָלַנִי כָּל טוֹב.

The Congregation responds:

3 מִי שֶׁגְּמָלְךָ כָּל טוֹב, הוּא יִגְמָלְךָ כָּל טוֹב סֶלָה.

The Father of a Bar-Mitzvah says:

4 בָּרוּךְ שֶׁפְּטָרַנִי מֵעָנְשׁוֹ שֶׁל זֶה.

HALF KADDISH חֲצִי קַדִּישׁ *page 144*

For comments see pages 93 and 162

וְזֹאת הַתּוֹרָה אֲשֶׁר שָׂם מֹשֶׁה לִפְנֵי בְּנֵי יִשְׂרָאֵל

And this is the Torah which Moses placed before the children of Israel

After reading the סִדְרָה, the סֵפֶר תּוֹרָה is held up and we say the following prayer in which we remind ourselves that the תּוֹרָה was given by God to Moses in the presence of all the Children of Israel:

After the Reading of the Law, the סֵפֶר תּוֹרָה *is held up,*

and the Congregation says the following:

5 וְזֹאת הַתּוֹרָה אֲשֶׁר שָׂם מֹשֶׁה לִפְנֵי בְּנֵי
6 יִשְׂרָאֵל, עַל פִּי יְיָ בְּיַד מֹשֶׁה. עֵץ חַיִּים הִיא
7 לַמַּחֲזִיקִים בָּהּ, וְתֹמְכֶיהָ מְאֻשָּׁר.

1 דְּרָכֶיהָ דַרְכֵי נְעַם,

2 וְכָל נְתִיבוֹתֶיהָ שָׁלוֹם.

3 אֹרֶךְ יָמִים בִּימִינָהּ,

4 בִּשְׂמֹאלָהּ עֹשֶׁר וְכָבוֹד.

5 יְיָ חָפֵץ לְמַעַן צִדְקוֹ,

6 יַגְדִּיל תּוֹרָה וְיַאְדִּיר.

On those Mondays and Thursdays when תַּחֲנוּן *is said, the Readers adds the*
following, before the סֵפֶר תּוֹרָה *is returned to the Ark:*

7 יְהִי רָצוֹן מִלְּפְנֵי אָבִינוּ שֶׁבַּשָּׁמַיִם, לְכוֹנֵן אֶת בֵּית חַיֵּינוּ,

8 וּלְהָשִׁיב אֶת שְׁכִינָתוֹ בְּתוֹכֵנוּ, בִּמְהֵרָה בְיָמֵינוּ, וְנֹאמַר:

9 אָמֵן!

10 יְהִי רָצוֹן מִלְּפְנֵי אָבִינוּ שֶׁבַּשָּׁמַיִם, לְרַחֵם עָלֵינוּ וְעַל

11 פְּלֵיטָתֵנוּ, וְלִמְנוֹעַ מַשְׁחִית וּמַגֵּפָה מֵעָלֵינוּ, וּמֵעַל כָּל

12 עַמּוֹ בֵּית יִשְׂרָאֵל, וְנֹאמַר: אָמֵן.

13 יְהִי רָצוֹן מִלְּפְנֵי אָבִינוּ שֶׁבַּשָּׁמַיִם, לְקַיֵּם בָּנוּ חַכְמֵי

14 יִשְׂרָאֵל, הֵם וּנְשֵׁיהֶם וּבְנֵיהֶם וּבְנוֹתֵיהֶם, וְתַלְמִידֵיהֶם

15 וְתַלְמִידֵי תַלְמִידֵיהֶם, בְּכָל מְקוֹמוֹת מוֹשְׁבוֹתֵיהֶם, וְנֹאמַר:

16 אָמֵן!

1 יְהִי רָצוֹן מִלִּפְנֵי אָבִינוּ שֶׁבַּשָּׁמַיִם, שֶׁנִּשְׁמַע וְנִתְבַּשֵּׂר בְּשׂוֹרוֹת

2 טוֹבוֹת יְשׁוּעוֹת וְנֶחָמוֹת, וִיקַבֵּץ נִדָּחֵינוּ מֵאַרְבַּע כַּנְפוֹת

3 הָאָרֶץ, וְנֹאמַר: אָמֵן!

4 אַחֵינוּ כָּל בֵּית יִשְׂרָאֵל, הַנְּתוּנִים בַּצָּרָה וּבַשִּׁבְיָה,

5 הָעוֹמְדִים בֵּין בַּיָּם וּבֵין בַּיַּבָּשָׁה. הַמָּקוֹם יְרַחֵם עֲלֵיהֶם,

6 וְיוֹצִיאֵם מִצָּרָה לִרְוָחָה, וּמֵאֲפֵלָה לְאוֹרָה, וּמִשִּׁעְבּוּד

7 לִגְאֻלָּה, הַשְׁתָּא בַּעֲגָלָא וּבִזְמַן קָרִיב, וְנֹאמַר: אָמֵן!

On returning the סֵפֶר to the Ark, the Reader says:

8 יְהַלְלוּ אֶת־שֵׁם יְיָ כִּי־נִשְׂגָּב שְׁמוֹ לְבַדּוֹ.

Congregation:

9 הוֹדוֹ עַל אֶרֶץ וְשָׁמַיִם. וַיָּרֶם קֶרֶן לְעַמּוֹ,

10 תְּהִלָּה לְכָל חֲסִידָיו, לִבְנֵי יִשְׂרָאֵל עַם

11 קְרֹבוֹ, הַלְלוּיָהּ.

לְדָוִד מִזְמוֹר. לַייָ הָאָרֶץ וּמְלוֹאָהּ תֵּבֵל וְיוֹשְׁבֵי בָהּ

**A Psalm of David: The earth is the Lord's and the
fullness thereof; the world and the dwellers therein**

This is Psalm 24. It is also recited every Sunday morning.
The thought here is a most beautiful one. "Who may ascend
the mountain of the Lord, and who may stand in His holy
place?" And the answer is "He who has clean hands and a

pure heart; he who does not strive after vanity and has not
sworn deceitfully." In order to ascend God's mountain, and to
be loved by Him, it is not enough to be charitable or to pray all
day. The most important thing is to have "clean hands and a
pure heart." This means to be completely honest in all of our
dealings with others.

Another passage in the Book of Psalms states, "Truth
shall spring out of the earth" (85:12). Truth must come
not from heaven but from the earth; not from God but from
man.

1 לְדָוִד מִזְמוֹר, לַיְיָ הָאָרֶץ וּמְלוֹאָהּ, תֵּבֵל וְיוֹשְׁבֵי בָהּ, כִּי

2 הוּא עַל יַמִּים יְסָדָהּ, וְעַל נְהָרוֹת יְכוֹנְנֶהָ. מִי יַעֲלֶה בְהַר

3 יְיָ? וּמִי יָקוּם בִּמְקוֹם קָדְשׁוֹ? – נְקִי כַפַּיִם וּבַר לֵבָב אֲשֶׁר

4 לֹא נָשָׂא לַשָּׁוְא נַפְשִׁי, וְלֹא נִשְׁבַּע לְמִרְמָה. יִשָּׂא בְרָכָה

5 מֵאֵת יְיָ, וּצְדָקָה מֵאֱלֹהֵי יִשְׁעוֹ – זֶה דּוֹר דֹּרְשָׁיו, מְבַקְשֵׁי

6 פָנֶיךָ – יַעֲקֹב סֶלָה. שְׂאוּ שְׁעָרִים רָאשֵׁיכֶם! וְהִנָּשְׂאוּ

7 פִּתְחֵי עוֹלָם, וְיָבוֹא מֶלֶךְ הַכָּבוֹד. מִי זֶה מֶלֶךְ הַכָּבוֹד?

8 יְיָ עִזּוּז וְגִבּוֹר, יְיָ גִּבּוֹר מִלְחָמָה. שְׂאוּ שְׁעָרִים רָאשֵׁיכֶם,

9 וּשְׂאוּ פִּתְחֵי עוֹלָם, וְיָבֹא מֶלֶךְ הַכָּבוֹד. מִי הוּא זֶה מֶלֶךְ

10 הַכָּבוֹד? יְיָ צְבָאוֹת, הוּא מֶלֶךְ הַכָּבוֹד, סֶלָה!

וּבְנֻחֹה יֹאמַר שׁוּבָה יְיָ רִבְבוֹת אַלְפֵי יִשְׂרָאֵל

**And when it rested, he said, "Return O Lord to the ten
thousands of the families of Israel**

These verses that are chanted while the סֵפֶר תּוֹרָה is being
returned to the Holy Ark come from different books of the
Bible.

The first verse comes from the Book of Numbers, the fourth of the Five Books of Moses. This verse comes right after the verse beginning with וַיְהִי בִּנְסֹעַ (see pages 146 and 147.) It tells us that when the movable Ark which the ancient Israelites carried in the wilderness would come to rest, God would return to the ten thousands of the families of Israel. God would be with them in rest and peace even as He was with them in travel and war.

The next three verses come from the Book of Psalms (Psalm 132).

They contain a prayer that the priests of Israel may act with righteousness, that God's pious followers may rejoice, and that God may restore the house of King David.

The other verses are from the Book of Proverbs and they describe the Torah as a tree of life and that its ways are pleasant and its paths are peace. In conclusion we ask God to renew our days as of old.

While the Torah is being placed in the Ark, the following to כְּקֶדֶם is said:

1   וּבְנֻחֹה יֹאמַר:

2   שׁוּבָה יְיָ רִבְבוֹת אַלְפֵי יִשְׂרָאֵל!

3   קוּמָה יְיָ לִמְנוּחָתֶךָ,   אַתָּה וַאֲרוֹן עֻזֶּךָ!

4   כֹּהֲנֶיךָ יִלְבְּשׁוּ צֶדֶק,   וַחֲסִידֶיךָ יְרַנֵּנוּ.

5   בַּעֲבוּר דָּוִד עַבְדֶּךָ,   אַל תָּשֵׁב פְּנֵי מְשִׁיחֶךָ.

6   כִּי לֶקַח טוֹב נָתַתִּי לָכֶם –   תּוֹרָתִי אַל תַּעֲזֹבוּ.

7   עֵץ חַיִּים הִיא לַמַּחֲזִיקִים בָּהּ,   וְתֹמְכֶיהָ מְאֻשָּׁר.

8   דְּרָכֶיהָ דַרְכֵי נֹעַם,   וְכָל נְתִיבוֹתֶיהָ שָׁלוֹם.

9   הֲשִׁיבֵנוּ יְיָ אֵלֶיךָ וְנָשׁוּבָה   חַדֵּשׁ יָמֵינוּ כְּקֶדֶם.

אַשְׁרֵי יוֹשְׁבֵי בֵיתֶךָ

Happy are those who dwell in Your House

For commment see page 75

1. אַשְׁרֵי יוֹשְׁבֵי בֵיתֶךָ, עוֹד יְהַלְלוּךָ סֶּלָה.

2. אַשְׁרֵי הָעָם שֶׁכָּכָה לּוֹ, אַשְׁרֵי הָעָם שֶׁיְיָ

3. אֱלֹהָיו. תְּהִלָה לְדָוִד:

4. אֲרוֹמִמְךָ אֱלוֹהַי הַמֶּלֶךְ! וַאֲבָרְכָה שִׁמְךָ

5. לְעוֹלָם וָעֶד.

6. בְּכָל יוֹם אֲבָרְכֶךָ, וַאֲהַלְלָה שִׁמְךָ לְעוֹלָם

7. וָעֶד.

8. גָּדוֹל יְיָ וּמְהֻלָל מְאֹד, וְלִגְדֻלָתוֹ אֵין חֵקֶר.

9. דּוֹר לְדוֹר יְשַׁבַּח מַעֲשֶׂיךָ, וּגְבוּרֹתֶיךָ יַגִּידוּ.

10. הֲדַר כְּבוֹד הוֹדֶךָ, וְדִבְרֵי נִפְלְאֹתֶיךָ

11. אָשִׂיחָה.

12. וֶעֱזוּז נוֹרְאֹתֶיךָ יֹאמֵרוּ, וּגְדֻלָתְךָ אֲסַפְּרֶנָה.

13. זֵכֶר רַב טוּבְךָ יַבִּיעוּ, וְצִדְקָתְךָ יְרַנֵּנוּ.

14. חַנּוּן וְרַחוּם יְיָ, אֶרֶךְ אַפַּיִם וּגְדָל חָסֶד.

1 טוֹב יְיָ לַכֹּל, וְרַחֲמָיו עַל כָּל מַעֲשָׂיו.

2 יוֹדוּךָ יְיָ כָּל מַעֲשֶׂיךָ, וַחֲסִידֶיךָ יְבָרְכוּכָה.

3 כְּבוֹד מַלְכוּתְךָ יֹאמֵרוּ, וּגְבוּרָתְךָ יְדַבֵּרוּ.

4 לְהוֹדִיעַ לִבְנֵי הָאָדָם גְּבוּרֹתָיו, וּכְבוֹד הֲדַר
5 מַלְכוּתוֹ.

6 מַלְכוּתְךָ, מַלְכוּת כָּל עוֹלָמִים, וּמֶמְשַׁלְתְּךָ
7 בְּכָל דֹּר וָדֹר.

8 סוֹמֵךְ יְיָ לְכָל הַנֹּפְלִים, וְזוֹקֵף לְכָל
9 הַכְּפוּפִים.

10 עֵינֵי כֹל אֵלֶיךָ יְשַׂבֵּרוּ, וְאַתָּה נוֹתֵן לָהֶם
11 אֶת אָכְלָם בְּעִתּוֹ.

12 פּוֹתֵחַ אֶת יָדֶךָ, וּמַשְׂבִּיעַ לְכָל חַי רָצוֹן.

13 צַדִּיק יְיָ בְּכָל דְּרָכָיו, וְחָסִיד בְּכָל מַעֲשָׂיו.

14 קָרוֹב יְיָ לְכָל קֹרְאָיו, לְכֹל אֲשֶׁר יִקְרָאֻהוּ
15 בֶאֱמֶת.

רְצוֹן יְרֵאָיו יַעֲשֶׂה, וְאֶת שַׁוְעָתָם יִשְׁמַע
וְיוֹשִׁיעֵם.

שׁוֹמֵר יְיָ אֶת כָּל אֹהֲבָיו, וְאֵת כָּל הָרְשָׁעִים
יַשְׁמִיד.

Reader תְּהִלַת יְיָ יְדַבֶּר פִּי, וִיבָרֵךְ כָּל בָּשָׂר
שֵׁם קָדְשׁוֹ לְעוֹלָם וָעֶד.

וַאֲנַחְנוּ נְבָרֵךְ יָהּ מֵעַתָּה וְעַד עוֹלָם,
הַלְלוּיָהּ!

לַמְנַצֵּחַ מִזְמוֹר לְדָוִד: יַעַנְךָ יְיָ בְּיוֹם צָרָה

**To the Choirmaster; A Psalm of David: The Lord will
answer you in the day of trouble**

This is the twentieth Psalm, a prayer for God's help in
time of trouble. It is especially worthwhile to remember
the verse, "Some (like the Egyptians), trust in chariots and
some in horses, but we call upon the name of the Lord our
God," this is similar to the warning not to say "my power and
the strength of my hand have gotten me this wealth" (Deuter-
onomy 8:17).

On the following days לַמְנַצֵּחַ *is omitted:* רֹאשׁ חֹדֶשׁ*, the day before* פֶּסַח*,* תִּשְׁעָה בְּאָב*, the day before* יוֹם כִּפּוּר*, during* חֲנֻכָּה*, on* פּוּרִים *and* פּוּרִים קָטָן *and on* חוֹל הַמּוֹעֵד:

לַמְנַצֵּחַ, מִזְמוֹר לְדָוִד. יַעַנְךָ יְיָ בְּיוֹם צָרָה, יְשַׂגֶּבְךָ שֵׁם אֱלֹהֵי יַעֲקֹב. יִשְׁלַח עֶזְרְךָ מִקֹּדֶשׁ, וּמִצִּיּוֹן יִסְעָדֶךָּ. יִזְכֹּר כָּל מִנְחֹתֶיךָ, וְעוֹלָתְךָ יְדַשְּׁנֶה סֶלָה. יִתֶּן לְךָ כִלְבָבֶךָ, וְכָל עֲצָתְךָ יְמַלֵּא. נְרַנְּנָה בִּישׁוּעָתֶךָ וּבְשֵׁם אֱלֹהֵינוּ נִדְגֹּל, יְמַלֵּא יְיָ כָּל מִשְׁאֲלוֹתֶיךָ. עַתָּה יָדַעְתִּי, כִּי הוֹשִׁיעַ יְיָ מְשִׁיחוֹ, יַעֲנֵהוּ מִשְּׁמֵי קָדְשׁוֹ, בִּגְבוּרוֹת יֵשַׁע יְמִינוֹ. אֵלֶּה בָרֶכֶב וְאֵלֶּה בַסּוּסִים, וַאֲנַחְנוּ בְּשֵׁם יְיָ אֱלֹהֵינוּ נַזְכִּיר. הֵמָּה כָּרְעוּ וְנָפָלוּ, וַאֲנַחְנוּ קַמְנוּ וַנִּתְעוֹדָד. יְיָ הוֹשִׁיעָה! הַמֶּלֶךְ יַעֲנֵנוּ בְיוֹם קָרְאֵנוּ.

וּבָא לְצִיּוֹן גּוֹאֵל

And a redeemer will come to Zion

We do not say וּבָא לְצִיּוֹן in the morning services of Sabbaths or holidays, but say it at the מִנְחָה (afternoon) service instead. Perhaps this is done because we recite so much of the Bible during the reading of the תּוֹרָה on Sabbaths and holidays at the morning service.

Included in the Biblical verses are the well-known קְדוּשָׁה (קָדוֹשׁ, קָדוֹשׁ, קָדוֹשׁ), the ה׳ יִמְלֹךְ לְעֹלָם וָעֶד ("The Lord will reign forever and ever.") and וְהוּא רַחוּם, the prayer with which we begin the תַּחֲנוּן, among others.

Rabbis and scholars do not agree about the origin and purpose of this prayer. Some said it was written at the end of שַׁחֲרִית (the Morning Service) so that people who came late would still be able to recite the קְדוּשָׁה (the "holiness prayer" which is part of וּבָא לְצִיּוֹן).

On תִּשְׁעָה בְּאָב, or in the house of a mourner, וַאֲנִי זֹאת בְּרִיתִי till וְאַתָּה קָדוֹשׁ is omitted:

1 וּבָא לְצִיּוֹן גּוֹאֵל וּלְשָׁבֵי פֶּשַׁע בְּיַעֲקֹב. נְאֻם יְיָ. וַאֲנִי —

2 זֹאת בְּרִיתִי אֹתָם, אָמַר יְיָ: רוּחִי אֲשֶׁר עָלֶיךָ, וּדְבָרַי

3 אֲשֶׁר שַׂמְתִּי בְּפִיךָ, לֹא יָמוּשׁוּ מִפִּיךָ וּמִפִּי זַרְעֲךָ, וּמִפִּי

4 זֶרַע זַרְעֲךָ, אָמַר יְיָ, מֵעַתָּה וְעַד עוֹלָם. וְאַתָּה קָדוֹשׁ

5 יוֹשֵׁב, תְּהִלּוֹת יִשְׂרָאֵל! וְקָרָא זֶה אֶל זֶה וְאָמַר:

6 קָדוֹשׁ קָדוֹשׁ קָדוֹשׁ יְיָ צְבָאוֹת מְלֹא כָל

7 הָאָרֶץ כְּבוֹדוֹ.

8 וּמְקַבְּלִין דֵּין מִן דֵּין וְאָמְרִין: קַדִּישׁ בִּשְׁמֵי מְרוֹמָא עִלָּאָה

9 בֵּית שְׁכִינְתֵּהּ; קַדִּישׁ עַל אַרְעָא עוֹבַד גְּבוּרְתֵּהּ, קַדִּישׁ

10 לְעָלַם וּלְעָלְמֵי עָלְמַיָּא. — יְיָ צְבָאוֹת, מַלְיָא כָל אַרְעָא

11 זִיו יְקָרֵהּ. וַתִּשָּׂאֵנִי רוּחַ, וָאֶשְׁמַע אַחֲרַי קוֹל רַעַשׁ גָּדוֹל:

12 בָּרוּךְ כְּבוֹד יְיָ מִמְּקוֹמוֹ.

וּנְטָלַתְנִי רוּחָא וּשְׁמָעִית בַּתְרַי קָל זִיעַ סַגִּיא דִּמְשַׁבְּחִין וְאָמְרִין: בְּרִיךְ יְקָרָא דַיְיָ מֵאֲתַר בֵּית שְׁכִינְתֵּהּ!

יְיָ יִמְלֹךְ לְעֹלָם וָעֶד.

יְיָ מַלְכוּתֵהּ קָאֵם לְעָלַם וּלְעָלְמֵי עָלְמַיָּא. יְיָ אֱלֹהֵי אַבְרָהָם יִצְחָק וְיִשְׂרָאֵל אֲבוֹתֵינוּ! שָׁמְרָה זֹּאת לְעוֹלָם, לְיֵצֶר מַחְשְׁבוֹת לְבַב עַמֶּךָ, וְהָכֵן לְבָבָם אֵלֶיךָ. וְהוּא רַחוּם, יְכַפֵּר עָוֹן וְלֹא יַשְׁחִית, וְהִרְבָּה לְהָשִׁיב אַפּוֹ, וְלֹא יָעִיר כָּל חֲמָתוֹ. כִּי אַתָּה אֲדֹנָי טוֹב וְסַלָּח, וְרַב חֶסֶד לְכָל קֹרְאֶיךָ. צִדְקָתְךָ – צֶדֶק לְעוֹלָם, וְתוֹרָתְךָ – אֱמֶת. תִּתֵּן אֱמֶת לְיַעֲקֹב, חֶסֶד – לְאַבְרָהָם, אֲשֶׁר נִשְׁבַּעְתָּ לַאֲבֹתֵינוּ מִימֵי קֶדֶם. בָּרוּךְ יְיָ, יוֹם יוֹם יַעֲמָס לָנוּ, הָאֵל יְשׁוּעָתֵנוּ, סֶלָה. יְיָ צְבָאוֹת עִמָּנוּ, מִשְׂגָּב לָנוּ אֱלֹהֵי יַעֲקֹב, סֶלָה. יְיָ צְבָאוֹת! אַשְׁרֵי אָדָם בֹּטֵחַ בָּךְ. יְיָ, הוֹשִׁיעָה! הַמֶּלֶךְ יַעֲנֵנוּ בְיוֹם קָרְאֵנוּ.

בָּרוּךְ (הוּא) אֱלֹהֵינוּ שֶׁבְּרָאָנוּ לִכְבוֹדוֹ, וְהִבְדִּילָנוּ מִן הַתּוֹעִים, וְנָתַן לָנוּ תּוֹרַת אֱמֶת, וְחַיֵּי עוֹלָם נָטַע בְּתוֹכֵנוּ; הוּא יִפְתַּח לִבֵּנוּ בְּתוֹרָתוֹ, וְיָשֵׂם בְּלִבֵּנוּ אַהֲבָתוֹ וְיִרְאָתוֹ, וְלַעֲשׂוֹת רְצוֹנוֹ וּלְעָבְדוֹ בְּלֵבָב שָׁלֵם. לְמַעַן לֹא נִיגַע לָרִיק, וְלֹא נֵלֵד לַבֶּהָלָה. יְהִי רָצוֹן מִלְּפָנֶיךָ, יְיָ אֱלֹהֵינוּ

1 וֵאלֹהֵי אֲבוֹתֵינוּ, שֶׁנִּשְׁמוֹר חֻקֶּיךָ בָּעוֹלָם הַזֶּה, וְנִזְכֶּה

2 וְנִחְיֶה וְנִרְאֶה, וְנִירַשׁ טוֹבָה וּבְרָכָה, לִשְׁנֵי יְמוֹת הַמָּשִׁיחַ

3 וּלְחַיֵּי הָעוֹלָם הַבָּא, לְמַעַן יְזַמֶּרְךָ כָבוֹד וְלֹא יִדֹּם; יְיָ

4 אֱלֹהַי לְעוֹלָם אוֹדֶךָּ. בָּרוּךְ הַגֶּבֶר אֲשֶׁר יִבְטַח בַּיָי, וְהָיָה

5 יְיָ מִבְטַחוֹ. בִּטְחוּ בַיָי עֲדֵי עַד, כִּי בְּיָהּ יְיָ צוּר עוֹלָמִים.

6 Reader וְיִבְטְחוּ בְךָ יוֹדְעֵי שְׁמֶךָ, כִּי לֹא עָזַבְתָּ דֹרְשֶׁיךָ, יְיָ!

7 יְיָ חָפֵץ לְמַעַן צִדְקוֹ, יַגְדִּיל תּוֹרָה וְיַאְדִּיר.

קַדִּישׁ KADDISH

The קַדִּישׁ is a most solemn and one of the holiest of our prayers. The word קַדִּישׁ is not Hebrew but Aramaic.

The גְּמָרָא, which contains the great writings of our Rabbis, was written in Aramaic.

The Hebrew word for קַדִּישׁ is קָדוֹשׁ, which means "holy." Most of the קַדִּישׁ is Aramaic, but some of it is in Hebrew.

Several times during the services the Reader recites the חֲצִי קַדִּישׁ, **the Half Kaddish.**

In the קַדִּישׁ שָׁלֵם, **the "complete"** קַדִּישׁ, **also recited by the Reader, three verses are added. In the first verse we ask God to accept the prayers of all the people of Israel. In the last two verses we ask for life and peace for ourselves and for all of Israel.**

For parents who have died the קַדִּישׁ יָתוֹם is recited at every service of every day for eleven months; and though it contains no mention of the dead or of death, it expresses faith in final comfort and healing for all men. There is a special form called the burial קַדִּישׁ, and another, recited after study, known as the Rabbinical Kaddish (קַדִּישׁ דְּרַבָּנָן). About the year 1400 it became the custom to recite the Kaddish on every anniversary of a death. It is said for father, mother, husband, wife, sister, brother or child.

The most important words of the קַדִּישׁ are the words that are repeated by the congregation: יְהֵא שְׁמֵהּ רַבָּא מְבָרַךְ לְעָלַם

וּלְעָלְמֵי עָלְמַיָּא, "May His great name be blessed for ever and ever." This saying comes from the Book of Daniel (in the Bible), "Blessed be the name of God from everlasting to everlasting; for wisdom and might are His" (Daniel 2:20).

COMPLETE KADDISH קַדִּישׁ שָׁלֵם

1 Reader יִתְגַּדַּל וְיִתְקַדַּשׁ שְׁמֵהּ רַבָּא, בְּעָלְמָא

2 דִּי־בְרָא כִרְעוּתֵהּ, וְיַמְלִיךְ מַלְכוּתֵהּ,

3 בְּחַיֵּיכוֹן וּבְיוֹמֵיכוֹן, וּבְחַיֵּי דְכָל־בֵּית

4 יִשְׂרָאֵל, בַּעֲגָלָא וּבִזְמַן קָרִיב. וְאִמְרוּ אָמֵן.

Cong. אָמֵן

5 Cong. and Reader יְהֵא שְׁמֵהּ רַבָּא מְבָרַךְ לְעָלַם

6 וּלְעָלְמֵי עָלְמַיָּא.

7 Reader יִתְבָּרַךְ וְיִשְׁתַּבַּח וְיִתְפָּאַר וְיִתְרוֹמַם

8 וְיִתְנַשֵּׂא וְיִתְהַדַּר וְיִתְעַלֶּה וְיִתְהַלַּל שְׁמֵהּ

9 דְּקֻדְשָׁא. Cong. and Reader בְּרִיךְ הוּא Reader

10 לְעֵלָּא (During the Ten Days of Penitence, add: וּלְעֵלָּא)

11 מִן כָּל־בִּרְכָתָא, וְשִׁירָתָא תֻּשְׁבְּחָתָא,

12 וְנֶחֱמָתָא דַּאֲמִירָן בְּעָלְמָא וְאִמְרוּ אָמֵן.

Cong. אָמֵן

On the days when מוּסָף *is said, the Reader here says* חֲצִי קַדִּישׁ, *i.e. to*
בְּעָלְמָא, וְאִמְרוּ אָמֵן; *on other days, the whole Kaddish, as follows:*

Reader 1 תִּתְקַבֵּל צְלוֹתְהוֹן וּבָעוּתְהוֹן דְּכָל בֵּית יִשְׂרָאֵל,

2 קֳדָם אֲבוּהוֹן דִּי בִשְׁמַיָּא, וְאִמְרוּ אָמֵן. Cong. אָמֵן

Reader 3 יְהֵא שְׁלָמָא רַבָּא מִן־שְׁמַיָּא וְחַיִּים עָלֵינוּ

4 וְעַל כָּל־יִשְׂרָאֵל. וְאִמְרוּ אָמֵן. Cong. אָמֵן

Reader 5 עוֹשֶׂה שָׁלוֹם בִּמְרוֹמָיו, הוּא יַעֲשֶׂה שָׁלוֹם

6 עָלֵינוּ. וְעַל כָּל־יִשְׂרָאֵל. וְאִמְרוּ אָמֵן. Cong. אָמֵן

עָלֵינוּ לְשַׁבֵּחַ לַאֲדוֹן הַכֹּל

It is our duty to praise the Lord of all things

For over six hundred years the עָלֵינוּ has been the closing
prayer in the services of all congregations on week-days,
Sabbaths, and holidays.

In the עָלֵינוּ we recognize God as the Creator of the world
and as the King of kings.

When we come to וַאֲנַחְנוּ כֹּרְעִים in the second verse, we
bow our heads to show how humble we feel in the presence
of God.

The עָלֵינוּ closes with the words of the prophet Zechariah.
They express the hope that the day may soon come when
God will be recognized by all people, non-Jews as well as Jews,
as the ONE and ONLY God who rules over the entire world.

The עָלֵינוּ was often said by our great Jewish martyrs as
their last prayer when they went to their death.

עָלֵינוּ לְשַׁבֵּחַ לַאֲדוֹן הַכֹּל, לָתֵת גְּדֻלָּה 1

לְיוֹצֵר בְּרֵאשִׁית, שֶׁלֹּא עָשָׂנוּ כְּגוֹיֵי הָאֲרָצוֹת, 2

וְלֹא שָׂמָנוּ כְּמִשְׁפְּחוֹת הָאֲדָמָה, שֶׁלֹּא שָׂם 3

חֶלְקֵנוּ כָּהֶם וְגֹרָלֵנוּ כְּכָל הֲמוֹנָם. 4

וַאֲנַחְנוּ כֹּרְעִים וּמִשְׁתַּחֲוִים וּמוֹדִים לִפְנֵי 5

מֶלֶךְ מַלְכֵי הַמְּלָכִים, הַקָּדוֹשׁ, בָּרוּךְ 6

הוּא. שֶׁהוּא נוֹטֶה שָׁמַיִם וְיוֹסֵד אָרֶץ, וּמוֹשַׁב 7

יְקָרוֹ בַּשָּׁמַיִם מִמַּעַל וּשְׁכִינַת עֻזּוֹ בְּגָבְהֵי 8

מְרוֹמִים, הוּא אֱלֹהֵינוּ אֵין עוֹד. אֱמֶת 9

מַלְכֵּנוּ, אֶפֶס זוּלָתוֹ, כַּכָּתוּב בְּתוֹרָתוֹ: 10

"וְיָדַעְתָּ הַיּוֹם וַהֲשֵׁבֹתָ אֶל לְבָבֶךָ, כִּי יְיָ 11

הוּא הָאֱלֹהִים בַּשָּׁמַיִם מִמַּעַל וְעַל הָאָרֶץ 12

מִתָּחַת, אֵין עוֹד". 13

עַל כֵּן נְקַוֶּה לְּךָ, יְיָ אֱלֹהֵינוּ, לִרְאוֹת מְהֵרָה בְּתִפְאֶרֶת 14

עֻזֶּךָ, לְהַעֲבִיר גִּלּוּלִים מִן הָאָרֶץ, וְהָאֱלִילִים כָּרוֹת 15

יִכָּרֵתוּן, לְתַקֵּן עוֹלָם בְּמַלְכוּת שַׁדַּי, וְכָל בְּנֵי בָשָׂר 16

1 יַכִּירוּ ‏יִקְרְאוּ בִשְׁמֶךָ, לְהַפְנוֹת אֵלֶיךָ כָּל רִשְׁעֵי אָרֶץ.
2 וְיֵדְעוּ כָּל יוֹשְׁבֵי תֵבֵל, כִּי לְךָ תִּכְרַע כָּל בֶּרֶךְ, תִּשָּׁבַע
3 כָּל לָשׁוֹן. לְפָנֶיךָ יְיָ אֱלֹהֵינוּ יִכְרְעוּ וְיִפּוֹלוּ, וְלִכְבוֹד שִׁמְךָ
4 יְקָר יִתֵּנוּ, וִיקַבְּלוּ כֻלָּם אֶת עוֹל מַלְכוּתֶךָ, וְתִמְלוֹךְ
5 עֲלֵיהֶם מְהֵרָה לְעוֹלָם וָעֶד. כִּי הַמַּלְכוּת שֶׁלְּךָ הִיא,
6 וּלְעוֹלְמֵי עַד תִּמְלוֹךְ בְּכָבוֹד. כַּכָּתוּב בְּתוֹרָתֶךָ: ״יְיָ
7 יִמְלֹךְ לְעֹלָם וָעֶד!״ Reader וְנֶאֱמַר: ״וְהָיָה יְיָ לְמֶלֶךְ
8 עַל כָּל הָאָרֶץ, בַּיּוֹם הַהוּא יִהְיֶה יְיָ אֶחָד וּשְׁמוֹ אֶחָד״.

Mourners Kaddish see next page:

9 אַל תִּירָא מִפַּחַד פִּתְאֹם, וּמִשֹּׁאַת רְשָׁעִים כִּי תָבֹא.
10 עֻצוּ עֵצָה וְתֻפָר, דַּבְּרוּ דָבָר וְלֹא יָקוּם, כִּי עִמָּנוּ אֵל.
11 וְעַד זִקְנָה אֲנִי הוּא, וְעַד שֵׂיבָה אֲנִי אֶסְבֹּל;
12 אֲנִי עָשִׂיתִי וַאֲנִי אֶשָּׂא, וַאֲנִי אֶסְבֹּל וַאֲמַלֵּט.

MOURNERS KADDISH קַדִּישׁ יָתוֹם

For comments see pages 67 and 162

1 יִתְגַּדַּל וְיִתְקַדַּשׁ שְׁמֵהּ רַבָּא, בְּעָלְמָא

2 דִּי־בְרָא כִרְעוּתֵהּ, וְיַמְלִיךְ מַלְכוּתֵהּ,

3 בְּחַיֵּיכוֹן וּבְיוֹמֵיכוֹן, וּבְחַיֵּי דְכָל־בֵּית

4 יִשְׂרָאֵל, בַּעֲגָלָא וּבִזְמַן קָרִיב. וְאִמְרוּ אָמֵן.

Cong. אָמֵן

5 Cong. יְהֵא שְׁמֵהּ רַבָּא מְבָרַךְ לְעָלַם

6 וּלְעָלְמֵי עָלְמַיָּא.

7 יִתְבָּרַךְ וְיִשְׁתַּבַּח וְיִתְפָּאַר וְיִתְרוֹמַם

8 וְיִתְנַשֵּׂא וְיִתְהַדַּר וְיִתְעַלֶּה וְיִתְהַלַּל שְׁמֵהּ

9 דְּקֻדְשָׁא. Cong. בְּרִיךְ הוּא

10 לְעֵלָּא (During the Ten Days of Penitence, add: וּלְעֵלָּא)

11 מִן כָּל־בִּרְכָתָא, וְשִׁירָתָא תֻּשְׁבְּחָתָא,

12 וְנֶחֱמָתָא דַּאֲמִירָן בְּעָלְמָא וְאִמְרוּ אָמֵן.

Cong. אָמֵן

1   יְהֵא שְׁלָמָא רַבָּא מִן־שְׁמַיָּא וְחַיִּים

2   עָלֵינוּ וְעַל כָּל־יִשְׂרָאֵל. וְאִמְרוּ

3   אָמֵן. Cong. אָמֵן

4   עוֹשֶׂה שָׁלוֹם בִּמְרוֹמָיו, הוּא יַעֲשֶׂה

5   שָׁלוֹם עָלֵינוּ. וְעַל כָּל־יִשְׂרָאֵל.

6   וְאִמְרוּ אָמֵן. Cong. אָמֵן

THE DAILY PSALMS מִזְמוֹרִים שֶׁל יוֹם

We now begin the section of the daily Psalms. The custom of reciting a special Psalm on each day of the week comes to us from the days of the Temple. We have already discussed the Psalm for Sunday, לְדָוִד מִזְמוֹר (See page 153.)

לְדָוִד מִזְמוֹר. לַיְיָ הָאָרֶץ וּמְלוֹאָהּ תֵּבֵל וְיוֹשְׁבֵי בָהּ

A Psalm of David: The earth is the Lord's and the fullness thereof; the world and the dwellers therein

For comment see page 153

שִׁיר שֶׁל יוֹם רִאשׁוֹן. *For Sunday:*

הַיּוֹם, רִאשׁוֹן בַּשַּׁבָּת, שֶׁבּוֹ הָיוּ הַלְוִיִּם אוֹמְרִים בְּבֵית הַמִּקְדָּשׁ.

7   לְדָוִד מִזְמוֹר, לַיְיָ הָאָרֶץ וּמְלוֹאָה, תֵּבֵל וְיוֹשְׁבֵי בָהּ, כִּי

8   הוּא עַל יַמִּים יְסָדָהּ, וְעַל נְהָרוֹת יְכוֹנְנֶהָ. מִי יַעֲלֶה בְהַר

9   יְיָ? וּמִי יָקוּם בִּמְקוֹם קָדְשׁוֹ? — נְקִי כַפַּיִם וּבַר לֵבָב, אֲשֶׁר

1 לֹא נָשָׂא לַשָּׁוְא נַפְשִׁי, וְלֹא נִשְׁבַּע לְמִרְמָה. יִשָּׂא בְרָכָה

2 מֵאֵת יְיָ, וּצְדָקָה מֵאֱלֹהֵי יִשְׁעוֹ. זֶה דּוֹר דֹּרְשָׁיו, מְבַקְשֵׁי

3 פָנֶיךָ יַעֲקֹב – סֶלָה. שְׂאוּ שְׁעָרִים רָאשֵׁיכֶם! וְהִנָּשְׂאוּ פִּתְחֵי

4 עוֹלָם, וְיָבוֹא מֶלֶךְ הַכָּבוֹד. – מִי זֶה מֶלֶךְ הַכָּבוֹד? יְיָ עִזּוּז

5 וְגִבּוֹר, יְיָ גִּבּוֹר מִלְחָמָה. שְׂאוּ שְׁעָרִים רָאשֵׁיכֶם וּשְׂאוּ

6 פִּתְחֵי עוֹלָם, וְיָבֹא מֶלֶךְ הַכָּבוֹד. מִי הוּא זֶה מֶלֶךְ הַכָּבוֹד?–

7 יְיָ צְבָאוֹת הוּא מֶלֶךְ הַכָּבוֹד, סֶלָה.

Mourner repeats here the Kaddish page 167:

שִׁיר מִזְמוֹר לִבְנֵי קֹרַח: גָּדוֹל יְיָ וּמְהֻלָּל מְאֹד

A Song, a Psalm of the sons of Korah. Great is
the Lord and highly to be praised

The Psalm recited on Mondays is Psalm 48. It is attributed
to the sons of Korah, a group of לְוִיִם (Levites) who sang in the
Temple. It was sung in celebration of the deliverance
from the Assyrians in 700 B.C.E., and tells us about the
glory of the Temple and of Mount Zion on which the Temple
stood.

For Monday: שִׁיר שֶׁל יוֹם שֵׁנִי.

הַיּוֹם, שֵׁנִי בַּשַּׁבָּת, שֶׁבּוֹ הָיוּ הַלְוִיִּם אוֹמְרִים בְּבֵית הַמִּקְדָּשׁ.

8 שִׁיר מִזְמוֹר לִבְנֵי קֹרַח, גָּדוֹל יְיָ וּמְהֻלָּל מְאֹד, בְּעִיר

9 אֱלֹהֵינוּ הַר קָדְשׁוֹ, יְפֵה נוֹף, מְשׂוֹשׂ כָּל הָאָרֶץ – הַר צִיּוֹן

10 יַרְכְּתֵי צָפוֹן, קִרְיַת מֶלֶךְ רָב. אֱלֹהִים בְּאַרְמְנוֹתֶיהָ נוֹדַע

11 לְמִשְׂגָּב. כִּי הִנֵּה הַמְּלָכִים נוֹעֲדוּ, עָבְרוּ יַחְדָּו, הֵמָּה רָאוּ –

כֵּן תָּמָֽהוּ, נִבְהֲלוּ נֶחְפָּֽזוּ. רְעָדָה אֲחָזָֽתַם שָׁם, חִיל כַּיּוֹלֵדָה. בְּרֽוּחַ קָדִים, תְּשַׁבֵּר אֳנִיּוֹת תַּרְשִׁישׁ. כַּאֲשֶׁר שָׁמַֽעְנוּ כֵּן רָאִֽינוּ בְּעִיר יְיָ צְבָאוֹת, בְּעִיר אֱלֹהֵֽינוּ; אֱלֹהִים יְכוֹנְנֶֽהָ עַד עוֹלָם סֶֽלָה! דִּמִּֽינוּ אֱלֹהִים חַסְדֶּֽךָ, בְּקֶֽרֶב הֵיכָלֶֽךָ. כְּשִׁמְךָ אֱלֹהִים כֵּן תְּהִלָּתְךָ עַל קַצְוֵי אֶֽרֶץ, צֶֽדֶק מָלְאָה יְמִינֶֽךָ. יִשְׂמַח הַר צִיּוֹן, תָּגֵֽלְנָה בְּנוֹת יְהוּדָה, לְמַֽעַן מִשְׁפָּטֶֽיךָ. סֹֽבּוּ צִיּוֹן וְהַקִּיפֽוּהָ, סִפְרוּ מִגְדָּלֶֽיהָ. שִֽׁיתוּ לִבְּכֶם לְחֵילָה, פַּסְּגוּ אַרְמְנוֹתֶֽיהָ, לְמַֽעַן תְּסַפְּרוּ לְדוֹר אַחֲרוֹן. כִּי זֶה אֱלֹהִים – אֱלֹהֵֽינוּ עוֹלָם וָעֶד, הוּא יְנַהֲגֵֽנוּ עַל מוּת.

Mourner repeats here the Kaddish page 167 :

מִזְמוֹר לְאָסָף אֱלֹהִים נִצָּב בַּעֲדַת אֵל

A Psalm of Asaph: God stands in the congregation of the mighty

The Psalm recited on Tuesdays is Psalm 82. It criticizes injustice, especially by the judges themselves. "Defend the lowly and the fatherless! Do justice to the afflicted and destitutes! Rescue the lowly and needy!" What beautiful words these are! This Psalm tells us that God stands there among the judges and, that, moreover, He judges the judges themselves. However, even the wicked judges are not condemned harshly. The Psalmist finds excuses even for them. "They know not, neither do they understand; they walk about in darkness." How much like the words of the great prophet Isaiah are these passages!

For Tuesday: שִׁיר שֶׁל יוֹם שְׁלִישִׁי.

הַיּוֹם, שְׁלִישִׁי בַּשַּׁבָּת, שֶׁבּוֹ הָיוּ הַלְוִיִּם אוֹמְרִים בְּבֵית הַמִּקְדָּשׁ.

1 מִזְמוֹר לְאָסָף. אֱלֹהִים נִצָּב בַּעֲדַת אֵל, בְּקֶרֶב אֱלֹהִים

2 יִשְׁפֹּט. עַד מָתַי תִּשְׁפְּטוּ עָוֶל, וּפְנֵי רְשָׁעִים תִּשְׂאוּ? סֶלָה.

3 שִׁפְטוּ דַל וְיָתוֹם, עָנִי וָרָשׁ הַצְדִּיקוּ. פַּלְּטוּ דַל וְאֶבְיוֹן,

4 מִיַּד רְשָׁעִים הַצִּילוּ. לֹא יָדְעוּ וְלֹא יָבִינוּ, בַּחֲשֵׁכָה יִתְהַלָּכוּ,

5 יִמּוֹטוּ כָּל מוֹסְדֵי אָרֶץ. אֲנִי אָמַרְתִּי אֱלֹהִים אַתֶּם, וּבְנֵי

6 עֶלְיוֹן כֻּלְּכֶם. אָכֵן כְּאָדָם תְּמוּתוּן, וּכְאַחַד הַשָּׂרִים תִּפֹּלוּ.

7 קוּמָה אֱלֹהִים שָׁפְטָה הָאָרֶץ, כִּי אַתָּה תִנְחַל בְּכָל הַגּוֹיִם.

Mourner repeats here the Kaddish page 167 :

אֵל נְקָמוֹת יְיָ אֵל נְקָמוֹת הוֹפִיעַ

O God of vengeance, Lord God of vengeance appear

On Wednesdays we recite Psalm 94. This Psalm continues the thought of the Psalm recited the day before. It asks, "How long shall the wicked triumph? ... They speak arrogantly ... They crush Your people, O Lord ... They slay the widow and the stranger and murder the fatherless. And they say: 'The Lord will not see.'" But "the Lord will not cast his people off." God will surely punish the wicked and save his people.

For Wednesday: שִׁיר שֶׁל יוֹם רְבִיעִי

הַיּוֹם, רְבִיעִי בַּשַּׁבָּת, שֶׁבּוֹ הָיוּ הַלְוִיִּם אוֹמְרִים בְּבֵית הַמִּקְדָּשׁ.

1 אֵל נְקָמוֹת יְיָ, אֵל נְקָמוֹת, הוֹפִיעַ! הִנָּשֵׂא שֹׁפֵט הָאָרֶץ!

2 הָשֵׁב גְּמוּל עַל גֵּאִים. עַד מָתַי רְשָׁעִים, יְיָ, עַד מָתַי רְשָׁעִים

3 יַעֲלְזוּ? יַבִּיעוּ, יְדַבְּרוּ עָתָק, יִתְאַמְּרוּ כָּל פֹּעֲלֵי אָוֶן. עַמְּךָ,

4 יְיָ, יְדַכְּאוּ, וְנַחֲלָתְךָ יְעַנּוּ. אַלְמָנָה וְגֵר יַהֲרֹגוּ, וִיתוֹמִים

5 יְרַצֵּחוּ. וַיֹּאמְרוּ: לֹא יִרְאֶה יָּהּ, וְלֹא יָבִין אֱלֹהֵי יַעֲקֹב.

6 בִּינוּ בֹּעֲרִים בָּעָם! וּכְסִילִים! מָתַי תַּשְׂכִּילוּ? הֲנֹטַע אֹזֶן

7 הֲלֹא יִשְׁמָע? אִם יֹצֵר עַיִן הֲלֹא יַבִּיט? הֲיֹסֵר גּוֹיִם הֲלֹא

8 יוֹכִיחַ – הַמְלַמֵּד אָדָם דָּעַת. יְיָ יוֹדֵעַ מַחְשְׁבוֹת אָדָם, כִּי

9 הֵמָּה הָבֶל. אַשְׁרֵי הַגֶּבֶר אֲשֶׁר תְּיַסְּרֶנּוּ, יָּהּ! וּמִתּוֹרָתְךָ

10 תְלַמְּדֶנּוּ. לְהַשְׁקִיט לוֹ מִימֵי רָע, עַד יִכָּרֶה לָרָשָׁע שָׁחַת.

11 כִּי לֹא יִטֹּשׁ יְיָ עַמּוֹ, וְנַחֲלָתוֹ לֹא יַעֲזֹב. כִּי עַד צֶדֶק יָשׁוּב

12 מִשְׁפָּט, וְאַחֲרָיו כָּל יִשְׁרֵי לֵב. מִי יָקוּם לִי עִם מְרֵעִים, מִי

13 יִתְיַצֵּב לִי עִם פֹּעֲלֵי אָוֶן? לוּלֵי יְיָ עֶזְרָתָה לִּי, כִּמְעַט שָׁכְנָה

14 דוּמָה נַפְשִׁי. אִם אָמַרְתִּי מָטָה רַגְלִי, – חַסְדְּךָ יְיָ יִסְעָדֵנִי.

15 בְּרֹב שַׂרְעַפַּי בְּקִרְבִּי, תַּנְחוּמֶיךָ יְשַׁעַשְׁעוּ נַפְשִׁי. הַיְחָבְרְךָ

16 כִּסֵּא הַוּוֹת, יֹצֵר עָמָל עֲלֵי חֹק? יָגוֹדּוּ עַל נֶפֶשׁ צַדִּיק, וְדָם

17 נָקִי יַרְשִׁיעוּ. וַיְהִי יְיָ לִי לְמִשְׂגָּב, וֵאלֹהַי לְצוּר מַחְסִי. וַיָּשֶׁב

18 עֲלֵיהֶם אֶת אוֹנָם, וּבְרָעָתָם יַצְמִיתֵם, יַצְמִיתֵם יְיָ אֱלֹהֵינוּ.

19 לְכוּ נְרַנְּנָה לַיְיָ, נָרִיעָה לְצוּר יִשְׁעֵנוּ; נְקַדְּמָה פָנָיו בְּתוֹדָה,

20 בִּזְמִרוֹת נָרִיעַ לוֹ. כִּי אֵל גָּדוֹל יְיָ, וּמֶלֶךְ גָּדוֹל עַל כָּל

21 אֱלֹהִים.

Mourner repeats here the Kaddish page 167:

לַמְנַצֵּחַ עַל הַגִּתִּית לְאָסָף: הַרְנִינוּ לֵאלֹהִים עוּזֵּנוּ הָרִיעוּ לֵאלֹהֵי יַעֲקֹב

To the Choirmaster: Upon the Gittith. A Psalm of Asaph: Sing aloud to God our strength, shout for joy to the God of Jacob

The Psalm recited on Thursdays is Psalm 81. It begins with the word לַמְנַצֵּחַ. The מְנַצֵּחַ was the conductor and director of the choir in the Holy Temple. This is a call for great rejoicing and festivity with musical instruments, shouts and song. The reason for rejoicing is that God gave us laws, and if we have observed them we have nothing to fear. It reminds us that God has helped us in the past and will help us again if we deserve His help.

This Psalm teaches us that God tells us what is right and what is wrong, but the choice is up to us. God was kind to our ancestors and brought them out of Egypt, but when they were in the wilderness they worshipped the Golden Calf and did not obey God. God did not stop them from doing so, but He let them suffer the results of their wicked ways. The whole generation died out and did not enter the Promised Land of Canaan. God does not stop men from doing wrong. But He makes them pay for their wickedness and punishes them as they deserve.

For Thursday: שִׁיר שֶׁל יוֹם חֲמִישִׁי.

הַיּוֹם, חֲמִישִׁי בַּשַּׁבָּת, שֶׁבּוֹ הָיוּ הַלְוִיִּם אוֹמְרִים בְּבֵית הַמִּקְדָּשׁ.

1 לַמְנַצֵּחַ עַל הַגִּתִּית, לְאָסָף. הַרְנִינוּ לֵאלֹהִים עוּזֵּנוּ, הָרִיעוּ
2 לֵאלֹהֵי יַעֲקֹב. שְׂאוּ זִמְרָה וּתְנוּ תֹף, כִּנּוֹר נָעִים עִם נָבֶל.
3 תִּקְעוּ בַחֹדֶשׁ שׁוֹפָר, בַּכֵּסֶה לְיוֹם חַגֵּנוּ. כִּי חֹק לְיִשְׂרָאֵל
4 הוּא, מִשְׁפָּט לֵאלֹהֵי יַעֲקֹב. עֵדוּת בִּיהוֹסֵף שָׂמוֹ, בְּצֵאתוֹ
5 עַל אֶרֶץ מִצְרָיִם; שְׂפַת לֹא יָדַעְתִּי אֶשְׁמָע. הֲסִירוֹתִי מִסֵּבֶל

1 שְׁכְמוֹ, כַּפָּיו מִדּוּד תַּעֲבֹרְנָה. בַּצָּרָה קָרָאתָ וָאֲחַלְּצֶךָ,

2 אֶעֶנְךָ בְּסֵתֶר רָעַם, אֶבְחָנְךָ עַל מֵי מְרִיבָה סֶלָה; שְׁמַע

3 עַמִּי וְאָעִידָה בָּךְ, יִשְׂרָאֵל אִם תִּשְׁמַע לִי. לֹא יִהְיֶה בְךָ

4 אֵל זָר, וְלֹא תִשְׁתַּחֲוֶה לְאֵל נֵכָר; אָנֹכִי יְיָ אֱלֹהֶיךָ, הַמַּעַלְךָ

5 מֵאֶרֶץ מִצְרַיִם, הַרְחֶב פִּיךָ וַאֲמַלְאֵהוּ. וְלֹא שָׁמַע עַמִּי

6 לְקוֹלִי, וְיִשְׂרָאֵל לֹא אָבָה לִי. וָאֲשַׁלְּחֵהוּ בִּשְׁרִירוּת לִבָּם,

7 יֵלְכוּ בְּמוֹעֲצוֹתֵיהֶם... לוּ עַמִּי שֹׁמֵעַ לִי, יִשְׂרָאֵל בִּדְרָכַי

8 יְהַלֵּכוּ. – כִּמְעַט אוֹיְבֵיהֶם אַכְנִיעַ, וְעַל צָרֵיהֶם אָשִׁיב יָדִי.

9 מְשַׂנְאֵי יְיָ יְכַחֲשׁוּ לוֹ, וִיהִי עִתָּם לְעוֹלָם. וַיַּאֲכִילֵהוּ מֵחֵלֶב

10 חִטָּה, וּמִצּוּר דְּבַשׁ אַשְׂבִּיעֶךָ.

Mourner repeats here the Kaddish page 167:

יְיָ מָלָךְ גֵּאוּת לָבֵשׁ

The Lord reigns; He is clothed in majesty

The Psalm recited on Fridays is Psalm 93. It is very short.
Some Rabbis, including the famous explainer of the תּוֹרָה, רַשִׁ״י,
say that this Psalm speaks of the coming of the Messiah.
God is pictured as being "robed in majesty," as if His beautiful
qualities were a magnificent robe in which He wraps Himself.
God is high above all the forces of nature, and, in fact, controls
them. God's "testimonies (laws) are very sure." We may
rely on His laws as being the best possible laws. "Holiness
befits Your house." When we are in God's house (temple or
synagogue) we must remember where we are.

"Know what is above you" (Ethics of the Fathers 2:1). We
must behave with proper decorum in the synagogue. If we
do talk at all, we should discuss only matters of prayer and
religious study.

For Friday: שִׁיר שֶׁל יוֹם שִׁשִּׁי

הַיּוֹם, שִׁשִּׁי בַּשַּׁבָּת, שֶׁבּוֹ הָיוּ הַלְוִיִּם אוֹמְרִים בְּבֵית הַמִּקְדָּשׁ.

יְיָ מָלָךְ גֵּאוּת לָבֵשׁ, לָבֵשׁ יְיָ – עֹז הִתְאַזָּר, אַף תִּכּוֹן תֵּבֵל בַּל תִּמּוֹט. נָכוֹן כִּסְאֲךָ מֵאָז, מֵעוֹלָם אָתָּה. נָשְׂאוּ נְהָרוֹת, יְיָ! נָשְׂאוּ נְהָרוֹת קוֹלָם, יִשְׂאוּ נְהָרוֹת דָּכְיָם. מִקֹּלוֹת מַיִם רַבִּים, אַדִּירִים מִשְׁבְּרֵי יָם, אַדִּיר בַּמָּרוֹם יְיָ! עֵדוֹתֶיךָ נֶאֶמְנוּ מְאֹד, לְבֵיתְךָ נַאֲוָה קֹדֶשׁ, יְיָ, לְאֹרֶךְ יָמִים!

This Psalm is said every morning and evening from the first day of the month of אֱלוּל *till the day following* שְׁמִינִי עֲצֶרֶת:

לְדָוִד. יְיָ אוֹרִי וְיִשְׁעִי – מִמִּי אִירָא? יְיָ מָעוֹז חַיַּי – מִמִּי אֶפְחָד? בִּקְרֹב עָלַי מְרֵעִים לֶאֱכֹל אֶת בְּשָׂרִי, צָרַי וְאֹיְבַי לִי – הֵמָּה כָּשְׁלוּ וְנָפָלוּ. אִם תַּחֲנֶה עָלַי מַחֲנֶה, לֹא יִירָא לִבִּי, אִם תָּקוּם עָלַי מִלְחָמָה, בְּזֹאת אֲנִי בוֹטֵחַ. אַחַת שָׁאַלְתִּי מֵאֵת יְיָ, אוֹתָהּ אֲבַקֵּשׁ: שִׁבְתִּי בְּבֵית יְיָ כָּל יְמֵי חַיַּי, לַחֲזוֹת בְּנֹעַם יְיָ וּלְבַקֵּר בְּהֵיכָלוֹ. כִּי יִצְפְּנֵנִי בְּסֻכֹּה בְּיוֹם רָעָה יַסְתִּירֵנִי בְּסֵתֶר אָהֳלוֹ, בְּצוּר יְרוֹמְמֵנִי. וְעַתָּה יָרוּם רֹאשִׁי עַל אֹיְבַי סְבִיבוֹתַי, וְאֶזְבְּחָה בְאָהֳלוֹ זִבְחֵי תְרוּעָה, אָשִׁירָה וַאֲזַמְּרָה לַייָ. שְׁמַע יְיָ קוֹלִי אֶקְרָא, וְחָנֵּנִי וַעֲנֵנִי. לְךָ אָמַר לִבִּי בַּקְּשׁוּ פָנָי, אֶת פָּנֶיךָ יְיָ אֲבַקֵּשׁ. אַל תַּסְתֵּר פָּנֶיךָ מִמֶּנִּי, אַל תַּט בְּאַף עַבְדֶּךָ עֶזְרָתִי הָיִיתָ, אַל תִּטְּשֵׁנִי וְאַל תַּעַזְבֵנִי אֱלֹהֵי יִשְׁעִי. כִּי אָבִי וְאִמִּי עֲזָבוּנִי, וַייָ

1 יַאַסְפֵנִי. הוֹרֵנִי יְיָ דַּרְכֶּךָ, וּנְחֵנִי בְּאֹרַח מִישׁוֹר, לְמַעַן

2 שׁוֹרְרָי. אַל תִּתְּנֵנִי בְּנֶפֶשׁ צָרָי, כִּי קָמוּ בִי עֵדֵי שֶׁקֶר וִיפֵחַ

3 חָמָס. לוּלֵא הֶאֱמַנְתִּי לִרְאוֹת בְּטוּב יְיָ בְּאֶרֶץ חַיִּים. קַוֵּה

4 אֶל יְיָ, חֲזַק וְיַאֲמֵץ לִבֶּךָ, וְקַוֵּה אֶל יְיָ.

Mourner repeats here the Kaddish page 167:

The following is recited in the house of a mourner during the week of mourning:

5 לַמְנַצֵּחַ לִבְנֵי־קֹרַח מִזְמוֹר: שִׁמְעוּ־זֹאת כָּל־הָעַמִּים.

6 הַאֲזִינוּ כָּל־יֹשְׁבֵי חָלֶד: גַּם־בְּנֵי אָדָם, גַּם־בְּנֵי־אִישׁ. יַחַד

7 עָשִׁיר וְאֶבְיוֹן: פִּי יְדַבֵּר חָכְמוֹת. וְהָגוּת לִבִּי תְבוּנוֹת: אַטֶּה

8 לְמָשָׁל אָזְנִי. אֶפְתַּח בְּכִנּוֹר חִידָתִי: לָמָּה אִירָא בִּימֵי רָע. עֲוֹן

9 עֲקֵבַי יְסוּבֵּנִי: הַבֹּטְחִים עַל־חֵילָם. וּבְרֹב עָשְׁרָם יִתְהַלָּלוּ:

10 אָח לֹא־פָדֹה יִפְדֶּה אִישׁ. לֹא יִתֵּן לֵאלֹהִים כָּפְרוֹ: וְיֵקַר

11 פִּדְיוֹן נַפְשָׁם. וְחָדַל לְעוֹלָם: וִיחִי־עוֹד לָנֶצַח. לֹא יִרְאֶה

12 הַשָּׁחַת: כִּי יִרְאֶה חֲכָמִים יָמוּתוּ, יַחַד כְּסִיל וָבַעַר יֹאבֵדוּ.

13 וְעָזְבוּ לַאֲחֵרִים חֵילָם: קִרְבָּם בָּתֵּימוֹ לְעוֹלָם. מִשְׁכְּנֹתָם לְדוֹר

14 וָדֹר. קָרְאוּ בִשְׁמוֹתָם עֲלֵי אֲדָמוֹת: וְאָדָם בִּיקָר בַּל־יָלִין.

15 נִמְשַׁל כַּבְּהֵמוֹת נִדְמוּ: זֶה דַרְכָּם כֵּסֶל לָמוֹ. וְאַחֲרֵיהֶם בְּפִיהֶם

16 יִרְצוּ סֶלָה: כַּצֹּאן לִשְׁאוֹל שַׁתּוּ מָוֶת יִרְעֵם. וַיִּרְדּוּ בָם יְשָׁרִים

17 לַבֹּקֶר. וְצוּרָם לְבַלּוֹת שְׁאוֹל מִזְּבֻל לוֹ: אַךְ־אֱלֹהִים יִפְדֶּה

18 נַפְשִׁי מִיַּד שְׁאוֹל. כִּי יִקָּחֵנִי סֶלָה: אַל־תִּירָא כִּי־יַעֲשִׁר אִישׁ.

19 כִּי יִרְבֶּה כְּבוֹד בֵּיתוֹ: כִּי לֹא בְמוֹתוֹ יִקַּח הַכֹּל. לֹא־יֵרֵד

20 אַחֲרָיו כְּבוֹדוֹ: כִּי־נַפְשׁוֹ בְּחַיָּיו יְבָרֵךְ. וְיוֹדֻךָ כִּי־תֵיטִיב לָךְ:

21 תָּבֹא עַד־דּוֹר אֲבוֹתָיו. עַד־נֶצַח לֹא־יִרְאוּ אוֹר: אָדָם בִּיקָר

22 וְלֹא יָבִין. נִמְשַׁל כַּבְּהֵמוֹת נִדְמוּ:

שְׁלֹשָׁה עָשָׂר עִקָּרִים

THIRTEEN PRINCIPLES OF THE FAITH

These are the famous Thirteen Principles of Faith of the sainted רַמְבַּ״ם, Maimonides, the most famous rabbi since the days of the תַּלְמוּד. We say: מִמֹּשֶׁה עַד מֹשֶׁה לֹא קָם כְּמֹשֶׁה. "From Moses (of the Torah) to Moses (Maimonides) there was none like Moses (Maimonides)." He was not only a great codifier of Rabbinic law and a philosopher, but also so great a doctor that the Sultan of Egypt made him his personal physician.

Every one of the thirteen verses of the אֲנִי מַאֲמִין begins with אֲנִי מַאֲמִין בֶּאֱמוּנָה שְׁלֵמָה "I believe with perfect faith". Sometimes it is not so easy to believe in God and in our laws "with perfect faith," and yet six million Jews went to their death in the horrible gas chambers of the Nazis in World War II while singing the words of אֲנִי מַאֲמִין.

The רַמְבַּ״ם knew that not all Jews have the time, the ability, or the patience to study the entire תּוֹרָה, the תַּלְמוּד, and the explanations of the many Rabbis. He therefore tried to reduce all the teachings to thirteen basic beliefs. Two of these, the belief in the Messiah and in life after death are discussed before the *Yigdal* hymn (page 32).

There are three groups of principles here: (1) The first five which deal with our belief in God — that He created the world; that He is One; that He has no body or form; that He is eternal and that He is the only one to worship. (2) The second group, from six to nine, tells us how God reveals Himself to man — through His prophets, especially Moses, and His Torah, which is the same today as when it was given to Moses, and which will not even be changed in the future. (3) The last group, ten to thirteen, talks about reward and punishment. God knows all our deeds. If they are good enough, He will reward us by bringing us the Messiah, and by bringing the dead back to life.

שְׁלֹשָׁה עָשָׂר עִקָּרִים:

THIRTEEN PRINCIPLES OP FAITH

א. אֲנִי מַאֲמִין בֶּאֱמוּנָה שְׁלֵמָה, שֶׁהַבּוֹרֵא יִתְבָּרַךְ שְׁמוֹ,
הוּא בּוֹרֵא וּמַנְהִיג לְכָל הַבְּרוּאִים, וְהוּא לְבַדּוֹ עָשָׂה
וְעֹשֶׂה וְיַעֲשֶׂה לְכָל הַמַּעֲשִׂים.

ב. אֲנִי מַאֲמִין בֶּאֱמוּנָה שְׁלֵמָה, שֶׁהַבּוֹרֵא יִתְבָּרַךְ שְׁמוֹ, הוּא
יָחִיד, וְאֵין יְחִידוּת כָּמוֹהוּ בְּשׁוּם פָּנִים, וְהוּא לְבַדּוֹ
אֱלֹהֵינוּ הָיָה, הֹוֶה וְיִהְיֶה.

ג. אֲנִי מַאֲמִין בֶּאֱמוּנָה שְׁלֵמָה, שֶׁהַבּוֹרֵא יִתְבָּרַךְ שְׁמוֹ, אֵינוֹ
גוּף וְלֹא יַשִּׂיגוּהוּ מַשִּׂיגֵי הַגּוּף, וְאֵין לוֹ שׁוּם דִּמְיוֹן כְּלָל.

ד. אֲנִי מַאֲמִין בֶּאֱמוּנָה שְׁלֵמָה, שֶׁהַבּוֹרֵא יִתְבָּרַךְ שְׁמוֹ,
הוּא רִאשׁוֹן וְהוּא אַחֲרוֹן.

ה. אֲנִי מַאֲמִין בֶּאֱמוּנָה שְׁלֵמָה, שֶׁהַבּוֹרֵא יִתְבָּרַךְ שְׁמוֹ,
לוֹ לְבַדּוֹ רָאוּי לְהִתְפַּלֵּל, וְאֵין רָאוּי לְהִתְפַּלֵּל לְזוּלָתוֹ.

ו. אֲנִי מַאֲמִין בֶּאֱמוּנָה שְׁלֵמָה, שֶׁכָּל דִּבְרֵי נְבִיאִים אֱמֶת.

ז. אֲנִי מַאֲמִין בֶּאֱמוּנָה שְׁלֵמָה, שֶׁנְּבוּאַת משֶׁה רַבֵּנוּ עָלָיו
הַשָּׁלוֹם הָיְתָה אֲמִתִּית, וְשֶׁהוּא הָיָה אָב לַנְּבִיאִים,
לַקּוֹדְמִים לְפָנָיו וְלַבָּאִים אַחֲרָיו.

ח. אֲנִי מַאֲמִין בֶּאֱמוּנָה שְׁלֵמָה, שֶׁכָּל הַתּוֹרָה הַמְּצוּיָה עַתָּה
בְּיָדֵינוּ, הִיא הַנְּתוּנָה לְמשֶׁה רַבֵּנוּ עָלָיו הַשָּׁלוֹם.

ט. אֲנִי מַאֲמִין בֶּאֱמוּנָה שְׁלֵמָה, שֶׁזֹּאת הַתּוֹרָה לֹא תְהֵא מֻחְלֶפֶת, וְלֹא תְהֵא תּוֹרָה אַחֶרֶת מֵאֵת הַבּוֹרֵא יִתְבָּרַךְ שְׁמוֹ.

י. אֲנִי מַאֲמִין בֶּאֱמוּנָה שְׁלֵמָה, שֶׁהַבּוֹרֵא יִתְבָּרַךְ שְׁמוֹ, יוֹדֵעַ כָּל מַעֲשֵׂי בְנֵי אָדָם וְכָל מַחְשְׁבוֹתָם, שֶׁנֶּאֱמַר: הַיּוֹצֵר יַחַד לִבָּם הַמֵּבִין אֶל כָּל מַעֲשֵׂיהֶם.

יא. אֲנִי מַאֲמִין בֶּאֱמוּנָה שְׁלֵמָה, שֶׁהַבּוֹרֵא יִתְבָּרַךְ שְׁמוֹ, גּוֹמֵל טוֹב לְשׁוֹמְרֵי מִצְוֹתָיו וּמַעֲנִישׁ לְעוֹבְרֵי מִצְוֹתָיו.

יב. אֲנִי מַאֲמִין בֶּאֱמוּנָה שְׁלֵמָה, בְּבִיאַת הַמָּשִׁיחַ, וְאַף עַל פִּי שֶׁיִּתְמַהְמֵהַּ, עִם כָּל זֶה אֲחַכֶּה לּוֹ בְּכָל יוֹם שֶׁיָּבֹא.

יג. אֲנִי מַאֲמִין בֶּאֱמוּנָה שְׁלֵמָה, שֶׁתִּהְיֶה תְּחִיַּת הַמֵּתִים, בְּעֵת שֶׁיַּעֲלֶה רָצוֹן מֵאֵת הַבּוֹרֵא יִתְבָּרַךְ שְׁמוֹ, וְיִתְעַלֶּה זִכְרוֹ לָעַד וּלְנֵצַח נְצָחִים.

לִישׁוּעָתְךָ קִוִּיתִי יְיָ. קִוִּיתִי יְיָ לִישׁוּעָתְךָ, יְיָ לִישׁוּעָתְךָ קִוִּיתִי. לְפֻרְקָנָךְ סַבְרִית יְיָ, סַבְרִית יְיָ לְפֻרְקָנָךְ, יְיָ לְפֻרְקָנָךְ סַבְרִית.

BENEDICTIONS BEFORE THE MEAL

On washing the hands before eating bread, say:

1 שְׂאוּ יְדֵיכֶם קֹדֶשׁ וּבָרְכוּ אֶת יְיָ.

2 וְאֶשָּׂא כַפַּי אֶל מִצְוֹתֶיךָ אֲשֶׁר אָהָבְתִּי,

3 וְאָשִׂיחָה בְחֻקֶּיךָ.

For comment see page 18

After washing the hands say:

4 בָּרוּךְ אַתָּה יְיָ, אֱלֹהֵינוּ מֶלֶךְ הָעוֹלָם, אֲשֶׁר

5 קִדְּשָׁנוּ בְּמִצְוֹתָיו, וְצִוָּנוּ עַל נְטִילַת יָדַיִם.

The following blessing is recited over the bread:

6 בָּרוּךְ אַתָּה יְיָ, אֱלֹהֵינוּ מֶלֶךְ הָעוֹלָם,

7 הַמּוֹצִיא לֶחֶם מִן הָאָרֶץ.

GRACE AFTER MEALS בִּרְכַּת הַמָּזוֹן

Before we eat or drink anything, we say a blessing to thank God for giving us food. After we eat or drink, we also say a special prayer. When we eat a complete meal with bread, we recite בִּרְכַּת הַמָּזוֹן, the Grace After Meals, which is made up of beautiful prayers of thanksgiving.

A great rabbi has said: "If you bless the Lord with joy, He will bless you with joy and plenty. He who receives enjoyment in this world without blessing God for it, robs both the Lord and the congregation of Israel."

If it is important to thank God before we eat, it is even more important to thank Him after we have eaten. When we want something from others we are almost always willing to say kind words to get it. But after we have received what we wanted, many of us forget the person who gave it to us.

We say the Grace After Meals to remind us that even when we are filled with food and are satisfied, we must be just as thankful to God as we were when we were hungry and had just begun to eat.

When we say Grace we think not only of ourselves, but also of other people in the world, and even of animal life. We thank God for feeding all His creatures.

These prayers are very old. According to the תַּלְמוּד, the first blessing was made up by Moses, the second by Joshua, the third by David and Solomon, and the fourth by the Rabbis of the תַּלְמוּד. (Tractate Berakhot 48b.)

When we say Grace with less than three men, we do not recite the introduction beginning with רַבּוֹתַי נְבָרֵךְ. The idea that three men should be required for this introduction comes from the verse in Psalms "Let us extol His name *together*" (34:4). The way we introduce בִּרְכַּת הַמָּזוֹן comes from the מִשְׁנָה.

On those weekdays when תַּחֲנוּן *is recited:*

עַל נַהֲרוֹת בָּבֶל שָׁם יָשַׁבְנוּ גַּם בָּכִינוּ, בְּזָכְרֵנוּ אֶת צִיּוֹן. עַל עֲרָבִים בְּתוֹכָהּ, תָּלִינוּ כִּנֹּרוֹתֵינוּ. כִּי שָׁם שְׁאֵלוּנוּ שׁוֹבֵינוּ דִּבְרֵי שִׁיר, וְתוֹלָלֵינוּ שִׂמְחָה: שִׁירוּ לָנוּ מִשִּׁיר צִיּוֹן. אֵיךְ נָשִׁיר אֶת שִׁיר יְיָ, עַל אַדְמַת נֵכָר. אִם אֶשְׁכָּחֵךְ יְרוּשָׁלָיִם, תִּשְׁכַּח יְמִינִי. תִּדְבַּק לְשׁוֹנִי לְחִכִּי, אִם לֹא אֶזְכְּרֵכִי; אִם לֹא אַעֲלֶה אֶת יְרוּשָׁלַיִם עַל רֹאשׁ שִׂמְחָתִי. זְכֹר יְיָ לִבְנֵי אֱדוֹם אֵת יוֹם יְרוּשָׁלָיִם. הָאֹמְרִים עָרוּ עָרוּ, עַד הַיְסוֹד בָּהּ. בַּת בָּבֶל הַשְּׁדוּדָה אַשְׁרֵי שֶׁיְשַׁלֶּם לָךְ, אֶת גְּמוּלֵךְ שֶׁגָּמַלְתְּ לָנוּ. אַשְׁרֵי שֶׁיֹּאחֵז וְנִפֵּץ אֶת עֹלָלַיִךְ אֶל הַסָּלַע.

On Sabbaths and holidays:

שִׁיר הַמַּעֲלוֹת, בְּשׁוּב יְיָ אֶת שִׁיבַת צִיּוֹן, הָיִינוּ כְּחֹלְמִים. אָז יִמָּלֵא שְׂחוֹק פִּינוּ וּלְשׁוֹנֵנוּ רִנָּה, אָז יֹאמְרוּ בַגּוֹיִם, הִגְדִּיל יְיָ לַעֲשׂוֹת עִם אֵלֶּה. הִגְדִּיל יְיָ לַעֲשׂוֹת עִמָּנוּ, הָיִינוּ שְׂמֵחִים. שׁוּבָה יְיָ אֶת שְׁבִיתֵנוּ, כַּאֲפִיקִים בַּנֶּגֶב. הַזֹּרְעִים בְּדִמְעָה בְּרִנָּה יִקְצֹרוּ. הָלוֹךְ יֵלֵךְ וּבָכֹה נֹשֵׂא מֶשֶׁךְ הַזָּרַע; בֹּא יָבֹא בְרִנָּה, נֹשֵׂא אֲלֻמֹּתָיו.

הִנְנִי מוּכָן וּמְזֻמָּן לְקַיֵּם מִצְוַת עֲשֵׂה שֶׁל בִּרְכַּת הַמָּזוֹן שֶׁנֶּאֱמַר: וְאָכַלְתָּ וְשָׂבָעְתָּ וּבֵרַכְתָּ אֶת יְיָ אֱלֹהֶיךָ עַל הָאָרֶץ הַטֹּבָה אֲשֶׁר נָתַן לָךְ.

These introductory phrases are customary when three or more males over thirteen have eaten at the table together:

He who leads the grace commences thus:

רַבּוֹתַי, נְבָרֵךְ 1

The others respond:

יְהִי שֵׁם יְיָ מְבֹרָךְ מֵעַתָּה וְעַד עוֹלָם. 2

He who leads the grace proceeds:

יְהִי שֵׁם יְיָ מְבֹרָךְ מֵעַתָּה וְעַד עוֹלָם. 3

If there be present ten or more males over thirteen, the word "אֱלֹהֵינוּ" is added:

בִּרְשׁוּת מָרָנָן וְרַבּוֹתַי, נְבָרֵךְ (אֱלֹהֵינוּ) שֶׁאָכַלְנוּ מִשֶּׁלּוֹ. 4

The others respond:

בָּרוּךְ (אֱלֹהֵינוּ) שֶׁאָכַלְנוּ מִשֶּׁלּוֹ וּבְטוּבוֹ חָיִינוּ. 5

He repeats:

בָּרוּךְ (אֱלֹהֵינוּ) שֶׁאָכַלְנוּ מִשֶּׁלּוֹ וּבְטוּבוֹ חָיִינוּ. 6

בָּרוּךְ הוּא וּבָרוּךְ שְׁמוֹ: 7

Each person continues here:

בָּרוּךְ אַתָּה יְיָ, אֱלֹהֵינוּ מֶלֶךְ הָעוֹלָם, הַזָּן 8

אֶת הָעוֹלָם כֻּלּוֹ בְּטוּבוֹ; בְּחֵן בְּחֶסֶד 9

1 וּבְרַחֲמִים, הוּא נוֹתֵן לֶחֶם לְכָל בָּשָׂר, כִּי

2 לְעוֹלָם חַסְדּוֹ. וּבְטוּבוֹ הַגָּדוֹל תָּמִיד, לֹא

3 חָסַר לָנוּ, וְאַל יֶחְסַר לָנוּ מָזוֹן לְעוֹלָם וָעֶד.

4 בַּעֲבוּר שְׁמוֹ הַגָּדוֹל; כִּי הוּא אֵל זָן וּמְפַרְנֵס

5 לַכֹּל, וּמֵטִיב לַכֹּל, וּמֵכִין מָזוֹן לְכָל

6 בְּרִיּוֹתָיו אֲשֶׁר בָּרָא. בָּרוּךְ אַתָּה יְיָ, הַזָּן

7 אֶת הַכֹּל.

8 נוֹדֶה לְךָ, יְיָ אֱלֹהֵינוּ, עַל שֶׁהִנְחַלְתָּ לַאֲבוֹתֵינוּ אֶרֶץ

9 חֶמְדָּה טוֹבָה וּרְחָבָה, וְעַל שֶׁהוֹצֵאתָנוּ יְיָ אֱלֹהֵינוּ מֵאֶרֶץ

10 מִצְרַיִם, וּפְדִיתָנוּ מִבֵּית עֲבָדִים; וְעַל בְּרִיתְךָ שֶׁחָתַמְתָּ

11 בִּבְשָׂרֵנוּ, וְעַל תּוֹרָתְךָ שֶׁלִּמַּדְתָּנוּ, וְעַל חֻקֶּיךָ שֶׁהוֹדַעְתָּנוּ;

12 וְעַל חַיִּים, חֵן וָחֶסֶד שֶׁחוֹנַנְתָּנוּ, וְעַל אֲכִילַת מָזוֹן שָׁאַתָּה

13 זָן וּמְפַרְנֵס אוֹתָנוּ תָּמִיד, בְּכָל יוֹם וּבְכָל עֵת וּבְכָל שָׁעָה. ✡

✡   *On* חֲנֻכָּה *and* פּוּרִים *add* עַל הַנִּסִּים :

14 עַל הַנִּסִּים וְעַל הַפֻּרְקָן, וְעַל הַגְּבוּרוֹת, וְעַל הַתְּשׁוּעוֹת,

15 וְעַל הַמִּלְחָמוֹת, שֶׁעָשִׂיתָ לַאֲבוֹתֵינוּ בַּיָּמִים הָהֵם בַּזְּמַן הַזֶּה.

וְעַל הַכֹּל יְיָ אֱלֹהֵינוּ אֲנַחְנוּ מוֹדִים לָךְ, וּמְבָרְכִים אוֹתָךְ, יִתְבָּרַךְ שִׁמְךָ בְּפִי כָּל חַי תָּמִיד לְעוֹלָם וָעֶד, כַּכָּתוּב: וְאָכַלְתָּ וְשָׂבָעְתָּ, וּבֵרַכְתָּ אֶת יְיָ אֱלֹהֶיךָ עַל הָאָרֶץ הַטֹּבָה אֲשֶׁר נָתַן לָךְ. בָּרוּךְ אַתָּה יְיָ, עַל הָאָרֶץ, וְעַל הַמָּזוֹן.

On Chanukah:

חֲנֻכָּה

בִּימֵי מַתִּתְיָהוּ בֶּן יוֹחָנָן כֹּהֵן גָּדוֹל חַשְׁמוֹנָאִי וּבָנָיו, כְּשֶׁעָמְדָה מַלְכוּת יָוָן הָרְשָׁעָה עַל עַמְּךָ יִשְׂרָאֵל, לְהַשְׁכִּיחָם תּוֹרָתֶךָ וּלְהַעֲבִירָם מֵחֻקֵּי רְצוֹנֶךָ, וְאַתָּה בְּרַחֲמֶיךָ הָרַבִּים עָמַדְתָּ לָהֶם בְּעֵת צָרָתָם, רַבְתָּ אֶת רִיבָם, דַּנְתָּ אֶת דִּינָם, נָקַמְתָּ אֶת נִקְמָתָם, מָסַרְתָּ גִבּוֹרִים בְּיַד חַלָּשִׁים, וְרַבִּים בְּיַד מְעַטִּים, וּטְמֵאִים בְּיַד טְהוֹרִים, וּרְשָׁעִים בְּיַד צַדִּיקִים, וְזֵדִים בְּיַד עוֹסְקֵי תוֹרָתֶךָ; וּלְךָ עָשִׂיתָ שֵׁם גָּדוֹל

On Purim:

פּוּרִים

בִּימֵי מָרְדְּכַי וְאֶסְתֵּר בְּשׁוּשַׁן הַבִּירָה, כְּשֶׁעָמַד עֲלֵיהֶם הָמָן הָרָשָׁע, בִּקֵּשׁ לְהַשְׁמִיד, לַהֲרוֹג וּלְאַבֵּד אֶת כָּל הַיְּהוּדִים, מִנַּעַר וְעַד זָקֵן, טַף וְנָשִׁים, בְּיוֹם אֶחָד, בִּשְׁלשָׁה עָשָׂר לְחֹדֶשׁ שְׁנֵים עָשָׂר, הוּא חֹדֶשׁ אֲדָר, וּשְׁלָלָם לָבוֹז. וְאַתָּה בְּרַחֲמֶיךָ הָרַבִּים הֵפַרְתָּ אֶת עֲצָתוֹ, וְקִלְקַלְתָּ אֶת מַחֲשַׁבְתּוֹ, וַהֲשֵׁבוֹתָ לּוֹ גְּמוּלוֹ בְּרֹאשׁוֹ, וְתָלוּ אוֹתוֹ וְאֶת בָּנָיו עַל הָעֵץ.

1 רַחֵם יְיָ אֱלֹהֵינוּ, עַל יִשְׂרָאֵל עַמֶּךָ, וְעַל יְרוּשָׁלַיִם עִירֶךָ,

2 וְעַל צִיּוֹן מִשְׁכַּן כְּבוֹדֶךָ, וְעַל מַלְכוּת בֵּית דָּוִד מְשִׁיחֶךָ,

3 וְעַל הַבַּיִת הַגָּדוֹל וְהַקָּדוֹשׁ שֶׁנִּקְרָא שִׁמְךָ עָלָיו. אֱלֹהֵינוּ,

4 אָבִינוּ! רְעֵנוּ, זוּנֵנוּ, פַּרְנְסֵנוּ, וְכַלְכְּלֵנוּ וְהַרְוִיחֵנוּ, וְהַרְוַח

5 לָנוּ יְיָ אֱלֹהֵינוּ מִכָּל צָרוֹתֵינוּ. וְנָא אַל תַּצְרִיכֵנוּ יְיָ אֱלֹהֵינוּ

6 לֹא לִידֵי מַתְּנַת בָּשָׂר וָדָם וְלֹא לִידֵי הַלְוָאָתָם, כִּי אִם

7 לְיָדְךָ הַמְּלֵאָה, הַפְּתוּחָה, הַקְּדוֹשָׁה וְהָרְחָבָה, שֶׁלֹּא נֵבוֹשׁ

8 וְלֹא נִכָּלֵם לְעוֹלָם וָעֶד.

On Sabbath the following is said:

9 רְצֵה וְהַחֲלִיצֵנוּ יְיָ אֱלֹהֵינוּ בְּמִצְוֹתֶיךָ וּבְמִצְוַת יוֹם הַשְּׁבִיעִי,

10 הַשַּׁבָּת הַגָּדוֹל וְהַקָּדוֹשׁ הַזֶּה; כִּי יוֹם זֶה גָּדוֹל וְקָדוֹשׁ

11 הוּא לְפָנֶיךָ, לִשְׁבָּת בּוֹ וְלָנוּחַ בּוֹ בְּאַהֲבָה כְּמִצְוַת רְצוֹנֶךָ,

---

On חֲנֻכָּה:

12 וְקָדוֹשׁ בְּעוֹלָמֶךָ, וּלְעַמְּךָ יִשְׂרָאֵל עָשִׂיתָ תְּשׁוּעָה גְדוֹלָה

13 וּפֻרְקָן כְּהַיּוֹם הַזֶּה. וְאַחַר כֵּן בָּאוּ בָנֶיךָ לִדְבִיר בֵּיתֶךָ,

14 וּפִנּוּ אֶת הֵיכָלֶךָ, וְטִהֲרוּ אֶת מִקְדָּשֶׁךָ, וְהִדְלִיקוּ נֵרוֹת

15 בְּחַצְרוֹת קָדְשֶׁךָ, וְקָבְעוּ שְׁמוֹנַת יְמֵי "חֲנֻכָּה" אֵלּוּ, לְהוֹדוֹת

16 וּלְהַלֵּל לְשִׁמְךָ הַגָּדוֹל.

וּבִרְצוֹנְךָ הָנִֽחַ לָֽנוּ, יְיָ אֱלֹהֵֽינוּ שֶׁלֹּא תְהֵא צָרָה וְיָגוֹן וַאֲנָחָה בְּיוֹם מְנוּחָתֵֽנוּ. וְהַרְאֵֽנוּ יְיָ אֱלֹהֵֽינוּ בְּנֶחָמַת צִיּוֹן עִירֶֽךָ, וּבְבִנְיַן יְרוּשָׁלַֽיִם עִיר קָדְשֶֽׁךָ, כִּי אַתָּה הוּא בַּֽעַל הַיְשׁוּעוֹת וּבַֽעַל הַנֶּחָמוֹת.

On רֹאשׁ חֹֽדֶשׁ *and Festivals, on* חוֹל הַמּוֹעֵד *and* רֹאשׁ הַשָּׁנָה *say:*

אֱלֹהֵֽינוּ וֵאלֹהֵי אֲבוֹתֵֽינוּ. יַעֲלֶה וְיָבֹא וְיַגִּֽיעַ, וְיֵרָאֶה וְיֵרָצֶה וְיִשָּׁמַע, וְיִפָּקֵד וְיִזָּכֵר זִכְרוֹנֵֽנוּ וּפִקְדוֹנֵֽנוּ, וְזִכְרוֹן אֲבוֹתֵֽינוּ, וְזִכְרוֹן מָשִֽׁיחַ בֶּן דָּוִד עַבְדֶּֽךָ, וְזִכְרוֹן יְרוּשָׁלַֽיִם עִיר קָדְשֶֽׁךָ, וְזִכְרוֹן כָּל עַמְּךָ בֵּית יִשְׂרָאֵל לְפָנֶֽיךָ, לִפְלֵיטָה, לְטוֹבָה, לְחֵן וּלְחֶֽסֶד וּלְרַחֲמִים, לְחַיִּים וּלְשָׁלוֹם בְּיוֹם

On Rosh Hodesh	*On Passover*	*On Shavuot*
לְרֹאשׁ חֹֽדֶשׁ	לְפֶֽסַח	לְשָׁבֻעוֹת
רֹאשׁ הַחֹֽדֶשׁ	חַג הַמַּצּוֹת	חַג הַשָּׁבֻעוֹת
On New Year	*On Sukkot*	*On Shmini-Atzeret and Simchat-Torah*
לְרֹאשׁ הַשָּׁנָה	לְסֻכּוֹת	לִשְׁמִינִי עֲצֶֽרֶת וּלְשִׂמְחַת תּוֹרָה
הַזִּכָּרוֹן	חַג הַסֻּכּוֹת	הַשְּׁמִינִי חַג הָעֲצֶֽרֶת

הַזֶּה. זָכְרֵֽנוּ יְיָ אֱלֹהֵֽינוּ בּוֹ לְטוֹבָה, וּפָקְדֵֽנוּ בוֹ לִבְרָכָה, וְהוֹשִׁיעֵֽנוּ בוֹ לְחַיִּים; וּבִדְבַר יְשׁוּעָה וְרַחֲמִים, חוּס וְחָנֵּֽנוּ, וְרַחֵם עָלֵֽינוּ וְהוֹשִׁיעֵֽנוּ, כִּי אֵלֶֽיךָ עֵינֵֽינוּ, כִּי אֵל מֶֽלֶךְ חַנּוּן וְרַחוּם אָֽתָּה.

וּבְנֵה יְרוּשָׁלַֽיִם עִיר הַקֹּֽדֶשׁ בִּמְהֵרָה בְיָמֵֽינוּ.

בָּרוּךְ אַתָּה יְיָ, בּוֹנֵה בְרַחֲמָיו יְרוּשָׁלָֽיִם. אָמֵן

1 בָּרוּךְ אַתָּה יְיָ, אֱלֹהֵינוּ מֶלֶךְ הָעוֹלָם, הָאֵל אָבִינוּ, מַלְכֵּנוּ,

2 אַדִּירֵנוּ, בּוֹרְאֵנוּ, גּוֹאֲלֵנוּ, יוֹצְרֵנוּ, קְדוֹשֵׁנוּ, קְדוֹשׁ יַעֲקֹב,

3 רוֹעֵנוּ, רוֹעֵה יִשְׂרָאֵל, הַמֶּלֶךְ הַטּוֹב, וְהַמֵּטִיב לַכֹּל!

4 שֶׁבְּכָל יוֹם וָיוֹם, הוּא הֵיטִיב, הוּא מֵטִיב, הוּא יֵיטִיב לָנוּ;

5 הוּא גְמָלָנוּ, הוּא גוֹמְלֵנוּ, הוּא יִגְמְלֵנוּ לָעַד, לְחֵן וּלְחֶסֶד

6 וּלְרַחֲמִים וּלְרֶוַח; הַצָּלָה וְהַצְלָחָה, בְּרָכָה וִישׁוּעָה,

7 נֶחָמָה, פַּרְנָסָה וְכַלְכָּלָה, וְרַחֲמִים, וְחַיִּים וְשָׁלוֹם, וְכָל

8 טוֹב; וּמִכָּל טוֹב לְעוֹלָם אַל יְחַסְּרֵנוּ.

9 הָרַחֲמָן, הוּא יִמְלוֹךְ עָלֵינוּ לְעוֹלָם וָעֶד.

10 הָרַחֲמָן, הוּא יִתְבָּרַךְ בַּשָּׁמַיִם וּבָאָרֶץ,

11 הָרַחֲמָן, הוּא יִשְׁתַּבַּח לְדוֹר דּוֹרִים,

12 וְיִתְפָּאַר־בָּנוּ לָעַד וּלְנֵצַח נְצָחִים,

13 וְיִתְהַדַּר־בָּנוּ לָעַד וּלְעוֹלְמֵי עוֹלָמִים.

14 הָרַחֲמָן, הוּא יְפַרְנְסֵנוּ בְּכָבוֹד.

15 הָרַחֲמָן, הוּא יִשְׁבֹּר עֻלֵּנוּ מֵעַל צַוָּארֵנוּ

16 וְהוּא יוֹלִיכֵנוּ קוֹמְמִיּוּת לְאַרְצֵנוּ.

1 הָרַחֲמָן, הוּא יִשְׁלַח לָנוּ בְּרָכָה מְרֻבָּה

2 בַּבַּיִת הַזֶּה וְעַל שֻׁלְחָן זֶה שֶׁאָכַלְנוּ עָלָיו.

3 הָרַחֲמָן, הוּא יִשְׁלַח לָנוּ אֶת אֵלִיָּהוּ הַנָּבִיא,

4 זָכוּר לַטּוֹב, וִיבַשֶּׂר לָנוּ בְּשׂוֹרוֹת טוֹבוֹת

5 יְשׁוּעוֹת וְנֶחָמוֹת.

Those having their meal at the table of their parents say:

6 הָרַחֲמָן, הוּא יְבָרֵךְ אֶת אָבִי מוֹרִי בַּעַל

7 הַבַּיִת הַזֶּה, וְאֶת אִמִּי מוֹרָתִי, בַּעֲלַת

8 הַבַּיִת הַזֶּה.

Those having their meal at their own table say:

9 הָרַחֲמָן הוּא יְבָרֵךְ אוֹתִי וְאֶת אִשְׁתִּי וְאֶת

10 זַרְעִי, וְאֶת־כָּל אֲשֶׁר לִי.

Those having their meal at another's table say:

11 הָרַחֲמָן הוּא יְבָרֵךְ אֶת הָרַב בַּעַל הַבַּיִת הַזֶּה, וְאֶת אִשְׁתּוֹ

12 בַּעֲלַת הַבַּיִת הַזֶּה.

13 (אוֹתָם וְאֶת בֵּיתָם וְאֶת זַרְעָם וְאֶת כָּל אֲשֶׁר לָהֶם),

1 אוֹתָנוּ וְאֶת כָּל אֲשֶׁר לָנוּ, כְּמוֹ שֶׁנִּתְבָּרְכוּ אֲבוֹתֵינוּ,

2 אַבְרָהָם, יִצְחָק וְיַעֲקֹב: "בַּכֹּל", "מִכֹּל", "כֹּל"; כֵּן יְבָרֵךְ

3 אוֹתָנוּ כֻּלָּנוּ יַחַד, בִּבְרָכָה שְׁלֵמָה, וְנֹאמַר: אָמֵן.

4 בַּמָּרוֹם יְלַמְּדוּ עָלָיו וְעָלֵינוּ זְכוּת, שֶׁתְּהֵא לְמִשְׁמֶרֶת

5 שָׁלוֹם, וְנִשָּׂא בְרָכָה מֵאֵת יְיָ, וּצְדָקָה מֵאֱלֹהֵי יִשְׁעֵנוּ,

6 וְנִמְצָא חֵן וְשֵׂכֶל טוֹב בְּעֵינֵי אֱלֹהִים וְאָדָם.

On Sabbath say:

7 הָרַחֲמָן הוּא יַנְחִילֵנוּ יוֹם שֶׁכֻּלּוֹ שַׁבָּת וּמְנוּחָה לְחַיֵּי

8 הָעוֹלָמִים.

On Rosh Hodesh say:

9 הָרַחֲמָן הוּא יְחַדֵּשׁ עָלֵינוּ אֶת הַחֹדֶשׁ הַזֶּה לְטוֹבָה

10 וְלִבְרָכָה.

On Festivals say:

11 הָרַחֲמָן הוּא יַנְחִילֵנוּ יוֹם שֶׁכֻּלּוֹ טוֹב.

On New Year say:

12 הָרַחֲמָן הוּא יְחַדֵּשׁ עָלֵינוּ אֶת הַשָּׁנָה הַזֹּאת לְטוֹבָה

13 וְלִבְרָכָה.

On Sukkot say:

14 הָרַחֲמָן הוּא יָקִים לָנוּ אֶת סֻכַּת דָּוִד הַנּוֹפָלֶת.

1 הָרַחֲמָן הוּא יְזַכֵּנוּ לִימוֹת הַמָּשִׁיחַ וּלְחַיֵּי הָעוֹלָם הַבָּא,

2 מַגְדִּיל (on Sabbath and Holiday מִגְדּוֹל) יְשׁוּעוֹת מַלְכּוֹ, וְעֹשֶׂה

3 חֶסֶד לִמְשִׁיחוֹ, לְדָוִד וּלְזַרְעוֹ עַד עוֹלָם. עֹשֶׂה שָׁלוֹם

4 בִּמְרוֹמָיו, הוּא יַעֲשֶׂה שָׁלוֹם, עָלֵינוּ וְעַל כָּל יִשְׂרָאֵל,

5 וְאִמְרוּ: אָמֵן.

6 יְראוּ אֶת יְיָ קְדֹשָׁיו, כִּי אֵין מַחְסוֹר לִירֵאָיו. כְּפִירִים רָשׁוּ

7 וְרָעֵבוּ, וְדֹרְשֵׁי יְיָ לֹא יַחְסְרוּ כָל טוֹב. הוֹדוּ לַיְיָ כִּי טוֹב,

8 כִּי לְעוֹלָם חַסְדּוֹ. פּוֹתֵחַ אֶת יָדֶךָ וּמַשְׂבִּיעַ לְכָל חַי רָצוֹן.

9 בָּרוּךְ הַגֶּבֶר אֲשֶׁר יִבְטַח בַּייָ, וְהָיָה יְיָ מִבְטַחוֹ.

10 נַעַר הָיִיתִי גַם זָקַנְתִּי וְלֹא רָאִיתִי צַדִּיק נֶעֱזָב, וְזַרְעוֹ מְבַקֶּשׁ

11 לָחֶם, יְיָ עֹז לְעַמּוֹ יִתֵּן, יְיָ יְבָרֵךְ אֶת עַמּוֹ בַשָּׁלוֹם.

BLESSINGS ON PARTAKING OF VARIOUS FOODS

Before we eat or drink anything, we recite a blessing to thank God for giving us the food. We know that without the help of God, fruit, vegetables and grain would not grow. The soil would get either too much or too little rain and sunshine.

The food that we eat is God's gift and blessing to us. We must always thank Him for His goodness and kindness.

At the beginning of a meal, when we say the blessing for bread, we do not say separate blessings over the rest of the food. The blessing on bread and the Grace that we say after the meal include all the food we eat.

This blessing is recited over bread:

בָּרוּךְ אַתָּה יְיָ, אֱלֹהֵינוּ מֶלֶךְ הָעוֹלָם, הַמּוֹצִיא לֶחֶם מִן הָאָרֶץ.

Before drinking wine:

בָּרוּךְ אַתָּה יְיָ, אֱלֹהֵינוּ מֶלֶךְ הָעוֹלָם, בּוֹרֵא פְּרִי הַגָּפֶן.

Before partaking of food other than bread, prepared from any of the five species of grain – wheat, barley, rye, oats and spelt:

בָּרוּךְ אַתָּה יְיָ, אֱלֹהֵינוּ מֶלֶךְ הָעוֹלָם, בּוֹרֵא מִינֵי מְזוֹנוֹת.

בְּרָכוֹת

Before partaking of meat, fish, eggs, cheese, and the like, or drinking any beverage except wine:

1 בָּרוּךְ אַתָּה יְיָ, אֱלֹהֵינוּ מֶלֶךְ הָעוֹלָם, שֶׁהַכֹּל נִהְיָה בִּדְבָרוֹ.

Before eating fruit which grows on trees:

2 בָּרוּךְ אַתָּה יְיָ, אֱלֹהֵינוּ מֶלֶךְ הָעוֹלָם, בּוֹרֵא פְּרִי הָעֵץ.

Before eating fruit which grows on the ground, herbage, etc:

3 בָּרוּךְ אַתָּה יְיָ, אֱלֹהֵינוּ מֶלֶךְ הָעוֹלָם, בּוֹרֵא פְּרִי הָאֲדָמָה.

בְּרָכוֹת אַחֲרוֹנוֹת

BLESSINGS AFTER FOODS OTHER THAN BREAD

After drinking wine:

1 בָּרוּךְ אַתָּה יְיָ אֱלֹהֵינוּ מֶלֶךְ הָעוֹלָם, עַל

2 הַגֶּפֶן וְעַל פְּרִי הַגֶּפֶן,

After partaking of grapes, figs, pomegranates, olives, or dates:

3 הָעֵץ וְעַל פְּרִי הָעֵץ,

After food prepared from wheat, barley, rye, oats and spelt:

4 הַמִּחְיָה וְעַל הַכַּלְכָּלָה,

After partaking of these foods and wine:

5 הַמִּחְיָה וְעַל הַכַּלְכָּלָה וְעַל הַגֶּפֶן וְעַל פְּרִי הַגֶּפֶן,

1 וְעַל תְּנוּבַת הַשָּׂדֶה, וְעַל אֶרֶץ חֶמְדָּה טוֹבָה וּרְחָבָה,

2 שֶׁרָצִיתָ וְהִנְחַלְתָּ לַאֲבוֹתֵינוּ, לֶאֱכוֹל מִפִּרְיָהּ וְלִשְׂבּוֹעַ

3 מִטּוּבָהּ. רַחֶם־נָא יְיָ אֱלֹהֵינוּ עַל יִשְׂרָאֵל עַמֶּךָ, וְעַל

4 יְרוּשָׁלַיִם עִירֶךָ, וְעַל צִיּוֹן מִשְׁכַּן כְּבוֹדֶךָ, וְעַל מִזְבְּחֶךָ

5 וְעַל הֵיכָלֶךָ, וּבְנֵה יְרוּשָׁלַיִם עִיר הַקֹּדֶשׁ בִּמְהֵרָה בְיָמֵינוּ,

6 וְהַעֲלֵנוּ לְתוֹכָהּ, וְשַׂמְּחֵנוּ בְּבִנְיָנָהּ, וְנֹאכַל מִפִּרְיָהּ וְנִשְׂבַּע

7 מִטּוּבָהּ, וּנְבָרֶכְךָ עָלֶיהָ בִּקְדֻשָּׁה וּבְטָהֳרָה.

On Sabbath :

8 וּרְצֵה וְהַחֲלִיצֵנוּ בְּיוֹם הַשַּׁבָּת הַזֶּה,

On Rosh Hodesh :

9 וְזָכְרֵנוּ לְטוֹבָה בְּיוֹם רֹאשׁ הַחֹדֶשׁ הַזֶּה,

On New Year:

10 וְזָכְרֵנוּ לְטוֹבָה בְּיוֹם הַזִּכָּרוֹן הַזֶּה,

On Passover :

11 וְשַׂמְּחֵנוּ בְּיוֹם חַג הַמַּצּוֹת הַזֶּה,

On Shavuot :

12 וְשַׂמְּחֵנוּ בְּיוֹם חַג הַשָּׁבֻעוֹת הַזֶּה,

On Sukkot :

13 וְשַׂמְּחֵנוּ בְּיוֹם חַג הַסֻּכּוֹת הַזֶּה,

On Shmini-Atzeret and Simchat-Torah:

1 וְשַׂמְּחֵנוּ בְּיוֹם הַשְּׁמִינִי חַג הָעֲצֶרֶת הַזֶּה,

2 כִּי אַתָּה יְיָ טוֹב וּמֵיטִיב לַכֹּל, וְנוֹדֶה לְךָ עַל הָאָרֶץ וְעַל

After wine:

3 פְּרִי הַגָּפֶן. בָּרוּךְ אַתָּה יְיָ, עַל הָאָרֶץ וְעַל פְּרִי הַגָּפֶן.

After partaking of fruits:

4 הַפֵּרוֹת. בָּרוּךְ אַתָּה יְיָ, עַל הָאָרֶץ וְעַל הַפֵּרוֹת.

After partaking of foods prepared from any of the five
species of grain — wheat, barley, rye, oats and spelt:

5 הַמִּחְיָה. בָּרוּךְ אַתָּה יְיָ, עַל הָאָרֶץ וְעַל הַמִּחְיָה.

After partaking of these foods and wine:

6 הַמִּחְיָה וְעַל פְּרִי הַגָּפֶן. בָּרוּךְ אַתָּה יְיָ, עַל הָאָרֶץ וְעַל

7 הַמִּחְיָה וְעַל פְּרִי הַגָּפֶן.

BLESSINGS ON VARIOUS OCCASIONS

Before smelling fragrant woods or barks :

בָּרוּךְ אַתָּה יְיָ, אֱלֹהֵינוּ מֶלֶךְ הָעוֹלָם, בּוֹרֵא מִינֵי בְשָׂמִים.   1

On putting on a new garment :

בָּרוּךְ אַתָּה יְיָ, אֱלֹהֵינוּ מֶלֶךְ הָעוֹלָם, מַלְבִּישׁ עֲרֻמִּים.   2

Before placing a מְזוּזָה *on the doorpost :*

בָּרוּךְ אַתָּה יְיָ, אֱלֹהֵינוּ מֶלֶךְ הָעוֹלָם, אֲשֶׁר קִדְּשָׁנוּ   3

בְּמִצְוֹתָיו וְצִוָּנוּ לִקְבֹּעַ מְזוּזָה.   4

On eating any fruit for the first time in season; on entering into possession of a new house or landed property; on purchasing new dishes :

בָּרוּךְ אַתָּה יְיָ, אֱלֹהֵינוּ מֶלֶךְ הָעוֹלָם, שֶׁהֶחֱיָנוּ וְקִיְּמָנוּ   5

וְהִגִּיעָנוּ לַזְּמָן הַזֶּה.   6

On witnessing lightning, or beholding falling stars, lofty mountains, or vast deserts :

בָּרוּךְ אַתָּה יְיָ, אֱלֹהֵינוּ מֶלֶךְ הָעוֹלָם, עֹשֶׂה מַעֲשֵׂה   7

בְרֵאשִׁית.   8

On hearing thunder or storms :

בָּרוּךְ אַתָּה יְיָ, אֱלֹהֵינוּ מֶלֶךְ הָעוֹלָם, שֶׁכֹּחוֹ וּגְבוּרָתוֹ   9

מָלֵא עוֹלָם.   10

On seeing the rainbow :

בָּרוּךְ אַתָּה יְיָ, אֱלֹהֵינוּ מֶלֶךְ הָעוֹלָם, זוֹכֵר הַבְּרִית וְנֶאֱמָן   11

בִּבְרִיתוֹ, וְקַיָּם בְּמַאֲמָרוֹ.   12

On hearing sad tidings :

בָּרוּךְ אַתָּה יְיָ, אֱלֹהֵינוּ מֶלֶךְ הָעוֹלָם, דַּיַּן הָאֱמֶת.   13

AFTERNOON SERVICE

The מִנְחָה service is recited at any time from a little past noon to sunset and is the shortest of the three daily services. For the sake of convenience the מִנְחָה and the מַעֲרִיב are recited together.

מִנְחָה means "gift" and in Biblical days it applied to the cereal sacrifice offered in the mornings and afternoons.

The מִנְחָה service is said to have been started by יִצְחָק as it is written in בְּרֵאשִׁית (24:63) "And Isaac went out to meditate in the field at eventide."

The order of the prayers are:

סֵדֶר מִנְחָה לְחוֹל

ORDER OF THE AFTERNOON SERVICE
ON WEEKDAYS

Pages 156–158	אַשְׁרֵי
Pages 144–145	חֲצִי קַדִּישׁ
Pages 112–127	שְׁמוֹנֶה עֶשְׂרֵה
	תַּחֲנוּן:
Pages 141 line 1 to 142 line 6	וַיֹּאמֶר דָּוִד
Pages 143 line 19 to 144 line 15	שׁוֹמֵר יִשְׂרָאֵל
Pages 163–164	קַדִּישׁ שָׁלֵם
Pages 165–166	עָלֵינוּ
Pages 167–168	קַדִּישׁ יָתוֹם

מַעֲרִיב EVENING SERVICE

The service of מַעֲרִיב named after its first benediction
הַמַּעֲרִיב עֲרָבִים or עַרְבִית is the evening prayer. The custom
of praying three times a day is based on a passage in Psalms 55:
"Evening and morning and at noon will I pray and cry aloud;
and He shall hear my voice" (55:18). Furthermore we are told
that the prophet Daniel "kneeled upon his knees three times a
day and prayed" (Daniel 6:11).

The מַעֲרִיב consists of the call to prayer, the בָּרְכוּ, the
שְׁמַע with two blessings before and after it; the שְׁמוֹנֶה עֶשְׂרֵה
and the עָלֵינוּ the prayer of praise.

On weekdays we add the prayer בָּרוּךְ יְיָ לְעוֹלָם before the
שְׁמוֹנֶה עֶשְׂרֵה.

The מַעֲרִיב service may be recited from the time three
stars are seen together in the sky until midnight.

The מַעֲרִיב service is said to have originated with Jacob
as he dreamed of a ladder with ascending and descending
angels.

The חֻמָשׁ tells us (בְּרֵאשִׁית 28:11) about Jacob "And he
came to a certain place, and he stayed there that night because
the sun had set."

Reader and Cong.

1   וְהוּא רַחוּם יְכַפֵּר עָוֹן וְלֹא יַשְׁחִית,

2   וְהִרְבָּה לְהָשִׁיב אַפּוֹ וְלֹא יָעִיר כָּל חֲמָתוֹ.

3   יְיָ, הוֹשִׁיעָה! הַמֶּלֶךְ יַעֲנֵנוּ בְיוֹם קָרְאֵנוּ.

בָּרְכוּ אֶת יְיָ הַמְבֹרָךְ

Bless the Lord who is to be blessed

For comment see page 94

בָּרְכוּ אֶת יְיָ הַמְבֹרָךְ׃   Reader   1

בָּרוּךְ יְיָ הַמְבֹרָךְ לְעוֹלָם וָעֶד׃   Cong. and Reader   2

בָּרוּךְ אַתָּה יְיָ אֱלֹהֵינוּ מֶלֶךְ הָעוֹלָם, אֲשֶׁר בִּדְבָרוֹ מַעֲרִיב עֲרָבִים

Blessed are You, O Lord our God, King of the universe, who at Your word You bring on the evening twilight

This is the first benediction before the שְׁמַע. It tells us about God's great power in the universe and the orderly and exact manner in which He arranges everything.

3   בָּרוּךְ אַתָּה יְיָ אֱלֹהֵינוּ מֶלֶךְ הָעוֹלָם, אֲשֶׁר

4   בִּדְבָרוֹ מַעֲרִיב עֲרָבִים, בְּחָכְמָה פּוֹתֵחַ

5   שְׁעָרִים, וּבִתְבוּנָה מְשַׁנֶּה עִתִּים, וּמַחֲלִיף

6   אֶת־הַזְּמַנִּים, וּמְסַדֵּר אֶת־הַכּוֹכָבִים

7   בְּמִשְׁמְרוֹתֵיהֶם בָּרָקִיעַ, כִּרְצוֹנוֹ. בּוֹרֵא יוֹם

1   וָלַיְלָה, גּוֹלֵל אוֹר מִפְּנֵי־חֹשֶׁךְ וְחֹשֶׁךְ מִפְּנֵי־

2   אוֹר, וּמַעֲבִיר יוֹם וּמֵבִיא לָיְלָה, וּמַבְדִּיל

3   בֵּין יוֹם וּבֵין לָיְלָה, יְיָ צְבָאוֹת שְׁמוֹ

Reader 4   אֵל חַי וְקַיָּם תָּמִיד יִמְלוֹךְ עָלֵינוּ

5   לְעוֹלָם וָעֶד. בָּרוּךְ אַתָּה יְיָ הַמַּעֲרִיב

6   עֲרָבִים: Cong. אָמֵן

אַהֲבַת עוֹלָם בֵּית יִשְׂרָאֵל עַמְּךָ אָהָבְתָּ

With everlasting love You have loved your people the house of Israel

This, the second benediction before the שְׁמַע in the מַעֲרִיב service, is one of our most beautiful prayers. It sets forth God's love for his people and our love for Him. In Judaism love for God is shown by תּוֹרָה וּמִצְוֹת, the study of the תּוֹרָה and the performance of its commandments.

7   אַהֲבַת עוֹלָם בֵּית יִשְׂרָאֵל עַמְּךָ אָהָבְתָּ. תּוֹרָה וּמִצְוֹת,

8   חֻקִּים וּמִשְׁפָּטִים, אוֹתָנוּ לִמַּדְתָּ. עַל־כֵּן יְיָ אֱלֹהֵינוּ

9   בְּשָׁכְבֵנוּ וּבְקוּמֵנוּ, נָשִׂיחַ בְּחֻקֶּיךָ, וְנִשְׂמַח בְּדִבְרֵי תוֹרָתֶךָ

10   וּבְמִצְוֹתֶיךָ לְעוֹלָם וָעֶד. כִּי הֵם חַיֵּינוּ וְאֹרֶךְ יָמֵינוּ, וּבָהֶם

11   נֶהְגֶּה יוֹמָם וָלַיְלָה. Reader וְאַהֲבָתְךָ אַל־תָּסִיר מִמֶּנּוּ

12   לְעוֹלָמִים. בָּרוּךְ אַתָּה יְיָ, אוֹהֵב עַמּוֹ יִשְׂרָאֵל: Cong. אָמֵן

שְׁמַע יִשְׂרָאֵל יְיָ אֱלֹהֵינוּ יְיָ אֶחָד

Hear O Israel: the Lord our God, the Lord is One

For comment see page 101

1 *When praying alone:* אֵל מֶלֶךְ נֶאֱמָן.

2 שְׁמַע יִשְׂרָאֵל, יְיָ אֱלֹהֵינוּ, יְיָ אֶחָד!

3 בָּרוּךְ שֵׁם כְּבוֹד מַלְכוּתוֹ לְעוֹלָם וָעֶד.

4 וְאָהַבְתָּ אֵת יְיָ אֱלֹהֶיךָ. בְּכָל לְבָבְךָ, וּבְכָל

5 נַפְשְׁךָ, וּבְכָל מְאֹדֶךָ. וְהָיוּ הַדְּבָרִים הָאֵלֶּה,

6 אֲשֶׁר אָנֹכִי מְצַוְּךָ הַיּוֹם, עַל לְבָבֶךָ. וְשִׁנַּנְתָּם

7 לְבָנֶיךָ, וְדִבַּרְתָּ בָּם, בְּשִׁבְתְּךָ בְּבֵיתֶךָ,

8 וּבְלֶכְתְּךָ בַדֶּרֶךְ, וּבְשָׁכְבְּךָ וּבְקוּמֶךָ.

9 וּקְשַׁרְתָּם לְאוֹת עַל יָדֶךָ, וְהָיוּ לְטֹטָפֹת בֵּין

10 עֵינֶיךָ; וּכְתַבְתָּם עַל מְזֻזוֹת בֵּיתֶךָ וּבִשְׁעָרֶיךָ.

11 וְהָיָה אִם שָׁמֹעַ תִּשְׁמְעוּ אֶל מִצְוֹתַי, אֲשֶׁר

12 אָנֹכִי מְצַוֶּה אֶתְכֶם הַיּוֹם, לְאַהֲבָה אֶת יְיָ

1 אֱלֹהֵיכֶם וּלְעָבְדוֹ, בְּכָל לְבַבְכֶם וּבְכָל

2 נַפְשְׁכֶם. וְנָתַתִּי מְטַר אַרְצְכֶם בְּעִתּוֹ, יוֹרֶה

3 וּמַלְקוֹשׁ, וְאָסַפְתָּ דְגָנֶךָ וְתִירשְׁךָ וְיִצְהָרֶךָ.

4 וְנָתַתִּי עֵשֶׂב בְּשָׂדְךָ לִבְהֶמְתֶּךָ, וְאָכַלְתָּ

5 וְשָׂבָעְתָּ. הִשָּׁמְרוּ לָכֶם פֶּן יִפְתֶּה לְבַבְכֶם,

6 וְסַרְתֶּם וַעֲבַדְתֶּם אֱלֹהִים אֲחֵרִים

7 וְהִשְׁתַּחֲוִיתֶם לָהֶם. וְחָרָה אַף יְיָ בָּכֶם,

8 וְעָצַר אֶת הַשָּׁמַיִם וְלֹא יִהְיֶה מָטָר, וְהָאֲדָמָה

9 לֹא תִתֵּן אֶת יְבוּלָהּ, וַאֲבַדְתֶּם מְהֵרָה מֵעַל

10 הָאָרֶץ הַטֹּבָה, אֲשֶׁר יְיָ נֹתֵן לָכֶם. וְשַׂמְתֶּם

11 אֶת דְּבָרַי אֵלֶּה עַל לְבַבְכֶם וְעַל נַפְשְׁכֶם,

12 וּקְשַׁרְתֶּם אֹתָם לְאוֹת עַל יֶדְכֶם, וְהָיוּ

13 לְטוֹטָפֹת בֵּין עֵינֵיכֶם, וְלִמַּדְתֶּם אֹתָם אֶת

14 בְּנֵיכֶם, לְדַבֵּר בָּם, בְּשִׁבְתְּךָ בְּבֵיתֶךָ,

15 וּבְלֶכְתְּךָ בַדֶּרֶךְ, וּבְשָׁכְבְּךָ וּבְקוּמֶךָ.

16 וּכְתַבְתָּם עַל מְזוּזוֹת בֵּיתֶךָ וּבִשְׁעָרֶיךָ. לְמַעַן

1 יִרְבּוּ יְמֵיכֶם וִימֵי בְנֵיכֶם עַל הָאֲדָמָה,

2 אֲשֶׁר נִשְׁבַּע יְיָ לַאֲבֹתֵיכֶם לָתֵת לָהֶם, כִּימֵי

3 הַשָּׁמַיִם עַל הָאָרֶץ.

For comment see page 105

4 וַיֹּאמֶר יְיָ אֶל מֹשֶׁה לֵּאמֹר:

5 דַּבֵּר אֶל בְּנֵי יִשְׂרָאֵל וְאָמַרְתָּ אֲלֵהֶם: וְעָשׂוּ

6 לָהֶם צִיצִת עַל כַּנְפֵי בִגְדֵיהֶם לְדֹרֹתָם;

7 וְנָתְנוּ עַל צִיצִת הַכָּנָף פְּתִיל תְּכֵלֶת. וְהָיָה

8 לָכֶם לְצִיצִת; וּרְאִיתֶם אֹתוֹ וּזְכַרְתֶּם אֶת

9 כָּל מִצְוֹת יְיָ, וַעֲשִׂיתֶם אֹתָם, וְלֹא תָתוּרוּ

10 אַחֲרֵי לְבַבְכֶם וְאַחֲרֵי עֵינֵיכֶם, אֲשֶׁר אַתֶּם

11 זֹנִים אַחֲרֵיהֶם. לְמַעַן תִּזְכְּרוּ וַעֲשִׂיתֶם אֶת

12 כָּל מִצְוֹתָי, וִהְיִיתֶם קְדֹשִׁים לֵאלֹהֵיכֶם.

13 אֲנִי יְיָ אֱלֹהֵיכֶם, אֲשֶׁר הוֹצֵאתִי אֶתְכֶם

14 מֵאֶרֶץ מִצְרַיִם, לִהְיוֹת לָכֶם לֵאלֹהִים. אֲנִי

15 יְיָ אֱלֹהֵיכֶם. אֱמֶת. Reader

16

תְּפִלַּת עַרְבִית לְחוֹל

וֶאֱמוּנָה כָּל זֹאת וְקַיָּם עָלֵינוּ כִּי הוּא יְיָ אֱלֹהֵינוּ וְאֵין זוּלָתוֹ וַאֲנַחְנוּ
יִשְׂרָאֵל עַמּוֹ

**And trustworthy is all this, and it is established with
us that He is the Lord our God, and there is none beside
Him, and that we, Israel, are His people.**

1. Cong. וֶאֱמוּנָה כָּל־זֹאת, וְקַיָּם עָלֵינוּ,

2. כִּי הוּא יְיָ אֱלֹהֵינוּ וְאֵין זוּלָתוֹ,

3. וַאֲנַחְנוּ יִשְׂרָאֵל עַמּוֹ, הַפּוֹדֵנוּ מִיַּד מְלָכִים,

4. מַלְכֵּנוּ הַגּוֹאֲלֵנוּ מִכַּף כָּל־הֶעָרִיצִים.

5. הָאֵל הַנִּפְרָע לָנוּ מִצָּרֵינוּ,

6. וְהַמְשַׁלֵּם גְּמוּל לְכָל־אֹיְבֵי נַפְשֵׁנוּ.

7. הָעֹשֶׂה גְדֹלוֹת עַד אֵין חֵקֶר,

8. וְנִפְלָאוֹת עַד אֵין מִסְפָּר.

9. הַשָּׂם נַפְשֵׁנוּ בַּחַיִּים, וְלֹא נָתַן לַמּוֹט רַגְלֵנוּ.

10. הַמַּדְרִיכֵנוּ עַל־בָּמוֹת אוֹיְבֵינוּ,

11. וַיָּרֶם קַרְנֵנוּ עַל־כָּל־שׂוֹנְאֵינוּ.

12. הָעֹשֶׂה לָנוּ נִסִּים וּנְקָמָה בְּפַרְעֹה,

13. אוֹתוֹת וּמוֹפְתִים בְּאַדְמַת בְּנֵי חָם.

14. הַמַּכֶּה בְעֶבְרָתוֹ כָּל־בְּכוֹרֵי מִצְרָיִם,

15. וַיּוֹצֵא אֶת־עַמּוֹ יִשְׂרָאֵל מִתּוֹכָם לְחֵרוּת עוֹלָם.

16. הַמַּעֲבִיר בָּנָיו בֵּין גִּזְרֵי יַם־סוּף,

17. אֶת־רוֹדְפֵיהֶם וְאֶת־שׂוֹנְאֵיהֶם בִּתְהוֹמוֹת טִבַּע.

1 וְרָאוּ בָנָיו גְּבוּרָתוֹ, שִׁבְּחוּ וְהוֹדוּ לִשְׁמוֹ,

2 Reader וּמַלְכוּתוֹ בְּרָצוֹן קִבְּלוּ עֲלֵיהֶם.

3 מֹשֶׁה וּבְנֵי יִשְׂרָאֵל לְךָ עָנוּ שִׁירָה,

4 בְּשִׂמְחָה רַבָּה, וְאָמְרוּ כֻלָּם:

מִי כָמֹכָה בָּאֵלִים יְיָ

Who is like You, O Lord, among the mighty ones

5 מִי־כָמֹכָה בָּאֵלִם יְיָ?

6 מִי־כָמֹכָה נֶאְדָּר בַּקֹּדֶשׁ?

7 נוֹרָא תְהִלֹּת, עֹשֵׂה פֶלֶא!

8 Reader מַלְכוּתְךָ רָאוּ בָנֶיךָ, בּוֹקֵעַ יָם לִפְנֵי

9 מֹשֶׁה, זֶה אֵלִי עָנוּ וְאָמְרוּ:

10 יְיָ יִמְלֹךְ לְעֹלָם וָעֶד:

11 Reader וְנֶאֱמַר, כִּי פָדָה יְיָ אֶת יַעֲקֹב,

12 וּגְאָלוֹ מִיַּד חָזָק מִמֶּנּוּ.

13 בָּרוּךְ אַתָּה יְיָ, גָּאַל יִשְׂרָאֵל: Cong. אָמֵן

הַשְׁכִּיבֵנוּ יְיָ אֱלֹהֵינוּ לְשָׁלוֹם. וְהַעֲמִידֵנוּ מַלְכֵּנוּ לְחַיִּים

Cause us, O Lord our God, to lie down in peace, and raise us up, O our King, to life

The major theme of this second blessing after the שְׁמַע is peace and security, so that we may be able to go to sleep in complete confidence that we will awaken safely and in good health to greet the dawn of a new day.

On weekdays this prayer ends with, "Blessed are You, O Lord, who guards Your people, forever." However, on the Sabbath it ends with "Blessed are You, O Lord, who spreads the shelter of peace over us," etc.

1   הַשְׁכִּיבֵנוּ יְיָ אֱלֹהֵינוּ לְשָׁלוֹם,

2   וְהַעֲמִידֵנוּ מַלְכֵּנוּ לְחַיִּים,

3   וּפְרוֹשׂ עָלֵינוּ סֻכַּת שְׁלוֹמֶךָ,

4   וְתַקְּנֵנוּ בְּעֵצָה טוֹבָה מִלְּפָנֶיךָ,

5   וְהוֹשִׁיעֵנוּ לְמַעַן שְׁמֶךָ.

6   וְהָגֵן בַּעֲדֵנוּ, וְהָסֵר מֵעָלֵינוּ אוֹיֵב,

7   דֶּבֶר, וְחֶרֶב, וְרָעָב, וְיָגוֹן,

1 וְהָסֵר שָׂטָן מִלְּפָנֵינוּ וּמֵאַחֲרֵינוּ,

2 וּבְצֵל כְּנָפֶיךָ תַּסְתִּירֵנוּ,

3 כִּי אֵל שׁוֹמְרֵנוּ וּמַצִּילֵנוּ אָתָּה.

4 כִּי אֵל מֶלֶךְ חַנּוּן וְרַחוּם אָתָּה.

5 Reader וּשְׁמֹר צֵאתֵנוּ וּבוֹאֵנוּ, לְחַיִּים וּלְשָׁלוֹם,

6 מֵעַתָּה וְעַד עוֹלָם:

7 בָּרוּךְ אַתָּה יְיָ, שׁוֹמֵר עַמּוֹ יִשְׂרָאֵל לָעַד:

Cong. אָמֵן

בָּרוּךְ יְיָ לְעוֹלָם אָמֵן וְאָמֵן

Blessed be the Lord for evermore, Amen, Amen

This prayer is made up of many beautiful passages. Originally it had eighteen verses and was intended to be said in place of the שְׁמוֹנֶה עֶשְׂרֵה, the eighteen benedictions, before the שְׁמוֹנֶה עֶשְׂרֵה was added to the מַעֲרִיב service. It is therefore not said on Sabbaths and holidays when the number of blessings is reduced to seven.

Its verses are taken mainly from the Book of Psalms. Other passages are from the First Book of Samuel, The First Book of Kings, Zechariah, Job and First Chronicles. They praise God's wonders, His lovingkindness and His redemption and salvation.

בָּרוּךְ יְיָ לְעוֹלָם, אָמֵן וְאָמֵן: בָּרוּךְ יְיָ מִצִּיּוֹן שֹׁכֵן יְרוּשָׁלָיִם הַלְלוּיָהּ: בָּרוּךְ יְיָ אֱלֹהִים אֱלֹהֵי יִשְׂרָאֵל, עֹשֵׂה נִפְלָאוֹת לְבַדּוֹ: וּבָרוּךְ שֵׁם כְּבוֹדוֹ לְעוֹלָם, וְיִמָּלֵא כְבוֹדוֹ אֶת־כָּל־הָאָרֶץ, אָמֵן וְאָמֵן: יְהִי כְבוֹד יְיָ לְעוֹלָם, יִשְׂמַח יְיָ בְּמַעֲשָׂיו: יְהִי שֵׁם יְיָ מְבֹרָךְ, מֵעַתָּה וְעַד־עוֹלָם: כִּי לֹא יִטֹּשׁ יְיָ אֶת־עַמּוֹ בַּעֲבוּר שְׁמוֹ הַגָּדוֹל. כִּי הוֹאִיל יְיָ לַעֲשׂוֹת אֶתְכֶם לוֹ לְעָם וַיַּרְא כָּל־הָעָם וַיִּפְּלוּ עַל־פְּנֵיהֶם. וַיֹּאמְרוּ, יְיָ הוּא הָאֱלֹהִים, יְיָ הוּא הָאֱלֹהִים: וְהָיָה יְיָ לְמֶלֶךְ עַל כָּל־הָאָרֶץ, בַּיּוֹם הַהוּא יִהְיֶה יְיָ אֶחָד וּשְׁמוֹ אֶחָד: יְהִי חַסְדְּךָ יְיָ עָלֵינוּ, כַּאֲשֶׁר יִחַלְנוּ לָךְ: הוֹשִׁיעֵנוּ יְיָ אֱלֹהֵינוּ, וְקַבְּצֵנוּ מִן הַגּוֹיִם, לְהוֹדוֹת לְשֵׁם קָדְשֶׁךָ, לְהִשְׁתַּבֵּחַ בִּתְהִלָּתֶךָ: כָּל־גּוֹיִם אֲשֶׁר עָשִׂיתָ יָבוֹאוּ וְיִשְׁתַּחֲווּ לְפָנֶיךָ אֲדֹנָי. וִיכַבְּדוּ לִשְׁמֶךָ: כִּי גָדוֹל אַתָּה וְעֹשֵׂה נִפְלָאוֹת אַתָּה אֱלֹהִים לְבַדֶּךָ: וַאֲנַחְנוּ עַמְּךָ וְצֹאן מַרְעִיתֶךָ, נוֹדֶה לְּךָ לְעוֹלָם לְדוֹר וָדוֹר, נְסַפֵּר תְּהִלָּתֶךָ: בָּרוּךְ יְיָ בַּיּוֹם, בָּרוּךְ יְיָ בַּלָּיְלָה. בָּרוּךְ יְיָ בְּשָׁכְבֵנוּ, בָּרוּךְ יְיָ בְּקוּמֵנוּ. כִּי בְיָדְךָ נַפְשׁוֹת הַחַיִּים וְהַמֵּתִים, אֲשֶׁר בְּיָדוֹ נֶפֶשׁ כָּל־חָי וְרוּחַ כָּל־בְּשַׂר אִישׁ: בְּיָדְךָ אַפְקִיד רוּחִי, פָּדִיתָה אוֹתִי יְיָ אֵל אֱמֶת: אֱלֹהֵינוּ שֶׁבַּשָּׁמַיִם, יַחֵד שִׁמְךָ, וְקַיֵּם מַלְכוּתְךָ, תָּמִיד. וּמְלֹךְ עָלֵינוּ לְעוֹלָם וָעֶד:

יִרְאוּ עֵינֵינוּ, וְיִשְׂמַח לִבֵּנוּ, וְתָגֵל נַפְשֵׁנוּ, בִּישׁוּעָתְךָ בֶּאֱמֶת, בֶּאֱמוֹר לְצִיּוֹן מָלַךְ אֱלֹהָיִךְ: יְיָ מֶלֶךְ, יְיָ מָלָךְ, יְיָ יִמְלֹךְ לְעוֹלָם וָעֶד: Reader כִּי הַמַּלְכוּת שֶׁלְּךָ הִיא, וּלְעוֹלְמֵי עַד תִּמְלֹךְ בְּכָבוֹד, כִּי אֵין לָנוּ מֶלֶךְ אֶלָּא אָתָּה: בָּרוּךְ אַתָּה יְיָ, הַמֶּלֶךְ בִּכְבוֹדוֹ, תָּמִיד יִמְלֹךְ עָלֵינוּ לְעוֹלָם וָעֶד, וְעַל כָּל מַעֲשָׂיו: Cong. אָמֵן

Continue the Service with:

Pages 144–145	חֲצִי קַדִּישׁ
Pages 112–127	שְׁמוֹנֶה עֶשְׂרֵה
Pages 163–164	קַדִּישׁ שָׁלֵם
Pages 165–166	עָלֵינוּ
Pages 167–168	קַדִּישׁ יָתוֹם

PRAYERS BEFORE RETIRING

The custom of reciting the first paragraph of the שְׁמַע and other appropriate prayers before retiring is based on the commandment "And you shall speak of them ... when you lie down and when you rise up," with "of them" referring to the commandments of the תּוֹרָה. The Talmud states (Tractate Berakhot 4) "Even though one has already said the שְׁמַע in the synagogue, it is a מִצְוָה to read it while lying on one's bed."

The idea of reciting prayers before going to sleep is beautifully explained by Israel Abrahams, a great Jewish scholar who lived in England. He wrote: "To fill one's mind with high and noble thoughts is a wise preparation for the hours of silent night. The presence of the pure excludes the impure, and the meditation over the good drives out the suggestions of evil."

1. בָּרוּךְ אַתָּה יְיָ אֱלֹהֵינוּ מֶלֶךְ הָעוֹלָם הַמַּפִּיל

2. חֶבְלֵי שֵׁנָה עַל עֵינַי וּתְנוּמָה עַל עַפְעַפָּי.

3. וִיהִי רָצוֹן מִלְּפָנֶיךָ יְיָ אֱלֹהַי וֵאלֹהֵי אֲבוֹתַי

4. שֶׁתַּשְׁכִּיבֵנִי לְשָׁלוֹם וְתַעֲמִידֵנִי לְשָׁלוֹם, וְאַל

5. יְבַהֲלוּנִי רַעְיוֹנַי וַחֲלוֹמוֹת רָעִים וְהִרְהוּרִים

6. רָעִים וּתְהִי מִטָּתִי שְׁלֵמָה לְפָנֶיךָ וְהָאֵר

1 עֵינַי פֶּן אִישַׁן הַמָּוֶת. כִּי אַתָּה הַמֵּאִיר

2 לְאִישׁוֹן בַּת עָיִן. בָּרוּךְ אַתָּה יְיָ הַמֵּאִיר

3 לְעוֹלָם כֻּלּוֹ בִּכְבוֹדוֹ:

שְׁמַע יִשְׂרָאֵל יְיָ אֱלֹהֵינוּ יְיָ אֶחָד

Hear, O Israel: The Lord is our God, the Lord is One

4 אֵל מֶלֶךְ נֶאֱמָן.

5 שְׁמַע יִשְׂרָאֵל, יְיָ אֱלֹהֵינוּ, יְיָ אֶחָד!

6 בָּרוּךְ שֵׁם כְּבוֹד מַלְכוּתוֹ לְעוֹלָם וָעֶד.

7 וְאָהַבְתָּ אֵת יְיָ אֱלֹהֶיךָ. בְּכָל לְבָבְךָ, וּבְכָל

8 נַפְשְׁךָ, וּבְכָל מְאֹדֶךָ. וְהָיוּ הַדְּבָרִים הָאֵלֶּה,

9 אֲשֶׁר אָנֹכִי מְצַוְּךָ הַיּוֹם, עַל לְבָבֶךָ. וְשִׁנַּנְתָּם

10 לְבָנֶיךָ, וְדִבַּרְתָּ בָּם, בְּשִׁבְתְּךָ בְּבֵיתֶךָ,

11 וּבְלֶכְתְּךָ בַדֶּרֶךְ, וּבְשָׁכְבְּךָ וּבְקוּמֶךָ.

12 וּקְשַׁרְתָּם לְאוֹת עַל יָדֶךָ, וְהָיוּ לְטֹטָפֹת בֵּין

13 עֵינֶיךָ; וּכְתַבְתָּם עַל מְזֻזוֹת בֵּיתֶךָ וּבִשְׁעָרֶיךָ.

וִיהִי נֹעַם אֲדֹנָי אֱלֹהֵינוּ עָלֵינוּ, וּמַעֲשֵׂה יָדֵינוּ כּוֹנְנָה עָלֵינוּ, וּמַעֲשֵׂה יָדֵינוּ כּוֹנְנֵהוּ׃

יֹשֵׁב בְּסֵתֶר עֶלְיוֹן, בְּצֵל שַׁדַּי יִתְלוֹנָן׃ אֹמַר לַיְיָ מַחְסִי וּמְצוּדָתִי אֱלֹהַי אֶבְטַח בּוֹ׃ כִּי הוּא יַצִּילְךָ מִפַּח יָקוּשׁ, מִדֶּבֶר הַוּוֹת׃ בְּאֶבְרָתוֹ יָסֶךְ לָךְ, וְתַחַת כְּנָפָיו תֶּחְסֶה, צִנָּה וְסוֹחֵרָה אֲמִתּוֹ׃ לֹא תִירָא מִפַּחַד לָיְלָה, מֵחֵץ יָעוּף יוֹמָם׃ מִדֶּבֶר בָּאֹפֶל יַהֲלוֹךְ, מִקֶּטֶב יָשׁוּד צָהֳרָיִם׃ יִפּוֹל מִצִּדְּךָ אֶלֶף וּרְבָבָה מִימִינֶךָ, אֵלֶיךָ לֹא יִגָּשׁ׃ רַק בְּעֵינֶיךָ תַבִּיט, וְשִׁלֻּמַת רְשָׁעִים תִּרְאֶה׃ כִּי אַתָּה יְיָ מַחְסִי, עֶלְיוֹן שַׂמְתָּ מְעוֹנֶךָ׃ לֹא תְאֻנֶּה אֵלֶיךָ רָעָה, וְנֶגַע לֹא יִקְרַב בְּאָהֳלֶךָ׃ כִּי מַלְאָכָיו יְצַוֶּה לָּךְ, לִשְׁמָרְךָ בְּכָל דְּרָכֶיךָ׃ עַל כַּפַּיִם יִשָּׂאוּנְךָ, פֶּן תִּגּוֹף בָּאֶבֶן רַגְלֶךָ׃ עַל שַׁחַל וָפֶתֶן תִּדְרוֹךְ, תִּרְמוֹס כְּפִיר וְתַנִּין׃ כִּי בִי חָשַׁק וַאֲפַלְּטֵהוּ, אֲשַׂגְּבֵהוּ כִּי יָדַע שְׁמִי׃ יִקְרָאֵנִי וְאֶעֱנֵהוּ, עִמּוֹ אָנֹכִי בְצָרָה, אֲחַלְּצֵהוּ וַאֲכַבְּדֵהוּ׃ אֹרֶךְ יָמִים אַשְׂבִּיעֵהוּ, וְאַרְאֵהוּ בִּישׁוּעָתִי׃

אֹרֶךְ יָמִים אַשְׂבִּיעֵהוּ, וְאַרְאֵהוּ בִּישׁוּעָתִי׃

יְיָ! מָה רַבּוּ צָרָי, רַבִּים קָמִים עָלָי!
רַבִּים אֹמְרִים לְנַפְשִׁי: אֵין יְשׁוּעָתָה לּוֹ בֵאלֹהִים, סֶלָה.
וְאַתָּה יְיָ מָגֵן בַּעֲדִי, כְּבוֹדִי וּמֵרִים רֹאשִׁי.

1 קוֹלִי אֶל יְיָ אֶקְרָא. וַיַּעֲנֵנִי מֵהַר קָדְשׁוֹ, סֶלָה

2 אֲנִי שָׁכַבְתִּי – וָאִישָׁנָה, הֱקִיצוֹתִי, כִּי יְיָ יִסְמְכֵנִי.

3 לֹא אִירָא מֵרִבְבוֹת עָם, אֲשֶׁר סָבִיב שָׁתוּ עָלָי

4 קוּמָה יְיָ! הוֹשִׁיעֵנִי אֱלֹהַי!

5 כִּי הִכִּיתָ אֶת כָּל אֹיְבַי לֶחִי,

6 שִׁנֵּי רְשָׁעִים שִׁבַּרְתָּ.

7 לַיְיָ הַיְשׁוּעָה, עַל עַמְּךָ בִרְכָתֶךָ, סֶּלָה.

הַשְׁכִּיבֵנוּ יְיָ אֱלֹהֵינוּ לְשָׁלוֹם. וְהַעֲמִידֵנוּ מַלְכֵּנוּ לְחַיִּים

Cause us, O Lord our God, to lie down in peace, and
raise us up, O our King, to life

8 הַשְׁכִּיבֵנוּ יְיָ אֱלֹהֵינוּ לְשָׁלוֹם,

9 וְהַעֲמִידֵנוּ מַלְכֵּנוּ לְחַיִּים,

10 וּפְרוֹשׂ עָלֵינוּ סֻכַּת שְׁלוֹמֶךָ,

11 וְתַקְּנֵנוּ בְּעֵצָה טוֹבָה מִלְּפָנֶיךָ,

12 וְהוֹשִׁיעֵנוּ לְמַעַן שְׁמֶךָ.

13 וְהָגֵן בַּעֲדֵנוּ, וְהָסֵר מֵעָלֵינוּ אוֹיֵב,

14 דֶּבֶר, וְחֶרֶב, וְרָעָב, וְיָגוֹן,

1   וְהָסֵר שָׂטָן מִלְּפָנֵינוּ וּמֵאַחֲרֵינוּ,

2   וּבְצֵל כְּנָפֶיךָ תַּסְתִּירֵנוּ,

3   כִּי אֵל שׁוֹמְרֵנוּ וּמַצִּילֵנוּ אָתָּה.

4   כִּי אֵל מֶלֶךְ חַנּוּן וְרַחוּם אָתָּה.

5   וּשְׁמֹר צֵאתֵנוּ וּבוֹאֵנוּ, לְחַיִּים וּלְשָׁלוֹם,

6   מֵעַתָּה וְעַד עוֹלָם:

7   בָּרוּךְ יְיָ בַּיּוֹם, בָּרוּךְ יְיָ בַּלָּיְלָה, בָּרוּךְ יְיָ

8   בְּשָׁכְבֵנוּ, בָּרוּךְ יְיָ בְּקוּמֵנוּ. כִּי בְיָדְךָ נַפְשׁוֹת

9   הַחַיִּים וְהַמֵּתִים, אֲשֶׁר בְּיָדוֹ נֶפֶשׁ כָּל חַי

10   וְרוּחַ כָּל בְּשַׂר אִישׁ. בְּיָדְךָ אַפְקִיד רוּחִי,

11   פָּדִיתָה אוֹתִי יְיָ אֵל אֱמֶת. אֱלֹהֵינוּ שֶׁבַּשָּׁמַיִם,

12   יַחֵד שִׁמְךָ, וְקַיֵּם מַלְכוּתְךָ תָּמִיד, וּמְלוֹךְ

13   עָלֵינוּ לְעוֹלָם וָעֶד:

14   יִרְאוּ עֵינֵינוּ, וְיִשְׂמַח לִבֵּנוּ, וְתָגֵל נַפְשֵׁנוּ, בִּישׁוּעָתְךָ בֶּאֱמֶת,

15   בֶּאֱמוֹר לְצִיּוֹן מָלַךְ אֱלֹהָיִךְ. יְיָ מֶלֶךְ, יְיָ מָלָךְ, יְיָ יִמְלוֹךְ

16   לְעוֹלָם וָעֶד, כִּי הַמַּלְכוּת שֶׁלְּךָ הִיא, וּלְעוֹלְמֵי עַד

17   תִּמְלוֹךְ בְּכָבוֹד, כִּי אֵין לָנוּ מֶלֶךְ אֶלָּא אָתָּה.

1 הַמַּלְאָךְ הַגֹּאֵל אֹתִי מִכָּל רָע, יְבָרֵךְ אֶת הַנְּעָרִים, וְיִקָּרֵא

2 בָהֶם שְׁמִי, וְשֵׁם אֲבֹתַי אַבְרָהָם וְיִצְחָק, וְיִדְגּוּ לָרֹב

3 בְּקֶרֶב הָאָרֶץ:

4 וַיֹּאמֶר: אִם שָׁמוֹעַ תִּשְׁמַע לְקוֹל יְיָ אֱלֹהֶיךָ, וְהַיָּשָׁר בְּעֵינָיו

5 תַּעֲשֶׂה, וְהַאֲזַנְתָּ לְמִצְוֹתָיו, וְשָׁמַרְתָּ כָּל חֻקָּיו – כָּל

6 הַמַּחֲלָה אֲשֶׁר שַׂמְתִּי בְמִצְרַיִם, לֹא אָשִׂים עָלֶיךָ, כִּי אֲנִי

7 יְיָ רֹפְאֶךָ.

*

8 וַיֹּאמֶר יְיָ אֶל הַשָּׂטָן: יִגְעַר יְיָ בְּךָ הַשָּׂטָן, וְיִגְעַר יְיָ בְּךָ

9 הַבֹּחֵר בִּירוּשָׁלָיִם; הֲלוֹא זֶה אוּד מֻצָּל מֵאֵשׁ.

*

10 הִנֵּה מִטָּתוֹ שֶׁלִּשְׁלֹמֹה! שִׁשִּׁים גִּבֹּרִים סָבִיב לָהּ, מִגִּבֹּרֵי

11 יִשְׂרָאֵל. כֻּלָּם אֲחֻזֵי חֶרֶב מְלֻמְּדֵי מִלְחָמָה, אִישׁ חַרְבּוֹ

12 עַל יְרֵכוֹ, מִפַּחַד בַּלֵּילוֹת.

Three times:

14 יְבָרֶכְךָ יְיָ וְיִשְׁמְרֶךָ.

15 יָאֵר יְיָ פָּנָיו אֵלֶיךָ וִיחֻנֶּךָּ.

16 יִשָּׂא יְיָ פָּנָיו אֵלֶיךָ וְיָשֵׂם לְךָ שָׁלוֹם.

Three times :

1 הִנֵּה לֹא יָנוּם וְלֹא יִישָׁן, שֹׁמֵר יִשְׂרָאֵל.

Three times :

2 לִישׁוּעָתְךָ קִוִּיתִי יְיָ,

3 קִוִּיתִי יְיָ לִישׁוּעָתְךָ,

4 יְיָ, לִישׁוּעָתְךָ קִוִּיתִי.

Three times :

5 בְּשֵׁם יְיָ אֱלֹהֵי יִשְׂרָאֵל: מִימִינִי מִיכָאֵל,

6 וּמִשְּׂמֹאלִי גַּבְרִיאֵל, וּמִלְּפָנַי אוּרִיאֵל,

7 וּמֵאֲחוֹרַי רְפָאֵל, וְעַל רֹאשִׁי שְׁכִינַת אֵל.

שִׁיר הַמַּעֲלוֹת אַשְׁרֵי כָּל יְרֵא יְיָ הַהֹלֵךְ בִּדְרָכָיו

A Song of Degrees. Happy is everyone that fears the Lord that walks in his ways

שִׁיר הַמַּעֲלוֹת.

8 אַשְׁרֵי כָּל יְרֵא יְיָ, הַהֹלֵךְ בִּדְרָכָיו.

9 יְגִיעַ כַּפֶּיךָ כִּי תֹאכֵל, אַשְׁרֶיךָ וְטוֹב לָךְ.

10 אֶשְׁתְּךָ כְּגֶפֶן פֹּרִיָּה, בְּיַרְכְּתֵי בֵיתֶךָ,

11 בָּנֶיךָ כִּשְׁתִלֵי זֵיתִים, סָבִיב לְשֻׁלְחָנֶךָ.

12 הִנֵּה, כִּי כֵן יְבֹרַךְ גָּבֶר יְרֵא יְיָ.

1 יְבָרֶכְךָ יְיָ מִצִּיּוֹן,   וּרְאֵה בְּטוּב יְרוּשָׁלָיִם,

2 כֹּל יְמֵי חַיֶּיךָ.

3 וּרְאֵה בָנִים לְבָנֶיךָ,   שָׁלוֹם עַל יִשְׂרָאֵל.

Three times:

4 רִגְזוּ וְאַל תֶּחֱטָאוּ, אִמְרוּ בִלְבַבְכֶם עַל מִשְׁכַּבְכֶם וְדֹמּוּ

5 סֶלָה.

אֲדוֹן עוֹלָם אֲשֶׁר מָלַךְ. בְּטֶרֶם כָּל יְצִיר נִבְרָא

**Lord of the universe who reigned before any creature
was yet formed**

For comment see page 30

6 אֲדוֹן עוֹלָם אֲשֶׁר מָלַךְ,

7 בְּטֶרֶם כָּל־יְצִיר נִבְרָא.

8 לְעֵת נַעֲשָׂה בְחֶפְצוֹ כֹּל,

9 אֲזַי מֶלֶךְ שְׁמוֹ נִקְרָא,

10 וְאַחֲרֵי כִּכְלוֹת הַכֹּל,

11 לְבַדּוֹ יִמְלוֹךְ נוֹרָא.

וְהוּא הָיָה וְהוּא הֹוֶה, 1

וְהוּא יִהְיֶה בְּתִפְאָרָה. 2

וְהוּא אֶחָד וְאֵין שֵׁנִי, 3

לְהַמְשִׁיל לוֹ לְהַחְבִּירָה, 4

בְּלִי רֵאשִׁית בְּלִי תַכְלִית, 5

וְלוֹ הָעֹז וְהַמִּשְׂרָה. 6

וְהוּא אֵלִי וְחַי גֹּאֲלִי, 7

וְצוּר חֶבְלִי בְּעֵת צָרָה. 8

וְהוּא נִסִּי וּמָנוֹס לִי, 9

מְנָת כּוֹסִי בְּיוֹם אֶקְרָא. 10

בְּיָדוֹ אַפְקִיד רוּחִי, 11

בְּעֵת אִישָׁן וְאָעִירָה, 12

וְעִם רוּחִי גְּוִיָּתִי; 13

יְיָ לִי וְלֹא אִירָא. 14

BENEDICTIONS ON LIGHTING THE SABBATH AND FESTIVAL LIGHTS

Before we go to the synagogue on Friday or on the eve of a holiday, before sundown mother lights two (or more) lights, נֵרוֹת. She spreads her hands over the נֵרוֹת and then over her face while she says the בְּרָכָה. On יוֹם טוֹב she also adds the blessing שֶׁהֶחֱיָנוּ (except on the last two evenings of פֶּסַח). Afterwards she may add a personal prayer for herself and her family. Some mothers light as many candles as there are people in the family. שַׁבָּת and יוֹם טוֹב are days of rest and joy. We light candles so that our homes may be full of light and good cheer.

On שַׁבָּת and יוֹם טוֹב we are not allowed to do work of any kind. We may prepare food (by cooking, etc.) on a יוֹם טוֹב that does not fall on שַׁבָּת, but never on שַׁבָּת or on יוֹם כִּפּוּר. On שַׁבָּת and יוֹם טוֹב we should eat good food and should rest well. We should also study and pray.

On kindling the Sabbath lights:

1   בָּרוּךְ אַתָּה יְיָ, אֱלֹהֵינוּ מֶלֶךְ הָעוֹלָם, אֲשֶׁר

2   קִדְּשָׁנוּ בְּמִצְוֹתָיו, וְצִוָּנוּ לְהַדְלִיק נֵר שֶׁל־

3   שַׁבָּת:

On kindling the Festival lights say:

(When the Festival falls on the Sabbath, add words in the brackets)

4   בָּרוּךְ אַתָּה יְיָ, אֱלֹהֵינוּ מֶלֶךְ הָעוֹלָם, אֲשֶׁר קִדְּשָׁנוּ

5   בְּמִצְוֹתָיו, וְצִוָּנוּ לְהַדְלִיק נֵר שֶׁל (שַׁבָּת וְשֶׁל) יוֹם טוֹב:

6   בָּרוּךְ אַתָּה יְיָ, אֱלֹהֵינוּ מֶלֶךְ הָעוֹלָם, שֶׁהֶחֱיָנוּ וְקִיְּמָנוּ

7   וְהִגִּיעָנוּ לַזְּמַן הַזֶּה:

סֵדֶר קַבָּלַת שַׁבָּת

לְכוּ נְרַנְּנָה לַיְיָ נָרִיעָה לְצוּר יִשְׁעֵנוּ

O come, let us sing before the Lord: let us shout for joy to the rock of our salvation

Psalm 95 is a fitting introduction to קַבָּלַת שַׁבָּת, the "welcoming" or "inauguration" of the Sabbath. The Psalmist asks us to approach the Sabbath in a joyful mood. "Let us sing before the Lord. Let us shout for joy." It tells us how much better off we would be "Today, if only you would listen to His voice." Anyone, if only he would listen, is capable of hearing the voice of God.

Its closing, however, is on a sad note, a reminder of our ancestors' lack of faith in the wilderness of Sinai. Because they had sinned, refusing to obey Moses, complaining consistently, and even forgetting themselves so far as to worship a golden calf, God sadly had to say, "Therefore I swore in My anger that they should not enter into My land." The entire generation that came out of Egypt was destroyed or died out before the Israelites were allowed to enter Canaan and to settle there.

Should a Festival or חוֹל הַמּוֹעֵד *occur on Friday night,*
begin with מִזְמוֹר שִׁיר לְיוֹם הַשַּׁבָּת *(page 234)*:

1 לְכוּ נְרַנְּנָה לַיְיָ, נָרִיעָה לְצוּר יִשְׁעֵנוּ!
2 נְקַדְּמָה פָנָיו בְּתוֹדָה, בִּזְמִרוֹת נָרִיעַ לוֹ.

כִּי אֵל גָּדוֹל יְיָ, וּמֶלֶךְ גָּדוֹל עַל כָּל אֱלֹהִים.
אֲשֶׁר בְּיָדוֹ מֶחְקְרֵי אָרֶץ,
וְתוֹעֲפוֹת הָרִים לוֹ.
אֲשֶׁר לוֹ הַיָּם וְהוּא עָשָׂהוּ, וְיַבֶּשֶׁת יָדָיו יָצָרוּ.
בֹּאוּ נִשְׁתַּחֲוֶה וְנִכְרָעָה,
נִבְרְכָה לִפְנֵי יְיָ עֹשֵׂנוּ.
כִּי הוּא אֱלֹהֵינוּ וַאֲנַחְנוּ עַם מַרְעִיתוֹ וְצֹאן
יָדוֹ, הַיּוֹם אִם בְּקוֹלוֹ תִשְׁמָעוּ.
אַל תַּקְשׁוּ לְבַבְכֶם כִּמְרִיבָה,
כְּיוֹם מַסָּה בַּמִּדְבָּר.
אֲשֶׁר נִסּוּנִי אֲבוֹתֵיכֶם, בְּחָנוּנִי גַּם רָאוּ פָעֳלִי.
Reader אַרְבָּעִים שָׁנָה אָקוּט בְּדוֹר,
וָאֹמַר: עַם תֹּעֵי לֵבָב הֵם,
וְהֵם לֹא יָדְעוּ דְרָכָי,
אֲשֶׁר נִשְׁבַּעְתִּי בְאַפִּי:
אִם יְבֹאוּן אֶל מְנוּחָתִי.

שִׁירוּ לַייָ שִׁיר חָדָשׁ שִׁירוּ לַייָ כָּל הָאָרֶץ

O sing to the Lord a new song: sing to the Lord, all the earth

Psalm 96 calls upon all the nations to recognize the greatness of God and to praise Him. The opening verse, "O sing to the Lord a new song" may mean to tell us that we should not recite only prayers with a prescribed text, but that on important occasions we should also compose new prayers of praise and thanksgiving to God.

The closing verses of this Psalm stress God's judgment of the world. In Judaism, The Day of Judgment is not a dreadful day to be feared, but one regarding which the Psalmist commands, "Let the heavens rejoice and let the earth be glad, . . . let all the trees of the forest sing for joy." By "judgment" we Jews mean true justice to the weak, the poor, the oppressed and the unfortunate. "With righteousness shall He judge the weak" (Isaiah 11:4).

1 שִׁירוּ לַייָ שִׁיר חָדָשׁ, שִׁירוּ לַייָ כָּל הָאָרֶץ!

2 שִׁירוּ לַייָ בָּרְכוּ שְׁמוֹ, בַּשְּׂרוּ מִיּוֹם לְיוֹם יְשׁוּעָתוֹ.

3 סַפְּרוּ בַגּוֹיִם כְּבוֹדוֹ, בְּכָל הָעַמִּים נִפְלְאוֹתָיו.

4 כִּי גָדוֹל יְיָ וּמְהֻלָּל מְאֹד, נוֹרָא הוּא עַל כָּל אֱלֹהִים.

5 כִּי כָּל אֱלֹהֵי הָעַמִּים אֱלִילִים, וַייָ שָׁמַיִם עָשָׂה.

6 הוֹד וְהָדָר לְפָנָיו, עֹז וְתִפְאֶרֶת בְּמִקְדָּשׁוֹ.

7 הָבוּ לַייָ, מִשְׁפְּחוֹת עַמִּים, הָבוּ לַייָ כָּבוֹד וָעֹז.

8 הָבוּ לַייָ כְּבוֹד שְׁמוֹ; שְׂאוּ מִנְחָה וּבֹאוּ לְחַצְרוֹתָיו.

9 הִשְׁתַּחֲווּ לַייָ בְּהַדְרַת קֹדֶשׁ, חִילוּ מִפָּנָיו כָּל הָאָרֶץ.

1 אִמְרוּ בַגּוֹיִם יְיָ מָלָךְ, אַף תִּכּוֹן תֵּבֵל בַּל תִּמּוֹט,

2 יָדִין עַמִּים בְּמֵישָׁרִים.

3 יִשְׂמְחוּ הַשָּׁמַיִם וְתָגֵל הָאָרֶץ, יִרְעַם הַיָּם וּמְלֹאוֹ.

4 יַעֲלֹז שָׂדַי וְכָל אֲשֶׁר בּוֹ, אָז יְרַנְּנוּ כָּל עֲצֵי יָעַר

5 Reader לִפְנֵי יְיָ כִּי בָא, כִּי בָא לִשְׁפֹּט הָאָרֶץ,

6 יִשְׁפֹּט תֵּבֵל בְּצֶדֶק, וְעַמִּים בֶּאֱמוּנָתוֹ.

יְיָ מָלָךְ תָּגֵל הָאָרֶץ

The Lord reigns; let the earth be glad

7 יְיָ מָלָךְ תָּגֵל הָאָרֶץ. יִשְׂמְחוּ אִיִּים רַבִּים: עָנָן וַעֲרָפֶל

8 סְבִיבָיו. צֶדֶק וּמִשְׁפָּט מְכוֹן כִּסְאוֹ: אֵשׁ לְפָנָיו תֵּלֵךְ.

9 וּתְלַהֵט סָבִיב צָרָיו: הֵאִירוּ בְרָקָיו תֵּבֵל. רָאֲתָה וַתָּחֵל

10 הָאָרֶץ: הָרִים כַּדּוֹנַג נָמַסּוּ מִלִּפְנֵי יְיָ. מִלִּפְנֵי אֲדוֹן כָּל

11 הָאָרֶץ: הִגִּידוּ הַשָּׁמַיִם צִדְקוֹ. וְרָאוּ כָל־הָעַמִּים כְּבוֹדוֹ:

12 יֵבֹשׁוּ כָּל־עֹבְדֵי־פֶסֶל הַמִּתְהַלְלִים בָּאֱלִילִים. הִשְׁתַּחֲווּ

13 לוֹ, כָּל אֱלֹהִים: שָׁמְעָה וַתִּשְׂמַח צִיּוֹן, וַתָּגֵלְנָה בְּנוֹת

14 יְהוּדָה. לְמַעַן מִשְׁפָּטֶיךָ יְיָ: כִּי־אַתָּה יְיָ עֶלְיוֹן עַל־כָּל־

15 הָאָרֶץ: מְאֹד נַעֲלֵיתָ עַל־כָּל־אֱלֹהִים: אֹהֲבֵי יְיָ שִׂנְאוּ

16 רָע. שֹׁמֵר נַפְשׁוֹת חֲסִידָיו. מִיַּד רְשָׁעִים יַצִּילֵם: Reader אוֹר

17 זָרֻעַ לַצַּדִּיק. וּלְיִשְׁרֵי־לֵב שִׂמְחָה: שִׂמְחוּ צַדִּיקִים בַּיְיָ.

18 וְהוֹדוּ לְזֵכֶר קָדְשׁוֹ:

1 מִזְמוֹר שִׁירוּ לַיְיָ שִׁיר חָדָשׁ, כִּי נִפְלָאוֹת עָשָׂה;

2 הוֹשִׁיעָה לּוֹ יְמִינוֹ וּזְרוֹעַ קָדְשׁוֹ.

3 הוֹדִיעַ יְיָ יְשׁוּעָתוֹ, לְעֵינֵי הַגּוֹיִם גִּלָּה צִדְקָתוֹ.

4 זָכַר חַסְדּוֹ וֶאֱמוּנָתוֹ לְבֵית יִשְׂרָאֵל,

5 רָאוּ כָל אַפְסֵי אָרֶץ, אֵת יְשׁוּעַת אֱלֹהֵינוּ.

6 הָרִיעוּ לַיְיָ כָּל הָאָרֶץ, פִּצְחוּ וְרַנְּנוּ וְזַמֵּרוּ.

7 זַמְּרוּ לַיְיָ בְּכִנּוֹר, בְּכִנּוֹר וְקוֹל זִמְרָה.

8 בַּחֲצֹצְרוֹת וְקוֹל שׁוֹפָר, הָרִיעוּ לִפְנֵי הַמֶּלֶךְ יְיָ.

9 יִרְעַם הַיָּם וּמְלֹאוֹ, תֵּבֵל וְיֹשְׁבֵי בָהּ.

10 נְהָרוֹת יִמְחֲאוּ כָף, יַחַד הָרִים יְרַנֵּנוּ.

11 Reader לִפְנֵי יְיָ, כִּי בָא לִשְׁפֹּט הָאָרֶץ;

12 יִשְׁפֹּט תֵּבֵל בְּצֶדֶק, וְעַמִּים בְּמֵישָׁרִים.

יְיָ מָלָךְ יִרְגְּזוּ עַמִּים

The Lord reigns; let the peoples tremble

13 יְיָ מָלָךְ — יִרְגְּזוּ עַמִּים, יֹשֵׁב כְּרוּבִים תָּנוּט

14 הָאָרֶץ!

1 יְיָ בְּצִיּוֹן גָּדוֹל, וְרָם הוּא עַל כָּל הָעַמִּים.

2 יוֹדוּ שִׁמְךָ גָּדוֹל וְנוֹרָא, קָדוֹשׁ הוּא.

3 וְעֹז מֶלֶךְ מִשְׁפָּט אָהֵב, — אַתָּה כּוֹנַנְתָּ

4 מֵישָׁרִים,

5 מִשְׁפָּט וּצְדָקָה בְּיַעֲקֹב אַתָּה עָשִׂיתָ.

6 רוֹמְמוּ יְיָ אֱלֹהֵינוּ, וְהִשְׁתַּחֲווּ לַהֲדֹם רַגְלָיו,

7 קָדוֹשׁ הוּא!

8 מֹשֶׁה וְאַהֲרֹן בְּכֹהֲנָיו וּשְׁמוּאֵל בְּקֹרְאֵי שְׁמוֹ,

9 קֹרְאִים אֶל יְיָ וְהוּא יַעֲנֵם.

10 בְּעַמּוּד עָנָן יְדַבֵּר אֲלֵיהֶם,

11 שָׁמְרוּ עֵדֹתָיו וְחֹק נָתַן לָמוֹ.

12 יְיָ אֱלֹהֵינוּ אַתָּה עֲנִיתָם,

13 אֵל נֹשֵׂא הָיִיתָ לָהֶם, וְנֹקֵם עַל עֲלִילוֹתָם.

14 רוֹמְמוּ יְיָ אֱלֹהֵינוּ, וְהִשְׁתַּחֲווּ לְהַר קָדְשׁוֹ,

15 כִּי קָדוֹשׁ יְיָ אֱלֹהֵינוּ.

מִזְמוֹר לְדָוִד, הָבוּ לַיְיָ בְּנֵי אֵלִים, הָבוּ לַיְיָ כָּבוֹד וָעֹז

**A Psalm of David: Give to the Lord, you sons of the
mighty, give to the Lord glory and strength**

This beautiful Psalm of David, the twenty-ninth Psalm,
describes a thunderstorm in the Land of Israel. The thunder
and lightning are pictured as the voice of the Lord.

A thunderstorm in a tropical country like Israel can be
very frightening and yet glorious and soul-stirring. The
peal of thunder is heard first over the Mediterranean Sea.
The thunder then bursts over the northern mountains and
shakes them to their very foundations. Finally the storm
sweeps over the entire country, becoming most violent in
the wilderness in the south.

The main point of this great Psalm is stated at the end.
The God who brings storms to the world is also the God who
makes the storms come to an end, and restores peace and quiet.
He is the same God who blesses His people with strength
and peace.

1 מִזְמוֹר לְדָוִד. הָבוּ לַיְיָ, בְּנֵי אֵלִים, הָבוּ לַיְיָ כָּבוֹד וָעֹז!

2 הָבוּ לַיְיָ כְּבוֹד שְׁמוֹ, הִשְׁתַּחֲווּ לַיְיָ בְּהַדְרַת קֹדֶשׁ.

3 קוֹל יְיָ עַל הַמָּיִם, – אֵל הַכָּבוֹד הִרְעִים,

4 יְיָ עַל מַיִם רַבִּים.

5 קוֹל יְיָ בַּכֹּחַ, קוֹל יְיָ בֶּהָדָר.

6 קוֹל יְיָ שֹׁבֵר אֲרָזִים, וַיְשַׁבֵּר יְיָ אֶת אַרְזֵי הַלְּבָנוֹן.

7 וַיַּרְקִידֵם כְּמוֹ עֵגֶל, לְבָנוֹן וְשִׂרְיוֹן – כְּמוֹ בֶן רְאֵמִים.

8 קוֹל יְיָ חֹצֵב לַהֲבוֹת אֵשׁ.

קוֹל יְיָ יָחִיל מִדְבָּר, יָחִיל יְיָ מִדְבַּר קָדֵשׁ.
קוֹל יְיָ יְחוֹלֵל אַיָּלוֹת וַיֶּחֱשֹׂף יְעָרוֹת –
וּבְהֵיכָלוֹ, כֻּלּוֹ אֹמֵר כָּבוֹד.
Reader יְיָ לַמַּבּוּל יָשָׁב, וַיֵּשֶׁב יְיָ מֶלֶךְ לְעוֹלָם.
יְיָ עֹז לְעַמּוֹ יִתֵּן, יְיָ יְבָרֵךְ אֶת עַמּוֹ בַשָּׁלוֹם.

אָנָּא, בְּכֹחַ גְּדֻלַּת יְמִינְךָ, תַּתִּיר צְרוּרָה: קַבֵּל רִנַּת עַמְּךָ,
שַׂגְּבֵנוּ, טַהֲרֵנוּ, נוֹרָא: נָא גִבּוֹר, דּוֹרְשֵׁי יִחוּדְךָ, כְּבָבַת
שָׁמְרֵם: בָּרְכֵם, טַהֲרֵם, רַחֲמֵם, צִדְקָתְךָ תָּמִיד גָּמְלֵם:
חֲסִין קָדוֹשׁ, בְּרוֹב טוּבְךָ נַהֵל עֲדָתֶךָ: יָחִיד, גֵּאֶה, לְעַמְּךָ,
פְּנֵה, זוֹכְרֵי קְדֻשָּׁתֶךָ: שַׁוְעָתֵנוּ קַבֵּל, וּשְׁמַע צַעֲקָתֵנוּ, יוֹדֵעַ
תַּעֲלֻמוֹת: בָּרוּךְ שֵׁם כְּבוֹד מַלְכוּתוֹ לְעוֹלָם וָעֶד:

לְכָה דוֹדִי לִקְרַאת כַּלָּה. פְּנֵי שַׁבָּת נְקַבְּלָה

Come, my friend, to meet the bride, let us welcome the presence of the Sabbath

This Piyut (religious poem) was composed about 1540 by Rabbi Solomon Halevy Alkabetz, a scholar who lived in the Holy Land. He based it on the Talmudic passage, "Rabbi Haninah said, 'Let us go forth to greet the Sabbath Queen.' Rabbi Yannai said, 'Come, O bride! Come, O bride!' " (Tractate Sabbath 119a).

The author signed his name to the Piyut in a Hebrew acrostic. Each verse, after the introductory first stanza or verse, except for the last verse, begins with a letter of the author's name:

שָׁמוֹר, לִקְרַאת, מִקְדַּשׁ, הִתְנַעֲרִי, הִתְעוֹרְרִי, לֹא, וְהָיוּ, יָמִין

These letters form the name שְׁלֹמֹה הַלֵּוִי, Solomon, the Levite.

As we say the last verse, we rise and face the entrance of the synagogue as a sign that we are welcoming the Sabbath.

Reader and Cong.

1 לְכָה דוֹדִי לִקְרַאת כַּלָּה.

2 פְּנֵי שַׁבָּת נְקַבְּלָה: לְכָה דוֹדִי'

Cong. and Reader

3 שָׁמוֹר וְזָכוֹר בְּדִבּוּר אֶחָד.

4 הִשְׁמִיעָנוּ אֵל הַמְּיֻחָד.

5 יְיָ אֶחָד וּשְׁמוֹ אֶחָד.

6 לְשֵׁם וּלְתִפְאֶרֶת וְלִתְהִלָּה:

7 לְכָה דוֹדִי לִקְרַאת כַּלָּה.

8 פְּנֵי שַׁבָּת נְקַבְּלָה:

Cong. and Reader

9 לִקְרַאת שַׁבָּת לְכוּ וְנֵלְכָה.

10 כִּי הִיא מְקוֹר הַבְּרָכָה.

11 מֵרֹאשׁ מִקֶּדֶם נְסוּכָה.

12 סוֹף מַעֲשֶׂה בְּמַחֲשָׁבָה תְּחִלָּה:

1 לְכָה דוֹדִי לִקְרַאת כַּלָּה.
2 פְּנֵי שַׁבָּת נְקַבְּלָה:

Cong. and Reader

3 מִקְדַּשׁ מֶלֶךְ עִיר מְלוּכָה.
4 קוּמִי צְאִי מִתּוֹךְ הַהֲפֵכָה.
5 רַב לָךְ שֶׁבֶת בְּעֵמֶק הַבָּכָא.
6 וְהוּא יַחֲמֹל עָלַיִךְ חֶמְלָה:
7 לְכָה דוֹדִי לִקְרַאת כַּלָּה.
8 פְּנֵי שַׁבָּת נְקַבְּלָה:

Cong. and Reader

9 הִתְנַעֲרִי מֵעָפָר קוּמִי.
10 לִבְשִׁי בִּגְדֵי תִפְאַרְתֵּךְ עַמִּי.
11 עַל־יַד בֶּן יִשַׁי בֵּית הַלַּחְמִי.
12 קָרְבָה אֶל נַפְשִׁי גְאָלָהּ:
13 לְכָה דוֹדִי לִקְרַאת כַּלָּה.
14 פְּנֵי שַׁבָּת נְקַבְּלָה:

Cong. and Reader

הִתְעוֹרְרִי, הִתְעוֹרְרִי.
כִּי בָא אוֹרֵךְ, קוּמִי אוֹרִי.
עוּרִי, עוּרִי, שִׁיר דַּבֵּרִי.
כְּבוֹד יְיָ עָלַיִךְ נִגְלָה:

לְכָה דוֹדִי לִקְרַאת כַּלָּה.
פְּנֵי שַׁבָּת נְקַבְּלָה:

Cong. and Reader

לֹא תֵבֹשִׁי וְלֹא תִכָּלְמִי.
מַה תִּשְׁתּוֹחֲחִי וּמַה תֶּהֱמִי.
בָּךְ יֶחֱסוּ עֲנִיֵּי עַמִּי.
וְנִבְנְתָה עִיר עַל תִּלָּהּ:

לְכָה דוֹדִי לִקְרַאת כַּלָּה.
פְּנֵי שַׁבָּת נְקַבְּלָה:

Cong. and Reader

וְהָיוּ לִמְשִׁסָּה שֹׁאסָיִךְ. 1

וְרָחֲקוּ כָּל־מְבַלְּעָיִךְ. 2

יָשִׂישׂ עָלַיִךְ אֱלֹהָיִךְ. 3

כִּמְשׂושׂ חָתָן עַל כַּלָּה: 4

לְכָה דוֹדִי לִקְרַאת כַּלָּה. 5

פְּנֵי שַׁבָּת נְקַבְּלָה: 6

Cong. and Reader

יָמִין וּשְׂמֹאל תִּפְרֹצִי. 7

וְאֶת יְיָ תַּעֲרִיצִי. 8

עַל יַד אִישׁ בֶּן פַּרְצִי. 9

וְנִשְׂמְחָה וְנָגִילָה: 10

לְכָה דוֹדִי לִקְרַאת כַּלָּה. 11

פְּנֵי שַׁבָּת נְקַבְּלָה: 12

Cong. and Reader

1 בּוֹאִי בְשָׁלוֹם עֲטֶרֶת בַּעְלָהּ.

2 גַּם בְּשִׂמְחָה וּבְצָהֳלָה.

3 תּוֹךְ אֱמוּנֵי עַם סְגֻלָּה:

4 בּוֹאִי כַלָּה, בּוֹאִי כַלָּה:

5 לְכָה דוֹדִי לִקְרַאת כַּלָּה.

6 פְּנֵי שַׁבָּת נְקַבְּלָה:

מִזְמוֹר שִׁיר לְיוֹם הַשַּׁבָּת: טוֹב לְהוֹדוֹת לַייָ

A Psalm; A song for the Sabbath day: It is good to give thanks to the Lord

For comment see page 305

7 מִזְמוֹר שִׁיר לְיוֹם הַשַּׁבָּת:

8 טוֹב לְהֹדוֹת לַייָ. וּלְזַמֵּר לְשִׁמְךָ, עֶלְיוֹן:

9 לְהַגִּיד בַּבֹּקֶר חַסְדֶּךָ, וֶאֱמוּנָתְךָ בַּלֵּילוֹת:

10 עֲלֵי־עָשׂוֹר וַעֲלֵי־נָבֶל, עֲלֵי הִגָּיוֹן בְּכִנּוֹר:

11 כִּי שִׂמַּחְתַּנִי יְיָ בְּפָעֳלֶךָ, בְּמַעֲשֵׂי יָדֶיךָ אֲרַנֵּן:

12 מַה־גָּדְלוּ מַעֲשֶׂיךָ יְיָ, מְאֹד עָמְקוּ מַחְשְׁבֹתֶיךָ:

13 אִישׁ בַּעַר לֹא יֵדָע, וּכְסִיל לֹא־יָבִין אֶת־זֹאת:

1   בִּפְרֹחַ רְשָׁעִים כְּמוֹ־עֵשֶׂב, וַיָּצִיצוּ כָּל־פֹּעֲלֵי אָוֶן,

2   לְהִשָּׁמְדָם עֲדֵי־עַד:

3   וְאַתָּה מָרוֹם לְעֹלָם יְיָ:

4   כִּי־הִנֵּה אֹיְבֶיךָ יְיָ, כִּי־הִנֵּה אֹיְבֶיךָ יֹאבֵדוּ,

5   יִתְפָּרְדוּ כָּל־פֹּעֲלֵי אָוֶן:

6   וַתָּרֶם כִּרְאֵים קַרְנִי, בַּלֹּתִי בְּשֶׁמֶן רַעֲנָן:

7   וַתַּבֵּט עֵינִי בְּשׁוּרָי, בַּקָּמִים עָלַי מְרֵעִים, תִּשְׁמַעְנָה אָזְנָי:

8   צַדִּיק כַּתָּמָר יִפְרָח, כְּאֶרֶז בַּלְּבָנוֹן יִשְׂגֶּה:

9   שְׁתוּלִים בְּבֵית יְיָ, בְּחַצְרוֹת אֱלֹהֵינוּ יַפְרִיחוּ:

10   עוֹד יְנוּבוּן בְּשֵׂיבָה, דְּשֵׁנִים וְרַעֲנַנִּים יִהְיוּ:

11   לְהַגִּיד כִּי יָשָׁר יְיָ. צוּרִי, וְלֹא־עַוְלָתָה בּוֹ:

יְיָ מָלָךְ גֵּאוּת לָבֵשׁ

The Lord reigns; He is clothed in majesty

12   יְיָ מָלָךְ, גֵּאוּת לָבֵשׁ, לָבֵשׁ יְיָ, עֹז הִתְאַזָּר.

13   אַף־תִּכּוֹן תֵּבֵל, בַּל תִּמּוֹט:

14   נָכוֹן כִּסְאֲךָ מֵאָז, מֵעוֹלָם אָתָּה.

15   נָשְׂאוּ נְהָרוֹת יְיָ, נָשְׂאוּ נְהָרוֹת קוֹלָם,

16   יִשְׂאוּ נְהָרוֹת דָּכְיָם:

17   מִקֹּלוֹת מַיִם רַבִּים, אַדִּירִים, מִשְׁבְּרֵי־יָם,

18   אַדִּיר בַּמָּרוֹם יְיָ:

19   Reader   עֵדֹתֶיךָ נֶאֶמְנוּ מְאֹד, לְבֵיתְךָ נָאֲוָה־קֹדֶשׁ,

20   יְיָ לְאֹרֶךְ יָמִים:

MOURNERS KADDISH קַדִּישׁ יָתוֹם

For comments see pages 67 and 162

1

יִתְגַּדַּל וְיִתְקַדַּשׁ שְׁמֵהּ רַבָּא, בְּעָלְמָא   2

דִּי־בְרָא כִרְעוּתֵהּ, וְיַמְלִיךְ מַלְכוּתֵהּ,   3

בְּחַיֵּיכוֹן וּבְיוֹמֵיכוֹן, וּבְחַיֵּי דְכָל־בֵּית   4

יִשְׂרָאֵל, בַּעֲגָלָא וּבִזְמַן קָרִיב. וְאִמְרוּ אָמֵן.   5

Cong. אָמֵן

יְהֵא שְׁמֵהּ רַבָּא מְבָרַךְ לְעָלַם   Cong.   6

וּלְעָלְמֵי עָלְמַיָּא.   7

יִתְבָּרַךְ וְיִשְׁתַּבַּח וְיִתְפָּאַר וְיִתְרוֹמַם   8

וְיִתְנַשֵּׂא וְיִתְהַדַּר וְיִתְעַלֶּה וְיִתְהַלָּל שְׁמֵהּ   9

דְּקֻדְשָׁא.   Cong.   בְּרִיךְ הוּא   10

(During the Ten Days of Penitence, add: לְעֵלָּא (וּלְעֵלָּא   11

מִן כָּל־בִּרְכָתָא, וְשִׁירָתָא תֻּשְׁבְּחָתָא,   12

וְנֶחֱמָתָא דַּאֲמִירָן בְּעָלְמָא וְאִמְרוּ אָמֵן.   13

Cong. אָמֵן

יְהֵא שְׁלָמָא רַבָּא מִן־שְׁמַיָּא וְחַיִּים 1

עָלֵינוּ וְעַל כָּל־יִשְׂרָאֵל. וְאִמְרוּ 2

אָמֵן. Cong. אָמֵן 3

עוֹשֶׂה שָׁלוֹם בִּמְרוֹמָיו, הוּא יַעֲשֶׂה 4

שָׁלוֹם עָלֵינוּ. וְעַל כָּל־יִשְׂרָאֵל. 5

וְאִמְרוּ אָמֵן. Cong. אָמֵן 6

בַּמֶּה מַדְלִיקִין

With what materials may the Sabbath lamp be lighted

This is the Mishna of the second chapter of Tractate Sabbath in the Talmud. It was included in the Friday evening service by the Gaonim. It contains rules for the kindling of the Sabbath candles, and, its purpose is to remind us of our duty to kindle the Sabbath lights every Friday before sunset, and to teach us how to prepare and use the candles for the Sabbath lamp. This chapter of the Mishna closes with a reminder to the head of every household to tell his wife on the Sabbath eve to "kindle the Sabbath lamp."

The short paragraph from the end of Tractate Berakhot, beginning with the words, "Rabbi Eleazar said in the name of Rabbi Haninah" (line 12, page 240) is a beautiful prayer which includes quotations from the Books of Isaiah and Psalms. Its theme is שָׁלוֹם, peace, and it stresses the thought that "Great peace have they who love your תּוֹרָה."

It closes with the beautiful passage (Psalms 29:11) "May the Lord give strength to His people. May the Lord bless His people with peace" which is used as a closing benediction at services by most modern rabbis.

The following is not said on Festivals, or the Intermediate Sabbath of a Festival, or on the Evening after a Festival:

בַּמֶּה מַדְלִיקִין, וּבַמָּה אֵין מַדְלִיקִין. אֵין מַדְלִיקִין לֹא
בְּלֶכֶשׁ, וְלֹא בְחֹסֶן, וְלֹא בְכַלָּךְ, וְלֹא, בִּפְתִילַת הָאִידָן,
וְלֹא, בִּפְתִילַת הַמִּדְבָּר, וְלֹא בִירוֹקָה שֶׁעַל פְּנֵי הַמָּיִם. לֹא

1 בְּזֶפֶת, וְלֹא בְשַׁעֲוָה, וְלֹא בְשֶׁמֶן קִיק, וְלֹא בְשֶׁמֶן שְׂרֵפָה,

2 וְלֹא בְאַלְיָה, וְלֹא בְחֵלֶב. נַחוּם הַמָּדִי אוֹמֵר, מַדְלִיקִין

3 בְּחֵלֶב מְבֻשָּׁל. וַחֲכָמִים אוֹמְרִים, אֶחָד מְבֻשָּׁל וְאֶחָד שֶׁאֵינוֹ

4 מְבֻשָּׁל, אֵין מַדְלִיקִין בּוֹ: אֵין מַדְלִיקִין בְּשֶׁמֶן שְׂרֵפָה,

5 בְּיוֹם טוֹב. רַבִּי יִשְׁמָעֵאל אוֹמֵר, אֵין מַדְלִיקִין בְּעִטְרָן,

6 מִפְּנֵי כְּבוֹד הַשַּׁבָּת. וַחֲכָמִים מַתִּירִין בְּכָל־הַשְּׁמָנִים,

7 בְּשֶׁמֶן שֻׁמְשְׁמִין, בְּשֶׁמֶן אֱגוֹזִים, בְּשֶׁמֶן צְנוֹנוֹת, בְּשֶׁמֶן דָּגִים,

8 בְּשֶׁמֶן פַּקֻעוֹת, בְּעִטְרָן, וּבְנֵפְט. רַבִּי טַרְפוֹן אוֹמֵר, אֵין

9 מַדְלִיקִין אֶלָּא בְשֶׁמֶן זַיִת בִּלְבָד: כָּל־הַיּוֹצֵא מִן הָעֵץ,

10 אֵין מַדְלִיקִין בּוֹ, אֶלָּא פִשְׁתָּן. וְכָל־הַיּוֹצֵא מִן הָעֵץ, אֵינוֹ

11 מְטַמֵּא טֻמְאַת אֹהָלִים, אֶלָּא פִשְׁתָּן. פְּתִילַת הַבֶּגֶד שֶׁקִּפְּלָהּ

12 וְלֹא הִבְהֲבָהּ, רַבִּי אֱלִיעֶזֶר אוֹמֵר, טְמֵאָה הִיא, וְאֵין

13 מַדְלִיקִין בָּהּ. רַבִּי עֲקִיבָא אוֹמֵר, טְהוֹרָה הִיא, וּמַדְלִיקִין

14 בָּהּ: לֹא יִקּוֹב אָדָם שְׁפוֹפֶרֶת שֶׁל בֵּיצָה, וִימַלְאֶנָּה שֶׁמֶן,

15 וְיִתְּנֶנָּה עַל־פִּי הַנֵּר, בִּשְׁבִיל שֶׁתְּהֵא מְנַטֶּפֶת, וַאֲפִילוּ הִיא

16 שֶׁל־חֶרֶס. וְרַבִּי יְהוּדָה מַתִּיר. אֲבָל, אִם חִבְּרָהּ הַיּוֹצֵר

17 מִתְּחִלָּה, מֻתָּר, מִפְּנֵי שֶׁהוּא כְּלִי אֶחָד: לֹא יְמַלֵּא אָדָם

18 קְעָרָה שֶׁמֶן, וְיִתְּנֶנָּה בְּצַד הַנֵּר, וְיִתֵּן רֹאשׁ הַפְּתִילָה בְּתוֹכָהּ,

19 בִּשְׁבִיל שֶׁתְּהֵא שׁוֹאֶבֶת. וְרַבִּי יְהוּדָה מַתִּיר: הַמְכַבֶּה אֶת־

20 הַנֵּר מִפְּנֵי שֶׁהוּא מִתְיָרֵא מִפְּנֵי עוֹבְדֵי כוֹכָבִים, מִפְּנֵי

21 לִסְטִים, מִפְּנֵי רוּחַ רָעָה, אוֹ, בִּשְׁבִיל הַחוֹלֶה שֶׁיִּישָׁן,

22 פָּטוּר, כְּחָס עַל הַנֵּר, כְּחָס עַל הַשֶּׁמֶן, כְּחָס עַל הַפְּתִילָה,

1 חַיָּב. רַבִּי יוֹסֵי פּוֹטֵר בְּכֻלָּן, חוּץ מִן הַפְּתִילָה, מִפְּנֵי

2 שֶׁהוּא עוֹשָׂה פֶּחָם: עַל שָׁלֹשׁ עֲבֵירוֹת נָשִׁים מֵתוֹת בִּשְׁעַת

3 לֵדָתָן, עַל שֶׁאֵינָן זְהִירוֹת בְּנִדָּה, בְּחַלָּה, וּבְהַדְלָקַת הַנֵּר:

4 שְׁלֹשָׁה דְבָרִים צָרִיךְ אָדָם לוֹמַר בְּתוֹךְ בֵּיתוֹ עֶרֶב שַׁבָּת

5 עִם חֲשֵׁכָה. עִשַּׂרְתֶּם, עֵרַבְתֶּם, הַדְלִיקוּ אֶת־הַנֵּר. סָפֵק

6 חֲשֵׁכָה, סָפֵק אֵינָה חֲשֵׁכָה, אֵין מְעַשְּׂרִין אֶת־הַוַּדַּאי, וְאֵין

7 מַטְבִּילִין אֶת־הַכֵּלִים, וְאֵין מַדְלִיקִין אֶת־הַנֵּרוֹת, אֲבָל

8 מְעַשְּׂרִין אֶת־הַדְּמַאי, וּמְעָרְבִין, וְטוֹמְנִין אֶת־הַחַמִּין:

9 תַּנְיָא, אָמַר רַבִּי חֲנִינָא, חַיָּב אָדָם לְמַשְׁמֵשׁ בְּבִגְדּוֹ בְּעֶרֶב

10 שַׁבָּת עִם חֲשֵׁכָה, שֶׁמָּא יִשְׁכַּח וְיֵצֵא: אָמַר רַב יוֹסֵף:

11 הִלְכְתָא רַבְּתָא לְשַׁבְּתָא:

12 אָמַר רַבִּי אֶלְעָזָר אָמַר רַבִּי חֲנִינָא. תַּלְמִידֵי חֲכָמִים

13 מַרְבִּים שָׁלוֹם בָּעוֹלָם. שֶׁנֶּאֱמַר, וְכָל בָּנַיִךְ לִמּוּדֵי יְיָ, וְרַב

14 שְׁלוֹם בָּנָיִךְ. אַל תִּקְרָא בָּנַיִךְ, אֶלָּא בּוֹנָיִךְ: שָׁלוֹם רָב

15 לְאֹהֲבֵי תוֹרָתֶךָ, וְאֵין לָמוֹ מִכְשׁוֹל: יְהִי שָׁלוֹם בְּחֵילֵךְ.

16 שַׁלְוָה בְּאַרְמְנוֹתָיִךְ: Reader לְמַעַן אַחַי וְרֵעָי אֲדַבְּרָה־נָּא

17 שָׁלוֹם בָּךְ: לְמַעַן בֵּית־יְיָ אֱלֹהֵינוּ, אֲבַקְשָׁה טוֹב לָךְ: יְיָ

18 עֹז לְעַמּוֹ יִתֵּן, יְיָ יְבָרֵךְ אֶת־עַמּוֹ בַשָּׁלוֹם:

RABBINICAL KADDISH   קַדִּישׁ דְּרַבָּנָן

For comments see pages 62 and 162

1

יִתְגַּדַּל וְיִתְקַדַּשׁ שְׁמֵהּ רַבָּא, בְּעָלְמָא

2

דִּי־בְרָא כִרְעוּתֵהּ, וְיַמְלִיךְ מַלְכוּתֵהּ,

3

בְּחַיֵּיכוֹן וּבְיוֹמֵיכוֹן, וּבְחַיֵּי דְכָל־בֵּית

4

יִשְׂרָאֵל, בַּעֲגָלָא וּבִזְמַן קָרִיב. וְאִמְרוּ אָמֵן.

5

Cong. אָמֵן

יְהֵא שְׁמֵהּ רַבָּא מְבָרַךְ לְעָלַם   Cong.

6

וּלְעָלְמֵי עָלְמַיָּא.

7

יִתְבָּרַךְ וְיִשְׁתַּבַּח וְיִתְפָּאַר וְיִתְרוֹמַם

8

וְיִתְנַשֵּׂא וְיִתְהַדָּר וְיִתְעַלֶּה וְיִתְהַלָּל שְׁמֵהּ

9

דְּקֻדְשָׁא.   Cong.   בְּרִיךְ הוּא

10

(During the Ten Days of Penitence, add: לְעֵלָּא (וּלְעֵלָּא

11

מִן כָּל־בִּרְכָתָא, וְשִׁירָתָא תֻּשְׁבְּחָתָא,

12

וְנֶחֱמָתָא דַּאֲמִירָן בְּעָלְמָא וְאִמְרוּ אָמֵן.

13

Cong. אָמֵן

עַל יִשְׂרָאֵל וְעַל רַבָּנָן. וְעַל תַּלְמִידֵיהוֹן
וְעַל כָּל־תַּלְמִידֵי תַלְמִידֵיהוֹן. וְעַל כָּל־מָן
דְּעָסְקִין בְּאוֹרַיְתָא. דִּי בְאַתְרָא הָדֵין,
וְדִי בְכָל־אֲתַר וַאֲתַר. יְהֵא לְהוֹן וּלְכוֹן.
שְׁלָמָא רַבָּא. חִנָּא. וְחִסְדָּא. וְרַחֲמִין וְחַיִּין
אֲרִיכִין וּמְזוֹנָא רְוִיחֵי. וּפֻרְקָנָא. מִן־קֳדָם
אֲבוּהוֹן דְּבִשְׁמַיָּא וְאַרְעָא. וְאִמְרוּ אָמֵן.
Cong. אָמֵן

יְהֵא שְׁלָמָא רַבָּא מִן־שְׁמַיָּא וְחַיִּים
טוֹבִים עָלֵינוּ וְעַל כָּל־יִשְׂרָאֵל. וְאִמְרוּ
אָמֵן. Cong. אָמֵן

עוֹשֶׂה שָׁלוֹם בִּמְרוֹמָיו, הוּא יַעֲשֶׂה
בְרַחֲמָיו שָׁלוֹם עָלֵינוּ. וְעַל כָּל־יִשְׂרָאֵל.
וְאִמְרוּ אָמֵן. Cong. אָמֵן

בָּרְכוּ אֶת יְיָ הַמְּבֹרָךְ:

Bless the Lord who is to be blessed

For comment see page 94

Reader 1 בָּרְכוּ אֶת יְיָ הַמְּבֹרָךְ:

Cong. and Reader 2 בָּרוּךְ יְיָ הַמְּבֹרָךְ לְעוֹלָם וָעֶד:

3 בָּרוּךְ אַתָּה יְיָ אֱלֹהֵינוּ מֶלֶךְ הָעוֹלָם, אֲשֶׁר

4 בִּדְבָרוֹ מַעֲרִיב עֲרָבִים, בְּחָכְמָה פּוֹתֵחַ

5 שְׁעָרִים, וּבִתְבוּנָה מְשַׁנֶּה עִתִּים, וּמַחֲלִיף

6 אֶת־הַזְּמַנִּים, וּמְסַדֵּר אֶת־הַכּוֹכָבִים

7 בְּמִשְׁמְרוֹתֵיהֶם בָּרָקִיעַ, כִּרְצוֹנוֹ. בּוֹרֵא יוֹם

8 וָלַיְלָה, גּוֹלֵל אוֹר מִפְּנֵי־חֹשֶׁךְ וְחֹשֶׁךְ מִפְּנֵי־

9 אוֹר, וּמַעֲבִיר יוֹם וּמֵבִיא לַיְלָה, וּמַבְדִּיל

1 בֵּין יוֹם וּבֵין לַיְלָה, יְיָ צְבָאוֹת שְׁמוֹ

2 Reader אֵל חַי וְקַיָּם תָּמִיד יִמְלוֹךְ עָלֵינוּ

3 לְעוֹלָם וָעֶד. בָּרוּךְ אַתָּה יְיָ הַמַּעֲרִיב

4 עֲרָבִים: Cong. אָמֵן

אַהֲבַת עוֹלָם בֵּית יִשְׂרָאֵל עַמְּךָ אָהָבְתָּ

With everlasting love You have loved your people the house of Israel

5 אַהֲבַת עוֹלָם בֵּית יִשְׂרָאֵל עַמְּךָ אָהָבְתָּ. תּוֹרָה וּמִצְוֺת,

6 חֻקִּים וּמִשְׁפָּטִים, אוֹתָנוּ לִמַּדְתָּ. עַל־כֵּן יְיָ אֱלֹהֵינוּ

7 בְּשָׁכְבֵנוּ וּבְקוּמֵנוּ, נָשִׂיחַ בְּחֻקֶּיךָ, וְנִשְׂמַח בְּדִבְרֵי תוֹרָתֶךָ

8 וּבְמִצְוֺתֶיךָ לְעוֹלָם וָעֶד. כִּי הֵם חַיֵּינוּ וְאֹרֶךְ יָמֵינוּ, וּבָהֶם

9 נֶהְגֶּה יוֹמָם וָלַיְלָה. Reader וְאַהֲבָתְךָ אַל־תָּסִיר מִמֶּנּוּ

10 לְעוֹלָמִים. בָּרוּךְ אַתָּה יְיָ, אוֹהֵב עַמּוֹ יִשְׂרָאֵל: Cong. אָמֵן

שְׁמַע יִשְׂרָאֵל יְיָ אֱלֹהֵינוּ יְיָ אֶחָד

Hear O Israel: the Lord our God, the Lord is One

For comments see pages 101 and 14

1   *When praying alone:*   אֵל מֶלֶךְ נֶאֱמָן.

2   שְׁמַע יִשְׂרָאֵל, יְיָ אֱלֹהֵינוּ, יְיָ אֶחָד:

3   בָּרוּךְ שֵׁם כְּבוֹד מַלְכוּתוֹ לְעוֹלָם וָעֶד.

4   וְאָהַבְתָּ אֵת יְיָ אֱלֹהֶיךָ, בְּכָל לְבָבְךָ, וּבְכָל

5   נַפְשְׁךָ, וּבְכָל מְאֹדֶךָ: וְהָיוּ הַדְּבָרִים הָאֵלֶּה,

6   אֲשֶׁר אָנֹכִי מְצַוְּךָ הַיּוֹם, עַל לְבָבֶךָ: וְשִׁנַּנְתָּם

7   לְבָנֶיךָ, וְדִבַּרְתָּ בָּם, בְּשִׁבְתְּךָ בְּבֵיתֶךָ,

8   וּבְלֶכְתְּךָ בַדֶּרֶךְ, וּבְשָׁכְבְּךָ וּבְקוּמֶךָ:

9   וּקְשַׁרְתָּם לְאוֹת עַל יָדֶךָ, וְהָיוּ לְטֹטָפֹת בֵּין

10   עֵינֶיךָ: וּכְתַבְתָּם עַל מְזֻזוֹת בֵּיתֶךָ וּבִשְׁעָרֶיךָ:

11   וְהָיָה אִם שָׁמֹעַ תִּשְׁמְעוּ אֶל מִצְוֹתַי, אֲשֶׁר

12   אָנֹכִי מְצַוֶּה אֶתְכֶם הַיּוֹם, לְאַהֲבָה אֶת יְיָ

13   אֱלֹהֵיכֶם וּלְעָבְדוֹ, בְּכָל לְבַבְכֶם וּבְכָל

1 נַפְשְׁכֶם: וְנָתַתִּי מְטַר אַרְצְכֶם בְּעִתּוֹ, יוֹרֶה

2 וּמַלְקוֹשׁ, וְאָסַפְתָּ דְגָנֶךָ וְתִירשְׁךָ וְיִצְהָרֶךָ:

3 וְנָתַתִּי עֵשֶׂב בְּשָׂדְךָ לִבְהֶמְתֶּךָ, וְאָכַלְתָּ

4 וְשָׂבָעְתָּ: הִשָּׁמְרוּ לָכֶם פֶּן יִפְתֶּה לְבַבְכֶם,

5 וְסַרְתֶּם וַעֲבַדְתֶּם אֱלֹהִים אֲחֵרִים

6 וְהִשְׁתַּחֲוִיתֶם לָהֶם. וְחָרָה אַף יְיָ בָּכֶם,

7 וְעָצַר אֶת הַשָּׁמַיִם וְלֹא יִהְיֶה מָטָר, וְהָאֲדָמָה

8 לֹא תִתֵּן אֶת יְבוּלָהּ, וַאֲבַדְתֶּם מְהֵרָה מֵעַל

9 הָאָרֶץ הַטֹּבָה, אֲשֶׁר יְיָ נֹתֵן לָכֶם: וְשַׂמְתֶּם

10 אֶת דְּבָרַי אֵלֶּה עַל לְבַבְכֶם וְעַל נַפְשְׁכֶם,

11 וּקְשַׁרְתֶּם אֹתָם לְאוֹת עַל יֶדְכֶם, וְהָיוּ

12 לְטוֹטָפֹת בֵּין עֵינֵיכֶם: וְלִמַּדְתֶּם אֹתָם אֶת

13 בְּנֵיכֶם, לְדַבֵּר בָּם, בְּשִׁבְתְּךָ בְּבֵיתֶךָ,

14 וּבְלֶכְתְּךָ בַדֶּרֶךְ, וּבְשָׁכְבְּךָ וּבְקוּמֶךָ:

15 וּכְתַבְתָּם עַל מְזוּזוֹת בֵּיתֶךָ וּבִשְׁעָרֶיךָ: לְמַעַן

1 יִרְבּוּ יְמֵיכֶם וִימֵי בְנֵיכֶם עַל הָאֲדָמָה,

2 אֲשֶׁר נִשְׁבַּע יְיָ לַאֲבֹתֵיכֶם לָתֵת לָהֶם, כִּימֵי

3 הַשָּׁמַיִם עַל הָאָרֶץ:

For comment see page 105

4 וַיֹּאמֶר יְיָ אֶל מֹשֶׁה לֵּאמֹר:

5 דַּבֵּר אֶל בְּנֵי יִשְׂרָאֵל וְאָמַרְתָּ אֲלֵהֶם וְעָשׂוּ

6 לָהֶם צִיצִת עַל כַּנְפֵי בִגְדֵיהֶם לְדֹרֹתָם;

7 וְנָתְנוּ עַל צִיצִת הַכָּנָף פְּתִיל תְּכֵלֶת: וְהָיָה

8 לָכֶם לְצִיצִת, וּרְאִיתֶם אֹתוֹ וּזְכַרְתֶּם אֶת

9 כָּל מִצְוֹת יְיָ, וַעֲשִׂיתֶם אֹתָם, וְלֹא תָתוּרוּ

10 אַחֲרֵי לְבַבְכֶם וְאַחֲרֵי עֵינֵיכֶם, אֲשֶׁר אַתֶּם

11 זֹנִים אַחֲרֵיהֶם: לְמַעַן תִּזְכְּרוּ וַעֲשִׂיתֶם אֶת

12 כָּל מִצְוֹתָי, וִהְיִיתֶם קְדשִׁים לֵאלֹהֵיכֶם:

13 אֲנִי יְיָ אֱלֹהֵיכֶם, אֲשֶׁר הוֹצֵאתִי אֶתְכֶם

14 מֵאֶרֶץ מִצְרַיִם, לִהְיוֹת לָכֶם לֵאלֹהִים. אֲנִי

15 יְיָ אֱלֹהֵיכֶם: **Reader** אֱמֶת.

וֶאֱמוּנָה כָּל זֹאת וְקַיָּם עָלֵינוּ כִּי הוּא יְיָ אֱלֹהֵינוּ וְאֵין זוּלָתוֹ וַאֲנַחְנוּ יִשְׂרָאֵל עַמּוֹ

And trustworthy is all this, and it is established with us that He is the Lord our God, and there is none beside Him, and that we, Israel, are His people

1 Cong. וֶאֱמוּנָה כָּל־זֹאת, וְקַיָּם עָלֵינוּ,
2 כִּי הוּא יְיָ אֱלֹהֵינוּ וְאֵין זוּלָתוֹ,
3 וַאֲנַחְנוּ יִשְׂרָאֵל עַמּוֹ, הַפּוֹדֵנוּ מִיַּד מְלָכִים,
4 מַלְכֵּנוּ הַגּוֹאֲלֵנוּ מִכַּף כָּל־הֶעָרִיצִים.
5 הָאֵל הַנִּפְרָע לָנוּ מִצָּרֵינוּ,
6 וְהַמְשַׁלֵּם גְּמוּל לְכָל־אֹיְבֵי נַפְשֵׁנוּ.
7 הָעֹשֶׂה גְדֹלוֹת עַד אֵין חֵקֶר,
8 וְנִפְלָאוֹת עַד אֵין מִסְפָּר.
9 הַשָּׂם נַפְשֵׁנוּ בַּחַיִּים, וְלֹא נָתַן לַמּוֹט רַגְלֵנוּ.
10 הַמַּדְרִיכֵנוּ עַל־בָּמוֹת אֹיְבֵינוּ,
11 וַיָּרֶם קַרְנֵנוּ עַל־כָּל־שֹׂנְאֵינוּ.
12 הָעֹשֶׂה לָּנוּ נִסִּים וּנְקָמָה בְּפַרְעֹה,
13 אוֹתוֹת וּמוֹפְתִים בְּאַדְמַת בְּנֵי חָם.
14 הַמַּכֶּה בְעֶבְרָתוֹ כָּל־בְּכוֹרֵי מִצְרָיִם,
15 וַיּוֹצֵא אֶת־עַמּוֹ יִשְׂרָאֵל מִתּוֹכָם לְחֵרוּת עוֹלָם.
16 הַמַּעֲבִיר בָּנָיו בֵּין גִּזְרֵי יַם־סוּף,
17 אֶת־רוֹדְפֵיהֶם וְאֶת־שׂוֹנְאֵיהֶם בִּתְהוֹמוֹת טִבַּע.

1 וְרָאוּ בָנָיו גְּבוּרָתוֹ, שִׁבְּחוּ וְהוֹדוּ לִשְׁמוֹ,

2 Reader וּמַלְכוּתוֹ בְּרָצוֹן קִבְּלוּ עֲלֵיהֶם.

3 מֹשֶׁה וּבְנֵי יִשְׂרָאֵל לְךָ עָנוּ שִׁירָה,

4 בְּשִׂמְחָה רַבָּה, וְאָמְרוּ כֻלָּם:

מִי כָמֹכָה בָּאֵלִים יְיָ

Who is like You, O Lord, among the mighty ones

5 מִי־כָמֹכָה בָּאֵלִם יְיָ?

6 מִי־כָּמֹכָה נֶאְדָּר בַּקֹּדֶשׁ?

7 נוֹרָא תְהִלֹּת, עֹשֵׂה פֶלֶא!

8 Reader מַלְכוּתְךָ רָאוּ בָנֶיךָ, בּוֹקֵעַ יָם לִפְנֵי

9 מֹשֶׁה, זֶה אֵלִי עָנוּ וְאָמְרוּ:

10 יְיָ יִמְלֹךְ לְעֹלָם וָעֶד:

11 Reader וְנֶאֱמַר, כִּי פָדָה יְיָ אֶת יַעֲקֹב,

12 וּגְאָלוֹ מִיַּד חָזָק מִמֶּנּוּ.

13 בָּרוּךְ אַתָּה יְיָ, גָּאַל יִשְׂרָאֵל: Cong. אָמֵן

הַשְׁכִּיבֵנוּ יְיָ אֱלֹהֵינוּ לְשָׁלוֹם. וְהַעֲמִידֵנוּ מַלְכֵּנוּ לְחַיִּים

Cause us, O Lord our God, to lie down in peace, and raise us up, O our King, to life

1 הַשְׁכִּיבֵנוּ יְיָ אֱלֹהֵינוּ לְשָׁלוֹם,

2 וְהַעֲמִידֵנוּ מַלְכֵּנוּ לְחַיִּים,

3 וּפְרוֹשׂ עָלֵינוּ סֻכַּת שְׁלוֹמֶךָ,

4 וְתַקְּנֵנוּ בְּעֵצָה טוֹבָה מִלְּפָנֶיךָ,

5 וְהוֹשִׁיעֵנוּ לְמַעַן שְׁמֶךָ.

6 וְהָגֵן בַּעֲדֵנוּ, וְהָסֵר מֵעָלֵינוּ אוֹיֵב,

7 דֶּבֶר, וְחֶרֶב, וְרָעָב, וְיָגוֹן,

8 וְהָסֵר שָׂטָן מִלְּפָנֵינוּ וּמֵאַחֲרֵינוּ,

9 וּבְצֵל כְּנָפֶיךָ תַּסְתִּירֵנוּ,

10 כִּי אֵל שׁוֹמְרֵנוּ וּמַצִּילֵנוּ אָתָּה.

11 Reader כִּי אֵל מֶלֶךְ חַנּוּן וְרַחוּם אָתָּה.

12 וּשְׁמוֹר צֵאתֵנוּ וּבוֹאֵנוּ, לְחַיִּים וּלְשָׁלוֹם,

13 מֵעַתָּה וְעַד עוֹלָם:

1 וּפְרֹשׁ עָלֵינוּ סֻכַּת שְׁלוֹמֶךָ. בָּרוּךְ אַתָּה

2 יְיָ, הַפּוֹרֵשׂ סֻכַּת שָׁלוֹם עָלֵינוּ וְעַל כָּל עַמּוֹ

3 יִשְׂרָאֵל, וְעַל יְרוּשָׁלָיִם. Cong. אָמֵן

וְשָׁמְרוּ בְנֵי יִשְׂרָאֵל אֶת הַשַּׁבָּת

And the children of Israel shall keep the Sabbath

4 וְשָׁמְרוּ בְנֵי־יִשְׂרָאֵל אֶת־הַשַּׁבָּת. Cong. and Reader

5 לַעֲשׂוֹת אֶת הַשַּׁבָּת לְדֹרֹתָם. בְּרִית עוֹלָם:

6 בֵּינִי וּבֵין בְּנֵי יִשְׂרָאֵל אוֹת הִיא לְעֹלָם,

7 כִּי־שֵׁשֶׁת יָמִים עָשָׂה יְיָ אֶת־הַשָּׁמַיִם וְאֶת־

8 הָאָרֶץ, וּבַיּוֹם הַשְּׁבִיעִי שָׁבַת וַיִּנָּפַשׁ:

On Passover, Shavuot and Sukkot say:

9 וַיְדַבֵּר מֹשֶׁה אֶת מוֹעֲדֵי יְיָ, אֶל בְּנֵי יִשְׂרָאֵל:

Shemoneh Esreh for the Three Festivals (Shalosh Regalim):

on New Year, say:

10 תִּקְעוּ בַחֹדֶשׁ שׁוֹפָר, בַּכֶּסֶה לְיוֹם חַגֵּנוּ: כִּי חֹק לְיִשְׂרָאֵל

11 הוּא, מִשְׁפָּט לֵאלֹהֵי יַעֲקֹב:

For Shemoneh Esreh use High Holiday Mahzor:

on Yom Kippur say:

12 כִּי בַיּוֹם הַזֶּה יְכַפֵּר עֲלֵיכֶם, לְטַהֵר אֶתְכֶם, מִכֹּל

13 חַטֹּאתֵיכֶם, לִפְנֵי יְיָ תִּטְהָרוּ:

For Shemoneh Esreh use High Holiday Mahzor:

HALF KADDISH חֲצִי קַדִּישׁ

For comments see pages 93 and 162

Reader יִתְגַּדַּל וְיִתְקַדַּשׁ שְׁמֵהּ רַבָּא, בְּעָלְמָא דִּי־בְרָא
כִרְעוּתֵהּ, וְיַמְלִיךְ מַלְכוּתֵהּ, בְּחַיֵּיכוֹן וּבְיוֹמֵיכוֹן, וּבְחַיֵּי
דְכָל־בֵּית יִשְׂרָאֵל, בַּעֲגָלָא וּבִזְמַן קָרִיב. וְאִמְרוּ אָמֵן.

Cong. אָמֵן

Cong. and Reader יְהֵא שְׁמֵהּ רַבָּא מְבָרַךְ לְעָלַם וּלְעָלְמֵי
עָלְמַיָּא.

Reader יִתְבָּרַךְ וְיִשְׁתַּבַּח וְיִתְפָּאַר וְיִתְרוֹמַם וְיִתְנַשֵּׂא וְיִתְהַדַּר
וְיִתְעַלֶּה וְיִתְהַלַּל שְׁמֵהּ דְּקֻדְשָׁא. Cong. and Reader בְּרִיךְ הוּא
Reader לְעֵלָּא (*During the Ten Days of Penitence, add:* וּלְעֵלָּא)
מִן כָּל־בִּרְכָתָא, וְשִׁירָתָא תֻּשְׁבְּחָתָא, וְנֶחֱמָתָא
דַּאֲמִירָן בְּעָלְמָא. וְאִמְרוּ אָמֵן. Cong. אָמֵן

253 תְּפִלַּת עַרְבִית לְשַׁבָּת

שְׁמוֹנֶה עֶשְׂרֵה

For comments see pages 110-111 and 208

The following prayer is to be said standing:

אֲדֹנָי שְׂפָתַי תִּפְתָּח וּפִי יַגִּיד תְּהִלָּתֶךָ.

בָּרוּךְ אַתָּה יְיָ, אֱלֹהֵינוּ וֵאלֹהֵי אֲבוֹתֵינוּ,
אֱלֹהֵי אַבְרָהָם, אֱלֹהֵי יִצְחָק, וֵאלֹהֵי יַעֲקֹב,
הָאֵל הַגָּדוֹל, הַגִּבּוֹר וְהַנּוֹרָא, אֵל עֶלְיוֹן,
גּוֹמֵל חֲסָדִים טוֹבִים, וְקוֹנֵה הַכֹּל, וְזוֹכֵר
חַסְדֵי אָבוֹת, וּמֵבִיא גוֹאֵל לִבְנֵי בְנֵיהֶם,
לְמַעַן שְׁמוֹ בְּאַהֲבָה.

On שַׁבַּת תְּשׁוּבָה *say:*

זָכְרֵנוּ לְחַיִּים, מֶלֶךְ חָפֵץ בַּחַיִּים!
וְכָתְבֵנוּ בְּסֵפֶר הַחַיִּים לְמַעַנְךָ, אֱלֹהִים חַיִּים!

מֶלֶךְ עוֹזֵר וּמוֹשִׁיעַ וּמָגֵן. בָּרוּךְ אַתָּה יְיָ,
מָגֵן אַבְרָהָם. Cong. אָמֵן

אַתָּה גִּבּוֹר לְעוֹלָם אֲדֹנָי, מְחַיֵּה מֵתִים אַתָּה, רַב לְהוֹשִׁיעַ.

From שְׁמִינִי עֲצֶרֶת *till the first day of* פֶּסַח *say:*

מַשִּׁיב הָרוּחַ וּמוֹרִיד הַגֶּשֶׁם.

מְכַלְכֵּל חַיִּים בְּחֶסֶד, מְחַיֵּה מֵתִים בְּרַחֲמִים רַבִּים, סוֹמֵךְ נוֹפְלִים, וְרוֹפֵא חוֹלִים, וּמַתִּיר אֲסוּרִים, וּמְקַיֵּם אֱמוּנָתוֹ לִישֵׁנֵי עָפָר. מִי כָמוֹךָ בַּעַל גְּבוּרוֹת? וּמִי דּוֹמֶה לָּךְ, מֶלֶךְ מֵמִית וּמְחַיֶּה וּמַצְמִיחַ יְשׁוּעָה?

On שַׁבַּת תְּשׁוּבָה *say:*

מִי כָמוֹךָ, אַב הָרַחֲמִים? זוֹכֵר יְצוּרָיו לְחַיִּים בְּרַחֲמִים.

וְנֶאֱמָן אַתָּה לְהַחֲיוֹת מֵתִים. בָּרוּךְ אַתָּה יְיָ, מְחַיֵּה הַמֵּתִים. Cong. אָמֵן

אַתָּה קָדוֹשׁ וְשִׁמְךָ קָדוֹשׁ, וּקְדוֹשִׁים בְּכָל יוֹם יְהַלְלוּךָ, סֶּלָה. בָּרוּךְ אַתָּה יְיָ, הָאֵל הַקָּדוֹשׁ.

On שַׁבַּת תְּשׁוּבָה *conclude the blessing thus:* הַמֶּלֶךְ הַמִּשְׁפָּט

אַתָּה קִדַּשְׁתָּ אֶת יוֹם הַשְּׁבִיעִי לִשְׁמֶךָ

You have sanctified the seventh day to yourself

1 אַתָּה קִדַּשְׁתָּ אֶת־יוֹם הַשְּׁבִיעִי לִשְׁמֶךָ,

2 תַּכְלִית מַעֲשֵׂה שָׁמַיִם וָאָרֶץ.

3 וּבֵרַכְתּוֹ מִכָּל הַיָּמִים, וְקִדַּשְׁתּוֹ מִכָּל

4 הַזְּמַנִּים.

5 וְכֵן כָּתוּב בְּתוֹרָתֶךָ:

וַיְכֻלּוּ הַשָּׁמַיִם וְהָאָרֶץ וְכָל צְבָאָם

**And the heaven and the earth were finished and all
their host**

6 וַיְכֻלּוּ הַשָּׁמַיִם וְהָאָרֶץ וְכָל־צְבָאָם: וַיְכַל

7 אֱלֹהִים בַּיּוֹם הַשְּׁבִיעִי, מְלַאכְתּוֹ אֲשֶׁר עָשָׂה.

8 וַיִּשְׁבֹּת בַּיּוֹם הַשְּׁבִיעִי מִכָּל־מְלַאכְתּוֹ אֲשֶׁר

9 עָשָׂה: וַיְבָרֶךְ אֱלֹהִים אֶת יוֹם הַשְּׁבִיעִי

10 וַיְקַדֵּשׁ אֹתוֹ. כִּי בוֹ שָׁבַת מִכָּל מְלַאכְתּוֹ,

11 אֲשֶׁר בָּרָא אֱלֹהִים לַעֲשׂוֹת:

אֱלֹהֵינוּ וֵאלֹהֵי אֲבוֹתֵינוּ רְצֵה בִמְנוּחָתֵנוּ, קַדְּשֵׁנוּ בְּמִצְוֹתֶיךָ, וְתֵן חֶלְקֵנוּ בְּתוֹרָתֶךָ. שַׂבְּעֵנוּ מִטּוּבֶךָ, וְשַׂמְּחֵנוּ, בִּישׁוּעָתֶךָ, וְטַהֵר לִבֵּנוּ לְעָבְדְּךָ, בֶּאֱמֶת, וְהַנְחִילֵנוּ יְיָ אֱלֹהֵינוּ, בְּאַהֲבָה וּבְרָצוֹן שַׁבַּת קָדְשֶׁךָ, וְיָנוּחוּ בָהּ יִשְׂרָאֵל מְקַדְּשֵׁי שְׁמֶךָ. בָּרוּךְ אַתָּה יְיָ, מְקַדֵּשׁ הַשַּׁבָּת:

רְצֵה יְיָ אֱלֹהֵינוּ בְּעַמְּךָ יִשְׂרָאֵל וּבִתְפִלָּתָם, וְהָשֵׁב אֶת הָעֲבוֹדָה לִדְבִיר בֵּיתֶךָ וְאִשֵּׁי יִשְׂרָאֵל, וּתְפִלָּתָם בְּאַהֲבָה תְקַבֵּל בְּרָצוֹן, וּתְהִי לְרָצוֹן תָּמִיד עֲבוֹדַת יִשְׂרָאֵל עַמֶּךָ.

On רֹאשׁ חֹדֶשׁ *and* חוֹל הַמּוֹעֵד *add the following:*

אֱלֹהֵינוּ וֵאלֹהֵי אֲבוֹתֵינוּ. יַעֲלֶה וְיָבֹא וְיַגִּיעַ, וְיֵרָאֶה וְיֵרָצֶה וְיִשָּׁמַע, וְיִפָּקֵד וְיִזָּכֵר זִכְרוֹנֵנוּ וּפִקְדוֹנֵנוּ, וְזִכְרוֹן אֲבוֹתֵינוּ, וְזִכְרוֹן מָשִׁיחַ בֶּן דָּוִד עַבְדֶּךָ, וְזִכְרוֹן יְרוּשָׁלַיִם עִיר קָדְשֶׁךָ, וְזִכְרוֹן כָּל עַמְּךָ בֵּית יִשְׂרָאֵל לְפָנֶיךָ, לִפְלֵיטָה, לְטוֹבָה, לְחֵן וּלְחֶסֶד וּלְרַחֲמִים, לְחַיִּים וּלְשָׁלוֹם בְּיוֹם

לְרֹאשׁ חֹדֶשׁ : *On Rosh Hodesh* רֹאשׁ הַחֹדֶשׁ הַזֶּה.

לְפֶסַח: *On Passover:* חַג הַמַּצּוֹת הַזֶּה.

לְסֻכּוֹת : *On Sukkot* חַג הַסֻּכּוֹת הַזֶּה.

1   זָכְרֵנוּ יְיָ אֱלֹהֵינוּ בּוֹ לְטוֹבָה, וּפָקְדֵנוּ בוֹ לִבְרָכָה,

2   וְהוֹשִׁיעֵנוּ בוֹ לְחַיִּים, וּבִדְבַר יְשׁוּעָה וְרַחֲמִים, חוּס וְחָנֵּנוּ,

3   וְרַחֵם עָלֵינוּ וְהוֹשִׁיעֵנוּ, כִּי אֵלֶיךָ עֵינֵינוּ, כִּי אֵל מֶלֶךְ

4   חַנּוּן וְרַחוּם אָתָּה.

5   וְתֶחֱזֶינָה עֵינֵינוּ בְּשׁוּבְךָ לְצִיּוֹן בְּרַחֲמִים.

6   בָּרוּךְ אַתָּה יְיָ, הַמַּחֲזִיר שְׁכִינָתוֹ לְצִיּוֹן.

Cong. אָמֵן

When saying מוֹדִים *bend the knees:*

7   מוֹדִים אֲנַחְנוּ לָךְ, שָׁאַתָּה הוּא יְיָ אֱלֹהֵינוּ וֵאלֹהֵי אֲבוֹתֵינוּ

8   לְעוֹלָם וָעֶד, צוּר חַיֵּינוּ מָגֵן יִשְׁעֵנוּ אַתָּה הוּא לְדוֹר וָדוֹר.

9   נוֹדֶה לְךָ וּנְסַפֵּר תְּהִלָּתֶךָ, עַל חַיֵּינוּ הַמְּסוּרִים בְּיָדֶךָ, וְעַל

10   נִשְׁמוֹתֵינוּ הַפְּקוּדוֹת לָךְ, וְעַל נִסֶּיךָ שֶׁבְּכָל־יוֹם עִמָּנוּ, וְעַל

11   נִפְלְאוֹתֶיךָ וְטוֹבוֹתֶיךָ שֶׁבְּכָל־עֵת, עֶרֶב וָבֹקֶר וְצָהֳרָיִם,

12   הַטּוֹב כִּי לֹא־כָלוּ רַחֲמֶיךָ, וְהַמְרַחֵם כִּי לֹא־תַמּוּ חֲסָדֶיךָ,

13   מֵעוֹלָם קִוִּינוּ לָךְ:

On חֲנֻכָּה we recite עַל הַנִּסִּים after reading the first paragraph of מוֹדִים. In this special prayer we remember the story of חֲנֻכָּה, the victory of the Maccabees, and the rededication of the Holy Temple.

עַל הַנִּסִּים וְעַל הַפֻּרְקָן וְעַל הַגְּבוּרוֹת וְעַל הַתְּשׁוּעוֹת

We thank you for the miracles, for the redemption,
for the mighty deeds

On חֲנֻכָּה add the following:

1. עַל הַנִּסִּים וְעַל הַפֻּרְקָן, וְעַל הַגְּבוּרוֹת,

2. וְעַל הַתְּשׁוּעוֹת, וְעַל הַמִּלְחָמוֹת, שֶׁעָשִׂיתָ

3. לַאֲבוֹתֵינוּ בַּיָּמִים הָהֵם, בַּזְּמַן הַזֶּה.

4. בִּימֵי מַתִּתְיָהוּ בֶּן יוֹחָנָן, כֹּהֵן גָּדוֹל,

5. חַשְׁמוֹנַאי וּבָנָיו, כְּשֶׁעָמְדָה מַלְכוּת יָוָן הָרְשָׁעָה

6. עַל עַמְּךָ יִשְׂרָאֵל לְהַשְׁכִּיחָם תּוֹרָתֶךָ,

7. וּלְהַעֲבִירָם מֵחֻקֵּי רְצוֹנֶךָ, וְאַתָּה, בְּרַחֲמֶיךָ

8. הָרַבִּים עָמַדְתָּ לָהֶם בְּעֵת צָרָתָם, רַבְתָּ אֶת

9. רִיבָם, דַּנְתָּ אֶת דִּינָם, נָקַמְתָּ אֶת נִקְמָתָם,

10. מָסַרְתָּ גִבּוֹרִים בְּיַד חַלָּשִׁים, וְרַבִּים בְּיַד

11. מְעַטִּים, וּטְמֵאִים בְּיַד טְהוֹרִים, וּרְשָׁעִים בְּיַד

12. צַדִּיקִים, וְזֵדִים בְּיַד עוֹסְקֵי תוֹרָתֶךָ, וּלְךָ

1 עָשִׂיתָ שֵׁם גָּדוֹל וְקָדוֹשׁ בְּעוֹלָמֶךָ, וּלְעַמְּךָ

2 יִשְׂרָאֵל עָשִׂיתָ תְּשׁוּעָה גְדוֹלָה וּפֻרְקָן כְּהַיּוֹם

3 הַזֶּה. וְאַחַר כֵּן בָּאוּ בָנֶיךָ לִדְבִיר בֵּיתֶךָ, וּפִנּוּ

4 אֶת הֵיכָלֶךָ, וְטִהֲרוּ אֶת מִקְדָּשֶׁךָ, וְהִדְלִיקוּ

5 נֵרוֹת בְּחַצְרוֹת קָדְשֶׁךָ, וְקָבְעוּ שְׁמוֹנַת יְמֵי

6 חֲנֻכָּה אֵלּוּ, לְהוֹדוֹת וּלְהַלֵּל לְשִׁמְךָ הַגָּדוֹל.

7 וְעַל כֻּלָּם יִתְבָּרַךְ וְיִתְרוֹמַם שִׁמְךָ מַלְכֵּנוּ

8 תָּמִיד לְעוֹלָם וָעֶד.

On שַׁבָּת תְּשׁוּבָה say:

9 וּכְתוֹב לְחַיִּים טוֹבִים כָּל בְּנֵי בְרִיתֶךָ.

10 וְכֹל־הַחַיִּים יוֹדוּךָ סֶּלָה, וִיהַלְלוּ אֶת שִׁמְךָ

11 בֶּאֱמֶת, הָאֵל יְשׁוּעָתֵנוּ וְעֶזְרָתֵנוּ סֶלָה! בָּרוּךְ

12 אַתָּה יְיָ, הַטּוֹב שִׁמְךָ וּלְךָ נָאֶה לְהוֹדוֹת.

Cong. אָמֵן

1 שָׁלוֹם רָב עַל יִשְׂרָאֵל עַמְּךָ תָּשִׂים לְעוֹלָם,

2 כִּי אַתָּה הוּא מֶלֶךְ אָדוֹן לְכָל הַשָּׁלוֹם.

3 וְטוֹב בְּעֵינֶיךָ לְבָרֵךְ אֶת עַמְּךָ יִשְׂרָאֵל

4 בְּכָל עֵת וּבְכָל שָׁעָה בִּשְׁלוֹמֶךָ.

שַׁבַּת תְּשׁוּבָה On *say:*

5 בְּסֵפֶר חַיִּים בְּרָכָה וְשָׁלוֹם וּפַרְנָסָה טוֹבָה, נִזָּכֵר וְנִכָּתֵב

6 לְפָנֶיךָ, אֲנַחְנוּ וְכָל עַמְּךָ בֵּית יִשְׂרָאֵל, לְחַיִּים טוֹבִים

7 וּלְשָׁלוֹם.

8 בָּרוּךְ אַתָּה יְיָ, עֹשֵׂה הַשָּׁלוֹם.

9 בָּרוּךְ אַתָּה יְיָ, הַמְּבָרֵךְ אֶת עַמּוֹ יִשְׂרָאֵל

10 בַּשָּׁלוֹם.

11 אֱלֹהַי! נְצוֹר לְשׁוֹנִי מֵרָע, וּשְׂפָתַי מִדַּבֵּר מִרְמָה;

12 וְלִמְקַלְלַי — נַפְשִׁי תִדֹּם, וְנַפְשִׁי כֶּעָפָר לַכֹּל תִּהְיֶה.

1 פְּתַח לִבִּי בְּתוֹרָתֶךָ, וּבְמִצְוֹתֶיךָ תִּרְדּוֹף נַפְשִׁי. וְכָל

2 הַחוֹשְׁבִים עָלַי רָעָה, מְהֵרָה הָפֵר עֲצָתָם וְקַלְקֵל

3 מַחֲשַׁבְתָּם. עֲשֵׂה לְמַעַן שְׁמֶךָ, עֲשֵׂה לְמַעַן יְמִינֶךָ, עֲשֵׂה

4 לְמַעַן קְדֻשָׁתֶךָ. עֲשֵׂה לְמַעַן תּוֹרָתֶךָ. לְמַעַן יֵחָלְצוּן

5 יְדִידֶיךָ, הוֹשִׁיעָה יְמִינְךָ וַעֲנֵנִי. יִהְיוּ לְרָצוֹן אִמְרֵי פִי וְהֶגְיוֹן

6 לִבִּי לְפָנֶיךָ, יְיָ צוּרִי וְגוֹאֲלִי! עֹשֶׂה שָׁלוֹם בִּמְרוֹמָיו, הוּא

7 יַעֲשֶׂה שָׁלוֹם עָלֵינוּ, וְעַל כָּל יִשְׂרָאֵל, וְאִמְרוּ אָמֵן!

8 יְהִי רָצוֹן מִלְּפָנֶיךָ יְיָ אֱלֹהֵינוּ וֵאלֹהֵי אֲבוֹתֵינוּ, שֶׁיִּבָּנֶה בֵּית

9 הַמִּקְדָּשׁ בִּמְהֵרָה בְיָמֵינוּ, וְתֵן חֶלְקֵנוּ בְּתוֹרָתֶךָ. וְשָׁם

10 נַעֲבָדְךָ בְּיִרְאָה כִּימֵי עוֹלָם וּכְשָׁנִים קַדְמוֹנִיּוֹת. וְעָרְבָה

11 לַיָי מִנְחַת יְהוּדָה וִירוּשָׁלָיִם, כִּימֵי עוֹלָם וּכְשָׁנִים קַדְמוֹנִיּוֹת.

וַיְכֻלּוּ הַשָּׁמַיִם וְהָאָרֶץ וְכָל צְבָאָם

**And the heaven and the earth were finished and all
their host**

The Reader and Cong. say "וַיְכֻלּוּ" *also on Holidays that occur on Saturday:*

1 וַיְכֻלּוּ הַשָּׁמַיִם וְהָאָרֶץ וְכָל צְבָאָם: וַיְכַל

2 אֱלֹהִים בַּיּוֹם הַשְּׁבִיעִי מְלַאכְתּוֹ אֲשֶׁר עָשָׂה,

3 וַיִּשְׁבֹּת בַּיּוֹם הַשְּׁבִיעִי, מִכָּל מְלַאכְתּוֹ אֲשֶׁר

4 עָשָׂה: וַיְבָרֶךְ אֱלֹהִים אֶת יוֹם הַשְּׁבִיעִי,

5 וַיְקַדֵּשׁ אֹתוֹ, כִּי בוֹ שָׁבַת מִכָּל מְלַאכְתּוֹ,

6 אֲשֶׁר בָּרָא אֱלֹהִים לַעֲשׂוֹת:

If the first night of Passover should occur on Friday Evening בָּרוּךְ אַתָּה
and מָגֵן אָבוֹת *are omitted:*

7 Reader בָּרוּךְ אַתָּה יְיָ, אֱלֹהֵינוּ וֵאלֹהֵי אֲבוֹתֵינוּ,

8 אֱלֹהֵי אַבְרָהָם, אֱלֹהֵי יִצְחָק, וֵאלֹהֵי יַעֲקֹב,

9 הָאֵל הַגָּדוֹל הַגִּבּוֹר וְהַנּוֹרָא, אֵל עֶלְיוֹן,

10 קוֹנֵה שָׁמַיִם וָאָרֶץ:

1 Cong. מָגֵן אָבוֹת בִּדְבָרוֹ,

2 מְחַיֶּה מֵתִים בְּמַאֲמָרוֹ.

3 הָאֵל (הַמֶּלֶךְ :say On שַׁבָּת תְּשׁוּבָה) הַקָּדוֹשׁ שֶׁאֵין כָּמוֹהוּ,

4 הַמֵּנִיחַ לְעַמּוֹ, בְּיוֹם שַׁבַּת קָדְשׁוֹ.

5 כִּי בָם רָצָה לְהָנִיחַ לָהֶם.

6 לְפָנָיו נַעֲבוֹד בְּיִרְאָה וָפַחַד.

7 וְנוֹדֶה לִשְׁמוֹ, בְּכָל יוֹם תָּמִיד,

8 מֵעֵין הַבְּרָכוֹת:

9 אֵל הַהוֹדָאוֹת, אֲדוֹן הַשָּׁלוֹם,

10 מְקַדֵּשׁ הַשַּׁבָּת וּמְבָרֵךְ שְׁבִיעִי,

11 וּמֵנִיחַ בִּקְדֻשָּׁה, לְעַם מְדֻשְּׁנֵי עֹנֶג,

12 זֵכֶר לְמַעֲשֵׂה בְרֵאשִׁית:

13 Reader אֱלֹהֵינוּ וֵאלֹהֵי אֲבוֹתֵינוּ רְצֵה בִמְנוּחָתֵנוּ, קַדְּשֵׁנוּ

14 בְּמִצְוֹתֶיךָ, וְתֵן חֶלְקֵנוּ בְּתוֹרָתֶךָ. שַׂבְּעֵנוּ מִטּוּבֶךָ, וְשַׂמְּחֵנוּ

15 בִּישׁוּעָתֶךָ, וְטַהֵר לִבֵּנוּ לְעָבְדְּךָ, בֶּאֱמֶת, וְהַנְחִילֵנוּ יְיָ

16 אֱלֹהֵינוּ, בְּאַהֲבָה וּבְרָצוֹן שַׁבַּת קָדְשֶׁךָ, וְיָנוּחוּ בָה יִשְׂרָאֵל

17 מְקַדְּשֵׁי שְׁמֶךָ. בָּרוּךְ אַתָּה יְיָ, מְקַדֵּשׁ הַשַּׁבָּת:

THE COMPLETE KADDISH קַדִּישׁ שָׁלֵם
For comments see page 162

Reader 1   יִתְגַּדַּל וְיִתְקַדַּשׁ שְׁמֵהּ רַבָּא, בְּעָלְמָא דִי־בְרָא

2   כִרְעוּתֵהּ, וְיַמְלִיךְ מַלְכוּתֵהּ, בְּחַיֵּיכוֹן וּבְיוֹמֵיכוֹן, וּבְחַיֵּי

3   דְכָל־בֵּית יִשְׂרָאֵל, בַּעֲגָלָא וּבִזְמַן קָרִיב. וְאִמְרוּ אָמֵן.

Cong. אָמֵן

Cong. and Reader 4   יְהֵא שְׁמֵהּ רַבָּא מְבָרַךְ לְעָלַם וּלְעָלְמֵי

5   עָלְמַיָּא.

Reader 6   יִתְבָּרַךְ וְיִשְׁתַּבַּח וְיִתְפָּאַר וְיִתְרוֹמַם וְיִתְנַשֵּׂא וְיִתְהַדָּר

7   וְיִתְעַלֶּה וְיִתְהַלַּל שְׁמֵהּ דְּקֻדְשָׁא. Cong. and Reader בְּרִיךְ הוּא

Reader 8   לְעֵלָּא (וּלְעֵלָּא *During the Ten Days of Pentinence, add:*)

9   מִן כָּל־בִּרְכָתָא, וְשִׁירָתָא תֻּשְׁבְּחָתָא, וְנֶחֱמָתָא

10   דַּאֲמִירָן בְּעָלְמָא. וְאִמְרוּ אָמֵן. Cong. אָמֵן

Reader 11   תִּתְקַבֵּל צְלוֹתְהוֹן וּבָעוּתְהוֹן דְכָל בֵּית יִשְׂרָאֵל,

12   קֳדָם אֲבוּהוֹן דִי בִשְׁמַיָּא, וְאִמְרוּ אָמֵן. Cong. אָמֵן

Reader 13   יְהֵא שְׁלָמָא רַבָּא מִן־שְׁמַיָּא וְחַיִּים עָלֵינוּ

14   וְעַל כָּל־יִשְׂרָאֵל. וְאִמְרוּ אָמֵן. Cong. אָמֵן

Reader 15   עוֹשֶׂה שָׁלוֹם בִּמְרוֹמָיו, הוּא יַעֲשֶׂה שָׁלוֹם

16   עָלֵינוּ. וְעַל כָּל־יִשְׂרָאֵל. וְאִמְרוּ אָמֵן. Cong. אָמֵן

עָלֵינוּ לְשַׁבֵּחַ לַאֲדוֹן הַכֹּל
It is our duty to praise the Lord of all things

1 עָלֵינוּ לְשַׁבֵּחַ לַאֲדוֹן הַכֹּל, לָתֵת גְּדֻלָּה

2 לְיוֹצֵר בְּרֵאשִׁית, שֶׁלֹּא עָשָׂנוּ כְּגוֹיֵי הָאֲרָצוֹת,

3 וְלֹא שָׂמָנוּ כְּמִשְׁפְּחוֹת הָאֲדָמָה, שֶׁלֹּא שָׂם

4 חֶלְקֵנוּ כָּהֶם וְגֹרָלֵנוּ כְּכָל הֲמוֹנָם.

5 וַאֲנַחְנוּ כֹּרְעִים וּמִשְׁתַּחֲוִים וּמוֹדִים לִפְנֵי

6 מֶלֶךְ מַלְכֵי הַמְּלָכִים, הַקָּדוֹשׁ, בָּרוּךְ

7 הוּא. שֶׁהוּא נוֹטֶה שָׁמַיִם וְיוֹסֵד אָרֶץ, וּמוֹשַׁב

8 יְקָרוֹ בַּשָּׁמַיִם מִמַּעַל וּשְׁכִינַת עֻזּוֹ בְּגָבְהֵי

9 מְרוֹמִים, הוּא אֱלֹהֵינוּ אֵין עוֹד. אֱמֶת –

10 מַלְכֵּנוּ, אֶפֶס זוּלָתוֹ, כַּכָּתוּב בְּתוֹרָתוֹ:

11 "וְיָדַעְתָּ הַיּוֹם וַהֲשֵׁבֹתָ אֶל לְבָבֶךָ, כִּי יְיָ

12 הוּא הָאֱלֹהִים בַּשָּׁמַיִם מִמַּעַל וְעַל הָאָרֶץ

13 מִתָּחַת, אֵין עוֹד."

1   עַל כֵּן נְקַוֶּה לְךָ, יְיָ אֱלֹהֵינוּ, לִרְאוֹת מְהֵרָה בְּתִפְאֶרֶת

2   עֻזֶּךָ, לְהַעֲבִיר גִּלּוּלִים מִן הָאָרֶץ, וְהָאֱלִילִים כָּרוֹת

3   יִכָּרֵתוּן, לְתַקֵּן עוֹלָם בְּמַלְכוּת שַׁדַּי, וְכָל בְּנֵי בָשָׂר

4   יִקְרְאוּ בִשְׁמֶךָ, לְהַפְנוֹת אֵלֶיךָ כָּל רִשְׁעֵי אָרֶץ. יַכִּירוּ

5   וְיֵדְעוּ כָּל יוֹשְׁבֵי תֵבֵל, כִּי לְךָ תִּכְרַע כָּל בֶּרֶךְ, תִּשָּׁבַע

6   כָּל לָשׁוֹן. לְפָנֶיךָ יְיָ אֱלֹהֵינוּ יִכְרְעוּ וְיִפּוֹלוּ, וְלִכְבוֹד שִׁמְךָ

7   יְקָר יִתֵּנוּ, וִיקַבְּלוּ כֻלָּם אֶת עוֹל מַלְכוּתֶךָ, וְתִמְלוֹךְ

8   עֲלֵיהֶם מְהֵרָה לְעוֹלָם וָעֶד. כִּי הַמַּלְכוּת שֶׁלְּךָ הִיא,

9   וּלְעוֹלְמֵי עַד תִּמְלוֹךְ בְּכָבוֹד. כַּכָּתוּב בְּתוֹרָתֶךָ: "יְיָ

10   יִמְלוֹךְ לְעֹלָם וָעֶד!"   Reader   וְנֶאֱמַר: "וְהָיָה יְיָ לְמֶלֶךְ

11   עַל כָּל הָאָרֶץ, בַּיּוֹם הַהוּא יִהְיֶה יְיָ אֶחָד וּשְׁמוֹ אֶחָד".

Mourners Kaddish see next page:

12   אַל תִּירָא מִפַּחַד פִּתְאֹם, וּמִשֹּׁאַת רְשָׁעִים כִּי תָבֹא.

13   עֻצוּ עֵצָה וְתֻפָר, דַּבְּרוּ דָבָר וְלֹא יָקוּם, כִּי עִמָּנוּ אֵל.

14   וְעַד זִקְנָה אֲנִי הוּא, וְעַד שֵׂיבָה אֲנִי אֶסְבֹּל;

15   אֲנִי עָשִׂיתִי וַאֲנִי אֶשָּׂא, וַאֲנִי אֶסְבֹּל וַאֲמַלֵּט.

MOURNERS KADDISH קַדִּישׁ יָתוֹם

1. יִתְגַּדַּל וְיִתְקַדַּשׁ שְׁמֵהּ רַבָּא, בְּעָלְמָא דִי־בְרָא

2. כִרְעוּתֵהּ, וְיַמְלִיךְ מַלְכוּתֵהּ, בְּחַיֵּיכוֹן וּבְיוֹמֵיכוֹן, וּבְחַיֵּי

3. דְכָל־בֵּית יִשְׂרָאֵל, בַּעֲגָלָא וּבִזְמַן קָרִיב. וְאִמְרוּ אָמֵן.

Cong. אָמֵן

4. Cong. יְהֵא שְׁמֵהּ רַבָּא מְבָרַךְ לְעָלַם וּלְעָלְמֵי

5. עָלְמַיָּא.

6. יִתְבָּרַךְ וְיִשְׁתַּבַּח וְיִתְפָּאַר וְיִתְרוֹמַם וְיִתְנַשֵּׂא וְיִתְהַדָּר

7. וְיִתְעַלֶּה וְיִתְהַלָּל שְׁמֵהּ דְּקֻדְשָׁא. Cong. בְּרִיךְ הוּא

8. לְעֵלָּא (וּלְעֵלָּא (During the Ten Days of Pentinence, add:

9. מִן כָּל־בִּרְכָתָא, וְשִׁירָתָא תֻּשְׁבְּחָתָא, וְנֶחֱמָתָא

10. דַּאֲמִירָן בְּעָלְמָא. וְאִמְרוּ אָמֵן. Cong. אָמֵן

11. יְהֵא שְׁלָמָא רַבָּא מִן־שְׁמַיָּא וְחַיִּים עָלֵינוּ

12. וְעַל כָּל־יִשְׂרָאֵל. וְאִמְרוּ אָמֵן. Cong. אָמֵן

13. עוֹשֶׂה שָׁלוֹם בִּמְרוֹמָיו, הוּא יַעֲשֶׂה שָׁלוֹם

14. עָלֵינוּ. וְעַל כָּל־יִשְׂרָאֵל. וְאִמְרוּ אָמֵן. Cong. אָמֵן

page 175, line 6 לְדָוִד. יְיָ אוֹרִי וְיִשְׁעִי

אֲדוֹן עוֹלָם אֲשֶׁר מָלַךְ. בְּטֶרֶם כָּל יְצִיר נִבְרָא

Lord of the universe who reigned before any creature
was yet formed

For comment see page 30

1 אֲדוֹן עוֹלָם אֲשֶׁר מָלַךְ,

2 בְּטֶרֶם כָּל־יְצִיר נִבְרָא.

3 לְעֵת נַעֲשָׂה בְחֶפְצוֹ כֹּל,

4 אֲזַי מֶלֶךְ שְׁמוֹ נִקְרָא,

5 וְאַחֲרֵי כִּכְלוֹת הַכֹּל,

6 לְבַדּוֹ יִמְלוֹךְ נוֹרָא.

7 וְהוּא הָיָה וְהוּא הֹוֶה,

8 וְהוּא יִהְיֶה בְּתִפְאָרָה.

9 וְהוּא אֶחָד וְאֵין שֵׁנִי,

10 לְהַמְשִׁיל לוֹ לְהַחְבִּירָה,

11 בְּלִי רֵאשִׁית בְּלִי תַכְלִית,

12 וְלוֹ הָעֹז וְהַמִּשְׂרָה.

1 וְהוּא אֵלִי וְחַי גֹּאֲלִי,

2 וְצוּר חֶבְלִי בְּעֵת צָרָה.

3 וְהוּא נִסִּי וּמָנוֹס לִי,

4 מְנָת כּוֹסִי בְּיוֹם אֶקְרָא.

Reader 5 בְּיָדוֹ אַפְקִיד רוּחִי,

6 בְּעֵת אִישַׁן וְאָעִירָה,

7 וְעִם רוּחִי גְּוִיָּתִי;

8 יְיָ לִי וְלֹא אִירָא.

שָׁלוֹם עֲלֵיכֶם
Peace be upon you

This lovely hymn is usually sung Friday evening after the services. It is only about 300 years old, which is quite young for a Hebrew prayer. It is based on a very interesting little story in the Talmud.

Our rabbis tell us that when a man returns home from the synagogue on Friday evening, two angels go with him — a good angel and a bad angel. They accompany the man into his house. If the house is in good order, if the Sabbath lights are kindled and the table is set, the good angel says, "May it be God's will that the next Sabbath be as this one," and the evil angel has to answer "Amen." If, on the other hand, the angels find that the house is neglected and not properly prepared for the Sabbath, the evil angel says, "May the next Sabbath be as this one," and the good angel has to answer "Amen."

The main idea of this song is peace. In it we ask that the angels of peace may come and bless us with peace.

The idea of peace is very important to our people. We have always loved peace. We want peace in our homes, on the street, and in the classroom. We want the weak and the strong, the small nations and the big nations to live together in peace and harmony. We look forward with great hope to the day when there will be peace all over the world.

Over two thousand years ago (740–701 before the Common Era) there lived a great prophet named Isaiah. He said that a day would come when "nation shall not lift up sword against nation, neither shall they learn war anymore."

We, too, hope and pray that the day of world peace will soon come. Our rabbis have said that the whole world exists only for the sake of peace (Tractate Gittin, 59b).

On returning from the Synagogue, say three times:

1 שָׁלוֹם עֲלֵיכֶם, מַלְאֲכֵי הַשָּׁרֵת, מַלְאֲכֵי

2 עֶלְיוֹן, מִמֶּלֶךְ מַלְכֵי הַמְּלָכִים, הַקָּדוֹשׁ

3 בָּרוּךְ הוּא:

Three times:

4 בּוֹאֲכֶם לְשָׁלוֹם, מַלְאֲכֵי הַשָּׁלוֹם, מַלְאֲכֵי

5 עֶלְיוֹן, מִמֶּלֶךְ מַלְכֵי הַמְּלָכִים, הַקָּדוֹשׁ

6 בָּרוּךְ הוּא:

Three times:

7 בָּרְכוּנִי לְשָׁלוֹם, מַלְאֲכֵי הַשָּׁלוֹם, מַלְאֲכֵי

8 עֶלְיוֹן, מִמֶּלֶךְ מַלְכֵי הַמְּלָכִים, הַקָּדוֹשׁ

9 בָּרוּךְ הוּא:

Three times:

1 צֵאתְכֶם לְשָׁלוֹם, מַלְאֲכֵי הַשָּׁלוֹם, מַלְאֲכֵי

2 עֶלְיוֹן, מִמֶּלֶךְ מַלְכֵי הַמְּלָכִים, הַקָּדוֹשׁ

3 בָּרוּךְ הוּא:

4 כִּי מַלְאָכָיו יְצַוֶּה־לָּךְ, לִשְׁמָרְךָ, בְּכָל דְּרָכֶיךָ:

5 יְיָ יִשְׁמָר צֵאתְךָ וּבוֹאֶךָ, מֵעַתָּה וְעַד עוֹלָם:

אֵשֶׁת חַיִל מִי יִמְצָא? וְרָחוֹק מִפְּנִינִים מִכְרָהּ

A woman of valor who can find? For her price is far above rubies

This hymn is taken from the Book of Proverbs (31:10–31) and is chanted when returning home from the synagogue.

It is written in the form of an alphabetical acrostic, with the first letter of each verse representing another letter of the alphabet. Thus, the first word is אֵשֶׁת, the first word of the second verse is בֶּטַח, etc.

To this day the term אֵשֶׁת חַיִל, a "woman of valor," is used by Jews to describe the finest type of Jewish homemaker and helpmate. When we say of a woman that "she was a true אֵשֶׁת חַיִל," we mean that she was a devoted wife and mother who observed Jewish law and tradition to the letter. She is the type of woman who deserves the praise that our Sages gave to the matriarchs Sarah and Rebekah: "As long as Sarah lived a cloud hung over her tent. When she died the cloud departed. When Rebekah came, it returned. As long as Sarah lived, her doors were open wide. When she died they were closed. When Rebekah came they were opened again. As long as Sarah lived there was a blessing on her dough, and the lamp used to burn from the evening of the Sabbath until the evening of the following Sabbath. When she died these stopped. When Rebekah came they returned."

1 אֵשֶׁת חַיִל מִי יִמְצָא, וְרָחֹק מִפְּנִינִים מִכְרָהּ:

2 בָּטַח בָּהּ לֵב בַּעְלָהּ, וְשָׁלָל לֹא יֶחְסָר:

3 גְּמָלַתְהוּ טוֹב וְלֹא־רָע, כֹּל יְמֵי חַיֶּיהָ:

4 דָּרְשָׁה צֶמֶר וּפִשְׁתִּים, וַתַּעַשׂ בְּחֵפֶץ כַּפֶּיהָ:

5 הָיְתָה כָּאֳנִיּוֹת סוֹחֵר, מִמֶּרְחָק תָּבִיא לַחְמָהּ:

6 וַתָּקָם בְּעוֹד לַיְלָה, וַתִּתֵּן טֶרֶף לְבֵיתָהּ, וְחֹק לְנַעֲרֹתֶיהָ:

7 זָמְמָה שָׂדֶה וַתִּקָּחֵהוּ, מִפְּרִי כַפֶּיהָ נָטְעָה כָּרֶם:

8 חָגְרָה בְעוֹז מָתְנֶיהָ, וַתְּאַמֵּץ זְרוֹעֹתֶיהָ:

9 טָעֲמָה כִּי־טוֹב סַחְרָהּ, לֹא־יִכְבֶּה בַלַּיְלָה נֵרָהּ:

10 יָדֶיהָ שִׁלְּחָה בַכִּישׁוֹר, וְכַפֶּיהָ תָּמְכוּ פָלֶךְ:

11 כַּפָּהּ פָּרְשָׂה לֶעָנִי, וְיָדֶיהָ שִׁלְּחָה לָאֶבְיוֹן:

12 לֹא־תִירָא לְבֵיתָהּ מִשָּׁלֶג, כִּי כָל־בֵּיתָהּ לָבֻשׁ שָׁנִים:

13 מַרְבַדִּים עָשְׂתָה־לָּהּ, שֵׁשׁ וְאַרְגָּמָן לְבוּשָׁהּ:

14 נוֹדָע בַּשְּׁעָרִים בַּעְלָהּ, בְּשִׁבְתּוֹ עִם זִקְנֵי אָרֶץ:

15 סָדִין עָשְׂתָה וַתִּמְכֹּר, וַחֲגוֹר נָתְנָה לַכְּנַעֲנִי:

עֹז וְהָדָר לְבוּשָׁהּ, וַתִּשְׂחַק לְיוֹם אַחֲרוֹן: 1

פִּיהָ פָּתְחָה בְחָכְמָה, וְתוֹרַת־חֶסֶד עַל לְשׁוֹנָהּ: 2

צוֹפִיָּה הֲלִיכוֹת בֵּיתָהּ, וְלֶחֶם עַצְלוּת לֹא תֹאכֵל: 3

קָמוּ בָנֶיהָ וַיְאַשְּׁרוּהָ, בַּעְלָהּ וַיְהַלְלָהּ: 4

רַבּוֹת בָּנוֹת עָשׂוּ חָיִל, וְאַתְּ עָלִית עַל כֻּלָּנָה: 5

שֶׁקֶר הַחֵן וְהֶבֶל הַיֹּפִי, אִשָּׁה יִרְאַת־יְיָ הִיא תִתְהַלָּל: 6

תְּנוּ־לָהּ מִפְּרִי יָדֶיהָ, וִיהַלְלוּהָ בַשְּׁעָרִים מַעֲשֶׂיהָ: 7

קִדּוּשׁ לְלֵיל שַׁבָּת

KIDDUSH FOR FRIDAY NIGHT

קִדּוּשׁ means "sanctification" or "making holy." The קִדּוּשׁ
for Friday night is a beautiful prayer which reminds us of two
reasons for observing the Sabbath:

1. Because the world was created and completed in six days,
and God rested on the seventh day, the Sabbath.

2. Because we were brought out of Egypt and freed from slavery.
A slave must work every day, if his master wants him to. He
has no choice. But we are no longer slaves. We can and should
rest on the Sabbath.

At first the קִדּוּשׁ לְלֵיל שַׁבָּת was said only in the home. But
later, in many synagogues, strangers from other cities would
come to the services. They were usually served their שַׁבָּת
meal in a room next to the synagogue. For their sake the
קִדּוּשׁ was chanted in the synagogue at services. This is still
the custom today.

The first paragraph of the קִדּוּשׁ comes from the second
chapter of the First Book of the Bible (Genesis 2:1–3). It is
said only when the קִדּוּשׁ is recited in the home. In the
synagogue the קִדּוּשׁ begins with the blessing over wine.

The following is said in the Home by the Master of the House, previous to partaking of the Sabbath Meal:

1   *Silently*   וַיְהִי־עֶרֶב וַיְהִי־בֹקֶר

2   יוֹם הַשִּׁשִּׁי:

3   וַיְכֻלּוּ הַשָּׁמַיִם וְהָאָרֶץ וְכָל־צְבָאָם:

4   וַיְכַל אֱלֹהִים בַּיּוֹם הַשְּׁבִיעִי,

5   מְלַאכְתּוֹ אֲשֶׁר עָשָׂה:

6   וַיִּשְׁבֹּת בַּיּוֹם הַשְּׁבִיעִי מִכָּל מְלַאכְתּוֹ

7   אֲשֶׁר עָשָׂה:

8   וַיְבָרֶךְ אֱלֹהִים אֶת יוֹם הַשְּׁבִיעִי וַיְקַדֵּשׁ אֹתוֹ,

9   כִּי בוֹ שָׁבַת מִכָּל מְלַאכְתּוֹ,

10   אֲשֶׁר בָּרָא אֱלֹהִים לַעֲשׂוֹת:

On Bread: —	On Wine: —
11 בִּרְשׁוּת מָרָנָן וְרַבּוֹתַי:	סַבְרִי מָרָנָן וְרַבּוֹתַי:
12 בָּרוּךְ אַתָּה יְיָ,	בָּרוּךְ אַתָּה יְיָ,
13 אֱלֹהֵינוּ מֶלֶךְ הָעוֹלָם,	אֱלֹהֵינוּ מֶלֶךְ הָעוֹלָם,
14 הַמּוֹצִיא לֶחֶם מִן הָאָרֶץ:	בּוֹרֵא פְּרִי הַגָּפֶן:

1 בָּרוּךְ אַתָּה יְיָ, אֱלֹהֵינוּ מֶלֶךְ הָעוֹלָם.

2 אֲשֶׁר קִדְּשָׁנוּ בְּמִצְוֹתָיו וְרָצָה בָנוּ.

3 וְשַׁבַּת קָדְשׁוֹ, בְּאַהֲבָה וּבְרָצוֹן הִנְחִילָנוּ,

4 זִכָּרוֹן לְמַעֲשֵׂה בְרֵאשִׁית.

5 כִּי הוּא יוֹם, תְּחִלָּה לְמִקְרָאֵי קֹדֶשׁ,

6 זֵכֶר לִיצִיאַת מִצְרָיִם.

7 כִּי־בָנוּ בָחַרְתָּ, וְאוֹתָנוּ קִדַּשְׁתָּ מִכָּל הָעַמִּים.

8 וְשַׁבַּת קָדְשְׁךָ, בְּאַהֲבָה וּבְרָצוֹן הִנְחַלְתָּנוּ:

9 בָּרוּךְ אַתָּה יְיָ, מְקַדֵּשׁ הַשַּׁבָּת:

זְמִירוֹת לְלֵיל שַׁבָּת 10

HYMNS OF PRAISE FOR THE SABBATH NIGHT

At the Sabbath table we sing זְמִירוֹת, hymns of praise to God in gratitude for the Sabbath which He has given us.

כָּל מְקַדֵּשׁ שְׁבִיעִי כָּרָאוּי לוֹ. כָּל שׁוֹמֵר שַׁבָּת כַּדָּת מֵחַלְּלוֹ. שְׂכָרוֹ
הַרְבֵּה מְאֹד עַל פִּי פָעֳלוֹ

**Whosoever observes the Sabbath properly, Whoever
keeps the Sabbath unprofaned, Shall be greatly
rewarded for his deed**

The song entitled כָּל מְקַדֵּשׁ שְׁבִיעִי was probably written by a
medieval poet, Rabbi Moses, the son of Kalonymus of Mayence.
It is an alphabetical acrostic. Each phrase, after the first
stanza, begins with another letter of the Hebrew alphabet.

This hymn, which contains verses from the Books of Genesis,
Exodus, Numbers, the First Book of Samuel, the First Book of
Kings and Psalms, tells us that observing the Sabbath brings a
great reward. We should enjoy the Sabbath and praise God for
it. The Sabbath is likened to a bride, and we are bidden to
honor it with rest and feasting.

1 כָּל מְקַדֵּשׁ שְׁבִיעִי כָּרָאוּי לוֹ,

2 כָּל שׁוֹמֵר שַׁבָּת כַּדָּת מֵחַלְּלוֹ,

3 שְׂכָרוֹ הַרְבֵּה מְאֹד עַל פִּי פָעֳלוֹ,

4 אִישׁ עַל מַחֲנֵהוּ וְאִישׁ עַל דִּגְלוֹ.

5 אוֹהֲבֵי יְיָ הַמְחַכִּים בְּבִנְיַן אֲרִיאֵל,

6 בְּיוֹם הַשַּׁבָּת שִׂישׂוּ וְשִׂמְחוּ כִּמְקַבְּלֵי מַתַּן נַחֲלִיאֵל,

7 גַּם שְׂאוּ יְדֵיכֶם קֹדֶשׁ וְאִמְרוּ לָאֵל:

8 בָּרוּךְ יְיָ אֲשֶׁר נָתַן מְנוּחָה לְעַמּוֹ יִשְׂרָאֵל.

1 דּוֹרְשֵׁי יְיָ, זֶרַע אַבְרָהָם אוֹהֲבוֹ,
2 הַמְאַחֲרִים לָצֵאת מִן הַשַּׁבָּת וּמְמַהֲרִים לָבֹא,
3 שְׂמֵחִים לְשָׁמְרוֹ וּלְעָרֵב עֵרוּבוֹ,
4 זֶה הַיּוֹם עָשָׂה יְיָ, נָגִילָה וְנִשְׂמְחָה בוֹ.
5 זִכְרוּ תּוֹרַת מֹשֶׁה בְּמִצְוַת שַׁבָּת גְּרוּסָה,
6 חֲרוּתָה לַיּוֹם הַשְּׁבִיעִי, כְּכַלָּה בֵּין רֵעוֹתֶיהָ מְשֻׁבָּצָה.
7 טְהוֹרִים יִירָשׁוּהָ וִיקַדְּשׁוּהָ בְּמַאֲמַר כָּל אֲשֶׁר עָשָׂה.
8 וַיְכַל אֱלֹהִים בַּיּוֹם הַשְּׁבִיעִי, מְלַאכְתּוֹ אֲשֶׁר עָשָׂה.
9 יוֹם קָדוֹשׁ הוּא, מִבּוֹאוֹ וְעַד צֵאתוֹ,
10 כָּל זֶרַע יַעֲקֹב יְכַבְּדוּהוּ כִּדְבַר הַמֶּלֶךְ וְדָתוֹ,
11 לָנוּחַ בּוֹ וְלִשְׂמוֹחַ בְּתַעֲנוּג אָכוֹל וְשָׁתֹה,
12 כָּל עֲדַת יִשְׂרָאֵל יַעֲשׂוּ אוֹתוֹ.
13 מְשֹׁךְ חַסְדְּךָ לְיֹדְעֶיךָ, אֵל קַנֹּא וְנוֹקֵם,
14 נוֹטְרֵי לַיּוֹם הַשְּׁבִיעִי זָכוֹר וְשָׁמוֹר לְהָקֵם,
15 שַׂמְּחֵם בְּבִנְיַן שָׁלֵם, בְּאוֹר פָּנֶיךָ תַּבְהִיקֵם,
16 יִרְוְיֻן מִדֶּשֶׁן בֵּיתֶךָ וְנַחַל עֲדָנֶיךָ תַשְׁקֵם.
17 עֲזוֹר לַשּׁוֹבְתִים בַּשְּׁבִיעִי, בֶּחָרִישׁ וּבַקָּצִיר עוֹלָמִים.
18 פּוֹסְעִים בּוֹ פְּסִיעָה קְטַנָּה,
19 סוֹעֲדִים בּוֹ לְבָרֵךְ שָׁלֹשׁ פְּעָמִים.

1 צִדְקָתָם תַּצְהִיר כְּאוֹר שִׁבְעַת הַיָּמִים,

2 יְיָ אֱלֹהֵי יִשְׂרָאֵל הָבָה תָמִים,

3 יְיָ אֱלֹהֵי יִשְׂרָאֵל תְּשׁוּעַת עוֹלָמִים.

מְנוּחָה וְשִׂמְחָה אוֹר לַיְּהוּדִים

Rest and gladness, a light to the Jews

4 מְנוּחָה וְשִׂמְחָה אוֹר לַיְּהוּדִים,

5 יוֹם שַׁבָּתוֹן, יוֹם מַחֲמַדִּים;

6 שׁוֹמְרָיו וְזוֹכְרָיו הֵמָּה מְעִידִים,

7 כִּי לְשִׁשָּׁה כֹּל בְּרוּאִים וְעוֹמְדִים.

8 שְׁמֵי שָׁמַיִם, אֶרֶץ וְיַמִּים,

9 כָּל צְבָא מָרוֹם, גְּבוֹהִים וְרָמִים,

10 תַּנִּין וְאָדָם וְחַיַּת רְאֵמִים,

11 כִּי בְּיָהּ יְיָ צוּר עוֹלָמִים.

1 הוּא אֲשֶׁר דִּבֶּר לְעַם סְגֻלָּתוֹ,

2 שָׁמוֹר לְקַדְּשׁוֹ מִבֹּאוֹ וְעַד צֵאתוֹ;

3 שַׁבַּת קֹדֶשׁ יוֹם חֶמְדָּתוֹ,

4 כִּי בוֹ שָׁבַת אֵל מִכָּל מְלַאכְתּוֹ.

5 בְּמִצְוַת שַׁבָּת אֵל יַחֲלִיצָךְ

6 קוּם קְרָא אֵלָיו יָחִישׁ לְאַמְּצָךְ.

7 נִשְׁמַת כָּל חַי וְגַם נַעֲרִיצָךְ

8 אֱכוֹל בְּשִׂמְחָה, כִּי כְבָר רְצָךְ.

9 בְּמִשְׁנֶה לֶחֶם וְקִדּוּשׁ רַבָּה,

10 בְּרוֹב מַטְעַמִּים וְרוּחַ נְדִיבָה,

11 יִזְכּוּ לְרַב טוּב הַמִּתְעַנְּגִים בָּהּ,

12 בְּבִיאַת גּוֹאֵל לְחַיֵּי עוֹלָם הַבָּא.

יָהּ רִבּוֹן עָלַם וְעָלְמַיָּא. אַנְתְּ הוּא מַלְכָּא מֶלֶךְ מַלְכַיָּא

Lord, eternal Master of worlds, You are the supreme King of kings

This beautiful hymn was written in Aramaic by Rabbi Israel Najara (1555–1628) of Palestine. When read together, the first letters of each stanza form יִשְׂרָאֵל. This hymn does not refer to the Sabbath, but is a song of glorious praise to God, asking Him to "save Your flock from the lion's jaws," and to bring our people back to Jerusalem.

1 יָהּ רִבּוֹן עָלַם וְעָלְמַיָּא, אַנְתְּ הוּא מַלְכָּא מֶלֶךְ מַלְכַיָּא,

2 עוֹבַד גְּבוּרְתֵּךְ וְתִמְהַיָּא, שְׁפַר קֳדָמָךְ לְהַחֲוָיָא.

3 יָהּ רִבּוֹן עָלַם וְעָלְמַיָּא, אַנְתְּ הוּא מַלְכָּא מֶלֶךְ מַלְכַיָּא.

4 שְׁבָחִין אֲסַדֵּר צַפְרָא וְרַמְשָׁא, לָךְ אֱלָהָא קַדִּישָׁא

5 דִּי בְרָא כָל נַפְשָׁא, עִירִין קַדִּישִׁין וּבְנֵי אֱנָשָׁא,

6 חֵיוַת בָּרָא וְעוֹפֵי שְׁמַיָּא.

7 יָהּ רִבּוֹן עָלַם וְעָלְמַיָּא, אַנְתְּ הוּא מַלְכָּא מֶלֶךְ מַלְכַיָּא.

8 רַבְרְבִין עוֹבְדָיךְ וְתַקִּיפִין, מָכִיךְ רְמַיָּא וְזַקִּיף כְּפִיפִין,

9 לוּ יִחְיֶה גְּבַר שְׁנִין אַלְפִין, לָא יֵעוֹל גְּבוּרְתֵּךְ בְּחֻשְׁבְּנַיָּא.

10 יָהּ רִבּוֹן עָלַם וְעָלְמַיָּא, אַנְתְּ הוּא מַלְכָּא מֶלֶךְ מַלְכַיָּא.

11 אֱלָהָא, דִּי לֵהּ יְקַר וּרְבוּתָא, פְּרֹק יַת עָנָךְ מִפֻּם אַרְיָוָתָא,

12 וְאַפֵּיק יַת עַמָּךְ מִגּוֹ גָלוּתָא, עַמָּךְ דִּי בְחַרְתְּ מִכָּל אֻמַּיָּא.

13 יָהּ רִבּוֹן עָלַם וְעָלְמַיָּא, אַנְתְּ הוּא מַלְכָּא מֶלֶךְ מַלְכַיָּא.

14 לְמַקְדָּשָׁךְ תּוּב וּלְקֹדֶשׁ קֻדְשִׁין, אֲתַר דִּי בֵהּ יֶחֱדוּן רוּחִין

15 וְנַפְשִׁין. וִיזַמְּרוּן לָךְ שִׁירִין וְרַחֲשִׁין, בִּירוּשְׁלֵם קַרְתָּא

16 דְשֻׁפְרַיָּא.

17 יָהּ רִבּוֹן עָלַם וְעָלְמַיָּא, אַנְתְּ הוּא מַלְכָּא מֶלֶךְ מַלְכַיָּא.

צוּר מִשֶּׁלוֹ אָכַלְנוּ

Lord, from whose bounty we have eaten

This hymn is an introduction to the בִּרְכַּת הַמָּזוֹן.

1. צוּר מִשֶּׁלוֹ אָכַלְנוּ, בָּרְכוּ אֱמוּנַי.

2. שָׂבַעְנוּ וְהוֹתַרְנוּ כִּדְבַר יְיָ.

3. הַזָּן אֶת עוֹלָמוֹ, רוֹעֵנוּ אָבִינוּ,

4. אָכַלְנוּ אֶת לַחְמוֹ, וְיֵינוֹ שָׁתִינוּ,

5. עַל כֵּן נוֹדֶה לִשְׁמוֹ, וּנְהַלְלוֹ בְּפִינוּ,

6. אָמַרְנוּ וְעָנִינוּ: אֵין קָדוֹשׁ כַּיְיָ.

7. צוּר מִשֶּׁלוֹ אָכַלְנוּ, בָּרְכוּ אֱמוּנַי.

8. שָׂבַעְנוּ וְהוֹתַרְנוּ כִּדְבַר יְיָ.

9. בְּשִׁיר וְקוֹל תּוֹדָה, נְבָרֵךְ לֵאלֹהֵינוּ,

10. עַל אֶרֶץ חֶמְדָּה טוֹבָה, שֶׁהִנְחִיל לַאֲבוֹתֵינוּ.

11. מָזוֹן וְצֵדָה הִשְׂבִּיעַ לְנַפְשֵׁנוּ,

12. חַסְדּוֹ גָּבַר עָלֵינוּ, וֶאֱמֶת יְיָ.

1. צוּר מִשֶּׁלּוֹ אָכַלְנוּ, בָּרְכוּ אֱמוּנַי.

2. שָׂבַעְנוּ וְהוֹתַרְנוּ כִּדְבַר יְיָ.

3. רַחֵם בְּחַסְדְּךָ עַל עַמְּךָ צוּרֵנוּ,

4. עַל צִיּוֹן מִשְׁכַּן כְּבוֹדֶךָ,

5. זְבוּל בֵּית תִּפְאַרְתֵּנוּ.

6. בֶּן דָּוִד עַבְדֶּךָ, יָבֹא וְיִגְאָלֵנוּ,

7. רוּחַ אַפֵּינוּ מְשִׁיחַ יְיָ.

8. צוּר מִשֶּׁלּוֹ אָכַלְנוּ, בָּרְכוּ אֱמוּנַי.

9. שָׂבַעְנוּ וְהוֹתַרְנוּ כִּדְבַר יְיָ.

10. יִבָּנֶה הַמִּקְדָּשׁ, עִיר צִיּוֹן תְּמַלֵּא,

11. וְשָׁם נָשִׁיר שִׁיר חָדָשׁ, וּבִרְנָנָה נַעֲלֶה.

12. הָרַחֲמָן הַנִּקְדָּשׁ יִתְבָּרַךְ וְיִתְעַלֶּה,

13. עַל כּוֹס יַיִן מָלֵא, כְּבִרְכַּת יְיָ.

14. צוּר מִשֶּׁלּוֹ אָכַלְנוּ, בָּרְכוּ אֱמוּנַי.

15. שָׂבַעְנוּ וְהוֹתַרְנוּ כִּדְבַר יְיָ.

Recite Grace After Meals pages 182-191:

MORNING SERVICE
FOR SABBATH AND FESTIVALS

Introductory morning prayers beginning with מַה טֹּבוּ (page 29) and ending with וּכְשָׁנִים קַדְמוֹנִיּוֹת (page62 , line11)

מִזְמוֹר שִׁיר חֲנֻכַּת הַבַּיִת לְדָוִד

A Psalm of David; A song at the dedication of the Temple

For comment see page 64

1 מִזְמוֹר שִׁיר חֲנֻכַּת הַבַּיִת, לְדָוִד.

2 אֲרוֹמִמְךָ יְיָ, כִּי דִלִּיתָנִי,

3 וְלֹא שִׂמַּחְתָּ אֹיְבַי לִי

4 יְיָ אֱלֹהָי,

5 שִׁוַּעְתִּי אֵלֶיךָ וַתִּרְפָּאֵנִי.

1   יְיָ הֶעֱלִיתָ מִן שְׁאוֹל נַפְשִׁי,

2   חִיִּיתַנִי מִיָּרְדִי בוֹר.

3   זַמְּרוּ לַיְיָ חֲסִידָיו!

4   וְהוֹדוּ לְזֵכֶר קָדְשׁוֹ.

5   כִּי רֶגַע בְּאַפּוֹ,

6   חַיִּים בִּרְצוֹנוֹ;

7   בָּעֶרֶב יָלִין בֶּכִי,

8   וְלַבֹּקֶר רִנָּה.

9   וַאֲנִי אָמַרְתִּי בְשַׁלְוִי;

10   בַּל אֶמּוֹט לְעוֹלָם.

11   יְיָ, בִּרְצוֹנְךָ הֶעֱמַדְתָּה לְהַרְרִי עֹז,

12   הִסְתַּרְתָּ פָנֶיךָ הָיִיתִי נִבְהָל.

13   אֵלֶיךָ יְיָ אֶקְרָא,

14   וְאֶל אֲדֹנָי אֶתְחַנָּן;

1 מַה בֶּצַע בְּדָמִי,

2 בְּרִדְתִּי אֶל שָׁחַת?

3 הֲיוֹדְךָ עָפָר,

4 הֲיַגִּיד אֲמִתֶּךָ?

5 שְׁמַע יְיָ וְחָנֵּנִי,

6 יְיָ הֱיֵה עוֹזֵר לִי.

7 הָפַכְתָּ מִסְפְּדִי לְמָחוֹל לִי,

8 פִּתַּחְתָּ שַׂקִּי וַתְּאַזְּרֵנִי שִׂמְחָה.

9 Reader לְמַעַן יְזַמֶּרְךָ כָבוֹד וְלֹא יִדֹּם.

10 יְיָ אֱלֹהַי! לְעוֹלָם אוֹדֶךָּ.

MOURNERS KADDISH   קַדִּישׁ יָתוֹם

For comments see pages 67 and 162

1

יִתְגַּדַּל וְיִתְקַדַּשׁ שְׁמֵהּ רַבָּא, בְּעָלְמָא   2

דִּי־בְרָא כִרְעוּתֵהּ, וְיַמְלִיךְ מַלְכוּתֵהּ,   3

בְּחַיֵּיכוֹן וּבְיוֹמֵיכוֹן, וּבְחַיֵּי דְכָל־בֵּית   4

יִשְׂרָאֵל, בַּעֲגָלָא וּבִזְמַן קָרִיב. וְאִמְרוּ אָמֵן.   5

Cong. אָמֵן

יְהֵא שְׁמֵהּ רַבָּא מְבָרַךְ לְעָלַם   Cong.   6

וּלְעָלְמֵי עָלְמַיָּא.   7

יִתְבָּרַךְ וְיִשְׁתַּבַּח וְיִתְפָּאַר וְיִתְרוֹמַם   8

וְיִתְנַשֵּׂא וְיִתְהַדָּר וְיִתְעַלֶּה וְיִתְהַלָּל שְׁמֵהּ   9

דְקֻדְשָׁא.   Cong.   בְּרִיךְ הוּא   10

(During the Ten Days of Penitence, add: לְעֵלָּא (וּלְעֵלָּא   11

מִן כָּל־בִּרְכָתָא, וְשִׁירָתָא תֻּשְׁבְּחָתָא,   12

וְנֶחֱמָתָא דַּאֲמִירָן בְּעָלְמָא וְאִמְרוּ אָמֵן.   13

Cong. אָמֵן

יְהֵא שְׁלָמָא רַבָּא מִן־שְׁמַיָּא וְחַיִּים
עָלֵינוּ וְעַל כָּל־יִשְׂרָאֵל. וְאִמְרוּ
אָמֵן. Cong. אָמֵן

עוֹשֶׂה שָׁלוֹם בִּמְרוֹמָיו, הוּא יַעֲשֶׂה
שָׁלוֹם עָלֵינוּ. וְעַל כָּל־יִשְׂרָאֵל.
וְאִמְרוּ אָמֵן. Cong. אָמֵן

בָּרוּךְ שֶׁאָמַר וְהָיָה הָעוֹלָם

Blessed be He who spoke and the world came into existence

For comment see page 68

הֲרֵינִי מְזַמֵּן אֶת פִּי לְהוֹדוֹת וּלְהַלֵּל וּלְשַׁבֵּחַ אֶת בּוֹרְאִי:

בָּרוּךְ שֶׁאָמַר וְהָיָה הָעוֹלָם, בָּרוּךְ הוּא!
בָּרוּךְ עֹשֶׂה בְרֵאשִׁית.
בָּרוּךְ אוֹמֵר וְעֹשֶׂה.
בָּרוּךְ גּוֹזֵר וּמְקַיֵּם.
בָּרוּךְ מְרַחֵם עַל הָאָרֶץ.

1. בָּרוּךְ מְרַחֵם עַל הַבְּרִיּוֹת.

2. בָּרוּךְ מְשַׁלֵּם שָׂכָר טוֹב לִירֵאָיו.

3. בָּרוּךְ חַי לָעַד וְקַיָּם לָנֶצַח

4. בָּרוּךְ פּוֹדֶה וּמַצִּיל, בָּרוּךְ שְׁמוֹ.

5. בָּרוּךְ אַתָּה יְיָ אֱלֹהֵינוּ מֶלֶךְ הָעוֹלָם,

6. הָאֵל, הָאָב הָרַחֲמָן, הַמְהֻלָּל בְּפִי עַמּוֹ,

7. מְשֻׁבָּח וּמְפֹאָר בִּלְשׁוֹן חֲסִידָיו וַעֲבָדָיו,

8. וּבְשִׁירֵי דָוִד עַבְדֶּךָ נְהַלֶּלְךָ יְיָ אֱלֹהֵינוּ,

9. בִּשְׁבָחוֹת וּבִזְמִירוֹת נְגַדֶּלְךָ וּנְשַׁבֵּחֲךָ

10. וּנְפָאֶרְךָ, וְנַזְכִּיר שִׁמְךָ,

11. וְנַמְלִיכְךָ מַלְכֵּנוּ אֱלֹהֵינוּ,

12. Reader יָחִיד חֵי הָעוֹלָמִים,

13. מֶלֶךְ מְשֻׁבָּח וּמְפֹאָר, עֲדֵי עַד שְׁמוֹ הַגָּדוֹל,

14. בָּרוּךְ אַתָּה יְיָ, מֶלֶךְ מְהֻלָּל בַּתִּשְׁבָּחוֹת.

Cong. אָמֵן

הוֹדוּ לַיְיָ קִרְאוּ בִשְׁמוֹ הוֹדִיעוּ בָעַמִּים עֲלִילוֹתָיו

**Give thanks to the Lord, call upon His name, make
known His doings among the peoples**

1   הוֹדוּ לַיְיָ קִרְאוּ בִשְׁמוֹ הוֹדִיעוּ בָעַמִּים עֲלִילוֹתָיו.

2   שִׁירוּ לוֹ, זַמְּרוּ לוֹ, שִׂיחוּ בְּכָל נִפְלְאוֹתָיו.

3   הִתְהַלְלוּ בְּשֵׁם קָדְשׁוֹ, יִשְׂמַח לֵב מְבַקְשֵׁי יְיָ.

4   דִּרְשׁוּ יְיָ וְעֻזּוֹ, בַּקְּשׁוּ פָנָיו תָּמִיד.

5   זִכְרוּ נִפְלְאוֹתָיו אֲשֶׁר עָשָׂה, מֹפְתָיו וּמִשְׁפְּטֵי פִיהוּ.

6   זֶרַע יִשְׂרָאֵל עַבְדּוֹ, בְּנֵי יַעֲקֹב בְּחִירָיו.

7   הוּא יְיָ אֱלֹהֵינוּ, בְּכָל הָאָרֶץ מִשְׁפָּטָיו.

8   זִכְרוּ לְעוֹלָם בְּרִיתוֹ, דָּבָר צִוָּה לְאֶלֶף דּוֹר,

9   אֲשֶׁר כָּרַת אֶת אַבְרָהָם, וּשְׁבוּעָתוֹ–לְיִצְחָק,

10   וַיַּעֲמִידֶהָ לְיַעֲקֹב לְחֹק, לְיִשְׂרָאֵל–בְּרִית עוֹלָם,

11   לֵאמֹר: "לְךָ אֶתֵּן אֶרֶץ כְּנָעַן, חֶבֶל נַחֲלַתְכֶם

12   בִּהְיוֹתְכֶם מְתֵי מִסְפָּר, כִּמְעַט וְגָרִים בָּהּ".

13   וַיִּתְהַלְּכוּ מִגּוֹי אֶל גּוֹי, וּמִמַּמְלָכָה אֶל עַם אַחֵר;

14   לֹא הִנִּיחַ לְאִישׁ לְעָשְׁקָם, וַיּוֹכַח עֲלֵיהֶם מְלָכִים:

15   "אַל תִּגְּעוּ בִמְשִׁיחָי, וּבִנְבִיאַי אַל תָּרֵעוּ":

*

1   שִׁירוּ לַיָי כָּל הָאָרֶץ, בַּשְּׂרוּ מִיּוֹם אֶל יוֹם יְשׁוּעָתוֹ.

2   סַפְּרוּ בַגּוֹיִם אֶת כְּבוֹדוֹ, בְּכָל הָעַמִּים נִפְלְאוֹתָיו.

Reader 3   כִּי גָדוֹל יְיָ וּמְהֻלָּל מְאֹד, וְנוֹרָא הוּא עַל כָּל אֱלֹהִים.

4   כִּי כָּל אֱלֹהֵי הָעַמִּים – אֱלִילִים, וַיָי שָׁמַיִם עָשָׂה.

*

Cong.

5   הוֹד וְהָדָר לְפָנָיו, עֹז וְחֶדְוָה בִּמְקוֹמוֹ.

6   הָבוּ לַיָי, מִשְׁפְּחוֹת עַמִּים; הָבוּ לַיָי כָּבוֹד וָעֹז.

7   הָבוּ לַיָי כְּבוֹד שְׁמוֹ, שְׂאוּ מִנְחָה וּבֹאוּ לְפָנָיו.

8   הִשְׁתַּחֲווּ לַיָי בְּהַדְרַת קֹדֶשׁ, חִילוּ מִלְּפָנָיו כָּל הָאָרֶץ,

9   אַף תִּכּוֹן תֵּבֵל בַּל תִּמּוֹט.

10   יִשְׂמְחוּ הַשָּׁמַיִם וְתָגֵל הָאָרֶץ, וְיֹאמְרוּ בַגּוֹיִם: יְיָ מָלָךְ !

11   יִרְעַם הַיָּם וּמְלֹאוֹ, יַעֲלֹץ הַשָּׂדֶה וְכָל אֲשֶׁר בּוֹ ;

12   אָז יְרַנְּנוּ עֲצֵי הַיָּעַר, מִלִּפְנֵי יְיָ כִּי בָא לִשְׁפּוֹט אֶת הָאָרֶץ.

13   הוֹדוּ לַיָי, כִּי טוֹב, כִּי לְעוֹלָם חַסְדּוֹ !

14   וְאִמְרוּ: הוֹשִׁיעֵנוּ אֱלֹהֵי יִשְׁעֵנוּ, וְקַבְּצֵנוּ וְהַצִּילֵנוּ מִן הַגּוֹיִם,

15   לְהוֹדוֹת לְשֵׁם קָדְשֶׁךָ, לְהִשְׁתַּבֵּחַ בִּתְהִלָּתֶךָ.

16   בָּרוּךְ יְיָ אֱלֹהֵי יִשְׂרָאֵל, מִן הָעוֹלָם וְעַד הָעוֹלָם !

17   וַיֹּאמְרוּ כָל הָעָם: אָמֵן וְהַלֵּל לַיָי.

Reader 1 רוֹמְמוּ יְיָ אֱלֹהֵינוּ וְהִשְׁתַּחֲווּ לַהֲדֹם רַגְלָיו קָדוֹשׁ הוּא.

2 רוֹמְמוּ יְיָ אֱלֹהֵינוּ וְהִשְׁתַּחֲווּ לְהַר קָדְשׁוֹ,

3 כִּי קָדוֹשׁ יְיָ אֱלֹהֵינוּ.

*

Cong.

4 וְהוּא רַחוּם יְכַפֵּר עָוֹן וְלֹא יַשְׁחִית,

5 וְהִרְבָּה לְהָשִׁיב אַפּוֹ, וְלֹא יָעִיר כָּל חֲמָתוֹ.

6 אַתָּה יְיָ לֹא תִכְלָא רַחֲמֶיךָ מִמֶּנִּי, חַסְדְּךָ וַאֲמִתְּךָ

7 תָּמִיד יִצְּרוּנִי.

8 זְכֹר רַחֲמֶיךָ יְיָ וַחֲסָדֶיךָ, כִּי מֵעוֹלָם הֵמָּה.

9 תְּנוּ עֹז לֵאלֹהִים

10 עַל יִשְׂרָאֵל גַּאֲוָתוֹ, וְעֻזּוֹ – בַּשְּׁחָקִים.

11 נוֹרָא אֱלֹהִים מִמִּקְדָּשֶׁיךָ, אֵל יִשְׂרָאֵל, הוּא נוֹתֵן עֹז

12 וְתַעֲצֻמוֹת לָעָם –

13 בָּרוּךְ אֱלֹהִים!

14 אֵל נְקָמוֹת יְיָ, אֵל נְקָמוֹת, הוֹפִיעַ!

15 הִנָּשֵׂא, שֹׁפֵט הָאָרֶץ! הָשֵׁב גְּמוּל עַל גֵּאִים.

16 לַיְיָ הַיְשׁוּעָה, עַל עַמְּךָ בִרְכָתֶךָ סֶּלָה.

17 יְיָ צְבָאוֹת עִמָּנוּ, מִשְׂגָּב לָנוּ אֱלֹהֵי יַעֲקֹב סֶלָה.

Reader 18 יְיָ צְבָאוֹת, אַשְׁרֵי אָדָם בֹּטֵחַ בָּךְ.

19 יְיָ הוֹשִׁיעָה! הַמֶּלֶךְ יַעֲנֵנוּ בְיוֹם קָרְאֵנוּ.

*

Cong.

1   הוֹשִׁיעָה אֶת עַמֶּךָ וּבָרֵךְ אֶת נַחֲלָתֶךָ,

2   וּרְעֵם וְנַשְּׂאֵם עַד הָעוֹלָם

3   נַפְשֵׁנוּ חִכְּתָה לַיְיָ, עֶזְרֵנוּ וּמָגִנֵּנוּ הוּא.

4   כִּי בוֹ יִשְׂמַח לִבֵּנוּ, כִּי בְשֵׁם קָדְשׁוֹ בָטָחְנוּ.

5   יְהִי חַסְדְּךָ יְיָ עָלֵינוּ, כַּאֲשֶׁר יִחַלְנוּ לָךְ.

*

6   הַרְאֵנוּ יְיָ חַסְדֶּךָ, וְיֶשְׁעֲךָ תִּתֶּן לָנוּ.

7   קוּמָה עֶזְרָתָה־לָּנוּ, וּפְדֵנוּ לְמַעַן חַסְדֶּךָ.

8   אָנֹכִי יְיָ אֱלֹהֶיךָ, הַמַּעַלְךָ מֵאֶרֶץ מִצְרָיִם.

9   הַרְחֶב פִּיךָ וַאֲמַלְאֵהוּ.

10   אַשְׁרֵי הָעָם שֶׁכָּכָה־לּוֹ, – אַשְׁרֵי הָעָם שֶׁיְיָ אֱלֹהָיו!

11   Reader   וַאֲנִי בְּחַסְדְּךָ בָטַחְתִּי, יָגֵל לִבִּי בִּישׁוּעָתֶךָ;

12   אָשִׁירָה לַיְיָ, כִּי גָמַל עָלָי.

לַמְנַצֵּחַ מִזְמוֹר לְדָוִד:

הַשָּׁמַיִם מְסַפְּרִים כְּבוֹד אֵל וּמַעֲשֵׂה יָדָיו מַגִּיד הָרָקִיעַ

To the Choirmaster: A Psalm of David. The heavens
recount the glory of God, and the firmament declares
his handiwork

1 לַמְנַצֵּחַ מִזְמוֹר לְדָוִד.

2 הַשָּׁמַיִם מְסַפְּרִים כְּבוֹד אֵל, וּמַעֲשֵׂה יָדָיו מַגִּיד הָרָקִיעַ.

3 יוֹם לְיוֹם יַבִּיעַ אֹמֶר, וְלַיְלָה לְּלַיְלָה יְחַוֶּה דָּעַת.

4 אֵין אֹמֶר וְאֵין דְּבָרִים, בְּלִי נִשְׁמָע קוֹלָם;

5 בְּכָל הָאָרֶץ יָצָא קַוָּם וּבִקְצֵה תֵבֵל מִלֵּיהֶם;

6 לַשֶּׁמֶשׁ שָׂם אֹהֶל בָּהֶם.

7 וְהוּא כְּחָתָן יֹצֵא מֵחֻפָּתוֹ, יָשִׂישׂ כְּגִבּוֹר לָרוּץ אֹרַח.

8 מִקְצֵה הַשָּׁמַיִם מוֹצָאוֹ, וּתְקוּפָתוֹ עַל קְצוֹתָם.

9 וְאֵין נִסְתָּר מֵחַמָּתוֹ.

10 תּוֹרַת יְיָ תְּמִימָה, מְשִׁיבַת נָפֶשׁ,

11 עֵדוּת יְיָ נֶאֱמָנָה מַחְכִּימַת פֶּתִי.

12 פִּקּוּדֵי יְיָ יְשָׁרִים, מְשַׂמְּחֵי לֵב,

13 מִצְוַת יְיָ בָּרָה, מְאִירַת עֵינָיִם.

14 יִרְאַת יְיָ טְהוֹרָה עוֹמֶדֶת לָעַד,

15 מִשְׁפְּטֵי יְיָ אֱמֶת, צָדְקוּ יַחְדָּו.

1   הַנֶּחֱמָדִים מִזָּהָב וּמִפַּז רָב,

2   וּמְתוּקִים מִדְּבַשׁ וְנֹפֶת צוּפִים.

3   גַּם עַבְדְּךָ נִזְהָר בָּהֶם,   בְּשָׁמְרָם עֵקֶב רָב.

4   שְׁגִיאוֹת מִי יָבִין?   מִנִּסְתָּרוֹת נַקֵּנִי.

5   גַּם מִזֵּדִים חֲשֹׂךְ עַבְדֶּךָ   אַל יִמְשְׁלוּ בִי,

6   אָז אֵיתָם, וְנִקֵּיתִי מִפֶּשַׁע רָב.

Reader 7   יִהְיוּ לְרָצוֹן אִמְרֵי פִי,   וְהֶגְיוֹן לִבִּי לְפָנֶיךָ.

8   יְיָ צוּרִי וְגֹאֲלִי!

לְדָוִד בְּשַׁנּוֹתוֹ אֶת טַעְמוֹ לִפְנֵי אֲבִימֶלֶךְ וַיְגָרֲשֵׁהוּ וַיֵּלַךְ

**A Psalm of David; when he changed his behavior before
Abimelech, who drove him away, and he departed**

This is Psalm 34, written in alphabetical acrostic. It refers
to David when he was recognized as the slayer of the giant
Goliath by the servants of Achish, king of Gath. David
pretended he was insane and this saved his life.

Psalm 34 contains many beautiful sayings such as:

"Who is the man that desires life and loves a long life of
happiness?

Keep your tongue from evil and your lips from speaking
falsehood.

Turn away from evil and do good.

Seek peace and pursue it."

9   לְדָוִד, בְּשַׁנּוֹתוֹ אֶת טַעְמוֹ לִפְנֵי אֲבִימֶלֶךְ, וַיְגָרֲשֵׁהוּ וַיֵּלַךְ:

10   אֲבָרְכָה אֶת יְיָ בְּכָל עֵת, תָּמִיד תְּהִלָּתוֹ בְּפִי.

11   בַּיְיָ תִּתְהַלֵּל נַפְשִׁי, יִשְׁמְעוּ עֲנָוִים וְיִשְׂמָחוּ.

1 גַּדְּלוּ לַייָ אִתִּי, וּנְרוֹמְמָה שְׁמוֹ יַחְדָּו.

2 דָּרַשְׁתִּי אֶת יְיָ וְעָנָנִי, וּמִכָּל מְגוּרוֹתַי הִצִּילָנִי.

3 הִבִּיטוּ אֵלָיו וְנָהָרוּ, וּפְנֵיהֶם אַל יֶחְפָּרוּ.

4 זֶה עָנִי קָרָא וַייָ שָׁמֵעַ, וּמִכָּל צָרוֹתָיו הוֹשִׁיעוֹ.

5 חֹנֶה מַלְאַךְ יְיָ, סָבִיב לִירֵאָיו וַיְחַלְּצֵם.

6 טַעֲמוּ וּרְאוּ כִּי טוֹב יְיָ, אַשְׁרֵי הַגֶּבֶר יֶחֱסֶה בּוֹ.

7 יְראוּ אֶת יְיָ קְדֹשָׁיו, כִּי אֵין מַחְסוֹר לִירֵאָיו.

8 כְּפִירִים רָשׁוּ וְרָעֵבוּ, וְדֹרְשֵׁי יְיָ לֹא יַחְסְרוּ כָל טוֹב.

9 לְכוּ בָנִים שִׁמְעוּ לִי, יִרְאַת יְיָ אֲלַמֶּדְכֶם.

10 מִי הָאִישׁ הֶחָפֵץ חַיִּים, אֹהֵב יָמִים לִרְאוֹת טוֹב.

11 נְצֹר לְשׁוֹנְךָ מֵרָע, וּשְׂפָתֶיךָ מִדַּבֵּר מִרְמָה.

12 סוּר מֵרָע וַעֲשֵׂה טוֹב, בַּקֵּשׁ שָׁלוֹם וְרָדְפֵהוּ.

13 עֵינֵי יְיָ אֶל צַדִּיקִים, וְאָזְנָיו אֶל שַׁוְעָתָם.

14 פְּנֵי יְיָ בְּעֹשֵׂי רָע, לְהַכְרִית מֵאֶרֶץ זִכְרָם.

15 צָעֲקוּ וַייָ שָׁמֵעַ, וּמִכָּל צָרוֹתָם הִצִּילָם.

16 קָרוֹב יְיָ לְנִשְׁבְּרֵי לֵב, וְאֶת דַּכְּאֵי רוּחַ יוֹשִׁיעַ.

17 רַבּוֹת רָעוֹת צַדִּיק, וּמִכֻּלָּם יַצִּילֶנּוּ יְיָ.

18 שֹׁמֵר כָּל עַצְמוֹתָיו, אַחַת מֵהֵנָּה לֹא נִשְׁבָּרָה.

19 תְּמוֹתֵת רָשָׁע רָעָה, וְשֹׂנְאֵי צַדִּיק יֶאְשָׁמוּ.

20 Reader פּוֹדֶה יְיָ נֶפֶשׁ עֲבָדָיו, וְלֹא יֶאְשְׁמוּ כָּל הַחוֹסִים בּוֹ.

תְּפִלָּה לְמֹשֶׁה אִישׁ הָאֱלֹהִים

A Prayer of Moses, the man of God

This is Psalm 90. It is called "a Prayer of Moses." Some of the phrases are similar to the words of the final song which Moses sang on the banks of the Jordan River in sight of the Promised Land.

It is full of lofty thoughts, containing phrases such as "A thousand years in Your sight are as a day that is past . . . They (men) are like grass that grows in the morning. In the morning it flourishes and grows. In the evening it is cut down and withers . . . The days of our life are seventy years, or, by reason of strength, eighty years. Yet their pride is only toil and vanity . . . Teach us to number our days that we may obtain a heart of wisdom." This Psalm is customarily read as a eulogy at funerals.

תְּפִלָּה לְמֹשֶׁה אִישׁ הָאֱלֹהִים,
אֲדֹנָי! מָעוֹן אַתָּה הָיִיתָ לָּנוּ בְּדֹר וָדֹר.
בְּטֶרֶם הָרִים יֻלָּדוּ, וַתְּחוֹלֵל אֶרֶץ וְתֵבֵל,
וּמֵעוֹלָם עַד עוֹלָם אַתָּה אֵל.
תָּשֵׁב אֱנוֹשׁ עַד דַּכָּא, וַתֹּאמֶר: שׁוּבוּ בְנֵי אָדָם.
כִּי אֶלֶף שָׁנִים בְּעֵינֶיךָ כְּיוֹם אֶתְמוֹל כִּי יַעֲבוֹר,
וְאַשְׁמוּרָה בַלָּיְלָה.
זְרַמְתָּם שֵׁנָה יִהְיוּ, בַּבֹּקֶר כֶּחָצִיר יַחֲלֹף.
בַּבֹּקֶר יָצִיץ וְחָלָף לָעֶרֶב יְמוֹלֵל וְיָבֵשׁ.
כִּי כָלִינוּ בְאַפֶּךָ, וּבַחֲמָתְךָ נִבְהָלְנוּ.

1 שָׁתָּה עֲוֹנֹתֵינוּ לְנֶגְדֶּךָ, עֲלֻמֵנוּ לִמְאוֹר פָּנֶיךָ.

2 כִּי כָל יָמֵינוּ פָּנוּ בְעֶבְרָתֶךָ, כִּלִּינוּ שָׁנֵינוּ כְמוֹ הֶגֶה.

3 יְמֵי שְׁנוֹתֵינוּ בָהֶם שִׁבְעִים שָׁנָה, וְאִם בִּגְבוּרֹת שְׁמוֹנִים שָׁנָה

4 וְרָהְבָּם עָמָל וָאָוֶן, כִּי גָז חִישׁ וַנָּעֻפָה.

5 מִי יוֹדֵעַ עֹז אַפֶּךָ, וּכְיִרְאָתְךָ עֶבְרָתֶךָ.

6 לִמְנוֹת יָמֵינוּ כֵּן הוֹדַע, וְנָבִיא לְבַב חָכְמָה.

7 שׁוּבָה יְיָ, עַד מָתָי? וְהִנָּחֵם עַל עֲבָדֶיךָ.

8 שַׂבְּעֵנוּ בַבֹּקֶר חַסְדֶּךָ, וּנְרַנְּנָה וְנִשְׂמְחָה בְּכָל יָמֵינוּ.

9 שַׂמְּחֵנוּ כִּימוֹת עִנִּיתָנוּ שְׁנוֹת רָאִינוּ רָעָה.

10 Reader יֵרָאֶה אֶל עֲבָדֶיךָ פָעֳלֶךָ, וַהֲדָרְךָ עַל בְּנֵיהֶם,

וִיהִי נֹעַם אֲדֹנָי אֱלֹהֵינוּ עָלֵינוּ

**And let the pleasantness of the Lord our God be
upon us**

11 וִיהִי נֹעַם אֲדֹנָי

12 אֱלֹהֵינוּ עָלֵינוּ,

13 וּמַעֲשֵׂה יָדֵינוּ כּוֹנְנָה עָלֵינוּ,

14 וּמַעֲשֵׂה יָדֵינוּ כּוֹנְנֵהוּ:

יֹשֵׁב בְּסֵתֶר עֶלְיוֹן בְּצֵל שַׁדַּי יִתְלוֹנָן

**He who dwells in the shelter of the Most High abides
under the shadow of the Almighty**

This is Psalm 91 which the Talmud calls "a song against
evil occurrences" (Tractate Shevuot 15b). It is recited in
the cemetery as the casket is borne to the grave. It is a
Psalm of comfort and hope, assuring us that trust in God
will deliver us from all the dangers of life.

1 יֹשֵׁב בְּסֵתֶר עֶלְיוֹן, בְּצֵל שַׁדַּי יִתְלוֹנָן.

2 אֹמַר לַיָי מַחְסִי וּמְצוּדָתִי, אֱלֹהַי אֶבְטַח בּוֹ.

3 כִּי הוּא יַצִּילְךָ מִפַּח יָקוּשׁ, מִדֶּבֶר הַוּוֹת.

4 בְּאֶבְרָתוֹ יָסֶךְ לָךְ וְתַחַת כְּנָפָיו תֶּחְסֶה,

5 צִנָּה וְסֹחֵרָה אֲמִתּוֹ.

6 לֹא תִירָא מִפַּחַד לָיְלָה, מֵחֵץ יָעוּף יוֹמָם.

7 מִדֶּבֶר בָּאֹפֶל יַהֲלֹךְ, מִקֶּטֶב יָשׁוּד צָהֳרָיִם.

8 יִפֹּל מִצִּדְּךָ אֶלֶף, וּרְבָבָה מִימִינֶךָ,

9 אֵלֶיךָ לֹא יִגָּשׁ.

1 רַק בְּעֵינֶיךָ תַבִּיט, וְשִׁלֻּמַת רְשָׁעִים תִּרְאֶה.

2 כִּי אַתָּה יְיָ מַחְסִי, עֶלְיוֹן שַׂמְתָּ מְעוֹנֶךָ.

3 לֹא תְאֻנֶּה אֵלֶיךָ רָעָה,

4 וְנֶגַע לֹא יִקְרַב בְּאָהֳלֶךָ.

5 כִּי מַלְאָכָיו יְצַוֶּה לָּךְ,

6 לִשְׁמָרְךָ בְּכָל דְּרָכֶיךָ.

7 עַל כַּפַּיִם יִשָּׂאוּנְךָ, פֶּן תִּגֹּף בָּאֶבֶן רַגְלֶךָ.

8 עַל שַׁחַל וָפֶתֶן תִּדְרֹךְ, תִּרְמֹס כְּפִיר וְתַנִּין.

9 כִּי בִי חָשַׁק וַאֲפַלְּטֵהוּ,

10 אֲשַׂגְּבֵהוּ כִּי יָדַע שְׁמִי.

11 Reader יִקְרָאֵנִי וְאֶעֱנֵהוּ, עִמּוֹ אָנֹכִי בְצָרָה,

12 אֲחַלְּצֵהוּ וַאֲכַבְּדֵהוּ: אֹרֶךְ יָמִים אַשְׂבִּיעֵהוּ,

13 וְאַרְאֵהוּ בִּישׁוּעָתִי: אֹרֶךְ יָמִים אַשְׂבִּיעֵהוּ,

14 וְאַרְאֵהוּ בִּישׁוּעָתִי:

1   הַלְלוּיָהּ, הַלְלוּ אֶת־שֵׁם יְיָ, הַלְלוּ עַבְדֵי יְיָ: שֶׁעוֹמְדִים

2   בְּבֵית יְיָ, בְּחַצְרוֹת בֵּית אֱלֹהֵינוּ: הַלְלוּ־יָהּ, כִּי טוֹב יְיָ,

3   זַמְּרוּ לִשְׁמוֹ, כִּי נָעִים: כִּי־יַעֲקֹב בָּחַר לוֹ יָהּ, יִשְׂרָאֵל

4   לִסְגֻלָּתוֹ: כִּי אֲנִי יָדַעְתִּי, כִּי־גָדוֹל יְיָ, וַאֲדֹנֵינוּ מִכָּל־

5   אֱלֹהִים: כֹּל אֲשֶׁר־חָפֵץ יְיָ עָשָׂה, בַּשָּׁמַיִם וּבָאָרֶץ, בַּיַּמִּים

6   וְכָל־תְּהֹמוֹת: מַעֲלֶה נְשִׂאִים מִקְצֵה הָאָרֶץ, בְּרָקִים

7   לַמָּטָר עָשָׂה, מוֹצֵא רוּחַ מֵאוֹצְרוֹתָיו: שֶׁהִכָּה, בְּכוֹרֵי

8   מִצְרַיִם, מֵאָדָם עַד־בְּהֵמָה: שָׁלַח אוֹתֹת וּמֹפְתִים בְּתוֹכֵכִי

9   מִצְרַיִם, בְּפַרְעֹה וּבְכָל־עֲבָדָיו: שֶׁהִכָּה, גּוֹיִם רַבִּים,

10   וְהָרַג מְלָכִים עֲצוּמִים: לְסִיחוֹן מֶלֶךְ הָאֱמֹרִי, וּלְעוֹג

11   מֶלֶךְ הַבָּשָׁן, וּלְכֹל מַמְלְכוֹת כְּנָעַן: וְנָתַן אַרְצָם נַחֲלָה,

12   נַחֲלָה לְיִשְׂרָאֵל עַמּוֹ: יְיָ, שִׁמְךָ לְעוֹלָם, יְיָ, זִכְרְךָ לְדֹר־

13   וָדֹר: כִּי־יָדִין יְיָ עַמּוֹ, וְעַל־עֲבָדָיו יִתְנֶחָם: עֲצַבֵּי הַגּוֹיִם

14   כֶּסֶף וְזָהָב, מַעֲשֵׂה יְדֵי אָדָם: פֶּה־לָהֶם וְלֹא יְדַבֵּרוּ,

15   עֵינַיִם לָהֶם וְלֹא יִרְאוּ: אָזְנַיִם לָהֶם וְלֹא יַאֲזִינוּ, אַף אֵין־

16   יֶשׁ־רוּחַ בְּפִיהֶם: כְּמוֹהֶם יִהְיוּ עֹשֵׂיהֶם, כֹּל, אֲשֶׁר בֹּטֵחַ

17   בָּהֶם: Reader בֵּית יִשְׂרָאֵל בָּרְכוּ אֶת־יְיָ, בֵּית אַהֲרֹן

18   בָּרְכוּ אֶת־יְיָ, בֵּית הַלֵּוִי, בָּרְכוּ אֶת־יְיָ, יִרְאֵי יְיָ, בָּרְכוּ

19   אֶת־יְיָ: בָּרוּךְ יְיָ מִצִּיּוֹן, שֹׁכֵן יְרוּשָׁלָיִם, הַלְלוּיָהּ:

הוֹדוּ לַיְיָ כִּי טוֹב כִּי לְעוֹלָם חַסְדּוֹ

O give thanks to the Lord; for He is good: for His lovingkindness endures forever

This is Psalm 136, which the Talmud calls "the great הַלֵּל" (Tractate Pesahim 118a). This is the only song that has a chorus in each verse, "For His lovingkindness endures forever." It was probably chanted by the Israelites in the Temple, led by Levites or the priests. It enumerates the many wonders of God, such as creation, the exodus and so forth.

1 הוֹדוּ לַיְיָ, כִּי־טוֹב, כִּי, לְעוֹלָם חַסְדּוֹ:

2 הוֹדוּ לֵאלֹהֵי הָאֱלֹהִים, כִּי, לְעוֹלָם חַסְדּוֹ:

3 הוֹדוּ לַאֲדֹנֵי הָאֲדֹנִים, כִּי, לְעוֹלָם חַסְדּוֹ:

4 לְעֹשֵׂה נִפְלָאוֹת גְּדֹלוֹת לְבַדּוֹ כִּי, לְעוֹלָם חַסְדּוֹ:

5 לְעֹשֵׂה הַשָּׁמַיִם בִּתְבוּנָה, כִּי, לְעוֹלָם חַסְדּוֹ:

6 לְרוֹקַע הָאָרֶץ עַל־הַמָּיִם, כִּי, לְעוֹלָם חַסְדּוֹ:

7 לְעֹשֵׂה אוֹרִים גְּדֹלִים, כִּי, לְעוֹלָם חַסְדּוֹ:

8 אֶת־הַשֶּׁמֶשׁ, לְמֶמְשֶׁלֶת בַּיּוֹם, כִּי, לְעוֹלָם חַסְדּוֹ:

9 אֶת־הַיָּרֵחַ וְכוֹכָבִים, לְמֶמְשְׁלוֹת בַּלָּיְלָה,

10 כִּי, לְעוֹלָם חַסְדּוֹ:

11 לְמַכֵּה מִצְרַיִם בִּבְכוֹרֵיהֶם, כִּי, לְעוֹלָם חַסְדּוֹ:

12 וַיּוֹצֵא יִשְׂרָאֵל מִתּוֹכָם, כִּי, לְעוֹלָם חַסְדּוֹ:

13 בְּיָד חֲזָקָה וּבִזְרוֹעַ נְטוּיָה, כִּי, לְעוֹלָם חַסְדּוֹ:

לְגֹזֵר יַם־סוּף לִגְזָרִים, כִּי, לְעוֹלָם חַסְדּוֹ:
וְהֶעֱבִיר יִשְׂרָאֵל בְּתוֹכוֹ, כִּי, לְעוֹלָם חַסְדּוֹ:
וְנִעֵר פַּרְעֹה וְחֵילוֹ בְיַם־סוּף, כִּי, לְעוֹלָם חַסְדּוֹ:
לְמוֹלִיךְ עַמּוֹ בַּמִּדְבָּר, כִּי, לְעוֹלָם חַסְדּוֹ:
לְמַכֵּה מְלָכִים גְּדֹלִים, כִּי, לְעוֹלָם חַסְדּוֹ:
וַיַּהֲרֹג מְלָכִים אַדִּירִים, כִּי, לְעוֹלָם חַסְדּוֹ:
לְסִיחוֹן מֶלֶךְ הָאֱמֹרִי, כִּי, לְעוֹלָם חַסְדּוֹ:
וּלְעוֹג מֶלֶךְ הַבָּשָׁן, כִּי, לְעוֹלָם חַסְדּוֹ:
וְנָתַן אַרְצָם לְנַחֲלָה, כִּי, לְעוֹלָם חַסְדּוֹ:
נַחֲלָה לְיִשְׂרָאֵל עַבְדּוֹ, כִּי, לְעוֹלָם חַסְדּוֹ:
שֶׁבְּשִׁפְלֵנוּ זָכַר־לָנוּ, כִּי, לְעוֹלָם חַסְדּוֹ:
וַיִּפְרְקֵנוּ מִצָּרֵינוּ, כִּי, לְעוֹלָם חַסְדּוֹ:
Reader נֹתֵן לֶחֶם לְכָל־בָּשָׂר, כִּי, לְעוֹלָם חַסְדּוֹ:
הוֹדוּ לְאֵל הַשָּׁמָיִם, כִּי, לְעוֹלָם חַסְדּוֹ:

רַנְּנוּ צַדִּיקִים בַּייָ

Exult in the Lord, O you righteous

רַנְּנוּ צַדִּיקִים בַּייָ, לַיְשָׁרִים נָאוָה תְהִלָּה: Cong. הוֹדוּ לַייָ, בְּכִנּוֹר, בְּנֵבֶל עָשׂוֹר זַמְּרוּ־לוֹ: שִׁירוּ לוֹ שִׁיר חָדָשׁ הֵיטִיבוּ נַגֵּן בִּתְרוּעָה: כִּי־יָשָׁר דְּבַר יְיָ, וְכָל־מַעֲשֵׂהוּ,

1 בֶּאֱמוּנָה: אָהֵב צְדָקָה וּמִשְׁפָּט, חֶסֶד יְיָ, מָלְאָה הָאָרֶץ:

2 בִּדְבַר יְיָ, שָׁמַיִם נַעֲשׂוּ, וּבְרוּחַ פִּיו, כָּל־צְבָאָם: כֹּנֵס

3 כַּנֵּד מֵי הַיָּם, נֹתֵן בְּאוֹצָרוֹת תְּהוֹמוֹת: יִירְאוּ מֵיְיָ כָּל־

4 הָאָרֶץ, מִמֶּנּוּ יָגוּרוּ, כָּל־יֹשְׁבֵי תֵבֵל: כִּי הוּא אָמַר, וַיֶּהִי,

5 הוּא־צִוָּה וַיַּעֲמֹד: יְיָ הֵפִיר עֲצַת־גּוֹיִם, הֵנִיא מַחְשְׁבוֹת

6 עַמִּים: עֲצַת יְיָ, לְעוֹלָם תַּעֲמֹד, מַחְשְׁבוֹת לִבּוֹ, לְדֹר

7 וָדֹר: אַשְׁרֵי הַגּוֹי, אֲשֶׁר־יְיָ אֱלֹהָיו, הָעָם, בָּחַר לְנַחֲלָה

8 לוֹ: מִשָּׁמַיִם הִבִּיט יְיָ, רָאָה אֶת־כָּל־בְּנֵי הָאָדָם: מִמְּכוֹן־

9 שִׁבְתּוֹ הִשְׁגִּיחַ, אֶל כָּל־יֹשְׁבֵי הָאָרֶץ: הַיֹּצֵר יַחַד לִבָּם,

10 הַמֵּבִין אֶל־כָּל־מַעֲשֵׂיהֶם: אֵין הַמֶּלֶךְ נוֹשָׁע בְּרָב־חָיִל,

11 גִּבּוֹר לֹא־יִנָּצֵל בְּרָב־כֹּחַ: שֶׁקֶר הַסּוּס לִתְשׁוּעָה, וּבְרֹב

12 חֵילוֹ לֹא יְמַלֵּט: הִנֵּה עֵין יְיָ אֶל־יְרֵאָיו, לַמְיַחֲלִים

13 לְחַסְדּוֹ: לְהַצִּיל מִמָּוֶת נַפְשָׁם, וּלְחַיּוֹתָם בָּרָעָב: נַפְשֵׁנוּ

14 חִכְּתָה לַיְיָ, עֶזְרֵנוּ וּמָגִנֵּנוּ הוּא: Reader כִּי־בוֹ יִשְׂמַח לִבֵּנוּ

15 כִּי בְשֵׁם קָדְשׁוֹ בָטָחְנוּ: יְהִי־חַסְדְּךָ יְיָ עָלֵינוּ, כַּאֲשֶׁר

16   יִחַלְנוּ לָךְ:

מִזְמוֹר שִׁיר לְיוֹם הַשַּׁבָּת: טוֹב לְהוֹדוֹת לַיָי

A Psalm; A song for the Sabbath day: It is good to give thanks to the Lord

This is Psalm 92. It speaks of God's justice and of man's need for intelligence and understanding. "A stupid man cannot know, neither does a fool understand this." What don't they understand? That the wicked may be successful and rich now, but that eventually they will be punished and destroyed.

We have here the lovely description of the צַדִּיק, the righteous. "The righteous shall spring up like a palm-tree; he shall grow tall like a cedar in Lebanon" (the forest from which Solomon took the trees for building the Temple). The reward of the righteous is that he stands higher in our love and respect than the tallest tree. This psalm was sung by the לְוִיִּם (Levites) during the Sabbath sacrifices in the Holy Temple. This Psalm is also recited after the Musaf service as the daily Psalm for Saturday.

1 מִזְמוֹר שִׁיר לְיוֹם הַשַּׁבָּת:

2 טוֹב לְהֹדוֹת לַיָי. וּלְזַמֵּר לְשִׁמְךָ, עֶלְיוֹן:

3 לְהַגִּיד בַּבֹּקֶר חַסְדֶּךָ, וֶאֱמוּנָתְךָ בַּלֵּילוֹת:

4 עֲלֵי־עָשׂוֹר וַעֲלֵי־נָבֶל, עֲלֵי הִגָּיוֹן בְּכִנּוֹר:

5 כִּי שִׂמַּחְתַּנִי יְיָ בְּפָעֳלֶךָ, בְּמַעֲשֵׂי יָדֶיךָ אֲרַנֵּן:

6 מַה־גָּדְלוּ מַעֲשֶׂיךָ יְיָ, מְאֹד עָמְקוּ מַחְשְׁבֹתֶיךָ:

7 אִישׁ בַּעַר לֹא יֵדָע, וּכְסִיל לֹא־יָבִין אֶת־זֹאת:

8 בִּפְרֹחַ רְשָׁעִים כְּמוֹ־עֵשֶׂב, וַיָּצִיצוּ כָּל־פֹּעֲלֵי אָוֶן,

9 לְהִשָּׁמְדָם עֲדֵי־עַד:

1   וְאַתָּה מָרוֹם לְעֹלָם יְיָ:

2   כִּי־הִנֵּה אֹיְבֶיךָ יְיָ, כִּי־הִנֵּה אֹיְבֶיךָ יֹאבֵדוּ,

3   יִתְפָּרְדוּ כָּל־פֹּעֲלֵי אָוֶן:

4   וַתָּרֶם כִּרְאֵים קַרְנִי, בַּלֹּתִי בְּשֶׁמֶן רַעֲנָן:

5   וַתַּבֵּט עֵינִי בְּשׁוּרָי, בַּקָּמִים עָלַי מְרֵעִים, תִּשְׁמַעְנָה אָזְנָי:

6   צַדִּיק כַּתָּמָר יִפְרָח, כְּאֶרֶז בַּלְּבָנוֹן יִשְׂגֶּה:

7   שְׁתוּלִים בְּבֵית יְיָ, בְּחַצְרוֹת אֱלֹהֵינוּ יַפְרִיחוּ:

8   עוֹד יְנוּבוּן בְּשֵׂיבָה, דְּשֵׁנִים וְרַעֲנַנִּים יִהְיוּ:

9   לְהַגִּיד כִּי יָשָׁר יְיָ. צוּרִי, וְלֹא־עַוְלָתָה בּוֹ:

יְיָ מָלָךְ גֵּאוּת לָבֵשׁ

The Lord is King; He is robed in majesty

For comment see page 174

10   יְיָ מָלָךְ, גֵּאוּת לָבֵשׁ, לָבֵשׁ יְיָ, עֹז הִתְאַזָּר.

11   אַף־תִּכּוֹן תֵּבֵל, בַּל תִּמּוֹט:

12   נָכוֹן כִּסְאֲךָ מֵאָז, מֵעוֹלָם אָתָּה.

13   נָשְׂאוּ נְהָרוֹת יְיָ, נָשְׂאוּ נְהָרוֹת קוֹלָם,

14   יִשְׂאוּ נְהָרוֹת דָּכְיָם:

15   מִקֹּלוֹת מַיִם רַבִּים, אַדִּירִים, מִשְׁבְּרֵי־יָם,

16   אַדִּיר בַּמָּרוֹם יְיָ:

17   Reader   עֵדֹתֶיךָ נֶאֶמְנוּ מְאֹד, לְבֵיתְךָ נָאֲוָה־קֹדֶשׁ,

18   יְיָ לְאֹרֶךְ יָמִים:

יְהִי כְבוֹד יְיָ לְעוֹלָם יִשְׂמַח יְיָ בְּמַעֲשָׂיו

**Let the glory of the Lord endure for ever; let the Lord
rejoice in His works**

1.   יְהִי כְבוֹד יְיָ לְעוֹלָם, יִשְׂמַח יְיָ בְּמַעֲשָׂיו.

2.   יְהִי שֵׁם יְיָ מְבֹרָךְ, מֵעַתָּה וְעַד עוֹלָם.

3.   מִמִּזְרַח שֶׁמֶשׁ עַד מְבוֹאוֹ, מְהֻלָּל שֵׁם יְיָ.

4.   רָם עַל כָּל גּוֹיִם יְיָ, עַל הַשָּׁמַיִם – כְּבוֹדוֹ.

5.   יְיָ, שִׁמְךָ לְעוֹלָם, יְיָ, זִכְרְךָ לְדֹר וָדֹר.

6.   יְיָ בַּשָּׁמַיִם הֵכִין כִּסְאוֹ, וּמַלְכוּתוֹ בַּכֹּל מָשָׁלָה.

7.   יִשְׂמְחוּ הַשָּׁמַיִם וְתָגֵל הָאָרֶץ, וְיֹאמְרוּ בַגּוֹיִם: יְיָ מָלָךְ!

8.   יְיָ מֶלֶךְ, יְיָ מָלָךְ, יְיָ יִמְלֹךְ לְעֹלָם וָעֶד.

9.   יְיָ מֶלֶךְ עוֹלָם וָעֶד; אָבְדוּ גוֹיִם מֵאַרְצוֹ.

10.   יְיָ הֵפִיר עֲצַת גּוֹיִם, הֵנִיא מַחְשְׁבוֹת עַמִּים.

11.   רַבּוֹת מַחֲשָׁבוֹת בְּלֶב אִישׁ, וַעֲצַת יְיָ הִיא תָקוּם.

12.   עֲצַת יְיָ לְעוֹלָם תַּעֲמֹד, מַחְשְׁבוֹת לִבּוֹ לְדֹר וָדֹר.

13.   כִּי הוּא אָמַר – וַיֶּהִי, הוּא צִוָּה – וַיַּעֲמֹד.

14.   כִּי בָחַר יְיָ בְּצִיּוֹן, אִוָּהּ לְמוֹשָׁב לוֹ.

15.   כִּי יַעֲקֹב בָּחַר לוֹ יָהּ, יִשְׂרָאֵל – לִסְגֻלָּתוֹ.

16.   כִּי לֹא יִטֹּשׁ יְיָ עַמּוֹ, וְנַחֲלָתוֹ לֹא יַעֲזֹב.

1 Reader וְהוּא רַחוּם יְכַפֵּר עָוֹן וְלֹא יַשְׁחִית.

2 וְהִרְבָּה לְהָשִׁיב אַפּוֹ, וְלֹא יָעִיר כָּל חֲמָתוֹ.

3 יְיָ הוֹשִׁיעָה! הַמֶּלֶךְ יַעֲנֵנוּ בְיוֹם קָרְאֵנוּ.

אַשְׁרֵי יוֹשְׁבֵי בֵיתֶךָ

Happy are those who dwell in Your House

For commment see page 75

4 אַשְׁרֵי יוֹשְׁבֵי בֵיתֶךָ, עוֹד יְהַלְלוּךָ סֶּלָה.

5 אַשְׁרֵי הָעָם שֶׁכָּכָה לּוֹ, אַשְׁרֵי הָעָם שֶׁיְיָ

6 אֱלֹהָיו. תְּהִלָּה לְדָוִד:

7 אֲרוֹמִמְךָ אֱלוֹהַי הַמֶּלֶךְ! וַאֲבָרְכָה שִׁמְךָ

8 לְעוֹלָם וָעֶד.

9 בְּכָל יוֹם אֲבָרְכֶךָ, וַאֲהַלְלָה שִׁמְךָ לְעוֹלָם

10 וָעֶד.

11 גָּדוֹל יְיָ וּמְהֻלָּל מְאֹד, וְלִגְדֻלָּתוֹ אֵין חֵקֶר.

12 דּוֹר לְדוֹר יְשַׁבַּח מַעֲשֶׂיךָ, וּגְבוּרֹתֶיךָ יַגִּידוּ.

הֲדַר כְּבוֹד הוֹדֶךָ, וְדִבְרֵי נִפְלְאוֹתֶיךָ אָשִׂיחָה.

וֶעֱזוּז נוֹרְאוֹתֶיךָ יֹאמֵרוּ, וּגְדֻלָּתְךָ אֲסַפְּרֶנָּה.

זֵכֶר רַב טוּבְךָ יַבִּיעוּ, וְצִדְקָתְךָ יְרַנֵּנוּ.

חַנּוּן וְרַחוּם יְיָ, אֶרֶךְ אַפַּיִם וּגְדָל חָסֶד.

טוֹב יְיָ לַכֹּל, וְרַחֲמָיו עַל כָּל מַעֲשָׂיו.

יוֹדוּךָ יְיָ כָּל מַעֲשֶׂיךָ, וַחֲסִידֶיךָ יְבָרְכוּכָה.

כְּבוֹד מַלְכוּתְךָ יֹאמֵרוּ, וּגְבוּרָתְךָ יְדַבֵּרוּ.

לְהוֹדִיעַ לִבְנֵי הָאָדָם גְּבוּרֹתָיו, וּכְבוֹד הֲדַר מַלְכוּתוֹ.

מַלְכוּתְךָ, מַלְכוּת כָּל עוֹלָמִים, וּמֶמְשַׁלְתְּךָ בְּכָל דֹּר וָדֹר.

סוֹמֵךְ יְיָ לְכָל הַנֹּפְלִים, וְזוֹקֵף לְכָל הַכְּפוּפִים.

עֵינֵי כֹל אֵלֶיךָ יְשַׂבֵּרוּ, וְאַתָּה נוֹתֵן לָהֶם אֶת אָכְלָם בְּעִתּוֹ.

פּוֹתֵחַ אֶת יָדֶךָ, וּמַשְׂבִּיעַ לְכָל חַי רָצוֹן.

צַדִּיק יְיָ בְּכָל דְּרָכָיו, וְחָסִיד בְּכָל מַעֲשָׂיו.

קָרוֹב יְיָ לְכָל קֹרְאָיו, לְכֹל אֲשֶׁר יִקְרָאֻהוּ בֶאֱמֶת.

רְצוֹן יְרֵאָיו יַעֲשֶׂה, וְאֶת שַׁוְעָתָם יִשְׁמַע וְיוֹשִׁיעֵם.

שׁוֹמֵר יְיָ אֶת כָּל אֹהֲבָיו, וְאֵת כָּל הָרְשָׁעִים יַשְׁמִיד.

Reader תְּהִלַּת יְיָ יְדַבֶּר פִּי, וִיבָרֵךְ כָּל בָּשָׂר שֵׁם קָדְשׁוֹ לְעוֹלָם וָעֶד.

וַאֲנַחְנוּ נְבָרֵךְ יָהּ מֵעַתָּה וְעַד עוֹלָם, הַלְלוּיָהּ!

הַלְלוּיָהּ הַלְלִי נַפְשִׁי אֶת יְיָ

Praise the Lord! Praise the Lord, O my soul

For comment see page 78

1　הַלְלוּיָהּ,

2　הַלְלִי נַפְשִׁי אֶת יְיָ!

3　אֲהַלְלָה יְיָ בְּחַיָּי, אֲזַמְּרָה לֵאלֹהַי בְּעוֹדִי.

4　אַל תִּבְטְחוּ בִנְדִיבִים, בְּבֶן אָדָם שֶׁאֵין לוֹ

5　תְשׁוּעָה.

6　תֵּצֵא רוּחוֹ יָשֻׁב לְאַדְמָתוֹ, בַּיּוֹם הַהוּא אָבְדוּ

7　עֶשְׁתֹּנֹתָיו.

8　אַשְׁרֵי שֶׁאֵל יַעֲקֹב בְּעֶזְרוֹ, שִׂבְרוֹ עַל יְיָ

9　אֱלֹהָיו.

10　עֹשֶׂה שָׁמַיִם וָאָרֶץ, אֶת הַיָּם וְאֶת כָּל אֲשֶׁר

11　בָּם.

12　הַשֹּׁמֵר אֱמֶת לְעוֹלָם.

13　עֹשֶׂה מִשְׁפָּט לַעֲשׁוּקִים, נֹתֵן לֶחֶם לָרְעֵבִים.

14　יְיָ מַתִּיר אֲסוּרִים.

1   יְיָ פֹּקֵחַ עִוְרִים, יְיָ זוֹקֵף כְּפוּפִים

2   יְיָ אֹהֵב צַדִּיקִים.

3   יְיָ שֹׁמֵר אֶת גֵּרִים, יָתוֹם וְאַלְמָנָה יְעוֹדֵד,

4   וְדֶרֶךְ רְשָׁעִים יְעַוֵּת.

Reader 5   יִמְלֹךְ יְיָ לְעוֹלָם, אֱלֹהַיִךְ צִיּוֹן – לְדֹר

6   וָדֹר. הַלְלוּיָהּ!

הַלְלוּיָהּ כִּי טוֹב זַמְּרָה אֱלֹהֵינוּ

Praise the Lord! For it is good to sing praises to our God

For comment see page 80

הַלְלוּיָהּ!

7   כִּי טוֹב זַמְּרָה אֱלֹהֵינוּ,   כִּי נָעִים נָאוָה תְהִלָּה.

8   בּוֹנֵה יְרוּשָׁלַיִם יְיָ,   נִדְחֵי יִשְׂרָאֵל יְכַנֵּס.

9   הָרוֹפֵא לִשְׁבוּרֵי לֵב,   וּמְחַבֵּשׁ לְעַצְּבוֹתָם.

10   מוֹנֶה מִסְפָּר לַכּוֹכָבִים,   לְכֻלָּם שֵׁמוֹת יִקְרָא.

11   גָּדוֹל אֲדֹנֵינוּ וְרַב כֹּחַ,   לִתְבוּנָתוֹ אֵין מִסְפָּר.

12   מְעוֹדֵד עֲנָוִים יְיָ,   מַשְׁפִּיל רְשָׁעִים עֲדֵי אָרֶץ.

13   עֱנוּ לַיְיָ בְּתוֹדָה,   זַמְּרוּ לֵאלֹהֵינוּ בְכִנּוֹר.

1   הַמְכַסֶּה שָׁמַיִם בְּעָבִים,   הַמֵּכִין לָאָרֶץ מָטָר,

2   הַמַּצְמִיחַ הָרִים חָצִיר.

3   נוֹתֵן לִבְהֵמָה לַחְמָהּ,   לִבְנֵי עֹרֵב אֲשֶׁר יִקְרָאוּ.

4   לֹא בִגְבוּרַת הַסּוּס יֶחְפָּץ,   לֹא בְשׁוֹקֵי הָאִישׁ יִרְצֶה.

5   רוֹצֶה יְיָ אֶת יְרֵאָיו,   אֶת הַמְיַחֲלִים לְחַסְדּוֹ.

6   שַׁבְּחִי יְרוּשָׁלַיִם, אֶת יְיָ!   הַלְלִי אֱלֹהַיִךְ צִיּוֹן!

7   כִּי חִזַּק בְּרִיחֵי שְׁעָרָיִךְ,   בֵּרַךְ בָּנַיִךְ בְּקִרְבֵּךְ.

8   הַשָּׂם גְּבוּלֵךְ שָׁלוֹם,   חֵלֶב חִטִּים יַשְׂבִּיעֵךְ.

9   הַשֹּׁלֵחַ אִמְרָתוֹ אָרֶץ,   עַד מְהֵרָה יָרוּץ דְּבָרוֹ.

10   הַנֹּתֵן שֶׁלֶג כַּצָּמֶר,   כְּפוֹר כָּאֵפֶר יְפַזֵּר.

11   מַשְׁלִיךְ קַרְחוֹ כְפִתִּים,   לִפְנֵי קָרָתוֹ מִי יַעֲמֹד.

12   יִשְׁלַח דְּבָרוֹ וְיַמְסֵם,   יַשֵּׁב רוּחוֹ יִזְּלוּ מָיִם.

13   מַגִּיד דְּבָרָיו לְיַעֲקֹב,   חֻקָּיו וּמִשְׁפָּטָיו לְיִשְׂרָאֵל.

14   Reader לֹא עָשָׂה כֵן לְכָל גּוֹי,   וּמִשְׁפָּטִים בַּל יְדָעוּם.

15   הַלְלוּיָהּ!

הַלְלוּיָהּ הַלְלוּ אֶת יְיָ מִן הַשָּׁמַיִם

Praise the Lord! Praise the Lord from the heavens

For comment see page 82

הַלְלוּיָהּ!   1

הַלְלוּ אֶת יְיָ מִן הַשָּׁמַיִם, הַלְלוּהוּ בַּמְּרוֹמִים.   2

הַלְלוּהוּ כָל מַלְאָכָיו, הַלְלוּהוּ כָּל צְבָאָיו   3

הַלְלוּהוּ שֶׁמֶשׁ וְיָרֵחַ, הַלְלוּהוּ כָּל כּוֹכְבֵי אוֹר.   4

הַלְלוּהוּ שְׁמֵי הַשָּׁמַיִם, וְהַמַּיִם אֲשֶׁר מֵעַל הַשָּׁמָיִם.   5

יְהַלְלוּ אֶת שֵׁם יְיָ, כִּי הוּא צִוָּה – וְנִבְרָאוּ,   6

וַיַּעֲמִידֵם לָעַד לְעוֹלָם, חָק נָתַן וְלֹא יַעֲבוֹר.   7

הַלְלוּ אֶת יְיָ מִן הָאָרֶץ, תַּנִּינִים וְכָל תְּהֹמוֹת,   8

אֵשׁ וּבָרָד, שֶׁלֶג וְקִיטוֹר, רוּחַ סְעָרָה עֹשָׂה דְבָרוֹ.   9

הֶהָרִים וְכָל גְּבָעוֹת, עֵץ פְּרִי וְכָל אֲרָזִים.   10

הַחַיָּה וְכָל בְּהֵמָה, רֶמֶשׂ וְצִפּוֹר כָּנָף.   11

מַלְכֵי אֶרֶץ וְכָל לְאֻמִּים, שָׂרִים וְכָל שֹׁפְטֵי אָרֶץ.   12

בַּחוּרִים וְגַם בְּתוּלוֹת, זְקֵנִים עִם נְעָרִים.   13

יְהַלְלוּ אֶת שֵׁם יְיָ, כִּי נִשְׂגָּב שְׁמוֹ לְבַדּוֹ,   14

הוֹדוֹ עַל אֶרֶץ וְשָׁמָיִם.   15

Reader וַיָּרֶם קֶרֶן לְעַמּוֹ.   16

תְּהִלָּה לְכָל חֲסִידָיו, לִבְנֵי יִשְׂרָאֵל עַם קְרֹבוֹ. הַלְלוּיָהּ!   17

הַלְלוּיָהּ שִׁירוּ לַייָ שִׁיר חָדָשׁ

Praise the Lord! Sing to the Lord a new song

For comment see page 83

הַלְלוּיָהּ!   1

שִׁירוּ לַייָ שִׁיר חָדָשׁ,   תְּהִלָּתוֹ בִּקְהַל חֲסִידִים.   2

יִשְׂמַח יִשְׂרָאֵל בְּעֹשָׂיו,   בְּנֵי צִיּוֹן יָגִילוּ בְמַלְכָּם.   3

יְהַלְלוּ שְׁמוֹ בְמָחוֹל,   בְּתֹף וְכִנּוֹר יְזַמְּרוּ לוֹ.   4

כִּי רוֹצֶה יְיָ בְּעַמּוֹ,   יְפָאֵר עֲנָוִים בִּישׁוּעָה.   5

יַעְלְזוּ חֲסִידִים בְּכָבוֹד,   יְרַנְּנוּ עַל מִשְׁכְּבוֹתָם.   6

רוֹמְמוֹת אֵל בִּגְרוֹנָם,   וְחֶרֶב פִּיפִיּוֹת בְּיָדָם.   7

לַעֲשׂוֹת נְקָמָה בַגּוֹיִם,   תּוֹכֵחוֹת בַּלְאֻמִּים.   8

Reader

לֶאְסֹר מַלְכֵיהֶם בְּזִקִּים,   וְנִכְבְּדֵיהֶם בְּכַבְלֵי בַרְזֶל.   9

לַעֲשׂוֹת בָּהֶם מִשְׁפָּט כָּתוּב,   הָדָר הוּא לְכָל חֲסִידָיו.   10

הַלְלוּיָהּ!   11

הַלְלוּיָהּ הַלְלוּ אֵל בְּקָדְשׁוֹ

Praise the Lord! Praise the Lord in His sanctuary

For comment see page 84   הַלְלוּיָהּ!   12

הַלְלוּ אֵל בְּקָדְשׁוֹ,   הַלְלוּהוּ בִּרְקִיעַ עֻזּוֹ!   13

הַלְלוּהוּ בִגְבוּרֹתָיו,   הַלְלוּהוּ כְּרֹב גֻּדְלוֹ!   14

הַלְלוּהוּ בְּתֵקַע שׁוֹפָר, הַלְלוּהוּ בְּנֵבֶל וְכִנּוֹר!
הַלְלוּהוּ בְּתֹף וּמָחוֹל, הַלְלוּהוּ בְּמִנִּים וְעֻגָב.
הַלְלוּהוּ בְצִלְצְלֵי שָׁמַע, הַלְלוּהוּ בְּצִלְצְלֵי תְרוּעָה.
Reader כֹּל הַנְּשָׁמָה תְּהַלֵּל יָהּ. הַלְלוּיָהּ!
כֹּל הַנְּשָׁמָה תְּהַלֵּל יָהּ. הַלְלוּיָהּ!

בָּרוּךְ יְיָ לְעוֹלָם אָמֵן וְאָמֵן

Blessed be the Lord for evermore, Amen, Amen

For comment see page 85

בָּרוּךְ יְיָ לְעוֹלָם אָמֵן וְאָמֵן!
בָּרוּךְ יְיָ מִצִּיּוֹן שֹׁכֵן יְרוּשָׁלָיִם – הַלְלוּיָהּ!
בָּרוּךְ יְיָ אֱלֹהִים אֱלֹהֵי יִשְׂרָאֵל עֹשֵׂה נִפְלָאוֹת לְבַדּוֹ.
Reader וּבָרוּךְ שֵׁם כְּבוֹדוֹ לְעוֹלָם, וְיִמָּלֵא כְבוֹדוֹ אֶת כָּל
הָאָרֶץ, אָמֵן וְאָמֵן.

וַיְבָרֶךְ דָּוִיד אֶת יְיָ לְעֵינֵי כָּל הַקָּהָל

**And David blessed the Lord in the presence of all the
congregation**

For comment see page 85

1. וַיְבָרֶךְ דָּוִיד אֶת יְיָ לְעֵינֵי כָּל הַקָּהָל, וַיֹּאמֶר

2. דָּוִיד:

3. בָּרוּךְ אַתָּה יְיָ אֱלֹהֵי יִשְׂרָאֵל, אָבִינוּ, מֵעוֹלָם

4. וְעַד עוֹלָם. לְךָ יְיָ הַגְּדֻלָּה, וְהַגְּבוּרָה,

5. וְהַתִּפְאֶרֶת, וְהַנֵּצַח, וְהַהוֹד, כִּי כֹל בַּשָּׁמַיִם

6. וּבָאָרֶץ; לְךָ יְיָ הַמַּמְלָכָה, וְהַמִּתְנַשֵּׂא לְכֹל

7. לְרֹאשׁ. וְהָעֹשֶׁר וְהַכָּבוֹד מִלְּפָנֶיךָ, וְאַתָּה

8. מוֹשֵׁל בַּכֹּל, וּבְיָדְךָ כֹּחַ וּגְבוּרָה, וּבְיָדְךָ,

9. לְגַדֵּל וּלְחַזֵּק לַכֹּל. וְעַתָּה אֱלֹהֵינוּ, מוֹדִים

10. אֲנַחְנוּ לָךְ, וּמְהַלְלִים לְשֵׁם תִּפְאַרְתֶּךָ.

11. אַתָּה הוּא יְיָ לְבַדֶּךָ, אַתָּה עָשִׂיתָ אֶת

12. הַשָּׁמַיִם, שְׁמֵי הַשָּׁמַיִם, וְכָל צְבָאָם, הָאָרֶץ

13. וְכָל אֲשֶׁר עָלֶיהָ, הַיַּמִּים וְכָל אֲשֶׁר בָּהֶם;

1 וְאַתָּה מְחַיֶּה אֶת כֻּלָּם, וּצְבָא הַשָּׁמַיִם לְךָ

2 מִשְׁתַּחֲוִים. Reader אַתָּה הוּא יְיָ הָאֱלֹהִים,

3 אֲשֶׁר בָּחַרְתָּ בְּאַבְרָם, וְהוֹצֵאתוֹ מֵאוּר

4 כַּשְׂדִּים, וְשַׂמְתָּ שְּׁמוֹ אַבְרָהָם. וּמָצָאתָ אֶת

5 לְבָבוֹ נֶאֱמָן לְפָנֶיךָ.

6 וְכָרוֹת עִמּוֹ הַבְּרִית לָתֵת אֶת אֶרֶץ הַכְּנַעֲנִי,

7 הַחִתִּי, הָאֱמֹרִי וְהַפְּרִזִּי וְהַיְבוּסִי וְהַגִּרְגָּשִׁי,

8 לָתֵת לְזַרְעוֹ, וַתָּקֶם אֶת דְּבָרֶיךָ כִּי צַדִּיק

9 אָתָּה. וַתֵּרֶא אֶת עֳנִי אֲבֹתֵינוּ בְּמִצְרָיִם, וְאֶת

10 זַעֲקָתָם שָׁמַעְתָּ עַל יַם סוּף. וַתִּתֵּן אֹתֹת

11 וּמֹפְתִים בְּפַרְעֹה וּבְכָל עֲבָדָיו וּבְכָל עַם

12 אַרְצוֹ, כִּי יָדַעְתָּ כִּי הֵזִידוּ עֲלֵיהֶם; וַתַּעַשׂ

13 לְךָ שֵׁם כְּהַיּוֹם הַזֶּה. Reader וְהַיָּם בָּקַעְתָּ

14 לִפְנֵיהֶם, וַיַּעַבְרוּ בְתוֹךְ הַיָּם בַּיַּבָּשָׁה, וְאֶת

15 רֹדְפֵיהֶם הִשְׁלַכְתָּ בִמְצוֹלֹת כְּמוֹ אֶבֶן בְּמַיִם

16 עַזִּים.

וַיּוֹשַׁע יְיָ בַּיּוֹם הַהוּא אֶת־יִשְׂרָאֵל מִיַּד מִצְרָיִם

**Thus did the Lord save Israel that day from the
power of the Egyptians**

1 וַיּוֹשַׁע יְיָ בַּיּוֹם הַהוּא אֶת יִשְׂרָאֵל מִיַּד

2 מִצְרָיִם. וַיַּרְא יִשְׂרָאֵל אֶת מִצְרַיִם מֵת עַל

3 שְׂפַת הַיָּם. Reader וַיַּרְא יִשְׂרָאֵל אֶת הַיָּד

4 הַגְּדֹלָה, אֲשֶׁר עָשָׂה יְיָ בְּמִצְרַיִם וַיִּירְאוּ

5 הָעָם אֶת יְיָ, וַיַּאֲמִינוּ בַּיְיָ וּבְמֹשֶׁה עַבְדּוֹ.

אָז יָשִׁיר־מֹשֶׁה וּבְנֵי יִשְׂרָאֵל אֶת־הַשִּׁירָה הַזֹּאת לַיְיָ

**Then sang Moses and the children of Israel this song
to the Lord**

For comments see pages 88 and 89

6 אָז יָשִׁיר מֹשֶׁה וּבְנֵי יִשְׂרָאֵל,

7 אֶת־הַשִּׁירָה הַזֹּאת לַיְיָ, וַיֹּאמְרוּ לֵאמֹר.

8 אָשִׁירָה לַיְיָ כִּי גָאֹה, גָּאָה,

9 סוּס וְרֹכְבוֹ רָמָה בַיָּם:

1 עָזִּי וְזִמְרָת יָהּ, וַיְהִי־לִי לִישׁוּעָה,

2 זֶה אֵלִי וְאַנְוֵהוּ, אֱלֹהֵי אָבִי וַאֲרֹמְמֶנְהוּ:

3 יְיָ אִישׁ מִלְחָמָה, יְיָ שְׁמוֹ:

4 מַרְכְּבֹת פַּרְעֹה וְחֵילוֹ, יָרָה בַיָּם,

5 וּמִבְחַר שָׁלִשָׁיו, טֻבְּעוּ בְיַם סוּף:

6 תְּהֹמֹת יְכַסְיֻמוּ, יָרְדוּ בִמְצוֹלֹת, כְּמוֹ־אָבֶן:

7 יְמִינְךָ יְיָ, נֶאְדָּרִי בַּכֹּחַ,

8 יְמִינְךָ יְיָ, תִּרְעַץ אוֹיֵב:

9 וּבְרֹב גְּאוֹנְךָ, תַּהֲרֹס קָמֶיךָ,

10 תְּשַׁלַּח חֲרֹנְךָ יֹאכְלֵמוֹ כַּקַּשׁ:

11 וּבְרוּחַ אַפֶּיךָ נֶעֶרְמוּ־מַיִם,

12 נִצְּבוּ כְמוֹ־נֵד נֹזְלִים,

13 קָפְאוּ תְהֹמֹת בְּלֶב־יָם:

14 אָמַר אוֹיֵב: אֶרְדֹּף אַשִּׂיג,

15 אֲחַלֵּק שָׁלָל, תִּמְלָאֵמוֹ נַפְשִׁי,

אָרִיק חַרְבִּי, תּוֹרִישֵׁמוֹ יָדִי:

נָשַׁפְתָּ בְרוּחֲךָ, כִּסָּמוֹ יָם,
צָלֲלוּ כַּעוֹפֶרֶת, בְּמַיִם אַדִּירִים:

מִי־כָמֹכָה בָּאֵלִם יְיָ,
מִי כָּמֹכָה נֶאְדָּר בַּקֹּדֶשׁ,
נוֹרָא תְהִלֹּת, עֹשֵׂה פֶלֶא:

נָטִיתָ יְמִינְךָ, תִּבְלָעֵמוֹ אָרֶץ:
נָחִיתָ בְחַסְדְּךָ עַם־זוּ גָּאָלְתָּ,
נֵהַלְתָּ בְעָזְּךָ אֶל־נְוֵה קָדְשֶׁךָ:

שָׁמְעוּ עַמִּים יִרְגָּזוּן,
חִיל אָחַז, יֹשְׁבֵי פְּלָשֶׁת:

אָז נִבְהֲלוּ אַלּוּפֵי אֱדוֹם,
אֵילֵי מוֹאָב, יֹאחֲזֵמוֹ רָעַד,
נָמֹגוּ, כֹּל יֹשְׁבֵי כְנָעַן:

1   תִּפֹּל עֲלֵיהֶם אֵימָתָה וָפַחַד,

2   בִּגְדֹל זְרוֹעֲךָ יִדְּמוּ כָּאָבֶן:

3   עַד־יַעֲבֹר עַמְּךָ, יְיָ, עַד־יַעֲבֹר עַם־זוּ

4   קָנִיתָ:

5   תְּבִאֵמוֹ וְתִטָּעֵמוֹ בְּהַר נַחֲלָתְךָ,

6   מָכוֹן לְשִׁבְתְּךָ פָּעַלְתָּ יְיָ,

7   מִקְּדָשׁ, אֲדֹנָי, כּוֹנְנוּ יָדֶיךָ:

8   יְיָ יִמְלֹךְ לְעֹלָם וָעֶד:

9   יְיָ יִמְלֹךְ לְעֹלָם וָעֶד:

10   (יְיָ מַלְכוּתֵהּ קָאֵם, לְעָלַם וּלְעָלְמֵי עָלְמַיָּא):

11   כִּי בָא סוּס פַּרְעֹה, בְּרִכְבּוֹ וּבְפָרָשָׁיו בַּיָּם

12   וַיָּשֶׁב יְיָ עֲלֵהֶם אֶת־מֵי הַיָּם,

13   וּבְנֵי יִשְׂרָאֵל הָלְכוּ בַיַּבָּשָׁה, בְּתוֹךְ הַיָּם:

כִּי לַיְיָ הַמְּלוּכָה וּמוֹשֵׁל בַּגּוֹיִם

For the kingdom is the Lord's; and He is the ruler over the nations

1 כִּי לַיְיָ הַמְּלוּכָה, וּמוֹשֵׁל בַּגּוֹיִם:

2 Reader וְעָלוּ מוֹשִׁעִים בְּהַר צִיּוֹן לִשְׁפֹּט אֶת־הַר עֵשָׂו

3 וְהָיְתָה לַייָ הַמְּלוּכָה:

4 וְהָיָה יְיָ לְמֶלֶךְ עַל־כָּל־הָאָרֶץ, בַּיּוֹם הַהוּא,

5 יִהְיֶה יְיָ אֶחָד וּשְׁמוֹ אֶחָד:

נִשְׁמַת כָּל חַי תְּבָרֵךְ אֶת שִׁמְךָ יְיָ אֱלֹהֵינוּ

The breath of every living being shall bless Your name, O Lord our God

6 נִשְׁמַת כָּל־חַי, תְּבָרֵךְ אֶת־שִׁמְךָ יְיָ אֱלֹהֵינוּ,

7 וְרוּחַ כָּל־בָּשָׂר,

8 תְּפָאֵר וּתְרוֹמֵם זִכְרְךָ מַלְכֵּנוּ, תָּמִיד:

9 מִן־הָעוֹלָם וְעַד־הָעוֹלָם אַתָּה אֵל,

10 וּמִבַּלְעָדֶיךָ אֵין לָנוּ מֶלֶךְ גּוֹאֵל וּמוֹשִׁיעַ,

פּוֹדֶה וּמַצִּיל וּמְפַרְנֵס,
וּמְרַחֵם בְּכָל־עֵת צָרָה וְצוּקָה,
אֵין לָנוּ מֶלֶךְ אֶלָּא אָתָּה:
אֱלֹהֵי הָרִאשׁוֹנִים וְהָאַחֲרוֹנִים,
אֱלוֹהַּ כָּל־בְּרִיּוֹת, אֲדוֹן כָּל־תּוֹלָדוֹת,
הַמְהֻלָּל בְּרוֹב הַתִּשְׁבָּחוֹת,
הַמְנַהֵג עוֹלָמוֹ בְּחֶסֶד, וּבְרִיּוֹתָיו בְּרַחֲמִים:
וַיְיָ לֹא־יָנוּם וְלֹא־יִישָׁן.
הַמְעוֹרֵר יְשֵׁנִים, וְהַמֵּקִיץ נִרְדָּמִים,
וְהַמֵּשִׂיחַ אִלְּמִים, וְהַמַּתִּיר אֲסוּרִים,
וְהַסּוֹמֵךְ נוֹפְלִים, וְהַזּוֹקֵף כְּפוּפִים,
לְךָ לְבַדְּךָ אֲנַחְנוּ מוֹדִים:
אִלּוּ פִינוּ מָלֵא שִׁירָה כַּיָּם,
וּלְשׁוֹנֵנוּ רִנָּה כַּהֲמוֹן גַּלָּיו.
וְשִׂפְתוֹתֵינוּ שֶׁבַח כְּמֶרְחֲבֵי רָקִיעַ.
וְעֵינֵינוּ מְאִירוֹת כַּשֶּׁמֶשׁ וְכַיָּרֵחַ.

וְיָדֵינוּ פְרוּשׂוֹת כְּנִשְׁרֵי שָׁמָיִם.
וְרַגְלֵינוּ קַלּוֹת כָּאַיָּלוֹת:
אֵין אֲנַחְנוּ מַסְפִּיקִים לְהוֹדוֹת לְךָ,
יְיָ אֱלֹהֵינוּ וֵאלֹהֵי אֲבוֹתֵינוּ,
וּלְבָרֵךְ אֶת־שְׁמֶךָ, עַל אַחַת מֵאָלֶף —
אֶלֶף אַלְפֵי אֲלָפִים, וְרִבֵּי רְבָבוֹת פְּעָמִים,
הַטּוֹבוֹת שֶׁעָשִׂיתָ עִם אֲבוֹתֵינוּ וְעִמָּנוּ:
מִמִּצְרַיִם גְּאַלְתָּנוּ, יְיָ אֱלֹהֵינוּ,
וּמִבֵּית עֲבָדִים פְּדִיתָנוּ.
בְּרָעָב זַנְתָּנוּ, וּבְשָׂבָע כִּלְכַּלְתָּנוּ.
מֵחֶרֶב הִצַּלְתָּנוּ, וּמִדֶּבֶר מִלַּטְתָּנוּ.
וּמֵחֳלָיִם רָעִים וְנֶאֱמָנִים דִּלִּיתָנוּ:
עַד־הֵנָּה עֲזָרוּנוּ רַחֲמֶיךָ
וְלֹא־עֲזָבוּנוּ חֲסָדֶיךָ,
וְאַל תִּטְּשֵׁנוּ יְיָ אֱלֹהֵינוּ, לָנֶצַח:

עַל־כֵּן, אֵבָרִים שֶׁפִּלַּגְתָּ בָּנוּ.
וְרוּחַ וּנְשָׁמָה שֶׁנָּפַחְתָּ בְּאַפֵּינוּ.
וְלָשׁוֹן אֲשֶׁר שַׂמְתָּ בְּפִינוּ:
הֵן הֵם יוֹדוּ וִיבָרְכוּ, וִישַׁבְּחוּ,
וִיפָאֲרוּ וִירוֹמְמוּ,
וְיַעֲרִיצוּ, וְיַקְדִּישׁוּ,
וְיַעֲרִיצוּ, וְיַקְדִּישׁוּ,
וְיַמְלִיכוּ אֶת־שִׁמְךָ מַלְכֵּנוּ:
כִּי כָל־פֶּה, לְךָ יוֹדֶה.
וְכָל־לָשׁוֹן, לְךָ תִשָּׁבַע.
וְכָל־בֶּרֶךְ, לְךָ תִכְרַע.
וְכָל־קוֹמָה, לְפָנֶיךָ תִשְׁתַּחֲוֶה:
וְכָל־לְבָבוֹת יִירָאוּךָ.
וְכָל־קֶרֶב וּכְלָיוֹת יְזַמְּרוּ לִשְׁמֶךָ.
כַּדָּבָר שֶׁכָּתוּב,
כָּל עַצְמוֹתַי תֹּאמַרְנָה, יְיָ, מִי כָמוֹךָ.

1 מַצִּיל עָנִי מֵחָזָק מִמֶּנּוּ וְעָנִי וְאֶבְיוֹן מִגֹּזְלוֹ:

2 מִי יִדְמֶה־לָּךְ, וּמִי יִשְׁוֶה־לָּךְ,

3 וּמִי יַעֲרָךְ־לָךְ.

4 הָאֵל הַגָּדוֹל הַגִּבּוֹר וְהַנּוֹרָא,

5 אֵל עֶלְיוֹן קֹנֵה שָׁמַיִם וָאָרֶץ:

6 נְהַלֶּלְךָ, וּנְשַׁבֵּחֲךָ, וּנְפָאֶרְךָ,

7 וּנְבָרֵךְ אֶת שֵׁם קָדְשֶׁךָ

8 כָּאָמוּר, לְדָוִד, בָּרְכִי נַפְשִׁי אֶת יְיָ,

9 וְכָל קְרָבַי אֶת שֵׁם קָדְשׁוֹ:

On Festivals, the Reader begins here:

10 הָאֵל, בְּתַעֲצֻמוֹת עֻזֶּךָ,

11 הַגָּדוֹל, בִּכְבוֹד שְׁמֶךָ,

12 הַגִּבּוֹר לָנֶצַח, וְהַנּוֹרָא, בְּנוֹרְאוֹתֶיךָ:

On New Year and on Yom Kippur, the Reader begins here:

1 הַמֶּֽלֶךְ, הַיּוֹשֵׁב עַל כִּסֵּא רָם וְנִשָּׂא.

שׁוֹכֵן עַד מָרוֹם וְקָדוֹשׁ שְׁמוֹ

He inhabits eternity, exalted and holy is His name

This prayer contains passages from the writings of the great prophet Isaiah, and from the Book of Psalms.

It tells us that God lives forever and His name is most holy.

It also tells us that God is praised and blessed by good people.

Notice that the *first letters* of the *second* and *fifth words* in the *third* and *fourth verses* form the word יִצְחָק — Isaac, the son of Abraham. This was done to recall our love for our ancient fathers and heroes.

Reader

2 שׁוֹכֵן עַד, מָרוֹם וְקָדוֹשׁ שְׁמוֹ:

3 וְכָתוּב, רַנְּנוּ צַדִּיקִים בַּיָי,

4 לַיְשָׁרִים נָאוָה תְהִלָּה:

5 בְּפִי יְשָׁרִים תִּתְהַלָּל,

6 וּבְדִבְרֵי צַדִּיקִים תִּתְבָּרַךְ,

7 וּבִלְשׁוֹן חֲסִידִים תִּתְרוֹמָם,

8 וּבְקֶֽרֶב קְדוֹשִׁים תִּתְקַדָּשׁ:

וּבְמַקְהֲלוֹת רִבְבוֹת עַמְּךָ בֵּית יִשְׂרָאֵל בְּרִנָּה יִתְפָּאֵר שִׁמְךָ מַלְכֵּנוּ
בְּכָל דּוֹר וָדוֹר

**In the assemblies also of the tens of thousands of your
people, the house of Israel, Thy name, O our King, shall
be glorified in every generation**

This prayer continues the idea in שׁוֹכֵן עַד, that the
righteous praise God in every generation.

It also tells us that God deserves even more praise, if
possible, than was given to Him by David in the Book of
Psalms.

It has exactly forty words. Some of our Rabbis say that
this number was to remind us of the forty days and nights
that Moses spent on Mount Sinai before he received the
Ten Commandments.

1   Cong.   וּבְמַקְהֲלוֹת רִבְבוֹת עַמְּךָ, בֵּית יִשְׂרָאֵל.

2   בְּרִנָּה יִתְפָּאֵר שִׁמְךָ, מַלְכֵּנוּ, בְּכָל־דּוֹר וָדוֹר.

3   שֶׁכֵּן חוֹבַת כָּל־הַיְצוּרִים,

4   לְפָנֶיךָ יְיָ אֱלֹהֵינוּ וֵאלֹהֵי אֲבוֹתֵינוּ:

5   לְהוֹדוֹת, לְהַלֵּל, לְשַׁבֵּחַ, לְפָאֵר, לְרוֹמֵם,

6   לְהַדֵּר, לְבָרֵךְ, לְעַלֵּה וּלְקַלֵּס,

7   עַל כָּל־דִּבְרֵי שִׁירוֹת וְתִשְׁבְּחוֹת דָּוִד בֶּן־יִשַׁי עַבְדְּךָ

8   מְשִׁיחֶךָ:

יִשְׁתַּבַּח שִׁמְךָ לָעַד מַלְכֵּנוּ

Praised be Your name forever, O our King

For comment see page 92

1 יִשְׁתַּבַּח שִׁמְךָ לָעַד מַלְכֵּנוּ, הָאֵל הַמֶּלֶךְ

2 הַגָּדוֹל וְהַקָּדוֹשׁ בַּשָּׁמַיִם וּבָאָרֶץ. כִּי לְךָ

3 נָאֶה, יְיָ אֱלֹהֵינוּ וֵאלֹהֵי אֲבוֹתֵינוּ, שִׁיר

4 וּשְׁבָחָה, הַלֵּל וְזִמְרָה, עֹז וּמֶמְשָׁלָה, נֶצַח,

5 גְּדֻלָּה וּגְבוּרָה, תְּהִלָּה וְתִפְאֶרֶת, קְדֻשָּׁה

6 וּמַלְכוּת, Reader בְּרָכוֹת וְהוֹדָאוֹת מֵעַתָּה

7 וְעַד עוֹלָם.

8 בָּרוּךְ אַתָּה יְיָ, אֵל מֶלֶךְ גָּדוֹל בַּתִּשְׁבָּחוֹת,

9 אֵל הַהוֹדָאוֹת, אֲדוֹן הַנִּפְלָאוֹת, הַבּוֹחֵר

10 בְּשִׁירֵי זִמְרָה, מֶלֶךְ, אֵל, חֵי הָעוֹלָמִים.

331 תְּפִלַּת שַׁחֲרִית לְשַׁבָּת וּלְיוֹם טוֹב

HALF KADDISH חֲצִי קַדִּישׁ

For comments see pages 93 and 162

Reader יִתְגַּדַּל וְיִתְקַדַּשׁ שְׁמֵהּ רַבָּא, בְּעָלְמָא דִּי־בְרָא כִרְעוּתֵהּ, וְיַמְלִיךְ מַלְכוּתֵהּ, בְּחַיֵּיכוֹן וּבְיוֹמֵיכוֹן, וּבְחַיֵּי דְכָל־בֵּית יִשְׂרָאֵל, בַּעֲגָלָא וּבִזְמַן קָרִיב. וְאִמְרוּ אָמֵן.

Cong. אָמֵן

Cong. and Reader יְהֵא שְׁמֵהּ רַבָּא מְבָרַךְ לְעָלַם וּלְעָלְמֵי עָלְמַיָּא.

Reader יִתְבָּרַךְ וְיִשְׁתַּבַּח וְיִתְפָּאַר וְיִתְרוֹמַם וְיִתְנַשֵּׂא וְיִתְהַדַּר וְיִתְעַלֶּה וְיִתְהַלַּל שְׁמֵהּ דְּקֻדְשָׁא. Cong. and Reader בְּרִיךְ הוּא

Reader לְעֵלָּא (*During the Ten Days of Pentinence, add:* וּלְעֵלָּא) מִן כָּל־בִּרְכָתָא, וְשִׁירָתָא, תֻּשְׁבְּחָתָא, וְנֶחֱמָתָא דַּאֲמִירָן בְּעָלְמָא. וְאִמְרוּ אָמֵן. Cong. אָמֵן

בָּרְכוּ אֶת יְיָ הַמְבֹרָךְ

Bless the Lord who is to be praised

For comment see page 94

Reader

בָּרְכוּ אֶת יְיָ הַמְבֹרָךְ.

Cong. and Reader

בָּרוּךְ יְיָ הַמְבֹרָךְ לְעוֹלָם וָעֶד.

בָּרוּךְ אַתָּה יְיָ, אֱלֹהֵינוּ מֶלֶךְ הָעוֹלָם, יוֹצֵר אוֹר וּבוֹרֵא חֹשֶׁךְ, עֹשֶׂה שָׁלוֹם, וּבוֹרֵא אֶת הַכֹּל. ✡

הַכֹּל יוֹדוּךָ וְהַכֹּל יְשַׁבְּחוּךָ

All shall thank You, and all shall praise You

On the Sabbath, this paragraph is added to the prayer in which we thank God for the creation of light, יוֹצֵר אוֹר. It begins with the word הַכֹּל with which the last blessing ended. Some passages from the weekday הַמֵּאִיר לָאָרֶץ are also included here. Like the weekday prayer it praises God for giving us light.

Most of us take light for granted. How much would we lose in life if we were not able to enjoy the sight of a beautiful garden, a tree, a flower, or any of God's creatures! Truly, light is the greatest blessing of all.

The prayer closes with the age-old hope for the coming of the Messiah, when, according to tradition, the dead will come to life, and peace will reign forever.

✡ *On Festivals falling on Week-days say* הַמֵּאִיר לָאָרֶץ, *page 334:*

הַכֹּל יוֹדוּךָ וְהַכֹּל יְשַׁבְּחוּךָ, וְהַכֹּל יֹאמְרוּ, אֵין קָדוֹשׁ כַּייָ: הַכֹּל יְרוֹמְמוּךָ סֶּלָה, יוֹצֵר הַכֹּל.

1 הָאֵל,

2 הַפּוֹתֵחַ בְּכָל־יוֹם דַּלְתוֹת שַׁעֲרֵי מִזְרָח:

3 וּבוֹקֵעַ חַלּוֹנֵי רָקִיעַ,

4 מוֹצִיא חַמָּה מִמְּקוֹמָהּ

5 וּלְבָנָה מִמְּכוֹן שִׁבְתָּהּ:

6 וּמֵאִיר לָעוֹלָם כֻּלּוֹ וּלְיוֹשְׁבָיו,

7 שֶׁבָּרָא בְּמִדַּת רַחֲמִים:

8 הַמֵּאִיר לָאָרֶץ, וְלַדָּרִים עָלֶיהָ, בְּרַחֲמִים.

9 וּבְטוּבוֹ מְחַדֵּשׁ בְּכָל־יוֹם תָּמִיד,

10 מַעֲשֵׂה בְרֵאשִׁית:

11 הַמֶּלֶךְ, הַמְּרוֹמָם לְבַדּוֹ מֵאָז.

12 הַמְשֻׁבָּח, וְהַמְּפֹאָר,

13 וְהַמִּתְנַשֵּׂא מִימוֹת עוֹלָם:

14 אֱלֹהֵי עוֹלָם, בְּרַחֲמֶיךָ הָרַבִּים רַחֵם עָלֵינוּ.

15 אֲדוֹן עֻזֵּנוּ, צוּר מִשְׂגַּבֵּנוּ, מָגֵן יִשְׁעֵנוּ,

16 מִשְׂגָּב בַּעֲדֵנוּ:

1 Reader אֵין כְּעֶרְכְּךָ וְאֵין זוּלָתֶךָ.

2 אֶפֶס בִּלְתְּךָ, וּמִי דּוֹמֶה־לָּךְ:

3 אֵין כְּעֶרְכְּךָ יְיָ אֱלֹהֵינוּ בָּעוֹלָם הַזֶּה.

4 וְאֵין זוּלָתְךָ מַלְכֵּנוּ לְחַיֵּי הָעוֹלָם הַבָּא:

5 אֶפֶס בִּלְתְּךָ, גּוֹאֲלֵנוּ לִימוֹת הַמָּשִׁיחַ.

6 וְאֵין דּוֹמֶה־לְּךָ מוֹשִׁיעֵנוּ, לִתְחִיַּת הַמֵּתִים:

הַמֵּאִיר לָאָרֶץ וְלַדָּרִים עָלֶיהָ בְּרַחֲמִים

Who in his mercy gives light to the earth and to those who dwell on it

For comment see page 95

On Festivals falling on Weekdays say:

6 הַמֵּאִיר לָאָרֶץ וְלַדָּרִים עָלֶיהָ בְּרַחֲמִים, וּבְטוּבוֹ מְחַדֵּשׁ
7 בְּכָל יוֹם תָּמִיד מַעֲשֵׂה בְרֵאשִׁית. מָה רַבּוּ מַעֲשֶׂיךָ יְיָ!
8 כֻּלָּם בְּחָכְמָה עָשִׂיתָ מָלְאָה הָאָרֶץ קִנְיָנֶךָ. הַמֶּלֶךְ הַמְרוֹמָם
9 לְבַדּוֹ מֵאָז, הַמְשֻׁבָּח וְהַמְפֹאָר וְהַמִּתְנַשֵּׂא מִימוֹת עוֹלָם.

10 אֱלֹהֵי עוֹלָם! בְּרַחֲמֶיךָ הָרַבִּים רַחֵם עָלֵינוּ.
11 אֲדוֹן עֻזֵּנוּ צוּר מִשְׂגַּבֵּנוּ, מָגֵן יִשְׁעֵנוּ מִשְׂגָּב בַּעֲדֵנוּ.

Continued on page 336, line 7:

אֵל אָדוֹן עַל כָּל הַמַּעֲשִׂים

God, Lord over all creations

This beautiful hymn was probably written in the era of the Second Temple (516 before the Common Era to 70 of the Common Era).

Each line begins with a different letter of the Hebrew alphabet, and all the letters are included, except that the שׂ takes the place of the ס.

אֵל אָדוֹן tells us about the greatness of God and about His loving kindness and mercy.

It also tells us about the brightness and beauty of the sun, moon, and the stars that He created.

It teaches us not to be selfish and take things for granted, but to appreciate the wonderful gifts of nature.

Reader and Cong.

אֵל אָדוֹן עַל כָּל־הַמַּעֲשִׂים. 1

בָּרוּךְ וּמְבֹרָךְ בְּפִי, כָּל־נְשָׁמָה. 2

גָּדְלוֹ וְטוּבוֹ מָלֵא עוֹלָם. 3

דַּעַת וּתְבוּנָה סֹבְבִים אֹתוֹ: 4

Reader and Cong.

הַמִּתְגָּאֶה עַל־חַיּוֹת הַקֹּדֶשׁ. 5

וְנֶהְדָּר בְּכָבוֹד עַל־הַמֶּרְכָּבָה. 6

זְכוּת וּמִישׁוֹר לִפְנֵי כִסְאוֹ. 7

חֶסֶד וְרַחֲמִים לִפְנֵי כְבוֹדוֹ: 8

Reader and Cong.

1 טוֹבִים מְאוֹרוֹת, שֶׁבָּרָא אֱלֹהֵינוּ.

2 יְצָרָם בְּדַעַת בְּבִינָה וּבְהַשְׂכֵּל.

3 כֹּחַ וּגְבוּרָה נָתַן בָּהֶם.

4 לִהְיוֹת מוֹשְׁלִים בְּקֶרֶב תֵּבֵל:

Reader and Cong.

5 מְלֵאִים זִיו וּמְפִיקִים נֹגַהּ.

6 נָאֶה זִיוָם בְּכָל־הָעוֹלָם.

✡ *Continued from page 334:*

For comment see page 96

7 אֵל בָּרוּךְ גְּדוֹל דֵּעָה,

8 הֵכִין וּפָעַל זָהֳרֵי חַמָּה,

9 טוֹב יָצַר כָּבוֹד לִשְׁמוֹ,

10 מְאוֹרוֹת נָתַן סְבִיבוֹת עֻזּוֹ.

11 פִּנּוֹת צְבָאָיו קְדוֹשִׁים, רוֹמְמֵי שַׁדַּי

12 תָּמִיד, מְסַפְּרִים כְּבוֹד אֵל וּקְדֻשָּׁתוֹ.

13 תִּתְבָּרַךְ יְיָ אֱלֹהֵינוּ עַל שֶׁבַח מַעֲשֵׂה יָדֶיךָ, וְעַל מְאוֹרֵי

14 אוֹר שֶׁעָשִׂיתָ יְפָאֲרוּךָ סֶּלָה.

Continue on page 338, line 16:

1 שְׂמֵחִים בְּצֵאתָם וְשָׂשִׂים בְּבוֹאָם.

2 עֹשִׂים בְּאֵימָה רְצוֹן קוֹנָם:

Reader and Cong.

3 פְּאֵר וְכָבוֹד נוֹתְנִים לִשְׁמוֹ.

4 צָהֳלָה וְרִנָּה לְזֵכֶר מַלְכוּתוֹ.

5 קָרָא לַשֶּׁמֶשׁ וַיִּזְרַח אוֹר.

6 רָאָה וְהִתְקִין צוּרַת הַלְּבָנָה:

Reader and Cong.

7 שֶׁבַח נוֹתְנִים־לוֹ כָּל־צְבָא מָרוֹם.

8 תִּפְאֶרֶת וּגְדֻלָּה,

9 שְׂרָפִים וְאוֹפַנִּים וְחַיּוֹת הַקֹּדֶשׁ:

10 לָאֵל אֲשֶׁר שָׁבַת מִכָּל־הַמַּעֲשִׂים.

11 בַּיּוֹם הַשְּׁבִיעִי הִתְעַלָּה וְיָשַׁב עַל־כִּסֵּא כְבוֹדוֹ.

12 תִּפְאֶרֶת עָטָה לְיוֹם הַמְּנוּחָה,

עֹנֶג, קָרָא לְיוֹם הַשַּׁבָּת:
זֶה שֶׁבַח שֶׁל יוֹם הַשְּׁבִיעִי,
שֶׁבּוֹ שָׁבַת אֵל מִכָּל־מְלַאכְתּוֹ:
וְיוֹם הַשְּׁבִיעִי מְשַׁבֵּחַ וְאוֹמֵר.
מִזְמוֹר שִׁיר לְיוֹם הַשַּׁבָּת, טוֹב לְהוֹדוֹת לַייָ:
לְפִיכָךְ יְפָאֲרוּ וִיבָרְכוּ לָאֵל כָּל־יְצוּרָיו.
שֶׁבַח, יְקָר וּגְדֻלָּה,
יִתְּנוּ לָאֵל מֶלֶךְ יוֹצֵר כֹּל.
הַמַּנְחִיל מְנוּחָה לְעַמּוֹ יִשְׂרָאֵל בִּקְדֻשָּׁתוֹ,
בְּיוֹם שַׁבַּת קֹדֶשׁ:
שִׁמְךָ, יְיָ אֱלֹהֵינוּ, יִתְקַדַּשׁ,
וְזִכְרְךָ, מַלְכֵּנוּ, יִתְפָּאַר,
בַּשָּׁמַיִם מִמַּעַל וְעַל־הָאָרֶץ מִתָּחַת:
תִּתְבָּרֵךְ מוֹשִׁיעֵנוּ עַל שֶׁבַח מַעֲשֵׂה יָדֶיךָ.
וְעַל מְאוֹרֵי אוֹר שֶׁעָשִׂיתָ, יְפָאֲרוּךָ סֶּלָה:

תִּתְבָּרַךְ צוּרֵנוּ, מַלְכֵּנוּ וְגוֹאֲלֵנוּ, בּוֹרֵא קְדוֹשִׁים; יִשְׁתַּבַּח שִׁמְךָ לָעַד מַלְכֵּנוּ, יוֹצֵר מְשָׁרְתִים; וַאֲשֶׁר מְשָׁרְתָיו כֻּלָּם עוֹמְדִים בְּרוּם עוֹלָם, וּמַשְׁמִיעִים בְּיִרְאָה יַחַד בְּקוֹל

1 דִּבְרֵי אֱלֹהִים חַיִּים וּמֶלֶךְ עוֹלָם. כֻּלָּם אֲהוּבִים, כֻּלָּם

2 בְּרוּרִים, כֻּלָּם גִּבּוֹרִים, וְכֻלָּם עֹשִׂים בְּאֵימָה וּבְיִרְאָה

3 רְצוֹן קוֹנָם.   Reader   וְכֻלָּם פּוֹתְחִים אֶת פִּיהֶם בִּקְדֻשָּׁה

4 וּבְטָהֳרָה, בְּשִׁירָה וּבְזִמְרָה, וּמְבָרְכִים, וּמְשַׁבְּחִים,

5 וּמְפָאֲרִים, וּמַעֲרִיצִים, וּמַקְדִּישִׁים וּמַמְלִיכִים –

6 אֶת שֵׁם הָאֵל, הַמֶּלֶךְ הַגָּדוֹל, הַגִּבּוֹר וְהַנּוֹרָא

7 קָדוֹשׁ הוּא. – וְכֻלָּם מְקַבְּלִים עֲלֵיהֶם עַל

8 מַלְכוּת שָׁמַיִם זֶה מִזֶּה, וְנוֹתְנִים רְשׁוּת זֶה

9 לָזֶה,   Reader   לְהַקְדִּישׁ לְיוֹצְרָם בְּנַחַת רוּחַ,

10 בְּשָׂפָה בְרוּרָה וּבִנְעִימָה; קְדֻשָּׁה כֻלָּם

11 כְּאֶחָד עוֹנִים וְאוֹמְרִים בְּיִרְאָה:

קָדוֹשׁ קָדוֹשׁ קָדוֹשׁ יְיָ צְבָאוֹת

Holy, Holy, Holy is the Lord of Hosts

For comment see page 98

Cong. and Reader

12 קָדוֹשׁ, קָדוֹשׁ, קָדוֹשׁ, יְיָ צְבָאוֹת,

13 מְלֹא כָל הָאָרֶץ כְּבוֹדוֹ:

1 וְהָאוֹפַנִּים וְחַיּוֹת הַקֹּדֶשׁ בְּרַעַשׁ גָּדוֹל

2 מִתְנַשְּׂאִים לְעֻמַּת שְׂרָפִים, Reader לְעֻמָּתָם

3 מְשַׁבְּחִים וְאוֹמְרִים:

4 בָּרוּךְ כְּבוֹד יְיָ מִמְּקוֹמוֹ.

5 לָאֵל בָּרוּךְ נְעִימוֹת יִתֵּנוּ, לַמֶּלֶךְ אֵל חַי וְקַיָּם, זְמִרוֹת

6 יֹאמֵרוּ וְתִשְׁבָּחוֹת יַשְׁמִיעוּ. כִּי הוּא לְבַדּוֹ פּוֹעֵל גְּבוּרוֹת,

7 עוֹשֶׂה חֲדָשׁוֹת, בַּעַל מִלְחָמוֹת, זוֹרֵעַ צְדָקוֹת, מַצְמִיחַ

8 יְשׁוּעוֹת, בּוֹרֵא רְפוּאוֹת, נוֹרָא תְהִלּוֹת, אֲדוֹן הַנִּפְלָאוֹת,

9 הַמְחַדֵּשׁ בְּטוּבוֹ בְּכָל יוֹם תָּמִיד מַעֲשֵׂה בְרֵאשִׁית, כָּאָמוּר:

10 "לְעֹשֵׂה אוֹרִים גְּדוֹלִים, כִּי לְעוֹלָם חַסְדּוֹ".

11 Reader אוֹר חָדָשׁ עַל צִיּוֹן תָּאִיר וְנִזְכֶּה כֻלָּנוּ מְהֵרָה לְאוֹרוֹ.

12 בָּרוּךְ אַתָּה יְיָ, יוֹצֵר הַמְּאוֹרוֹת. Cong. אָמֵן

אַהֲבָה רַבָּה אֲהַבְתָּנוּ

With abounding love You have loved us

For comment see page 99

1 אַהֲבָה רַבָּה אֲהַבְתָּנוּ יְיָ אֱלֹהֵינוּ. חֶמְלָה גְדוֹלָה וִיתֵרָה

2 חָמַלְתָּ עָלֵינוּ, אָבִינוּ מַלְכֵּנוּ, בַּעֲבוּר אֲבוֹתֵינוּ שֶׁבָּטְחוּ

3 בְךָ, וַתְּלַמְּדֵם חֻקֵּי חַיִּים. כֵּן תְּחָנֵּנוּ וּתְלַמְּדֵנוּ, אָבִינוּ הָאָב

4 הָרַחֲמָן, הַמְרַחֵם רַחֵם עָלֵינוּ, וְתֵן בְּלִבֵּנוּ לְהָבִין

5 וּלְהַשְׂכִּיל, לִשְׁמֹעַ לִלְמֹד וּלְלַמֵּד, לִשְׁמֹר וְלַעֲשׂוֹת, וּלְקַיֵּם

6 אֶת־כָּל־דִּבְרֵי תַלְמוּד תּוֹרָתֶךָ, בְּאַהֲבָה: וְהָאֵר עֵינֵינוּ

7 בְתוֹרָתֶךָ, וְדַבֵּק לִבֵּנוּ בְּמִצְוֹתֶיךָ, וְיַחֵד לְבָבֵנוּ לְאַהֲבָה

8 וּלְיִרְאָה אֶת־שְׁמֶךָ, וְלֹא נֵבוֹשׁ לְעוֹלָם וָעֶד: כִּי בְשֵׁם

9 קָדְשְׁךָ הַגָּדוֹל וְהַנּוֹרָא בָּטָחְנוּ, נָגִילָה וְנִשְׂמְחָה בִּישׁוּעָתֶךָ:

10   Reader   וַהֲבִיאֵנוּ לְשָׁלוֹם מֵאַרְבַּע כַּנְפוֹת הָאָרֶץ,

11 וְתוֹלִיכֵנוּ קוֹמְמִיּוּת לְאַרְצֵנוּ,

12 כִּי אֵל פּוֹעֵל יְשׁוּעוֹת אָתָּה,

13 וּבָנוּ בָחַרְתָּ מִכָּל־עַם וְלָשׁוֹן,

14 וְקֵרַבְתָּנוּ לְשִׁמְךָ הַגָּדוֹל סֶלָה בֶּאֱמֶת,

15 לְהוֹדוֹת לְךָ וּלְיַחֶדְךָ בְּאַהֲבָה:

16 בָּרוּךְ אַתָּה יְיָ, הַבּוֹחֵר בְּעַמּוֹ יִשְׂרָאֵל בְּאַהֲבָה: Cong. אָמֵן

For comments see pages 101 and 14

1 אֵל מֶלֶךְ נֶאֱמָן. *When praying alone:*

2 שְׁמַע יִשְׂרָאֵל, יְיָ אֱלֹהֵינוּ, יְיָ אֶחָד:

3 בָּרוּךְ שֵׁם כְּבוֹד מַלְכוּתוֹ לְעוֹלָם וָעֶד.

4 וְאָהַבְתָּ אֵת יְיָ אֱלֹהֶיךָ, בְּכָל לְבָבְךָ, וּבְכָל

5 נַפְשְׁךָ, וּבְכָל מְאֹדֶךָ: וְהָיוּ הַדְּבָרִים הָאֵלֶּה,

6 אֲשֶׁר אָנֹכִי מְצַוְּךָ הַיּוֹם, עַל לְבָבֶךָ: וְשִׁנַּנְתָּם

7 לְבָנֶיךָ, וְדִבַּרְתָּ בָּם, בְּשִׁבְתְּךָ בְּבֵיתֶךָ,

8 וּבְלֶכְתְּךָ בַדֶּרֶךְ, וּבְשָׁכְבְּךָ וּבְקוּמֶךָ:

9 וּקְשַׁרְתָּם לְאוֹת עַל יָדֶךָ, וְהָיוּ לְטֹטָפֹת בֵּין

10 עֵינֶיךָ: וּכְתַבְתָּם עַל מְזֻזוֹת בֵּיתֶךָ וּבִשְׁעָרֶיךָ:

11 וְהָיָה אִם שָׁמֹעַ תִּשְׁמְעוּ אֶל מִצְוֹתַי, אֲשֶׁר

12 אָנֹכִי מְצַוֶּה אֶתְכֶם הַיּוֹם, לְאַהֲבָה אֶת יְיָ

13 אֱלֹהֵיכֶם וּלְעָבְדוֹ, בְּכָל לְבַבְכֶם וּבְכָל

14 נַפְשְׁכֶם: וְנָתַתִּי מְטַר אַרְצְכֶם בְּעִתּוֹ, יוֹרֶה

15 וּמַלְקוֹשׁ, וְאָסַפְתָּ דְגָנֶךָ וְתִירֹשְׁךָ וְיִצְהָרֶךָ:

1 וְנָתַתִּי עֵשֶׂב בְּשָׂדְךָ לִבְהֶמְתֶּךָ, וְאָכַלְתָּ

2 וְשָׂבָעְתָּ: הִשָּׁמְרוּ לָכֶם פֶּן יִפְתֶּה לְבַבְכֶם,

3 וְסַרְתֶּם וַעֲבַדְתֶּם אֱלֹהִים אֲחֵרִים

4 וְהִשְׁתַּחֲוִיתֶם לָהֶם. וְחָרָה אַף יְיָ בָּכֶם,

5 וְעָצַר אֶת הַשָּׁמַיִם וְלֹא יִהְיֶה מָטָר, וְהָאֲדָמָה

6 לֹא תִתֵּן אֶת יְבוּלָהּ, וַאֲבַדְתֶּם מְהֵרָה מֵעַל

7 הָאָרֶץ הַטֹּבָה, אֲשֶׁר יְיָ נֹתֵן לָכֶם: וְשַׂמְתֶּם

8 אֶת דְּבָרַי אֵלֶּה עַל לְבַבְכֶם וְעַל נַפְשְׁכֶם,

9 וּקְשַׁרְתֶּם אֹתָם לְאוֹת עַל יֶדְכֶם, וְהָיוּ

10 לְטוֹטָפֹת בֵּין עֵינֵיכֶם: וְלִמַּדְתֶּם אֹתָם אֶת

11 בְּנֵיכֶם, לְדַבֵּר בָּם, בְּשִׁבְתְּךָ בְּבֵיתֶךָ,

12 וּבְלֶכְתְּךָ בַדֶּרֶךְ, וּבְשָׁכְבְּךָ וּבְקוּמֶךָ:

13 וּכְתַבְתָּם עַל מְזוּזוֹת בֵּיתֶךָ וּבִשְׁעָרֶיךָ: לְמַעַן

14 יִרְבּוּ יְמֵיכֶם וִימֵי בְנֵיכֶם עַל הָאֲדָמָה,

15 אֲשֶׁר נִשְׁבַּע יְיָ לַאֲבֹתֵיכֶם לָתֵת לָהֶם, כִּימֵי

16 הַשָּׁמַיִם עַל הָאָרֶץ:

This is the third paragraph of the שְׁמַע and contains the commandment of the צִיצִית (fringes).

The צִיצִית like the תְּפִלִּין and מְזוּזָה are to be our constant reminders of the teachings of the תּוֹרָה.

There are also references to the Exodus from Egypt.

1 וַיֹּאמֶר יְיָ אֶל מֹשֶׁה לֵּאמֹר:

2 דַּבֵּר אֶל בְּנֵי יִשְׂרָאֵל וְאָמַרְתָּ אֲלֵהֶם וְעָשׂוּ

3 לָהֶם צִיצִת עַל כַּנְפֵי בִגְדֵיהֶם לְדֹרֹתָם;

4 וְנָתְנוּ עַל צִיצִת הַכָּנָף פְּתִיל תְּכֵלֶת: וְהָיָה

5 לָכֶם לְצִיצִת, וּרְאִיתֶם אֹתוֹ וּזְכַרְתֶּם אֶת

6 כָּל מִצְוֺת יְיָ, וַעֲשִׂיתֶם אֹתָם, וְלֹא תָתוּרוּ

7 אַחֲרֵי לְבַבְכֶם וְאַחֲרֵי עֵינֵיכֶם, אֲשֶׁר אַתֶּם

8 זֹנִים אַחֲרֵיהֶם: לְמַעַן תִּזְכְּרוּ וַעֲשִׂיתֶם אֶת

9 כָּל מִצְוֺתָי, וִהְיִיתֶם קְדֹשִׁים לֵאלֹהֵיכֶם:

10 אֲנִי יְיָ אֱלֹהֵיכֶם, אֲשֶׁר הוֹצֵאתִי אֶתְכֶם

11 מֵאֶרֶץ מִצְרַיִם, לִהְיוֹת לָכֶם לֵאלֹהִים. אֲנִי

12 Reader יְיָ אֱלֹהֵיכֶם: אֱמֶת.

1 Cong. וְיַצִּיב, וְנָכוֹן, וְקַיָּם, וְיָשָׁר, וְנֶאֱמָן,

2 וְאָהוּב, וְחָבִיב, וְנֶחְמָד, וְנָעִים, וְנוֹרָא,

3 וְאַדִּיר, וּמְתֻקָּן, וּמְקֻבָּל, וְטוֹב, וְיָפֶה,

4 הַדָּבָר הַזֶּה עָלֵינוּ לְעוֹלָם וָעֶד.

5 אֱמֶת, אֱלֹהֵי עוֹלָם מַלְכֵּנוּ,

6 צוּר יַעֲקֹב מָגֵן יִשְׁעֵנוּ:

7 Reader לְדֹר וָדֹר הוּא קַיָּם, וּשְׁמוֹ קַיָּם,

8 וְכִסְאוֹ נָכוֹן, וּמַלְכוּתוֹ וֶאֱמוּנָתוֹ לָעַד קַיֶּמֶת:

9 וּדְבָרָיו חָיִים וְקַיָּמִים, נֶאֱמָנִים וְנֶחֱמָדִים,

10 לָעַד וּלְעוֹלְמֵי עוֹלָמִים.

11 עַל־אֲבוֹתֵינוּ וְעָלֵינוּ, עַל־בָּנֵינוּ וְעַל־דּוֹרוֹתֵינוּ,

12 וְעַל כָּל־דּוֹרוֹת זֶרַע יִשְׂרָאֵל עֲבָדֶיךָ:

13 עַל־הָרִאשׁוֹנִים, וְעַל־הָאַחֲרוֹנִים,

14 דָּבָר טוֹב וְקַיָּם לְעוֹלָם וָעֶד.

15 אֱמֶת וֶאֱמוּנָה, חֹק וְלֹא יַעֲבֹר:

16 Reader אֱמֶת, שָׁאַתָּה הוּא, יְיָ אֱלֹהֵינוּ, וֵאלֹהֵי אֲבוֹתֵינוּ,

17 מַלְכֵּנוּ מֶלֶךְ אֲבוֹתֵינוּ,

18 גֹּאֲלֵנוּ גֹּאֵל אֲבוֹתֵינוּ, יוֹצְרֵנוּ צוּר יְשׁוּעָתֵנוּ,

19 פּוֹדֵנוּ וּמַצִּילֵנוּ מֵעוֹלָם שְׁמֶךָ, אֵין אֱלֹהִים זוּלָתֶךָ.

עֶזְרַת אֲבוֹתֵינוּ אַתָּה הוּא מֵעוֹלָם

You have been the help of our fathers from of old

For comment see page 107

1   עֶזְרַת אֲבוֹתֵינוּ אַתָּה הוּא מֵעוֹלָם.

2   מָגֵן וּמוֹשִׁיעַ לִבְנֵיהֶם אַחֲרֵיהֶם, בְּכָל־דּוֹר וָדוֹר:

3   בְּרוּם עוֹלָם מוֹשָׁבֶךָ,

4   וּמִשְׁפָּטֶיךָ וְצִדְקָתְךָ עַד אַפְסֵי־אָרֶץ:

5   אַשְׁרֵי אִישׁ שֶׁיִּשְׁמַע לְמִצְוֹתֶיךָ.

6   וְתוֹרָתְךָ וּדְבָרְךָ יָשִׂים עַל־לִבּוֹ:

7   אֱמֶת, אַתָּה הוּא אָדוֹן לְעַמֶּךָ.

8   וּמֶלֶךְ גִּבּוֹר לָרִיב רִיבָם:

9   אֱמֶת אַתָּה הוּא רִאשׁוֹן, וְאַתָּה הוּא אַחֲרוֹן.

10   וּמִבַּלְעָדֶיךָ, אֵין לָנוּ מֶלֶךְ, גּוֹאֵל וּמוֹשִׁיעַ:

11   מִמִּצְרַיִם גְּאַלְתָּנוּ, יְיָ אֱלֹהֵינוּ,

12   וּמִבֵּית עֲבָדִים פְּדִיתָנוּ.

13   כָּל־בְּכוֹרֵיהֶם הָרָגְתָּ, וּבְכוֹרְךָ גָּאָלְתָּ,

14   וְיַם־סוּף בָּקַעְתָּ, וְזֵדִים טִבַּעְתָּ, וִידִידִים הֶעֱבַרְתָּ,

15   וַיְכַסּוּ מַיִם צָרֵיהֶם, אֶחָד מֵהֶם לֹא נוֹתָר:

16   עַל זֹאת שִׁבְּחוּ אֲהוּבִים וְרוֹמְמוּ אֵל.

17   וְנָתְנוּ יְדִידִים זְמִרוֹת, שִׁירוֹת וְתִשְׁבָּחוֹת,

18   בְּרָכוֹת וְהוֹדָאוֹת, לַמֶּלֶךְ אֵל חַי וְקַיָּם:

1   רָם וְנִשָּׂא, גָּדוֹל וְנוֹרָא, מַשְׁפִּיל גֵּאִים,

2   וּמַגְבִּיהַּ שְׁפָלִים, מוֹצִיא אֲסִירִים וּפוֹדֶה עֲנָוִים,

3   וְעוֹזֵר דַּלִּים, וְעוֹנֶה לְעַמּוֹ בְּעֵת שַׁוְּעָם אֵלָיו:

4   Reader   תְּהִלּוֹת לְאֵל עֶלְיוֹן, בָּרוּךְ הוּא וּמְבֹרָךְ,

5   מֹשֶׁה וּבְנֵי יִשְׂרָאֵל לְךָ עָנוּ שִׁירָה

6   בְּשִׂמְחָה רַבָּה, וְאָמְרוּ כֻלָּם:

מִי כָמֹכָה בָּאֵלִים יְיָ

Who is like You, O Lord, among the mighty ones

Cong. and Reader

7   מִי־כָמֹכָה בָּאֵלִם יְיָ?

8   מִי כָּמֹכָה נֶאְדָּר בַּקֹּדֶשׁ?

9   נוֹרָא תְהִלֹּת, עֹשֵׂה־פֶלֶא:

10   שִׁירָה חֲדָשָׁה שִׁבְּחוּ גְאוּלִים לְשִׁמְךָ עַל־

11   שְׂפַת הַיָּם, יַחַד כֻּלָּם, הוֹדוּ וְהִמְלִיכוּ

12   וְאָמְרוּ:

13   יְיָ יִמְלֹךְ לְעוֹלָם וָעֶד

צוּר יִשְׂרָאֵל קוּמָה בְּעֶזְרַת יִשְׂרָאֵל

O Rock of Israel, arise to the help of Israel

For comment see page 109

1 צוּר יִשְׂרָאֵל, קוּמָה בְּעֶזְרַת יִשְׂרָאֵל,

2 וּפְדֵה כִנְאֻמֶךָ, יְהוּדָה וְיִשְׂרָאֵל:

3 Reader גֹּאֲלֵנוּ יְיָ צְבָאוֹת שְׁמוֹ קְדוֹשׁ יִשְׂרָאֵל.

4 בָּרוּךְ אַתָּה יְיָ, גָּאַל יִשְׂרָאֵל:

The שְׁמוֹנֶה עֶשְׂרֵה for תְּפִלַּת שַׁחֲרִית לְשַׁבָּת (the Morning Service for the Sabbath) has only seven blessings. This is also true of the תְּפִלַּת מוּסָף לְשַׁבָּת, the Additional Service for Sabbath morning, which we shall learn later. (Also the Amidot of מִנְחָה and מַעֲרִיב for שַׁבָּת have only seven blessings.)

1. The first three and the last three blessings are the same in both of them. Only the middle blessing is different. Also the קְדוּשָּׁה (the "holiness" prayer) of שַׁחֲרִית is different. There is, in addition, a special קְדוּשָּׁה for מוּסָף.

2. The middle blessing, in which we REMEMBER how Moses received the Ten Commandments on Mount Sinai and how God gave us the Sabbath as a day of rest when He Himself rested on the seventh day after creating the heavens and the earth. We also ASK God to be pleased with us, to make us holy so that we may observe the מִצְוֹת of the תּוֹרָה, to be good to us, to help us, and to make our hearts pure so that we may always be able to keep the Sabbath. The middle paragraph of this blessing, the וְשָׁמְרוּ, comes from the תּוֹרָה (Exodus 31:16–17).

תְּפִלַּת שַׁחֲרִית לְשַׁבָּת

שְׁמוֹנֶה עֶשְׂרֵה לְשַׁבָּת

The following prayer is to be said standing:

1 אֲדֹנָי שְׂפָתַי תִּפְתָּח וּפִי יַגִּיד תְּהִלָּתֶךָ.

2 בָּרוּךְ אַתָּה יְיָ, אֱלֹהֵינוּ וֵאלֹהֵי אֲבוֹתֵינוּ,

3 אֱלֹהֵי אַבְרָהָם, אֱלֹהֵי יִצְחָק, וֵאלֹהֵי יַעֲקֹב,

4 הָאֵל הַגָּדוֹל, הַגִּבּוֹר וְהַנּוֹרָא, אֵל עֶלְיוֹן,

5 גּוֹמֵל חֲסָדִים טוֹבִים, וְקוֹנֵה הַכֹּל, וְזוֹכֵר

6 חַסְדֵי אָבוֹת, וּמֵבִיא גוֹאֵל לִבְנֵי בְנֵיהֶם,

7 לְמַעַן שְׁמוֹ בְּאַהֲבָה.

On שַׁבָּת תְּשׁוּבָה *say:*

8 זָכְרֵנוּ לְחַיִּים, מֶלֶךְ חָפֵץ בַּחַיִּים!

9 וְכָתְבֵנוּ בְּסֵפֶר הַחַיִּים לְמַעַנְךָ, אֱלֹהִים חַיִּים!

10 מֶלֶךְ עוֹזֵר וּמוֹשִׁיעַ וּמָגֵן. בָּרוּךְ אַתָּה יְיָ,

11 מָגֵן אַבְרָהָם. *Cong.* אָמֵן

12 אַתָּה גִבּוֹר לְעוֹלָם אֲדֹנָי, מְחַיֵּה מֵתִים אַתָּה,

13 רַב לְהוֹשִׁיעַ.

From שְׁמִינִי עֲצֶרֶת till the first day of פֶּסַח say:

1 מַשִּׁיב הָרוּחַ וּמוֹרִיד הַגָּשֶׁם.

2 מְכַלְכֵּל חַיִּים בְּחֶסֶד, מְחַיֵּה מֵתִים בְּרַחֲמִים

3 רַבִּים, סוֹמֵךְ נוֹפְלִים, וְרוֹפֵא חוֹלִים, וּמַתִּיר

4 אֲסוּרִים, וּמְקַיֵּם אֱמוּנָתוֹ לִישֵׁנֵי עָפָר. מִי

5 כָמוֹךָ בַּעַל גְּבוּרוֹת? וּמִי דוֹמֶה לָּךְ, מֶלֶךְ

6 מֵמִית וּמְחַיֶּה וּמַצְמִיחַ יְשׁוּעָה?

On שַׁבָּת תְּשׁוּבָה say:

7 מִי כָמוֹךָ, אַב הָרַחֲמִים? זוֹכֵר יְצוּרָיו לְחַיִּים בְּרַחֲמִים.

8 וְנֶאֱמָן אַתָּה לְהַחֲיוֹת מֵתִים. בָּרוּךְ אַתָּה יְיָ,

9 מְחַיֵּה הַמֵּתִים. Cong. אָמֵן ✡

✡
When the Reader repeats the שְׁמוֹנֶה עֶשְׂרֵה, the following קְדוּשָׁה is said:

Cong. and Reader

10 נְקַדֵּשׁ אֶת שִׁמְךָ בָּעוֹלָם, כְּשֵׁם שֶׁמַּקְדִּישִׁים

11 אוֹתוֹ בִּשְׁמֵי מָרוֹם, כַּכָּתוּב עַל יַד נְבִיאֶךָ:

12 וְקָרָא זֶה אֶל זֶה וְאָמַר:

אַתָּה קָדוֹשׁ וְשִׁמְךָ קָדוֹשׁ, וּקְדוֹשִׁים בְּכָל יוֹם יְהַלְלוּךָ, סֶּלָה. בָּרוּךְ אַתָּה יְיָ, הָאֵל הַקָּדוֹשׁ.

On שַׁבַּת תְּשׁוּבָה *conclude the blessing thus:* הַמֶּלֶךְ הַקָּדוֹשׁ — Cong. אָמֵן

Cong. and Reader

קָדוֹשׁ, קָדוֹשׁ, קָדוֹשׁ יְיָ צְבָאוֹת! מְלֹא כָל הָאָרֶץ כְּבוֹדוֹ.

Reader

אָז, בְּקוֹל רַעַשׁ גָּדוֹל אַדִּיר וְחָזָק, מַשְׁמִיעִים קוֹל,
מִתְנַשְּׂאִים לְעֻמַּת שְׂרָפִים, לְעֻמָּתָם בָּרוּךְ יֹאמֵרוּ:

Cong. and Reader

בָּרוּךְ כְּבוֹד יְיָ מִמְּקוֹמוֹ.

Reader

מִמְּקוֹמְךָ, מַלְכֵּנוּ תוֹפִיעַ, וְתִמְלֹךְ עָלֵינוּ, כִּי מְחַכִּים אֲנַחְנוּ לָךְ:
מָתַי תִּמְלֹךְ בְּצִיּוֹן, בְּקָרוֹב בְּיָמֵינוּ לְעוֹלָם וָעֶד תִּשְׁכּוֹן:
תִּתְגַּדַּל וְתִתְקַדַּשׁ בְּתוֹךְ יְרוּשָׁלַיִם עִירְךָ,
לְדוֹר וָדוֹר וּלְנֵצַח נְצָחִים:
וְעֵינֵינוּ תִרְאֶינָה מַלְכוּתֶךָ, כַּדָּבָר הָאָמוּר בְּשִׁירֵי עֻזֶּךָ:
עַל־יְדֵי דָוִד מְשִׁיחַ צִדְקֶךָ:

יִשְׂמַח מֹשֶׁה, בְּמַתְּנַת חֶלְקוֹ,
כִּי עֶבֶד נֶאֱמָן קָרָאתָ לּוֹ.
כְּלִיל תִּפְאֶרֶת בְּרֹאשׁוֹ נָתַתָּ,
בְּעָמְדוֹ לְפָנֶיךָ עַל הַר־סִינָי.
וּשְׁנֵי לוּחוֹת אֲבָנִים הוֹרִיד בְּיָדוֹ.
וְכָתוּב בָּהֶם שְׁמִירַת שַׁבָּת.
וְכֵן כָּתוּב בְּתוֹרָתֶךָ:

Cong. and Reader

יִמְלֹךְ יְיָ לְעֹלָם, אֱלֹהַיִךְ צִיּוֹן לְדֹר וָדֹר,
הַלְלוּיָהּ:

Reader —

לְדוֹר וָדוֹר נַגִּיד גָּדְלֶךָ.
וּלְנֵצַח נְצָחִים קְדֻשָּׁתְךָ נַקְדִּישׁ.
וְשִׁבְחֲךָ אֱלֹהֵינוּ מִפִּינוּ לֹא יָמוּשׁ לְעוֹלָם וָעֶד.
כִּי אֵל מֶלֶךְ גָּדוֹל וְקָדוֹשׁ אָתָּה.
בָּרוּךְ אַתָּה יְיָ, הָאֵל (*הַמֶּלֶךְ) הַקָּדוֹשׁ:

* *On* שַׁבַּת תְּשׁוּבָה *say:*

וְשָׁמְרוּ בְנֵי יִשְׂרָאֵל אֶת הַשַּׁבָּת לַעֲשׂוֹת אֶת הַשַּׁבָּת לְדֹרֹתָם בְּרִית עוֹלָם

And the children of Israel shall keep the Sabbath,
to observe the Sabbath throughout their generations

וְשָׁמְרוּ בְנֵי־יִשְׂרָאֵל אֶת־הַשַּׁבָּת.
לַעֲשׂוֹת אֶת הַשַּׁבָּת לְדֹרֹתָם, בְּרִית עוֹלָם:
בֵּינִי וּבֵין בְּנֵי־יִשְׂרָאֵל אוֹת הִיא לְעוֹלָם,
כִּי־שֵׁשֶׁת יָמִים עָשָׂה יְיָ אֶת־הַשָּׁמַיִם וְאֶת־
הָאָרֶץ,
וּבַיּוֹם הַשְּׁבִיעִי שָׁבַת וַיִּנָּפַשׁ:

וְלֹא נְתַתּוֹ, יְיָ אֱלֹהֵינוּ, לְגוֹיֵי הָאֲרָצוֹת.
וְלֹא הִנְחַלְתּוֹ, מַלְכֵּנוּ, לְעוֹבְדֵי פְסִילִים.
וְגַם בִּמְנוּחָתוֹ לֹא יִשְׁכְּנוּ עֲרֵלִים.
כִּי לְיִשְׂרָאֵל עַמְּךָ נְתַתּוֹ, בְּאַהֲבָה.
לְזֶרַע יַעֲקֹב, אֲשֶׁר בָּם בָּחָרְתָּ.
עַם מְקַדְּשֵׁי שְׁבִיעִי,
כֻּלָּם יִשְׂבְּעוּ וְיִתְעַנְּגוּ מִטּוּבֶךָ.
וּבַשְּׁבִיעִי רָצִיתָ בּוֹ וְקִדַּשְׁתּוֹ,
חֶמְדַּת יָמִים אֹתוֹ קָרָאתָ, זֵכֶר לְמַעֲשֵׂה בְרֵאשִׁית:

1 Reader אֱלֹהֵינוּ וֵאלֹהֵי אֲבוֹתֵינוּ רְצֵה בִמְנוּחָתֵנוּ, קַדְּשֵׁנוּ

2 בְּמִצְוֹתֶיךָ, וְתֵן חֶלְקֵנוּ בְּתוֹרָתֶךָ. שַׂבְּעֵנוּ מִטּוּבֶךָ, וְשַׂמְּחֵנוּ

3 בִּישׁוּעָתֶךָ, וְטַהֵר לִבֵּנוּ לְעָבְדְּךָ, בֶּאֱמֶת, וְהַנְחִילֵנוּ יְיָ

4 אֱלֹהֵינוּ, בְּאַהֲבָה וּבְרָצוֹן שַׁבַּת קָדְשֶׁךָ, וְיָנוּחוּ בוֹ יִשְׂרָאֵל

5 מְקַדְּשֵׁי שְׁמֶךָ. בָּרוּךְ אַתָּה יְיָ, מְקַדֵּשׁ הַשַּׁבָּת:

Cong. אָמֵן

6 רְצֵה יְיָ אֱלֹהֵינוּ בְּעַמְּךָ יִשְׂרָאֵל וּבִתְפִלָּתָם, וְהָשֵׁב אֶת

7 הָעֲבוֹדָה לִדְבִיר בֵּיתֶךָ וְאִשֵּׁי יִשְׂרָאֵל, וּתְפִלָּתָם בְּאַהֲבָה

8 תְקַבֵּל בְּרָצוֹן, וּתְהִי לְרָצוֹן תָּמִיד עֲבוֹדַת יִשְׂרָאֵל עַמֶּךָ.

On רֹאשׁ חֹדֶשׁ *and* חֹל הַמּוֹעֵד *add the following:* **For comment see page 121**

9 אֱלֹהֵינוּ וֵאלֹהֵי אֲבוֹתֵינוּ. יַעֲלֶה וְיָבֹא וְיַגִּיעַ, וְיֵרָאֶה וְיֵרָצֶה

10 וְיִשָּׁמַע, וְיִפָּקֵד וְיִזָּכֵר זִכְרוֹנֵנוּ וּפִקְדוֹנֵנוּ, וְזִכְרוֹן אֲבוֹתֵינוּ,

11 וְזִכְרוֹן מָשִׁיחַ בֶּן דָּוִד עַבְדֶּךָ, וְזִכְרוֹן יְרוּשָׁלַיִם עִיר

12 קָדְשֶׁךָ, וְזִכְרוֹן כָּל עַמְּךָ בֵּית יִשְׂרָאֵל לְפָנֶיךָ, לִפְלֵיטָה,

13 לְטוֹבָה, לְחֵן וּלְחֶסֶד וּלְרַחֲמִים, לְחַיִּים וּלְשָׁלוֹם בְּיוֹם

14 *On Rosh Hodesh* רֹאשׁ הַחֹדֶשׁ הַזֶּה. לְרֹאשׁ חֹדֶשׁ

15 *On Passover:* חַג הַמַּצּוֹת הַזֶּה. לְפֶסַח

16 *On Sukkot* חַג הַסֻּכּוֹת הַזֶּה. לְסֻכּוֹת

1   זָכְרֵנוּ יְיָ אֱלֹהֵינוּ בּוֹ לְטוֹבָה, וּפָקְדֵנוּ בוֹ לִבְרָכָה,

2   וְהוֹשִׁיעֵנוּ בּוֹ לְחַיִּים, וּבִדְבַר יְשׁוּעָה וְרַחֲמִים, חוּס וְחָנֵּנוּ,

3   וְרַחֵם עָלֵינוּ וְהוֹשִׁיעֵנוּ, כִּי אֵלֶיךָ עֵינֵינוּ, כִּי אֵל מֶלֶךְ

4   חַנּוּן וְרַחוּם אָתָּה.

5   וְתֶחֱזֶינָה עֵינֵינוּ בְּשׁוּבְךָ לְצִיּוֹן בְּרַחֲמִים.

6   בָּרוּךְ אַתָּה יְיָ, הַמַּחֲזִיר שְׁכִינָתוֹ לְצִיּוֹן.

Cong. אָמֵן

When saying מוֹדִים *bend the knees:*

The Congregation silently:

7 מוֹדִים אֲנַחְנוּ לָךְ,	מוֹדִים אֲנַחְנוּ לָךְ,
8 שָׁאַתָּה הוּא יְיָ אֱלֹהֵינוּ	שָׁאַתָּה הוּא יְיָ אֱלֹהֵינוּ וֵאלֹהֵי אֲבוֹתֵינוּ, אֱלֹהֵי
9 וֵאלֹהֵי אֲבוֹתֵינוּ לְעוֹלָם	כָּל בָּשָׂר, יוֹצְרֵנוּ,
10 וָעֶד, צוּר חַיֵּינוּ, מָגֵן	יוֹצֵר בְּרֵאשִׁית.
11 יִשְׁעֵנוּ, אַתָּה הוּא לְדוֹר	בְּרָכוֹת וְהוֹדָאוֹת לְשִׁמְךָ הַגָּדוֹל
12 וָדוֹר. נוֹדֶה לְךָ וּנְסַפֵּר	וְהַקָּדוֹשׁ, עַל שֶׁהֶחֱיִיתָנוּ
13 תְּהִלָּתֶךָ, עַל חַיֵּינוּ	וְקִיַּמְתָּנוּ. כֵּן תְּחַיֵּנוּ

1 הַמְּסוּרִים בְּיָדֶךָ, וְעַל
2 נִשְׁמוֹתֵינוּ הַפְּקוּדוֹת
3 לָךְ, וְעַל נִסֶּיךָ שֶׁבְּכָל
4 יוֹם עִמָּנוּ, וְעַל
5 נִפְלְאוֹתֶיךָ וְטוֹבוֹתֶיךָ
6 שֶׁבְּכָל עֵת־עֶרֶב וָבֹקֶר
7 וְצָהֳרָיִם. הַטּוֹב, –

וּתְקַיְּמֵנוּ, וְתֶאֱסוֹף גָּלִיּוֹתֵינוּ לְחַצְרוֹת קָדְשֶׁךָ, לִשְׁמוֹר חֻקֶּיךָ, וְלַעֲשׂוֹת רְצוֹנֶךָ, וּלְעָבְדְּךָ בְּלֵבָב שָׁלֵם, עַל שֶׁאֲנַחְנוּ מוֹדִים לָךְ. בָּרוּךְ אֵל הַהוֹדָאוֹת.

8 כִּי לֹא כָלוּ רַחֲמֶיךָ, וְהַמְרַחֵם, – כִּי לֹא
9 תַמּוּ חֲסָדֶיךָ – מֵעוֹלָם קִוִּינוּ לָךְ.

On חֲנֻכָּה say עַל הַנִּסִּים :

10 עַל הַנִּסִּים וְעַל הַפֻּרְקָן, וְעַל הַגְּבוּרוֹת,
11 וְעַל הַתְּשׁוּעוֹת, וְעַל הַמִּלְחָמוֹת, שֶׁעָשִׂיתָ
12 לַאֲבוֹתֵינוּ בַּיָּמִים הָהֵם, בַּזְּמַן הַזֶּה.

1   בִּימֵי מַתִּתְיָהוּ בֶּן יוֹחָנָן, כֹּהֵן גָּדוֹל,

2   חַשְׁמוֹנַאי וּבָנָיו, כְּשֶׁעָמְדָה מַלְכוּת יָוָן הָרְשָׁעָה

3   עַל עַמְּךָ יִשְׂרָאֵל לְהַשְׁכִּיחָם תּוֹרָתֶךָ,

4   וּלְהַעֲבִירָם מֵחֻקֵּי רְצוֹנֶךָ, וְאַתָּה, בְּרַחֲמֶיךָ

5   הָרַבִּים עָמַדְתָּ לָהֶם בְּעֵת צָרָתָם, רַבְתָּ אֶת

6   רִיבָם, דַּנְתָּ אֶת דִּינָם, נָקַמְתָּ אֶת נִקְמָתָם,

7   מָסַרְתָּ גִבּוֹרִים בְּיַד חַלָּשִׁים, וְרַבִּים בְּיַד

8   מְעַטִּים, וּטְמֵאִים בְּיַד טְהוֹרִים, וּרְשָׁעִים בְּיַד

9   צַדִּיקִים, וְזֵדִים בְּיַד עוֹסְקֵי תוֹרָתֶךָ, וּלְךָ

10   עָשִׂיתָ שֵׁם גָּדוֹל וְקָדוֹשׁ בְּעוֹלָמֶךָ, וּלְעַמְּךָ

11   יִשְׂרָאֵל עָשִׂיתָ תְּשׁוּעָה גְדוֹלָה וּפֻרְקָן כְּהַיּוֹם

12   הַזֶּה. וְאַחַר כֵּן בָּאוּ בָנֶיךָ לִדְבִיר בֵּיתֶךָ, וּפִנּוּ

13   אֶת הֵיכָלֶךָ, וְטִהֲרוּ אֶת מִקְדָּשֶׁךָ, וְהִדְלִיקוּ

14   נֵרוֹת בְּחַצְרוֹת קָדְשֶׁךָ, וְקָבְעוּ שְׁמוֹנַת יְמֵי

15   חֲנֻכָּה אֵלּוּ, לְהוֹדוֹת וּלְהַלֵּל לְשִׁמְךָ הַגָּדוֹל.

16   וְעַל כֻּלָּם יִתְבָּרַךְ וְיִתְרוֹמַם שִׁמְךָ מַלְכֵּנוּ

17   תָּמִיד לְעוֹלָם וָעֶד.

On שַׁבָּת תְּשׁוּבָה *say:*

1 וּכְתוֹב לְחַיִּים טוֹבִים כָּל בְּנֵי בְרִיתֶךָ.

2 וְכֹל־הַחַיִּים יוֹדוּךָ סֶּלָה, וִיהַלְלוּ אֶת שִׁמְךָ

3 בֶּאֱמֶת, הָאֵל יְשׁוּעָתֵנוּ וְעֶזְרָתֵנוּ סֶלָה! בָּרוּךְ

4 אַתָּה יְיָ, הַטּוֹב שִׁמְךָ וּלְךָ נָאֶה לְהוֹדוֹת.

Cong. אָמֵן

At the repetition of שְׁמוֹנָה עֶשְׂרֵה *the Reader says:*

5 אֱלֹהֵינוּ וֵאלֹהֵי אֲבוֹתֵינוּ, בָּרְכֵנוּ בַבְּרָכָה הַמְשֻׁלֶּשֶׁת,

6 בַּתּוֹרָה, הַכְּתוּבָה עַל יְדֵי מֹשֶׁה עַבְדֶּךָ, הָאֲמוּרָה מִפִּי

7 אַהֲרֹן וּבָנָיו כֹּהֲנִים עַם קְדוֹשֶׁךָ, כָּאָמוּר: יְבָרֶכְךָ יְיָ

8 וְיִשְׁמְרֶךָ! יָאֵר יְיָ פָּנָיו, אֵלֶיךָ וִיחֻנֶּךָּ! יִשָּׂא יְיָ פָּנָיו אֵלֶיךָ

9 וְיָשֵׂם לְךָ שָׁלוֹם!

10 שִׂים שָׁלוֹם, טוֹבָה וּבְרָכָה, חֵן וָחֶסֶד

11 וְרַחֲמִים, עָלֵינוּ וְעַל כָּל יִשְׂרָאֵל עַמֶּךָ.

12 בָּרְכֵנוּ אָבִינוּ כֻּלָּנוּ כְּאֶחָד בְּאוֹר פָּנֶיךָ, כִּי

13 בְאוֹר פָּנֶיךָ נָתַתָּ לָנוּ יְיָ אֱלֹהֵינוּ תּוֹרַת חַיִּים

1 וְאַהֲבַת חֶסֶד, וּצְדָקָה וּבְרָכָה וְרַחֲמִים

2 וְחַיִּים וְשָׁלוֹם, וְטוֹב בְּעֵינֶיךָ לְבָרֵךְ אֶת

3 עַמְּךָ יִשְׂרָאֵל בְּכָל עֵת וּבְכָל שָׁעָה

4 בִּשְׁלוֹמֶךָ.

_On_ שַׁבָּת תְּשׁוּבָה _say:_

5 בְּסֵפֶר חַיִּים בְּרָכָה וְשָׁלוֹם וּפַרְנָסָה טוֹבָה, נִזָּכֵר וְנִכָּתֵב

6 לְפָנֶיךָ, אֲנַחְנוּ וְכָל עַמְּךָ בֵּית יִשְׂרָאֵל, לְחַיִּים טוֹבִים

7 וּלְשָׁלוֹם.

8 בָּרוּךְ אַתָּה יְיָ, עֹשֶׂה הַשָּׁלוֹם.

9 בָּרוּךְ אַתָּה יְיָ, הַמְּבָרֵךְ אֶת עַמּוֹ יִשְׂרָאֵל

10 בַּשָּׁלוֹם.   Cong. אָמֵן

11 אֱלֹהַי! נְצוֹר לְשׁוֹנִי מֵרָע, וּשְׂפָתַי מִדַּבֵּר מִרְמָה;

12 וְלִמְקַלְלַי — נַפְשִׁי תִדֹּם, וְנַפְשִׁי כֶּעָפָר לַכֹּל תִּהְיֶה.

13 פְּתַח לִבִּי בְּתוֹרָתֶךָ, וּבְמִצְוֹתֶיךָ תִּרְדּוֹף נַפְשִׁי. וְכָל

1 הַחוֹשְׁבִים עָלַי רָעָה, מְהֵרָה הָפֵר עֲצָתָם וְקַלְקֵל

2 מַחֲשַׁבְתָּם. עֲשֵׂה לְמַעַן שְׁמֶךָ, עֲשֵׂה לְמַעַן יְמִינֶךָ, עֲשֵׂה

3 לְמַעַן קְדֻשָּׁתֶךָ. עֲשֵׂה לְמַעַן תּוֹרָתֶךָ. לְמַעַן יֵחָלְצוּן

4 יְדִידֶיךָ, הוֹשִׁיעָה יְמִינְךָ וַעֲנֵנִי. יִהְיוּ לְרָצוֹן אִמְרֵי פִי וְהֶגְיוֹן

5 לִבִּי לְפָנֶיךָ, יְיָ צוּרִי וְגוֹאֲלִי! עֹשֶׂה שָׁלוֹם בִּמְרוֹמָיו, הוּא

6 יַעֲשֶׂה שָׁלוֹם עָלֵינוּ, וְעַל כָּל יִשְׂרָאֵל, וְאִמְרוּ אָמֵן!

7 יְהִי רָצוֹן מִלְּפָנֶיךָ יְיָ אֱלֹהֵינוּ וֵאלֹהֵי אֲבוֹתֵינוּ, שֶׁיִּבָּנֶה בֵּית

8 הַמִּקְדָּשׁ בִּמְהֵרָה בְיָמֵינוּ, וְתֵן חֶלְקֵנוּ בְּתוֹרָתֶךָ. וְשָׁם

9 נַעֲבָדְךָ בְּיִרְאָה כִּימֵי עוֹלָם וּכְשָׁנִים קַדְמוֹנִיּוֹת. וְעָרְבָה

10 לַיְיָ מִנְחַת יְהוּדָה וִירוּשָׁלָיִם, כִּימֵי עוֹלָם וּכְשָׁנִים קַדְמוֹנִיּוֹת.

On Rosh Hodesh, Hol Hamoed (intermediate days of Festivals)

and on Chanukah הלל *is said here: page 492*

COMPLETE KADDISH קַדִּישׁ שָׁלֵם

Reader 1   יִתְגַּדַּל וְיִתְקַדַּשׁ שְׁמֵהּ רַבָּא, בְּעָלְמָא דִי־בְרָא

2   כִרְעוּתֵהּ, וְיַמְלִיךְ מַלְכוּתֵהּ, בְּחַיֵּיכוֹן וּבְיוֹמֵיכוֹן, וּבְחַיֵּי

3   דְכָל־בֵּית יִשְׂרָאֵל, בַּעֲגָלָא וּבִזְמַן קָרִיב. וְאִמְרוּ אָמֵן.

Cong. אָמֵן

Cong. and Reader 4   יְהֵא שְׁמֵהּ רַבָּא מְבָרַךְ לְעָלַם וּלְעָלְמֵי

5   עָלְמַיָּא.

Reader 6   יִתְבָּרַךְ וְיִשְׁתַּבַּח וְיִתְפָּאַר וְיִתְרוֹמַם וְיִתְנַשֵּׂא וְיִתְהַדָּר

7   וְיִתְעַלֶּה וְיִתְהַלָּל שְׁמֵהּ דְּקֻדְשָׁא. Cong. and Reader   בְּרִיךְ הוּא

Reader 8   לְעֵלָּא (וּלְעֵלָּא) *(During the Ten Days of Pentinence, add:*

9   מִן כָּל־בִּרְכָתָא, וְשִׁירָתָא תֻּשְׁבְּחָתָא, וְנֶחֱמָתָא

10   דַּאֲמִירָן בְּעָלְמָא. וְאִמְרוּ אָמֵן. Cong. אָמֵן

Cong. 11   תִּתְקַבֵּל צְלוֹתְהוֹן וּבָעוּתְהוֹן דְּכָל בֵּית יִשְׂרָאֵל,

12   קֳדָם אֲבוּהוֹן דִּי בִשְׁמַיָּא, וְאִמְרוּ אָמֵן. Cong. אָמֵן

Reader 13   יְהֵא שְׁלָמָא רַבָּא מִן־שְׁמַיָּא וְחַיִּים עָלֵינוּ

14   וְעַל כָּל־יִשְׂרָאֵל. וְאִמְרוּ אָמֵן. Cong. אָמֵן

Reader 15   עוֹשֶׂה שָׁלוֹם בִּמְרוֹמָיו, הוּא יַעֲשֶׂה שָׁלוֹם

16   עָלֵינוּ. וְעַל כָּל־יִשְׂרָאֵל. וְאִמְרוּ אָמֵן. Cong. אָמֵן

אֵין כָּמוֹךָ בָאֱלֹהִים, אֲדֹנָי
There is none like You , O Lord

אֵין כָּמוֹךָ contains verses from the Book of Psalms. It tells us that no one is like God, that His kingdom and His reign will last forever. It closes with the hope that God will give us strength and peace.

Reader and Cong.

1 אֵין כָּמוֹךָ בָאֱלֹהִים, אֲדֹנָי, וְאֵין כְּמַעֲשֶׂיךָ: מַלְכוּתְךָ מַלְכוּת

2 כָּל עוֹלָמִים וּמֶמְשַׁלְתְּךָ בְּכָל דּוֹר וָדוֹר: יְיָ מֶלֶךְ יְיָ מָלָךְ יְיָ

3 יִמְלֹךְ לְעוֹלָם וָעֶד: יְיָ עֹז לְעַמּוֹ יִתֵּן. יְיָ יְבָרֵךְ אֶת עַמּוֹ בַשָּׁלוֹם:

אַב הָרַחֲמִים הֵיטִיבָה בִרְצוֹנְךָ אֶת צִיּוֹן
Father of compassion, may it be Your will to favor Zion

Part of this prayer comes from the Book of Psalms. In it we ask God to rebuild Zion (the Land of Israel) and Jerusalem. We also express our trust in God who rules over the whole universe.

4 אַב הָרַחֲמִים, הֵיטִיבָה בִרְצוֹנְךָ אֶת־צִיּוֹן, תִּבְנֶה חוֹמוֹת

5 יְרוּשָׁלָיִם: כִּי בְךָ לְבַד בָּטָחְנוּ, מֶלֶךְ אֵל רָם וְנִשָּׂא אֲדוֹן

6 עוֹלָמִים:

ORDER OF READING THE TORAH

FOR SABBATHS AND FESTIVALS

קְרִיאַת הַתּוֹרָה, the reading of the תּוֹרָה in the synagogue, is a most important part of the service on Sabbaths and holidays. We also read the תּוֹרָה on Sabbath afternoon and on Mondays and Thursdays. This custom began with Ezra, the Scribe, who revived religious life in ancient Palestine.

Each year we complete the reading of the entire תּוֹרָה. We divide the תּוֹרָה reading into fifty-four סְדְרוֹת or portions. On some Sabbaths we read two סְדְרוֹת.

When we finish the סִדְרָה, we read the הַפְטָרָה, a portion from one of the books of the Prophets (נְבִיאִים). Usually the הַפְטָרָה has a connection with the סִדְרָה read on that day.

Eight men in all are called to the reading (קְרִיאָה). The first is a כֹּהֵן, the second is a לֵוִי and the rest are יִשְׂרָאֵל. The last man to be called to the תּוֹרָה is the מַפְטִיר, which means "the one who finishes." He also chants the הַפְטָרָה. On festivals we have special תּוֹרָה readings.

It is a wonderful thing that the study of the תּוֹרָה and the books of the great Prophets of Israel are part of our Synagogue service. Our rabbis say that the very world rests on the study of the תּוֹרָה.

For comment see page 146

The Ark is opened, and the Reader and Cong. say:

וַיְהִי, בִּנְסֹעַ הָאָרֹן, וַיֹּאמֶר מֹשֶׁה:

קוּמָה יְיָ, וְיָפֻצוּ אֹיְבֶיךָ,

וְיָנֻסוּ מְשַׂנְאֶיךָ, מִפָּנֶיךָ:

כִּי מִצִּיּוֹן תֵּצֵא תוֹרָה,

וּדְבַר־יְיָ, מִירוּשָׁלָיִם:

בָּרוּךְ, שֶׁנָּתַן תּוֹרָה, לְעַמּוֹ יִשְׂרָאֵל, בִּקְדֻשָּׁתוֹ:

**On Festivals, the following is said before* "בְּרִיךְ שְׁמֵהּ":

Three times יְיָ, יְיָ, אֵל רַחוּם וְחַנּוּן, אֶרֶךְ אַפַּיִם, וְרַב־חֶסֶד וֶאֱמֶת, נֹצֵר חֶסֶד לָאֲלָפִים, נֹשֵׂא עָוֹן וָפֶשַׁע, וְחַטָּאָה, וְנַקֵּה:

For Passover, Shavuot and Sukkot:

רִבּוֹנוֹ שֶׁל עוֹלָם, מַלֵּא

מִשְׁאֲלוֹת לִבִּי לְטוֹבָה וְהָפֵק

For New Year, Yom Kippur and Hoshana-Rabbah:

רִבּוֹנוֹ שֶׁל עוֹלָם, מַלֵּא

מִשְׁאֲלוֹתֵינוּ לְטוֹבָה, וְהָפֵק

For Passover, Shavuot and Sukkot:

רְצוֹנִי וְתֵן שְׁאֵלָתִי לִי, עַבְדְּךָ
בֶּן אֲמָתֶךָ, וְזַכֵּנִי (וְאֶת אִשְׁתִּי
וּבָנַי וּבְנוֹתַי) וְכָל בְּנֵי בֵיתִי,
לַעֲשׂוֹת רְצוֹנְךָ, בְּלֵבָב שָׁלֵם,
וּמַלְּטֵנוּ מִיֵּצֶר הָרָע, וְתֵן
חֶלְקֵנוּ בְּתוֹרָתֶךָ, וְזַכֵּנוּ,
שֶׁתִּשְׁרֶה שְׁכִינָתְךָ עָלֵינוּ,
וְהוֹפַע עָלֵינוּ, רוּחַ חָכְמָה
וּבִינָה, רוּחַ עֵצָה וּגְבוּרָה,
רוּחַ דַּעַת, וְיִרְאַת יְיָ: וְכֵן
יְהִי רָצוֹן מִלְּפָנֶיךָ, יְיָ אֱלֹהֵינוּ
וֵאלֹהֵי אֲבוֹתֵינוּ, שֶׁתְּזַכֵּנוּ,
לַעֲשׂוֹת מַעֲשִׂים טוֹבִים
בְּעֵינֶיךָ, וְלָלֶכֶת בְּדַרְכֵי
יְשָׁרִים לְפָנֶיךָ, וְקַדְּשֵׁנוּ,
בְּמִצְוֹתֶיךָ. כְּדֵי שֶׁנִּזְכֶּה
לְחַיִּים טוֹבִים וַאֲרוּכִים,
וּלְחַיֵּי הָעוֹלָם הַבָּא,
וְתִשְׁמְרֵנוּ מִמַּעֲשִׂים רָעִים,
וּמִשָּׁעוֹת רָעוֹת, הַמִּתְרַגְּשׁוֹת
לָבֹא לָעוֹלָם, וְהַבּוֹטֵחַ בַּיְיָ,
חֶסֶד יְסוֹבְבֶנּוּ, אָמֵן:

For New Year, Yom Kippur and Hoshana-Rabbah:

רְצוֹנֵנוּ, וְתֶן־לָנוּ שְׁאֵלָתֵנוּ,
וּמְחוֹל עַל־כָּל־עֲוֹנוֹתֵינוּ
וְעַל־כָּל־עֲוֹנוֹת אַנְשֵׁי בֵיתֵנוּ,
מְחִילָה בְּחֶסֶד, מְחִילָה
בְּרַחֲמִים, וְטַהֲרֵנוּ מֵחֲטָאֵינוּ,
וּמֵעֲוֹנוֹתֵינוּ, וּמִפְּשָׁעֵינוּ,
וְזָכְרֵנוּ, בְּזִכְרוֹן טוֹב לְפָנֶיךָ.
וּפָקְדֵנוּ, בִּפְקֻדַּת יְשׁוּעָה
וְרַחֲמִים, וְזָכְרֵנוּ, לְחַיִּים
טוֹבִים וַאֲרוּכִים, וּלְשָׁלוֹם,
וּפַרְנָסָה, וְכַלְכָּלָה. וְתֶן־לָנוּ,
לֶחֶם לֶאֱכֹל, וּבֶגֶד לִלְבֹּשׁ,
וְעֹשֶׁר, וְכָבוֹד, וְאֹרֶךְ יָמִים,
לַהֲגוֹת בְּתוֹרָתֶךָ, וּלְקַיֵּם
מִצְוֹתֶיהָ. וְשֵׂכֶל וּבִינָה,
לְהָבִין וּלְהַשְׂכִּיל עִמְקֵי
סוֹדוֹתֶיהָ. וּשְׁלַח רְפוּאָה
שְׁלֵמָה לְכָל־מַכְאוֹבֵינוּ,
וּתְבָרֵךְ, אֶת־כָּל־מַעֲשֵׂה
יָדֵינוּ, וְתִגְזוֹר עָלֵינוּ, גְּזֵרוֹת
טוֹבוֹת יְשׁוּעוֹת וְנֶחָמוֹת.
וּתְבַטֵּל מֵעָלֵינוּ, כָּל־גְּזֵרוֹת

בְּרִיךְ שְׁמֵהּ דְּמָרֵא עָלְמָא

Blessed be the name of the Lord of the universe

1 בְּרִיךְ שְׁמֵהּ דְּמָרֵא עָלְמָא, בְּרִיךְ כִּתְרָךְ וְאַתְרָךְ! יְהֵא

2 רְעוּתָךְ, עִם עַמָּךְ יִשְׂרָאֵל לְעָלַם, וּפֻרְקַן יְמִינָךְ אַחֲזֵי

3 לְעַמָּךְ בְּבֵית מַקְדְּשָׁךְ, וּלְאַמְטוּיֵי לָנָא מִטּוּב נְהוֹרָךְ

4 וּלְקַבֵּל צְלוֹתָנָא בְּרַחֲמִין. יְהֵא רַעֲוָא קֳדָמָךְ דְּתוֹרִיךְ

5 לָן חַיִּין בְּטִיבוּתָא, וְלֶהֱוֵי אֲנָא פְּקִידָא בְּגוֹ צַדִּיקַיָּא,

6 לְמִרְחַם עֲלַי וּלְמִנְטַר יָתִי, וְיָת כָּל דִּי לִי, וְדִי לְעַמָּךְ

7 יִשְׂרָאֵל. אַנְתְּ הוּא זָן לְכֹלָּא וּמְפַרְנֵס לְכֹלָּא; אַנְתְּ הוּא

8 שַׁלִּיט עַל כֹּלָּא; אַנְתְּ הוּא דְשַׁלִּיט עַל מַלְכַיָּא, וּמַלְכוּתָא

9 דִּילָךְ הִיא. אֲנָא עַבְדָּא דְקֻדְשָׁא בְּרִיךְ הוּא, דְּסָגִידְנָא

---

*For New Year, Yom Kippur
and Hoshana Rabbah:*

10 קָשׁוֹת וְתַטֶּה לֵב הַמַּלְכוּת,

11 וְיוֹעֲצֶיהָ, וְשָׂרֶיהָ, עָלֵינוּ

12 לְטוֹבָה. אָמֵן, וְכֵן יְהִי רָצוֹן:

13 יִהְיוּ לְרָצוֹן אִמְרֵי־פִי, וְהֶגְיוֹן לִבִּי לְפָנֶיךָ, יְיָ, צוּרִי וְגוֹאֲלִי:

three times:

14 וַאֲנִי תְפִלָּתִי לְךָ יְיָ עֵת רָצוֹן, אֱלֹהִים

15 בְּרָב חַסְדֶּךָ, עֲנֵנִי בֶּאֱמֶת יִשְׁעֶךָ.

קַמֵּהּ וּמִקַּמָּא דִּיקַר אוֹרַיְתֵהּ בְּכָל עִדָּן וְעִדָּן. לָא עַל
אֱנָשׁ רָחִיצְנָא, וְלָא עַל בַּר אֱלָהִין סָמִיכְנָא, אֶלָּא בֶּאֱלָהָא
דִשְׁמַיָּא, דְּהוּא אֱלָהָא קְשׁוֹט, וְאוֹרַיְתֵהּ–קְשׁוֹט, וּנְבִיאוֹהִי–
קְשׁוֹט, וּמַסְגֵּא לְמֶעְבַּד טַבְוָן וּקְשׁוֹט. בֵּהּ אֲנָא רָחִיץ,
וְלִשְׁמֵהּ קַדִּישָׁא יַקִּירָא אֲנָא אֵמַר תֻּשְׁבְּחָן. יְהֵא רַעֲוָא
קֳדָמָךְ דְּתִפְתַּח לִבָּאִי בְּאוֹרַיְתָא, וְתַשְׁלִים מִשְׁאֲלִין
דְּלִבָּאִי, וְלִבָּא דְכָל עַמָּךְ יִשְׂרָאֵל, לְטָב וּלְחַיִּין וְלִשְׁלָם.
אָמֵן:

The Reader takes the Sefer Torah and says:

Reader and Cong.

שְׁמַע יִשְׂרָאֵל, יְיָ אֱלֹהֵינוּ, יְיָ אֶחָד!

Reader and Cong.

אֶחָד אֱלֹהֵינוּ, גָּדוֹל אֲדוֹנֵינוּ, קָדוֹשׁ (*For New Year, Yom Kippur*
and Hoshana Rabbah: וְנוֹרָא) שְׁמוֹ:

Reader

גַּדְּלוּ לַיְיָ אִתִּי, וּנְרוֹמְמָה שְׁמוֹ יַחְדָּו.

Cong. לְךָ יְיָ הַגְּדֻלָּה וְהַגְּבוּרָה וְהַתִּפְאֶרֶת וְהַנֵּצַח וְהַהוֹד,
כִּי כֹל בַּשָּׁמַיִם וּבָאָרֶץ. לְךָ יְיָ הַמַּמְלָכָה וְהַמִּתְנַשֵּׂא לְכֹל
לְרֹאשׁ. רוֹמְמוּ יְיָ אֱלֹהֵינוּ, וְהִשְׁתַּחֲווּ לַהֲדֹם רַגְלָיו, קָדוֹשׁ
הוּא. רוֹמְמוּ יְיָ אֱלֹהֵינוּ, וְהִשְׁתַּחֲווּ לְהַר קָדְשׁוֹ, כִּי קָדוֹשׁ
יְיָ אֱלֹהֵינוּ.

1 עַל הַכֹּל יִתְגַּדַּל וְיִתְקַדַּשׁ וְיִשְׁתַּבַּח וְיִתְפָּאַר וְיִתְרוֹמַם וְיִתְנַשֵּׂא.

2 שְׁמוֹ שֶׁל מֶלֶךְ מַלְכֵי הַמְּלָכִים הַקָּדוֹשׁ בָּרוּךְ הוּא. בָּעוֹלָמוֹת

3 שֶׁבָּרָא הָעוֹלָם הַזֶּה וְהָעוֹלָם הַבָּא. כִּרְצוֹנוֹ וְכִרְצוֹן יְרֵאָיו, וְכִרְצוֹן

4 כָּל־בֵּית יִשְׂרָאֵל. צוּר הָעוֹלָמִים אֲדוֹן כָּל־הַבְּרִיּוֹת אֱלוֹהַּ

5 כָּל־הַנְּפָשׁוֹת. הַיּוֹשֵׁב בְּמֶרְחֲבֵי מָרוֹם הַשּׁוֹכֵן בִּשְׁמֵי שְׁמֵי קֶדֶם

6 קְדֻשָּׁתוֹ עַל הַחַיּוֹת וּקְדֻשָּׁתוֹ עַל כִּסֵּא הַכָּבוֹד. וּבְכֵן יִתְקַדַּשׁ

7 שִׁמְךָ בָּנוּ יְיָ אֱלֹהֵינוּ לְעֵינֵי כָּל־חָי וְנֹאמַר לְפָנָיו שִׁיר חָדָשׁ

8 כַּכָּתוּב: שִׁירוּ לֵאלֹהִים זַמְּרוּ שְׁמוֹ סֹלּוּ לָרוֹכֵב בָּעֲרָבוֹת בְּיָהּ

9 שְׁמוֹ וְעִלְזוּ לְפָנָיו. וְנִרְאֵהוּ עַיִן בְּעַיִן בְּשׁוּבוֹ אֶל נָוֵהוּ כַּכָּתוּב.

10 כִּי עַיִן בְּעַיִן יִרְאוּ בְּשׁוּב יְיָ צִיּוֹן. וְנֶאֱמַר וְנִגְלָה כְּבוֹד יְיָ וְרָאוּ

11 כָל־בָּשָׂר יַחְדָּו כִּי פִי יְיָ דִּבֵּר:

12 Reader אַב הָרַחֲמִים, הוּא יְרַחֵם עַם עֲמוּסִים, וְיִזְכֹּר

13 בְּרִית אֵיתָנִים, וְיַצִּיל נַפְשׁוֹתֵינוּ מִן הַשָּׁעוֹת הָרָעוֹת, וְיִגְעַר

14 בְּיֵצֶר הָרַע מִן הַנְּשׂוּאִים, וְיָחוֹן אוֹתָנוּ לִפְלֵיטַת עוֹלָמִים,

15 וִימַלֵּא מִשְׁאֲלוֹתֵינוּ בְּמִדָּה טוֹבָה יְשׁוּעָה וְרַחֲמִים.

The Sefer Torah is placed upon the Bimah. The Reader unrolls it and says:

וְיַעֲזֹר, וְיָגֵן, וְיוֹשִׁיעַ, לְכֹל הַחוֹסִים בּוֹ, וְנֹאמַר, אָמֵן:
הַכֹּל הָבוּ גֹדֶל לֵאלֹהֵינוּ, וּתְנוּ כָבוֹד לַתּוֹרָה:
כֹּהֵן קְרָב, יַעֲמֹד (name) הַכֹּהֵן:
בָּרוּךְ שֶׁנָּתַן תּוֹרָה, לְעַמּוֹ יִשְׂרָאֵל, בִּקְדֻשָּׁתוֹ:

Cong. and Reader

וְאַתֶּם הַדְּבֵקִים בַּיְיָ אֱלֹהֵיכֶם, חַיִּים כֻּלְּכֶם הַיּוֹם:

בִּרְכוֹת הַתּוֹרָה

For comment see page 150

The person called to the Reading of the תּוֹרָה *says:*

בָּרְכוּ אֶת־יְיָ הַמְבֹרָךְ:

Congregation:

בָּרוּךְ יְיָ הַמְבֹרָךְ לְעוֹלָם וָעֶד:

The person who is called up to the Reading repeats:

בָּרוּךְ יְיָ הַמְבֹרָךְ לְעוֹלָם וָעֶד:

He who is called to the reading of the Torah continues:

בָּרוּךְ אַתָּה יְיָ אֱלֹהֵינוּ מֶלֶךְ הָעוֹלָם. אֲשֶׁר בָּחַר־בָּנוּ מִכָּל־הָעַמִּים וְנָתַן־לָנוּ אֶת־תּוֹרָתוֹ. בָּרוּךְ אַתָּה יְיָ, נוֹתֵן הַתּוֹרָה: Cong. אָמֵן

For comment see page 150

After Reading the portion of the Torah the following Blessing is said:

1 בָּרוּךְ אַתָּה יְיָ, אֱלֹהֵינוּ מֶלֶךְ הָעוֹלָם, אֲשֶׁר

2 נָתַן לָנוּ תּוֹרַת אֱמֶת, וְחַיֵּי עוֹלָם נָטַע

3 בְּתוֹכֵנוּ. בָּרוּךְ אַתָּה יְיָ, נוֹתֵן הַתּוֹרָה:

בִּרְכַּת הַגּוֹמֵל

Blessing upon deliverance from peril, and recovery from serious illness:

4 בָּרוּךְ אַתָּה יְיָ, אֱלֹהֵינוּ מֶלֶךְ הָעוֹלָם, הַגּוֹמֵל לְחַיָּבִים

5 טוֹבוֹת, שֶׁגְּמָלַנִי כָּל טוֹב.

The Congregation responds:

6 מִי שֶׁגְּמָלְךָ כָּל טוֹב, הוּא יִגְמָלְךָ כָּל טוֹב סֶלָה.

The Father of a Bar-Mitzvah says:

7 בָּרוּךְ שֶׁפְּטָרַנִי מֵעָנְשׁוֹ שֶׁל זֶה.

HALF KADDISH חֲצִי קַדִּישׁ

For comments see pages 93 and 162

Reader יִתְגַּדַּל וְיִתְקַדַּשׁ שְׁמֵהּ רַבָּא, בְּעָלְמָא
דִּי־בְרָא כִרְעוּתֵהּ, וְיַמְלִיךְ מַלְכוּתֵהּ,
בְּחַיֵּיכוֹן וּבְיוֹמֵיכוֹן, וּבְחַיֵּי דְכָל־בֵּית
יִשְׂרָאֵל, בַּעֲגָלָא וּבִזְמַן קָרִיב. וְאִמְרוּ אָמֵן.

Cong. אָמֵן

Cong. and Reader יְהֵא שְׁמֵהּ רַבָּא מְבָרַךְ לְעָלַם
וּלְעָלְמֵי עָלְמַיָּא.

Reader יִתְבָּרַךְ וְיִשְׁתַּבַּח וְיִתְפָּאַר וְיִתְרוֹמַם
וְיִתְנַשֵּׂא וְיִתְהַדַּר וְיִתְעַלֶּה וְיִתְהַלַּל שְׁמֵהּ
דְּקֻדְשָׁא. Cong. and Reader בְּרִיךְ הוּא Reader
לְעֵלָּא (During the Ten Days of Penitence, add: וּלְעֵלָּא)
מִן כָּל־בִּרְכָתָא, וְשִׁירָתָא תֻּשְׁבְּחָתָא,
וְנֶחֱמָתָא דַּאֲמִירָן בְּעָלְמָא וְאִמְרוּ אָמֵן.

Cong. אָמֵן

וְזֹאת הַתּוֹרָה אֲשֶׁר שָׂם מֹשֶׁה לִפְנֵי בְּנֵי יִשְׂרָאֵל

And this is the Torah which Moses placed before the children of Israel

For comment see page 151

After the Reading , the סֵפֶר תּוֹרָה *is held up,*

and the Congregation says the following:

1 וְזֹאת הַתּוֹרָה אֲשֶׁר שָׂם מֹשֶׁה לִפְנֵי בְּנֵי

2 יִשְׂרָאֵל, עַל פִּי יְיָ בְּיַד מֹשֶׁה. עֵץ חַיִּים הִיא

3 לַמַּחֲזִיקִים בָּהּ, וְתֹמְכֶיהָ מְאֻשָּׁר.

4 דְּרָכֶיהָ דַרְכֵי נֹעַם,

5 וְכָל נְתִיבוֹתֶיהָ שָׁלוֹם.

6 אֹרֶךְ יָמִים בִּימִינָהּ,

7 בִּשְׂמֹאלָהּ עֹשֶׁר וְכָבוֹד.

8 יְיָ חָפֵץ לְמַעַן צִדְקוֹ,

9 יַגְדִּיל תּוֹרָה וְיַאְדִּיר.

BLESSINGS OF THE HAFTARAH

The blessings before and after the reading of the הַפְטָרָה come from the Talmudic Tractate Sofrim, compiled about 1300 years ago.

Before the הַפְטָרָה reading two blessings are recited. In the first blessing we thank God for the great prophets of Israel whose words are words of truth. In the second blessing we thank God not only for our truthful and righteous prophets, but also for the Torah, for our great leader and master, Moses, and for the people of Israel, which we cherish.

After the reading of the הַפְטָרָה four blessings are said. The first tells us that the words of God are true and righteous, and that He is faithful and keeps all of His promises to us. The second asks God to have mercy on Zion, "for it is the home of our life." The third asks God to bring back to us Elijah, the prophet, and the kingdom of the house of David. For many centuries, Jews have believed that some day Elijah will return and will announce the coming of the Messiah, who will lead all the Jewish people back to the Land of Israel. There will then be peace and happiness in the world, and the kingdom of David, a kingdom of peace and prosperity, will be restored. The fourth blessing expresses our thanks to God for the Torah, the prophets, the privilege that we have to worship God, and especially for the wonderful Sabbath day, a day for holiness and rest, a day that brings us honor and glory. There are some changes in the blessing on holidays.

For comment see page 363

Before reading the Haftarah (the lesson from the prophets) the following is
said:

1 בָּרוּךְ אַתָּה יהוה, אֱלֹהֵינוּ, מֶלֶךְ הָעוֹלָם,

2 אֲשֶׁר בָּחַר, בִּנְבִיאִים טוֹבִים,

3 וְרָצָה בְדִבְרֵיהֶם, הַנֶּאֱמָרִים, בֶּאֱמֶת:

4 בָּרוּךְ אַתָּה יהוה, הַבּוֹחֵר בַּתּוֹרָה,

5 וּבְמשֶׁה עַבְדּוֹ, וּבְיִשְׂרָאֵל עַמּוֹ,

6 וּבִנְבִיאֵי הָאֱמֶת, וָצֶדֶק:

After reading the Haftarah the following is said:

7 בָּרוּךְ אַתָּה, יְיָ, אֱלֹהֵינוּ, מֶלֶךְ הָעוֹלָם

8 צוּר כָּל־הָעוֹלָמִים, צַדִּיק בְּכָל־הַדּוֹרוֹת,

9 הָאֵל הַנֶּאֱמָן, הָאוֹמֵר וְעוֹשֶׂה, הַמְדַבֵּר וּמְקַיֵּם,

10 שֶׁכָּל־דְּבָרָיו, אֱמֶת וָצֶדֶק:

11 נֶאֱמָן, אַתָּה הוּא, יְיָ, אֱלֹהֵינוּ,

12 וְנֶאֱמָנִים דְּבָרֶיךָ, וְדָבָר אֶחָד מִדְּבָרֶיךָ,

13 אָחוֹר, לֹא־יָשׁוּב רֵיקָם,

14 כִּי אֵל, מֶלֶךְ, נֶאֱמָן וְרַחֲמָן, אָתָּה:

1 בָּרוּךְ אַתָּה, יְיָ, הָאֵל הַנֶּאֱמָן בְּכָל־דְּבָרָיו: .Cong אָמֵן

2 רַחֵם עַל־צִיּוֹן, כִּי הִיא, בֵּית חַיֵּינוּ,

3 וְלַעֲלוּבַת נֶפֶשׁ תּוֹשִׁיעַ, בִּמְהֵרָה בְיָמֵינוּ:

4 בָּרוּךְ אַתָּה, יְיָ, מְשַׂמֵּחַ צִיּוֹן, בְּבָנֶיהָ: .Cong אָמֵן

5 שַׂמְּחֵנוּ, יְיָ אֱלֹהֵינוּ,

6 בְּאֵלִיָּהוּ הַנָּבִיא, עַבְדֶּךָ, וּבְמַלְכוּת בֵּית דָּוִד, מְשִׁיחֶךָ,

7 בִּמְהֵרָה יָבֹא, וְיָגֵל לִבֵּנוּ,

8 עַל־כִּסְאוֹ, לֹא־יֵשֵׁב זָר, וְלֹא יִנְחֲלוּ עוֹד אֲחֵרִים, אֶת

9 כְּבוֹדוֹ, כִּי בְשֵׁם קָדְשְׁךָ, נִשְׁבַּעְתָּ לּוֹ, שֶׁלֹּא יִכְבֶּה נֵרוֹ,

10 לְעוֹלָם וָעֶד,

11 בָּרוּךְ אַתָּה, יְיָ, מָגֵן דָּוִד: .Cong אָמֵן

On Sabbath, including the Intermediate Sabbath of Passover, say:

12 עַל־הַתּוֹרָה, וְעַל־הָעֲבוֹדָה, וְעַל־הַנְּבִיאִים, וְעַל־יוֹם

13 הַשַּׁבָּת הַזֶּה, שֶׁנָּתַתָּ־לָּנוּ, יְיָ אֱלֹהֵינוּ, לִקְדֻשָּׁה וְלִמְנוּחָה,

14 לְכָבוֹד וּלְתִפְאָרֶת:

15 עַל־הַכֹּל, יְיָ, אֱלֹהֵינוּ, אֲנַחְנוּ מוֹדִים לָךְ, וּמְבָרְכִים אוֹתָךְ,

16 יִתְבָּרַךְ שִׁמְךָ, בְּפִי כָּל־חַי, תָּמִיד, לְעוֹלָם וָעֶד:

17 בָּרוּךְ אַתָּה, יְיָ, מְקַדֵּשׁ הַשַּׁבָּת:

On Passover, Shavuot and Sukkot, (also on intermediate Sabbath of Sukkot) the following is said:

1 עַל־הַתּוֹרָה, וְעַל־הָעֲבוֹדָה, וְעַל־הַנְּבִיאִים,

2 וְעַל־יוֹם (*הַשַּׁבָּת הַזֶּה, וְעַל־יוֹם)

On Shmini-Atzeret and on Simchat-Torah:	*On Sukkot:*	*On Shavuot:*	*On Passover:*
הַשְּׁמִינִי חַג הָעֲצֶרֶת הַזֶּה.	חַג הַסֻּכּוֹת הַזֶּה.	חַג הַשָּׁבוּעוֹת הַזֶּה.	חַג הַמַּצּוֹת הַזֶּה.

3 שֶׁנָּתַתָּ לָּנוּ, יְיָ אֱלֹהֵינוּ, (*לִקְדֻשָּׁה וְלִמְנוּחָה),

4 לְשָׂשׂוֹן וּלְשִׂמְחָה, לְכָבוֹד וּלְתִפְאָרֶת:

5 עַל־הַכֹּל, יְיָ אֱלֹהֵינוּ, אֲנַחְנוּ מוֹדִים לָךְ, וּמְבָרְכִים אוֹתָךְ,

6 יִתְבָּרַךְ שִׁמְךָ, בְּפִי כָּל־חַי, תָּמִיד, לְעוֹלָם וָעֶד:

7 בָּרוּךְ אַתָּה יְיָ, מְקַדֵּשׁ (*הַשַּׁבָּת וְ)יִשְׂרָאֵל וְהַזְּמַנִּים:

On Sabbath add the words in brackets.

יְקוּם פֻּרְקָן

Composed by our sages in Babylonia, יְקוּם פֻּרְקָן was a prayer for the welfare of the Exilarchs, the heads of the rabbinical academies (יְשִׁיבוֹת) and all Jewish scholars in general. Since Aramaic was the common spoken tongue amcng the Jews of that period, it was written in that language. In ancient times, when this prayer was recited, people would make pledges of money to support schools and scholars.

The second יְקוּם פֻּרְקָן is a beautiful prayer in behalf of all the Jews in the congregation.

The following three paragraphs are omitted on Festivals occuring on Week-days:

1   יְקוּם פֻּרְקָן מִן־שְׁמַיָּא, חִנָּא, וְחִסְדָּא, וְרַחֲמֵי,

2   וְחַיֵּי אֲרִיכֵי, וּמְזוֹנֵי רְוִיחֵי, וְסִיַּעְתָּא דִשְׁמַיָּא,

3   וּבַרְיוּת גּוּפָא, וּנְהוֹרָא מַעַלְיָא.

4   זַרְעָא חַיָּא וְקַיָּמָא,

5   זַרְעָא דִּי לָא־יִפְסֻק וְדִי לָא־יִבְטֻל מִפִּתְגָּמֵי אוֹרַיְתָא:

6   לְמָרָנָן וְרַבָּנָן, חֲבוּרָתָא קַדִּישָׁתָא,

7   דִּי בְאַרְעָא דְיִשְׂרָאֵל, וְדִי בְבָבֶל,

8   לְרֵישֵׁי כַלָּה וּלְרֵישֵׁי גָלְוָתָא,

9   וּלְרֵישֵׁי מְתִיבָתָא, וּלְדַיָּנֵי דִי בָבָא:

10   לְכָל־תַּלְמִידֵיהוֹן וּלְכָל־תַּלְמִידֵי תַלְמִידֵיהוֹן,

11   וּלְכָל־מָאן דְּעָסְקִין בְּאוֹרַיְתָא:

12   מַלְכָּא דְעָלְמָא, יְבָרֵךְ יַתְּהוֹן, יַפִּישׁ חַיֵּיהוֹן

13   וְיַסְגֵּא יוֹמֵיהוֹן, וְיִתֵּן אַרְכָא לִשְׁנֵיהוֹן.

14   וְיִתְפָּרְקוּן, וְיִשְׁתֵּזְבוּן, מִן כָּל־עָקָא,

15   וּמִן כָּל־מַרְעִין בִּישִׁין.

16   מָרָן דִּי בִשְׁמַיָּא, יְהֵא בְסַעְדְּהוֹן,

17   כָּל־זְמַן וְעִדָּן, וְנֹאמַר, אָמֵן:

The following two paragraphs are said only when Services are held with a
Congregation:

1 יְקוּם פֻּרְקָן מִן־שְׁמַיָּא, חִנָּא, וְחִסְדָּא,

2 וְרַחֲמֵי, וְחַיֵּי אֲרִיכֵי, וּמְזוֹנֵי רְוִיחֵי, וְסַיַּעְתָּא דִשְׁמַיָּא,

3 וּבַרְיוּת גּוּפָא, וּנְהוֹרָא מַעַלְיָא:

4 זַרְעָא חַיָּא וְקַיָּמָא, זַרְעָא דִּי לָא־יִפְסַק,

5 וְדִי לָא־יִבְטַל מִפִּתְגָּמֵי אוֹרַיְתָא:

6 לְכָל־קְהָלָא קַדִּישָׁא הָדֵין,

7 רַבְרְבַיָּא, עִם זְעֵרַיָּא, טַפְלָא, וּנְשַׁיָּא.

8 מַלְכָּא דְעָלְמָא, יְבָרֵךְ יַתְכוֹן, יַפִּישׁ חַיֵּיכוֹן,

9 וְיַסְגֵּא יוֹמֵיכוֹן, וְיִתֵּן אַרְכָא לִשְׁנֵיכוֹן.

10 וְתִתְפָּרְקוּן, וְתִשְׁתֵּזְבוּן, מִן כָּל־עָקָא,

11 וּמִן כָּל־מַרְעִין בִּישִׁין.

12 מָרָן דִּי בִשְׁמַיָּא, יְהֵא בְסַעְדְּכוֹן,

13 כָּל־זְמַן וְעִדָּן, וְנֹאמַר, אָמֵן:

מִי שֶׁבֵּרַךְ אֲבוֹתֵינוּ אַבְרָהָם יִצְחָק וְיַעֲקֹב הוּא יְבָרֵךְ אֶת־כָּל־הַקָּהָל
הַקָּדוֹשׁ הַזֶּה עִם כָּל־קְהִלוֹת הַקֹּדֶשׁ

May He who blessed our fathers, Abraham, Isaac and Jacob, bless the people of this congregation and all other congregations

In this prayer we ask God's blessings on those who serve the community. One of the main things that our religion teaches us is that we must not be selfish. Our rabbis tell us that "all the people of Israel are responsible for one another." The great Rabbi Hillel said, "If I am only for myself, what am I?"

We must support our synagogues and must worship in them. We must give charity to the poor and the needy. We must contribute our help and work for the needs of our community, our people, and the Land of Israel. We must do these things for our own sake, because doing them will make us better people and better Jews.

מִי שֶׁבֵּרַךְ אֲבוֹתֵינוּ, אַבְרָהָם יִצְחָק וְיַעֲקֹב,
הוּא יְבָרֵךְ אֶת־כָּל־הַקָּהָל הַקָּדוֹשׁ הַזֶּה,
עִם כָּל־קְהִלּוֹת הַקֹּדֶשׁ.
הֵם וּנְשֵׁיהֶם, וּבְנֵיהֶם, וּבְנוֹתֵיהֶם, וְכָל אֲשֶׁר לָהֶם.
וּמִי שֶׁמְּיַחֲדִים בָּתֵּי כְנֵסִיּוֹת לִתְפִלָּה.
וּמִי שֶׁבָּאִים בְּתוֹכָם לְהִתְפַּלֵּל,
וּמִי שֶׁנּוֹתְנִים נֵר לַמָּאוֹר, וְיַיִן לְקִדּוּשׁ וּלְהַבְדָּלָה,
וּפַת לָאוֹרְחִים, וּצְדָקָה לָעֲנִיִּים:
וְכָל־מִי שֶׁעוֹסְקִים בְּצָרְכֵי צִבּוּר בֶּאֱמוּנָה,
הַקָּדוֹשׁ בָּרוּךְ הוּא יְשַׁלֵּם שְׂכָרָם,
וְיָסִיר מֵהֶם כָּל־מַחֲלָה, וְיִרְפָּא לְכָל־גּוּפָם,
וְיִסְלַח לְכָל עֲוֹנָם,
וְיִשְׁלַח בְּרָכָה וְהַצְלָחָה בְּכָל־מַעֲשֵׂה יְדֵיהֶם,
עִם כָּל יִשְׂרָאֵל אֲחֵיהֶם, וְנֹאמַר אָמֵן:

PRAYER FOR THE NEW MOON

בִּרְכַּת הַחֹדֶשׁ, the "Blessing of the New Month," comes from the Talmud. It is recited on the שַׁבָּת before רֹאשׁ חֹדֶשׁ.

This prayer reminds us of the days of the Temple in the Land of Israel. At that time we had the סַנְהֶדְרִין, a group of seventy-one great rabbis who made up the Supreme Court of Israel. These rabbis made laws and explained them to the Jewish people. Each month two witnesses would come before them and say that they had seen the new moon. Then the סַנְהֶדְרִין would announce the date of רֹאשׁ חֹדֶשׁ. Bonfires would be lit on the hilltops or messengers would be sent out to proclaim the new month.

In this prayer we ask God to grant us a happy and blessed new month, a long, peaceful, and healthy life, a religious life free from shame or disgrace, a life of wealth and honor, and a life dedicated to the תּוֹרָה and to God. We also ask God to free all of our people and gather us all together.

On the Sabbath preceding Rosh Hodesh the following is said:

1   יְהִי רָצוֹן מִלְּפָנֶיךָ, יְיָ אֱלֹהֵינוּ וֵאלֹהֵי אֲבוֹתֵינוּ,

2   שֶׁתְּחַדֵּשׁ עָלֵינוּ אֶת־הַחֹדֶשׁ הַזֶּה לְטוֹבָה וְלִבְרָכָה,

3   וְתִתֶּן־לָנוּ חַיִּים אֲרֻכִּים, חַיִּים שֶׁל־שָׁלוֹם,

4   חַיִּים שֶׁל־טוֹבָה, חַיִּים שֶׁל־בְּרָכָה, חַיִּים שֶׁל־פַּרְנָסָה,

5   חַיִּים שֶׁל־חִלּוּץ עֲצָמוֹת,

6   חַיִּים שֶׁיֵּשׁ בָּהֶם יִרְאַת שָׁמַיִם וְיִרְאַת חֵטְא,

7   חַיִּים שֶׁאֵין בָּהֶם בּוּשָׁה וּכְלִמָּה,

8   חַיִּים שֶׁל־עֹשֶׁר וְכָבוֹד,

חַיִּים שֶׁתְּהֵא בָנוּ אַהֲבַת תּוֹרָה וְיִרְאַת שָׁמַיִם,
חַיִּים שֶׁיִּמָּלְאוּ מִשְׁאֲלוֹת לִבֵּנוּ לְטוֹבָה,
אָמֵן סֶלָה:

The Reader takes the Sefer Torah and says:

מִי שֶׁעָשָׂה נִסִּים לַאֲבוֹתֵינוּ,
וְגָאַל אוֹתָם מֵעַבְדוּת לְחֵרוּת,
הוּא יִגְאַל אוֹתָנוּ, בְּקָרוֹב,
וִיקַבֵּץ נִדָּחֵינוּ, מֵאַרְבַּע כַּנְפוֹת הָאָרֶץ,
חֲבֵרִים כָּל־יִשְׂרָאֵל, וְנֹאמַר, אָמֵן:

רֹאשׁ חֹדֶשׁ *(Naming the month)* יִהְיֶה בְּיוֹם *(Naming the day or days)*
הַבָּא עָלֵינוּ, וְעַל כָּל יִשְׂרָאֵל, לְטוֹבָה:

Cong. and Reader

יְחַדְּשֵׁהוּ הַקָּדוֹשׁ בָּרוּךְ הוּא עָלֵינוּ,
וְעַל כָּל־עַמּוֹ, בֵּית יִשְׂרָאֵל,
לְחַיִּים וּלְשָׁלוֹם, לְשָׂשׂוֹן וּלְשִׂמְחָה,
לִישׁוּעָה וּלְנֶחָמָה, וְנֹאמַר, אָמֵן:

אַב הָרַחֲמִים שׁוֹכֵן מְרוֹמִים. בְּרַחֲמָיו הָעֲצוּמִים
הוּא יִפְקוֹד בְּרַחֲמִים. הַחֲסִידִים וְהַיְשָׁרִים וְהַתְּמִימִים

May the Father of mercies, who dwells on high in
His mighty compassion, remember those saintly,
upright and blameless ones

אַב הָרַחֲמִים *is not said on the Sabbath preceding Rosh Hodesh,*
Sabbath Rosh Hodesh, Festivals, Chanukah and the Four Special Sabbaths:

1 אַב הָרַחֲמִים, שׁוֹכֵן מְרוֹמִים, בְּרַחֲמָיו הָעֲצוּמִים,

2 הוּא יִפְקֹד בְּרַחֲמִים, הַחֲסִידִים, וְהַיְשָׁרִים, וְהַתְּמִימִים:

3 קְהִלּוֹת הַקֹּדֶשׁ שֶׁמָּסְרוּ נַפְשָׁם, עַל קְדֻשַּׁת הַשֵּׁם.

4 הַנֶּאֱהָבִים, וְהַנְּעִימִים בְּחַיֵּיהֶם, וּבְמוֹתָם, לֹא נִפְרָדוּ.

5 מִנְּשָׁרִים קַלּוּ, וּמֵאֲרָיוֹת גָּבֵרוּ, לַעֲשׂוֹת רְצוֹן קוֹנָם.

6 וְחֵפֶץ צוּרָם:

7 יִזְכְּרֵם, אֱלֹהֵינוּ, לְטוֹבָה, עִם־שְׁאָר צַדִּיקֵי עוֹלָם,

8 וְיִנְקֹם, נִקְמַת דַּם עֲבָדָיו הַשָּׁפוּךְ:

9 כַּכָּתוּב, בְּתוֹרַת מֹשֶׁה, אִישׁ הָאֱלֹהִים:

10 הַרְנִינוּ גוֹיִם עַמּוֹ, כִּי דַם־עֲבָדָיו יִקּוֹם,

11 וְנָקָם יָשִׁיב לְצָרָיו, וְכִפֶּר אַדְמָתוֹ עַמּוֹ:

12 וְעַל־יְדֵי עֲבָדֶיךָ הַנְּבִיאִים, כָּתוּב, לֵאמֹר:

1 וְנִקֵּיתִי, דָּמָם לֹא־נִקֵּיתִי, וַיָי שֹׁכֵן בְּצִיּוֹן:
2 וּבְכִתְבֵי הַקֹּדֶשׁ נֶאֱמַר. לָמָּה יֹאמְרוּ הַגּוֹיִם, אַיֵּה אֱלֹהֵיהֶם,
3 יִוָּדַע בַּגּוֹיִם, לְעֵינֵינוּ, נִקְמַת דַּם־עֲבָדֶיךָ, הַשָּׁפוּךְ:
4 וְאוֹמֵר, כִּי־דֹרֵשׁ דָּמִים, אוֹתָם זָכָר.
5 לֹא־שָׁכַח, צַעֲקַת עֲנָוִים:
6 וְאוֹמֵר, יָדִין בַּגּוֹיִם, מָלֵא גְוִיּוֹת,
7 מָחַץ רֹאשׁ עַל־אֶרֶץ רַבָּה.
8 מִנַּחַל, בַּדֶּרֶךְ יִשְׁתֶּה, עַל כֵּן יָרִים רֹאשׁ:

אַשְׁרֵי יוֹשְׁבֵי בֵיתֶךָ

Happy are those who dwell in Your House

For comment see page 75

9 אַשְׁרֵי יוֹשְׁבֵי בֵיתֶךָ, עוֹד יְהַלְלוּךָ סֶּלָה:
10 אַשְׁרֵי הָעָם שֶׁכָּכָה לּוֹ, אַשְׁרֵי הָעָם שֶׁיְיָ אֱלֹהָיו:
11 תְּהִלָּה לְדָוִד,
12 אֲרוֹמִמְךָ אֱלוֹהַי הַמֶּלֶךְ, וַאֲבָרְכָה שִׁמְךָ לְעוֹלָם וָעֶד:
13 בְּכָל יוֹם אֲבָרְכֶךָּ, וַאֲהַלְלָה שִׁמְךָ לְעוֹלָם וָעֶד:
14 גָּדוֹל יְיָ וּמְהֻלָּל מְאֹד, וְלִגְדֻלָּתוֹ אֵין חֵקֶר:
15 דּוֹר לְדוֹר יְשַׁבַּח מַעֲשֶׂיךָ, וּגְבוּרֹתֶיךָ יַגִּידוּ:
16 הֲדַר כְּבוֹד הוֹדֶךָ, וְדִבְרֵי נִפְלְאוֹתֶיךָ אָשִׂיחָה:
17 וֶעֱזוּז נוֹרְאוֹתֶיךָ יֹאמֵרוּ, וּגְדֻלָּתְךָ אֲסַפְּרֶנָּה:

1 זֵכֶר רַב־טוּבְךָ יַבִּיעוּ, וְצִדְקָתְךָ יְרַנֵּנוּ:

2 חַנּוּן וְרַחוּם, יְיָ, אֶרֶךְ אַפַּיִם וּגְדָל־חָסֶד:

3 טוֹב יְיָ לַכֹּל, וְרַחֲמָיו עַל־כָּל־מַעֲשָׂיו:

4 יוֹדוּךָ יְיָ כָּל־מַעֲשֶׂיךָ, וַחֲסִידֶיךָ יְבָרְכוּכָה:

5 כְּבוֹד מַלְכוּתְךָ יֹאמֵרוּ, וּגְבוּרָתְךָ יְדַבֵּרוּ:

6 לְהוֹדִיעַ לִבְנֵי הָאָדָם גְּבוּרֹתָיו, וּכְבוֹד הֲדַר מַלְכוּתוֹ:

7 מַלְכוּתְךָ, מַלְכוּת כָּל עוֹלָמִים, וּמֶמְשַׁלְתְּךָ

8 בְּכָל־דּוֹר וָדֹר:

9 סוֹמֵךְ יְיָ לְכָל־הַנֹּפְלִים, וְזוֹקֵף לְכָל־הַכְּפוּפִים:

10 עֵינֵי כֹל, אֵלֶיךָ יְשַׂבֵּרוּ, וְאַתָּה נוֹתֵן־לָהֶם,

11 אֶת־אָכְלָם בְּעִתּוֹ:

12 פּוֹתֵחַ אֶת־יָדֶךָ, וּמַשְׂבִּיעַ לְכָל־חַי רָצוֹן:

13 צַדִּיק יְיָ בְּכָל־דְּרָכָיו, וְחָסִיד בְּכָל־מַעֲשָׂיו:

14 קָרוֹב יְיָ לְכָל־קֹרְאָיו, לְכֹל אֲשֶׁר יִקְרָאֻהוּ בֶאֱמֶת:

15 רְצוֹן יְרֵאָיו יַעֲשֶׂה, וְאֶת־שַׁוְעָתָם יִשְׁמַע וְיוֹשִׁיעֵם:

16 שׁוֹמֵר יְיָ אֶת־כָּל־אֹהֲבָיו, וְאֵת כָּל־הָרְשָׁעִים יַשְׁמִיד:

17 Reader תְּהִלַּת יְיָ יְדַבֶּר־פִּי, וִיבָרֵךְ כָּל־בָּשָׂר,

18 שֵׁם קָדְשׁוֹ לְעוֹלָם וָעֶד:

19 וַאֲנַחְנוּ נְבָרֵךְ יָהּ, מֵעַתָּה וְעַד־עוֹלָם. הַלְלוּיָהּ:

יְהַלְלוּ אֶת שֵׁם יְיָ כִּי נִשְׂגָּב שְׁמוֹ לְבַדּוֹ

Let them praise the Name of the Lord; for His name alone is exalted

These verses come from the end of Psalm 148. The first verse is chanted by the cantor as he raises the סֵפֶר תּוֹרָה. The other verses are recited by the congregation.

These verses tell us that we should praise God's name. We believe that the name of God is holy and precious. Do you remember the commandment, "Thou shalt not take the name of the Lord, thy God, in vain?" The verses also tell us that God considers us His faithful followers and regards us as the people who are near to Him.

Congregation rises:

Upon returning the Sefer Torah to the Ark, the Reader says:

1   Reader   יְהַלְלוּ אֶת־שֵׁם יְיָ, כִּי נִשְׂגָּב שְׁמוֹ לְבַדּוֹ:

2   Congregation: הוֹדוֹ עַל־אֶרֶץ וְשָׁמָיִם:

3   וַיָּרֶם קֶרֶן לְעַמּוֹ, תְּהִלָּה לְכָל־חֲסִידָיו,

4   לִבְנֵי יִשְׂרָאֵל עַם קְרוֹבוֹ, הַלְלוּיָהּ:

On Sabbath, and on the Festivals occuring on Sabbath, say:

5   מִזְמוֹר לְדָוִד,

6   הָבוּ לַיְיָ, בְּנֵי אֵלִים,   הָבוּ לַיְיָ, כָּבוֹד וָעֹז:

7   הָבוּ לַיְיָ, כְּבוֹד שְׁמוֹ,   הִשְׁתַּחֲווּ לַיְיָ, בְּהַדְרַת קֹדֶשׁ:

8   קוֹל יְיָ עַל הַמָּיִם,   אֵל הַכָּבוֹד הִרְעִים,

9   יְיָ, עַל מַיִם רַבִּים:

1   קוֹל יְיָ, בַּכְּחַ,   קוֹל יְיָ, בֶּהָדָר:

2   קוֹל יְיָ, שֹׁבֵר אֲרָזִים,   וַיְשַׁבֵּר יְיָ, אֶת אַרְזֵי הַלְּבָנוֹן:

3   וַיַּרְקִידֵם, כְּמוֹ עֵגֶל,   לְבָנוֹן וְשִׂרְיוֹן, כְּמוֹ בֶן רְאֵמִים:

4   קוֹל יְיָ, חוֹצֵב לַהֲבוֹת אֵשׁ:

5   קוֹל יְיָ, יָחִיל מִדְבָּר,   יָחִיל יְיָ, מִדְבַּר קָדֵשׁ:

6   קוֹל יְיָ, יְחוֹלֵל אַיָּלוֹת,   וַיֶּחֱשֹׂף יְעָרוֹת, וּבְהֵיכָלוֹ,

7   כֻּלּוֹ אֹמֵר כָּבוֹד:

8   יְיָ לַמַּבּוּל יָשָׁב,   וַיֵּשֶׁב יְיָ, מֶלֶךְ לְעוֹלָם:

9   יְיָ עֹז לְעַמּוֹ יִתֵּן,   יְיָ יְבָרֵךְ אֶת עַמּוֹ בַשָּׁלוֹם:

לְדָוִד מִזְמוֹר. לַיְיָ הָאָרֶץ וּמְלוֹאָהּ תֵּבֵל וְיוֹשְׁבֵי בָהּ

A Psalm of David: The earth is the Lord's and the
fullness thereof; the world and the dwellers therein

For comment see page 154   *When Holidays fall on a weekday say:*

10 לְדָוִד מִזְמוֹר, לַיְיָ הָאָרֶץ וּמְלוֹאָהּ, תֵּבֵל וְיוֹשְׁבֵי בָהּ, כִּי

11 הוּא עַל יַמִּים יְסָדָהּ, וְעַל נְהָרוֹת יְכוֹנְנֶהָ. מִי יַעֲלֶה בְהַר

12 יְיָ? וּמִי יָקוּם בִּמְקוֹם קָדְשׁוֹ? — נְקִי כַפַּיִם וּבַר לֵבָב, אֲשֶׁר

13 לֹא נָשָׂא לַשָּׁוְא נַפְשִׁי, וְלֹא נִשְׁבַּע לְמִרְמָה. יִשָּׂא בְרָכָה

14 מֵאֵת יְיָ, וּצְדָקָה מֵאֱלֹהֵי יִשְׁעוֹ. זֶה דּוֹר דֹּרְשָׁיו, מְבַקְשֵׁי

15 פָנֶיךָ יַעֲקֹב — סֶלָה. שְׂאוּ שְׁעָרִים רָאשֵׁיכֶם! וְהִנָּשְׂאוּ פִּתְחֵי

16 עוֹלָם, וְיָבוֹא מֶלֶךְ הַכָּבוֹד. — מִי זֶה מֶלֶךְ הַכָּבוֹד? יְיָ עִזּוּז

17 וְגִבּוֹר, יְיָ גִּבּוֹר מִלְחָמָה. שְׂאוּ שְׁעָרִים רָאשֵׁיכֶם וּשְׂאוּ

18 פִּתְחֵי עוֹלָם, וְיָבֹא מֶלֶךְ הַכָּבוֹד. מִי הוּא זֶה מֶלֶךְ הַכָּבוֹד?—

19 יְיָ צְבָאוֹת הוּא מֶלֶךְ הַכָּבוֹד, סֶלָה.

1 וּבְנֻחֹה יֹאמַר שׁוּבָה יְיָ רִבְבוֹת אַלְפֵי יִשְׂרָאֵל

And when it rested, he said, "Return O Lord to the ten thousands of the families of Israel

For comment see page 155

While the Sefer Torah is being placed in the Ark, the following to כְּקֶדֶם *is said:*

2 וּבְנֻחֹה יֹאמַר:

3 שׁוּבָה יְיָ רִבְבוֹת אַלְפֵי יִשְׂרָאֵל!

4 קוּמָה יְיָ לִמְנוּחָתֶךָ, אַתָּה וַאֲרוֹן עֻזֶּךָ!

5 כֹּהֲנֶיךָ יִלְבְּשׁוּ צֶדֶק, וַחֲסִידֶיךָ יְרַנֵּנוּ.

6 בַּעֲבוּר דָּוִד עַבְדֶּךָ, אַל תָּשֵׁב פְּנֵי מְשִׁיחֶךָ.

7 כִּי לֶקַח טוֹב נָתַתִּי לָכֶם – תּוֹרָתִי אַל תַּעֲזֹבוּ.

8 עֵץ חַיִּים הִיא לַמַּחֲזִיקִים בָּהּ, וְתֹמְכֶיהָ מְאֻשָּׁר.

9 דְּרָכֶיהָ דַרְכֵי נֹעַם, וְכָל נְתִיבוֹתֶיהָ שָׁלוֹם.

10 הֲשִׁיבֵנוּ יְיָ אֵלֶיךָ וְנָשׁוּבָה, חַדֵּשׁ יָמֵינוּ כְּקֶדֶם.

HALF KADDISH חֲצִי קַדִּישׁ

Page 371

On Passover, Shavuot and Sukkot, (also on intermediate Sabbaths) continue:

כִּי שֵׁם יְיָ אֶקְרָא הָבוּ גֹדֶל לֵאלֹהֵינוּ: *page 528:*

ADDITIONAL SERVICE FOR SABBATH AND SABBATH ROSH HODESH

The מוּסָף service for שַׁבָּת is made up only of the עֲמִידָה or שְׁמוֹנֶה עֶשְׂרֵה. Like the עֲמִידָה for תְּפִלַּת שַׁחֲרִית לְשַׁבָּת it has seven blessings.

The middle (fourth) blessing has four parts: תִּכַּנְתָּ שַׁבָּת, וּבְיוֹם הַשַּׁבָּת, יִשְׂמְחוּ, and רְצֵה בִמְנוּחָתֵנוּ.

The first part, תִּכַּנְתָּ שַׁבָּת, is a very old prayer. The first letters of the first twenty-two words make up the אָלֶף־בֵּית in reverse order. תִּכַּנְתָּ begins with the last letter, ת; שַׁבָּת begins with the next to the last letter, שׁ, and so forth. It reminds us about the additional Sabbath sacrifice that was offered in the Holy Temple.

The idea of offering sacrifices of animals to God is very old and goes back to the very beginning of our history. All peoples in the olden days offered sacrifices. But while other peoples combined their sacrifices with all kinds of evil and magic, the Jewish people combined their sacrifices with religious prayers and songs to God.

Today, prayer and charity have taken the place of sacrifice. When, instead of amusing ourselves on the Sabbath, we go to the synagogue to pray, or when, instead of spending our money foolishly, we give it to charity, we are offering sacrifices to God.

תִּכַּנְתָּ שַׁבָּת also contains the hope and prayer that God will bring us back to our land (the Land of Israel) in joy. While most of us are not now planning to live in Israel, surely we all want it to become a land of peace, security, prosperity and joy for all of our people who do live there.

The second part, וּבְיוֹם הַשַּׁבָּת, comes from the Book of Numbers, the fourth of the Five Books of Moses. It tells us about the meal offering and the burnt offering on the Sabbath in the days of the Temple.

The third part, יִשְׂמְחוּ, except for the first six words, is exactly the same as the last two verses of the third part of the middle blessing in תְּפִלַּת שַׁחֲרִית לְשַׁבָּת, the one that begins with וְלֹא נְתַתּוֹ.

The fourth part is the same as the fourth part of the middle blessing in תְּפִלַּת שַׁחֲרִית לְשַׁבָּת.

The קְדוּשָּׁה is somewhat different from the קְדוּשָּׁה for תְּפִלַּת שַׁחֲרִית. It describes the angels in heaven as they glorify God. It also pictures the people of Israel on earth, answering the beautiful choir of the angels in heaven in their undying belief in God's unity, with the words שְׁמַע יִשְׂרָאֵל.

When the Sabbath falls on רֹאשׁ חֹדֶשׁ, the middle blessing is changed. In the first part, instead of תִּכַּנְתָּ שַׁבָּת, we say אַתָּה יָצַרְתָּ. This beautiful prayer reminds us of the wonderful things that God has done for us, creating the world and the Sabbath, making us a great and holy people, and giving us the festival of רֹאשׁ חֹדֶשׁ. We tell God how sorry we are that the Holy Temple and the Holy City of Jerusalem have been destroyed, that our people have been driven into exile, and that we no longer have the Temple in which to offer sacrifices to Him. We ask God to bring us back to the Land of Israel in joy, so that we may be able to observe the festival of רֹאשׁ חֹדֶשׁ properly.

The second part is the same as for an ordinary Sabbath, except that we add two paragraphs about the sacrifices that were performed in the Temple on רֹאשׁ חֹדֶשׁ.

The third part is the same as for a regular Sabbath.

In the fourth part, רְצֵה בִמְנוּחָתֵנוּ, we ask God to make the new month a month of happiness, blessing, joy, gladness, salvation, comfort, security, life, and peace. We also ask God to pardon and forgive our sins.

The rules for the עֲמִידָה of מוּסָף are the same as the rules for the עֲמִידָה of שַׁחֲרִית. We read it standing and in silence.

For comments see pages 110-111 and 208

The following prayer is to be said standing:

1 כִּי שֵׁם יְיָ אֶקְרָא הָבוּ גֹדֶל לֵאלֹהֵינוּ:

2 אֲדֹנָי שְׂפָתַי תִּפְתָּח וּפִי יַגִּיד תְּהִלָּתֶךָ.

3 בָּרוּךְ אַתָּה יְיָ, אֱלֹהֵינוּ וֵאלֹהֵי אֲבוֹתֵינוּ,

4 אֱלֹהֵי אַבְרָהָם, אֱלֹהֵי יִצְחָק, וֵאלֹהֵי יַעֲקֹב,

5 הָאֵל הַגָּדוֹל, הַגִּבּוֹר וְהַנּוֹרָא, אֵל עֶלְיוֹן,

6 גּוֹמֵל חֲסָדִים טוֹבִים, וְקוֹנֵה הַכֹּל, וְזוֹכֵר

7 חַסְדֵי אָבוֹת, וּמֵבִיא גוֹאֵל לִבְנֵי בְנֵיהֶם,

8 לְמַעַן שְׁמוֹ בְּאַהֲבָה.

On שַׁבָּת תְּשׁוּבָה say:

9 זָכְרֵנוּ לְחַיִּים, מֶלֶךְ חָפֵץ בַּחַיִּים!

10 וְכָתְבֵנוּ בְּסֵפֶר הַחַיִּים לְמַעַנְךָ, אֱלֹהִים חַיִּים!

11 מֶלֶךְ עוֹזֵר וּמוֹשִׁיעַ וּמָגֵן. בָּרוּךְ אַתָּה יְיָ,

12 מָגֵן אַבְרָהָם. Cong. אָמֵן

13 אַתָּה גִבּוֹר לְעוֹלָם אֲדֹנָי, מְחַיֵּה מֵתִים אַתָּה,

14 רַב לְהוֹשִׁיעַ.

From שְׁמִינִי עֲצֶרֶת *till the first day of* פֶּסַח *say:*

1   מַשִּׁיב הָרוּחַ וּמוֹרִיד הַגָּשֶׁם.

2   מְכַלְכֵּל חַיִּים בְּחֶסֶד, מְחַיֵּה מֵתִים בְּרַחֲמִים

3   רַבִּים, סוֹמֵךְ נוֹפְלִים, וְרוֹפֵא חוֹלִים, וּמַתִּיר

4   אֲסוּרִים, וּמְקַיֵּם אֱמוּנָתוֹ לִישֵׁנֵי עָפָר. מִי

5   כָמוֹךָ בַּעַל גְּבוּרוֹת? וּמִי דוֹמֶה לָּךְ, מֶלֶךְ

6   מֵמִית וּמְחַיֶּה וּמַצְמִיחַ יְשׁוּעָה?

On שַׁבַּת תְּשׁוּבָה *say:*

7   מִי כָמוֹךָ, אַב הָרַחֲמִים? זוֹכֵר יְצוּרָיו לְחַיִּים בְּרַחֲמִים.

8   וְנֶאֱמָן אַתָּה לְהַחֲיוֹת מֵתִים. בָּרוּךְ אַתָּה יְיָ,

9   מְחַיֵּה הַמֵּתִים. *Cong.* אָמֵן ✡

✡ *When the Reader repeats the* שְׁמוֹנֶה עֶשְׂרֵה, *the following* קְדוּשָׁה *is said:*

נַעֲרִיצָךְ וְנַקְדִּישָׁךְ

We will revere and sanctify You

✡

10   *Cong. and Reader* נַעֲרִיצָךְ וְנַקְדִּישָׁךְ, כְּסוֹד שִׂיחַ שַׂרְפֵי

11   קֹדֶשׁ, הַמַּקְדִּישִׁים שִׁמְךָ, בַּקֹּדֶשׁ, כַּכָּתוּב עַל־יַד נְבִיאֶךָ,

12   וְקָרָא זֶה אֶל זֶה, וְאָמַר: *Cong. and Reader* קָדוֹשׁ, קָדוֹשׁ,

אַתָּה קָדוֹשׁ וְשִׁמְךָ קָדוֹשׁ, וּקְדוֹשִׁים בְּכָל יוֹם יְהַלְלוּךָ, סֶּלָה. בָּרוּךְ אַתָּה יְיָ, הָאֵל הַקָּדוֹשׁ.

Cong. אָמֵן

On שַׁבַּת תְּשׁוּבָה *conclude the blessing thus:* הַמֶּלֶךְ הַקָּדוֹשׁ

קָדוֹשׁ, יְיָ צְבָאוֹת, מְלֹא כָל־הָאָרֶץ כְּבוֹדוֹ: Reader כְּבוֹדוֹ מָלֵא עוֹלָם. מְשָׁרְתָיו, שׁוֹאֲלִים זֶה לָזֶה, אַיֵּה מְקוֹם כְּבוֹדוֹ, לְעֻמָּתָם, בָּרוּךְ יֹאמֵרוּ Cong. and Reader בָּרוּךְ כְּבוֹד־יְיָ מִמְּקוֹמוֹ: Reader מִמְּקוֹמוֹ, הוּא יִפֶן בְּרַחֲמִים וְיָחוֹן עַם, הַמְיַחֲדִים שְׁמוֹ, עֶרֶב וָבֹקֶר, בְּכָל־יוֹם תָּמִיד, פַּעֲמַיִם בְּאַהֲבָה, שְׁמַע אוֹמְרִים Cong. and Reader שְׁמַע יִשְׂרָאֵל, יְיָ אֱלֹהֵינוּ, יְיָ אֶחָד: Reader הוּא אֱלֹהֵינוּ, הוּא אָבִינוּ, הוּא מַלְכֵּנוּ, הוּא מוֹשִׁיעֵנוּ, וְהוּא יַשְׁמִיעֵנוּ בְּרַחֲמָיו, שֵׁנִית לְעֵינֵי כָּל־חָי, לִהְיוֹת לָכֶם לֵאלֹהִים: Cong. and Reader אֲנִי יְיָ אֱלֹהֵיכֶם: Reader וּבְדִבְרֵי קָדְשְׁךָ, כָּתוּב לֵאמֹר: Cong. and Reader יִמְלֹךְ יְיָ לְעוֹלָם, אֱלֹהַיִךְ צִיּוֹן, לְדֹר וָדֹר, הַלְלוּיָהּ:

1 ✡ תִּכַּנְתָּ שַׁבָּת, רָצִיתָ קָרְבְּנוֹתֶיהָ. צִוִּיתָ

2 פֵּרוּשֶׁיהָ עִם סִדּוּרֵי נְסָכֶיהָ. מְעַנְּגֶיהָ, לְעוֹלָם

3 כָּבוֹד יִנְחָלוּ. טוֹעֲמֶיהָ, חַיִּים זָכוּ. וְגַם

4 הָאוֹהֲבִים דְּבָרֶיהָ, גְּדֻלָּה בָחָרוּ: אָז מִסִּינַי,

5 נִצְטַוּוּ עָלֶיהָ. וַתְּצַוֵּנוּ, יְיָ אֱלֹהֵינוּ, לְהַקְרִיב

6 בָּהּ, קָרְבַּן מוּסַף שַׁבָּת, כָּרָאוּי: יְהִי רָצוֹן

---

7 Reader   לְדוֹר וָדוֹר נַגִּיד גָּדְלֶךָ, וּלְנֵצַח נְצָחִים קְדֻשָּׁתְךָ

8 נַקְדִּישׁ, וְשִׁבְחֲךָ אֱלֹהֵינוּ מִפִּינוּ לֹא יָמוּשׁ לְעוֹלָם וָעֶד,

9 כִּי אֵל מֶלֶךְ גָּדוֹל וְקָדוֹשׁ אָתָּה. בָּרוּךְ אַתָּה יְיָ, הָאֵל

10 (הַמֶּלֶךְ) say: (On שַׁבַּת תְּשׁוּבָה) הַקָּדוֹשׁ Cong.: אָמֵן

✡ On שַׁבָּת רֹאשׁ חוֹדֶשׁ substitute אַתָּה יָצַרְתָּ:

אַתָּה יָצַרְתָּ עוֹלָמְךָ מִקֶּדֶם

You did form your world from of old

11 אַתָּה יָצַרְתָּ עוֹלָמְךָ, מִקֶּדֶם, כִּלִּיתָ מְלַאכְתְּךָ, בַּיּוֹם

12 הַשְּׁבִיעִי. אָהַבְתָּ אוֹתָנוּ, וְרָצִיתָ בָּנוּ, וְרוֹמַמְתָּנוּ, מִכָּל־

13 הַלְּשׁוֹנוֹת, וְקִדַּשְׁתָּנוּ, בְּמִצְוֹתֶיךָ. וְקֵרַבְתָּנוּ, מַלְכֵּנוּ

14 לַעֲבוֹדָתֶךָ, וְשִׁמְךָ הַגָּדוֹל וְהַקָּדוֹשׁ, עָלֵינוּ קָרָאתָ. וַתִּתֶּן־

מִלְּפָנֶיךָ, יְיָ אֱלֹהֵינוּ, וֵאלֹהֵי אֲבוֹתֵינוּ, שֶׁתַּעֲלֵנוּ בְשִׂמְחָה לְאַרְצֵנוּ, וְתִטָּעֵנוּ, בִּגְבוּלֵנוּ. וְשָׁם נַעֲשֶׂה לְפָנֶיךָ אֶת־קָרְבְּנוֹת חוֹבוֹתֵינוּ, תְּמִידִים כְּסִדְרָם, וּמוּסָפִים כְּהִלְכָתָם: וְאֶת־מוּסַף יוֹם הַשַּׁבָּת הַזֶּה, נַעֲשֶׂה וְנַקְרִיב לְפָנֶיךָ בְּאַהֲבָה, כְּמִצְוַת רְצוֹנֶךָ, כְּמוֹ שֶׁכָּתַבְתָּ עָלֵינוּ בְּתוֹרָתֶךָ, עַל יְדֵי מֹשֶׁה עַבְדֶּךָ, מִפִּי כְבוֹדֶךָ, כָּאָמוּר:

לָנוּ, יְיָ אֱלֹהֵינוּ, בְּאַהֲבָה, שַׁבָּתוֹת לִמְנוּחָה, וְרָאשֵׁי חֳדָשִׁים לְכַפָּרָה. וּלְפִי, שֶׁחָטָאנוּ לְפָנֶיךָ, אֲנַחְנוּ וַאֲבוֹתֵינוּ, חָרְבָה עִירֵנוּ, וְשָׁמֵם בֵּית מִקְדָּשֵׁנוּ, וְגָלָה יְקָרֵנוּ, וְנֻטַּל כָּבוֹד מִבֵּית חַיֵּינוּ, וְאֵין אֲנַחְנוּ יְכוֹלִים, לַעֲשׂוֹת חוֹבוֹתֵינוּ, בְּבֵית בְּחִירָתֶךָ, בַּבַּיִת הַגָּדוֹל וְהַקָּדוֹשׁ, שֶׁנִּקְרָא שִׁמְךָ עָלָיו, מִפְּנֵי הַיָּד, הַשְּׁלוּחָה, בְּמִקְדָּשֶׁךָ יְהִי רָצוֹן מִלְּפָנֶיךָ, יְיָ אֱלֹהֵינוּ, וֵאלֹהֵי אֲבוֹתֵינוּ, שֶׁתַּעֲלֵנוּ בְשִׂמְחָה, לְאַרְצֵנוּ,

וּבְיוֹם הַשַּׁבָּת, שְׁנֵי־כְבָשִׂים, בְּנֵי־שָׁנָה, תְּמִימִם, וּשְׁנֵי עֶשְׂרֹנִים סֹלֶת, מִנְחָה, בְּלוּלָה בַשֶּׁמֶן, וְנִסְכּוֹ: עֹלַת שַׁבַּת בְּשַׁבַּתּוֹ, עַל עֹלַת הַתָּמִיד, וְנִסְכָּהּ:

יִשְׂמְחוּ בְמַלְכוּתְךָ, שׁוֹמְרֵי שַׁבָּת, וְקוֹרְאֵי עֹנֶג, עַם, מְקַדְּשֵׁי שְׁבִיעִי, כֻּלָּם יִשְׂבְּעוּ, וְיִתְעַנְּגוּ מִטּוּבֶךָ, וּבַשְּׁבִיעִי, רָצִיתָ בּוֹ, וְקִדַּשְׁתּוֹ, חֶמְדַּת יָמִים אוֹתוֹ קָרָאתָ, זֵכֶר, לְמַעֲשֵׂה בְרֵאשִׁית:

וַתִּטָּעֵנוּ, בִּגְבוּלֵנוּ. וְשָׁם נַעֲשֶׂה לְפָנֶיךָ, אֶת־קָרְבְּנוֹת חוֹבוֹתֵינוּ, תְּמִידִים כְּסִדְרָם, וּמוּסָפִים כְּהִלְכָתָם: וְאֶת־מוּסְפֵי יוֹם הַשַּׁבָּת הַזֶּה, וְיוֹם רֹאשׁ הַחֹדֶשׁ הַזֶּה, נַעֲשֶׂה וְנַקְרִיב לְפָנֶיךָ, בְּאַהֲבָה, כְּמִצְוַת רְצוֹנֶךָ, כְּמוֹ, שֶׁכָּתַבְתָּ עָלֵינוּ, בְּתוֹרָתֶךָ, עַל־יְדֵי מֹשֶׁה, עַבְדֶּךָ, מִפִּי כְבוֹדֶךָ כָּאָמוּר:

For comment see page 56

וּבְיוֹם הַשַּׁבָּת, שְׁנֵי־כְבָשִׂים בְּנֵי שָׁנָה, תְּמִימִים וּשְׁנֵי עֶשְׂרֹנִים, סֹלֶת מִנְחָה, בְּלוּלָה בַשֶּׁמֶן, וְנִסְכּוֹ: עֹלַת שַׁבַּת בְּשַׁבַּתּוֹ, עַל עֹלַת הַתָּמִיד, וְנִסְכָּהּ: זֶה קָרְבַּן שַׁבָּת. וְקָרְבַּן הַיּוֹם, כָּאָמוּר:

1 אֱלֹהֵינוּ וֵאלֹהֵי אֲבוֹתֵינוּ, רְצֵה בִמְנוּחָתֵנוּ. קַדְּשֵׁנוּ,

2 בְּמִצְוֹתֶיךָ, וְתֵן חֶלְקֵנוּ, בְּתוֹרָתֶךָ. שַׂבְּעֵנוּ מִטּוּבֶךָ, וְשַׂמְּחֵנוּ,

3 בִּישׁוּעָתֶךָ, וְטַהֵר לִבֵּנוּ לְעָבְדְּךָ בֶּאֱמֶת. וְהַנְחִילֵנוּ יְיָ

4 אֱלֹהֵינוּ, בְּאַהֲבָה וּבְרָצוֹן שַׁבַּת קָדְשֶׁךָ, וְיָנוּחוּ בוֹ יִשְׂרָאֵל

5 מְקַדְּשֵׁי שְׁמֶךָ. בָּרוּךְ אַתָּה יְיָ, מְקַדֵּשׁ הַשַּׁבָּת:

6 רְצֵה יְיָ אֱלֹהֵינוּ, בְּעַמְּךָ יִשְׂרָאֵל וּבִתְפִלָּתָם,

7 וְהָשֵׁב אֶת־הָעֲבוֹדָה לִדְבִיר בֵּיתֶךָ וְאִשֵּׁי

8 יִשְׂרָאֵל. וּתְפִלָּתָם בְּאַהֲבָה תְקַבֵּל בְּרָצוֹן,

9 וּתְהִי לְרָצוֹן תָּמִיד עֲבוֹדַת יִשְׂרָאֵל עַמֶּךָ:

---

10 וּבְרָאשֵׁי חָדְשֵׁיכֶם, תַּקְרִיבוּ עֹלָה לַיְיָ. פָּרִים בְּנֵי־בָקָר

11 שְׁנַיִם, וְאַיִל אֶחָד, כְּבָשִׂים בְּנֵי־שָׁנָה שִׁבְעָה, תְּמִימָם:

12 וּמִנְחָתָם וְנִסְכֵּיהֶם, כִּמְדֻבָּר, שְׁלשָׁה עֶשְׂרֹנִים לַפָּר, וּשְׁנֵי

13 עֶשְׂרֹנִים לָאַיִל, וְעִשָּׂרוֹן לַכֶּבֶשׂ, וְיַיִן כְּנִסְכּוֹ, וְשָׂעִיר

14 לְכַפֵּר, וּשְׁנֵי תְמִידִים, כְּהִלְכָתָם:

15 יִשְׂמְחוּ בְמַלְכוּתְךָ שׁוֹמְרֵי שַׁבָּת וְקוֹרְאֵי עֹנֶג, עַם מְקַדְּשֵׁי

16 שְׁבִיעִי, כֻּלָּם יִשְׂבְּעוּ וְיִתְעַנְּגוּ מִטּוּבֶךָ, וּבַשְּׁבִיעִי רָצִיתָ

17 בּוֹ וְקִדַּשְׁתּוֹ, חֶמְדַּת יָמִים אוֹתוֹ קָרָאתָ, זֵכֶר לְמַעֲשֵׂה

18 בְרֵאשִׁית:

וְתֶחֱזֶינָה עֵינֵינוּ בְּשׁוּבְךָ לְצִיּוֹן בְּרַחֲמִים.
בָּרוּךְ אַתָּה יְיָ, הַמַּחֲזִיר שְׁכִינָתוֹ לְצִיּוֹן.

Cong. אָמֵן

When saying מוֹדִים *bend the knees:*

מוֹדִים אֲנַחְנוּ לָךְ,
שָׁאַתָּה הוּא יְיָ אֱלֹהֵינוּ
וֵאלֹהֵי אֲבוֹתֵינוּ לְעוֹלָם

The Congregation silently:

מוֹדִים אֲנַחְנוּ לָךְ,
שָׁאַתָּה הוּא יְיָ אֱלֹהֵינוּ
וֵאלֹהֵי אֲבוֹתֵינוּ, אֱלֹהֵי
כָל בָּשָׂר, יוֹצְרֵנוּ,

אֱלֹהֵינוּ, וֵאלֹהֵי אֲבוֹתֵינוּ. רְצֵה בִמְנוּחָתֵנוּ, וְחַדֵּשׁ עָלֵינוּ, בְּיוֹם הַשַּׁבָּת הַזֶּה, אֶת הַחֹדֶשׁ הַזֶּה. לְטוֹבָה וְלִבְרָכָה*, לְשָׂשׂוֹן וּלְשִׂמְחָה*, לִישׁוּעָה וּלְנֶחָמָה*, לְפַרְנָסָה וּלְכַלְכָּלָה*, לְחַיִּים וּלְשָׁלוֹם*, לִמְחִילַת חֵטְא וְלִסְלִיחַת עָוֹן*, (*In a Leap Year, add:* וּלְכַפָּרַת פָּשַׁע): כִּי בְעַמְּךָ יִשְׂרָאֵל בָּחַרְתָּ מִכָּל־הָאֻמּוֹת וְשַׁבַּת קָדְשְׁךָ, לָהֶם הוֹדַעְתָּ, וְחֻקֵּי רָאשֵׁי חֳדָשִׁים, לָהֶם קָבָעְתָּ. בָּרוּךְ אַתָּה יְיָ, מְקַדֵּשׁ הַשַּׁבָּת וְיִשְׂרָאֵל, וְרָאשֵׁי חֳדָשִׁים: Cong. אָמֵן

Then continue: רְצֵה *on page 396 line 6:*

**The Congregation answers "אָמֵן" after each of these phrases.*

וָעֶד, צוּר חַיֵּינוּ, מָגֵן יִשְׁעֵנוּ, אַתָּה הוּא לְדוֹר וָדוֹר. נוֹדֶה לְּךָ וּנְסַפֵּר תְּהִלָּתֶךָ, עַל חַיֵּינוּ הַמְּסוּרִים בְּיָדֶךָ, וְעַל נִשְׁמוֹתֵינוּ הַפְּקוּדוֹת לָךְ, וְעַל נִסֶּיךָ שֶׁבְּכָל יוֹם עִמָּנוּ, וְעַל נִפְלְאוֹתֶיךָ וְטוֹבוֹתֶיךָ שֶׁבְּכָל עֵת–עֶרֶב וָבֹקֶר וְצָהֳרָיִם. הַטּוֹב, – כִּי לֹא כָלוּ רַחֲמֶיךָ, וְהַמְרַחֵם, – כִּי לֹא תַמּוּ חֲסָדֶיךָ – מֵעוֹלָם קִוִּינוּ לָךְ.

יוֹצֵר בְּרֵאשִׁית. בְּרָכוֹת וְהוֹדָאוֹת לְשִׁמְךָ הַגָּדוֹל וְהַקָּדוֹשׁ, עַל שֶׁהֶחֱיִיתָנוּ וְקִיַּמְתָּנוּ. כֵּן תְּחַיֵּנוּ וּתְקַיְּמֵנוּ, וְתֶאֱסוֹף גָּלֻיּוֹתֵינוּ לְחַצְרוֹת קָדְשֶׁךָ, לִשְׁמוֹר חֻקֶּיךָ, וְלַעֲשׂוֹת רְצוֹנֶךָ, וּלְעָבְדְּךָ בְּלֵבָב שָׁלֵם, עַל שֶׁאֲנַחְנוּ מוֹדִים לָךְ. בָּרוּךְ אֵל הַהוֹדָאוֹת.

On חֲנֻכָּה שַׁבָּת say "עַל הַנִּסִּים".

עַל הַנִּסִּים וְעַל הַפֻּרְקָן, וְעַל הַגְּבוּרוֹת, וְעַל הַתְּשׁוּעוֹת, וְעַל הַמִּלְחָמוֹת, שֶׁעָשִׂיתָ לַאֲבוֹתֵינוּ בַּיָּמִים הָהֵם, בַּזְּמַן הַזֶּה.

1   וְעַל כֻּלָּם יִתְבָּרַךְ וְיִתְרוֹמַם שִׁמְךָ מַלְכֵּנוּ

2   תָּמִיד לְעוֹלָם וָעֶד.

On שַׁבָּת תְּשׁוּבָה say:

3   וּכְתוֹב לְחַיִּים טוֹבִים כָּל בְּנֵי בְרִיתֶךָ.

---

4   בִּימֵי מַתִּתְיָהוּ בֶּן יוֹחָנָן, כֹּהֵן גָּדוֹל,

5   חַשְׁמוֹנַאי וּבָנָיו, כְּשֶׁעָמְדָה מַלְכוּת יָוָן הָרְשָׁעָה

6   עַל עַמְּךָ יִשְׂרָאֵל לְהַשְׁכִּיחָם תּוֹרָתֶךָ,

7   וּלְהַעֲבִירָם מֵחֻקֵּי רְצוֹנֶךָ, וְאַתָּה, בְּרַחֲמֶיךָ

8   הָרַבִּים עָמַדְתָּ לָהֶם בְּעֵת צָרָתָם, רַבְתָּ אֶת

9   רִיבָם, דַּנְתָּ אֶת דִּינָם, נָקַמְתָּ אֶת נִקְמָתָם,

10   מָסַרְתָּ גִבּוֹרִים בְּיַד חַלָּשִׁים, וְרַבִּים בְּיַד

11   מְעַטִּים, וּטְמֵאִים בְּיַד טְהוֹרִים, וּרְשָׁעִים בְּיַד

12   צַדִּיקִים, וְזֵדִים בְּיַד עוֹסְקֵי תוֹרָתֶךָ, וּלְךָ

13   עָשִׂיתָ שֵׁם גָּדוֹל וְקָדוֹשׁ בְּעוֹלָמֶךָ, וּלְעַמְּךָ

14   יִשְׂרָאֵל עָשִׂיתָ תְּשׁוּעָה גְדוֹלָה וּפֻרְקָן כְּהַיּוֹם

15   הַזֶּה. וְאַחַר כֵּן בָּאוּ בָנֶיךָ לִדְבִיר בֵּיתֶךָ, וּפִנּוּ

16   אֶת הֵיכָלֶךָ, וְטִהֲרוּ אֶת מִקְדָּשֶׁךָ, וְהִדְלִיקוּ

17   נֵרוֹת בְּחַצְרוֹת קָדְשֶׁךָ, וְקָבְעוּ שְׁמוֹנַת יְמֵי

18   חֲנֻכָּה אֵלּוּ, לְהוֹדוֹת וּלְהַלֵּל לְשִׁמְךָ הַגָּדוֹל.

1

2 וְכָל־הַחַיִּים יוֹדוּךָ סֶּלָה, וִיהַלְלוּ אֶת שִׁמְךָ

3 בֶּאֱמֶת, הָאֵל יְשׁוּעָתֵנוּ וְעֶזְרָתֵנוּ סֶּלָה! בָּרוּךְ

4 אַתָּה יְיָ, הַטּוֹב שִׁמְךָ וּלְךָ נָאֶה לְהוֹדוֹת.

Cong. אָמֵן

At the repetition of שְׁמוֹנֶה עֶשְׂרֵה *the Reader says:*

5 אֱלֹהֵינוּ וֵאלֹהֵי אֲבוֹתֵינוּ, בָּרְכֵנוּ בַבְּרָכָה הַמְשֻׁלֶּשֶׁת,

6 בַּתּוֹרָה, הַכְּתוּבָה עַל יְדֵי מֹשֶׁה עַבְדֶּךָ, הָאֲמוּרָה מִפִּי

7 אַהֲרֹן וּבָנָיו כֹּהֲנִים עַם קְדוֹשֶׁךָ, כָּאָמוּר: יְבָרֶכְךָ יְיָ

8 וְיִשְׁמְרֶךָ! יָאֵר יְיָ פָּנָיו, אֵלֶיךָ וִיחֻנֶּךָ! יִשָּׂא יְיָ פָּנָיו אֵלֶיךָ
וְיָשֵׂם לְךָ שָׁלוֹם!

10 שִׂים שָׁלוֹם, טוֹבָה וּבְרָכָה, חֵן וָחֶסֶד

11 וְרַחֲמִים, עָלֵינוּ וְעַל כָּל יִשְׂרָאֵל עַמֶּךָ.

12 בָּרְכֵנוּ אָבִינוּ כֻּלָּנוּ כְּאֶחָד בְּאוֹר פָּנֶיךָ, כִּי

13 בְאוֹר פָּנֶיךָ נָתַתָּ לָנוּ יְיָ אֱלֹהֵינוּ תּוֹרַת חַיִּים

1 וְאַהֲבַת חֶסֶד, וּצְדָקָה וּבְרָכָה וְרַחֲמִים

2 וְחַיִּים וְשָׁלוֹם, וְטוֹב בְּעֵינֶיךָ לְבָרֵךְ אֶת

3 עַמְּךָ יִשְׂרָאֵל בְּכָל עֵת וּבְכָל שָׁעָה

4 בִּשְׁלוֹמֶךָ.

שַׁבַּת תְּשׁוּבָה *say: On*

5 בְּסֵפֶר חַיִּים בְּרָכָה וְשָׁלוֹם וּפַרְנָסָה טוֹבָה, נִזָּכֵר וְנִכָּתֵב

6 לְפָנֶיךָ, אֲנַחְנוּ וְכָל עַמְּךָ בֵּית יִשְׂרָאֵל, לְחַיִּים טוֹבִים

7 וּלְשָׁלוֹם.

8 בָּרוּךְ אַתָּה יְיָ, עֹשֶׂה הַשָּׁלוֹם.

9 בָּרוּךְ אַתָּה יְיָ, הַמְבָרֵךְ אֶת עַמּוֹ יִשְׂרָאֵל

10 בַּשָּׁלוֹם.

11 אֱלֹהַי! נְצוֹר לְשׁוֹנִי מֵרָע, וּשְׂפָתַי מִדַּבֵּר מִרְמָה;

12 וְלִמְקַלְלַי — נַפְשִׁי תִדֹּם, וְנַפְשִׁי כֶּעָפָר לַכֹּל תִּהְיֶה.

13 פְּתַח לִבִּי בְּתוֹרָתֶךָ, וּבְמִצְוֹתֶיךָ תִּרְדּוֹף נַפְשִׁי. וְכָל

14 הַחוֹשְׁבִים עָלַי רָעָה, מְהֵרָה הָפֵר עֲצָתָם וְקַלְקֵל

15 מַחֲשַׁבְתָּם. עֲשֵׂה לְמַעַן שְׁמֶךָ, עֲשֵׂה לְמַעַן יְמִינֶךָ, עֲשֵׂה

16 לְמַעַן קְדֻשָּׁתֶךָ. עֲשֵׂה לְמַעַן תּוֹרָתֶךָ. לְמַעַן יֵחָלְצוּן

יְדִידֶיךָ, הוֹשִׁיעָה יְמִינְךָ וַעֲנֵנִי. יִהְיוּ לְרָצוֹן אִמְרֵי פִי וְהֶגְיוֹן לִבִּי לְפָנֶיךָ, יְיָ צוּרִי וְגוֹאֲלִי! עֹשֶׂה שָׁלוֹם בִּמְרוֹמָיו, הוּא יַעֲשֶׂה שָׁלוֹם עָלֵינוּ, וְעַל כָּל יִשְׂרָאֵל, וְאִמְרוּ אָמֵן!

יְהִי רָצוֹן מִלְּפָנֶיךָ יְיָ אֱלֹהֵינוּ וֵאלֹהֵי אֲבוֹתֵינוּ, שֶׁיִּבָּנֶה בֵּית הַמִּקְדָּשׁ בִּמְהֵרָה בְיָמֵינוּ, וְתֵן חֶלְקֵנוּ בְּתוֹרָתֶךָ. וְשָׁם נַעֲבָדְךָ בְּיִרְאָה כִּימֵי עוֹלָם וּכְשָׁנִים קַדְמוֹנִיּוֹת. וְעָרְבָה לַיְיָ מִנְחַת יְהוּדָה וִירוּשָׁלָיִם, כִּימֵי עוֹלָם וּכְשָׁנִים קַדְמוֹנִיּוֹת.

THE COMPLETE KADDISH קַדִּישׁ שָׁלֵם

For comments see page 162

Reader יִתְגַּדַּל וְיִתְקַדַּשׁ שְׁמֵהּ רַבָּא, בְּעָלְמָא דִּי־בְרָא כִרְעוּתֵהּ, וְיַמְלִיךְ מַלְכוּתֵהּ, בְּחַיֵּיכוֹן וּבְיוֹמֵיכוֹן, וּבְחַיֵּי דְכָל־בֵּית יִשְׂרָאֵל, בַּעֲגָלָא וּבִזְמַן קָרִיב. וְאִמְרוּ אָמֵן.

Cong. אָמֵן

Cong. and Reader יְהֵא שְׁמֵהּ רַבָּא מְבָרַךְ לְעָלַם וּלְעָלְמֵי עָלְמַיָּא.

Reader יִתְבָּרַךְ וְיִשְׁתַּבַּח וְיִתְפָּאַר וְיִתְרוֹמַם וְיִתְנַשֵּׂא וְיִתְהַדַּר וְיִתְעַלֶּה וְיִתְהַלַּל שְׁמֵהּ דְּקֻדְשָׁא. Cong. and Reader בְּרִיךְ הוּא

Reader לְעֵלָּא (*During the Ten Days of Pentinence, add:* וּלְעֵלָּא) מִן כָּל־בִּרְכָתָא, וְשִׁירָתָא, תֻּשְׁבְּחָתָא, וְנֶחֱמָתָא דַּאֲמִירָן בְּעָלְמָא. וְאִמְרוּ אָמֵן. Cong. אָמֵן

1   Cong.   תִּתְקַבֵּל צְלוֹתְהוֹן וּבָעוּתְהוֹן דְכָל בֵּית יִשְׂרָאֵל,

2   אָמֵן Cong.   קֳדָם אֲבוּהוֹן דִי בִשְׁמַיָּא, וְאִמְרוּ אָמֵן.

3   Reader   יְהֵא שְׁלָמָא רַבָּא מִן־שְׁמַיָּא וְחַיִּים עָלֵינוּ

4   אָמֵן Cong.   וְעַל כָּל־יִשְׂרָאֵל. וְאִמְרוּ אָמֵן.

5   Reader   עוֹשֶׂה שָׁלוֹם בִּמְרוֹמָיו, הוּא יַעֲשֶׂה שָׁלוֹם

6   אָמֵן Cong.   עָלֵינוּ. וְעַל כָּל־יִשְׂרָאֵל. וְאִמְרוּ אָמֵן.

7   קַוֵּה אֶל־יְיָ, חֲזַק וְיַאֲמֵץ לִבֶּךָ, וְקַוֵּה אֶל־יְיָ: אֵין קָדוֹשׁ

8   כַּיְיָ, כִּי־אֵין בִּלְתֶּךָ. וְאֵין צוּר כֵּאלֹהֵינוּ: כִּי מִי אֱלוֹהַּ

9   מִבַּלְעֲדֵי יְיָ, וּמִי צוּר זוּלָתִי אֱלֹהֵינוּ:

אֵין כֵּאלֹהֵינוּ. אֵין כַּאדוֹנֵינוּ. אֵין כְּמַלְכֵּנוּ. אֵין כְּמוֹשִׁיעֵנוּ

There is none like our God, None like our Lord, None like our King, None like our Saviour

This beautiful song is very old. We chant it on every Sabbath and holiday. Originally it began with the second verse, "Who is like our God?" Now it begins with the answer to this question, "There is no one like our God." It uses four different names for God: God, Lord, King, and Savior. The first letters of the first three verses make up the word אָמֵן.

We continue the song chanting: "Let us give thanks to our God . . . . . ." "Blessed is our God . . . . ."

In the last verse we show how close we feel toward God, when we say, "You are our God, our Lord, our King, and our Savior." We speak to God as if He were our personal friend.

1 אֵין כֵּאלֹהֵינוּ, אֵין כַּאדוֹנֵינוּ,

2 אֵין כְּמַלְכֵּנוּ, אֵין כְּמוֹשִׁיעֵנוּ.

3 מִי כֵאלֹהֵינוּ, מִי כַאדוֹנֵינוּ,

4 מִי כְמַלְכֵּנוּ, מִי כְמוֹשִׁיעֵנוּ.

5 נוֹדֶה לֵאלֹהֵינוּ, נוֹדֶה לַאדוֹנֵינוּ,

6 נוֹדֶה לְמַלְכֵּנוּ, נוֹדֶה לְמוֹשִׁיעֵנוּ.

7 בָּרוּךְ אֱלֹהֵינוּ, בָּרוּךְ אֲדוֹנֵינוּ,

8 בָּרוּךְ מַלְכֵּנוּ, בָּרוּךְ מוֹשִׁיעֵנוּ.

9 אַתָּה הוּא אֱלֹהֵינוּ, אַתָּה הוּא אֲדוֹנֵינוּ,

10 אַתָּה הוּא מַלְכֵּנוּ, אַתָּה הוּא מוֹשִׁיעֵנוּ.

11 אַתָּה הוּא, שֶׁהִקְטִירוּ אֲבוֹתֵינוּ לְפָנֶיךָ

12 אֶת קְטֹרֶת הַסַּמִּים.

1   פִּטּוּם הַקְּטֹרֶת.

2   הַצֳּרִי, וְהַצִּפֹּרֶן, הַחֶלְבְּנָה, וְהַלְּבוֹנָה,

3   מִשְׁקַל שִׁבְעִים, שִׁבְעִים מָנֶה:

4   מוֹר וּקְצִיעָה, שִׁבֹּלֶת, נֵרְדְּ, וְכַרְכֹּם,

5   מִשְׁקַל שִׁשָּׁה עָשָׂר, שִׁשָּׁה עָשָׂר מָנֶה.

6   הַקֹּשְׁטְ שְׁנֵים עָשָׂר, וְקִלּוּפָה שְׁלֹשָׁה, וְקִנָּמוֹן תִּשְׁעָה,

7   בֹּרִית כַּרְשִׁינָה, תִּשְׁעָה קַבִּין.

8   יֵין קַפְרִיסִין, סְאִין תְּלָתָא, וְקַבִּין תְּלָתָא,

9   וְאִם אֵין לוֹ יֵין קַפְרִיסִין, מֵבִיא חֲמַר חִוַּרְיָן עַתִּיק:

10   מֶלַח סְדוֹמִית רֹבַע הַקַּב, מַעֲלֶה עָשָׁן כָּל־שֶׁהוּא.

11   רַבִּי נָתָן אוֹמֵר, אַף כִּפַּת הַיַּרְדֵּן כָּל־שֶׁהוּא.

12   וְאִם נָתַן בָּהּ דְּבַשׁ פְּסָלָהּ,

13   וְאִם חִסֵּר אַחַת מִכָּל־סַמָּנֶיהָ, חַיָּב מִיתָה:

14   רַבָּן שִׁמְעוֹן בֶּן־גַּמְלִיאֵל אוֹמֵר.

15   הַצֳּרִי, אֵינוֹ אֶלָּא שְׂרָף, הַנּוֹטֵף מֵעֲצֵי הַקְּטָף

16   בֹּרִית כַּרְשִׁינָה, שֶׁשָּׁפִין בָּהּ אֶת־הַצִּפֹּרֶן,

17   כְּדֵי שֶׁתְּהֵא נָאָה:

18   יֵין קַפְרִיסִין, שֶׁשּׁוֹרִין בּוֹ אֶת־הַצִּפֹּרֶן,

19   כְּדֵי שֶׁתְּהֵא עַזָּה:

20   וַהֲלֹא מֵי רַגְלַיִם יָפִין לָהּ,

21   אֶלָּא שֶׁאֵין מַכְנִיסִין מֵי רַגְלַיִם בָּעֲזָרָה, מִפְּנֵי הַכָּבוֹד:

1 הַשִּׁיר שֶׁהַלְוִיִּם הָיוּ אוֹמְרִים בְּבֵית הַמִּקְדָּשׁ:

2 בַּיּוֹם הָרִאשׁוֹן הָיוּ אוֹמְרִים.

3 לַיְיָ הָאָרֶץ וּמְלוֹאָהּ, תֵּבֵל וְיֹשְׁבֵי בָהּ:

4 בַּשֵּׁנִי הָיוּ אוֹמְרִים.

5 גָּדוֹל יְיָ וּמְהֻלָּל מְאֹד, בְּעִיר אֱלֹהֵינוּ, הַר קָדְשׁוֹ:

6 בַּשְּׁלִישִׁי, הָיוּ אוֹמְרִים.

7 אֱלֹהִים נִצָּב בַּעֲדַת־אֵל, בְּקֶרֶב אֱלֹהִים, יִשְׁפֹּט:

8 בָּרְבִיעִי, הָיוּ אוֹמְרִים.

9 אֵל־נְקָמוֹת, יְיָ, אֵל־נְקָמוֹת, הוֹפִיעַ:

10 בַּחֲמִישִׁי, הָיוּ אוֹמְרִים.

11 הַרְנִינוּ לֵאלֹהִים עוּזֵּנוּ, הָרִיעוּ לֵאלֹהֵי יַעֲקֹב:

12 בַּשִּׁשִּׁי, הָיוּ אוֹמְרִים.

13 יְיָ מָלָךְ גֵּאוּת לָבֵשׁ, לָבֵשׁ יְיָ, עֹז הִתְאַזָּר,

14 אַף־תִּכּוֹן תֵּבֵל, בַּל־תִּמּוֹט:

15 בַּשַּׁבָּת, הָיוּ אוֹמְרִים.

16 מִזְמוֹר שִׁיר לְיוֹם הַשַּׁבָּת:

17 מִזְמוֹר שִׁיר לֶעָתִיד לָבֹא,

18 לְיוֹם שֶׁכֻּלּוֹ שַׁבָּת וּמְנוּחָה, לְחַיֵּי הָעוֹלָמִים:

תָּנָא דְּבֵי אֵלִיָּהוּ, כָּל הַשׁוֹנֶה הֲלָכוֹת בְּכָל יוֹם, מֻבְטָח לוֹ שֶׁהוּא בֶּן
עוֹלָם הַבָּא

**It was related in the name of Elijah, that all who
repeat daily the laws, are sure of the future world**

1 תָּנָא דְּבֵי אֵלִיָּהוּ.

2 כָּל־הַשׁוֹנֶה הֲלָכוֹת בְּכָל־יוֹם, מֻבְטָח־לוֹ שֶׁהוּא בֶּן

3 עוֹלָם הַבָּא, שֶׁנֶּאֱמַר, הֲלִיכוֹת עוֹלָם לוֹ, אַל תִּקְרֵי

4 הֲלִיכוֹת, אֶלָּא הֲלָכוֹת:

5 אָמַר רַבִּי אֶלְעָזָר אָמַר רַבִּי חֲנִינָא.

6 תַּלְמִידֵי חֲכָמִים מַרְבִּים שָׁלוֹם בָּעוֹלָם.

7 שֶׁנֶּאֱמַר, וְכָל־בָּנַיִךְ לִמּוּדֵי יְיָ, וְרַב שְׁלוֹם בָּנָיִךְ:

8 אַל תִּקְרָא, בָּנַיִךְ, אֶלָּא, בּוֹנָיִךְ:

9 שָׁלוֹם רָב לְאֹהֲבֵי תוֹרָתֶךָ, וְאֵין לָמוֹ מִכְשׁוֹל:

10 יְהִי שָׁלוֹם בְּחֵילֵךְ, שַׁלְוָה בְּאַרְמְנוֹתָיִךְ:

11 לְמַעַן אַחַי וְרֵעָי, אֲדַבְּרָה־נָּא שָׁלוֹם בָּךְ:

12 לְמַעַן בֵּית יְיָ אֱלֹהֵינוּ, אֲבַקְשָׁה טוֹב לָךְ:

13 יְיָ עֹז לְעַמּוֹ יִתֵּן, יְיָ יְבָרֵךְ אֶת־עַמּוֹ בַשָּׁלוֹם:

RABBINICAL KADDISH קַדִּישׁ דְּרַבָּנָן   *page 241*

עָלֵינוּ לְשַׁבֵּחַ לַאֲדוֹן הַכֹּל

It is our duty to praise the Lord of all things.

1 עָלֵינוּ לְשַׁבֵּחַ לַאֲדוֹן הַכֹּל, לָתֵת גְּדֻלָּה לְיוֹצֵר בְּרֵאשִׁית,

2 שֶׁלֹּא עָשָׂנוּ כְּגוֹיֵי הָאֲרָצוֹת וְלֹא שָׂמָנוּ כְּמִשְׁפְּחוֹת הָאֲדָמָה

3 שֶׁלֹּא שָׂם חֶלְקֵנוּ כָּהֶם וְגוֹרָלֵנוּ כְּכָל־הֲמוֹנָם. וַאֲנַחְנוּ

4 כֹּרְעִים וּמִשְׁתַּחֲוִים וּמוֹדִים לִפְנֵי מֶלֶךְ מַלְכֵי הַמְּלָכִים

5 הַקָּדוֹשׁ בָּרוּךְ הוּא. שֶׁהוּא נוֹטֶה שָׁמַיִם וְיֹסֵד אָרֶץ,

6 וּמוֹשַׁב יְקָרוֹ בַּשָּׁמַיִם מִמַּעַל, וּשְׁכִינַת עֻזּוֹ בְּגָבְהֵי מְרוֹמִים,

7 הוּא אֱלֹהֵינוּ אֵין עוֹד. אֱמֶת מַלְכֵּנוּ אֶפֶס זוּלָתוֹ, כַּכָּתוּב

8 בְּתוֹרָתוֹ וְיָדַעְתָּ הַיּוֹם וַהֲשֵׁבֹתָ אֶל־לְבָבֶךָ, כִּי יְיָ הוּא

9 הָאֱלֹהִים בַּשָּׁמַיִם מִמַּעַל וְעַל־הָאָרֶץ מִתָּחַת אֵין עוֹד:

10 עַל־כֵּן נְקַוֶּה לְךָ יְיָ אֱלֹהֵינוּ לִרְאוֹת מְהֵרָה בְּתִפְאֶרֶת

11 עֻזֶּךָ, לְהַעֲבִיר גִּלּוּלִים מִן־הָאָרֶץ וְהָאֱלִילִים כָּרוֹת

12 יִכָּרֵתוּן, לְתַקֵּן עוֹלָם בְּמַלְכוּת שַׁדַּי וְכָל־בְּנֵי בָשָׂר יִקְרְאוּ

13 בִשְׁמֶךָ, לְהַפְנוֹת אֵלֶיךָ כָּל־רִשְׁעֵי אָרֶץ. יַכִּירוּ וְיֵדְעוּ כָּל־

14 יוֹשְׁבֵי תֵבֵל כִּי־לְךָ תִּכְרַע כָּל־בֶּרֶךְ, תִּשָּׁבַע כָּל לָשׁוֹן.

15 לְפָנֶיךָ יְיָ אֱלֹהֵינוּ יִכְרְעוּ וְיִפֹּלוּ, וְלִכְבוֹד שִׁמְךָ יְקָר יִתֵּנוּ

16 וִיקַבְּלוּ כֻלָּם אֶת עֹל מַלְכוּתֶךָ, וְתִמְלֹךְ עֲלֵיהֶם מְהֵרָה

17 לְעוֹלָם וָעֶד. כִּי הַמַּלְכוּת שֶׁלְּךָ הִיא, וּלְעוֹלְמֵי עַד תִּמְלֹךְ

18 בְּכָבוֹד: כַּכָּתוּב בְּתוֹרָתֶךָ, יְיָ יִמְלֹךְ לְעֹלָם וָעֶד:

19 **Reader** וְנֶאֱמַר: ״וְהָיָה יְיָ לְמֶלֶךְ עַל כָּל הָאָרֶץ, בַּיּוֹם

20 הַהוּא יִהְיֶה יְיָ אֶחָד וּשְׁמוֹ אֶחָד״.

Mourners Kaddish page 409, line 5:

אַל תִּירָא מִפַּחַד פִּתְאֹם, וּמִשֹּׁאַת רְשָׁעִים כִּי תָבֹא.
עֻצוּ עֵצָה וְתֻפָר, דַּבְּרוּ דָבָר וְלֹא יָקוּם, כִּי עִמָּנוּ אֵל.
וְעַד זִקְנָה אֲנִי הוּא, וְעַד שֵׂיבָה אֲנִי אֶסְבֹּל;
אֲנִי עָשִׂיתִי וַאֲנִי אֶשָּׂא, וַאֲנִי אֶסְבֹּל וַאֲמַלֵּט.

MOURNERS KADDISH קַדִּישׁ יָתוֹם

For comments see pages 67 and 162

יִתְגַּדַּל וְיִתְקַדַּשׁ שְׁמֵהּ רַבָּא, בְּעָלְמָא דִּי־בְרָא
כִרְעוּתֵהּ, וְיַמְלִיךְ מַלְכוּתֵהּ, בְּחַיֵּיכוֹן וּבְיוֹמֵיכוֹן, וּבְחַיֵּי
דְכָל־בֵּית יִשְׂרָאֵל, בַּעֲגָלָא וּבִזְמַן קָרִיב. וְאִמְרוּ אָמֵן.
Cong. אָמֵן

Cong. יְהֵא שְׁמֵהּ רַבָּא מְבָרַךְ לְעָלַם וּלְעָלְמֵי
עָלְמַיָּא.

יִתְבָּרַךְ וְיִשְׁתַּבַּח וְיִתְפָּאַר וְיִתְרוֹמַם וְיִתְנַשֵּׂא וְיִתְהַדַּר
וְיִתְעַלֶּה וְיִתְהַלַּל שְׁמֵהּ דְּקֻדְשָׁא. Cong. בְּרִיךְ הוּא
לְעֵלָּא (*During the Ten Days of Pentinence, add:* וּלְעֵלָּא)
מִן כָּל־בִּרְכָתָא, וְשִׁירָתָא תֻּשְׁבְּחָתָא, וְנֶחֱמָתָא
דַּאֲמִירָן בְּעָלְמָא. וְאִמְרוּ אָמֵן. Cong. אָמֵן

יְהֵא שְׁלָמָא רַבָּא מִן־שְׁמַיָּא וְחַיִּים עָלֵינוּ
וְעַל כָּל־יִשְׂרָאֵל. וְאִמְרוּ אָמֵן. Cong. אָמֵן

עוֹשֶׂה שָׁלוֹם בִּמְרוֹמָיו, הוּא יַעֲשֶׂה שָׁלוֹם
עָלֵינוּ. וְעַל כָּל־יִשְׂרָאֵל. וְאִמְרוּ אָמֵן. Cong. אָמֵן

שִׁיר הַכָּבוֹד

HYMN OF GLORY

אַנְעִים זְמִירוֹת וְשִׁירִים אֶאֱרוֹג. כִּי אֵלֶיךָ נַפְשִׁי תַעֲרוֹג

I will chant sweet hymns and compose songs; for my soul longs for you

This prayer is believed to have been written by Rabbi Judah the Pious of Regensburg, a great saint and mystic philosopher. It is a hymn of glory to God, full of majestic images.

This prayer is recited responsively, with the congregation standing, the Holy Ark open. It is called שִׁיר הַכָּבוֹד, the Hymn of Glory, because at one time it was customary to precede it with the passage from Psalm 24, "Lift up your heads, O you gates, and be lifted up, you everlasting doors, so that the King of Glory (מֶלֶךְ הַכָּבוֹד) may come in."

1 Reader אַנְעִים זְמִרוֹת וְשִׁירִים אֶאֱרֹג. כִּי אֵלֶיךָ נַפְשִׁי תַעֲרֹג:

2 Cong. נַפְשִׁי חָמְדָה, בְּצֵל יָדֶךָ. לָדַעַת, כָּל־רָז סוֹדֶךָ:

3 Reader מִדֵּי דַבְּרִי, בִּכְבוֹדֶךָ. הוֹמֶה לִבִּי, אֶל־דּוֹדֶיךָ:

4 Cong. עַל־כֵּן אֲדַבֵּר בְּךָ נִכְבָּדוֹת. וְשִׁמְךָ אֲכַבֵּד,
בְּשִׁירֵי יְדִידוֹת:

Reader 1　אֲסַפְּרָה כְּבוֹדֶךָ, וְלֹא רְאִיתִיךָ. אֲדַמְּךָ, אֲכַנְּךָ,

2　וְלֹא יְדַעְתִּיךָ

Cong. 3　בְּיַד נְבִיאֶיךָ, בְּסוֹד עֲבָדֶיךָ. דִּמִּיתָ,

4　הֲדַר כְּבוֹד הוֹדֶךָ:

Reader 5　גְּדֻלָּתְךָ וּגְבוּרָתֶךָ. כִּנּוּ לְתֹקֶף פְּעֻלָּתֶךָ:

Cong. 6　דִּמּוּ אוֹתְךָ, וְלֹא, כְּפִי־יֶשְׁךָ. וַיְשַׁוּוּךָ, לְפִי מַעֲשֶׂיךָ:

Reader 7　הִמְשִׁילוּךָ, בְּרֹב חֶזְיוֹנוֹת. הִנְּךָ אֶחָד,

8　בְּכָל־דִּמְיוֹנוֹת:

Cong. 9　וַיֶּחֱזוּ בְךָ, זִקְנָה וּבַחֲרוּת. וּשְׂעַר רֹאשֶׁךָ,

10　בְּשֵׂיבָה וְשַׁחֲרוּת.

Reader 11　זִקְנָה בְּיוֹם דִּין, וּבַחֲרוּת בְּיוֹם קְרָב.

12　כְּאִישׁ מִלְחָמוֹת, יָדָיו לוֹ רָב:

Cong. 13　חָבַשׁ כּוֹבַע יְשׁוּעָה, בְּרֹאשׁוֹ. הוֹשִׁיעָה לּוֹ יְמִינוֹ,

14　וּזְרוֹעַ קָדְשׁוֹ:

Reader 15　טַלְלֵי אוֹרוֹת, רֹאשׁוֹ נִמְלָא. קְוֻצּוֹתָיו, רְסִיסֵי לָיְלָה:

Cong. 16　יִתְפָּאֵר בִּי, כִּי חָפֵץ בִּי. וְהוּא יִהְיֶה־לִּי,

17　לַעֲטֶרֶת צְבִי:

Reader 18　כֶּתֶם טָהוֹר פָּז, דְּמוּת רֹאשׁוֹ. וְחַק עַל־מֵצַח,

19　כְּבוֹד שֵׁם קָדְשׁוֹ:

Cong.　לְחֵן וּלְכָבוֹד, צְבִי תִפְאָרָה. אֻמָּתוֹ,

לוֹ עִטְּרָה עֲטָרָה:

Reader מַחְלְפוֹת רֹאשׁוֹ, כְּבִימֵי בְחֻרוֹת.
קְוֻצּוֹתָיו תַּלְתַּלִּים שְׁחוֹרוֹת:
Cong. נְוֵה הַצֶּדֶק, צְבִי תִפְאַרְתּוֹ. יַעֲלֶה נָּא,
עַל־רֹאשׁ שִׂמְחָתוֹ:
Reader סְגֻלָּתוֹ, תְּהִי נָא בְיָדוֹ, עֲטֶרֶת. וּצְנִיף מְלוּכָה,
צְבִי תִפְאֶרֶת:
Cong. עֲמוּסִים נְשָׂאָם, עֲטֶרֶת עִנְּדָם.
מֵאֲשֶׁר יָקְרוּ בְעֵינָיו, כִּבְּדָם:
Reader פְּאֵרוֹ עָלַי, וּפְאֵרִי עָלָיו. וְקָרוֹב אֵלַי, בְּקָרְאִי אֵלָיו:
Cong. צַח וְאָדוֹם, לִלְבוּשׁוֹ אָדֹם. פּוּרָה, בְּדָרְכוֹ,
בְּבוֹאוֹ מֵאֱדוֹם:
Reader קֶשֶׁר תְּפִלִּין, הֶרְאָה לֶעָנָו. תְּמוּנַת יְיָ, לְנֶגֶד עֵינָיו:
Cong. רוֹצֶה בְעַמּוֹ, עֲנָוִים יְפָאֵר. יוֹשֵׁב תְּהִלּוֹת,
בָּם לְהִתְפָּאֵר:
Reader רֹאשׁ דְּבָרְךָ אֱמֶת, קוֹרֵא מֵרֹאשׁ. דּוֹר וָדוֹר,
עַם דּוֹרֶשְׁךָ, דְּרוֹשׁ:
Cong. שִׁית הֲמוֹן שִׁירַי נָא עָלֶיךָ. וְרִנָּתִי, תִּקְרַב אֵלֶיךָ:

Reader תְּהִלָּתִי, תְּהִי נָא לְרֹאשְׁךָ עֲטֶרֶת.
וּתְפִלָּתִי תִּכּוֹן קְטֹרֶת.
Cong. תִּיקַר שִׁירַת־רָשׁ בְּעֵינֶיךָ. כַּשִּׁיר,
יוּשַׁר עַל־קָרְבָּנֶיךָ:

Reader בִּרְכָתִי תַעֲלֶה לְרֹאשׁ מַשְׁבִּיר.
מְחוֹלֵל, וּמוֹלִיד צַדִּיק כַּבִּיר.
Cong. וּבְבִרְכָתִי תְנַעֲנַע לִי רֹאשׁ. וְאוֹתָהּ קַח לְךָ,
כִּבְשָׂמִים רֹאשׁ:
Reader יֶעֱרַב נָא שִׂיחִי עָלֶיךָ. כִּי נַפְשִׁי תַעֲרֹג אֵלֶיךָ:

לְךָ יְיָ, הַגְּדֻלָּה, וְהַגְּבוּרָה, וְהַתִּפְאֶרֶת, וְהַנֵּצַח, וְהַהוֹד.
כִּי כֹל בַּשָּׁמַיִם וּבָאָרֶץ:
לְךָ, יְיָ, הַמַּמְלָכָה, וְהַמִּתְנַשֵּׂא לְכֹל לְרֹאשׁ:
מִי יְמַלֵּל גְּבוּרוֹת יְיָ, יַשְׁמִיעַ, כָּל תְּהִלָּתוֹ:

MOURNERS KADDISH קַדִּישׁ יָתוֹם *page 414*

MOURNERS KADDISH קַדִּישׁ יָתוֹם

For comments see pages 67, 162

1 יִתְגַּדַּל וְיִתְקַדַּשׁ שְׁמֵהּ רַבָּא, בְּעָלְמָא דִי־בְרָא

2 כִרְעוּתֵהּ, וְיַמְלִיךְ מַלְכוּתֵהּ, בְּחַיֵּיכוֹן וּבְיוֹמֵיכוֹן, וּבְחַיֵּי

3 דְכָל־בֵּית יִשְׂרָאֵל, בַּעֲגָלָא וּבִזְמַן קָרִיב. וְאִמְרוּ אָמֵן.

Cong. אָמֵן

4 Cong. יְהֵא שְׁמֵהּ רַבָּא מְבָרַךְ לְעָלַם וּלְעָלְמֵי

5 עָלְמַיָּא.

6 יִתְבָּרַךְ וְיִשְׁתַּבַּח וְיִתְפָּאַר וְיִתְרוֹמַם וְיִתְנַשֵּׂא וְיִתְהַדָּר

7 וְיִתְעַלֶּה וְיִתְהַלָּל שְׁמֵהּ דְּקֻדְשָׁא. Cong. בְּרִיךְ הוּא

8 (During the Ten Days of Pentinence, add: וּלְעֵלָּא) לְעֵלָּא

9 מִן כָּל־בִּרְכָתָא, וְשִׁירָתָא תֻּשְׁבְּחָתָא, וְנֶחֱמָתָא

10 דַּאֲמִירָן בְּעָלְמָא. וְאִמְרוּ אָמֵן. Cong. אָמֵן

11 יְהֵא שְׁלָמָא רַבָּא מִן־שְׁמַיָּא וְחַיִּים עָלֵינוּ

12 וְעַל כָּל־יִשְׂרָאֵל. וְאִמְרוּ אָמֵן. Cong. אָמֵן

13 עוֹשֶׂה שָׁלוֹם בִּמְרוֹמָיו, הוּא יַעֲשֶׂה שָׁלוֹם

14 עָלֵינוּ. וְעַל כָּל־יִשְׂרָאֵל. וְאִמְרוּ אָמֵן. Cong. אָמֵן

מִזְמוֹר שִׁיר לְיוֹם הַשַּׁבָּת: טוֹב לְהוֹדוֹת לַיָי

**A Psalm; A song for the Sabbath day: It is good to give
thanks to the Lord**

For comment see page 305

הַיּוֹם יוֹם שַׁבַּת קֹדֶשׁ, שֶׁבּוֹ הָיוּ הַלְוִיִּם אוֹמְרִים בְּבֵית הַמִּקְדָּשׁ:

1 מִזְמוֹר שִׁיר לְיוֹם הַשַּׁבָּת: טוֹב לְהוֹדוֹת לַיָי. וּלְזַמֵּר

2 לְשִׁמְךָ, עֶלְיוֹן: לְהַגִּיד בַּבֹּקֶר חַסְדֶּךָ. וֶאֱמוּנָתְךָ, בַּלֵּילוֹת:

3 עֲלֵי־עָשׂוֹר וַעֲלֵי־נָבֶל. עֲלֵי הִגָּיוֹן בְּכִנּוֹר: כִּי שִׂמַּחְתַּנִי

4 יָי בְּפָעֳלֶךָ. בְּמַעֲשֵׂי יָדֶיךָ אֲרַנֵּן: מַה־גָּדְלוּ מַעֲשֶׂיךָ יָי.

5 מְאֹד עָמְקוּ מַחְשְׁבֹתֶיךָ: אִישׁ בַּעַר לֹא יֵדָע. וּכְסִיל

6 לֹא־יָבִין אֶת־זֹאת: בִּפְרֹחַ רְשָׁעִים כְּמוֹ־עֵשֶׂב. וַיָּצִיצוּ

7 כָּל־פֹּעֲלֵי אָוֶן. לְהִשָּׁמְדָם עֲדֵי־עַד: וְאַתָּה מָרוֹם לְעֹלָם

8 יָי: כִּי־הִנֵּה אֹיְבֶיךָ, יָי. כִּי־הִנֵּה אֹיְבֶיךָ יֹאבֵדוּ. יִתְפָּרְדוּ

9 כָּל־פֹּעֲלֵי אָוֶן: וַתָּרֶם כִּרְאֵים קַרְנִי. בַּלֹּתִי בְּשֶׁמֶן רַעֲנָן:

10 וַתַּבֵּט עֵינִי בְּשׁוּרָי. בַּקָּמִים עָלַי מְרֵעִים. תִּשְׁמַעְנָה אָזְנָי:

11 צַדִּיק כַּתָּמָר יִפְרָח. כְּאֶרֶז בַּלְּבָנוֹן יִשְׂגֶּה: שְׁתוּלִים בְּבֵית

12 יָי. בְּחַצְרוֹת אֱלֹהֵינוּ יַפְרִיחוּ: Reader עוֹד יְנוּבוּן בְּשֵׂיבָה.

13 דְּשֵׁנִים וְרַעֲנַנִּים יִהְיוּ: לְהַגִּיד כִּי־יָשָׁר יָי. צוּרִי, וְלֹא־

14 עַוְלָתָה, בּוֹ;

MOURNERS KADDISH קַדִּישׁ יָתוֹם *page 414*

This Psalm is said from the first day of the month
of אֱלוּל *till the day following* שְׁמִינִי עֲצֶרֶת:

1 לְדָוִד. יְיָ אוֹרִי וְיִשְׁעִי – מִמִּי אִירָא? יְיָ מָעוֹז חַיַּי – מִמִּי

2 אֶפְחָד? בִּקְרֹב עָלַי מְרֵעִים לֶאֱכֹל אֶת בְּשָׂרִי, צָרַי וְאֹיְבַי

3 לִי – הֵמָּה כָשְׁלוּ וְנָפָלוּ. אִם תַּחֲנֶה עָלַי מַחֲנֶה, לֹא יִירָא

4 לִבִּי, אִם תָּקוּם עָלַי מִלְחָמָה, בְּזֹאת אֲנִי בוֹטֵחַ. אַחַת

5 שָׁאַלְתִּי מֵאֵת יְיָ, אוֹתָהּ אֲבַקֵּשׁ: שִׁבְתִּי בְּבֵית יְיָ כָּל יְמֵי

6 חַיַּי, לַחֲזוֹת בְּנֹעַם יְיָ וּלְבַקֵּר בְּהֵיכָלוֹ. כִּי יִצְפְּנֵנִי בְּסֻכֹּה

7 בְּיוֹם רָעָה יַסְתִּירֵנִי בְּסֵתֶר אָהֳלוֹ, בְּצוּר יְרוֹמְמֵנִי. וְעַתָּה

8 יָרוּם רֹאשִׁי עַל אֹיְבַי סְבִיבוֹתַי, וְאֶזְבְּחָה בְאָהֳלוֹ זִבְחֵי

9 תְרוּעָה, אָשִׁירָה וַאֲזַמְּרָה לַיְיָ. שְׁמַע יְיָ קוֹלִי אֶקְרָא, וְחָנֵּנִי

10 וַעֲנֵנִי. לְךָ אָמַר לִבִּי בַּקְּשׁוּ פָנָי, אֶת פָּנֶיךָ יְיָ אֲבַקֵּשׁ. אַל

11 תַּסְתֵּר פָּנֶיךָ מִמֶּנִּי, אַל תַּט בְּאַף עַבְדֶּךָ עֶזְרָתִי הָיִיתָ, אַל

12 תִּטְּשֵׁנִי וְאַל תַּעַזְבֵנִי אֱלֹהֵי יִשְׁעִי. כִּי אָבִי וְאִמִּי עֲזָבוּנִי, וַיְיָ

13 יַאַסְפֵנִי. הוֹרֵנִי יְיָ דַּרְכֶּךָ, וּנְחֵנִי בְּאֹרַח מִישׁוֹר, לְמַעַן

14 שׁוֹרְרָי. אַל תִּתְּנֵנִי בְּנֶפֶשׁ צָרָי, כִּי קָמוּ בִי עֵדֵי שֶׁקֶר וִיפֵחַ

15 חָמָס. לוּלֵא הֶאֱמַנְתִּי לִרְאוֹת בְּטוּב יְיָ בְּאֶרֶץ חַיִּים. קַוֵּה

16 אֶל יְיָ, חֲזַק וְיַאֲמֵץ לִבֶּךָ, וְקַוֵּה אֶל יְיָ.

MOURNERS KADDISH קַדִּישׁ יָתוֹם *page 414*

אֲדוֹן עוֹלָם אֲשֶׁר מָלַךְ. בְּטֶרֶם כָּל יְצִיר נִבְרָא

**Lord of the universe who reigned before any creature
was yet formed**

For comment see page 30

1 אֲדוֹן עוֹלָם אֲשֶׁר מָלַךְ,

2 בְּטֶרֶם כָּל־יְצִיר נִבְרָא.

3 לְעֵת נַעֲשָׂה בְחֶפְצוֹ כֹּל,

4 אֲזַי מֶלֶךְ שְׁמוֹ נִקְרָא,

5 וְאַחֲרֵי כִּכְלוֹת הַכֹּל,

6 לְבַדּוֹ יִמְלוֹךְ נוֹרָא.

7 וְהוּא הָיָה וְהוּא הֹוֶה,

8 וְהוּא יִהְיֶה בְּתִפְאָרָה.

9 וְהוּא אֶחָד וְאֵין שֵׁנִי,

10 לְהַמְשִׁיל לוֹ לְהַחְבִּירָה,

11 בְּלִי רֵאשִׁית בְּלִי תַכְלִית,

12 וְלוֹ הָעֹז וְהַמִּשְׂרָה.

1 וְהוּא אֵלִי וְחַי גֹּאֲלִי,

2 וְצוּר חֶבְלִי בְּעֵת צָרָה.

3 וְהוּא נִסִּי וּמָנוֹס לִי,

4 מְנָת כּוֹסִי בְּיוֹם אֶקְרָא.

5 Reader   בְּיָדוֹ אַפְקִיד רוּחִי,

6 בְּעֵת אִישַׁן וְאָעִירָה,

7 וְעִם רוּחִי גְּוִיָּתִי;

8 יְיָ לִי וְלֹא אִירָא.

KIDDUSH FOR THE SABBATH DAY

This קִדּוּשׁ is said on Sabbath morning after services.

1 עַל כֵּן בֵּרַךְ יְיָ אֶת יוֹם הַשַּׁבָּת וַיְקַדְּשֵׁהוּ:

2

on wine:

סַבְרִי מָרָנָן וְרַבּוֹתַי:

3 בָּרוּךְ אַתָּה יְיָ, אֱלֹהֵינוּ מֶלֶךְ הָעוֹלָם,

4 בּוֹרֵא פְּרִי הַגָּפֶן:

on bread:

בִּרְשׁוּת מָרָנָן וְרַבּוֹתַי:

5 בָּרוּךְ אַתָּה יְיָ, אֱלֹהֵינוּ מֶלֶךְ הָעוֹלָם,

6 הַמּוֹצִיא לֶחֶם מִן הָאָרֶץ.

HYMNS FOR SABBATH MORNING

1 בָּרוּךְ אֲדֹנָי יוֹם יוֹם, יַעֲמָס לָנוּ יֶשַׁע וּפִדְיוֹם, וּבִשְׁמוֹ

2 נָגִיל כָּל הַיּוֹם, וּבִישׁוּעָתוֹ נָרִים רֹאשׁ עֶלְיוֹן, כִּי הוּא

3 מָעוֹז לַדָּל וּמַחֲסֶה לָאֶבְיוֹן.

4 שִׁבְטֵי יָהּ לְיִשְׂרָאֵל עֵדוּת, בְּצָרָתָם לוֹ צָר, בְּסִבְלוּת

5 וּבְעַבְדוּת, בְּלִבְנַת הַסַּפִּיר הֶרְאָם עֹז יְדִידוּת, וְנִגְלָה

6 לְהַעֲלוֹתָם מֵעֹמֶק בּוֹר וָדוּת, כִּי עִם יְיָ הַחֶסֶד וְהַרְבֵּה

7 עִמּוֹ פְדוּת.

8 מַה יָּקָר חַסְדּוֹ בְּצִלּוֹ לְגוֹנְנֵמוֹ, בְּגָלוּת בָּבֶלָה שֻׁלַּח

9 לְמַעֲנֵמוֹ, לְהוֹרִיד בָּרִיחִים נִמְנָה בֵּינֵימוֹ, וַיִּתְּנֵם לְרַחֲמִים

10 לִפְנֵי שׁוֹבֵימוֹ, כִּי לֹא יִטֹּשׁ יְיָ אֶת עַמּוֹ, בַּעֲבוּר הַגָּדוֹל

11 שְׁמוֹ.

12 עֵילָם שָׁת כִּסְאוֹ לְהַצִּיל יְדִידָיו, לְהַעֲבִיר מִשָּׁם מָעֻזְנֵי

13 מוֹרְדָיו, מֵעֲבוֹר בַּשֶּׁלַח פָּדָה אֶת עֲבָדָיו, קֶרֶן לְעַמּוֹ

14 יָרִים, תְּהִלָּה לְכָל חֲסִידָיו, כִּי אִם הוֹגָה וְרִחַם כְּרַחֲמָיו

15 וּבְרוֹב חֲסָדָיו.

וּצְפִיר הָעִזִּים הִגְדִּיל עֲצוּמָיו, וְגַם חָזוּת אַרְבַּע עָלוּ לִמְרוֹמָיו, וּבְלִבָּם דִּמּוּ לְהַשְׁחִית אֶת רְחוּמָיו, עַל יְדֵי כֹהֲנָיו מִגֵּר מִתְקוֹמְמָיו, חַסְדֵי יְיָ כִּי לֹא תָמְנוּ, כִּי לֹא כָלוּ רַחֲמָיו.

נִסְגַּרְתִּי לֶאֱדוֹם בְּיַד רֵעַי מְדָנַי, שֶׁבְּכָל יוֹם וָיוֹם מְמַלְּאִים כְּרֵסָם מֵעֲדָנַי, עֶזְרָתוֹ עִמִּי לִסְמוֹךְ אֶת אֲדָנַי, וְלֹא נְטַשְׁתַּנִי כָּל יְמֵי עִדָּנַי, כִּי לֹא יִזְנַח לְעוֹלָם אֲדֹנָי.

בְּבוֹאוֹ מֵאֱדוֹם חֲמוּץ בְּגָדִים, זֶבַח לוֹ בְּבָצְרָה וְטֶבַח לוֹ בְּבוֹגְדִים, וְיֵז נִצְחָם מַלְבּוּשָׁיו לְהַאְדִּים, בְּכֹחוֹ הַגָּדוֹל יִבְצוֹר רוּחַ נְגִידִים, הָגָה בְּרוּחוֹ הַקָּשָׁה בְּיוֹם קָדִים.

רְאוֹתוֹ כִּי כֵן אֲדוֹמִי הָעוֹצֵר, יַחֲשׁוֹב לוֹ בְּבָצְרָה תִּקְלוֹט כְּבֶצֶר, וּמַלְאָךְ כְּאָדָם בְּתוֹכָהּ יִנָּצֵר, וּמֵזִיד כַּשּׁוֹגֵג בְּמִקְלָט יֵעָצֵר, אֶהֱבוּ אֶת יְיָ כָּל חֲסִידָיו אֱמוּנִים נוֹצֵר.

יְצַוֶּה צוּר חַסְדּוֹ קְהִלּוֹתָיו לְקַבֵּץ, מֵאַרְבַּע רוּחוֹת עָדָיו לְהִקָּבֵץ, וּבְהַר מְרוֹם הָרִים אוֹתָנוּ לְהַרְבֵּץ, וְאִתָּנוּ יָשׁוּב נִדָּחִים קוֹבֵץ, יָשִׁיב לֹא נֶאֱמַר כִּי אִם וְשָׁב וְקִבֵּץ.

בָּרוּךְ הוּא אֱלֹהֵינוּ אֲשֶׁר טוֹב גְּמָלָנוּ, כְּרַחֲמָיו וּכְרוֹב חֲסָדָיו, הִגְדִּיל לָנוּ, אֵלֶּה וְכָאֵלֶּה יוֹסֵף עִמָּנוּ, לְהַגְדִּיל שְׁמוֹ הַגָּדוֹל הַגִּבּוֹר וְהַנּוֹרָא שֶׁנִּקְרָא עָלֵינוּ.

בָּרוּךְ הוּא אֱלֹהֵינוּ שֶׁבְּרָאָנוּ לִכְבוֹדוֹ, לְהַלְּלוֹ וּלְשַׁבְּחוֹ וּלְסַפֵּר הוֹדוֹ, מִכָּל אוֹם גָּבַר עָלֵינוּ חַסְדּוֹ, לָכֵן בְּכָל לֵב וּבְכָל נֶפֶשׁ וּבְכָל מְאוֹדוֹ, נַמְלִיכוֹ וּנְיַחֲדוֹ.

שֶׁהַשָּׁלוֹם שֶׁלּוֹ יָשִׂים עָלֵינוּ בְּרָכָה וְשָׁלוֹם, מִשְּׂמֹאל וּמִיָּמִין עַל יִשְׂרָאֵל שָׁלוֹם. הָרַחֲמָן הוּא יְבָרֵךְ אֶת עַמּוֹ בַשָּׁלוֹם, וְיִזְכּוּ לִרְאוֹת בָּנִים וּבְנֵי בָנִים עוֹסְקִים בַּתּוֹרָה וּבְמִצְוֹת עַל יִשְׂרָאֵל שָׁלוֹם, יוֹעֵץ אֵל גִּבּוֹר אֲבִי עַד שַׂר שָׁלוֹם.

בָּרוּךְ אֵל עֶלְיוֹן אֲשֶׁר נָתַן מְנוּחָה, לְנַפְשֵׁנוּ פִדְיוֹם, מִשֵּׁאת וַאֲנָחָה, וְהוּא יִדְרוֹשׁ לְצִיּוֹן, עִיר הַנִּדָּחָה, עַד אָנָה תּוּגְיוֹן, נֶפֶשׁ נֶאֱנָחָה. הַשּׁוֹמֵר שַׁבָּת, הַבֵּן עִם הַבַּת, לָאֵל יֵרָצוּ כְּמִנְחָה עַל מַחֲבַת.

רוֹכֵב בָּעֲרָבוֹת מֶלֶךְ עוֹלָמִים, אֶת עַמּוֹ לִשְׁבּוֹת, אִזֵּן בַּנְּעִימִים, בְּמַאֲכָלֵי עֲרֵבוֹת, בְּמִינֵי מַטְעַמִּים, בְּמַלְבּוּשֵׁי כָבוֹד זֶבַח מִשְׁפָּחָה.

הַשּׁוֹמֵר שַׁבָּת, הַבֵּן עִם הַבַּת, לָאֵל יֵרָצוּ כְּמִנְחָה עַל מַחֲבַת.

וְאַשְׁרֵי כָּל חוֹכֶה, לְתַשְׁלוּמֵי כֵפֶל, מֵאֵת כֹּל סוֹכֶה, שׁוֹכֵן בָּעֲרָפֶל, נַחֲלָה לוֹ יִזְכֶּה, בָּהָר וּבַשָּׁפֶל, נַחֲלָה וּמְנוּחָה, כַּשֶּׁמֶשׁ לוֹ זָרְחָה.

1 הַשּׁוֹמֵר שַׁבָּת, הַבֵּן עִם הַבַּת, לָאֵל יֵרָצוּ כְּמִנְחָה עַל
2 מַחֲבַת.

3 כָּל שׁוֹמֵר שַׁבָּת כַּדָּת מֵחַלְּלוֹ, הֵן הֶכְשַׁר חִבַּת קֹדֶשׁ
4 גּוֹרָלוֹ, וְאִם יָצָא חוֹבַת הַיּוֹם אַשְׁרֵי לוֹ. אֵל אֵל אָדוֹן
5 מְחוֹלְלוֹ, מִנְחָה הִיא שְׁלוּחָה.

6 הַשּׁוֹמֵר שַׁבָּת, הַבֵּן עִם הַבַּת, לָאֵל יֵרָצוּ כְּמִנְחָה עַל
7 מַחֲבַת.

8 חֶמְדַּת הַיָּמִים, קְרָאוֹ אֵלִי צוּר, וְאַשְׁרֵי לִתְמִימִים, אִם
9 יִהְיֶה נָצוּר, כֶּתֶר הִלּוּמִים, עַל רֹאשָׁם יָצוּר, צוּר
10 הָעוֹלָמִים, רוּחוֹ בָּם נֵחָה.

11 הַשּׁוֹמֵר שַׁבָּת, הַבֵּן עִם הַבַּת, לָאֵל יֵרָצוּ כְּמִנְחָה עַל
12 מַחֲבַת.

13 זָכוֹר אֶת יוֹם הַשַּׁבָּת לְקַדְּשׁוֹ, קַרְנוֹ כִּי גָבְהָה נֵזֶר עַל
14 רֹאשׁוֹ, עַל כֵּן יִתֵּן הָאָדָם לְנַפְשׁוֹ, עֹנֶג וְגַם שִׂמְחָה, בָּהֶם
15 לְמָשְׁחָה.

16 הַשּׁוֹמֵר שַׁבָּת, הַבֵּן עִם הַבַּת, לָאֵל יֵרָצוּ כְּמִנְחָה עַל
17 מַחֲבַת.

18 קֹדֶשׁ הִיא לָכֶם שַׁבָּת הַמַּלְכָּה, אֶל תּוֹךְ בָּתֵּיכֶם, לְהָנִיחַ
19 בְּרָכָה, בְּכָל מוֹשְׁבוֹתֵיכֶם לֹא תַעֲשׂוּ מְלָאכָה, בְּנֵיכֶם
20 וּבְנוֹתֵיכֶם, עֶבֶד וְגַם שִׁפְחָה.

21 הַשּׁוֹמֵר שַׁבָּת, הַבֵּן עִם הַבַּת, לָאֵל יֵרָצוּ כְּמִנְחָה עַל
מַחֲבַת.

1 יוֹם זֶה מְכֻבָּד מִכָּל יָמִים, כִּי בוֹ שָׁבַת צוּר עוֹלָמִים.

2 שֵׁשֶׁת יָמִים תַּעֲשֶׂה מְלַאכְתֶּךָ, וְיוֹם הַשְּׁבִיעִי לֵאלֹהֶיךָ,

3 שַׁבָּת לֹא תַעֲשֶׂה בוֹ מְלָאכָה, כִּי כֹל עָשָׂה שֵׁשֶׁת יָמִים.

4   יוֹם זֶה מְכֻבָּד מִכָּל יָמִים, כִּי בוֹ שָׁבַת צוּר עוֹלָמִים.

5 רִאשׁוֹן הוּא לְמִקְרָאֵי קֹדֶשׁ, יוֹם שַׁבָּתוֹן יוֹם שַׁבַּת קֹדֶשׁ,

6 עַל כֵּן כָּל אִישׁ בְּיֵינוֹ יְקַדֵּשׁ, עַל שְׁתֵּי לֶחֶם יִבְצְעוּ

7   תְמִימִים.

8   יוֹם זֶה מְכֻבָּד מִכָּל יָמִים, כִּי בוֹ שָׁבַת צוּר עוֹלָמִים.

9 אֱכוֹל מַשְׁמַנִּים שְׁתֵה מַמְתַּקִּים, כִּי אֵל יִתֵּן לְכָל בּוֹ

10 דְבֵקִים, בֶּגֶד לִלְבּוֹשׁ לֶחֶם חֻקִּים, בָּשָׂר וְדָגִים וְכָל

11   מַטְעַמִּים.

12   יוֹם זֶה מְכֻבָּד מִכָּל יָמִים, כִּי בוֹ שָׁבַת צוּר עוֹלָמִים.

13 לֹא תֶחְסַר כֹּל בּוֹ וְאָכַלְתָּ וְשָׂבָעְתָּ, וּבֵרַכְתָּ אֶת יְיָ אֱלֹהֶיךָ

14   אֲשֶׁר אָהַבְתָּ, כִּי בֵרַכְךָ מִכָּל הָעַמִּים.

15   יוֹם זֶה מְכֻבָּד מִכָּל יָמִים, כִּי בוֹ שָׁבַת צוּר עוֹלָמִים.

16 הַשָּׁמַיִם מְסַפְּרִים כְּבוֹדוֹ, וְגַם הָאָרֶץ מָלְאָה חַסְדּוֹ, רְאוּ

17 כִּי כָל אֵלֶּה עָשְׂתָה יָדוֹ, כִּי הוּא הַצּוּר פָּעֳלוֹ תָמִים.

18   יוֹם זֶה מְכֻבָּד מִכָּל יָמִים, כִּי בוֹ שָׁבַת צוּר עוֹלָמִים.

תְּפִלַּת מִנְחָה לְשַׁבָּת

AFTERNOON SERVICE FOR THE SABBATH

אַשְׁרֵי יוֹשְׁבֵי בֵיתֶךָ

Happy are those who dwell in Your House

For comments see page 75

1   אַשְׁרֵי יוֹשְׁבֵי בֵיתֶךָ, עוֹד יְהַלְלוּךָ סֶּלָה:

2   אַשְׁרֵי הָעָם שֶׁכָּכָה לּוֹ, אַשְׁרֵי הָעָם שֶׁיְיָ אֱלֹהָיו:

3   תְּהִלָּה לְדָוִד,

4   אֲרוֹמִמְךָ אֱלוֹהַי הַמֶּלֶךְ, וַאֲבָרְכָה שִׁמְךָ לְעוֹלָם וָעֶד:

5   בְּכָל יוֹם אֲבָרְכֶךָּ, וַאֲהַלְלָה שִׁמְךָ לְעוֹלָם וָעֶד:

6   גָּדוֹל יְיָ וּמְהֻלָּל מְאֹד, וְלִגְדֻלָּתוֹ אֵין חֵקֶר:

7   דּוֹר לְדוֹר יְשַׁבַּח מַעֲשֶׂיךָ, וּגְבוּרֹתֶיךָ יַגִּידוּ:

8   הֲדַר כְּבוֹד הוֹדֶךָ, וְדִבְרֵי נִפְלְאֹתֶיךָ אָשִׂיחָה:

9   וֶעֱזוּז נוֹרְאֹתֶיךָ יֹאמֵרוּ, וּגְדֻלָּתְךָ אֲסַפְּרֶנָּה:

10   זֵכֶר רַב־טוּבְךָ יַבִּיעוּ, וְצִדְקָתְךָ יְרַנֵּנוּ:

11   חַנּוּן וְרַחוּם, יְיָ, אֶרֶךְ אַפַּיִם וּגְדָל־חָסֶד:

1 טוֹב יְיָ לַכֹּל, וְרַחֲמָיו עַל־כָּל־מַעֲשָׂיו:

2 יוֹדוּךָ יְיָ כָּל־מַעֲשֶׂיךָ, וַחֲסִידֶיךָ יְבָרְכוּכָה:

3 כְּבוֹד מַלְכוּתְךָ יֹאמֵרוּ, וּגְבוּרָתְךָ יְדַבֵּרוּ:

4 לְהוֹדִיעַ לִבְנֵי הָאָדָם גְּבוּרֹתָיו, וּכְבוֹד הֲדַר מַלְכוּתוֹ:

5 מַלְכוּתְךָ, מַלְכוּת כָּל־עֹלָמִים, וּמֶמְשַׁלְתְּךָ

6 בְּכָל־דּוֹר וָדֹר:

7 סוֹמֵךְ יְיָ לְכָל־הַנֹּפְלִים, וְזוֹקֵף לְכָל־הַכְּפוּפִים:

8 עֵינֵי כֹל, אֵלֶיךָ יְשַׂבֵּרוּ, וְאַתָּה נוֹתֵן־לָהֶם,

9 אֶת־אָכְלָם בְּעִתּוֹ:

10 פּוֹתֵחַ אֶת־יָדֶךָ, וּמַשְׂבִּיעַ לְכָל־חַי רָצוֹן:

11 צַדִּיק יְיָ בְּכָל־דְּרָכָיו, וְחָסִיד בְּכָל־מַעֲשָׂיו:

12 קָרוֹב יְיָ לְכָל־קֹרְאָיו, לְכֹל אֲשֶׁר יִקְרָאֻהוּ בֶאֱמֶת:

13 רְצוֹן יְרֵאָיו יַעֲשֶׂה, וְאֶת־שַׁוְעָתָם יִשְׁמַע וְיוֹשִׁיעֵם:

14 שׁוֹמֵר יְיָ אֶת־כָּל־אֹהֲבָיו, וְאֵת כָּל־הָרְשָׁעִים יַשְׁמִיד:

15 Reader תְּהִלַּת יְיָ יְדַבֶּר־פִּי, וִיבָרֵךְ כָּל־בָּשָׂר,

16 שֵׁם קָדְשׁוֹ לְעוֹלָם וָעֶד:

17 וַאֲנַחְנוּ נְבָרֵךְ יָהּ, מֵעַתָּה וְעַד־עוֹלָם. הַלְלוּיָהּ:

וּבָא לְצִיּוֹן גּוֹאֵל

And a redeemer will come to Zion

For comment see page 159

1 וּבָא לְצִיּוֹן גּוֹאֵל וּלְשָׁבֵי פֶּשַׁע בְּיַעֲקֹב. נְאֻם יְיָ. וַאֲנִי

2 זֹאת בְּרִיתִי אֹתָם, אָמַר יְיָ: רוּחִי אֲשֶׁר עָלֶיךָ, וּדְבָרַי

3 אֲשֶׁר שַׂמְתִּי בְּפִיךָ, לֹא יָמוּשׁוּ מִפִּיךָ וּמִפִּי זַרְעֲךָ, וּמִפִּי

4 זֶרַע זַרְעֲךָ, אָמַר יְיָ, מֵעַתָּה וְעַד עוֹלָם. וְאַתָּה קָדוֹשׁ

5 יוֹשֵׁב, תְּהִלּוֹת יִשְׂרָאֵל! וְקָרָא זֶה אֶל זֶה וְאָמַר:

6 קָדוֹשׁ קָדוֹשׁ קָדוֹשׁ יְיָ צְבָאוֹת מְלֹא כָל

7 כְּבוֹדוֹ.

8 וּמְקַבְּלִין דֵּין מִן דֵּין וְאָמְרִין: קַדִּישׁ בִּשְׁמֵי מְרוֹמָא עִלָּאָה

9 בֵּית שְׁכִינְתֵּהּ; קַדִּישׁ עַל אַרְעָא עוֹבַד גְּבוּרְתֵּהּ, קַדִּישׁ

10 לְעָלַם וּלְעָלְמֵי עָלְמַיָּא. — יְיָ צְבָאוֹת, מַלְיָא כָל אַרְעָא

11 זִיו יְקָרֵהּ. וַתִּשָּׂאֵנִי רוּחַ, וָאֶשְׁמַע אַחֲרַי קוֹל רַעַשׁ גָּדוֹל:

12 בָּרוּךְ כְּבוֹד יְיָ מִמְּקוֹמוֹ.

13 וּנְטָלַתְנִי רוּחָא וְשִׁמְעֵת בַּתְרַי קָל זִיעַ סַגִּיא דִּמְשַׁבְּחִין

14 וְאָמְרִין: בְּרִיךְ יְקָרָא דַיְיָ מֵאֲתַר בֵּית שְׁכִינְתֵּהּ!

15 יְיָ יִמְלֹךְ לְעֹלָם וָעֶד.

1 יְיָ מַלְכוּתֵהּ קָאֵם לְעָלַם וּלְעָלְמֵי עָלְמַיָּא. יְיָ אֱלֹהֵי

2 אַבְרָהָם יִצְחָק וְיִשְׂרָאֵל אֲבוֹתֵינוּ! שָׁמְרָה זֹּאת לְעוֹלָם,

3 לְיֵצֶר מַחְשְׁבוֹת לְבַב עַמֶּךָ, וְהָכֵן לְבָבָם אֵלֶיךָ. וְהוּא

4 רַחוּם, יְכַפֵּר עָוֹן וְלֹא יַשְׁחִית, וְהִרְבָּה לְהָשִׁיב אַפּוֹ, וְלֹא

5 יָעִיר כָּל חֲמָתוֹ. כִּי אַתָּה אֲדֹנָי טוֹב וְסַלָּח, וְרַב חֶסֶד

6 לְכָל קֹרְאֶיךָ. צִדְקָתְךָ – צֶדֶק לְעוֹלָם, וְתוֹרָתְךָ – אֱמֶת.

7 תִּתֵּן אֱמֶת לְיַעֲקֹב, חֶסֶד – לְאַבְרָהָם, אֲשֶׁר נִשְׁבַּעְתָּ

8 לַאֲבֹתֵינוּ מִימֵי קֶדֶם. בָּרוּךְ יְיָ, יוֹם יוֹם יַעֲמָס לָנוּ, הָאֵל

9 יְשׁוּעָתֵנוּ, סֶלָה. יְיָ צְבָאוֹת עִמָּנוּ, מִשְׂגָּב לָנוּ אֱלֹהֵי יַעֲקֹב,

10 סֶלָה. יְיָ צְבָאוֹת! אַשְׁרֵי אָדָם בֹּטֵחַ בָּךְ. יְיָ, הוֹשִׁיעָה!

11 הַמֶּלֶךְ יַעֲנֵנוּ בְיוֹם קָרְאֵנוּ.

12 בָּרוּךְ הוּא אֱלֹהֵינוּ שֶׁבְּרָאָנוּ לִכְבוֹדוֹ, וְהִבְדִּילָנוּ מִן

13 הַתּוֹעִים, וְנָתַן לָנוּ תּוֹרַת אֱמֶת, וְחַיֵּי עוֹלָם נָטַע בְּתוֹכֵנוּ;

14 הוּא יִפְתַּח לִבֵּנוּ בְּתוֹרָתוֹ, וְיָשֵׂם בְּלִבֵּנוּ אַהֲבָתוֹ וְיִרְאָתוֹ,

15 וְלַעֲשׂוֹת רְצוֹנוֹ וּלְעָבְדוֹ בְּלֵבָב שָׁלֵם. לְמַעַן לֹא נִיגַע

16 לָרִיק, וְלֹא נֵלֵד לַבֶּהָלָה. יְהִי רָצוֹן מִלְּפָנֶיךָ, יְיָ אֱלֹהֵינוּ

17 וֵאלֹהֵי אֲבוֹתֵינוּ, שֶׁנִּשְׁמֹר חֻקֶּיךָ בָּעוֹלָם הַזֶּה, וְנִזְכֶּה

18 וְנִחְיֶה וְנִרְאֶה, וְנִירַשׁ טוֹבָה וּבְרָכָה, לִשְׁנֵי יְמוֹת הַמָּשִׁיחַ

וּלְחַיֵּי הָעוֹלָם הַבָּא, לְמַעַן יְזַמֶּרְךָ כָבוֹד וְלֹא יִדֹּם; יְיָ
אֱלֹהַי לְעוֹלָם אוֹדֶךָּ. בָּרוּךְ הַגֶּבֶר אֲשֶׁר יִבְטַח בַּייָ, וְהָיָה
יְיָ מִבְטַחוֹ. בִּטְחוּ בַייָ עֲדֵי עַד, כִּי בְּיָהּ יְיָ צוּר עוֹלָמִים.
Reader וְיִבְטְחוּ בְךָ יוֹדְעֵי שְׁמֶךָ, כִּי לֹא עָזַבְתָּ דֹרְשֶׁיךָ, יְיָ!
יְיָ חָפֵץ לְמַעַן צִדְקוֹ, יַגְדִּיל תּוֹרָה וְיַאְדִּיר.

HALF KADDISH חֲצִי קַדִּישׁ

For comments see pages 93 and 162

Reader יִתְגַּדַּל וְיִתְקַדַּשׁ שְׁמֵהּ רַבָּא, בְּעָלְמָא דִּי־בְרָא
כִרְעוּתֵהּ, וְיַמְלִיךְ מַלְכוּתֵהּ, בְּחַיֵּיכוֹן וּבְיוֹמֵיכוֹן, וּבְחַיֵּי
דְכָל־בֵּית יִשְׂרָאֵל, בַּעֲגָלָא וּבִזְמַן קָרִיב. וְאִמְרוּ אָמֵן.
Cong. אָמֵן

Cong. and Reader יְהֵא שְׁמֵהּ רַבָּא מְבָרַךְ לְעָלַם וּלְעָלְמֵי
עָלְמַיָּא.

Reader יִתְבָּרַךְ וְיִשְׁתַּבַּח וְיִתְפָּאַר וְיִתְרוֹמַם וְיִתְנַשֵּׂא וְיִתְהַדַּר
וְיִתְעַלֶּה וְיִתְהַלַּל שְׁמֵהּ דְּקֻדְשָׁא. Cong. and Reader בְּרִיךְ הוּא
Reader לְעֵלָּא (*During the Ten Days of Pentinence, add:* וּלְעֵלָּא)
מִן כָּל־בִּרְכָתָא, וְשִׁירָתָא, תֻּשְׁבְּחָתָא, וְנֶחֱמָתָא
דַּאֲמִירָן בְּעָלְמָא. וְאִמְרוּ אָמֵן. Cong. אָמֵן

1 וַאֲנִי תְפִלָּתִי לְךָ יְיָ עֵת רָצוֹן, אֱלֹהִים

2 בְּרָב חַסְדֶּךָ, עֲנֵנִי בֶּאֱמֶת יִשְׁעֶךָ.

Continue with:

1. Before the Reading of the Torah say the prayers starting on page 147, line 1, through page 150, line 6.

2. The first part of the next weekly Sabbath portion is then read. Three men are called up to the Torah.

3. After the Reading of the Torah say the prayers starting on page 151, line 5, through page 152, line 6.

4. Say the prayers starting on page 153, line 8, through page 155, line 9.

5. The Reader recites the Half-Kaddish on page 429.

6. Continue with the Shemoneh-Esreh for the Afternoon Service for Sabbath starting on page 431.

The following prayer is to be said standing:

1   כִּי שֵׁם יְיָ אֶקְרָא הָבוּ גֹדֶל לֵאלֹהֵינוּ:

2   אֲדֹנָי שְׂפָתַי תִּפְתָּח וּפִי יַגִּיד תְּהִלָּתֶךָ.

3   בָּרוּךְ אַתָּה יְיָ, אֱלֹהֵינוּ וֵאלֹהֵי אֲבוֹתֵינוּ,

4   אֱלֹהֵי אַבְרָהָם, אֱלֹהֵי יִצְחָק, וֵאלֹהֵי יַעֲקֹב,

5   הָאֵל הַגָּדוֹל, הַגִּבּוֹר וְהַנּוֹרָא, אֵל עֶלְיוֹן,

6   גּוֹמֵל חֲסָדִים טוֹבִים, וְקוֹנֵה הַכֹּל, וְזוֹכֵר

7   חַסְדֵּי אָבוֹת, וּמֵבִיא גוֹאֵל לִבְנֵי בְנֵיהֶם,

8   לְמַעַן שְׁמוֹ בְּאַהֲבָה.

On שַׁבָּת תְּשׁוּבָה *say:*

9   זָכְרֵנוּ לְחַיִּים, מֶלֶךְ חָפֵץ בַּחַיִּים!

10   וְכָתְבֵנוּ בְּסֵפֶר הַחַיִּים לְמַעַנְךָ, אֱלֹהִים חַיִּים!

11   מֶלֶךְ עוֹזֵר וּמוֹשִׁיעַ וּמָגֵן. בָּרוּךְ אַתָּה יְיָ,

12   מָגֵן אַבְרָהָם. *Cong.* אָמֵן

13   אַתָּה גִבּוֹר לְעוֹלָם אֲדֹנָי, מְחַיֵּה מֵתִים אַתָּה,

14   רַב לְהוֹשִׁיעַ.

From שְׁמִינִי עֲצֶרֶת *till the first day of* פֶּסַח *say:*

1 מַשִּׁיב הָרוּחַ וּמוֹרִיד הַגָּשֶׁם.

2 מְכַלְכֵּל חַיִּים בְּחֶסֶד, מְחַיֵּה מֵתִים בְּרַחֲמִים

3 רַבִּים, סוֹמֵךְ נוֹפְלִים, וְרוֹפֵא חוֹלִים, וּמַתִּיר

4 אֲסוּרִים, וּמְקַיֵּם אֱמוּנָתוֹ לִישֵׁנֵי עָפָר. מִי

5 כָמוֹךָ בַּעַל גְּבוּרוֹת? וּמִי דוֹמֶה לָּךְ, מֶלֶךְ

6 מֵמִית וּמְחַיֶּה וּמַצְמִיחַ יְשׁוּעָה?

On שַׁבַּת תְּשׁוּבָה *say:*

7 מִי כָמוֹךָ, אַב הָרַחֲמִים? זוֹכֵר יְצוּרָיו לְחַיִּים בְּרַחֲמִים.

8 וְנֶאֱמָן אַתָּה לְהַחֲיוֹת מֵתִים. בָּרוּךְ אַתָּה יְיָ,

9 מְחַיֵּה הַמֵּתִים. Cong. אָמֵן

When the Reader repeats the שְׁמוֹנֶה עֶשְׂרֵה, *the following* קְדוּשָׁה *is said:*

Cong. and Reader

10 נְקַדֵּשׁ אֶת שִׁמְךָ בָּעוֹלָם, כְּשֵׁם שֶׁמַּקְדִּישִׁים

11 אוֹתוֹ בִּשְׁמֵי מָרוֹם, כַּכָּתוּב עַל יַד נְבִיאֶךָ:

12 וְקָרָא זֶה אֶל זֶה וְאָמַר:

Cong. and Reader

1 קָדוֹשׁ, קָדוֹשׁ, קָדוֹשׁ יְיָ צְבָאוֹת! מְלֹא כָל

2 הָאָרֶץ כְּבוֹדוֹ.

3 Reader לְעֻמָּתָם בָּרוּךְ יֹאמֵרוּ:

Cong. and Reader

4 בָּרוּךְ כְּבוֹד יְיָ מִמְּקוֹמוֹ.

5 Reader וּבְדִבְרֵי קָדְשְׁךָ כָּתוּב לֵאמֹר:

Cong. and Reader

6 יִמְלֹךְ יְיָ לְעוֹלָם, אֱלֹהַיִךְ צִיּוֹן – לְדֹר וָדֹר

7 הַלְלוּיָהּ!

8 Reader לְדוֹר וָדוֹר נַגִּיד גָּדְלֶךָ, וּלְנֵצַח נְצָחִים קְדֻשָּׁתְךָ

9 נַקְדִּישׁ, וְשִׁבְחֲךָ אֱלֹהֵינוּ מִפִּינוּ לֹא יָמוּשׁ לְעוֹלָם וָעֶד,

10 כִּי אֵל מֶלֶךְ גָּדוֹל וְקָדוֹשׁ אָתָּה.

11 בָּרוּךְ אַתָּה יְיָ, הָאֵל הַקָּדוֹשׁ. Cong. אָמֵן

On שַׁבַּת תְּשׁוּבָה say: הַמֶּלֶךְ הַקָּדוֹשׁ

12 אַתָּה קָדוֹשׁ וְשִׁמְךָ קָדוֹשׁ, וּקְדוֹשִׁים בְּכָל יוֹם

13 יְהַלְלוּךָ, סֶּלָה. בָּרוּךְ אַתָּה יְיָ, הָאֵל הַקָּדוֹשׁ

On שַׁבַּת תְּשׁוּבָה say: הַמֶּלֶךְ הַקָּדוֹשׁ

אַתָּה אֶחָד וְשִׁמְךָ אֶחָד, וּמִי כְּעַמְּךָ יִשְׂרָאֵל גּוֹי אֶחָד בָּאָרֶץ. תִּפְאֶרֶת גְּדֻלָּה, וַעֲטֶרֶת יְשׁוּעָה — יוֹם מְנוּחָה וּקְדֻשָּׁה לְעַמְּךָ נָתָתָּ. אַבְרָהָם יָגֵל, יִצְחָק יְרַנֵּן, יַעֲקֹב וּבָנָיו יָנוּחוּ בוֹ, מְנוּחַת אַהֲבָה וּנְדָבָה, מְנוּחַת אֱמֶת וֶאֱמוּנָה, מְנוּחַת שָׁלוֹם, וְשַׁלְוָה וְהַשְׁקֵט וָבֶטַח, מְנוּחָה שְׁלֵמָה שֶׁאַתָּה רוֹצֶה בָּהּ. יַכִּירוּ בָנֶיךָ וְיֵדְעוּ כִּי מֵאִתְּךָ הִיא מְנוּחָתָם, וְעַל מְנוּחָתָם יַקְדִּישׁוּ אֶת שְׁמֶךָ.

אֱלֹהֵינוּ וֵאלֹהֵי אֲבוֹתֵינוּ, רְצֵה בִמְנוּחָתֵנוּ. קַדְּשֵׁנוּ, בְּמִצְוֹתֶיךָ, וְתֵן חֶלְקֵנוּ, בְּתוֹרָתֶךָ. שַׂבְּעֵנוּ מִטּוּבֶךָ, וְשַׂמְּחֵנוּ, בִּישׁוּעָתֶךָ, וְטַהֵר לִבֵּנוּ לְעָבְדְּךָ בֶּאֱמֶת. וְהַנְחִילֵנוּ יְיָ אֱלֹהֵינוּ, בְּאַהֲבָה וּבְרָצוֹן שַׁבַּת קָדְשֶׁךָ, וְיָנוּחוּ בָם יִשְׂרָאֵל מְקַדְּשֵׁי שְׁמֶךָ. בָּרוּךְ אַתָּה יְיָ, מְקַדֵּשׁ הַשַּׁבָּת: Cong. אָמֵן

רְצֵה יְיָ אֱלֹהֵינוּ בְּעַמְּךָ יִשְׂרָאֵל וּבִתְפִלָּתָם, וְהָשֵׁב אֶת הָעֲבוֹדָה לִדְבִיר בֵּיתֶךָ וְאִשֵּׁי יִשְׂרָאֵל, וּתְפִלָּתָם בְּאַהֲבָה תְּקַבֵּל בְּרָצוֹן, וּתְהִי לְרָצוֹן תָּמִיד עֲבוֹדַת יִשְׂרָאֵל עַמֶּךָ.

On רֹאשׁ חֹדֶשׁ *and* חוֹל הַמּוֹעֵד *add the following:*

1 אֱלֹהֵינוּ וֵאלֹהֵי אֲבוֹתֵינוּ. יַעֲלֶה וְיָבֹא וְיַגִּיעַ, וְיֵרָאֶה וְיֵרָצֶה

2 וְיִשָּׁמַע, וְיִפָּקֵד וְיִזָּכֵר זִכְרוֹנֵנוּ וּפִקְדוֹנֵנוּ, וְזִכְרוֹן אֲבוֹתֵינוּ,

3 וְזִכְרוֹן מָשִׁיחַ בֶּן דָּוִד עַבְדֶּךָ, וְזִכְרוֹן יְרוּשָׁלַיִם עִיר

4 קָדְשֶׁךָ, וְזִכְרוֹן כָּל עַמְּךָ בֵּית יִשְׂרָאֵל לְפָנֶיךָ, לִפְלֵיטָה,

5 לְטוֹבָה, לְחֵן וּלְחֶסֶד וּלְרַחֲמִים, לְחַיִּים וּלְשָׁלוֹם בְּיוֹם

6 *On Rosh Hodesh :* לְרֹאשׁ חֹדֶשׁ　　רֹאשׁ הַחֹדֶשׁ הַזֶּה.

7 *On Passover :* לְפֶסַח　　חַג הַמַּצּוֹת הַזֶּה.

8 *On Sukkot :* לְסֻכּוֹת　　חַג הַסֻּכּוֹת הַזֶּה.

9 זָכְרֵנוּ יְיָ אֱלֹהֵינוּ בּוֹ לְטוֹבָה, וּפָקְדֵנוּ בוֹ לִבְרָכָה,

10 וְהוֹשִׁיעֵנוּ בוֹ לְחַיִּים, וּבִדְבַר יְשׁוּעָה וְרַחֲמִים, חוּס וְחָנֵּנוּ,

11 וְרַחֵם עָלֵינוּ וְהוֹשִׁיעֵנוּ, כִּי אֵלֶיךָ עֵינֵינוּ, כִּי אֵל מֶלֶךְ

12 חַנּוּן וְרַחוּם אָתָּה.

13 וְתֶחֱזֶינָה עֵינֵינוּ בְּשׁוּבְךָ לְצִיּוֹן בְּרַחֲמִים.

14 בָּרוּךְ אַתָּה יְיָ, הַמַּחֲזִיר שְׁכִינָתוֹ לְצִיּוֹן.

Cong. אָמֵן

When saying מוֹדִים *bend the knees :*
The Congregation silently :

15 מוֹדִים אֲנַחְנוּ לָךְ,　　|　　מוֹדִים אֲנַחְנוּ לָךְ,

16 שָׁאַתָּה הוּא יְיָ אֱלֹהֵינוּ　　|　　שָׁאַתָּה הוּא יְיָ אֱלֹהֵינוּ

1 וֵאלֹהֵי אֲבוֹתֵינוּ לְעוֹלָם

2 וָעֶד, צוּר חַיֵּינוּ, מָגֵן

3 יִשְׁעֵנוּ, אַתָּה הוּא לְדוֹר

4 וָדוֹר. נוֹדֶה לְּךָ וּנְסַפֵּר

5 תְּהִלָּתֶךָ, עַל חַיֵּינוּ

6 הַמְּסוּרִים בְּיָדֶךָ, וְעַל

7 נִשְׁמוֹתֵינוּ הַפְּקוּדוֹת

8 לָךְ, וְעַל נִסֶּיךָ שֶׁבְּכָל

9 יוֹם עִמָּנוּ, וְעַל

וֵאלֹהֵי אֲבוֹתֵינוּ, אֱלֹהֵי כָל בָּשָׂר, יוֹצְרֵנוּ, יוֹצֵר בְּרֵאשִׁית. בְּרָכוֹת וְהוֹדָאוֹת לְשִׁמְךָ הַגָּדוֹל וְהַקָּדוֹשׁ, עַל שֶׁהֶחֱיִיתָנוּ וְקִיַּמְתָּנוּ. כֵּן תְּחַיֵּנוּ וּתְקַיְּמֵנוּ, וְתֶאֱסוֹף גָּלֻיוֹתֵינוּ לְחַצְרוֹת קָדְשֶׁךָ, לִשְׁמוֹר חֻקֶּיךָ, וְלַעֲשׂוֹת רְצוֹנֶךָ, וּלְעָבְדְּךָ בְּלֵבָב שָׁלֵם,

On חֲנֻכָּה

עַל הַנִּסִּים, וְעַל הַפֻּרְקָן, וְעַל הַגְּבוּרוֹת, וְעַל הַתְּשׁוּעוֹת, וְעַל הַמִּלְחָמוֹת, שֶׁעָשִׂיתָ לַאֲבוֹתֵינוּ, בַּיָּמִים הָהֵם בַּזְּמַן הַזֶּה:

בִּימֵי מַתִּתְיָהוּ, בֶּן יוֹחָנָן כֹּהֵן גָּדוֹל חַשְׁמוֹנַאי וּבָנָיו. כְּשֶׁעָמְדָה מַלְכוּת יָוָן הָרְשָׁעָה עַל עַמְּךָ יִשְׂרָאֵל, לְהַשְׁכִּיחָם תּוֹרָתֶךָ, וּלְהַעֲבִירָם מֵחֻקֵּי רְצוֹנֶךָ. וְאַתָּה בְּרַחֲמֶיךָ הָרַבִּים, עָמַדְתָּ לָהֶם בְּעֵת צָרָתָם, רַבְתָּ אֶת־רִיבָם, דַּנְתָּ אֶת־דִּינָם, נָקַמְתָּ אֶת נִקְמָתָם. מָסַרְתָּ גִּבּוֹרִים בְּיַד חַלָּשִׁים, וְרַבִּים בְּיַד מְעַטִּים, וּטְמֵאִים בְּיַד טְהוֹרִים, וּרְשָׁעִים בְּיַד צַדִּיקִים, וְזֵדִים בְּיַד עוֹסְקֵי תוֹרָתֶךָ. וּלְךָ עָשִׂיתָ שֵׁם גָּדוֹל וְקָדוֹשׁ בְּעוֹלָמֶךָ. וּלְעַמְּךָ יִשְׂרָאֵל עָשִׂיתָ, תְּשׁוּעָה גְדוֹלָה וּפֻרְקָן כְּהַיּוֹם הַזֶּה. וְאַחַר כֵּן בָּאוּ בָנֶיךָ לִדְבִיר בֵּיתֶךָ, וּפִנּוּ אֶת הֵיכָלֶךָ, וְטִהֲרוּ אֶת מִקְדָּשֶׁךָ, וְהִדְלִיקוּ נֵרוֹת בְּחַצְרוֹת קָדְשֶׁךָ, וְקָבְעוּ שְׁמוֹנַת יְמֵי חֲנֻכָּה אֵלּוּ, לְהוֹדוֹת וּלְהַלֵּל לְשִׁמְךָ הַגָּדוֹל:

continue on page 437, line 6:

נִפְלְאוֹתֶיךָ וְטוֹבוֹתֶיךָ
שֶׁבְּכָל עֵת–עֶרֶב וָבֹקֶר
וְצָהֳרָיִם. הַטּוֹב, –

עַל שֶׁאֲנַחְנוּ מוֹדִים לָךְ. בָּרוּךְ אֵל הַהוֹדָאוֹת.

כִּי לֹא כָלוּ רַחֲמֶיךָ, וְהַמְרַחֵם, – כִּי לֹא
תַמּוּ חֲסָדֶיךָ – מֵעוֹלָם קִוִּינוּ לָךְ.

On Chanukah say עַל הַנִּסִּים *page 436*

וְעַל כֻּלָּם יִתְבָּרַךְ וְיִתְרוֹמַם שִׁמְךָ מַלְכֵּנוּ
תָּמִיד לְעוֹלָם וָעֶד.

On שַׁבַּת תְּשׁוּבָה *say:*

וּכְתוֹב לְחַיִּים טוֹבִים כָּל בְּנֵי בְרִיתֶךָ:

וְכֹל הַחַיִּים יוֹדוּךָ סֶּלָה, וִיהַלְלוּ אֶת־שִׁמְךָ בֶּאֱמֶת, הָאֵל
יְשׁוּעָתֵנוּ וְעֶזְרָתֵנוּ סֶלָה. בָּרוּךְ אַתָּה יְיָ, הַטּוֹב שִׁמְךָ וּלְךָ
נָאֶה לְהוֹדוֹת:

שָׁלוֹם רָב עַל יִשְׂרָאֵל עַמְּךָ תָּשִׂים לְעוֹלָם,
כִּי אַתָּה הוּא מֶלֶךְ אָדוֹן לְכָל הַשָּׁלוֹם.

1 וְטוֹב בְּעֵינֶיךָ לְבָרֵךְ אֶת עַמְּךָ יִשְׂרָאֵל

2 בְּכָל עֵת וּבְכָל שָׁעָה בִּשְׁלוֹמֶךָ.

On שַׁבַּת תְּשׁוּבָה *say:*

3 בְּסֵפֶר חַיִּים בְּרָכָה וְשָׁלוֹם וּפַרְנָסָה טוֹבָה, נִזָּכֵר וְנִכָּתֵב

4 לְפָנֶיךָ, אֲנַחְנוּ וְכָל עַמְּךָ בֵּית יִשְׂרָאֵל, לְחַיִּים טוֹבִים

5 וּלְשָׁלוֹם.

6 בָּרוּךְ אַתָּה יְיָ, עֹשֶׂה הַשָּׁלוֹם.

7 בָּרוּךְ אַתָּה יְיָ, הַמְבָרֵךְ אֶת עַמּוֹ יִשְׂרָאֵל

8 בַּשָּׁלוֹם.

9 אֱלֹהַי! נְצוֹר לְשׁוֹנִי מֵרָע, וּשְׂפָתַי מִדַּבֵּר מִרְמָה;

10 וְלִמְקַלְלַי — נַפְשִׁי תִדֹּם, וְנַפְשִׁי כֶּעָפָר לַכֹּל תִּהְיֶה.

11 פְּתַח לִבִּי בְּתוֹרָתֶךָ, וּבְמִצְוֹתֶיךָ תִּרְדּוֹף נַפְשִׁי. וְכָל

12 הַחוֹשְׁבִים עָלַי רָעָה, מְהֵרָה הָפֵר עֲצָתָם וְקַלְקֵל

13 מַחֲשַׁבְתָּם. עֲשֵׂה לְמַעַן שְׁמֶךָ, עֲשֵׂה לְמַעַן יְמִינֶךָ, עֲשֵׂה

14 לְמַעַן קְדֻשָּׁתֶךָ. עֲשֵׂה לְמַעַן תּוֹרָתֶךָ. לְמַעַן יֵחָלְצוּן

15 יְדִידֶיךָ, הוֹשִׁיעָה יְמִינְךָ וַעֲנֵנִי. יִהְיוּ לְרָצוֹן אִמְרֵי פִי וְהֶגְיוֹן

16 לִבִּי לְפָנֶיךָ, יְיָ צוּרִי וְגוֹאֲלִי! עֹשֶׂה שָׁלוֹם בִּמְרוֹמָיו, הוּא

17 יַעֲשֶׂה שָׁלוֹם עָלֵינוּ, וְעַל כָּל יִשְׂרָאֵל, וְאִמְרוּ אָמֵן!

1 יְהִי רָצוֹן מִלְּפָנֶיךָ יְיָ אֱלֹהֵינוּ וֵאלֹהֵי אֲבוֹתֵינוּ, שֶׁיִּבָּנֶה בֵּית

2 הַמִּקְדָּשׁ בִּמְהֵרָה בְיָמֵינוּ, וְתֵן חֶלְקֵנוּ בְּתוֹרָתֶךָ. וְשָׁם

3 נַעֲבָדְךָ בְּיִרְאָה כִּימֵי עוֹלָם וּכְשָׁנִים קַדְמוֹנִיּוֹת. וְעָרְבָה

4 לַיְיָ מִנְחַת יְהוּדָה וִירוּשָׁלָיִם, כִּימֵי עוֹלָם וּכְשָׁנִים קַדְמוֹנִיּוֹת.

The following is omitted on Sabbaths when Tahanun

(page 141) is omitted on weekdays:

5 צִדְקָתְךָ צֶדֶק לְעוֹלָם וְתוֹרָתְךָ אֱמֶת:

6 וְצִדְקָתְךָ אֱלֹהִים עַד מָרוֹם אֲשֶׁר עָשִׂיתָ

7 גְדוֹלוֹת אֱלֹהִים מִי כָמוֹךָ: צִדְקָתְךָ כְּהַרְרֵי

8 אֵל מִשְׁפָּטֶיךָ תְּהוֹם רַבָּה. אָדָם וּבְהֵמָה

9 תּוֹשִׁיעַ יְהֹוָה:

COMPLETE KADDISH קַדִּישׁ שָׁלֵם

For comments see page 162:

1 Reader יִתְגַּדַּל וְיִתְקַדַּשׁ שְׁמֵהּ רַבָּא, בְּעָלְמָא דִי־בְרָא

2 כִרְעוּתֵהּ, וְיַמְלִיךְ מַלְכוּתֵהּ, בְּחַיֵּיכוֹן וּבְיוֹמֵיכוֹן, וּבְחַיֵּי

3 דְכָל־בֵּית יִשְׂרָאֵל, בַּעֲגָלָא וּבִזְמַן קָרִיב. וְאִמְרוּ אָמֵן.

Cong. אָמֵן

4 Cong. and Reader יְהֵא שְׁמֵהּ רַבָּא מְבָרַךְ לְעָלַם וּלְעָלְמֵי

5 עָלְמַיָּא.

6 Reader יִתְבָּרַךְ וְיִשְׁתַּבַּח וְיִתְפָּאַר וְיִתְרוֹמַם וְיִתְנַשֵּׂא וְיִתְהַדָּר

7 וְיִתְעַלֶּה וְיִתְהַלָּל שְׁמֵהּ דְּקֻדְשָׁא. Cong. and Reader בְּרִיךְ הוּא

8 Reader לְעֵלָּא (וּלְעֵלָּא *During the Ten Days of Pentinence, add:*)

9 מִן כָּל־בִּרְכָתָא, וְשִׁירָתָא תֻּשְׁבְּחָתָא, וְנֶחֱמָתָא

10 דַּאֲמִירָן בְּעָלְמָא. וְאִמְרוּ אָמֵן. Cong. אָמֵן

11 Cong. תִּתְקַבֵּל צְלוֹתְהוֹן וּבָעוּתְהוֹן דְּכָל בֵּית יִשְׂרָאֵל,

12 קֳדָם אֲבוּהוֹן דִּי בִשְׁמַיָּא, וְאִמְרוּ אָמֵן. Cong. אָמֵן

13 Reader יְהֵא שְׁלָמָא רַבָּא מִן־שְׁמַיָּא וְחַיִּים עָלֵינוּ

14 וְעַל כָּל־יִשְׂרָאֵל. וְאִמְרוּ אָמֵן. Cong. אָמֵן

15 Reader עוֹשֶׂה שָׁלוֹם בִּמְרוֹמָיו, הוּא יַעֲשֶׂה שָׁלוֹם

16 עָלֵינוּ. וְעַל כָּל־יִשְׂרָאֵל. וְאִמְרוּ אָמֵן. Cong. אָמֵן

For comment see page 164:

עָלֵינוּ לְשַׁבֵּחַ לַאֲדוֹן הַכֹּל

It is our duty to praise the Lord of all things

1   עָלֵינוּ לְשַׁבֵּחַ לַאֲדוֹן הַכֹּל, לָתֵת גְּדֻלָּה לְיוֹצֵר בְּרֵאשִׁית,

2   שֶׁלֹּא עָשָׂנוּ כְּגוֹיֵי הָאֲרָצוֹת וְלֹא שָׂמָנוּ כְּמִשְׁפְּחוֹת הָאֲדָמָה

3   שֶׁלֹּא שָׂם חֶלְקֵנוּ כָּהֶם וְגוֹרָלֵנוּ כְּכָל־הֲמוֹנָם. וַאֲנַחְנוּ

4   כֹּרְעִים וּמִשְׁתַּחֲוִים וּמוֹדִים לִפְנֵי מֶלֶךְ מַלְכֵי הַמְּלָכִים

5   הַקָּדוֹשׁ בָּרוּךְ הוּא. שֶׁהוּא נוֹטֶה שָׁמַיִם וְיוֹסֵד אָרֶץ,

6   וּמוֹשַׁב יְקָרוֹ בַּשָּׁמַיִם מִמַּעַל, וּשְׁכִינַת עֻזּוֹ בְּגָבְהֵי מְרוֹמִים,

7   הוּא אֱלֹהֵינוּ אֵין עוֹד. אֱמֶת מַלְכֵּנוּ אֶפֶס זוּלָתוֹ, כַּכָּתוּב

8   בְּתוֹרָתוֹ וְיָדַעְתָּ הַיּוֹם וַהֲשֵׁבֹתָ אֶל־לְבָבֶךָ, כִּי יְיָ הוּא

9   הָאֱלֹהִים בַּשָּׁמַיִם מִמַּעַל וְעַל־הָאָרֶץ מִתָּחַת אֵין עוֹד:

10   עַל־כֵּן נְקַוֶּה לְּךָ יְיָ אֱלֹהֵינוּ לִרְאוֹת מְהֵרָה בְּתִפְאֶרֶת

11   עֻזֶּךָ, לְהַעֲבִיר גִּלּוּלִים מִן־הָאָרֶץ וְהָאֱלִילִים כָּרוֹת

12   יִכָּרֵתוּן, לְתַקֵּן עוֹלָם בְּמַלְכוּת שַׁדַּי וְכָל־בְּנֵי בָשָׂר יִקְרְאוּ

13   בִשְׁמֶךָ, לְהַפְנוֹת אֵלֶיךָ כָּל־רִשְׁעֵי אָרֶץ. יַכִּירוּ וְיֵדְעוּ כָּל־

14   יוֹשְׁבֵי תֵבֵל כִּי־לְךָ תִּכְרַע כָּל־בֶּרֶךְ, תִּשָּׁבַע כָּל לָשׁוֹן.

15   לְפָנֶיךָ יְיָ אֱלֹהֵינוּ יִכְרְעוּ וְיִפֹּלוּ, וְלִכְבוֹד שִׁמְךָ יְקָר יִתֵּנוּ

16   וִיקַבְּלוּ כֻלָּם אֶת עֹל מַלְכוּתֶךָ, וְתִמְלֹךְ עֲלֵיהֶם מְהֵרָה

17   לְעוֹלָם וָעֶד. כִּי הַמַּלְכוּת שֶׁלְּךָ הִיא, וּלְעוֹלְמֵי עַד תִּמְלֹךְ

18   בְּכָבוֹד: כַּכָּתוּב בְּתוֹרָתֶךָ, יְיָ יִמְלֹךְ לְעֹלָם וָעֶד:

19   Reader   וְנֶאֱמַר: "וְהָיָה יְיָ לְמֶלֶךְ עַל כָּל הָאָרֶץ, בַּיּוֹם

20   הַהוּא יִהְיֶה יְיָ אֶחָד וּשְׁמוֹ אֶחָד".

Mourners Kaddish page 443

אַל תִּירָא מִפַּחַד פִּתְאֹם, וּמִשֹּׁאַת רְשָׁעִים כִּי תָבֹא.

עֻצוּ עֵצָה וְתֻפָר, דַּבְּרוּ דָבָר וְלֹא יָקוּם, כִּי עִמָּנוּ אֵל.

וְעַד זִקְנָה אֲנִי הוּא, וְעַד שֵׂיבָה אֲנִי אֶסְבֹּל;

אֲנִי עָשִׂיתִי וַאֲנִי אֶשָּׂא, וַאֲנִי אֶסְבֹּל וַאֲמַלֵּט.

MOURNERS KADDISH קַדִּישׁ יָתוֹם

For comments see pages 67, 162

1   יִתְגַּדַּל וְיִתְקַדַּשׁ שְׁמֵהּ רַבָּא, בְּעָלְמָא דִי־בְרָא

2   כִרְעוּתֵהּ, וְיַמְלִיךְ מַלְכוּתֵהּ, בְּחַיֵּיכוֹן וּבְיוֹמֵיכוֹן, וּבְחַיֵּי

3   דְכָל־בֵּית יִשְׂרָאֵל, בַּעֲגָלָא וּבִזְמַן קָרִיב. וְאִמְרוּ אָמֵן.

Cong. אָמֵן

4   Cong.   יְהֵא שְׁמֵהּ רַבָּא מְבָרַךְ לְעָלַם וּלְעָלְמֵי

5   עָלְמַיָּא.

6   יִתְבָּרַךְ וְיִשְׁתַּבַּח וְיִתְפָּאַר וְיִתְרוֹמַם וְיִתְנַשֵּׂא וְיִתְהַדָּר

7   וְיִתְעַלֶּה וְיִתְהַלָּל שְׁמֵהּ דְּקֻדְשָׁא. Cong. בְּרִיךְ הוּא

8   לְעֵלָּא (וּלְעֵלָּא   :*During the Ten Days of Pentinence, add*)

9   מִן   כָּל־בִּרְכָתָא,   וְשִׁירָתָא   תֻּשְׁבְּחָתָא,   וְנֶחֱמָתָא

10   דַּאֲמִירָן בְּעָלְמָא. וְאִמְרוּ אָמֵן. Cong. אָמֵן

11   יְהֵא שְׁלָמָא רַבָּא מִן־שְׁמַיָּא וְחַיִּים עָלֵינוּ

12   וְעַל כָּל־יִשְׂרָאֵל. וְאִמְרוּ אָמֵן. Cong. אָמֵן

13   עוֹשֶׂה שָׁלוֹם בִּמְרוֹמָיו, הוּא יַעֲשֶׂה שָׁלוֹם

14   עָלֵינוּ. וְעַל כָּל־יִשְׂרָאֵל. וְאִמְרוּ אָמֵן. Cong. אָמֵן

בָּרְכִי נַפְשִׁי אֶת יְיָ יְיָ אֱלֹהַי גָּדַלְתָּ מְּאֹד

Bless the Lord, my soul! Lord, my God, You are very great

This hymn is recited in praise of God the creator of nature. It closely follows the biblical story of creation.

The prayer closes with the hope that evil will forever disappear from the face of the earth.

The following Psalms are recited from the Sabbath after Simchat-Torah; until the Sabbath before Passover:

בָּרְכִי, נַפְשִׁי, אֶת יְיָ. יְיָ אֱלֹהַי! גָּדַלְתָּ מְּאֹד, הוֹד וְהָדָר לָבָשְׁתָּ. עֹטֶה אוֹר כַּשַּׂלְמָה, נוֹטֶה שָׁמַיִם כַּיְרִיעָה. הַמְקָרֶה בַמַּיִם עֲלִיּוֹתָיו, הַשָּׂם עָבִים רְכוּבוֹ, הַמְהַלֵּךְ עַל כַּנְפֵי רוּחַ. עֹשֶׂה מַלְאָכָיו רוּחוֹת, מְשָׁרְתָיו אֵשׁ לֹהֵט. יָסַד אֶרֶץ עַל מְכוֹנֶיהָ, בַּל תִּמּוֹט עוֹלָם וָעֶד. תְּהוֹם כַּלְּבוּשׁ כִּסִּיתוֹ, עַל הָרִים יַעַמְדוּ מָיִם. מִן גַּעֲרָתְךָ יְנוּסוּן, מִן קוֹל רַעַמְךָ יֵחָפֵזוּן. יַעֲלוּ הָרִים, יֵרְדוּ בְקָעוֹת, אֶל מְקוֹם זֶה יָסַדְתָּ לָהֶם. גְּבוּל שַׂמְתָּ בַּל יַעֲבֹרוּן, בַּל יְשֻׁבוּן לְכַסּוֹת הָאָרֶץ. הַמְשַׁלֵּחַ מַעְיָנִים בַּנְּחָלִים, בֵּין הָרִים יְהַלֵּכוּן. יַשְׁקוּ כָּל חַיְתוֹ שָׂדָי, יִשְׁבְּרוּ פְרָאִים צְמָאָם. עֲלֵיהֶם עוֹף הַשָּׁמַיִם יִשְׁכּוֹן, מִבֵּין

עֳפָאיִם יִתְּנוּ קוֹל. מַשְׁקֶה הָרִים מֵעֲלִיּוֹתָיו מִפְּרִי מַעֲשֶׂיךָ תִּשְׂבַּע הָאָֽרֶץ. מַצְמִיחַ חָצִיר לַבְּהֵמָה, וְעֵשֶׂב לַעֲבֹדַת הָאָדָם, לְהוֹצִיא לֶחֶם מִן הָאָֽרֶץ. וְיַיִן–יְשַׂמַּח לְבַב אֱנוֹשׁ, לְהַצְהִיל פָּנִים מִשָּֽׁמֶן, וְלֶחֶם, לְבַב אֱנוֹשׁ יִסְעָד. יִשְׂבְּעוּ עֲצֵי יְיָ, אַרְזֵי לְבָנוֹן אֲשֶׁר נָטָע. אֲשֶׁר שָׁם צִפֳּרִים יְקַנֵּֽנוּ, חֲסִידָה בְּרוֹשִׁים בֵּיתָהּ. הָרִים הַגְּבֹהִים לַיְּעֵלִים, סְלָעִים מַחְסֶה לַשְׁפַנִּים. עָשָׂה יָרֵחַ לְמוֹעֲדִים, שֶׁמֶשׁ יָדַע מְבוֹאוֹ. תָּֽשֶׁת חֹשֶׁךְ וִֽיהִי לָֽיְלָה, בּוֹ תִרְמֹשׂ כָּל חַיְתוֹ יָֽעַר. הַכְּפִירִים שֹׁאֲגִים לַטָּֽרֶף, וּלְבַקֵּשׁ מֵאֵל אָכְלָם. תִּזְרַח הַשֶּׁמֶשׁ יֵאָסֵפוּן, וְאֶל מְעוֹנֹתָם יִרְבָּצוּן. יֵצֵא אָדָם לְפָעֳלוֹ, וְלַעֲבֹדָתוֹ עֲדֵי עָֽרֶב. מָה רַבּוּ מַעֲשֶׂיךָ, יְיָ! כֻּלָּם בְּחָכְמָה עָשִׂיתָ, מָלְאָה הָאָֽרֶץ קִנְיָנֶֽךָ: זֶה הַיָּם גָּדוֹל וּרְחַב יָדָֽיִם, שָׁם רֶֽמֶשׂ וְאֵין מִסְפָּר, חַיּוֹת קְטַנּוֹת עִם גְּדֹלוֹת. שָׁם אֳנִיּוֹת יְהַלֵּכוּן, לִוְיָתָן זֶה, יָצַֽרְתָּ לְשַֽׂחֶק בּוֹ. כֻּלָּם אֵלֶֽיךָ יְשַׂבֵּרוּן, לָתֵת אָכְלָם בְּעִתּוֹ. תִּתֵּן לָהֶם יִלְקֹטוּן,

1 תִּפְתַּח יָדְךָ–יִשְׂבְּעוּן טוֹב. תַּסְתִּיר פָּנֶיךָ–יִבָּהֵלוּן,

2 תֹּסֵף רוּחָם–יִגְוָעוּן, וְאֶל עֲפָרָם יְשׁוּבוּן. תְּשַׁלַּח

3 רוּחֲךָ יִבָּרֵאוּן, וּתְחַדֵּשׁ פְּנֵי אֲדָמָה. יְהִי כְבוֹד יְיָ

4 לְעוֹלָם, יִשְׂמַח יְיָ בְּמַעֲשָׂיו. הַמַּבִּיט לָאָרֶץ–וַתִּרְעָד,

5 יִגַּע בֶּהָרִים–וְיֶעֱשָׁנוּ. אָשִׁירָה לַיְיָ בְּחַיָּי, אֲזַמְּרָה

6 לֵאלֹהַי בְּעוֹדִי. יֶעֱרַב עָלָיו שִׂיחִי, אָנֹכִי אֶשְׂמַח בַּיְיָ.

7 Reader יִתַּמּוּ חַטָּאִים מִן הָאָרֶץ, וּרְשָׁעִים עוֹד

8 אֵינָם; בָּרְכִי נַפְשִׁי אֶת יְיָ, הַלְלוּיָהּ!

שִׁיר הַמַּעֲלוֹת SONG OF DEGREES
A Pilgrim Song

שִׁיר הַמַּעֲלוֹת is the title given to the following fifteen (120th to the 134th) Psalms. מַעֲלוֹת means "going up". Some scholars say that these Psalms were recited by the Pilgrims as they "went up" to Jerusalem during the three Pilgrimage Festivals.

Psalm 120

9 שִׁיר הַמַּעֲלוֹת, אֶל יְיָ בַּצָּרָתָה לִּי, קָרָאתִי וַיַּעֲנֵנִי. יְיָ

10 הַצִּילָה נַפְשִׁי מִשְּׂפַת שֶׁקֶר, מִלָּשׁוֹן רְמִיָּה. מַה יִּתֵּן לְךָ וּמַה

11 יֹּסִיף לָךְ, לָשׁוֹן רְמִיָּה. חִצֵּי גִבּוֹר שְׁנוּנִים, עִם גַּחֲלֵי רְתָמִים.

12 אוֹיָה לִי, כִּי גַרְתִּי מֶשֶׁךְ, שָׁכַנְתִּי עִם אָהֳלֵי קֵדָר. Reader רַבַּת

13 שָׁכְנָה לָּהּ נַפְשִׁי, עִם שׂוֹנֵא שָׁלוֹם. אֲנִי שָׁלוֹם, וְכִי אֲדַבֵּר, הֵמָּה

14 לַמִּלְחָמָה.

Psalm 121

1 שִׁיר לַמַּעֲלוֹת, אֶשָּׂא עֵינַי אֶל הֶהָרִים, מֵאַיִן יָבֹא עֶזְרִי.

2 עֶזְרִי מֵעִם יְיָ, עֹשֵׂה שָׁמַיִם וָאָרֶץ. אַל יִתֵּן לַמּוֹט רַגְלֶךָ, אַל

3 יָנוּם שֹׁמְרֶךָ. הִנֵּה לֹא יָנוּם וְלֹא יִישָׁן, שׁוֹמֵר יִשְׂרָאֵל. יְיָ שֹׁמְרֶךָ,

4 יְיָ צִלְּךָ עַל יַד יְמִינֶךָ. יוֹמָם הַשֶּׁמֶשׁ לֹא יַכֶּכָּה, וְיָרֵחַ בַּלָּיְלָה.

5 Reader יְיָ יִשְׁמָרְךָ מִכָּל רָע, יִשְׁמֹר אֶת נַפְשֶׁךָ. יְיָ יִשְׁמָר צֵאתְךָ

6 וּבוֹאֶךָ, מֵעַתָּה וְעַד עוֹלָם.

Psalm 122

7 שִׁיר הַמַּעֲלוֹת לְדָוִד, שָׂמַחְתִּי בְּאֹמְרִים לִי, בֵּית יְיָ נֵלֵךְ.

8 עֹמְדוֹת הָיוּ רַגְלֵינוּ, בִּשְׁעָרַיִךְ יְרוּשָׁלָיִם. יְרוּשָׁלַיִם הַבְּנוּיָה,

9 כְּעִיר שֶׁחֻבְּרָה לָּה, יַחְדָּו. שֶׁשָּׁם עָלוּ שְׁבָטִים שִׁבְטֵי יָה עֵדוּת

10 לְיִשְׂרָאֵל, לְהוֹדוֹת לְשֵׁם יְיָ. כִּי שָׁמָּה יָשְׁבוּ כִסְאוֹת לַמִּשְׁפָּט,

11 כִּסְאוֹת לְבֵית דָּוִד. שַׁאֲלוּ שְׁלוֹם יְרוּשָׁלָיִם, יִשְׁלָיוּ אֹהֲבָיִךְ.

12 יְהִי שָׁלוֹם בְּחֵילֵךְ, שַׁלְוָה בְּאַרְמְנוֹתָיִךְ. לְמַעַן אַחַי וְרֵעָי,

13 אֲדַבְּרָה נָּא שָׁלוֹם בָּךְ. Reader לְמַעַן בֵּית יְיָ אֱלֹהֵינוּ, אֲבַקְשָׁה

14 טוֹב לָךְ.

Psalm 123

15 שִׁיר הַמַּעֲלוֹת, אֵלֶיךָ נָשָׂאתִי אֶת עֵינַי, הַיֹּשְׁבִי בַּשָּׁמָיִם.

16 הִנֵּה כְעֵינֵי עֲבָדִים אֶל יַד אֲדוֹנֵיהֶם, כְּעֵינֵי שִׁפְחָה אֶל יַד

17 גְּבִרְתָּהּ, כֵּן עֵינֵינוּ אֶל יְיָ אֱלֹהֵינוּ, עַד שֶׁיְּחָנֵּנוּ. Reader חָנֵּנוּ יְיָ

18 חָנֵּנוּ, כִּי רַב שָׂבַעְנוּ בוּז. רַבַּת שָׂבְעָה לָּהּ נַפְשֵׁנוּ הַלַּעַג

19 הַשַּׁאֲנַנִּים, הַבּוּז לִגְאֵי יוֹנִים.

Psalm 124

1 שִׁיר הַמַּעֲלוֹת לְדָוִד, לוּלֵי יְיָ שֶׁהָיָה לָנוּ, יֹאמַר נָא

2 יִשְׂרָאֵל. לוּלֵי יְיָ שֶׁהָיָה לָנוּ, בְּקוּם עָלֵינוּ אָדָם. אֲזַי חַיִּים

3 בְּלָעוּנוּ, בַּחֲרוֹת אַפָּם בָּנוּ. אֲזַי הַמַּיִם שְׁטָפוּנוּ, נַחְלָה עָבַר

4 עַל נַפְשֵׁנוּ. אֲזַי עָבַר עַל נַפְשֵׁנוּ, הַמַּיִם הַזֵּידוֹנִים. בָּרוּךְ יְיָ,

5 שֶׁלֹּא נְתָנָנוּ טֶרֶף לְשִׁנֵּיהֶם. Reader נַפְשֵׁנוּ כְּצִפּוֹר נִמְלְטָה

6 מִפַּח יוֹקְשִׁים, הַפַּח נִשְׁבָּר, וַאֲנַחְנוּ נִמְלָטְנוּ. עֶזְרֵנוּ בְּשֵׁם יְיָ,

7 עֹשֵׂה שָׁמַיִם וָאָרֶץ.

Psalm 125

8 שִׁיר הַמַּעֲלוֹת, הַבֹּטְחִים בַּיְיָ, כְּהַר צִיּוֹן לֹא יִמּוֹט, לְעוֹלָם

9 יֵשֵׁב. יְרוּשָׁלַיִם הָרִים סָבִיב לָהּ, וַיְיָ סָבִיב לְעַמּוֹ, מֵעַתָּה וְעַד

10 עוֹלָם. כִּי לֹא יָנוּחַ שֵׁבֶט הָרֶשַׁע עַל גּוֹרַל הַצַּדִּיקִים. לְמַעַן

11 לֹא יִשְׁלְחוּ הַצַּדִּיקִים בְּעַוְלָתָה יְדֵיהֶם. Reader הֵטִיבָה יְיָ

12 לַטּוֹבִים, וְלִישָׁרִים בְּלִבּוֹתָם. וְהַמַּטִּים עֲקַלְקַלּוֹתָם, יוֹלִיכֵם

13 יְיָ אֶת פֹּעֲלֵי הָאָוֶן, שָׁלוֹם עַל יִשְׂרָאֵל.

Psalm 126

14 שִׁיר הַמַּעֲלוֹת, בְּשׁוּב יְיָ אֶת שִׁיבַת צִיּוֹן, הָיִינוּ כְּחֹלְמִים.

15 אָז יִמָּלֵא שְׂחוֹק פִּינוּ, וּלְשׁוֹנֵנוּ רִנָּה, אָז יֹאמְרוּ בַגּוֹיִם, הִגְדִּיל

16 יְיָ לַעֲשׂוֹת עִם אֵלֶּה. הִגְדִּיל יְיָ לַעֲשׂוֹת עִמָּנוּ, הָיִינוּ שְׂמֵחִים.

17 שׁוּבָה יְיָ אֶת שְׁבִיתֵנוּ, כַּאֲפִיקִים בַּנֶּגֶב. הַזֹּרְעִים בְּדִמְעָה,

18 בְּרִנָּה יִקְצֹרוּ. Reader הָלוֹךְ יֵלֵךְ וּבָכֹה נֹשֵׂא מֶשֶׁךְ הַזָּרַע, בֹּא

19 יָבֹא בְרִנָּה, נֹשֵׂא אֲלֻמֹּתָיו.

Psalm 127

1 שִׁיר הַמַּעֲלוֹת לִשְׁלֹמֹה, אִם יְיָ לֹא יִבְנֶה בַיִת, שָׁוְא עָמְלוּ

2 בוֹנָיו בּוֹ. אִם יְיָ לֹא יִשְׁמָר עִיר, שָׁוְא שָׁקַד שׁוֹמֵר. שָׁוְא לָכֶם

3 מַשְׁכִּימֵי קוּם, מְאַחֲרֵי שֶׁבֶת, אֹכְלֵי לֶחֶם הָעֲצָבִים, כֵּן יִתֵּן

4 לִידִידוֹ שֵׁנָא. הִנֵּה נַחֲלַת יְיָ בָּנִים, שָׂכָר פְּרִי הַבָּטֶן. כְּחִצִּים

5 בְּיַד גִּבּוֹר, כֵּן בְּנֵי הַנְּעוּרִים. Reader אַשְׁרֵי הַגֶּבֶר, אֲשֶׁר מִלֵּא

6 אֶת אַשְׁפָּתוֹ מֵהֶם, לֹא יֵבֹשׁוּ כִּי יְדַבְּרוּ אֶת אוֹיְבִים בַּשָּׁעַר.

Psalm 128

7 שִׁיר הַמַּעֲלוֹת, אַשְׁרֵי כָּל יְרֵא יְיָ, הַהֹלֵךְ בִּדְרָכָיו. יְגִיעַ

8 כַּפֶּיךָ כִּי תֹאכֵל, אַשְׁרֶיךָ וְטוֹב לָךְ. אֶשְׁתְּךָ כְּגֶפֶן פֹּרִיָּה

9 בְּיַרְכְּתֵי בֵיתֶךָ, בָּנֶיךָ כִּשְׁתִלֵי זֵיתִים סָבִיב לְשֻׁלְחָנֶךָ. הִנֵּה

10 כִּי כֵן יְבֹרַךְ גָּבֶר, יְרֵא יְיָ. Reader יְבָרֶכְךָ יְיָ מִצִּיּוֹן, וּרְאֵה

11 בְּטוּב יְרוּשָׁלָיִם, כֹּל יְמֵי חַיֶּיךָ. וּרְאֵה בָנִים לְבָנֶיךָ, שָׁלוֹם עַל

12 יִשְׂרָאֵל.

Psalm 129

13 שִׁיר הַמַּעֲלוֹת, רַבַּת צְרָרוּנִי מִנְּעוּרַי, יֹאמַר נָא יִשְׂרָאֵל.

14 רַבַּת צְרָרוּנִי מִנְּעוּרָי, גַּם לֹא יָכְלוּ לִי. עַל גַּבִּי חָרְשׁוּ חֹרְשִׁים,

15 הֶאֱרִיכוּ לְמַעֲנִיתָם. יְיָ צַדִּיק, קִצֵּץ עֲבוֹת רְשָׁעִים. יֵבֹשׁוּ וְיִסֹּגוּ

16 אָחוֹר, כֹּל שֹׂנְאֵי צִיּוֹן. יִהְיוּ כַּחֲצִיר גַּגּוֹת, שֶׁקַּדְמַת שָׁלַף יָבֵשׁ.

17 שֶׁלֹּא מִלֵּא כַפּוֹ קוֹצֵר, וְחִצְנוֹ מְעַמֵּר. Reader וְלֹא אָמְרוּ

18 הָעֹבְרִים: בִּרְכַּת יְיָ אֲלֵיכֶם, בֵּרַכְנוּ אֶתְכֶם בְּשֵׁם יְיָ.

Psalm 130

1 שִׁיר הַמַּעֲלוֹת, מִמַּעֲמַקִּים קְרָאתִיךָ יְיָ. אֲדֹנָי שִׁמְעָה

2 בְקוֹלִי, תִּהְיֶינָה אָזְנֶיךָ קַשֻּׁבוֹת לְקוֹל תַּחֲנוּנָי. אִם עֲוֹנוֹת תִּשְׁמָר

3 יָהּ, אֲדֹנָי, מִי יַעֲמֹד. כִּי עִמְּךָ הַסְּלִיחָה, לְמַעַן תִּוָּרֵא. קִוִּיתִי

4 יְיָ, קִוְּתָה נַפְשִׁי, וְלִדְבָרוֹ הוֹחָלְתִּי. נַפְשִׁי לַאדֹנָי, מִשֹּׁמְרִים

5 לַבֹּקֶר, שֹׁמְרִים לַבֹּקֶר. Reader יַחֵל יִשְׂרָאֵל אֶל יְיָ, כִּי עִם

6 יְיָ הַחֶסֶד, וְהַרְבֵּה עִמּוֹ פְדוּת. וְהוּא יִפְדֶּה אֶת יִשְׂרָאֵל, מִכֹּל

7 עֲוֹנוֹתָיו.

Psalm 131

8 שִׁיר הַמַּעֲלוֹת לְדָוִד, יְיָ, לֹא גָבַהּ לִבִּי וְלֹא רָמוּ עֵינַי,

9 וְלֹא הִלַּכְתִּי בִּגְדֹלוֹת וּבְנִפְלָאוֹת מִמֶּנִּי. אִם לֹא שִׁוִּיתִי

10 וְדוֹמַמְתִּי נַפְשִׁי, כְּגָמֻל עֲלֵי אִמּוֹ, כַּגָּמֻל עָלַי נַפְשִׁי. Reader

11 יַחֵל יִשְׂרָאֵל אֶל יְיָ, מֵעַתָּה וְעַד עוֹלָם.

Psalm 132

12 שִׁיר הַמַּעֲלוֹת, זְכוֹר יְיָ לְדָוִד, אֵת כָּל עֻנּוֹתוֹ. אֲשֶׁר נִשְׁבַּע

13 לַיְיָ, נָדַר לַאֲבִיר יַעֲקֹב. אִם אָבֹא בְּאֹהֶל בֵּיתִי, אִם אֶעֱלֶה

14 עַל עֶרֶשׂ יְצוּעָי. אִם אֶתֵּן שְׁנַת לְעֵינָי, לְעַפְעַפַּי תְּנוּמָה. עַד

15 אֶמְצָא מָקוֹם לַיְיָ, מִשְׁכָּנוֹת לַאֲבִיר יַעֲקֹב. הִנֵּה שְׁמַעֲנוּהָ

16 בְאֶפְרָתָה, מְצָאנוּהָ בִּשְׂדֵי יָעַר. נָבוֹאָה לְמִשְׁכְּנוֹתָיו, נִשְׁתַּחֲוֶה

17 לַהֲדֹם רַגְלָיו. קוּמָה יְיָ לִמְנוּחָתֶךָ, אַתָּה וַאֲרוֹן עֻזֶּךָ. כֹּהֲנֶיךָ

18 יִלְבְּשׁוּ צֶדֶק, וַחֲסִידֶיךָ יְרַנֵּנוּ. בַּעֲבוּר דָּוִד עַבְדֶּךָ אַל תָּשֵׁב

19 פְּנֵי מְשִׁיחֶךָ. נִשְׁבַּע יְיָ לְדָוִד אֱמֶת, לֹא יָשׁוּב מִמֶּנָּה, מִפְּרִי

בִטְנְךָ אָשִׁית לְכִסֵּא לָךְ. אִם יִשְׁמְרוּ בָנֶיךָ בְּרִיתִי וְעֵדֹתִי זוֹ אֲלַמְּדֵם, גַּם בְּנֵיהֶם עֲדֵי עַד, יֵשְׁבוּ לְכִסֵּא לָךְ. כִּי בָחַר יְיָ בְּצִיּוֹן, אִוָּהּ לְמוֹשָׁב לוֹ. זֹאת מְנוּחָתִי עֲדֵי עַד, פֹּה אֵשֵׁב כִּי אִוִּתִיהָ. צֵידָהּ בָּרֵךְ אֲבָרֵךְ, אֶבְיוֹנֶיהָ אַשְׂבִּיעַ לָחֶם. וְכֹהֲנֶיהָ אַלְבִּישׁ יֶשַׁע, וַחֲסִידֶיהָ רַנֵּן יְרַנֵּנוּ. Reader שָׁם אַצְמִיחַ קֶרֶן לְדָוִד, עָרַכְתִּי נֵר לִמְשִׁיחִי. אוֹיְבָיו אַלְבִּישׁ בֹּשֶׁת, וְעָלָיו יָצִיץ נִזְרוֹ.

Psalm 133

שִׁיר הַמַּעֲלוֹת לְדָוִד, הִנֵּה מַה טּוֹב וּמַה נָּעִים, שֶׁבֶת אַחִים גַּם יָחַד. כַּשֶּׁמֶן הַטּוֹב עַל הָרֹאשׁ, יֹרֵד עַל הַזָּקָן זְקַן אַהֲרֹן, שֶׁיֹּרֵד עַל פִּי מִדּוֹתָיו. Reader כְּטַל חֶרְמוֹן שֶׁיֹּרֵד עַל הַרְרֵי צִיּוֹן, כִּי שָׁם צִוָּה יְיָ אֶת הַבְּרָכָה, חַיִּים עַד הָעוֹלָם.

Psalm 134

שִׁיר הַמַּעֲלוֹת, הִנֵּה בָּרְכוּ אֶת יְיָ כָּל עַבְדֵי יְיָ, הָעֹמְדִים בְּבֵית יְיָ בַּלֵּילוֹת. שְׂאוּ יְדֵכֶם קֹדֶשׁ, וּבָרְכוּ אֶת יְיָ. Reader יְבָרֶכְךָ יְיָ מִצִּיּוֹן, עֹשֵׂה שָׁמַיִם וָאָרֶץ.

ETHICS OF THE FATHERS

פִּרְקֵי אָבוֹת means "Chapters of the Fathers." By "Fathers" we mean the great Rabbis of the מִשְׁנָה. This is a beautiful thought. By calling the sages אָבוֹת, we place them on a level with the great אָבוֹת, the patriarchs: Abraham, Isaac and Jacob. It is said that "Jerusalem was destroyed for not respecting scholars" (Sabbath 119b).

פִּרְקֵי אָבוֹת is one of the books of the מִשְׁנָה, that great encyclopedia of Jewish law , custom and legend that took almost five hundred years to complete (from about 300 B. C. E. to 200 C. E.). Another name for this part of the מִשְׁנָה is Ethics of the Fathers. It is so called because it is mostly about man's behavior towards his fellowman. Still another name is מִשְׁנַת חֲסִידִים, the מִשְׁנָה of the Pious, because it teaches how to live a pious Jewish life.

פִּרְקֵי אָבוֹת begins by describing how the מִשְׁנָה came about, starting with the תּוֹרָה on Mount Sinai down to אַנְשֵׁי כְּנֶסֶת הַגְּדוֹלָה, the Men of the Great Assembly.

This book of the מִשְׁנָה contains some of the noblest thoughts that have ever been expressed. Some of them follow:

"The world is based on three things: Torah, worship, and the practice of charity (loving-kindness)."

"Be of the students of Aaron, loving peace and pursuing peace, loving your fellow-creatures and drawing them close to the Torah."

"He who does not increase his knowledge, decreases it."

"If I am not for myself, who will be for me? If I am only for myself, what am I? If not now, when?"

"Say little and do much. Receive all men with a cheerful face."

"By three things is the world preserved: truth, justice, and peace."

"An excellent thing is the study of the Torah combined with some worldly occupation."

"Do not separate yourself from the community. Do not judge your fellowman until you reach his place. Do not say, 'When I have time I will study.' "

One chapter of Pirke Aboth is read on each Sabbath, from the Sabbath after Passover until the Sabbath before Rosh Hashannah:

פרק ראשון. — CHAPTER .1

כָּל־יִשְׂרָאֵל יֵשׁ לָהֶם חֵלֶק לָעוֹלָם הַבָּא, שֶׁנֶּאֱמַר, וְעַמֵּךְ כֻּלָּם צַדִּיקִים, לְעוֹלָם יִירְשׁוּ אָרֶץ, נֵצֶר מַטָּעַי, מַעֲשֵׂה יָדַי לְהִתְפָּאֵר:

א

מֹשֶׁה קִבֵּל תּוֹרָה מִסִּינַי, וּמְסָרָהּ לִיהוֹשֻׁעַ, וִיהוֹשֻׁעַ לִזְקֵנִים, וּזְקֵנִים לִנְבִיאִים, וּנְבִיאִים מְסָרוּהָ לְאַנְשֵׁי כְנֶסֶת הַגְּדוֹלָה. הֵם אָמְרוּ שְׁלשָׁה דְבָרִים, הֱווּ מְתוּנִים בַּדִּין, וְהַעֲמִידוּ תַלְמִידִים הַרְבֵּה, וַעֲשׂוּ סְיָג לַתּוֹרָה:

ב

שִׁמְעוֹן הַצַּדִּיק, הָיָה מִשְּׁיָרֵי כְנֶסֶת הַגְּדוֹלָה: הוּא הָיָה אוֹמֵר, עַל־שְׁלשָׁה דְבָרִים הָעוֹלָם עוֹמֵד, עַל הַתּוֹרָה, וְעַל הָעֲבוֹדָה, וְעַל גְּמִילוּת חֲסָדִים:

ג

אַנְטִיגְנוֹס אִישׁ שׂוֹכוֹ, קִבֵּל מִשִּׁמְעוֹן הַצַּדִּיק. הוּא הָיָה אוֹמֵר, אַל־תִּהְיוּ, כַּעֲבָדִים הַמְשַׁמְּשִׁים אֶת־הָרַב, עַל־מְנָת לְקַבֵּל פְּרָס, אֶלָּא הֱווּ, כַּעֲבָדִים הַמְשַׁמְּשִׁים אֶת־הָרַב, שֶׁלֹּא עַל־מְנָת לְקַבֵּל פְּרָס, וִיהִי מוֹרָא שָׁמַיִם עֲלֵיכֶם:

ד

יוֹסֵי בֶּן־יוֹעֶזֶר, אִישׁ צְרֵדָה, וְיוֹסֵי בֶּן־יוֹחָנָן, אִישׁ יְרוּשָׁלַיִם, קִבְּלוּ מֵהֶם. יוֹסֵי בֶּן־יוֹעֶזֶר, אִישׁ צְרֵדָה, אוֹמֵר, יְהִי בֵיתְךָ, בֵּית וַעַד לַחֲכָמִים, וֶהֱוֵי מִתְאַבֵּק בַּעֲפַר רַגְלֵיהֶם, וֶהֱוֵי שׁוֹתֶה בַצָּמָא אֶת־דִּבְרֵיהֶם:

ה

יוֹסֵי בֶּן־יוֹחָנָן, אִישׁ יְרוּשָׁלַיִם, אוֹמֵר, יְהִי בֵיתְךָ, פָּתוּחַ לָרְוָחָה, וְיִהְיוּ עֲנִיִּים בְּנֵי בֵיתֶךָ, וְאַל־תַּרְבֶּה שִׂיחָה עִם הָאִשָּׁה. בְּאִשְׁתּוֹ אָמְרוּ, קַל וָחֹמֶר בְּאֵשֶׁת חֲבֵרוֹ. מִכַּאן אָמְרוּ חֲכָמִים, כָּל־הַמַּרְבֶּה שִׂיחָה עִם הָאִשָּׁה, גּוֹרֵם רָעָה לְעַצְמוֹ, וּבוֹטֵל מִדִּבְרֵי תוֹרָה, וְסוֹפוֹ יוֹרֵשׁ גֵּיהִנֹּם:

ו

יְהוֹשֻׁעַ בֶּן־פְּרַחְיָה וְנִתַּי הָאַרְבֵּלִי, קִבְּלוּ מֵהֶם. יְהוֹשֻׁעַ בֶּן־פְּרַחְיָה אוֹמֵר, עֲשֵׂה לְךָ רַב, וּקְנֵה לְךָ חָבֵר, וֶהֱוֵי דָן אֶת־כָּל־הָאָדָם לְכַף זְכוּת:

ז

נִתַּי הָאַרְבֵּלִי אוֹמֵר, הַרְחֵק מִשָּׁכֵן רָע, וְאַל־תִּתְחַבֵּר לָרָשָׁע, וְאַל־תִּתְיָאֵשׁ מִן־הַפֻּרְעָנוּת:

ח

יְהוּדָה בֶּן טַבַּי, וְשִׁמְעוֹן בֶּן־שָׁטַח, קִבְּלוּ מֵהֶם. יְהוּדָה בֶּן־טַבַּי, אוֹמֵר, אַל־תַּעַשׂ עַצְמְךָ, כְּעוֹרְכֵי הַדַּיָּנִין, וּכְשֶׁיִּהְיוּ בַּעֲלֵי הַדִּין, עוֹמְדִים לְפָנֶיךָ, יִהְיוּ בְעֵינֶיךָ, כִּרְשָׁעִים, וּכְשֶׁנִּפְטָרִים מִלְּפָנֶיךָ, יִהְיוּ בְעֵינֶיךָ, כְּזַכָּאִים, כְּשֶׁקִּבְּלוּ עֲלֵיהֶם אֶת־הַדִּין:

ט

שִׁמְעוֹן בֶּן־שָׁטַח אוֹמֵר, הֱוֵי מַרְבֶּה לַחֲקֹר אֶת־הָעֵדִים, וֶהֱוֵי זָהִיר בִּדְבָרֶיךָ, שֶׁמָּא מִתּוֹכָם יִלְמְדוּ לְשַׁקֵּר:

י

שְׁמַעְיָה וְאַבְטַלְיוֹן קִבְּלוּ מֵהֶם. שְׁמַעְיָה אוֹמֵר, אֱהַב אֶת־הַמְּלָאכָה, וּשְׂנָא אֶת־הָרַבָּנוּת, וְאַל־תִּתְוַדַּע לָרָשׁוּת:

יא

אַבְטַלְיוֹן אוֹמֵר, חֲכָמִים, הִזָּהֲרוּ בְדִבְרֵיכֶם, שֶׁמָּא תָחוּבוּ חוֹבַת גָּלוּת, וְתִגְלוּ לִמְקוֹם מַיִם הָרָעִים, וְיִשְׁתּוּ הַתַּלְמִידִים, הַבָּאִים אַחֲרֵיכֶם, וְיָמוּתוּ, וְנִמְצָא שֵׁם שָׁמַיִם מִתְחַלֵּל:

יב

הִלֵּל וְשַׁמַּאי קִבְּלוּ מֵהֶם. הִלֵּל אוֹמֵר, הֱוֵי מִתַּלְמִידָיו שֶׁל־אַהֲרֹן, אוֹהֵב שָׁלוֹם וְרוֹדֵף שָׁלוֹם, אוֹהֵב אֶת־הַבְּרִיּוֹת, וּמְקָרְבָן לַתּוֹרָה:

יג

הוּא הָיָה אוֹמֵר, נְגַד שְׁמָא אֲבַד שְׁמֵהּ, וּדְלָא מוֹסִיף יָסֵף, וּדְלָא יַלִּיף קְטָלָא חַיָּב, וּדְאִשְׁתַּמַּשׁ בְּתָגָא חֲלָף:

יד

הוּא הָיָה אוֹמֵר, אִם אֵין אֲנִי לִי, מִי לִי, וּכְשֶׁאֲנִי לְעַצְמִי מָה אֲנִי, וְאִם לֹא עַכְשָׁו, אֵימָתָי:

טו

שַׁמַּאי אוֹמֵר, עֲשֵׂה תוֹרָתְךָ קֶבַע, אֱמֹר מְעַט וַעֲשֵׂה הַרְבֵּה, וֶהֱוֵי מְקַבֵּל אֶת־כָּל־הָאָדָם, בְּסֵבֶר פָּנִים יָפוֹת:

טז

רַבָּן גַּמְלִיאֵל אוֹמֵר, עֲשֵׂה לְךָ רַב, וְהִסְתַּלֵּק מִן הַסָּפֵק, וְאַל־תַּרְבֶּה לְעַשֵּׂר אֻמָּדוֹת:

יז

שִׁמְעוֹן בְּנוֹ אוֹמֵר, כָּל יָמַי גָּדַלְתִּי בֵּין הַחֲכָמִים, וְלֹא מָצָאתִי לְגוּף טוֹב מִשְּׁתִיקָה, וְלֹא הַמִּדְרָשׁ עִקָּר, אֶלָּא הַמַּעֲשֶׂה, וְכָל־הַמַּרְבֶּה דְבָרִים, מֵבִיא חֵטְא:

יח

בֶּן שִׁמְעוֹן בֶּן־גַּמְלִיאֵל אוֹמֵר,
עַל שְׁלשָׁה דְבָרִים הָעוֹלָם עוֹמֵד, עַל־
הָאֱמֶת, וְעַל־הַדִּין, וְעַל־הַשָּׁלוֹם.
שֶׁנֶּאֱמַר, אֱמֶת וּמִשְׁפַּט שָׁלוֹם, שִׁפְטוּ,
בְּשַׁעֲרֵיכֶם:

רַבִּי חֲנַנְיָא, בֶּן־עֲקַשְׁיָא, אוֹמֵר, רָצָה הַקָּדוֹשׁ
בָּרוּךְ הוּא, לְזַכּוֹת אֶת־יִשְׂרָאֵל, לְפִיכָךְ הִרְבָּה
לָהֶם תּוֹרָה וּמִצְוֹת. שֶׁנֶּאֱמַר יְיָ חָפֵץ לְמַעַן צִדְקוֹ,
יַגְדִּיל תּוֹרָה וְיַאְדִּיר:

פֶּרֶק שֵׁנִי. — CHAPTER II.

כָּל־יִשְׂרָאֵל יֵשׁ לָהֶם חֵלֶק לָעוֹלָם הַבָּא, שֶׁנֶּאֱמַר,
וְעַמֵּךְ כֻּלָּם צַדִּיקִים, לְעוֹלָם יִירְשׁוּ אָרֶץ, נֵצֶר
מַטָּעַי, מַעֲשֵׂה יָדַי לְהִתְפָּאֵר:

א

רַבִּי אוֹמֵר, אֵיזוֹ הִיא דֶרֶךְ יְשָׁרָה,
שֶׁיָּבוֹר לוֹ הָאָדָם, כָּל־שֶׁהִיא תִפְאֶרֶת
לְעשֶׂהָ, וְתִפְאֶרֶת לוֹ מִן הָאָדָם, וֶהֱוֵי
זָהִיר בְּמִצְוָה קַלָּה, כְּבַחֲמוּרָה, שֶׁאֵין
אַתָּה יוֹדֵעַ, מַתַּן שְׂכָרָן שֶׁל־מִצְוֹת,
וֶהֱוֵי מְחַשֵּׁב הֶפְסֵד מִצְוָה, כְּנֶגֶד שְׂכָרָהּ,
וּשְׂכַר עֲבֵרָה, כְּנֶגֶד הֶפְסֵדָהּ. הִסְתַּכֵּל
בִּשְׁלשָׁה דְבָרִים, וְאֵין אַתָּה בָא לִידֵי
עֲבֵרָה, דַּע מַה־לְמַעְלָה מִמָּךְ, עַיִן
רוֹאָה, וְאֹזֶן שׁוֹמַעַת, וְכָל־מַעֲשֶׂיךָ,
בַּסֵּפֶר נִכְתָּבִים:

ב

בֶּן גַּמְלִיאֵל, בְּנוֹ שֶׁל־רַבִּי יְהוּדָה
הַנָּשִׂיא, אוֹמֵר, יָפֶה תַלְמוּד תּוֹרָה עִם
דֶּרֶךְ אֶרֶץ, שֶׁיְּגִיעַת שְׁנֵיהֶם מַשְׁכַּחַת עָוֹן,
וְכָל־תּוֹרָה, שֶׁאֵין עִמָּהּ מְלָאכָה, סוֹפָהּ
בְּטֵלָה וְגוֹרֶרֶת עָוֹן, וְכָל־הָעוֹסְקִים
עִם־הַצִּבּוּר, יִהְיוּ עוֹסְקִים עִמָּהֶם לְשֵׁם
שָׁמַיִם, שֶׁזְּכוּת אֲבוֹתָם מְסַיְּעָתָם,
וְצִדְקָתָם עוֹמֶדֶת לָעַד, וְאַתֶּם, מַעֲלֶה
אֲנִי עֲלֵיכֶם שָׂכָר הַרְבֵּה, כְּאִלּוּ עֲשִׂיתֶם:

ג

הֱווּ זְהִירִין בָּרָשׁוּת, שֶׁאֵין מְקָרְבִין
לוֹ לְאָדָם, אֶלָּא לְצֹרֶךְ עַצְמָן, נִרְאִין
כְּאוֹהֲבִין בִּשְׁעַת הֲנָאָתָן, וְאֵין עוֹמְדִין
לוֹ לְאָדָם, בִּשְׁעַת דָּחֳקוֹ:

ד

הוּא הָיָה אוֹמֵר, עֲשֵׂה רְצוֹנוֹ,
כִּרְצוֹנֶךָ, כְּדֵי שֶׁיַּעֲשֶׂה רְצוֹנְךָ, כִּרְצוֹנוֹ.
בַּטֵּל רְצוֹנְךָ מִפְּנֵי רְצוֹנוֹ, כְּדֵי שֶׁיְּבַטֵּל
רְצוֹן אֲחֵרִים מִפְּנֵי רְצוֹנֶךָ:

ה

הִלֵּל אוֹמֵר, אַל־תִּפְרשׁ מִן־
הַצִּבּוּר, וְאַל־תַּאֲמִין בְּעַצְמְךָ, עַד יוֹם
מוֹתְךָ, וְאַל־תָּדִין אֶת־חֲבֵרְךָ, עַד
שֶׁתַּגִּיעַ לִמְקוֹמוֹ, וְאַל־תֹּאמַר דָּבָר, שֶׁאִי
אֶפְשָׁר לִשְׁמֹעַ, שֶׁסּוֹפוֹ לְהִשָּׁמֵעַ, וְאַל־
תֹּאמַר, לִכְשֶׁאֶפָּנֶה אֶשְׁנֶה, שֶׁמָּא לֹא
תִפָּנֶה:

ו הוּא הָיָה אוֹמֵר, אֵין בּוֹר יְרֵא
חֵטְא, וְלֹא עַם הָאָרֶץ חָסִיד, וְלֹא
הַבַּיְשָׁן לָמֵד, וְלֹא הַקַּפְּדָן מְלַמֵּד, וְלֹא
כָל־הַמַּרְבֶּה בִסְחוֹרָה מַחְכִּים, וּבְמָקוֹם
שֶׁאֵין אֲנָשִׁים, הִשְׁתַּדֵּל לִהְיוֹת אִישׁ:

ז אַף הוּא רָאָה, גֻּלְגֹּלֶת אַחַת,
שֶׁצָּפָה עַל־פְּנֵי הַמָּיִם. אָמַר לָהּ, עַל
דַּאֲטֵפְתְּ אַטְפוּךְ, וְסוֹף מְטַיְּפַיִךְ יְטוּפוּן:

ח הוּא הָיָה אוֹמֵר, מַרְבֶּה בָשָׂר
מַרְבֶּה רִמָּה, מַרְבֶּה נְכָסִים מַרְבֶּה
דְאָגָה, מַרְבֶּה נָשִׁים מַרְבֶּה כְשָׁפִים,
מַרְבֶּה שְׁפָחוֹת מַרְבֶּה זִמָּה, מַרְבֶּה
עֲבָדִים מַרְבֶּה גָזֵל, מַרְבֶּה תוֹרָה מַרְבֶּה
חַיִּים, מַרְבֶּה יְשִׁיבָה מַרְבֶּה חָכְמָה,
מַרְבֶּה עֵצָה מַרְבֶּה תְבוּנָה, מַרְבֶּה
צְדָקָה מַרְבֶּה שָׁלוֹם. קָנָה שֵׁם טוֹב קָנָה
לְעַצְמוֹ, קָנָה לוֹ דִבְרֵי תוֹרָה קָנָה לוֹ
חַיֵּי הָעוֹלָם הַבָּא:

ט רַבָּן יוֹחָנָן בֶּן־זַכַּאי, קִבֵּל מֵהִלֵּל
וּמִשַּׁמַּאי. הוּא הָיָה אוֹמֵר, אִם לָמַדְתָּ
תוֹרָה הַרְבֵּה, אַל־תַּחֲזִיק טוֹבָה
לְעַצְמְךָ, כִּי לְכָךְ נוֹצָרְתָּ:

י חֲמִשָּׁה תַלְמִידִים הָיוּ לוֹ, לְרַבָּן
יוֹחָנָן בֶּן־זַכַּאי, וְאֵלּוּ הֵן, רַבִּי אֱלִיעֶזֶר
בֶּן־הוֹרְקָנוֹס, רַבִּי יְהוֹשֻׁעַ בֶּן־חֲנַנְיָא,
רַבִּי יוֹסֵי הַכֹּהֵן, רַבִּי שִׁמְעוֹן בֶּן־נְתַנְאֵל,
וְרַבִּי אֶלְעָזָר בֶּן־עֲרָךְ:

יא הוּא הָיָה מוֹנֶה שְׁבָחָם. רַבִּי
אֱלִיעֶזֶר בֶּן־הוֹרְקָנוֹס, בּוֹר סוּד, שֶׁאֵינוֹ
מְאַבֵּד טִפָּה. רַבִּי יְהוֹשֻׁעַ בֶּן־חֲנַנְיָא,
אַשְׁרֵי יוֹלַדְתּוֹ. רַבִּי יוֹסֵי הַכֹּהֵן, חָסִיד.
רַבִּי שִׁמְעוֹן בֶּן־נְתַנְאֵל, יְרֵא חֵטְא.
רַבִּי אֶלְעָזָר בֶּן־עֲרָךְ, כְּמַעְיָן הַמִּתְגַּבֵּר!

יב הוּא הָיָה אוֹמֵר, אִם יִהְיוּ כָל־
חַכְמֵי יִשְׂרָאֵל בְּכַף מֹאזְנַיִם, וֶאֱלִיעֶזֶר
בֶּן־הוֹרְקָנוֹס בְּכַף שְׁנִיָּה, מַכְרִיעַ אֶת־
כֻּלָּם. אַבָּא שָׁאוּל, אוֹמֵר מִשְּׁמוֹ, אִם
יִהְיוּ כָל־חַכְמֵי יִשְׂרָאֵל בְּכַף מֹאזְנַיִם,
וֶאֱלִיעֶזֶר בֶּן־הוֹרְקָנוֹס אַף עִמָּהֶם,
וְאֶלְעָזָר בֶּן־עֲרָךְ בְּכַף שְׁנִיָּה, מַכְרִיעַ
אֶת־כֻּלָּם:

יג אָמַר לָהֶם, צְאוּ וּרְאוּ, אֵיזוֹ הִיא
דֶּרֶךְ טוֹבָה, שֶׁיִּדְבַּק בָּהּ הָאָדָם. רַבִּי
אֱלִיעֶזֶר אוֹמֵר, עַיִן טוֹבָה. רַבִּי יְהוֹשֻׁעַ
אוֹמֵר, חָבֵר טוֹב. רַבִּי יוֹסֵי אוֹמֵר,

שָׁכֵן טוֹב. רַבִּי שִׁמְעוֹן אוֹמֵר, הָרוֹאֶה אֶת־הַנּוֹלָד. רַבִּי אֶלְעָזָר אוֹמֵר, לֵב טוֹב. אָמַר לָהֶם, רוֹאֶה אֲנִי אֶת דִּבְרֵי אֶלְעָזָר בֶּן־עֲרָךְ מִדִּבְרֵיכֶם, שֶׁבִּכְלַל דְּבָרָיו, דִּבְרֵיכֶם:

יד

אָמַר לָהֶם, צְאוּ וּרְאוּ, אֵיזוֹ הִיא, דֶּרֶךְ רָעָה, שֶׁיִּתְרַחֵק מִמֶּנָּה הָאָדָם. רַבִּי אֱלִיעֶזֶר אוֹמֵר, עַיִן רָעָה. רַבִּי יְהוֹשֻׁעַ אוֹמֵר, חָבֵר רָע. רַבִּי יוֹסֵי אוֹמֵר שָׁכֵן רָע. רַבִּי שִׁמְעוֹן אוֹמֵר, הַלֹּוֶה וְאֵינוֹ מְשַׁלֵּם; אֶחָד הַלֹּוֶה מִן־הָאָדָם, כְּלֹוֶה מִן־הַמָּקוֹם; שֶׁנֶּאֱמַר, לֹוֶה רָשָׁע וְלֹא יְשַׁלֵּם, וְצַדִּיק חוֹנֵן וְנוֹתֵן. רַבִּי אֶלְעָזָר אוֹמֵר, לֵב רָע. אָמַר לָהֶם, רוֹאֶה אֲנִי אֶת־דִּבְרֵי אֶלְעָזָר בֶּן־עֲרָךְ מִדִּבְרֵיכֶם, שֶׁבִּכְלַל דְּבָרָיו, דִּבְרֵיכֶם:

טו

הֵם אָמְרוּ שְׁלֹשָׁה דְבָרִים. רַבִּי אֱלִיעֶזֶר אוֹמֵר, יְהִי כְבוֹד חֲבֵרְךָ חָבִיב עָלֶיךָ, כְּשֶׁלָּךְ, וְאַל תְּהִי נוֹחַ לִכְעוֹס, וְשׁוּב יוֹם אֶחָד לִפְנֵי מִיתָתְךָ, וֶהֱוֵי מִתְחַמֵּם כְּנֶגֶד אוּרָן שֶׁל חֲכָמִים, וֶהֱוֵי זָהִיר בְּגַחַלְתָּן, שֶׁלֹּא תִכָּוֶה, שֶׁנְּשִׁיכָתָן נְשִׁיכַת שׁוּעָל, וַעֲקִיצָתָן עֲקִיצַת עַקְרָב, וּלְחִישָׁתָן לְחִישַׁת שָׂרָף, וְכָל־דִּבְרֵיהֶם כְּגַחֲלֵי אֵשׁ:

טז

רַבִּי יְהוֹשֻׁעַ אוֹמֵר, עַיִן הָרָע, וְיֵצֶר הָרָע, וְשִׂנְאַת הַבְּרִיּוֹת, מוֹצִיאִים אֶת־הָאָדָם מִן־הָעוֹלָם:

יז

רַבִּי יוֹסֵי אוֹמֵר, יְהִי מָמוֹן חֲבֵרְךָ חָבִיב עָלֶיךָ, כְּשֶׁלָּךְ, וְהַתְקֵן עַצְמְךָ לִלְמֹד תּוֹרָה, שֶׁאֵינָהּ יְרֻשָּׁה־לָךְ, וְכָל־מַעֲשֶׂיךָ יִהְיוּ לְשֵׁם שָׁמָיִם:

יח

רַבִּי שִׁמְעוֹן אוֹמֵר, הֱוֵי זָהִיר בִּקְרִיאַת שְׁמַע וּבִתְפִלָּה, וּכְשֶׁאַתָּה מִתְפַּלֵּל, אַל־תַּעַשׂ תְּפִלָּתְךָ קֶבַע, אֶלָּא רַחֲמִים וְתַחֲנוּנִים לִפְנֵי הַמָּקוֹם; שֶׁנֶּאֱמַר, כִּי־חַנּוּן וְרַחוּם הוּא, אֶרֶךְ אַפַּיִם וְרַב־חֶסֶד, וְנִחָם עַל־הָרָעָה; וְאַל־תְּהִי רָשָׁע בִּפְנֵי עַצְמֶךָ:

יט

רַבִּי אֶלְעָזָר אוֹמֵר, הֱוֵי שָׁקוּד לִלְמֹד תּוֹרָה, וְדַע מַה־שֶּׁתָּשִׁיב לְאֶפִּיקוּרוֹס, וְדַע לִפְנֵי מִי אַתָּה עָמֵל, וּמִי הוּא בַּעַל מְלַאכְתְּךָ, שֶׁיְּשַׁלֶּם־לְךָ שְׂכַר פְּעֻלָּתֶךָ:

כ

רַבִּי טַרְפוֹן אוֹמֵר, הַיּוֹם קָצֵר, וְהַמְּלָאכָה מְרֻבָּה, וְהַפּוֹעֲלִים עֲצֵלִים, וְהַשָּׂכָר הַרְבֵּה, וּבַעַל הַבַּיִת דּוֹחֵק:

כא

הוּא הָיָה אוֹמֵר, לֹא עָלֶיךָ הַמְּלָאכָה לִגְמֹר, וְלֹא־אַתָּה בֶן־חוֹרִין לְהִבָּטֵל מִמֶּנָּה; אִם לָמַדְתָּ תּוֹרָה הַרְבֵּה נוֹתְנִים לְךָ שָׂכָר הַרְבֵּה, וְנֶאֱמָן הוּא בַּעַל־מְלַאכְתְּךָ, שֶׁיְּשַׁלֶּם לְךָ שְׂכַר פְּעֻלָּתֶךָ, וְדַע, שֶׁמַּתַּן שְׂכָרָן שֶׁל־צַדִּיקִים לֶעָתִיד לָבוֹא:

רַבִּי חֲנַנְיָא, בֶּן־עֲקַשְׁיָא, אוֹמֵר, רָצָה הַקָּדוֹשׁ בָּרוּךְ הוּא, לְזַכּוֹת אֶת־יִשְׂרָאֵל, לְפִיכָךְ הִרְבָּה לָהֶם תּוֹרָה וּמִצְוֹת. שֶׁנֶּאֱמַר יְיָ חָפֵץ לְמַעַן צִדְקוֹ, יַגְדִּיל תּוֹרָה וְיַאְדִּיר:

CHAPTER III. — פרק שלישי.

כָּל־יִשְׂרָאֵל יֵשׁ לָהֶם חֵלֶק לָעוֹלָם הַבָּא, שֶׁנֶּאֱמַר, וְעַמֵּךְ כֻּלָּם צַדִּיקִים, לְעוֹלָם יִירְשׁוּ אָרֶץ, נֵצֶר מַטָּעַי, מַעֲשֵׂה יָדַי לְהִתְפָּאֵר:

א

עֲקַבְיָא בֶּן־מַהֲלַלְאֵל, אוֹמֵר, הִסְתַּכֵּל בִּשְׁלֹשָׁה דְבָרִים, וְאֵין אַתָּה בָא לִידֵי עֲבֵרָה. דַּע, מֵאַיִן בָּאתָ, וּלְאָן אַתָּה הוֹלֵךְ, וְלִפְנֵי מִי אַתָּה עָתִיד לִתֵּן דִּין וְחֶשְׁבּוֹן. מֵאַיִן בָּאתָ, מִטִּפָּה סְרוּחָה; וּלְאָן אַתָּה הוֹלֵךְ, לִמְקוֹם עָפָר, רִמָּה, וְתוֹלֵעָה; וְלִפְנֵי מִי אַתָּה עָתִיד לִתֵּן דִּין וְחֶשְׁבּוֹן, לִפְנֵי מֶלֶךְ מַלְכֵי הַמְּלָכִים, הַקָּדוֹשׁ בָּרוּךְ הוּא:

ב

רַבִּי חֲנִינָא, סְגַן הַכֹּהֲנִים, אוֹמֵר, הֱוֵי מִתְפַּלֵּל בִּשְׁלוֹמָהּ שֶׁל מַלְכוּת, שֶׁאִלְמָלֵא מוֹרָאָהּ, אִישׁ אֶת־רֵעֵהוּ חַיִּים בְּלָעוֹ:

ג

רַבִּי חֲנִינָא בֶּן־תְּרַדְיוֹן, אוֹמֵר, שְׁנַיִם שֶׁיּוֹשְׁבִין וְאֵין בֵּינֵיהֶם דִּבְרֵי תוֹרָה, הֲרֵי זֶה מוֹשַׁב לֵצִים; שֶׁנֶּאֱמַר, וּבְמוֹשַׁב לֵצִים לֹא יָשָׁב. אֲבָל שְׁנַיִם שֶׁיּוֹשְׁבִין וְיֵשׁ בֵּינֵיהֶם דִּבְרֵי תוֹרָה, שְׁכִינָה שְׁרוּיָה בֵינֵיהֶם; שֶׁנֶּאֱמַר, אָז נִדְבְּרוּ יִרְאֵי יְיָ אִישׁ אֶל רֵעֵהוּ, וַיַּקְשֵׁב יְיָ וַיִּשְׁמָע, וַיִּכָּתֵב סֵפֶר זִכָּרוֹן לְפָנָיו, לְיִרְאֵי יְיָ וּלְחֹשְׁבֵי שְׁמוֹ. אֵין לִי אֶלָּא שְׁנַיִם, מִנַּיִן אֲפִילוּ אֶחָד, שֶׁיּוֹשֵׁב וְעוֹסֵק בַּתּוֹרָה, שֶׁהַקָּדוֹשׁ בָּרוּךְ הוּא קוֹבֵעַ לוֹ שָׂכָר; שֶׁנֶּאֱמַר, יֵשֵׁב בָּדָד וְיִדֹּם, כִּי נָטַל עָלָיו:

ד

רַבִּי שִׁמְעוֹן אוֹמֵר, שְׁלֹשָׁה שֶׁאָכְלוּ עַל שֻׁלְחָן אֶחָד, וְלֹא אָמְרוּ עָלָיו דִּבְרֵי תוֹרָה, כְּאִלּוּ אָכְלוּ מִזִּבְחֵי מֵתִים; שֶׁנֶּאֱמַר, כִּי כָּל־שֻׁלְחָנוֹת מָלְאוּ קִיא צוֹאָה, בְּלִי מָקוֹם. אֲבָל, שְׁלֹשָׁה שֶׁאָכְלוּ עַל שֻׁלְחָן אֶחָד, וְאָמְרוּ עָלָיו דִּבְרֵי תוֹרָה, כְּאִלּוּ אָכְלוּ מִשֻּׁלְחָנוֹ שֶׁל מָקוֹם; שֶׁנֶּאֱמַר, וַיְדַבֵּר אֵלַי, זֶה הַשֻּׁלְחָן אֲשֶׁר לִפְנֵי יְיָ:

ה

רַבִּי חֲנִינָא, בֶּן־חֲכִינַי, אוֹמֵר, הַנֵּעוֹר בַּלַּיְלָה, וְהַמְּהַלֵּךְ בַּדֶּרֶךְ יְחִידִי, וּמְפַנֶּה לִבּוֹ לְבַטָּלָה, הֲרֵי זֶה מִתְחַיֵּב בְּנַפְשׁוֹ:

ו

רַבִּי נְחוּנְיָא בֶּן־הַקָּנָה, אוֹמֵר, כָּל־הַמְקַבֵּל עָלָיו עֹל תּוֹרָה, מַעֲבִירִים מִמֶּנּוּ עֹל מַלְכוּת וְעֹל דֶּרֶךְ אֶרֶץ, וְכָל־הַפּוֹרֵק מִמֶּנּוּ עֹל תּוֹרָה, נוֹתְנִים עָלָיו עֹל מַלְכוּת וְעֹל דֶּרֶךְ אֶרֶץ:

ז

רַבִּי חֲלַפְתָּא בֶּן־דּוֹסָא, אִישׁ כְּפַר חֲנַנְיָא, אוֹמֵר, עֲשָׂרָה שֶׁיּוֹשְׁבִים וְעוֹסְקִים בַּתּוֹרָה, שְׁכִינָה שְׁרוּיָה בֵינֵיהֶם; שֶׁנֶּאֱמַר, אֱלֹהִים נִצָּב בַּעֲדַת־אֵל. וּמִנַּיִן אֲפִילוּ חֲמִשָּׁה, שֶׁנֶּאֱמַר, וַאֲגֻדָּתוֹ עַל אֶרֶץ יְסָדָהּ. וּמִנַּיִן אֲפִילוּ שְׁלשָׁה, שֶׁנֶּאֱמַר, בְּקֶרֶב אֱלֹהִים יִשְׁפֹּט. וּמִנַּיִן אֲפִילוּ שְׁנַיִם, שֶׁנֶּאֱמַר, אָז נִדְבְּרוּ יִרְאֵי יְיָ אִישׁ אֶל רֵעֵהוּ, וַיַּקְשֵׁב יְיָ וַיִּשְׁמָע. וּמִנַּיִן אֲפִילוּ אֶחָד, שֶׁנֶּאֱמַר, בְּכָל־הַמָּקוֹם אֲשֶׁר אַזְכִּיר אֶת שְׁמִי, אָבֹא אֵלֶיךָ וּבֵרַכְתִּיךָ:

ח

רַבִּי אֶלְעָזָר, אִישׁ בַּרְתּוֹתָא, אוֹמֵר, תֶּן־לוֹ מִשֶּׁלּוֹ, שֶׁאַתָּה וְשֶׁלְּךָ שֶׁלּוֹ. וְכֵן בְּדָוִד, הוּא אוֹמֵר, כִּי־מִמְּךָ הַכֹּל, וּמִיָּדְךָ נָתַנּוּ לָךְ:

ט

רַבִּי יַעֲקֹב אוֹמֵר, הַמְּהַלֵּךְ בַּדֶּרֶךְ וְשׁוֹנֶה, וּמַפְסִיק מִמִּשְׁנָתוֹ, וְאוֹמֵר, מַה־נָּאֶה אִילָן זֶה, מַה־נָּאֶה נִיר זֶה, מַעֲלֶה עָלָיו הַכָּתוּב, כְּאִלּוּ מִתְחַיֵּב בְּנַפְשׁוֹ:

י

רַבִּי דוֹסְתַּי בַּר־יַנַּי, מִשּׁוּם רַבִּי מֵאִיר, אוֹמֵר, כָּל־הַשּׁוֹכֵחַ דָּבָר אֶחָד מִמִּשְׁנָתוֹ, מַעֲלֶה עָלָיו הַכָּתוּב, כְּאִלּוּ מִתְחַיֵּב בְּנַפְשׁוֹ; שֶׁנֶּאֱמַר, רַק הִשָּׁמֶר לְךָ וּשְׁמֹר נַפְשְׁךָ מְאֹד, פֶּן־תִּשְׁכַּח אֶת הַדְּבָרִים, אֲשֶׁר־רָאוּ עֵינֶיךָ. יָכוֹל, אֲפִילוּ תָּקְפָה עָלָיו מִשְׁנָתוֹ, תַּלְמוּד לוֹמַר, וּפֶן־יָסוּרוּ מִלְּבָבְךָ, כֹּל יְמֵי חַיֶּיךָ; הָא, אֵינוֹ מִתְחַיֵּב בְּנַפְשׁוֹ, עַד שֶׁיֵּשֵׁב וִיסִירֵם מִלִּבּוֹ:

יא

רַבִּי חֲנִינָא, בֶּן־דּוֹסָא, אוֹמֵר, כֹּל, שֶׁיִּרְאַת חֶטְאוֹ קוֹדֶמֶת לְחָכְמָתוֹ, חָכְמָתוֹ מִתְקַיֶּמֶת, וְכֹל, שֶׁחָכְמָתוֹ קוֹדֶמֶת לְיִרְאַת חֶטְאוֹ, אֵין חָכְמָתוֹ מִתְקַיֶּמֶת:

יב

הוּא הָיָה אוֹמֵר, כֹּל, שֶׁמַּעֲשָׂיו

מְרֻבִּים מֵחָכְמָתוֹ, חָכְמָתוֹ מִתְקַיֶּמֶת, וְכֹל, שֶׁחָכְמָתוֹ מְרֻבָּה מִמַּעֲשָׂיו, אֵין חָכְמָתוֹ מִתְקַיֶּמֶת:

יג

הוּא הָיָה אוֹמֵר, כֹּל, שֶׁרוּחַ הַבְּרִיּוֹת נוֹחָה הֵימֶנּוּ, רוּחַ הַמָּקוֹם נוֹחָה הֵימֶנּוּ, וְכֹל, שֶׁאֵין רוּחַ הַבְּרִיּוֹת נוֹחָה הֵימֶנּוּ, אֵין רוּחַ הַמָּקוֹם נוֹחָה הֵימֶנּוּ:

יד

רַבִּי דוֹסָא בֶּן־הָרְכִּינַס, אוֹמֵר, שֵׁנָה שֶׁל־שַׁחֲרִית, וְיַיִן שֶׁל־צָהֳרַיִם, וְשִׂיחַת הַיְלָדִים, וִישִׁיבַת בָּתֵּי כְנֵסִיּוֹת שֶׁל עַמֵּי הָאָרֶץ, מוֹצִיאִים אֶת־הָאָדָם מִן־הָעוֹלָם:

טו

רַבִּי אֶלְעָזָר הַמּוֹדָעִי אוֹמֵר, הַמְחַלֵּל אֶת־הַקֳּדָשִׁים, וְהַמְבַזֶּה אֶת־הַמּוֹעֲדוֹת, וְהַמַּלְבִּין פְּנֵי חֲבֵרוֹ, בָּרַבִּים, וְהַמֵּפֵר בְּרִיתוֹ שֶׁל־אַבְרָהָם אָבִינוּ, וְהַמְגַלֶּה פָנִים בַּתּוֹרָה שֶׁלֹּא כַהֲלָכָה, אַף־עַל־פִּי שֶׁיֵּשׁ בְּיָדוֹ, תּוֹרָה וּמַעֲשִׂים טוֹבִים, אֵין לוֹ חֵלֶק לָעוֹלָם הַבָּא:

טז

רַבִּי יִשְׁמָעֵאל אוֹמֵר, הֱוֵי קַל לְרֹאשׁ, וְנוֹחַ לְתִשְׁחֹרֶת, וֶהֱוֵי מְקַבֵּל אֶת־כָּל־הָאָדָם בְּשִׂמְחָה:

יז

רַבִּי עֲקִיבָא אוֹמֵר, שְׂחוֹק וְקַלּוּת רֹאשׁ, מַרְגִּילִים אֶת־הָאָדָם לְעֶרְוָה. מַסֹּרֶת סְיָג לַתּוֹרָה, מַעְשְׂרוֹת סְיָג לָעֹשֶׁר, נְדָרִים סְיָג לַפְּרִישׁוּת, סְיָג לַחָכְמָה שְׁתִיקָה:

יח

הוּא הָיָה אוֹמֵר, חָבִיב אָדָם שֶׁנִּבְרָא בְצֶלֶם, חִבָּה יְתֵרָה נוֹדַעַת לוֹ, שֶׁנִּבְרָא בְצֶלֶם; שֶׁנֶּאֱמַר, כִּי בְּצֶלֶם אֱלֹהִים עָשָׂה אֶת־הָאָדָם. חֲבִיבִים יִשְׂרָאֵל, שֶׁנִּקְרְאוּ בָנִים לַמָּקוֹם, חִבָּה יְתֵרָה נוֹדַעַת לָהֶם, שֶׁנִּקְרְאוּ בָנִים לַמָּקוֹם; שֶׁנֶּאֱמַר, בָּנִים אַתֶּם לַיְיָ אֱלֹהֵיכֶם. חֲבִיבִים יִשְׂרָאֵל, שֶׁנִּתַּן לָהֶם כְּלִי חֶמְדָּה, חִבָּה יְתֵרָה נוֹדַעַת לָהֶם, שֶׁנִּתַּן לָהֶם כְּלִי חֶמְדָּה; שֶׁנֶּאֱמַר, כִּי לֶקַח טוֹב נָתַתִּי לָכֶם, תּוֹרָתִי אַל־תַּעֲזֹבוּ:

יט

הַכֹּל צָפוּי, וְהָרְשׁוּת נְתוּנָה, וּבְטוּב הָעוֹלָם נִדּוֹן, וְהַכֹּל לְפִי רֹב הַמַּעֲשֶׂה:

כ

הוּא הָיָה אוֹמֵר, הַכֹּל נָתוּן בְּעֵרָבוֹן, וּמְצוּדָה פְרוּשָׂה עַל־כָּל־הַחַיִּים. הֶחָנוּת פְּתוּחָה, וְהַחֶנְוָנִי מַקִּיף, וְהַפִּנְקָס פָּתוּחַ, וְהַיָּד כּוֹתֶבֶת, וְכָל

הָרוֹצֶה לִלְווֹת יָבֹא וְיִלְוֶה, וְהַגַּבָּאִים
מַחֲזִירִים תָּדִיר בְּכָל־יוֹם, וְנִפְרָעִים
מִן־הָאָדָם, מִדַּעְתּוֹ וְשֶׁלֹּא מִדַּעְתּוֹ, וְיֵשׁ
לָהֶם עַל־מַה־שֶּׁיִּסְמְכוּ; וְהַדִּין דִּין אֱמֶת
וְהַכֹּל מְתֻקָּן לִסְעֻדָּה:

כא

רַבִּי אֶלְעָזָר בֶּן־עֲזַרְיָה אוֹמֵר,
אִם אֵין תּוֹרָה, אֵין דֶּרֶךְ אֶרֶץ; אִם אֵין
דֶּרֶךְ אֶרֶץ, אֵין תּוֹרָה; אִם אֵין חָכְמָה,
אֵין יִרְאָה; אִם אֵין יִרְאָה, אֵין חָכְמָה;
אִם אֵין דַּעַת, אֵין בִּינָה; אִם אֵין בִּינָה,
אֵין דָּעַת; אִם אֵין קֶמַח, אֵין תּוֹרָה;
אִם אֵין תּוֹרָה, אֵין קֶמַח:

כב

הוּא הָיָה אוֹמֵר, כֹּל, שֶׁחָכְמָתוֹ
מְרֻבָּה מִמַּעֲשָׂיו, לְמָה הוּא דוֹמֶה,
לְאִילָן שֶׁעֲנָפָיו מְרֻבִּין וְשָׁרָשָׁיו מוּעָטִים,
וְהָרוּחַ בָּאָה, וְעוֹקַרְתּוֹ וְהוֹפַכְתּוֹ עַל
פָּנָיו; שֶׁנֶּאֱמַר, וְהָיָה, כְּעַרְעָר בָּעֲרָבָה,
וְלֹא יִרְאֶה, כִּי־יָבֹא טוֹב, וְשָׁכַן חֲרֵרִים
בַּמִּדְבָּר, אֶרֶץ מְלֵחָה, וְלֹא תֵשֵׁב. אֲבָל,
כֹּל, שֶׁמַּעֲשָׂיו מְרֻבִּים מֵחָכְמָתוֹ, לְמָה
הוּא דוֹמֶה, לְאִילָן שֶׁעֲנָפָיו מוּעָטִים
וְשָׁרָשָׁיו מְרֻבִּים, שֶׁאֲפִלּוּ, כָּל־הָרוּחוֹת
שֶׁבָּעוֹלָם, בָּאוֹת וְנוֹשְׁבוֹת בּוֹ, אֵין מְזִיזִין
אוֹתוֹ מִמְּקוֹמוֹ; שֶׁנֶּאֱמַר, וְהָיָה כְּעֵץ
שָׁתוּל עַל־מָיִם, וְעַל־יוּבַל יְשַׁלַּח

שָׁרָשָׁיו, וְלֹא יִרְאֶה, כִּי־יָבֹא חֹם, וְהָיָה
עָלֵהוּ רַעֲנָן, וּבִשְׁנַת בַּצֹּרֶת לֹא יִדְאָג,
וְלֹא יָמִישׁ מֵעֲשׂוֹת פֶּרִי:

כג

רַבִּי אֶלְעָזָר (בֶּן)־חִסְמָא אוֹמֵר,
קִנִּין וּפִתְחֵי נִדָּה, הֵן הֵן גּוּפֵי הֲלָכוֹת,
תְּקוּפוֹת וְגִמַטְרִיָּאוֹת, פַּרְפְּרָאוֹת
לַחָכְמָה:

רַבִּי חֲנַנְיָא, בֶּן־עֲקַשְׁיָא, אוֹמֵר, רָצָה הַקָּדוֹשׁ
בָּרוּךְ הוּא, לְזַכּוֹת אֶת־יִשְׂרָאֵל, לְפִיכָךְ הִרְבָּה
לָהֶם תּוֹרָה וּמִצְוֹת. שֶׁנֶּאֱמַר יְיָ חָפֵץ לְמַעַן צִדְקוֹ,
יַגְדִּיל תּוֹרָה וְיַאְדִּיר:

פֶּרֶק רְבִיעִי. — CHAPTER IV.

כָּל־יִשְׂרָאֵל יֵשׁ לָהֶם חֵלֶק לְעוֹלָם הַבָּא, שֶׁנֶּאֱמַר,
וְעַמֵּךְ כֻּלָּם צַדִּיקִים, לְעוֹלָם יִירְשׁוּ אָרֶץ, נֵצֶר
מַטָּעַי, מַעֲשֵׂה יָדַי לְהִתְפָּאֵר:

א

בֶּן־זוֹמָא אוֹמֵר, אֵיזֶהוּ חָכָם,
הַלּוֹמֵד מִכָּל־אָדָם, שֶׁנֶּאֱמַר, מִכָּל־
מְלַמְּדַי הִשְׂכַּלְתִּי, כִּי עֵדְוֹתֶיךָ שִׂיחָה לִי.
אֵיזֶהוּ גִבּוֹר, הַכּוֹבֵשׁ אֶת־יִצְרוֹ, שֶׁנֶּאֱמַר,
טוֹב אֶרֶךְ אַפַּיִם מִגִּבּוֹר, וּמוֹשֵׁל בְּרוּחוֹ,
מִלֹּכֵד עִיר. אֵיזֶהוּ עָשִׁיר, הַשָּׂמֵחַ
בְּחֶלְקוֹ; שֶׁנֶּאֱמַר, יְגִיעַ כַּפֶּיךָ, כִּי תֹאכֵל,
אַשְׁרֶיךָ וְטוֹב לָךְ; אַשְׁרֶיךָ, בָּעוֹלָם הַזֶּה,
וְטוֹב לָךְ, לָעוֹלָם הַבָּא. אֵיזֶהוּ מְכֻבָּד,
הַמְכַבֵּד אֶת־הַבְּרִיּוֹת; שֶׁנֶּאֱמַר, כִּי
מְכַבְּדַי אֲכַבֵּד, וּבֹזַי יֵקָלּוּ:

ב

בֶּן־עַזַּי אוֹמֵר, הֱוֵי רָץ לְמִצְוָה
קַלָּה, כְּלַחֲמוּרָה, וּבוֹרֵחַ מִן־הָעֲבֵרָה,
שֶׁמִּצְוָה גוֹרֶרֶת מִצְוָה, וַעֲבֵרָה גוֹרֶרֶת
עֲבֵרָה, שֶׁשְּׂכַר מִצְוָה מִצְוָה, וּשְׂכַר
עֲבֵרָה עֲבֵרָה:

ג

הוּא הָיָה אוֹמֵר, אַל־תְּהִי בָז
לְכָל־אָדָם, וְאַל־תְּהִי מַפְלִיג לְכָל־
דָּבָר, שֶׁאֵין לְךָ אָדָם שֶׁאֵין לוֹ שָׁעָה,
וְאֵין לְךָ דָּבָר שֶׁאֵין לוֹ מָקוֹם:

ד

רַבִּי לְוִיטָס, אִישׁ יַבְנֶה, אוֹמֵר,
מְאֹד מְאֹד הֱוֵי שְׁפַל רוּחַ, שֶׁתִּקְוַת אֱנוֹשׁ
רִמָּה:

ה

רַבִּי יוֹחָנָן בֶּן־בְּרוֹקָא אוֹמֵר,
כָּל־הַמְחַלֵּל שֵׁם שָׁמַיִם בַּסֵּתֶר, נִפְרָעִים
מִמֶּנּוּ, בַּגָּלוּי; אֶחָד שׁוֹגֵג וְאֶחָד מֵזִיד
בְּחִלּוּל הַשֵּׁם:

ו

רַבִּי יִשְׁמָעֵאל (בְּנוֹ) אוֹמֵר, הַלּוֹמֵד
עַל־מְנָת לְלַמֵּד, מַסְפִּיקִים בְּיָדוֹ לִלְמֹד
וּלְלַמֵּד, וְהַלּוֹמֵד עַל־מְנָת לַעֲשׂוֹת,
מַסְפִּיקִים בְּיָדוֹ לִלְמֹד וּלְלַמֵּד, לִשְׁמֹר
וְלַעֲשׂוֹת:

ז

רַבִּי צָדוֹק אוֹמֵר, אַל־תִּפְרֹשׁ מִן
הַצִּבּוּר, וְאַל־תַּעַשׂ עַצְמָךְ, כְּעוֹרְכֵי
הַדַּיָּנִים, וְאַל־תַּעֲשֶׂהָ עֲטָרָה, לְהִתְגַּדֶּל־
בָּהּ, וְלֹא קַרְדֹּם לַחְפָּר־בָּהּ. וְכַךְ הָיָה
הִלֵּל אוֹמֵר, וְדְאִשְׁתַּמַּשׁ בְּתַגָּא חֲלָף; הָא
לָמַדְתָּ, כָּל־הַנֶּהֱנֶה מִדִּבְרֵי תוֹרָה, נוֹטֵל
חַיָּיו מִן הָעוֹלָם:

ח

רַבִּי יוֹסֵי אוֹמֵר, כָּל־הַמְכַבֵּד
אֶת־הַתּוֹרָה, גּוּפוֹ מְכֻבָּד עַל־הַבְּרִיּוֹת,
וְכָל־הַמְחַלֵּל אֶת־הַתּוֹרָה, גּוּפוֹ מְחֻלָּל
עַל־הַבְּרִיּוֹת:

ט

רַבִּי יִשְׁמָעֵאל בְּנוֹ אוֹמֵר, הַחֹשֵׂךְ
עַצְמוֹ מִן־הַדִּין, פּוֹרֵק מִמֶּנּוּ אֵיבָה,
וְגָזֵל, וּשְׁבוּעַת שָׁוְא; וְהַגַּס לִבּוֹ, בְּהוֹרָאָה
שׁוֹטֶה, רָשָׁע, וְגַס רוּחַ:

י

הוּא הָיָה אוֹמֵר, אַל־תְּהִי דָן
יְחִידִי, שֶׁאֵין דָּן יְחִידִי אֶלָּא אֶחָד;
וְאַל־תֹּאמַר, קַבְּלוּ דַעְתִּי, שֶׁהֵם רַשָּׁאִים
וְלֹא אָתָּה:

יא

רַבִּי יוֹנָתָן אוֹמֵר, כָּל־הַמְקַיֵּם
אֶת־הַתּוֹרָה מֵעֹנִי, סוֹפוֹ לְקַיְּמָהּ מֵעֹשֶׁר,

וְכָל־הַמְּבַטֵּל אֶת־הַתּוֹרָה מֵעֹשֶׁר, סוֹפוֹ
לְבַטְּלָהּ מֵעֹנִי:

יב

רַבִּי מֵאִיר אוֹמֵר, הֱוֵי מְמַעֵט
בְּעֵסֶק וַעֲסֹק בַּתּוֹרָה, וֶהֱוֵי שְׁפַל־רוּחַ
בִּפְנֵי כָל־אָדָם, וְאִם־בָּטַלְתָּ מִן־
הַתּוֹרָה, יֶשׁ־לְךָ, בְּטֵלִים הַרְבֵּה,
כְּנֶגְדֶּךָ; וְאִם־עָמַלְתָּ בַּתּוֹרָה, יֶשׁ־לוֹ
שָׂכָר הַרְבֵּה, לִתֶּן־לָךְ:

יג

רַבִּי אֱלִיעֶזֶר בֶּן־יַעֲקֹב אוֹמֵר,
הָעֹשֶׂה מִצְוָה אַחַת קוֹנֶה לוֹ, פְּרַקְלִיט
אֶחָד, וְהָעוֹבֵר עֲבֵרָה אַחַת, קוֹנֶה לוֹ
קַטֵּגוֹר אֶחָד; תְּשׁוּבָה וּמַעֲשִׂים טוֹבִים,
כִּתְרִיס בִּפְנֵי הַפֻּרְעָנוּת:

יד

רַבִּי יוֹחָנָן הַסַּנְדְּלָר אוֹמֵר, כָּל־
כְּנֵסִיָה שֶׁהִיא לְשֵׁם שָׁמַיִם, סוֹפָהּ
לְהִתְקַיֵּם, וְשֶׁאֵינָהּ לְשֵׁם שָׁמַיִם, אֵין
סוֹפָהּ לְהִתְקַיֵּם:

טו

רַבִּי אֶלְעָזָר בֶּן־שַׁמּוּעַ אוֹמֵר, יְהִי
כְבוֹד תַּלְמִידְךָ חָבִיב עָלֶיךָ, כְּשֶׁלָּךְ;
וּכְבוֹד חֲבֵרְךָ, כְּמוֹרָא רַבָּךְ; וּמוֹרָא
רַבָּךְ, כְּמוֹרָא שָׁמַיִם:

טז

רַבִּי יְהוּדָה אוֹמֵר, הֱוֵי זָהִיר
בְּתַלְמוּד, שֶׁשִּׁגְגַת תַּלְמוּד עוֹלָה זָדוֹן:

יז

רַבִּי שִׁמְעוֹן אוֹמֵר, שְׁלֹשָׁה כְתָרִים
הֵן, כֶּתֶר תּוֹרָה, וְכֶתֶר כְּהֻנָּה, וְכֶתֶר
מַלְכוּת; וְכֶתֶר שֵׁם טוֹב, עוֹלֶה עַל
גַּבֵּיהֶן:

יח

רַבִּי נְהוֹרַאי אוֹמֵר, הֱוֵי גוֹלֶה
לִמְקוֹם תּוֹרָה, וְאַל־תֹּאמַר, שֶׁהִיא
תָבוֹא אַחֲרֶיךָ, שֶׁחֲבֵרֶיךָ יְקַיְּמוּהָ בְּיָדֶךָ,
וְאֶל־בִּינָתְךָ אַל־תִּשָּׁעֵן:

יט

רַבִּי יַנַּאי אוֹמֵר, אֵין בְּיָדֵינוּ לֹא
מִשַּׁלְוַת הָרְשָׁעִים, וְאַף לֹא מִיִּסּוֹרֵי
הַצַּדִּיקִים:

כ

רַבִּי מַתְיָא בֶּן־חָרָשׁ, אוֹמֵר, הֱוֵי
מַקְדִּים בִּשְׁלוֹם כָּל־אָדָם, וֶהֱוֵי זָנָב
לָאֲרָיוֹת, וְאַל־תְּהִי רֹאשׁ לַשּׁוּעָלִים:

כא

רַבִּי יַעֲקֹב אוֹמֵר, הָעוֹלָם הַזֶּה,
דּוֹמֶה לִפְרוֹזְדוֹר, בִּפְנֵי הָעוֹלָם הַבָּא;
הַתְקֵן עַצְמְךָ, בִּפְרוֹזְדוֹר, כְּדֵי שֶׁתִּכָּנֵס
לַטְּרַקְלִין:

כב

הוּא הָיָה אוֹמֵר, יָפָה שָׁעָה אַחַת בִּתְשׁוּבָה וּמַעֲשִׂים טוֹבִים בָּעוֹלָם הַזֶּה, מִכָּל־חַיֵּי הָעוֹלָם הַבָּא; וְיָפָה שָׁעָה אַחַת שֶׁל־קֹרַת רוּחַ בָּעוֹלָם הַבָּא, מִכָּל־חַיֵּי הָעוֹלָם הַזֶּה:

כג

רַבִּי שִׁמְעוֹן בֶּן־אֶלְעָזָר אוֹמֵר, אַל־תְּרַצֶּה אֶת־חֲבֵרְךָ, בִּשְׁעַת כַּעְסוֹ, וְאַל־תְּנַחֲמֵהוּ, בְּשָׁעָה שֶׁמֵּתוֹ מֻטָּל לְפָנָיו וְאַל־תִּשְׁאַל־לוֹ, בִּשְׁעַת נִדְרוֹ, וְאַל־תִּשְׁתַּדֵּל לִרְאוֹתוֹ, בִּשְׁעַת קַלְקָלָתוֹ:

כד

שְׁמוּאֵל הַקָּטָן אוֹמֵר, בִּנְפֹל אֹיִבְךָ אַל־תִּשְׂמָח, וּבִכָּשְׁלוֹ אַל־יָגֵל לִבֶּךָ, פֶּן־יִרְאֶה יְיָ, וְרַע בְּעֵינָיו, וְהֵשִׁיב מֵעָלָיו אַפּוֹ:

כה

אֱלִישָׁע בֶּן־אֲבוּיָה אוֹמֵר, הַלּוֹמֵד יֶלֶד, לְמָה הוּא דוֹמֶה, לִדְיוֹ כְתוּבָה עַל־נְיָר חָדָשׁ; וְהַלּוֹמֵד זָקֵן, לְמָה הוּא דוֹמֶה, לִדְיוֹ כְתוּבָה עַל־נְיָר מָחוּק:

כו

רַבִּי יוֹסֵי בַּר־יְהוּדָה, אִישׁ כְּפַר הַבַּבְלִי, אוֹמֵר, הַלּוֹמֵד מִן־הַקְּטַנִּים, לְמָה הוּא דוֹמֶה, לְאוֹכֵל עֲנָבִים קֵהוֹת, וְשׁוֹתֶה יַיִן מִגִּתּוֹ; וְהַלּוֹמֵד מִן־הַזְּקֵנִים, לְמָה הוּא דוֹמֶה, לְאוֹכֵל עֲנָבִים בְּשׁוּלוֹת, וְשׁוֹתֶה יַיִן יָשָׁן:

כז

רַבִּי מֵאִיר אוֹמֵר, אַל תִּסְתַּכֵּל בְּקַנְקַן, אֶלָּא, בְּמַה שֶּׁיֵּשׁ בּוֹ; יֵשׁ קַנְקַן חָדָשׁ מָלֵא יָשָׁן, וְיָשָׁן, שֶׁאֲפִילוּ חָדָשׁ אֵין בּוֹ:

כח

רַבִּי אֶלְעָזָר הַקַּפָּר אוֹמֵר, הַקִּנְאָה וְהַתַּאֲוָה וְהַכָּבוֹד, מוֹצִיאִין אֶת־הָאָדָם מִן הָעוֹלָם:

כט

הוּא הָיָה אוֹמֵר, הַיִּלּוֹדִים לָמוּת, וְהַמֵּתִים לְהֵחָיוֹת, וְהַחַיִּים לִדּוֹן, לֵידַע, וּלְהוֹדִיעַ, וּלְהִוָּדַע, שֶׁהוּא אֵל, הוּא הַיּוֹצֵר, הוּא הַבּוֹרֵא, הוּא הַמֵּבִין, הוּא הַדַּיָּן, הוּא הָעֵד, הוּא בַּעַל דִּין, הוּא עָתִיד לָדוּן:

ל

בָּרוּךְ הוּא, שֶׁאֵין לְפָנָיו, לֹא עַוְלָה, וְלֹא שִׁכְחָה, וְלֹא מַשּׂוֹא פָנִים, וְלֹא מִקַּח שֹׁחַד, וְדַע, שֶׁהַכֹּל לְפִי הַחֶשְׁבּוֹן; וְאַל־יַבְטִיחֲךָ יִצְרְךָ, שֶׁהַשְּׁאוֹל בֵּית מָנוֹס לָךְ, שֶׁעַל כָּרְחֲךָ אַתָּה נוֹצָר,

וְעַל כָּרְחֲךָ אַתָּה נוֹלָד, וְעַל כָּרְחֲךָ
אַתָּה חַי, וְעַל כָּרְחֲךָ אַתָּה מֵת, וְעַל
כָּרְחֲךָ אַתָּה עָתִיד לִתֵּן דִּין וְחֶשְׁבּוֹן,
לִפְנֵי מֶלֶךְ מַלְכֵי הַמְּלָכִים, הַקָּדוֹשׁ
בָּרוּךְ הוּא:

רַבִּי חֲנַנְיָא, בֶּן־עֲקַשְׁיָא, אוֹמֵר, רָצָה הַקָּדוֹשׁ
בָּרוּךְ הוּא, לְזַכּוֹת אֶת־יִשְׂרָאֵל, לְפִיכָךְ הִרְבָּה
לָהֶם תּוֹרָה וּמִצְוֹת. שֶׁנֶּאֱמַר יְיָ חָפֵץ לְמַעַן צִדְקוֹ,
יַגְדִּיל תּוֹרָה וְיַאְדִּיר:

פֶּרֶק חֲמִישִׁי. — CHAPTER V.

כָּל־יִשְׂרָאֵל יֵשׁ לָהֶם חֵלֶק לָעוֹלָם הַבָּא, שֶׁנֶּאֱמַר,
וְעַמֵּךְ כֻּלָּם צַדִּיקִים, לְעוֹלָם יִירְשׁוּ אָרֶץ, נֵצֶר
מַטָּעַי, מַעֲשֵׂה יָדַי לְהִתְפָּאֵר:

א
בַּעֲשָׂרָה מַאֲמָרוֹת נִבְרָא הָעוֹלָם.
וּמַה תַּלְמוּד לוֹמַר, וַהֲלֹא, בְּמַאֲמָר
אֶחָד יָכוֹל לְהִבָּרְאוֹת; אֶלָּא, לְהִפָּרַע
מִן־הָרְשָׁעִים, שֶׁמְּאַבְּדִים אֶת־הָעוֹלָם,
שֶׁנִּבְרָא בַּעֲשָׂרָה מַאֲמָרוֹת, וְלִתֵּן שָׂכָר
טוֹב לַצַּדִּיקִים, שֶׁמְּקַיְּמִים אֶת־הָעוֹלָם,
שֶׁנִּבְרָא בַּעֲשָׂרָה מַאֲמָרוֹת:

ב
עֲשָׂרָה דוֹרוֹת מֵאָדָם וְעַד נֹחַ,
לְהוֹדִיעַ, כַּמָּה אֶרֶךְ אַפַּיִם לְפָנָיו, שֶׁכָּל
הַדּוֹרוֹת הָיוּ מַכְעִיסִים וּבָאִים, עַד
שֶׁהֵבִיא עֲלֵיהֶם אֶת־מֵי הַמַּבּוּל:

ג
עֲשָׂרָה דוֹרוֹת מִנֹּחַ וְעַד אַבְרָהָם.
לְהוֹדִיעַ, כַּמָּה אֶרֶךְ אַפַּיִם לְפָנָיו,
שֶׁכָּל־הַדּוֹרוֹת הָיוּ מַכְעִיסִים וּבָאִים,
עַד שֶׁבָּא אַבְרָהָם אָבִינוּ, וְקִבֵּל שְׂכַר
כֻּלָּם:

ד
עֲשָׂרָה נִסְיוֹנוֹת נִתְנַסָּה אַבְרָהָם
אָבִינוּ, וְעָמַד בְּכֻלָּם לְהוֹדִיעַ, כַּמָּה
חִבָּתוֹ שֶׁל־אַבְרָהָם אָבִינוּ:

ה
עֲשָׂרָה נִסִּים נַעֲשׂוּ לַאֲבוֹתֵינוּ,
בְּמִצְרַיִם, וַעֲשָׂרָה עַל הַיָּם. עֶשֶׂר מַכּוֹת
הֵבִיא הַקָּדוֹשׁ, בָּרוּךְ הוּא, עַל הַמִּצְרִים
בְּמִצְרַיִם, וְעֶשֶׂר עַל הַיָּם:

ו
עֲשָׂרָה נִסְיוֹנוֹת נִסּוּ אֲבוֹתֵינוּ אֶת־
הַקָּדוֹשׁ, בָּרוּךְ הוּא, בַּמִּדְבָּר; שֶׁנֶּאֱמַר,
וַיְנַסּוּ אֹתִי זֶה עֶשֶׂר פְּעָמִים, וְלֹא שָׁמְעוּ,
בְּקוֹלִי:

ז
עֲשָׂרָה נִסִּים נַעֲשׂוּ לַאֲבוֹתֵינוּ,
בְּבֵית הַמִּקְדָּשׁ. לֹא הִפִּילָה אִשָּׁה מֵרֵיחַ
בְּשַׂר הַקֹּדֶשׁ, וְלֹא הִסְרִיחַ בְּשַׂר הַקֹּדֶשׁ
מֵעוֹלָם, וְלֹא נִרְאָה זְבוּב בְּבֵית
הַמִּטְבָּחַיִם, וְלֹא אֵרַע קֶרִי לְכֹהֵן גָּדוֹל

בְּיוֹם הַכִּפֻּרִים, וְלֹא כִבּוּ הַגְּשָׁמִים אֵשׁ שֶׁל־עֲצֵי הַמַּעֲרָכָה, וְלֹא נִצְּחָה הָרוּחַ אֶת־עַמּוּד הֶעָשָׁן, וְלֹא נִמְצָא פְסוּל בָּעֹמֶר וּבִשְׁתֵּי הַלֶּחֶם וּבְלֶחֶם הַפָּנִים, עוֹמְדִים צְפוּפִים וּמִשְׁתַּחֲוִים רְוָחִים, וְלֹא הִזִּיק נָחָשׁ וְעַקְרָב בִּירוּשָׁלַיִם מֵעוֹלָם, וְלֹא אָמַר אָדָם לַחֲבֵרוֹ, צַר לִי הַמָּקוֹם, שֶׁאָלִין בִּירוּשָׁלָיִם:

ח

עֲשָׂרָה דְבָרִים נִבְרְאוּ, בְּעֶרֶב שַׁבָּת, בֵּין הַשְּׁמָשׁוֹת, וְאֵלּוּ הֵן: פִּי־הָאָרֶץ, פִּי הַבְּאֵר, פִּי הָאָתוֹן, הַקֶּשֶׁת, וְהַמָּן, וְהַמַּטֶּה, וְהַשָּׁמִיר, הַכְּתָב, וְהַמִּכְתָּב, וְהַלֻּחֹת; וְיֵשׁ אוֹמְרִים, אַף הַמַּזִּיקִין, וּקְבוּרָתוֹ שֶׁל־מֹשֶׁה, וְאֵילוֹ שֶׁל־אַבְרָהָם אָבִינוּ; וְיֵשׁ אוֹמְרִים, אַף צְבָת, בִּצְבָת עֲשׂוּיָה:

ט

שִׁבְעָה דְבָרִים בְּגֹלֶם, וְשִׁבְעָה, בְּחָכָם. חָכָם, אֵינוֹ מְדַבֵּר, לִפְנֵי מִי שֶׁגָּדוֹל מִמֶּנּוּ, בְּחָכְמָה וּבְמִנְיָן, וְאֵינוֹ נִכְנָס לְתוֹךְ דִּבְרֵי חֲבֵרוֹ, וְאֵינוֹ נִבְהָל לְהָשִׁיב, שׁוֹאֵל כְּעִנְיָן וּמֵשִׁיב כַּהֲלָכָה, וְאוֹמֵר עַל־רִאשׁוֹן רִאשׁוֹן וְעַל־אַחֲרוֹן אַחֲרוֹן, וְעַל מַה־שֶּׁלֹּא שָׁמַע, אוֹמֵר, לֹא שָׁמַעְתִּי, וּמוֹדֶה עַל־הָאֱמֶת, וְחִלּוּפֵיהֶם בְּגֹלֶם:

שִׁבְעָה מִינֵי פֻרְעָנִיּוֹת בָּאִים לָעוֹלָם, עַל־שִׁבְעָה גוּפֵי עֲבֵרָה. מִקְצָתָם מְעַשְּׂרִים וּמִקְצָתָם אֵינָם מְעַשְּׂרִים, רָעָב שֶׁל בַּצֹּרֶת בָּא, מִקְצָתָם רְעֵבִים וּמִקְצָתָם שְׂבֵעִים; גָּמְרוּ שֶׁלֹּא לְעַשֵּׂר, רָעָב שֶׁל־מְהוּמָה וְשֶׁל־בַּצֹּרֶת בָּא; וְשֶׁלֹּא לִטּוֹל אֶת־הַחַלָּה, רָעָב שֶׁל־כְּלָיָה, בָּא:

יא

דֶּבֶר בָּא לָעוֹלָם, עַל־מִיתוֹת הָאֲמוּרוֹת בַּתּוֹרָה, שֶׁלֹּא נִמְסְרוּ לְבֵית דִּין, וְעַל פֵּרוֹת שְׁבִיעִית. חֶרֶב בָּאָה לָעוֹלָם, עַל עִנּוּי הַדִּין, וְעַל עִוּוּת הַדִּין, וְעַל הַמּוֹרִים בַּתּוֹרָה שֶׁלֹּא כַהֲלָכָה. חַיָּה רָעָה, בָּאָה לָעוֹלָם, עַל־שְׁבוּעַת שָׁוְא, וְעַל־חִלּוּל הַשֵּׁם. גָּלוּת בָּאָה לָעוֹלָם, עַל־עֲבוֹדַת כּוֹכָבִים, וְעַל־גִּלּוּי עֲרָיוֹת, וְעַל־שְׁפִיכוּת דָּמִים, וְעַל־שְׁמִטַּת הָאָרֶץ:

יב

בְּאַרְבָּעָה פְרָקִים, הַדֶּבֶר מִתְרַבֶּה; בָּרְבִיעִית, וּבַשְּׁבִיעִית, וּבְמוֹצָאֵי שְׁבִיעִית, וּבְמוֹצָאֵי הֶחָג, שֶׁבְּכָל־שָׁנָה וְשָׁנָה. בָּרְבִיעִית, מִפְּנֵי מַעְשַׂר עָנִי, שֶׁבַּשְּׁלִישִׁית; בַּשְּׁבִיעִית, מִפְּנֵי מַעְשַׂר עָנִי, שֶׁבַּשִּׁשִּׁית; בְּמוֹצָאֵי שְׁבִיעִית, מִפְּנֵי

פֵּרוֹת שְׁבִיעִית; בְּמוֹצָאֵי הֶחָג שֶׁבְּכָל־שָׁנָה וְשָׁנָה, מִפְּנֵי גֶזֶל מַתְּנוֹת עֲנִיִּים:

יג

אַרְבַּע מִדּוֹת בָּאָדָם; הָאוֹמֵר, שֶׁלִּי שֶׁלִּי, וְשֶׁלְּךָ שֶׁלָּךְ, זוֹ מִדָּה בֵינוֹנִית, וְיֵשׁ אוֹמְרִים, זוֹ מִדַּת סְדוֹם; שֶׁלִּי שֶׁלָּךְ, וְשֶׁלְּךָ שֶׁלִּי, עַם הָאָרֶץ; שֶׁלִּי שֶׁלָּךְ, וְשֶׁלְּךָ שֶׁלָּךְ, חָסִיד; שֶׁלְּךָ שֶׁלִּי, וְשֶׁלִּי שֶׁלִּי, רָשָׁע:

יד

אַרְבַּע מִדּוֹת בְּדֵעוֹת; נוֹחַ לִכְעֹס וְנוֹחַ לִרְצוֹת, יָצָא הֶפְסֵדוֹ, בִּשְׂכָרוֹ; קָשֶׁה לִכְעֹס וְקָשֶׁה לִרְצוֹת, יָצָא שְׂכָרוֹ, בְּהֶפְסֵדוֹ; קָשֶׁה לִכְעֹס וְנוֹחַ לִרְצוֹת, חָסִיד; נוֹחַ לִכְעֹס וְקָשֶׁה לִרְצוֹת, רָשָׁע:

טו

אַרְבַּע מִדּוֹת בְּתַלְמִידִים; מָהִיר לִשְׁמֹעַ וּמָהִיר לְאַבֵּד, יָצָא שְׂכָרוֹ, בְּהֶפְסֵדוֹ; קָשֶׁה לִשְׁמֹעַ וְקָשֶׁה לְאַבֵּד, יָצָא הֶפְסֵדוֹ, בִּשְׂכָרוֹ; מָהִיר לִשְׁמֹעַ וְקָשֶׁה לְאַבֵּד, זֶה חֵלֶק טוֹב; קָשֶׁה לִשְׁמֹעַ וּמָהִיר לְאַבֵּד, זֶה חֵלֶק רָע:

טז

אַרְבַּע מִדּוֹת בְּנוֹתְנֵי צְדָקָה; הָרוֹצֶה שֶׁיִּתֵּן וְלֹא יִתְּנוּ אֲחֵרִים, עֵינוֹ רָעָה, בְּשֶׁל־אֲחֵרִים; יִתְּנוּ אֲחֵרִים, וְהוּא לֹא יִתֵּן, עֵינוֹ רָעָה, בְּשֶׁלּוֹ; יִתֵּן וְיִתְּנוּ אֲחֵרִים, חָסִיד; לֹא יִתֵּן וְלֹא יִתְּנוּ אֲחֵרִים, רָשָׁע:

יז

אַרְבַּע מִדּוֹת בְּהוֹלְכֵי בֵית הַמִּדְרָשׁ; הוֹלֵךְ וְאֵינוֹ עֹשֶׂה, שְׂכַר הֲלִיכָה, בְּיָדוֹ; עֹשֶׂה וְאֵינוֹ הוֹלֵךְ, שְׂכַר מַעֲשֶׂה, בְּיָדוֹ; הוֹלֵךְ וְעֹשֶׂה, חָסִיד; לֹא הוֹלֵךְ וְלֹא עֹשֶׂה, רָשָׁע:

יח

אַרְבַּע מִדּוֹת בְּיוֹשְׁבִים לִפְנֵי חֲכָמִים; סְפוֹג, וּמַשְׁפֵּךְ, מְשַׁמֶּרֶת, וְנָפָה. סְפוֹג, שֶׁהוּא סוֹפֵג אֶת הַכֹּל; וּמַשְׁפֵּךְ, שֶׁמַּכְנִיס בְּזוֹ וּמוֹצִיא בְזוֹ; מְשַׁמֶּרֶת, שֶׁמּוֹצִיאָה אֶת־הַיַּיִן וְקוֹלֶטֶת אֶת־הַשְּׁמָרִים; וְנָפָה, שֶׁמּוֹצִיאָה אֶת־הַקֶּמַח וְקוֹלֶטֶת אֶת־הַסֹּלֶת:

יט

כָּל־אַהֲבָה שֶׁהִיא־תְלוּיָה בְדָבָר בָּטֵל דָּבָר, בְּטֵלָה אַהֲבָה; וְשֶׁאֵינָהּ תְּלוּיָה בְדָבָר, אֵינָהּ בְּטֵלָה לְעוֹלָם. אֵיזוֹ הִיא אַהֲבָה, שֶׁהִיא־תְלוּיָה בְדָבָר, זוֹ אַהֲבַת אַמְנוֹן וְתָמָר; וְשֶׁאֵינָהּ תְּלוּיָה בְדָבָר, זוֹ אַהֲבַת דָּוִד וִיהוֹנָתָן:

כ

כָּל־מַחֲלֹקֶת שֶׁהִיא לְשֵׁם שָׁמַיִם, סוֹפָהּ לְהִתְקַיֵּם; וְשֶׁאֵינָהּ לְשֵׁם שָׁמַיִם,

אֵין סוֹפָה לְהִתְקַיֵּם. אֵיזוֹ הִיא מַחֲלֹקֶת
שֶׁהִיא לְשֵׁם שָׁמַיִם, זוֹ מַחֲלֹקֶת הִלֵּל
וְשַׁמַּאי; וְשֶׁאֵינָהּ לְשֵׁם שָׁמַיִם, זוֹ מַחֲלֹקֶת
קֹרַח וְכָל־עֲדָתוֹ:

כא

כָּל־הַמְזַכֶּה אֶת־הָרַבִּים, אֵין
חֵטְא בָּא עַל־יָדוֹ, וְכָל־הַמַּחֲטִיא אֶת־
הָרַבִּים, אֵין מַסְפִּיקִים בְּיָדוֹ לַעֲשׂוֹת
תְּשׁוּבָה. מֹשֶׁה זָכָה וְזִכָּה אֶת־הָרַבִּים,
זְכוּת הָרַבִּים תָּלוּי בּוֹ; שֶׁנֶּאֱמַר, צִדְקַת
יְיָ עָשָׂה, וּמִשְׁפָּטָיו עִם־יִשְׂרָאֵל. יָרָבְעָם
בֶּן־נְבָט חָטָא וְהֶחֱטִיא אֶת־הָרַבִּים,
חֵטְא הָרַבִּים תָּלוּי בּוֹ; שֶׁנֶּאֱמַר, עַל
חַטֹּאות יָרָבְעָם אֲשֶׁר חָטָא, וַאֲשֶׁר
הֶחֱטִיא אֶת־יִשְׂרָאֵל:

כב

כָּל־מִי שֶׁיֶּשׁ־בּוֹ שְׁלֹשָׁה דְבָרִים
הַלָּלוּ, הוּא מִתַּלְמִידָיו שֶׁל־אַבְרָהָם
אָבִינוּ, וּשְׁלֹשָׁה דְבָרִים אֲחֵרִים, הוּא
מִתַּלְמִידָיו שֶׁל־בִּלְעָם הָרָשָׁע. עַיִן־
טוֹבָה, וְרוּחַ נְמוּכָה, וְנֶפֶשׁ שְׁפָלָה,
מִתַּלְמִידָיו שֶׁל־אַבְרָהָם אָבִינוּ; עַיִן
רָעָה, וְרוּחַ גְּבוֹהָה, וְנֶפֶשׁ רְחָבָה,
מִתַּלְמִידָיו שֶׁל־בִּלְעָם הָרָשָׁע. מַה בֵּין
תַּלְמִידָיו שֶׁל־אַבְרָהָם אָבִינוּ, לְתַלְמִידָיו
שֶׁל־בִּלְעָם הָרָשָׁע. תַּלְמִידָיו שֶׁל־

אַבְרָהָם אָבִינוּ, אוֹכְלִים בָּעוֹלָם הַזֶּה,
וְנוֹחֲלִים הָעוֹלָם הַבָּא; שֶׁנֶּאֱמַר, לְהַנְחִיל
אֹהֲבַי יֵשׁ, וְאֹצְרֹתֵיהֶם אֲמַלֵּא; אֲבָל
תַּלְמִידָיו שֶׁל־בִּלְעָם הָרָשָׁע, יוֹרְשִׁים
גֵּיהִנֹּם, וְיוֹרְדִים לִבְאֵר שַׁחַת; שֶׁנֶּאֱמַר,
וְאַתָּה אֱלֹהִים, תּוֹרִדֵם לִבְאֵר שַׁחַת,
אַנְשֵׁי דָמִים וּמִרְמָה, לֹא־יֶחֱצוּ יְמֵיהֶם,
וַאֲנִי אֶבְטַח־בָּךְ:

כג

יְהוּדָה בֶּן־תֵּימָא, אוֹמֵר, הֱוֵי עַז
כַּנָּמֵר, וְקַל כַּנֶּשֶׁר, רָץ כַּצְּבִי, וְגִבּוֹר
כָּאֲרִי, לַעֲשׂוֹת רְצוֹן אָבִיךָ שֶׁבַּשָּׁמָיִם.
הוּא הָיָה אוֹמֵר, עַז פָּנִים לְגֵיהִנֹּם, וּבֹשׁ
פָּנִים לְגַן עֵדֶן. יְהִי רָצוֹן מִלְפָנֶיךָ, יְיָ
אֱלֹהֵינוּ וֵאלֹהֵי אֲבוֹתֵינוּ, שֶׁיִּבָּנֶה בֵּית
הַמִּקְדָּשׁ, בִּמְהֵרָה בְיָמֵינוּ, וְתֵן חֶלְקֵנוּ,
בְּתוֹרָתֶךָ:

כד

הוּא הָיָה אוֹמֵר, בֶּן־חָמֵשׁ שָׁנִים
לַמִּקְרָא, בֶּן־עֶשֶׂר שָׁנִים לַמִּשְׁנָה, בֶּן־
שְׁלשׁ עֶשְׂרֵה לַמִּצְוֹת, בֶּן־חֲמֵשׁ עֶשְׂרֵה
לַגְּמָרָא, בֶּן־שְׁמוֹנֶה עֶשְׂרֵה לַחֻפָּה, בֶּן־
עֶשְׂרִים לִרְדֹּף, בֶּן־שְׁלשִׁים לַכֹּחַ, בֶּן־
אַרְבָּעִים לַבִּינָה, בֶּן־חֲמִשִּׁים לָעֵצָה,
בֶּן־שִׁשִּׁים לַזִּקְנָה, בֶּן־שִׁבְעִים לְשֵׂיבָה,
בֶּן־שְׁמוֹנִים לִגְבוּרָה, בֶּן־תִּשְׁעִים לָשׁוּחַ,

בֶּן־מֵאָה, כְּאִלּוּ מֵת, וְעָבַר וּבָטֵל מִן־הָעוֹלָם:

כה

בֶּן בַּג בַּג אוֹמֵר, הֲפָךְ־בַּהּ וַהֲפָךְ בַּהּ, דְּכֹלָּא בַהּ, וּבַהּ תֶּחֱזֵא, וְסִיב וּבְלֵה בַהּ, וּמִנַּהּ לָא תְזוּעַ, שֶׁאֵין לְךָ מִדָּה טוֹבָה הֵימֶנָּה:

כו

בֶּן הֵא הֵא אוֹמֵר, לְפֻם צַעֲרָא אַגְרָא:

רַבִּי חֲנַנְיָא, בֶּן־עֲקַשְׁיָא, אוֹמֵר, רָצָה הַקָּדוֹשׁ בָּרוּךְ הוּא, לְזַכּוֹת אֶת־יִשְׂרָאֵל, לְפִיכָךְ הִרְבָּה לָהֶם תּוֹרָה וּמִצְוֹת. שֶׁנֶּאֱמַר יְיָ חָפֵץ לְמַעַן צִדְקוֹ, יַגְדִּיל תּוֹרָה וְיַאְדִּיר:

CHAPTER VI. — פרק ששי.

כָּל־יִשְׂרָאֵל יֵשׁ לָהֶם חֵלֶק לָעוֹלָם הַבָּא, שֶׁנֶּאֱמַר, וְעַמֵּךְ כֻּלָּם צַדִּיקִים, לְעוֹלָם יִירְשׁוּ אָרֶץ, נֵצֶר מַטָּעַי, מַעֲשֵׂה יָדַי לְהִתְפָּאֵר:

שָׁנוּ חֲכָמִים בִּלְשׁוֹן הַמִּשְׁנָה; בָּרוּךְ, שֶׁבָּחַר בָּהֶם וּבְמִשְׁנָתָם:

א

רַבִּי מֵאִיר אוֹמֵר, כָּל־הָעוֹסֵק בַּתּוֹרָה לִשְׁמָהּ, זוֹכֶה לִדְבָרִים הַרְבֵּה, וְלֹא עוֹד, אֶלָּא, שֶׁכָּל־הָעוֹלָם כֻּלּוֹ, כְּדַי הוּא לוֹ; נִקְרָא רֵעַ, אָהוּב, אוֹהֵב אֶת־הַמָּקוֹם, אוֹהֵב אֶת־הַבְּרִיּוֹת, מְשַׂמֵּחַ אֶת־הַמָּקוֹם, מְשַׂמֵּחַ אֶת־הַבְּרִיּוֹת, וּמַלְבַּשְׁתּוֹ עֲנָוָה וְיִרְאָה, וּמַכְשַׁרְתּוֹ לִהְיוֹת צַדִּיק, חָסִיד, יָשָׁר, וְנֶאֱמָן, וּמְרַחַקְתּוֹ מִן־הַחֵטְא, וּמְקָרַבְתּוֹ לִידֵי זְכוּת, וְנֶהֱנִים מִמֶּנּוּ עֵצָה וְתוּשִׁיָּה, בִּינָה וּגְבוּרָה; שֶׁנֶּאֱמַר, לִי עֵצָה וְתוּשִׁיָּה, אֲנִי בִינָה, לִי גְבוּרָה; וְנוֹתֶנֶת לוֹ מַלְכוּת, וּמֶמְשָׁלָה, וְחִקּוּר דִּין, וּמְגַלִּים לוֹ רָזֵי תוֹרָה, וְנַעֲשֶׂה כְּמַעְיָן הַמִּתְגַּבֵּר, וּכְנָהָר שֶׁאֵינוֹ פוֹסֵק; וְהֹוֶה, צָנוּעַ וְאֶרֶךְ רוּחַ, וּמוֹחֵל עַל־עֶלְבּוֹנוֹ, וּמְגַדַּלְתּוֹ, וּמְרוֹמַמְתּוֹ עַל כָּל הַמַּעֲשִׂים:

ב

אָמַר רַבִּי יְהוֹשֻׁעַ בֶּן־לֵוִי, בְּכָל־יוֹם וָיוֹם, בַּת־קוֹל יוֹצֵאת מֵהַר חוֹרֵב, וּמַכְרֶזֶת וְאוֹמֶרֶת, אוֹי לָהֶם לַבְּרִיּוֹת, מֵעֶלְבּוֹנָהּ שֶׁל־תּוֹרָה, שֶׁכָּל־מִי שֶׁאֵינוֹ עוֹסֵק בַּתּוֹרָה, נִקְרָא נָזוּף; שֶׁנֶּאֱמַר, נֶזֶם זָהָב בְּאַף חֲזִיר, אִשָּׁה יָפָה וְסָרַת טָעַם. וְאוֹמֵר, וְהַלֻּחֹת מַעֲשֵׂה אֱלֹהִים הֵמָּה, וְהַמִּכְתָּב, מִכְתַּב אֱלֹהִים הוּא, חָרוּת עַל־הַלֻּחֹת; אַל־תִּקְרָא חָרוּת, אֶלָּא חֵרוּת; שֶׁאֵין לְךָ בֶּן־חוֹרִין, אֶלָּא

מִי שֶׁעוֹסֵק בְּתַלְמוּד תּוֹרָה, וְכָל מִי
שֶׁעוֹסֵק בְּתַלְמוּד תּוֹרָה, הֲרֵי זֶה
מִתְעַלֶּה; שֶׁנֶּאֱמַר, וּמִמַּתָּנָה נַחֲלִיאֵל,
וּמִנַּחֲלִיאֵל בָּמוֹת:

ג

הַלּוֹמֵד מֵחֲבֵרוֹ, פֶּרֶק אֶחָד, אוֹ
הֲלָכָה אֶחָת, אוֹ, פָּסוּק אֶחָד, אוֹ דִּבּוּר
אֶחָד, אוֹ אֲפִילוּ אוֹת אֶחָת, צָרִיךְ לִנְהָג
בּוֹ כָבוֹד; שֶׁכֵּן מָצִינוּ, בְּדָוִד מֶלֶךְ
יִשְׂרָאֵל, שֶׁלֹּא לָמַד מֵאֲחִיתֹפֶל, אֶלָּא
שְׁנֵי דְבָרִים בִּלְבָד, קְרָאוֹ רַבּוֹ, אַלּוּפוֹ
וּמְיֻדָּעוֹ; שֶׁנֶּאֱמַר, וְאַתָּה אֱנוֹשׁ כְּעֶרְכִּי,
אַלּוּפִי וּמְיֻדָּעִי. וַהֲלֹא דְבָרִים קַל וָחֹמֶר
וּמַה דָוִד מֶלֶךְ יִשְׂרָאֵל, שֶׁלֹּא לָמַד
מֵאֲחִיתֹפֶל, אֶלָּא שְׁנֵי דְבָרִים בִּלְבָד,
קְרָאוֹ רַבּוֹ, אַלּוּפוֹ וּמְיֻדָּעוֹ, הַלּוֹמֵד
מֵחֲבֵרוֹ, פֶּרֶק אֶחָד, אוֹ הֲלָכָה אֶחָת,
אוֹ, פָּסוּק אֶחָד, אוֹ דִּבּוּר אֶחָד, אוֹ
אֲפִילוּ אוֹת אֶחָת, עַל־אַחַת כַּמָּה וְכַמָּה
שֶׁצָּרִיךְ לִנְהָג בּוֹ כָבוֹד. וְאֵין כָּבוֹד,
אֶלָּא תוֹרָה; שֶׁנֶּאֱמַר, כָּבוֹד חֲכָמִים
יִנְחָלוּ, וּתְמִימִים יִנְחֲלוּ טוֹב. וְאֵין טוֹב,
אֶלָּא תוֹרָה; שֶׁנֶּאֱמַר, כִּי לֶקַח טוֹב
נָתַתִּי לָכֶם, תּוֹרָתִי אַל־תַּעֲזֹבוּ:

ד

כָּךְ הִיא, דַּרְכָּהּ שֶׁל תּוֹרָה, פַּת
בַּמֶּלַח תֹּאכֵל וּמַיִם בַּמְּשׂוּרָה, תִּשְׁתֶּה,

וְעַל־הָאָרֶץ תִּישַׁן, וְחַיֵּי צַעַר תִּחְיֶה,
וּבַתּוֹרָה אַתָּה עָמֵל, אִם־אַתָּה עוֹשֶׂה,
כֵּן, אַשְׁרֶיךָ וְטוֹב לָךְ; אַשְׁרֶיךָ, בָּעוֹלָם
הַזֶּה, וְטוֹב לָךְ, לָעוֹלָם הַבָּא:

ה

אַל־תְּבַקֵּשׁ גְּדֻלָּה לְעַצְמֶךָ, וְאַל־
תַּחְמֹד כָּבוֹד, יוֹתֵר מִלִּמּוּדֶךָ עֲשֵׂה,
וְאַל־תִּתְאַוֶּה לְשֻׁלְחָנָם שֶׁל־שָׂרִים,
שֶׁשֻּׁלְחָנְךָ, גָּדוֹל מִשֻּׁלְחָנָם, וְכִתְרְךָ, גָּדוֹל
מִכִּתְרָם, וְנֶאֱמָן הוּא, בַּעַל מְלַאכְתֶּךָ,
שֶׁיְשַׁלֶּם לְךָ שְׂכַר פְּעֻלָּתֶךָ:

ו

גְּדוֹלָה תוֹרָה יוֹתֵר מִן־הַכְּהֻנָּה,
וּמִן־הַמַּלְכוּת; שֶׁהַמַּלְכוּת נִקְנֵית
בִּשְׁלֹשִׁים מַעֲלוֹת, וְהַכְּהֻנָּה נִקְנֵית
בְּעֶשְׂרִים וְאַרְבַּע, וְהַתּוֹרָה נִקְנֵית
בְּאַרְבָּעִים וּשְׁמוֹנָה דְבָרִים, וְאֵלוּ הֵן:
בְּתַלְמוּד, בִּשְׁמִיעַת הָאֹזֶן, בַּעֲרִיכַת
שְׂפָתַיִם, בְּבִינַת הַלֵּב, בְּאֵימָה, בְּיִרְאָה,
בַּעֲנָוָה, בְּשִׂמְחָה, בְּטָהֳרָה, בְּשִׁמּוּשׁ
חֲכָמִים, בְּדִבּוּק חֲבֵרִים, בְּפִלְפּוּל
הַתַּלְמִידִים, בְּיִשּׁוּב בְּמִקְרָא וּבְמִשְׁנָה,
בְּמִעוּט סְחוֹרָה, בְּמִעוּט דֶּרֶךְ אֶרֶץ,
בְּמִעוּט תַּעֲנוּג, בְּמִעוּט שֵׁנָה, בְּמִעוּט
שִׂיחָה, בְּמִעוּט שְׂחֹק, בְּאֶרֶךְ אַפִּים,
בְּלֵב־טוֹב, בֶּאֱמוּנַת חֲכָמִים, בְּקַבָּלַת
הַיִּסּוּרִים, הַמַּכִּיר אֶת־מְקוֹמוֹ, וְהַשָּׂמֵחַ

בְּחֶלְקוֹ, וְהָעוֹשֶׂה סְיָג לִדְבָרָיו, וְאֵינוֹ
מַחֲזִיק טוֹבָה לְעַצְמוֹ, אָהוּב, אוֹהֵב
אֶת־הַמָּקוֹם, אוֹהֵב אֶת־הַבְּרִיּוֹת, אוֹהֵב
אֶת־הַצְּדָקוֹת, אוֹהֵב אֶת־הַמֵּישָׁרִים,
אוֹהֵב אֶת־הַתּוֹכָחוֹת, וּמִתְרַחֵק מִן
הַכָּבוֹד, וְלֹא־מֵגִיס לִבּוֹ בְּתַלְמוּדוֹ,
וְאֵינוֹ שָׂמֵחַ בְּהוֹרָאָה, נוֹשֵׂא בְעֹל עִם־
חֲבֵרוֹ, וּמַכְרִיעוֹ לְכַף זְכוּת, וּמַעֲמִידוֹ
עַל־הָאֱמֶת, וּמַעֲמִידוֹ עַל־הַשָּׁלוֹם,
וּמִתְיַשֵּׁב לִבּוֹ בְּתַלְמוּדוֹ, שׁוֹאֵל וּמֵשִׁיב,
שׁוֹמֵעַ וּמוֹסִיף, הַלּוֹמֵד עַל־מְנָת לְלַמֵּד,
וְהַלּוֹמֵד עַל־מְנָת לַעֲשׂוֹת, הַמַּחְכִּים
אֶת־רַבּוֹ, וְהַמְכַוֵּן אֶת שְׁמוּעָתוֹ, וְהָאוֹמֵר
דָּבָר בְּשֵׁם אוֹמְרוֹ. הָא לָמַדְתָּ, כָּל־
הָאוֹמֵר דָּבָר בְּשֵׁם אוֹמְרוֹ, מֵבִיא גְאֻלָּה
לָעוֹלָם; שֶׁנֶּאֱמַר, וַתֹּאמֶר אֶסְתֵּר לַמֶּלֶךְ,
בְּשֵׁם מָרְדְּכָי:

ז

גְדוֹלָה תוֹרָה, שֶׁהִיא נוֹתֶנֶת חַיִּים
לְעֹשֶׂיהָ, בָּעוֹלָם הַזֶּה, וּבָעוֹלָם הַבָּא;
שֶׁנֶּאֱמַר, כִּי־חַיִּים הֵם לְמֹצְאֵיהֶם, וּלְכָל־
בְּשָׂרוֹ מַרְפֵּא. וְאוֹמֵר, רִפְאוּת תְּהִי
לְשָׁרֶּךָ, וְשִׁקּוּי לְעַצְמוֹתֶיךָ. וְאוֹמֵר, עֵץ
חַיִּים הִיא לַמַּחֲזִיקִים בָּהּ, וְתֹמְכֶיהָ
מְאֻשָּׁר. וְאוֹמֵר, כִּי לִוְיַת חֵן הֵם לְרֹאשֶׁךָ
וַעֲנָקִים לְגַרְגְּרֹתֶיךָ, וְאוֹמֵר, תִּתֵּן

לְרֹאשְׁךָ לִוְיַת־חֵן, עֲטֶרֶת תִּפְאֶרֶת
תְּמַגְּנֶךָּ. וְאוֹמֵר, כִּי בִי יִרְבּוּ יָמֶיךָ,
וְיוֹסִיפוּ לְךָ שְׁנוֹת חַיִּים. וְאוֹמֵר, אֹרֶךְ
יָמִים בִּימִינָהּ, בִּשְׂמֹאולָהּ עֹשֶׁר וְכָבוֹד.
וְאוֹמֵר, כִּי אֹרֶךְ יָמִים, וּשְׁנוֹת חַיִּים
וְשָׁלוֹם, יוֹסִיפוּ לָךְ. וְאוֹמֵר, דְּרָכֶיהָ
דַרְכֵי נֹעַם, וְכָל־נְתִיבוֹתֶיהָ שָׁלוֹם:

ח

רַבִּי שִׁמְעוֹן בֶּן־יְהוּדָה, מִשֵּׁם רַבִּי
שִׁמְעוֹן בֶּן־יוֹחַאי, אוֹמֵר, הַנּוֹי, וְהַכֹּחַ,
וְהָעֹשֶׁר, וְהַכָּבוֹד, וְהַחָכְמָה, הַזִּקְנָה
וְהַשֵּׂיבָה, וְהַבָּנִים, נָאֶה לַצַּדִּיקִים וְנָאֶה
לָעוֹלָם; שֶׁנֶּאֱמַר, עֲטֶרֶת תִּפְאֶרֶת שֵׂיבָה,
בְּדֶרֶךְ צְדָקָה, תִּמָּצֵא, וְאוֹמֵר, עֲטֶרֶת
זְקֵנִים בְּנֵי בָנִים, וְתִפְאֶרֶת בָּנִים אֲבוֹתָם.
וְאוֹמֵר, תִּפְאֶרֶת בַּחוּרִים כֹּחָם, וַהֲדַר
זְקֵנִים שֵׂיבָה. וְאוֹמֵר, וְחָפְרָה הַלְּבָנָה
וּבוֹשָׁה הַחַמָּה, כִּי־מָלַךְ יְיָ צְבָאוֹת בְּהַר
צִיּוֹן וּבִירוּשָׁלַיִם, וְנֶגֶד זְקֵנָיו כָּבוֹד:

ט

רַבִּי שִׁמְעוֹן בֶּן־מְנַסְיָא אוֹמֵר,
אֵלּוּ שֶׁבַע מִדּוֹת שֶׁמָּנוּ חֲכָמִים לַצַּדִּיקִים
כֻּלָּם נִתְקַיְּמוּ, בְּרַבִּי וּבְבָנָיו:

י

חֲמִשָּׁה קִנְיָנִים, קָנָה הַקָּדוֹשׁ בָּרוּךְ
הוּא, בְּעוֹלָמוֹ; וְאֵלּוּ הֵן, תּוֹרָה, קִנְיָן

אֶחָד; שָׁמַיִם וָאָרֶץ, קִנְיָן אֶחָד; אַבְרָהָם
קִנְיָן אֶחָד; יִשְׂרָאֵל, קִנְיָן אֶחָד; בֵּית
הַמִּקְדָּשׁ, קִנְיָן אֶחָד. תּוֹרָה מִנַּיִן;
דִּכְתִיב, יְיָ קָנָנִי רֵאשִׁית דַּרְכּוֹ, קֶדֶם
מִפְעָלָיו מֵאָז. שָׁמַיִם וָאָרֶץ מִנַּיִן;
דִּכְתִיב, כֹּה אָמַר יְיָ, הַשָּׁמַיִם כִּסְאִי,
וְהָאָרֶץ הֲדֹם רַגְלַי, אֵי־זֶה בַיִת, אֲשֶׁר
תִּבְנוּ־לִי, וְאֵי־זֶה מָקוֹם מְנוּחָתִי; וְאוֹמֵר
מָה רַבּוּ מַעֲשֶׂיךָ, יְיָ, כֻּלָּם בְּחָכְמָה
עָשִׂיתָ, מָלְאָה הָאָרֶץ קִנְיָנֶךָ. אַבְרָהָם
מִנַּיִן, דִּכְתִיב, וַיְבָרְכֵהוּ וַיֹּאמַר, בָּרוּךְ
אַבְרָם לְאֵל עֶלְיוֹן, קֹנֵה שָׁמַיִם וָאָרֶץ.
יִשְׂרָאֵל מִנַּיִן; דִּכְתִיב, עַד־יַעֲבֹר עַמְּךָ,
יְיָ, עַד־יַעֲבֹר עַם זוּ קָנִיתָ; וְאוֹמֵר,
לִקְדוֹשִׁים אֲשֶׁר־בָּאָרֶץ הֵמָּה, וְאַדִּירֵי
כָּל־חֶפְצִי בָם. בֵּית הַמִּקְדָּשׁ, מִנַּיִן;
דִּכְתִיב, מָכוֹן לְשִׁבְתְּךָ, פָּעַלְתָּ יְיָ,
מִקְּדָשׁ יְיָ, כּוֹנְנוּ יָדֶיךָ; וְאוֹמֵר, וַיְבִיאֵם
אֶל־גְּבוּל קָדְשׁוֹ, הַר זֶה קָנְתָה יְמִינוֹ:

יא

אָמַר רַבִּי יוֹסֵי, בֶּן־קִסְמָא, פַּעַם
אַחַת הָיִיתִי מְהַלֵּךְ בַּדֶּרֶךְ, וּפָגַע בִּי
אָדָם אֶחָד, וְנָתַן־לִי שָׁלוֹם, וְהֶחֱזַרְתִּי לוֹ
שָׁלוֹם. אָמַר לִי, רַבִּי, מֵאֵיזוֹ מָקוֹם
אָתָּה. אָמַרְתִּי לוֹ, מֵעִיר גְּדוֹלָה שֶׁל־
חֲכָמִים וְשֶׁל־סוֹפְרִים אָנִי. אָמַר לִי,
רַבִּי, רְצוֹנְךָ, שֶׁתָּדוּר עִמָּנוּ, בִּמְקוֹמֵנוּ,

וַאֲנִי אֶתֵּן לְךָ אֶלֶף אֲלָפִים דִּנְרֵי זָהָב
וַאֲבָנִים טוֹבוֹת וּמַרְגָּלִיּוֹת. אָמַרְתִּי לוֹ,
אִם אַתָּה נוֹתֵן לִי כָּל־כֶּסֶף וְזָהָב,
וַאֲבָנִים טוֹבוֹת וּמַרְגָּלִיּוֹת שֶׁבָּעוֹלָם,
אֵינִי דָר, אֶלָּא, בִּמְקוֹם תּוֹרָה; וְכֵן
כָּתוּב בְּסֵפֶר תְּהִלִּים, עַל־יְדֵי דָוִד מֶלֶךְ
יִשְׂרָאֵל, טוֹב לִי תוֹרַת פִּיךָ, מֵאַלְפֵי
זָהָב וָכָסֶף; וְלֹא עוֹד, אֶלָּא שֶׁבִּשְׁעַת
פְּטִירָתוֹ שֶׁל־אָדָם, אֵין מְלַוִּים לוֹ
לְאָדָם, לֹא כֶסֶף, וְלֹא זָהָב, וְלֹא אֲבָנִים
טוֹבוֹת וּמַרְגָּלִיּוֹת, אֶלָּא, תּוֹרָה וּמַעֲשִׂים
טוֹבִים בִּלְבָד; שֶׁנֶּאֱמַר, בְּהִתְהַלֶּכְךָ,
תַּנְחֶה אֹתָךְ, בְּשָׁכְבְּךָ, תִּשְׁמֹר עָלֶיךָ,
וַהֲקִיצוֹתָ הִיא תְשִׂיחֶךָ. בְּהִתְהַלֶּכְךָ
תַּנְחֶה אֹתָךְ, בָּעוֹלָם הַזֶּה; בְּשָׁכְבְּךָ,
תִּשְׁמֹר עָלֶיךָ, בַּקֶּבֶר; וַהֲקִיצוֹתָ הִיא
תְשִׂיחֶךָ, לָעוֹלָם הַבָּא. וְאוֹמֵר, לִי
הַכֶּסֶף, וְלִי הַזָּהָב, נְאֻם יְיָ צְבָאוֹת:

יב

כָּל מַה־שֶּׁבָּרָא הַקָּדוֹשׁ, בָּרוּךְ
הוּא, בְּעוֹלָמוֹ, לֹא בְרָאוֹ אֶלָּא לִכְבוֹדוֹ;
שֶׁנֶּאֱמַר, כֹּל הַנִּקְרָא בִשְׁמִי, וְלִכְבוֹדִי,
בְּרָאתִיו, יְצַרְתִּיו אַף עֲשִׂיתִיו. וְאוֹמֵר,
יְיָ יִמְלֹךְ לְעֹלָם וָעֶד:

רַבִּי חֲנַנְיָא, בֶּן־עֲקַשְׁיָא, אוֹמֵר, רָצָה הַקָּדוֹשׁ
בָּרוּךְ הוּא, לְזַכּוֹת אֶת־יִשְׂרָאֵל, לְפִיכָךְ הִרְבָּה
לָהֶם תּוֹרָה וּמִצְוֹת. שֶׁנֶּאֱמַר יְיָ חָפֵץ לְמַעַן צִדְקוֹ,
יַגְדִּיל תּוֹרָה וְיַאְדִּיר:

EVENING SERVICE FOR THE
CONCLUSION OF THE SABBATH

In the עַרְבִית לְמוֹצָאֵי שַׁבָּת there are several Psalms. Just as the שַׁבָּת הַמַּלְכָּה is welcomed with song and Psalm on her arrival so is her departure accompanied with Psalm and song.

On Saturday night the following is recited before Maariv:

1 לְדָוִד, בָּרוּךְ יְיָ צוּרִי הַמְלַמֵּד יָדַי לַקְרָב, אֶצְבְּעוֹתַי

2 לַמִּלְחָמָה. חַסְדִּי וּמְצוּדָתִי מִשְׂגַּבִּי וּמְפַלְטִי לִי, מָגִנִּי וּבוֹ

3 חָסִיתִי. הָרֹדֵד עַמִּי תַחְתָּי, יְיָ, מָה אָדָם וַתֵּדָעֵהוּ, בֶּן אֱנוֹשׁ

4 וַתְּחַשְּׁבֵהוּ. אָדָם לַהֶבֶל דָּמָה, יָמָיו כְּצֵל עוֹבֵר. יְיָ, הַט שָׁמֶיךָ

5 וְתֵרַד. גַּע בֶּהָרִים וְיֶעֱשָׁנוּ. בְּרוֹק בָּרָק וּתְפִיצֵם, שְׁלַח חִצֶּיךָ

6 וּתְהֻמֵּם. שְׁלַח יָדֶיךָ מִמָּרוֹם,פְּצֵנִי וְהַצִּילֵנִי מִמַּיִם רַבִּים, מִיַּד

7 בְּנֵי נֵכָר. אֲשֶׁר פִּיהֶם דִּבֶּר שָׁוְא, וִימִינָם יְמִין שָׁקֶר. אֱלֹהִים,

8 שִׁיר חָדָשׁ אָשִׁירָה לָּךְ, בְּנֵבֶל עָשׂוֹר אֲזַמְּרָה לָּךְ. הַנּוֹתֵן

9 תְּשׁוּעָה לַמְּלָכִים, הַפּוֹצֶה אֶת דָּוִד עַבְדּוֹ מֵחֶרֶב רָעָה. פְּצֵנִי

10 וְהַצִּילֵנִי מִיַּד בְּנֵי נֵכָר, אֲשֶׁר פִּיהֶם דִּבֶּר שָׁוְא, וִימִינָם יְמִין

11 שָׁקֶר. אֲשֶׁר בָּנֵינוּ כִּנְטִעִים מְגֻדָּלִים בִּנְעוּרֵיהֶם, בְּנוֹתֵינוּ כְזָוִיֹּת,

12 מְחֻטָּבוֹת תַּבְנִית הֵיכָל. מְזָוֵינוּ מְלֵאִים מְפִיקִים מִזַּן אֶל זַן,

13 צֹאנֵנוּ מַאֲלִיפוֹת מְרֻבָּבוֹת בְּחוּצוֹתֵינוּ. אַלּוּפֵינוּ מְסֻבָּלִים, אֵין

14 פֶּרֶץ וְאֵין יוֹצֵאת, וְאֵין צְוָחָה בִּרְחֹבֹתֵינוּ. אַשְׁרֵי הָעָם שֶׁכָּכָה

15 לּוֹ, אַשְׁרֵי הָעָם שֶׁיְיָ אֱלֹהָיו.

16 לַמְנַצֵּחַ בִּנְגִינֹת מִזְמוֹר שִׁיר. אֱלֹהִים יְחָנֵּנוּ וִיבָרְכֵנוּ, יָאֵר

17 פָּנָיו אִתָּנוּ סֶלָה. לָדַעַת בָּאָרֶץ דַּרְכֶּךָ, בְּכָל גּוֹיִם יְשׁוּעָתֶךָ.

יוֹדוּךָ עַמִּים אֱלֹהִים, יוֹדוּךָ עַמִּים כֻּלָּם. יִשְׂמְחוּ וִירַנְּנוּ לְאֻמִּים, כִּי תִשְׁפֹּט עַמִּים מִישֹׁר. וּלְאֻמִּים בָּאָרֶץ תַּנְחֵם סֶלָה. יוֹדוּךָ עַמִּים אֱלֹהִים, יוֹדוּךָ עַמִּים כֻּלָּם. אֶרֶץ נָתְנָה יְבוּלָהּ, יְבָרְכֵנוּ אֱלֹהִים אֱלֹהֵינוּ. יְבָרְכֵנוּ אֱלֹהִים, וְיִירְאוּ אֹתוֹ כָּל אַפְסֵי אָרֶץ.

Continue with Maariv page 199-210, Half Kaddish 331, Shemoneh Esreh 112-127, Half Kaddish 331:

וִיהִי נֹעַם אֲדֹנָי אֱלֹהֵינוּ עָלֵינוּ

And let the pleasantness of the Lord our God be upon us

Should a Festival occur on any day of the coming week **וִיהִי נֹעַם** *and* **וְאַתָּה קָדוֹשׁ** *are omitted:*

וִיהִי נֹעַם אֲדֹנָי אֱלֹהֵינוּ עָלֵינוּ, וּמַעֲשֵׂה יָדֵינוּ כּוֹנְנָה עָלֵינוּ, וּמַעֲשֵׂה יָדֵינוּ כּוֹנְנֵהוּ:

יֹשֵׁב בְּסֵתֶר עֶלְיוֹן, בְּצֵל שַׁדַּי יִתְלוֹנָן: אֹמַר לַייָ מַחְסִי וּמְצוּדָתִי אֱלֹהַי אֶבְטַח בּוֹ: כִּי הוּא יַצִּילְךָ מִפַּח יָקוּשׁ, מִדֶּבֶר הַוּוֹת: בְּאֶבְרָתוֹ יָסֶךְ לָךְ, וְתַחַת כְּנָפָיו תֶּחְסֶה, צִנָּה וְסוֹחֵרָה אֲמִתּוֹ: לֹא תִירָא מִפַּחַד לָיְלָה, מֵחֵץ יָעוּף יוֹמָם: מִדֶּבֶר בָּאֹפֶל יַהֲלוֹךְ, מִקֶּטֶב יָשׁוּד צָהֳרָיִם: יִפּוֹל מִצִּדְּךָ אֶלֶף וּרְבָבָה מִימִינֶךָ, אֵלֶיךָ לֹא יִגָּשׁ: רַק בְּעֵינֶיךָ תַבִּיט, וְשִׁלֻּמַת רְשָׁעִים תִּרְאֶה: כִּי אַתָּה יְיָ מַחְסִי, עֶלְיוֹן שַׂמְתָּ מְעוֹנֶךָ: לֹא תְאֻנֶּה אֵלֶיךָ רָעָה, וְנֶגַע לֹא יִקְרַב בְּאָהֳלֶךָ: כִּי מַלְאָכָיו יְצַוֶּה לָּךְ, לִשְׁמָרְךָ בְּכָל דְּרָכֶיךָ:

1   עַל כַּפַּיִם יִשָּׂאוּנָךְ, פֶּן תִּגּוֹף בָּאֶבֶן רַגְלֶךָ: עַל שַׁחַל

2   וָפֶתֶן תִּדְרוֹךְ, תִּרְמוֹס כְּפִיר וְתַנִּין: כִּי בִי חָשַׁק וַאֲפַלְּטֵהוּ,

3   אֲשַׂגְּבֵהוּ כִּי יָדַע שְׁמִי: יִקְרָאֵנִי וְאֶעֱנֵהוּ, עִמּוֹ אָנֹכִי בְצָרָה,

4   אֲחַלְּצֵהוּ וַאֲכַבְּדֵהוּ: אֹרֶךְ יָמִים אַשְׂבִּיעֵהוּ, וְאַרְאֵהוּ

5   בִּישׁוּעָתִי:

6   וְאַתָּה קָדוֹשׁ

7   יוֹשֵׁב, תְּהִלּוֹת יִשְׂרָאֵל! וְקָרָא זֶה אֶל זֶה וְאָמַר:

8   קָדוֹשׁ קָדוֹשׁ קָדוֹשׁ יְיָ צְבָאוֹת מְלֹא כָל

9   כְּבוֹדוֹ.

10   וּמְקַבְּלִין דֵּין מִן דֵּין וְאָמְרִין: קַדִּישׁ בִּשְׁמֵי מְרוֹמָא עִלָּאָה

11   בֵּית שְׁכִינְתֵּהּ; קַדִּישׁ עַל אַרְעָא עוֹבַד גְּבוּרְתֵּהּ, קַדִּישׁ

12   לְעָלַם וּלְעָלְמֵי עָלְמַיָּא. – יְיָ צְבָאוֹת, מַלְיָא כָל אַרְעָא

13   זִיו יְקָרֵהּ. וַתִּשָּׂאֵנִי רוּחַ, וָאֶשְׁמַע אַחֲרַי קוֹל רַעַשׁ גָּדוֹל:

14   בָּרוּךְ כְּבוֹד יְיָ מִמְּקוֹמוֹ.

15   וּנְטָלַתְנִי רוּחָא וְשִׁמְעֵת בַּתְרַי קָל זִיעַ סַגִּיא דִּמְשַׁבְּחִין

16   וְאָמְרִין: בְּרִיךְ יְקָרָא דַיְיָ מֵאֲתַר בֵּית שְׁכִינְתֵּהּ!

17   יְיָ יִמְלֹךְ לְעֹלָם וָעֶד.

1 יְיָ מַלְכוּתֵהּ קָאֵם לְעָלַם וּלְעָלְמֵי עָלְמַיָּא. יְיָ אֱלֹהֵי

2 אַבְרָהָם יִצְחָק וְיִשְׂרָאֵל אֲבוֹתֵינוּ! שָׁמְרָה זֹּאת לְעוֹלָם,

3 לְיֵצֶר מַחְשְׁבוֹת לְבַב עַמֶּךָ, וְהָכֵן לְבָבָם אֵלֶיךָ. וְהוּא

4 רַחוּם, יְכַפֵּר עָוֹן וְלֹא יַשְׁחִית, וְהִרְבָּה לְהָשִׁיב אַפּוֹ, וְלֹא

5 יָעִיר כָּל חֲמָתוֹ. כִּי אַתָּה אֲדֹנָי טוֹב וְסַלָּח, וְרַב חֶסֶד

6 לְכָל קֹרְאֶיךָ. צִדְקָתְךָ – צֶדֶק לְעוֹלָם, וְתוֹרָתְךָ – אֱמֶת.

7 תִּתֵּן אֱמֶת לְיַעֲקֹב, חֶסֶד – לְאַבְרָהָם, אֲשֶׁר נִשְׁבַּעְתָּ

8 לַאֲבֹתֵינוּ מִימֵי קֶדֶם. בָּרוּךְ יְיָ, יוֹם יוֹם יַעֲמָס לָנוּ, הָאֵל

9 יְשׁוּעָתֵנוּ, סֶלָה. יְיָ צְבָאוֹת עִמָּנוּ, מִשְׂגָּב לָנוּ אֱלֹהֵי יַעֲקֹב,

10 סֶלָה. יְיָ צְבָאוֹת! אַשְׁרֵי אָדָם בֹּטֵחַ בָּךְ. יְיָ, הוֹשִׁיעָה!

11 הַמֶּלֶךְ יַעֲנֵנוּ בְיוֹם קָרְאֵנוּ.

12 בָּרוּךְ הוּא אֱלֹהֵינוּ שֶׁבְּרָאָנוּ לִכְבוֹדוֹ, וְהִבְדִּילָנוּ מִן

13 הַתּוֹעִים, וְנָתַן לָנוּ תּוֹרַת אֱמֶת, וְחַיֵּי עוֹלָם נָטַע בְּתוֹכֵנוּ;

14 הוּא יִפְתַּח לִבֵּנוּ בְּתוֹרָתוֹ, וְיָשֵׂם בְּלִבֵּנוּ אַהֲבָתוֹ וְיִרְאָתוֹ,

15 וְלַעֲשׂוֹת רְצוֹנוֹ וּלְעָבְדוֹ בְּלֵבָב שָׁלֵם. לְמַעַן לֹא נִיגַע

16 לָרִיק, וְלֹא נֵלֵד לַבֶּהָלָה. יְהִי רָצוֹן מִלְּפָנֶיךָ, יְיָ אֱלֹהֵינוּ

17 וֵאלֹהֵי אֲבוֹתֵינוּ, שֶׁנִּשְׁמוֹר חֻקֶּיךָ בָּעוֹלָם הַזֶּה, וְנִזְכֶּה

18 וְנִחְיֶה וְנִרְאֶה, וְנִירַשׁ טוֹבָה וּבְרָכָה, לִשְׁנֵי יְמוֹת הַמָּשִׁיחַ

19 וּלְחַיֵּי הָעוֹלָם הַבָּא, לְמַעַן יְזַמֶּרְךָ כָבוֹד וְלֹא יִדֹּם; יְיָ

20 אֱלֹהַי לְעוֹלָם אוֹדֶךָּ. בָּרוּךְ הַגֶּבֶר אֲשֶׁר יִבְטַח בַּיְיָ, וְהָיָה

21 יְיָ מִבְטַחוֹ. בִּטְחוּ בַיְיָ עֲדֵי עַד, כִּי בְּיָהּ יְיָ צוּר עוֹלָמִים.

1 Reader וְיִבְטְחוּ בְךָ יוֹדְעֵי שְׁמֶךָ, כִּי לֹא עָזַבְתָּ דֹרְשֶׁיךָ, יְיָ!

2 יְיָ חָפֵץ לְמַעַן צִדְקוֹ, יַגְדִּיל תּוֹרָה וְיַאְדִּיר.

קַדִּישׁ שָׁלֵם THE COMPLETE KADDISH

3 Reader יִתְגַּדַּל וְיִתְקַדַּשׁ שְׁמֵהּ רַבָּא, בְּעָלְמָא דִי־בְרָא

4 כִרְעוּתֵהּ, וְיַמְלִיךְ מַלְכוּתֵהּ, בְּחַיֵּיכוֹן וּבְיוֹמֵיכוֹן, וּבְחַיֵּי

5 דְכָל־בֵּית יִשְׂרָאֵל, בַּעֲגָלָא וּבִזְמַן קָרִיב. וְאִמְרוּ אָמֵן.

Cong. אָמֵן

6 Cong. and Reader יְהֵא שְׁמֵהּ רַבָּא מְבָרַךְ לְעָלַם וּלְעָלְמֵי

7 עָלְמַיָּא.

8 Reader יִתְבָּרַךְ וְיִשְׁתַּבַּח וְיִתְפָּאַר וְיִתְרוֹמַם וְיִתְנַשֵּׂא וְיִתְהַדָּר

9 וְיִתְעַלֶּה וְיִתְהַלָּל שְׁמֵהּ דְּקֻדְשָׁא. בְּרִיךְ הוּא Cong. and Reader

10 Reader לְעֵלָּא (וּלְעֵלָּא *During the Ten Days of Pentinence, add:*)

11 מִן כָּל־בִּרְכָתָא, וְשִׁירָתָא תֻּשְׁבְּחָתָא, וְנֶחֱמָתָא

12 דַּאֲמִירָן בְּעָלְמָא. וְאִמְרוּ אָמֵן. Cong. אָמֵן

13 Cong. תִּתְקַבֵּל צְלוֹתְהוֹן וּבָעוּתְהוֹן דְּכָל בֵּית יִשְׂרָאֵל,

14 קֳדָם אֲבוּהוֹן דִּי בִשְׁמַיָּא, וְאִמְרוּ אָמֵן. Cong. אָמֵן

15 Reader יְהֵא שְׁלָמָא רַבָּא מִן־שְׁמַיָּא וְחַיִּים עָלֵינוּ

16 וְעַל כָּל־יִשְׂרָאֵל. וְאִמְרוּ אָמֵן. Cong. אָמֵן

17 Reader עוֹשֶׂה שָׁלוֹם בִּמְרוֹמָיו, הוּא יַעֲשֶׂה שָׁלוֹם

18 עָלֵינוּ. וְעַל כָּל־יִשְׂרָאֵל. וְאִמְרוּ אָמֵן. Cong. אָמֵן

וְיִתֶּן לְךָ הָאֱלֹהִים מִטַּל הַשָּׁמַיִם וּמִשְׁמַנֵּי הָאָרֶץ, וְרֹב דָּגָן וְתִירֹשׁ. יַעַבְדוּךָ עַמִּים, וְיִשְׁתַּחֲווּ לְךָ לְאֻמִּים, הֱוֵה גְבִיר לְאַחֶיךָ, וְיִשְׁתַּחֲווּ לְךָ בְּנֵי אִמֶּךָ. אֹרְרֶיךָ–אָרוּר, וּמְבָרְכֶיךָ–בָּרוּךְ.

וְאֵל שַׁדַּי יְבָרֵךְ אֹתְךָ וְיַפְרְךָ וְיַרְבֶּךָ, וְהָיִיתָ לִקְהַל עַמִּים. וְיִתֶּן לְךָ אֶת בִּרְכַּת אַבְרָהָם, לְךָ וּלְזַרְעֲךָ אִתָּךְ: לְרִשְׁתְּךָ אֶת אֶרֶץ מְגֻרֶיךָ, אֲשֶׁר נָתַן אֱלֹהִים לְאַבְרָהָם.

מֵאֵל אָבִיךָ וְיַעְזְרֶךָּ. וְאֵת שַׁדַּי וִיבָרְכֶךָּ, בִּרְכֹת שָׁמַיִם מֵעָל, בִּרְכֹת תְּהוֹם רֹבֶצֶת תָּחַת, בִּרְכֹת שָׁדַיִם וָרָחַם. בִּרְכֹת אָבִיךָ גָּבְרוּ עַל בִּרְכֹת הוֹרַי, עַד תַּאֲוַת גִּבְעֹת עוֹלָם–תִּהְיֶיןָ לְרֹאשׁ יוֹסֵף וּלְקָדְקֹד נְזִיר אֶחָיו.

וַאֲהֵבְךָ וּבֵרַכְךָ וְהִרְבֶּךָ, וּבֵרַךְ פְּרִי בִטְנְךָ וּפְרִי אַדְמָתֶךָ, דְּגָנְךָ וְתִירֹשְׁךָ וְיִצְהָרֶךָ, שְׁגַר אֲלָפֶיךָ וְעַשְׁתְּרֹת צֹאנֶךָ, עַל הָאֲדָמָה, אֲשֶׁר נִשְׁבַּע לַאֲבֹתֶיךָ

לָתֶת לָךְ . בָּרוּךְ תִּהְיֶה מִכָּל הָעַמִּים, לֹא יִהְיֶה בְךָ

עָקָר וַעֲקָרָה וּבִבְהֶמְתֶּךָ . וְהֵסִיר יְיָ מִמְּךָ כָּל חֹלִי,

וְכָל מַדְוֵי מִצְרַיִם הָרָעִים, אֲשֶׁר יָדַעְתָּ, לֹא יְשִׂימָם

בָּךְ, וּנְתָנָם בְּכָל שֹׂנְאֶיךָ.

הַמַּלְאָךְ הַגֹּאֵל אֹתִי מִכָּל רָע, יְבָרֵךְ אֶת הַנְּעָרִים, וְיִקָּרֵא

בָהֶם שְׁמִי, וְשֵׁם אֲבֹתַי: אַבְרָהָם וְיִצְחָק, וְיִדְגּוּ לָרֹב בְּקֶרֶב

הָאָרֶץ.

יְיָ אֱלֹהֵיכֶם הִרְבָּה אֶתְכֶם, וְהִנְּכֶם הַיּוֹם כְּכוֹכְבֵי הַשָּׁמַיִם

לָרֹב. יְיָ אֱלֹהֵי אֲבוֹתֵיכֶם, יֹסֵף עֲלֵיכֶם כָּכֶם, אֶלֶף פְּעָמִים,

וִיבָרֵךְ אֶתְכֶם, כַּאֲשֶׁר דִּבֶּר לָכֶם.

בָּרוּךְ אַתָּה בָּעִיר, וּבָרוּךְ אַתָּה בַּשָּׂדֶה, בָּרוּךְ אַתָּה

בְּבֹאֶךָ, וּבָרוּךְ אַתָּה בְּצֵאתֶךָ. בָּרוּךְ טַנְאֲךָ וּמִשְׁאַרְתֶּךָ. בָּרוּךְ

פְּרִי בִטְנְךָ וּפְרִי אַדְמָתְךָ, וּפְרִי בְהֶמְתֶּךָ, שְׁגַר אֲלָפֶיךָ

וְעַשְׁתְּרוֹת צֹאנֶךָ. יְצַו יְיָ אִתְּךָ אֶת הַבְּרָכָה בַּאֲסָמֶיךָ וּבְכֹל

מִשְׁלַח יָדֶךָ, וּבֵרַכְךָ בָּאָרֶץ, אֲשֶׁר יְיָ אֱלֹהֶיךָ נֹתֵן לָךְ.

יִפְתַּח יְיָ לְךָ אֶת אוֹצָרוֹ הַטּוֹב–אֶת הַשָּׁמַיִם לָתֵת מְטַר

אַרְצְךָ בְּעִתּוֹ, וּלְבָרֵךְ אֵת כָּל מַעֲשֵׂה יָדֶךָ; וְהִלְוִיתָ גּוֹיִם

רַבִּים, וְאַתָּה לֹא תִלְוֶה.

כִּי יְיָ אֱלֹהֶיךָ בֵּרַכְךָ, כַּאֲשֶׁר דִּבֶּר לָךְ, וְהַעֲבַטְתָּ גּוֹיִם

רַבִּים, וְאַתָּה לֹא תַעֲבֹט; וּמָשַׁלְתָּ בְּגוֹיִם רַבִּים, וּבְךָ לֹא

יִמְשֹׁלוּ.

אַשְׁרֶיךָ, יִשְׂרָאֵל! מִי כָמוֹךָ, עַם, נוֹשַׁע בַּייָ, מָגֵן עֶזְרֶךָ, וַאֲשֶׁר חֶרֶב גַּאֲוָתֶךָ, וְיִכָּחֲשׁוּ אֹיְבֶיךָ לָךְ, וְאַתָּה עַל בָּמוֹתֵימוֹ תִדְרֹךְ.

מָחִיתִי כָעָב פְּשָׁעֶיךָ, וְכֶעָנָן חַטֹּאתֶיךָ; שׁוּבָה אֵלַי כִּי גְאַלְתִּיךָ. רָנּוּ שָׁמַיִם כִּי עָשָׂה יְיָ, הָרִיעוּ תַּחְתִּיּוֹת אָרֶץ, פִּצְחוּ הָרִים רִנָּה, יַעַר וְכָל עֵץ בּוֹ, כִּי גָאַל יְיָ יַעֲקֹב, וּבְיִשְׂרָאֵל יִתְפָּאָר.

גֹּאֲלֵנוּ יְיָ צְבָאוֹת שְׁמוֹ, קְדוֹשׁ יִשְׂרָאֵל.

יִשְׂרָאֵל נוֹשַׁע בַּייָ תְּשׁוּעַת עוֹלָמִים; לֹא תֵבֹשׁוּ וְלֹא תִכָּלְמוּ עַד עוֹלְמֵי עַד, וַאֲכַלְתֶּם אָכוֹל וְשָׂבוֹעַ, וְהִלַּלְתֶּם אֶת שֵׁם יְיָ אֱלֹהֵיכֶם, אֲשֶׁר עָשָׂה עִמָּכֶם לְהַפְלִיא; וְלֹא יֵבֹשׁוּ עַמִּי לְעוֹלָם. וִידַעְתֶּם: כִּי בְקֶרֶב יִשְׂרָאֵל אָנִי וַאֲנִי יְיָ אֱלֹהֵיכֶם וְאֵין עוֹד, וְלֹא יֵבֹשׁוּ עַמִּי לְעוֹלָם.

כִּי בְשִׂמְחָה תֵצֵאוּ, וּבְשָׁלוֹם תּוּבָלוּן; הֶהָרִים וְהַגְּבָעוֹת יִפְצְחוּ לִפְנֵיכֶם רִנָּה, וְכָל עֲצֵי הַשָּׂדֶה יִמְחֲאוּ כָף.

הִנֵּה, אֵל יְשׁוּעָתִי אֶבְטַח, וְלֹא אֶפְחָד; כִּי עָזִּי וְזִמְרָת יָהּ יְיָ, וַיְהִי לִי לִישׁוּעָה. וּשְׁאַבְתֶּם מַיִם בְּשָׂשׂוֹן, מִמַּעַיְנֵי הַיְשׁוּעָה! וַאֲמַרְתֶּם בַּיּוֹם הַהוּא: הוֹדוּ לַייָ קִרְאוּ בִשְׁמוֹ, הוֹדִיעוּ בָעַמִּים עֲלִילֹתָיו; הַזְכִּירוּ, כִּי נִשְׂגָּב שְׁמוֹ. זַמְּרוּ יְיָ, כִּי גֵאוּת עָשָׂה; מוּדַעַת זֹאת בְּכָל הָאָרֶץ! צַהֲלִי וָרֹנִּי, יוֹשֶׁבֶת צִיּוֹן! כִּי גָדוֹל בְּקִרְבֵּךְ קְדוֹשׁ יִשְׂרָאֵל.

1   וְאָמַר בַּיּוֹם הַהוּא: הִנֵּה אֱלֹהֵינוּ זֶה, קִוִּינוּ לוֹ וְיוֹשִׁיעֵנוּ,

2   זֶה יְיָ קִוִּינוּ לוֹ, נָגִילָה וְנִשְׂמְחָה בִּישׁוּעָתוֹ.

3   בֵּית יַעֲקֹב! לְכוּ וְנֵלְכָה בְּאוֹר יְיָ!

4   וְהָיָה אֱמוּנַת עִתֶּיךָ; חֹסֶן יְשׁוּעֹת־חָכְמַת וָדָעַת. יִרְאַת יְיָ

5   הִיא אוֹצָרוֹ.

6   וַיְהִי דָוִד לְכָל דְּרָכָיו מַשְׂכִּיל, וַיְיָ עִמּוֹ.

7   פָּדָה בְשָׁלוֹם נַפְשִׁי, מִקְּרָב לִי כִּי בְרַבִּים הָיוּ עִמָּדִי.

8   וַיֹּאמֶר הָעָם אֶל שָׁאוּל: הֲיוֹנָתָן יָמוּת, אֲשֶׁר עָשָׂה הַיְשׁוּעָה

9   הַגְּדוֹלָה הַזֹּאת בְּיִשְׂרָאֵל? חָלִילָה! חַי יְיָ, אִם יִפֹּל מִשַּׂעֲרַת

10   רֹאשׁוֹ אַרְצָה, כִּי עִם אֱלֹהִים עָשָׂה הַיּוֹם הַזֶּה; וַיִּפְדּוּ הָעָם

11   אֶת יוֹנָתָן וְלֹא מֵת.

12   וּפְדוּיֵי יְיָ יְשׁוּבוּן, וּבָאוּ צִיּוֹן בְּרִנָּה, וְשִׂמְחַת עוֹלָם עַל

13   רֹאשָׁם; שָׂשׂוֹן וְשִׂמְחָה יַשִּׂיגוּ, וְנָסוּ יָגוֹן וַאֲנָחָה.

14   הָפַכְתָּ מִסְפְּדִי לְמָחוֹל לִי, פִּתַּחְתָּ שַׂקִּי וַתְּאַזְּרֵנִי שִׂמְחָה.

15   וְלֹא אָבָה יְיָ אֱלֹהֶיךָ לִשְׁמֹעַ אֶל בִּלְעָם וַיַּהֲפֹךְ יְיָ אֱלֹהֶיךָ

16   לְךָ, אֶת הַקְּלָלָה, לִבְרָכָה, כִּי אֲהֵבְךָ יְיָ אֱלֹהֶיךָ.

17   אָז תִּשְׂמַח בְּתוּלָה בְּמָחוֹל, וּבַחֻרִים וּזְקֵנִים יַחְדָּו,

18   וְהָפַכְתִּי אֶבְלָם לְשָׂשׂוֹן, וְנִחַמְתִּים וְשִׂמַּחְתִּים מִיגוֹנָם.

19   בּוֹרֵא נִיב שְׂפָתָיִם; שָׁלוֹם, שָׁלוֹם לָרָחוֹק וְלַקָּרוֹב־אָמַר

20   יְיָ, וּרְפָאתִיו.

וְרוּחַ לָבְשָׁה אֶת עֲמָשַׂי רֹאשׁ הַשָּׁלִישִׁים: לְךָ–דָוִיד, וְעִמְּךָ–בֶן יִשַׁי שָׁלוֹם, שָׁלוֹם לְךָ וְשָׁלוֹם לְעוֹזְרֶךָ, כִּי עֲזָרְךָ אֱלֹהֶיךָ! וַיְקַבְּלֵם דָּוִיד וַיִּתְּנֵם בְּרָאשֵׁי הַגְּדוּד.

וַאֲמַרְתֶּם: כֹּה לֶחָי! וְאַתָּה שָׁלוֹם, וּבֵיתְךָ שָׁלוֹם וְכֹל אֲשֶׁר לְךָ שָׁלוֹם!

יְיָ עֹז לְעַמּוֹ יִתֵּן, יְיָ יְבָרֵךְ אֶת עַמּוֹ בַשָּׁלוֹם.

אָמַר רַבִּי יוֹחָנָן: בְּכָל מָקוֹם שֶׁאַתָּה מוֹצֵא גְּדֻלָּתוֹ שֶׁל הַקָּדוֹשׁ בָּרוּךְ הוּא, שָׁם אַתָּה מוֹצֵא עַנְוְתָנוּתוֹ. דָּבָר זֶה כָּתוּב בַּתּוֹרָה, וְשָׁנוּי בַּנְּבִיאִים, וּמְשֻׁלָּשׁ בַּכְּתוּבִים. כָּתוּב בַּתּוֹרָה: „כִּי יְיָ אֱלֹהֵיכֶם הוּא אֱלֹהֵי הָאֱלֹהִים וַאֲדֹנֵי הָאֲדֹנִים, הָאֵל הַגָּדֹל, הַגִּבֹּר וְהַנּוֹרָא, אֲשֶׁר לֹא יִשָּׂא פָנִים וְלֹא יִקַּח שֹׁחַד", וּכְתִיב בַּתְרֵהּ: „עֹשֶׂה מִשְׁפַּט יָתוֹם וְאַלְמָנָה, וְאֹהֵב גֵּר לָתֶת לוֹ לֶחֶם וְשִׂמְלָה". שָׁנוּי בַּנְּבִיאִים–דִּכְתִיב: „כִּי כֹה אָמַר רָם וְנִשָּׂא, שֹׁכֵן עַד, וְקָדוֹשׁ שְׁמוֹ: מָרוֹם וְקָדוֹשׁ אֶשְׁכּוֹן, וְאֶת דַּכָּא וּשְׁפַל רוּחַ, לְהַחֲיוֹת רוּחַ שְׁפָלִים וּלְהַחֲיוֹת לֵב נִדְכָּאִים". מְשֻׁלָּשׁ בַּכְּתוּבִים–דִּכְתִיב: „שִׁירוּ לֵאלֹהִים, זַמְּרוּ שְׁמוֹ, סֹלּוּ לָרֹכֵב בָּעֲרָבוֹת, בְּיָהּ שְׁמוֹ, וְעִלְזוּ לְפָנָיו"; וּכְתִיב בַּתְרֵהּ: „אֲבִי יְתוֹמִים וְדַיַּן אַלְמָנוֹת, אֱלֹהִים בִּמְעוֹן קָדְשׁוֹ".

יְהִי יְיָ אֱלֹהֵינוּ עִמָּנוּ כַּאֲשֶׁר הָיָה עִם אֲבֹתֵינוּ, אַל יַעַזְבֵנוּ וְאַל יִטְּשֵׁנוּ.

1   וְאַתֶּם הַדְּבֵקִים בַּיָי אֱלֹהֵיכֶם, חַיִּים כֻּלְּכֶם הַיּוֹם.

2   כִּי נִחַם יְיָ צִיּוֹן, נִחַם כָּל חָרְבֹתֶיהָ, וַיָּשֶׂם מִדְבָּרָה כְּעֵדֶן

3   וְעַרְבָתָהּ כְּגַן יְיָ; שָׂשׂוֹן וְשִׂמְחָה יִמָּצֵא בָהּ, תּוֹדָה וְקוֹל זִמְרָה.

4   יְיָ חָפֵץ לְמַעַן צִדְקוֹ, יַגְדִּיל תּוֹרָה וְיַאְדִּיר.

5   שִׁיר הַמַּעֲלוֹת, אַשְׁרֵי כָּל יְרֵא יְיָ, הַהֹלֵךְ בִּדְרָכָיו. יְגִיעַ

6   כַּפֶּיךָ כִּי תֹאכֵל, אַשְׁרֶיךָ וְטוֹב לָךְ! אֶשְׁתְּךָ כְּגֶפֶן פֹּרִיָּה

7   בְּיַרְכְּתֵי בֵיתֶךָ, בָּנֶיךָ, כִּשְׁתִלֵי זֵיתִים, סָבִיב לְשֻׁלְחָנֶךָ. הִנֵּה,

8   כִּי כֵן יְבֹרַךְ גָּבֶר יְרֵא יְיָ. יְבָרֶכְךָ יְיָ מִצִּיּוֹן, וּרְאֵה בְּטוֹב

9   יְרוּשָׁלָיִם, כֹּל יְמֵי חַיֶּיךָ. וּרְאֵה בָנִים לְבָנֶיךָ, שָׁלוֹם עַל

10   יִשְׂרָאֵל!

Continue with   עָלֵינוּ,   *page 165 and Mourners Kaddish:*

HAVDALAH

The end of Sabbath or a festival is marked by a ceremony of separation between the holy and the profane or earthly. The קדּוּשׁ begins the holy period; the Havdalah ends it — for the Bible says, "Blessed shalt thou be when thou comest in, and blessed shalt thou be when thou goest out." Since קדּוּשׁ requires wine, the concluding blessing is made over a glass of wine and a benediction is made over a בְּשָׂמִים (spice) box. The third and last benediction is recited over a lit Havdalah candle because light was given the universe on the first day of creation. The blessings over spice and lights are employed only after the Sabbath; at the conclusion of festivals falling on a week day the Havdalah is recited over wine alone.

Recite the following blessing holding a cup of wine:

1 הִנֵּה, אֵל יְשׁוּעָתִי, אֶבְטַח, וְלֹא אֶפְחָד; כִּי עָזִּי וְזִמְרָת יָהּ

2 יְיָ, וַיְהִי לִי לִישׁוּעָה. וּשְׁאַבְתֶּם מַיִם בְּשָׂשׂוֹן, מִמַּעַיְנֵי הַיְשׁוּעָה.

3 לַיְיָ הַיְשׁוּעָה, עַל עַמְּךָ בִרְכָתֶךָ סֶּלָה.

4 יְיָ צְבָאוֹת עִמָּנוּ, מִשְׂגָּב לָנוּ–אֱלֹהֵי יַעֲקֹב סֶלָה.

5 יְיָ צְבָאוֹת אַשְׁרֵי אָדָם בֹּטֵחַ בָּךְ. יְיָ הוֹשִׁיעָה! הַמֶּלֶךְ

6 יַעֲנֵנוּ בְיוֹם קָרְאֵנוּ.

7 לַיְּהוּדִים הָיְתָה אוֹרָה וְשִׂמְחָה, וְשָׂשֹׂן, וִיקָר.–כֵּן תִּהְיֶה

8 לָנוּ. כּוֹס יְשׁוּעוֹת אֶשָּׂא, וּבְשֵׁם יְיָ אֶקְרָא.

In the Synagogue, the Reader begins here:

Over wine: 9 סַבְרִי מָרָנָן וְרַבּוֹתַי.

10 בָּרוּךְ אַתָּה יְיָ, אֱלֹהֵינוּ מֶלֶךְ הָעוֹלָם, בּוֹרֵא

11 פְּרִי הַגָּפֶן.

over fragrant spices:

1 בָּרוּךְ אַתָּה יְיָ, אֱלֹהֵינוּ מֶלֶךְ הָעוֹלָם, בּוֹרֵא

2 מִינֵי בְשָׂמִים.

Over a lit Havdalah candle:

3 בָּרוּךְ אַתָּה יְיָ, אֱלֹהֵינוּ מֶלֶךְ הָעוֹלָם, בּוֹרֵא

4 מְאוֹרֵי הָאֵשׁ.

5 בָּרוּךְ אַתָּה יְיָ, אֱלֹהֵינוּ מֶלֶךְ הָעוֹלָם, הַמַּבְדִּיל בֵּין קֹדֶשׁ

6 לְחוֹל, בֵּין אוֹר לְחְשֶׁךְ, בֵּין יִשְׂרָאֵל לָעַמִּים, בֵּין יוֹם הַשְּׁבִיעִי

7 לְשֵׁשֶׁת יְמֵי הַמַּעֲשֶׂה.

8 בָּרוּךְ אַתָּה יְיָ, הַמַּבְדִּיל בֵּין קֹדֶשׁ לְחוֹל.

זְמִירוֹת לְמוֹצָאֵי שַׁבָּת

9 הַמַּבְדִּיל בֵּין קֹדֶשׁ לְחוֹל, חַטֹּאתֵינוּ הוּא יִמְחוֹל, זַרְעֵנוּ

10 וְכַסְפֵּנוּ יַרְבֶּה כַחוֹל, וְכַכּוֹכָבִים בַּלָּיְלָה. יוֹם פָּנָה כְּצֵל תֹּמֶר,

11 אֶקְרָא לָאֵל עָלַי גוֹמֵר, אָמַר שׁוֹמֵר, אָתָא בְקֶר וְגַם לָיְלָה.

12 צִדְקָתְךָ כְּהַר תָּבוֹר, עַל חֲטָאַי עָבֹר תַּעֲבֹר, כְּיוֹם אֶתְמוֹל

13 כִּי יַעֲבֹר, וְאַשְׁמוּרָה בַלָּיְלָה. חָלְפָה עוֹנַת מִנְחָתִי, מִי יִתֵּן

14 מְנוּחָתִי, יָגַעְתִּי בְאַנְחָתִי, אַשְׂחֶה בְכָל לָיְלָה. קוֹלִי בַּל יִנָּטַל,

15 פְּתַח לִי שַׁעַר הַמְנֻטָּל, שֶׁרֹאשִׁי נִמְלָא טָל, קְוֻצּוֹתַי רְסִיסֵי

16 לָיְלָה. הֵעָתֵר נוֹרָא וְאָיוֹם, אֲשַׁוֵּעַ תְּנָה פִדְיוֹם, בְּנֶשֶׁף בְּעֶרֶב

17 יוֹם, בְּאִישׁוֹן לָיְלָה. קְרָאתִיךָ יָהּ הוֹשִׁיעֵנִי, אֹרַח חַיִּים

18 תּוֹדִיעֵנִי, מִדַּלּוּת תְּבַצְּעֵנִי, מִיּוֹם וְעַד לָיְלָה. טַהֵר טִנּוּף

מַעֲשַׂי, פֶּן יֹאמְרוּ מַכְעִיסַי, אַיֵּה נָא אֱלוֹהַּ עֹשָׂי, הַנּוֹתֵן זְמִרוֹת בַּלָּיְלָה. נַחְנוּ בְיָדְךָ כַּחֹמֶר, סְלַח נָא עַל קַל וָחֹמֶר, יוֹם לְיוֹם יַבִּיעַ אֹמֶר, וְלַיְלָה לְלָיְלָה.

הַמַּבְדִּיל בֵּין קֹדֶשׁ לְחוֹל, חַטֹּאתֵינוּ הוּא יִמְחוֹל, זַרְעֵנוּ וְכַסְפֵּנוּ יַרְבֶּה כַּחוֹל, וְכַכּוֹכָבִים בַּלָּיְלָה.

בְּמוֹצָאֵי יוֹם מְנוּחָה, הַמְצֵא לְעַמְּךָ רְוָחָה, שְׁלַח תִּשְׁבִּי לְנֶאֱנָחָה, וְנָס יָגוֹן וַאֲנָחָה. יָאֲתָה לְךָ צוּרִי, לְקַבֵּץ עַם מְפֻזָּרִי, מִיַּד גּוֹי אַכְזָרִי, אֲשֶׁר כָּרָה לִי שׁוּחָה, עֵת דּוֹדִים תְּעוֹרֵר אֵל, לְמַלֵּט עַם אֲשֶׁר שׁוֹאֵל, רְאוֹת טוּבְךָ בְּבֹא גוֹאֵל, לְשֶׂה פְזוּרָה נִדָּחָה. קְרָא יֶשַׁע לְעַם נְדָבָה, אֵל דָּגוּל מֵרְבָבָה, יְהִי הַשָּׁבוּעַ הַבָּא, לִישׁוּעָה וְלִרְוָחָה. בַּת צִיּוֹן הַשְּׁכוּלָה, אֲשֶׁר הִיא הַיּוֹם גְּעוּלָה, מְהֵרָה תִּהְיֶה בְעוּלָה, בְּאֵם הַבָּנִים שְׂמֵחָה. מַעְיָנוֹת אֲזַי יְזוּבוּן, וּפְדוּיֵי יְיָ עוֹד יְשׁוּבוּן, וּמֵי יֶשַׁע יִשְׁאֲבוּן, וְהַצָּרָה נִשְׁכָּחָה. נְחֵה עַמְּךָ כְּאָב רַחֲמָן, יְצַפְצְפוּ עַם לֹא אַלְמָן, דְּבַר יְיָ אֲשֶׁר נֶאֱמָן, בַּהֲקִימְךָ הַבְטָחָה. וִידִידִים פְּלֵיטֵי חֶרֶץ, נְגִינָתָם יִפְצְחוּ בְמֶרֶץ, בְּלִי צְוָחָה וּבְלִי פֶרֶץ, אֵין יוֹצֵאת וְאֵין צְוָחָה. יְהִי הַחֹדֶשׁ הַזֶּה, כִּנְבוּאַת אֲבִי חוֹזֶה, וְיִשָּׁמַע בְּבַיִת זֶה, קוֹל שָׂשׂוֹן וְקוֹל שִׂמְחָה. חָזָק יְמַלֵּא מִשְׁאֲלוֹתֵינוּ, אַמִּיץ יַעֲשֶׂה בַּקָּשָׁתֵנוּ, וְהוּא יִשְׁלַח בְּמַעֲשֵׂה יָדֵינוּ, בְּרָכָה וְהַצְלָחָה. בְּמוֹצָאֵי יוֹם גִּילָה, שִׁמְךָ נוֹרָא עֲלִילָה, שְׁלַח תִּשְׁבִּי לְעַם סְגֻלָּה, רֶוַח שָׂשׂוֹן וַהֲנָחָה, קוֹל צָהֳלָה וְרִנָּה, שְׂפָתֵינוּ אָז תְּרַנֵּנָּה, אָנָּא יְהֹוָה הוֹשִׁיעָה נָּא, אָנָּא יְהֹוָה הַצְלִיחָה נָא.

הַלְלוּיָהּ הַלְלוּ אֶת יְיָ מִן הַשָּׁמַיִם

Praise the Lord! Praise the Lord from the heavens

For comment see page 82

Recite in the open when the New Moon is seen:

הַלְלוּיָהּ!

1   הַלְלוּ אֶת יְיָ מִן הַשָּׁמַיִם, הַלְלוּהוּ בַּמְּרוֹמִים.

2   הַלְלוּהוּ כָל מַלְאָכָיו, הַלְלוּהוּ כָּל צְבָאָיו.

3   הַלְלוּהוּ שֶׁמֶשׁ וְיָרֵחַ, הַלְלוּהוּ כָּל כּוֹכְבֵי אוֹר.

4   הַלְלוּהוּ שְׁמֵי הַשָּׁמָיִם, וְהַמַּיִם אֲשֶׁר מֵעַל הַשָּׁמָיִם.

5   יְהַלְלוּ אֶת שֵׁם יְיָ, כִּי הוּא צִוָּה – וְנִבְרָאוּ,

6   וַיַּעֲמִידֵם לָעַד לְעוֹלָם, חָק נָתַן וְלֹא יַעֲבוֹר.

7   הֲרֵינִי מוּכָן וּמְזֻמָּן לְקַיֵּם הַמִּצְוָה לְקַדֵּשׁ הַלְּבָנָה.

8   בָּרוּךְ אַתָּה יְיָ, אֱלֹהֵינוּ מֶלֶךְ הָעוֹלָם, אֲשֶׁר

9   בְּמַאֲמָרוֹ בָּרָא שְׁחָקִים, וּבְרוּחַ פִּיו־כָּל צְבָאָם.

10   חָק וּזְמַן נָתַן לָהֶם שֶׁלֹּא יְשַׁנּוּ אֶת תַּפְקִידָם, שָׂשִׂים

11   וּשְׂמֵחִים לַעֲשׂוֹת רְצוֹן קוֹנָם,־פּוֹעֵל אֱמֶת, שֶׁפְּעֻלָּתוֹ

12   אֱמֶת. וְלַלְּבָנָה אָמַר: שֶׁתִּתְחַדֵּשׁ,־עֲטֶרֶת תִּפְאֶרֶת

13   לַעֲמוּסֵי בָטֶן, שֶׁהֵם עֲתִידִים לְהִתְחַדֵּשׁ כְּמוֹתָהּ,

14   וּלְפָאֵר לְיוֹצְרָם עַל שֵׁם כְּבוֹד מַלְכוּתוֹ. בָּרוּךְ

15   אַתָּה יְיָ, מְחַדֵּשׁ חֳדָשִׁים.

three times:

בָּרוּךְ יוֹצְרֵךְ, בָּרוּךְ עֹשֵׂךְ, 1

בָּרוּךְ קוֹנֵךְ, בָּרוּךְ בּוֹרְאֵךְ! 2

three times

כְּשֵׁם שֶׁאֲנִי רוֹקֵד כְּנֶגְדֵּךְ וְאֵינִי יָכוֹל לִנְגּוֹעַ בָּךְ, כַּךְ לֹא 3

יוּכְלוּ כָּל אוֹיְבַי לִנְגּוֹעַ בִּי לְרָעָה. 4

three times:

תִּפֹּל עֲלֵיהֶם אֵימָתָה וָפַחַד בִּגְדֹל זְרוֹעֲךָ יִדְּמוּ כָּאָבֶן. 5

three times:

כָּאָבֶן יִדְּמוּ זְרוֹעֲךָ בִּגְדֹל וָפַחַד אֵימָתָה עֲלֵיהֶם תִּפֹּל. 6

three times:

דָּוִד מֶלֶךְ יִשְׂרָאֵל חַי וְקַיָּם. 7

Exchange greetings: *three times:*

שָׁלוֹם עֲלֵיכֶם: עֲלֵיכֶם שָׁלוֹם! 8

three times:

סִמָּן טוֹב וּמַזָּל טוֹב יְהֵא לָנוּ וּלְכָל יִשְׂרָאֵל אָמֵן. 9

קוֹל דּוֹדִי הִנֵּה זֶה בָּא, מְדַלֵּג עַל הֶהָרִים, 10

מְקַפֵּץ עַל הַגְּבָעוֹת. 11

דּוֹמֶה דוֹדִי לִצְבִי אוֹ לְעֹפֶר הָאַיָּלִים. הִנֵּה זֶה 12

עוֹמֵד אַחַר כָּתְלֵנוּ, מַשְׁגִּיחַ מִן הַחַלֹּנוֹת, מֵצִיץ מִן 13

הַחֲרַכִּים. 14

שִׁיר לַמַּעֲלוֹת, אֶשָּׂא עֵינַי אֶל הֶהָרִים, מֵאַיִן 15

1. יָבֹא עֶזְרִי. עֶזְרִי מֵעִם יְיָ, עֹשֵׂה שָׁמַיִם וָאָרֶץ. אַל

2. יִתֵּן לַמּוֹט רַגְלֶךָ, אַל יָנוּם שֹׁמְרֶךָ. הִנֵּה לֹא יָנוּם

3. וְלֹא יִישָׁן, שׁוֹמֵר יִשְׂרָאֵל. יְיָ שֹׁמְרֶךָ, יְיָ צִלְּךָ עַל יַד

4. יְמִינֶךָ. יוֹמָם הַשֶּׁמֶשׁ לֹא יַכֶּכָּה, וְיָרֵחַ בַּלָּיְלָה. יְיָ

5. יִשְׁמָרְךָ מִכָּל רָע, יִשְׁמֹר אֶת נַפְשֶׁךָ. יְיָ יִשְׁמָר

6. צֵאתְךָ וּבוֹאֶךָ, מֵעַתָּה וְעַד עוֹלָם.

7. הַלְלוּיָהּ, הַלְלוּ אֵל בְּקָדְשׁוֹ, הַלְלוּהוּ בִּרְקִיעַ

8. עֻזּוֹ. הַלְלוּהוּ בִגְבוּרֹתָיו, הַלְלוּהוּ כְּרֹב גֻּדְלוֹ.

9. הַלְלוּהוּ בְּתֵקַע שׁוֹפָר, הַלְלוּהוּ בְּנֵבֶל וְכִנּוֹר.

10. הַלְלוּהוּ בְּתֹף וּמָחוֹל, הַלְלוּהוּ בְּמִנִּים וְעֻגָב.

11. הַלְלוּהוּ בְצִלְצְלֵי שָׁמַע, הַלְלוּהוּ בְּצִלְצְלֵי תְרוּעָה.

12. כֹּל הַנְּשָׁמָה תְּהַלֵּל יָהּ, הַלְלוּיָהּ.

13. תָּנָא דְּבֵי רַבִּי יִשְׁמָעֵאל: אִלְמָלֵי לֹא זָכוּ יִשְׂרָאֵל אֶלָּא

14. לְהַקְבִּיל פְּנֵי אֲבִיהֶם שֶׁבַּשָּׁמַיִם פַּעַם אַחַת בַּחֹדֶשׁ־דַּיָּם. אָמַר

15. אַבַּיֵּי: הִלְכָּךְ צָרִיךְ לְמֵימְרָא מְעֻמָּד.

16. מִי זֹאת עוֹלָה מִן הַמִּדְבָּר מִתְרַפֶּקֶת עַל דּוֹדָהּ?

1 וִיהִי רָצוֹן מִלְּפָנֶיךָ, יְיָ אֱלֹהַי וֵאלֹהֵי אֲבוֹתַי, לְמַלֹּאת

2 פְּגִימַת הַלְּבָנָה, וְלֹא יִהְיֶה בָּהּ שׁוּם מְעוּט, וִיהִי אוֹר הַלְּבָנָה

3 כְּאוֹר הַחַמָּה, וּכְאוֹר שִׁבְעַת יְמֵי בְרֵאשִׁית, כְּמוֹ שֶׁהָיְתָה קֹדֶם

4 מְעוּטָהּ, שֶׁנֶּאֱמַר: "אֶת שְׁנֵי הַמְּאֹרֹת הַגְּדֹלִים". וְיִתְקַיֵּם בָּנוּ

5 מִקְרָא שֶׁכָּתוּב: "וּבִקְשׁוּ אֶת יְיָ אֱלֹהֵיהֶם וְאֵת דָּוִיד מַלְכָּם".

6 אָמֵן!

7 לַמְנַצֵּחַ בִּנְגִינֹת, מִזְמוֹר שִׁיר: אֱלֹהִים יְחָנֵּנוּ וִיבָרְכֵנוּ,

8 יָאֵר פָּנָיו אִתָּנוּ, סֶלָה: לָדַעַת בָּאָרֶץ דַּרְכֶּךָ, בְּכָל גּוֹיִם,

9 יְשׁוּעָתֶךָ: יוֹדוּךָ עַמִּים אֱלֹהִים, יוֹדוּךָ עַמִּים כֻּלָּם: יִשְׂמְחוּ

10 וִירַנְּנוּ לְאֻמִּים, כִּי תִשְׁפֹּט עַמִּים מִישׁר, וּלְאֻמִּים בָּאָרֶץ

11 תַּנְחֵם, סֶלָה: יוֹדוּךָ עַמִּים אֱלֹהִים, יוֹדוּךָ עַמִּים כֻּלָּם:

12 אֶרֶץ נָתְנָה יְבוּלָהּ, יְבָרְכֵנוּ אֱלֹהִים אֱלֹהֵינוּ: יְבָרְכֵנוּ

13 אֱלֹהִים, וְיִירְאוּ אֹתוֹ, כָּל אַפְסֵי אָרֶץ:

Mourner repeats here the Kaddish page 167:

BLESSINGS ON TAKING THE LULAV

The special blessing recited over the four species (אַרְבָּעָה מִינִים) is pronounced over the לוּלָב because it is the tallest of the four.

For comment see page 509

The following is said before reciting the Blessing on the Lulav:

יְהִי רָצוֹן מִלְּפָנֶיךָ יְיָ אֱלֹהַי וֵאלֹהֵי אֲבוֹתַי, בִּפְרִי עֵץ הָדָר וְכַפּוֹת תְּמָרִים וַעֲנַף עֵץ עָבוֹת וְעַרְבֵי נָחַל, אוֹתִיּוֹת שִׁמְךָ הַמְיֻחָד תְּקָרֵב אֶחָד אֶל אֶחָד וְהָיוּ לַאֲחָדִים בְּיָדִי, וְלֵידַע אֵיךְ שִׁמְךָ נִקְרָא עָלַי וְיִירְאוּ מִגֶּשֶׁת אֵלַי, וּבְנַעֲנוּעִי אוֹתָם תַּשְׁפִּיעַ שֶׁפַע בְּרָכוֹת מִדַּעַת עֶלְיוֹן לִנְוֵה אַפִּרְיוֹן לִמְכוֹן בֵּית אֱלֹהֵינוּ, וּתְהֵא חֲשׁוּבָה לְפָנֶיךָ מִצְוַת אַרְבָּעָה מִינִים אֵלּוּ, כְּאִלּוּ קִיַּמְתִּיהָ בְּכָל פְּרָטוֹתֶיהָ וְשָׁרָשֶׁיהָ וְתַרְיַ״ג מִצְוֹת הַתְּלוּיִם בָּהּ. בָּרוּךְ יְיָ לְעוֹלָם אָמֵן וְאָמֵן.

During Sukkot (except on Sabbath) the following is recited as the Lulav (in the right hand) and the Etrog (in the left hand) are held together:

בָּרוּךְ אַתָּה יְיָ, אֱלֹהֵינוּ מֶלֶךְ הָעוֹלָם, אֲשֶׁר קִדְּשָׁנוּ בְּמִצְוֹתָיו וְצִוָּנוּ עַל נְטִילַת לוּלָב.

The following Blessing is said on the first day only. Should the first day fall on Sabbath, the Blessing is said on the second day:

בָּרוּךְ אַתָּה יְיָ, אֱלֹהֵינוּ מֶלֶךְ הָעוֹלָם, שֶׁהֶחֱיָנוּ, וְקִיְּמָנוּ, וְהִגִּיעָנוּ לַזְּמַן הַזֶּה:

The הַלֵּל prayers come from the Book of Psalms in the Holy
Bible. The Psalms are beautiful songs of praise and thanks-
giving to God. Most of them were written by King David.
They were sung by the Levites in the Holy Temple in Jerusalem.

The הַלֵּל is said on the three major festivals, פֶּסַח, שָׁבוּעוֹת
and סֻכּוֹת, on רֹאשׁ חֹדֶשׁ and on חֲנֻכָּה. On the last six days of
פֶּסַח and רֹאשׁ חֹדֶשׁ two of the Psalms are omitted, and the group
of psalms we say is called "half-Hallel."

*Hallel is recited after the Shemoneh Esreh
of Shaharit on Passover, Shavuot,
Sukkot, Chanukah and Rosh Hodesh:*

1 בָּרוּךְ אַתָּה יְיָ, אֱלֹהֵינוּ מֶלֶךְ הָעוֹלָם, אֲשֶׁר קִדְּשָׁנוּ בְּמִצְוֹתָיו,

2 וְצִוָּנוּ לִקְרוֹא אֶת הַהַלֵּל:

3 הַלְלוּיָהּ, הַלְלוּ עַבְדֵי יְיָ, הַלְלוּ אֶת שֵׁם יְיָ: יְהִי

4 שֵׁם יְיָ מְבֹרָךְ, מֵעַתָּה וְעַד עוֹלָם: מִמִּזְרַח שֶׁמֶשׁ

5 עַד מְבוֹאוֹ, מְהֻלָּל שֵׁם יְיָ: רָם עַל כָּל גּוֹיִם יְיָ, עַל

6 הַשָּׁמַיִם כְּבוֹדוֹ: מִי כַּיְיָ אֱלֹהֵינוּ, הַמַּגְבִּיהִי לָשָׁבֶת:

7 הַמַּשְׁפִּילִי לִרְאוֹת, בַּשָּׁמַיִם וּבָאָרֶץ: מְקִימִי מֵעָפָר

8 דָּל, מֵאַשְׁפֹּת יָרִים אֶבְיוֹן: Reader לְהוֹשִׁיבִי עִם

9 נְדִיבִים, עִם נְדִיבֵי עַמּוֹ: מוֹשִׁיבִי עֲקֶרֶת הַבַּיִת, אֵם

10 הַבָּנִים שְׂמֵחָה, הַלְלוּיָהּ:

11 בְּצֵאת יִשְׂרָאֵל מִמִּצְרָיִם, בֵּית יַעֲקֹב מֵעַם לֹעֵז:

12 הָיְתָה יְהוּדָה לְקָדְשׁוֹ, יִשְׂרָאֵל מַמְשְׁלוֹתָיו: הַיָּם

1 רָאָה וַיָּנֹס, הַיַּרְדֵּן יִסֹּב לְאָחוֹר: הֶהָרִים רָקְדוּ

2 כְאֵילִים, גְּבָעוֹת כִּבְנֵי צֹאן: מַה לְּךָ הַיָּם כִּי תָנוּס,

3 הַיַּרְדֵּן תִּסֹּב לְאָחוֹר: הֶהָרִים תִּרְקְדוּ כְאֵילִים,

4 גְּבָעוֹת כִּבְנֵי צֹאן: Reader   מִלְּפְנֵי אָדוֹן חוּלִי אָרֶץ,

5 מִלְּפְנֵי אֱלוֹהַּ יַעֲקֹב: הַהֹפְכִי הַצּוּר אֲגַם מָיִם,

6 חַלָּמִישׁ לְמַעְיְנוֹ מָיִם:

The following is not recited on Rosh Hodesh and the last 6 days of Passover:

7 לֹא לָנוּ יְיָ, לֹא לָנוּ כִּי לְשִׁמְךָ תֵּן כָּבוֹד, עַל חַסְדְּךָ עַל

8 אֲמִתֶּךָ: לָמָּה יֹאמְרוּ הַגּוֹיִם. אַיֵּה־נָא אֱלֹהֵיהֶם: וֵאלֹהֵינוּ בַשָּׁמַיִם

9 כֹּל אֲשֶׁר חָפֵץ עָשָׂה: עֲצַבֵּיהֶם כֶּסֶף וְזָהָב. מַעֲשֵׂה יְדֵי אָדָם:

10 פֶּה לָהֶם וְלֹא יְדַבֵּרוּ. עֵינַיִם לָהֶם וְלֹא יִרְאוּ: אָזְנַיִם לָהֶם וְלֹא

11 יִשְׁמָעוּ. אַף לָהֶם וְלֹא יְרִיחוּן: יְדֵיהֶם וְלֹא יְמִישׁוּן. רַגְלֵיהֶם

12 וְלֹא יְהַלֵּכוּ. לֹא יֶהְגּוּ בִּגְרוֹנָם: כְּמוֹהֶם יִהְיוּ עֹשֵׂיהֶם. כֹּל אֲשֶׁר

13 בֹּטֵחַ בָּהֶם: יִשְׂרָאֵל בְּטַח בַּיְיָ. עֶזְרָם וּמָגִנָּם הוּא: בֵּית אַהֲרֹן

14 בִּטְחוּ בַיְיָ. עֶזְרָם וּמָגִנָּם הוּא: יִרְאֵי יְיָ בִּטְחוּ בַיְיָ. עֶזְרָם וּמָגִנָּם

15 הוּא:

16 יְיָ זְכָרָנוּ יְבָרֵךְ, יְבָרֵךְ אֶת בֵּית יִשְׂרָאֵל, יְבָרֵךְ

17 אֶת בֵּית אַהֲרֹן: יְבָרֵךְ יִרְאֵי יְיָ, הַקְּטַנִּים עִם

18 הַגְּדֹלִים: יֹסֵף יְיָ עֲלֵיכֶם, עֲלֵיכֶם וְעַל בְּנֵיכֶם:

1 בְּרוּכִים אַתֶּם לַיְיָ, עֹשֵׂה שָׁמַיִם וָאָרֶץ: הַשָּׁמַיִם

2 שָׁמַיִם לַיְיָ, וְהָאָרֶץ נָתַן לִבְנֵי אָדָם: **Reader** לֹא

3 הַמֵּתִים יְהַלְלוּ יָהּ, וְלֹא כָּל יֹרְדֵי דוּמָה: וַאֲנַחְנוּ

4 נְבָרֵךְ יָהּ, מֵעַתָּה וְעַד עוֹלָם הַלְלוּיָהּ:

The following is not recited on Rosh Hodesh and the last 6 days of Passover:

5 אָהַבְתִּי כִּי יִשְׁמַע יְיָ, אֶת קוֹלִי תַּחֲנוּנָי: כִּי הִטָּה

6 אָזְנוֹ לִי, וּבְיָמַי אֶקְרָא: אֲפָפוּנִי חֶבְלֵי מָוֶת וּמְצָרֵי

7 שְׁאוֹל מְצָאוּנִי, צָרָה וְיָגוֹן אֶמְצָא: וּבְשֵׁם יְיָ אֶקְרָא,

8 אָנָּה יְיָ מַלְּטָה נַפְשִׁי: חַנּוּן יְיָ וְצַדִּיק, וֵאלֹהֵינוּ

9 מְרַחֵם: שֹׁמֵר פְּתָאִים יְיָ, דַּלּוֹתִי וְלִי יְהוֹשִׁיעַ: שׁוּבִי

10 נַפְשִׁי לִמְנוּחָיְכִי, כִּי יְיָ גָּמַל עָלָיְכִי: כִּי חִלַּצְתָּ נַפְשִׁי

11 מִמָּוֶת, אֶת עֵינִי מִן דִּמְעָה, אֶת רַגְלִי מִדֶּחִי:

12 אֶתְהַלֵּךְ לִפְנֵי יְיָ בְּאַרְצוֹת הַחַיִּים. **Reader** הֶאֱמַנְתִּי

13 כִּי אֲדַבֵּר אֲנִי עָנִיתִי מְאֹד: אֲנִי אָמַרְתִּי בְחָפְזִי, כָּל

14 הָאָדָם כֹּזֵב:

15 מָה אָשִׁיב לַיְיָ, כָּל תַּגְמוּלוֹהִי עָלָי: כּוֹס יְשׁוּעוֹת

16 אֶשָּׂא, וּבְשֵׁם יְיָ אֶקְרָא: נְדָרַי לַיְיָ אֲשַׁלֵּם, נֶגְדָה נָּא

17 לְכָל עַמּוֹ: יָקָר בְּעֵינֵי יְיָ, הַמָּוְתָה לַחֲסִידָיו: אָנָּה יְיָ

כִּי אֲנִי עַבְדֶּךָ, אֲנִי עַבְדְּךָ בֶּן אֲמָתֶךָ, פִּתַּחְתָּ לְמוֹסֵרָי: לְךָ אֶזְבַּח זֶבַח תּוֹדָה, וּבְשֵׁם יְיָ אֶקְרָא:

Reader נְדָרַי לַייָ אֲשַׁלֵּם, נֶגְדָה נָּא לְכָל עַמּוֹ: בְּחַצְרוֹת בֵּית יְיָ בְּתוֹכֵכִי יְרוּשָׁלָיִם, הַלְלוּיָהּ:

Congregation and Reader:

הַלְלוּ אֶת יְיָ כָּל גּוֹיִם, שַׁבְּחוּהוּ כָּל הָאֻמִּים: כִּי גָבַר עָלֵינוּ חַסְדּוֹ, וֶאֱמֶת יְיָ לְעוֹלָם, הַלְלוּיָהּ:

הוֹדוּ לַייָ כִּי טוֹב כִּי לְעוֹלָם חַסְדּוֹ:

O give thanks to the Lord; for He is good: for His lovingkindness endures forever.

Responsively:

הוֹדוּ לַייָ כִּי טוֹב, כִּי לְעוֹלָם חַסְדּוֹ:
יֹאמַר נָא יִשְׂרָאֵל, כִּי לְעוֹלָם חַסְדּוֹ:
יֹאמְרוּ נָא בֵית אַהֲרֹן, כִּי לְעוֹלָם חַסְדּוֹ:
יֹאמְרוּ נָא יִרְאֵי יְיָ, כִּי לְעוֹלָם חַסְדּוֹ:

מִן הַמֵּצַר קָרָאתִי יָּהּ, עָנָנִי בַמֶּרְחָב יָהּ: יְיָ לִי לֹא אִירָא, מַה יַּעֲשֶׂה לִי אָדָם: יְיָ לִי בְּעֹזְרָי, וַאֲנִי אֶרְאֶה בְשֹׂנְאָי: טוֹב לַחֲסוֹת בַּייָ, מִבְּטֹחַ בָּאָדָם: טוֹב לַחֲסוֹת בַּייָ, מִבְּטֹחַ בִּנְדִיבִים: כָּל גּוֹיִם סְבָבוּנִי, בְּשֵׁם יְיָ כִּי אֲמִילַם: סַבּוּנִי גַם סְבָבוּנִי בְּשֵׁם

1 יְיָ כִּי אֲמִילַם: סַבּוּנִי כִדְבוֹרִים דֹּעֲכוּ כְּאֵשׁ קוֹצִים,

2 בְּשֵׁם יְיָ כִּי אֲמִילַם: דָּחֹה דְחִיתַנִי לִנְפֹּל, וַיְיָ עֲזָרָנִי:

3 עָזִּי וְזִמְרָת יָהּ, וַיְהִי לִי לִישׁוּעָה: קוֹל רִנָּה וִישׁוּעָה

4 בְּאָהֳלֵי צַדִּיקִים, יְמִין יְיָ עֹשָׂה חָיִל: יְמִין יְיָ רוֹמֵמָה,

5 יְמִין יְיָ עֹשָׂה חָיִל: לֹא אָמוּת כִּי אֶחְיֶה, וַאֲסַפֵּר

6 מַעֲשֵׂי יָהּ: יַסֹּר יִסְּרַנִּי יָּהּ, וְלַמָּוֶת לֹא נְתָנָנִי: פִּתְחוּ

7 לִי שַׁעֲרֵי צֶדֶק, אָבֹא בָם אוֹדֶה יָהּ: זֶה הַשַּׁעַר לַיְיָ,

8 צַדִּיקִים יָבֹאוּ בוֹ: Repeat אוֹדְךָ כִּי עֲנִיתָנִי, וַתְּהִי

9 לִי לִישׁוּעָה: Repeat אֶבֶן מָאֲסוּ הַבּוֹנִים, הָיְתָה לְרֹאשׁ

10 פִּנָּה: Repeat מֵאֵת יְיָ הָיְתָה זֹּאת, הִיא נִפְלָאת

11 בְּעֵינֵינוּ: Repeat זֶה הַיּוֹם עָשָׂה יְיָ, נָגִילָה וְנִשְׂמְחָה בוֹ:

Responsively:

12 אָנָּא יְיָ הוֹשִׁיעָה נָּא: אָנָּא יְיָ הוֹשִׁיעָה נָּא:

13 אָנָּא יְיָ הַצְלִיחָה נָּא: אָנָּא יְיָ הַצְלִיחָה נָּא:

1 Repeat בָּרוּךְ הַבָּא בְּשֵׁם יְיָ, בֵּרַכְנוּכֶם מִבֵּית יְיָ:

2 Repeat אֵל יְיָ וַיָּאֶר לָנוּ, אִסְרוּ חַג בַּעֲבֹתִים, עַד

3 קַרְנוֹת הַמִּזְבֵּחַ: Repeat אֵלִי אַתָּה וְאוֹדֶךָּ, אֱלֹהַי

4 אֲרוֹמְמֶךָּ: Repeat הוֹדוּ לַיְיָ כִּי טוֹב, כִּי לְעוֹלָם

5 חַסְדּוֹ:

6 יְהַלְלוּךָ יְיָ אֱלֹהֵינוּ עַל כָּל מַעֲשֶׂיךָ, וַחֲסִידֶיךָ

7 צַדִּיקִים עוֹשֵׂי רְצוֹנֶךָ, וְכָל עַמְּךָ בֵּית יִשְׂרָאֵל,

8 בְּרִנָּה יוֹדוּ וִיבָרְכוּ, וִישַׁבְּחוּ, וִיפָאֲרוּ, וִירוֹמְמוּ,

9 וְיַעֲרִיצוּ, וְיַקְדִּישׁוּ וְיַמְלִיכוּ אֶת שִׁמְךָ מַלְכֵּנוּ.

10 Reader כִּי לְךָ טוֹב לְהוֹדוֹת, וּלְשִׁמְךָ נָאֶה לְזַמֵּר,

11 כִּי מֵעוֹלָם וְעַד עוֹלָם אַתָּה אֵל. בָּרוּךְ אַתָּה יְיָ,

12 מֶלֶךְ מְהֻלָּל בַּתִּשְׁבָּחוֹת: Cong. אָמֵן

(On Chanukah Half Kaddish is said page 331, Order of the Reading of the Torah page 147, then say אַשְׁרֵי page 76, and וּבָא לְצִיּוֹן page 160 through page 176 as instructed);

Complete Kaddish page 163; For Rosh Hodesh, Order of the Reading of the Torah page 147;

Musaf for Rosh Hodesh page 498; For Shalosh Regalim; Order of Reading of the Torah page 364, Musaf for Shalosh Regalim page 528, and continue as indicated on page 542: For Hol Ha-Moed Sukkot and Passover; Order of the Reading of the Torah page 147, Musaf for Shalosh Regalim page 528, and continue as indicated on page 542:

ADDITIONAL SERVICE FOR
ROSH HODESH

For comments see page 110, 380 and 388

The following prayer is to be said standing:

1   כִּי שֵׁם יְיָ אֶקְרָא הָבוּ גֹדֶל לֵאלֹהֵינוּ:

2   אֲדֹנָי שְׂפָתַי תִּפְתָּח וּפִי יַגִּיד תְּהִלָּתֶךָ.

3   בָּרוּךְ אַתָּה יְיָ, אֱלֹהֵינוּ וֵאלֹהֵי אֲבוֹתֵינוּ,

4   אֱלֹהֵי אַבְרָהָם, אֱלֹהֵי יִצְחָק, וֵאלֹהֵי יַעֲקֹב,

5   הָאֵל הַגָּדוֹל, הַגִּבּוֹר וְהַנּוֹרָא, אֵל עֶלְיוֹן,

6   גּוֹמֵל חֲסָדִים טוֹבִים, וְקוֹנֵה הַכֹּל, וְזוֹכֵר

7   חַסְדֵי אָבוֹת, וּמֵבִיא גוֹאֵל לִבְנֵי בְנֵיהֶם,

8   לְמַעַן שְׁמוֹ בְּאַהֲבָה.

9   מֶלֶךְ עוֹזֵר וּמוֹשִׁיעַ וּמָגֵן. בָּרוּךְ אַתָּה יְיָ,

10   מָגֵן אַבְרָהָם. Cong. אָמֵן

1 אַתָּה גִבּוֹר לְעוֹלָם אֲדֹנָי, מְחַיֵּה מֵתִים אַתָּה,

2 רַב לְהוֹשִׁיעַ.

From שְׁמִינִי עֲצֶרֶת *till the first day of* פֶּסַח *say:*

3 מַשִּׁיב הָרוּחַ וּמוֹרִיד הַגָּשֶׁם.

4 מְכַלְכֵּל חַיִּים בְּחֶסֶד, מְחַיֵּה מֵתִים בְּרַחֲמִים

5 רַבִּים, סוֹמֵךְ נוֹפְלִים, וְרוֹפֵא חוֹלִים, וּמַתִּיר

6 אֲסוּרִים, וּמְקַיֵּם אֱמוּנָתוֹ לִישֵׁנֵי עָפָר. מִי

7 כָמוֹךָ בַּעַל גְּבוּרוֹת? וּמִי דּוֹמֶה לָּךְ, מֶלֶךְ

8 מֵמִית וּמְחַיֶּה וּמַצְמִיחַ יְשׁוּעָה?

9 וְנֶאֱמָן אַתָּה לְהַחֲיוֹת מֵתִים. בָּרוּךְ אַתָּה יְיָ,

10 מְחַיֵּה הַמֵּתִים. ✡ Cong. אָמֵן

✡ *When the Reader repeats the* שְׁמוֹנָה עֶשְׂרֵה, *the following* קְדוּשָׁה *is said:*

Cong. and Reader

11 נְקַדֵּשׁ אֶת שִׁמְךָ בָּעוֹלָם, כְּשֵׁם שֶׁמַּקְדִּישִׁים

12 אוֹתוֹ בִּשְׁמֵי מָרוֹם, כַּכָּתוּב עַל יַד נְבִיאֶךָ:

13 וְקָרָא זֶה אֶל זֶה וְאָמַר:

אַתָּה קָדוֹשׁ וְשִׁמְךָ קָדוֹשׁ, וּקְדוֹשִׁים בְּכָל יוֹם יְהַלְלוּךָ, סֶּלָה. בָּרוּךְ אַתָּה יְיָ, הָאֵל הַקָּדוֹשׁ.

Cong. and Reader

קָדוֹשׁ, קָדוֹשׁ, קָדוֹשׁ יְיָ צְבָאוֹת! מְלֹא כָל הָאָרֶץ כְּבוֹדוֹ.

Reader לְעֻמָּתָם בָּרוּךְ יֹאמֵרוּ:

Cong. and Reader

בָּרוּךְ כְּבוֹד יְיָ מִמְּקוֹמוֹ.

Reader וּבְדִבְרֵי קָדְשְׁךָ כָּתוּב לֵאמֹר:

Cong. and Reader

יִמְלֹךְ יְיָ לְעֹלָם, אֱלֹהַיִךְ צִיּוֹן לְדֹר וָדֹר, הַלְלוּיָהּ:

Reader לְדוֹר וָדוֹר נַגִּיד גָּדְלֶךָ, וּלְנֵצַח נְצָחִים קְדֻשָּׁתְךָ נַקְדִּישׁ, וְשִׁבְחֲךָ אֱלֹהֵינוּ מִפִּינוּ לֹא יָמוּשׁ לְעוֹלָם וָעֶד, כִּי אֵל מֶלֶךְ גָּדוֹל וְקָדוֹשׁ אָתָּה. בָּרוּךְ אַתָּה יְיָ, הָאֵל הַקָּדוֹשׁ: Cong. אָמֵן

1 רָאשֵׁי חֳדָשִׁים לְעַמְּךָ נָתָתָּ, זְמַן כַּפָּרָה לְכָל

2 תּוֹלְדוֹתָם. בִּהְיוֹתָם מַקְרִיבִים לְפָנֶיךָ, זִבְחֵי רָצוֹן

3 וּשְׂעִירֵי חַטָּאת לְכַפֵּר בַּעֲדָם; זִכָּרוֹן לְכֻלָּם יִהְיוּ,

4 וּתְשׁוּעַת נַפְשָׁם מִיַּד שׂוֹנֵא. מִזְבֵּחַ חָדָשׁ בְּצִיּוֹן תָּכִין,

5 וְעוֹלַת רֹאשׁ חֹדֶשׁ נַעֲלֶה עָלָיו, וּשְׂעִירֵי עִזִּים נַעֲשֶׂה

6 בְרָצוֹן, וּבַעֲבוֹדַת בֵּית הַמִּקְדָּשׁ נִשְׂמַח כֻּלָּנוּ,

7 וּבְשִׁירֵי דָוִד עַבְדֶּךָ הַנִּשְׁמָעִים בְּעִירֶךָ הָאֲמוּרִים

8 לִפְנֵי מִזְבְּחֶךָ. אַהֲבַת עוֹלָם תָּבִיא לָהֶם, וּבְרִית

9 אָבוֹת לַבָּנִים תִּזְכּוֹר.

10 וַהֲבִיאֵנוּ לְצִיּוֹן עִירְךָ בְּרִנָּה, וְלִירוּשָׁלַיִם בֵּית

11 מִקְדָּשְׁךָ בְּשִׂמְחַת עוֹלָם, וְשָׁם נַעֲשֶׂה לְפָנֶיךָ אֶת

12 קָרְבְּנוֹת חוֹבוֹתֵינוּ: תְּמִידִים כְּסִדְרָם, וּמוּסָפִים

13 כְּהִלְכָתָם. וְאֶת מוּסַף יוֹם רֹאשׁ הַחֹדֶשׁ הַזֶּה, נַעֲשֶׂה

14 וְנַקְרִיב לְפָנֶיךָ בְּאַהֲבָה, כְּמִצְוַת רְצוֹנֶךָ, כְּמוֹ

15 שֶׁכָּתַבְתָּ עָלֵינוּ בְּתוֹרָתֶךָ, עַל יְדֵי מֹשֶׁה עַבְדֶּךָ מִפִּי

16 כְבוֹדֶךָ כָּאָמוּר.

1 ‏»וּבְרָאשֵׁי חָדְשֵׁיכֶם תַּקְרִיבוּ עֹלָה לַיָי: פָּרִים בְּנֵי בָקָר

2 שְׁנַיִם, וְאַיִל אֶחָד, כְּבָשִׂים בְּנֵי שָׁנָה שִׁבְעָה, תְּמִימִים.«

3 וּמִנְחָתָם וְנִסְכֵּיהֶם כִּמְדֻבָּר: שְׁלֹשָׁה עֶשְׂרֹנִים לַפָּר, וּשְׁנֵי

4 עֶשְׂרֹנִים לָאַיִל, וְעִשָּׂרוֹן לַכֶּבֶשׂ, וְיַיִן כְּנִסְכּוֹ, וְשָׂעִיר לְכַפֵּר,

5 וּשְׁנֵי תְמִידִים כְּהִלְכָתָם .

6 אֱלֹהֵינוּ וֵאלֹהֵי אֲבוֹתֵינוּ! חַדֵּשׁ עָלֵינוּ אֶת הַחֹדֶשׁ הַזֶּה,

7 לְטוֹבָה וְלִבְרָכָה, לְשָׂשׂוֹן וּלְשִׂמְחָה, לִישׁוּעָה וּלְנֶחָמָה,

8 לְפַרְנָסָה וּלְכַלְכָּלָה, לְחַיִּים וּלְשָׁלוֹם, לִמְחִילַת חֵטְא

9 וְלִסְלִיחַת עָוֹן, (leap year ‏וּלְכַפָּרַת פָּשַׁע). כִּי בְעַמְּךָ

10 יִשְׂרָאֵל בָּחַרְתָּ מִכָּל הָאֻמּוֹת, וְחֻקֵּי רָאשֵׁי חֳדָשִׁים לָהֶם קָבָעְתָּ.

11 בָּרוּךְ אַתָּה יְיָ, מְקַדֵּשׁ יִשְׂרָאֵל וְרָאשֵׁי חֳדָשִׁים Cong. אָמֵן

12 רְצֵה יְיָ אֱלֹהֵינוּ בְּעַמְּךָ יִשְׂרָאֵל וּבִתְפִלָּתָם, וְהָשֵׁב אֶת

13 הָעֲבוֹדָה לִדְבִיר בֵּיתֶךָ וְאִשֵּׁי יִשְׂרָאֵל, וּתְפִלָּתָם בְּאַהֲבָה

14 תְקַבֵּל בְּרָצוֹן, וּתְהִי לְרָצוֹן תָּמִיד עֲבוֹדַת יִשְׂרָאֵל עַמֶּךָ.

15 וְתֶחֱזֶינָה עֵינֵינוּ בְּשׁוּבְךָ לְצִיּוֹן בְּרַחֲמִים.

16 בָּרוּךְ אַתָּה יְיָ, הַמַּחֲזִיר שְׁכִינָתוֹ לְצִיּוֹן.

Cong. אָמֵן

When saying מוֹדִים *bend the knees:*

The Congregation silently:

מוֹדִים אֲנַחְנוּ לָךְ, שָׁאַתָּה הוּא יְיָ אֱלֹהֵינוּ וֵאלֹהֵי אֲבוֹתֵינוּ לְעוֹלָם וָעֶד, צוּר חַיֵּינוּ, מָגֵן יִשְׁעֵנוּ, אַתָּה הוּא לְדוֹר וָדוֹר. נוֹדֶה לְּךָ וּנְסַפֵּר תְּהִלָּתֶךָ, עַל חַיֵּינוּ הַמְּסוּרִים בְּיָדֶךָ, וְעַל נִשְׁמוֹתֵינוּ הַפְּקוּדוֹת לָךְ, וְעַל נִסֶּיךָ שֶׁבְּכָל יוֹם עִמָּנוּ, וְעַל נִפְלְאוֹתֶיךָ וְטוֹבוֹתֶיךָ שֶׁבְּכָל עֵת–עֶרֶב וָבֹקֶר וְצָהֳרָיִם. הַטּוֹב, —

מוֹדִים אֲנַחְנוּ לָךְ, שָׁאַתָּה הוּא יְיָ אֱלֹהֵינוּ וֵאלֹהֵי אֲבוֹתֵינוּ, אֱלֹהֵי כָל בָּשָׂר, יוֹצְרֵנוּ, יוֹצֵר בְּרֵאשִׁית. בְּרָכוֹת וְהוֹדָאוֹת לְשִׁמְךָ הַגָּדוֹל וְהַקָּדוֹשׁ, עַל שֶׁהֶחֱיִיתָנוּ וְקִיַּמְתָּנוּ. כֵּן תְּחַיֵּנוּ וּתְקַיְּמֵנוּ, וְתֶאֱסוֹף גָּלֻיּוֹתֵינוּ לְחַצְרוֹת קָדְשֶׁךָ, לִשְׁמוֹר חֻקֶּיךָ, וְלַעֲשׂוֹת רְצוֹנֶךָ, וּלְעָבְדְּךָ בְּלֵבָב שָׁלֵם, עַל שֶׁאֲנַחְנוּ מוֹדִים לָךְ. בָּרוּךְ אֵל הַהוֹדָאוֹת.

1 כִּי לֹא כָלוּ רַחֲמֶיךָ, וְהַמְרַחֵם, – כִּי לֹא

2 תַמּוּ חֲסָדֶיךָ – מֵעוֹלָם קִוִּינוּ לָךְ. ✡

3 וְעַל כֻּלָּם יִתְבָּרַךְ וְיִתְרוֹמַם שִׁמְךָ מַלְכֵּנוּ

4 תָּמִיד לְעוֹלָם וָעֶד.

5 וְכֹל־הַחַיִּים יוֹדוּךָ סֶּלָה, וִיהַלְלוּ אֶת שִׁמְךָ

6 בֶּאֱמֶת, הָאֵל יְשׁוּעָתֵנוּ וְעֶזְרָתֵנוּ סֶלָה! בָּרוּךְ

7 אַתָּה יְיָ, הַטּוֹב שִׁמְךָ וּלְךָ נָאֶה לְהוֹדוֹת.

Cong. אָמֵן

✡ On Chanukah say עַל הַנִּסִּים:

עַל הַנִּסִּים, וְעַל הַפֻּרְקָן, וְעַל
הַגְּבוּרוֹת, וְעַל הַתְּשׁוּעוֹת, וְעַל
הַמִּלְחָמוֹת, שֶׁעָשִׂיתָ לַאֲבוֹתֵינוּ, בַּיָּמִים
הָהֵם בַּזְּמַן הַזֶּה:
בִּימֵי מַתִּתְיָהוּ, בֶּן יוֹחָנָן כֹּהֵן גָּדוֹל
חַשְׁמוֹנַאי וּבָנָיו. כְּשֶׁעָמְדָה מַלְכוּת יָוָן
הָרְשָׁעָה עַל עַמְּךָ יִשְׂרָאֵל, לְהַשְׁכִּיחָם
תּוֹרָתֶךָ, וּלְהַעֲבִירָם מֵחֻקֵּי רְצוֹנֶךָ.
וְאַתָּה בְּרַחֲמֶיךָ הָרַבִּים, עָמַדְתָּ לָהֶם
בְּעֵת צָרָתָם, רַבְתָּ אֶת־רִיבָם, דַּנְתָּ
אֶת־דִּינָם, נָקַמְתָּ אֶת נִקְמָתָם. מָסַרְתָּ

גִּבּוֹרִים בְּיַד חַלָּשִׁים, וְרַבִּים בְּיַד
מְעַטִּים, וּטְמֵאִים בְּיַד טְהוֹרִים,
וּרְשָׁעִים בְּיַד צַדִּיקִים, וְזֵדִים בְּיַד
עוֹסְקֵי תוֹרָתֶךָ. וּלְךָ עָשִׂיתָ שֵׁם גָּדוֹל
וְקָדוֹשׁ בְּעוֹלָמֶךָ. וּלְעַמְּךָ יִשְׂרָאֵל
עָשִׂיתָ, תְּשׁוּעָה גְדוֹלָה וּפֻרְקָן כְּהַיּוֹם
הַזֶּה. וְאַחַר כֵּן בָּאוּ בָנֶיךָ לִדְבִיר
בֵּיתֶךָ, וּפִנּוּ אֶת הֵיכָלֶךָ, וְטִהֲרוּ אֶת
מִקְדָּשֶׁךָ, וְהִדְלִיקוּ נֵרוֹת בְּחַצְרוֹת
קָדְשֶׁךָ, וְקָבְעוּ שְׁמוֹנַת יְמֵי חֲנֻכָּה אֵלּוּ,
לְהוֹדוֹת וּלְהַלֵּל לְשִׁמְךָ הַגָּדוֹל:

Continue on line 3:

At the repetition of **שְׁמוֹנֶה עֶשְׂרֵה** *the Reader says:*

אֱלֹהֵֽינוּ וֵאלֹהֵי אֲבוֹתֵֽינוּ, בָּרְכֵֽנוּ בַבְּרָכָה הַמְשֻׁלֶּֽשֶׁת, בַּתּוֹרָה, הַכְּתוּבָה עַל יְדֵי מֹשֶׁה עַבְדֶּֽךָ, הָאֲמוּרָה מִפִּי אַהֲרֹן וּבָנָיו כֹּהֲנִים עַם קְדוֹשֶֽׁךָ, כָּאָמוּר: יְבָרֶכְךָ יְיָ וְיִשְׁמְרֶֽךָ! יָאֵר יְיָ פָּנָיו, אֵלֶֽיךָ וִיחֻנֶּֽךָּ! יִשָּׂא יְיָ פָּנָיו אֵלֶֽיךָ וְיָשֵׂם לְךָ שָׁלוֹם!

שִׂים שָׁלוֹם, טוֹבָה וּבְרָכָה, חֵן וָחֶֽסֶד וְרַחֲמִים, עָלֵֽינוּ וְעַל כָּל יִשְׂרָאֵל עַמֶּֽךָ. בָּרְכֵֽנוּ אָבִֽינוּ כֻּלָּֽנוּ כְּאֶחָד בְּאוֹר פָּנֶֽיךָ, כִּי בְאוֹר פָּנֶֽיךָ נָתַֽתָּ לָּֽנוּ יְיָ אֱלֹהֵֽינוּ תּוֹרַת חַיִּים וְאַֽהֲבַת חֶֽסֶד, וּצְדָקָה וּבְרָכָה וְרַחֲמִים וְחַיִּים וְשָׁלוֹם, וְטוֹב בְּעֵינֶֽיךָ לְבָרֵךְ אֶת עַמְּךָ יִשְׂרָאֵל בְּכָל עֵת וּבְכָל שָׁעָה בִּשְׁלוֹמֶֽךָ.

בָּרוּךְ אַתָּה יְיָ, הַמְבָרֵךְ אֶת עַמּוֹ יִשְׂרָאֵל בַּשָּׁלוֹם.

Cong. אָמֵן

1 אֱלֹהַי! נְצוֹר לְשׁוֹנִי מֵרָע, וּשְׂפָתַי מִדַּבֵּר מִרְמָה;

2 וְלִמְקַלְלַי – נַפְשִׁי תִדֹּם, וְנַפְשִׁי כֶּעָפָר לַכֹּל תִּהְיֶה.

3 פְּתַח לִבִּי בְּתוֹרָתֶךָ, וּבְמִצְוֹתֶיךָ תִּרְדּוֹף נַפְשִׁי. וְכָל

4 הַחוֹשְׁבִים עָלַי רָעָה, מְהֵרָה הָפֵר עֲצָתָם וְקַלְקֵל

5 מַחֲשַׁבְתָּם. עֲשֵׂה לְמַעַן שְׁמֶךָ, עֲשֵׂה לְמַעַן יְמִינֶךָ, עֲשֵׂה

6 לְמַעַן קְדֻשָּׁתֶךָ. עֲשֵׂה לְמַעַן תּוֹרָתֶךָ. לְמַעַן יֵחָלְצוּן

7 יְדִידֶיךָ, הוֹשִׁיעָה יְמִינְךָ וַעֲנֵנִי. יִהְיוּ לְרָצוֹן אִמְרֵי פִי וְהֶגְיוֹן

8 לִבִּי לְפָנֶיךָ, יְיָ צוּרִי וְגֹאֲלִי! עֹשֶׂה שָׁלוֹם בִּמְרוֹמָיו, הוּא

9 יַעֲשֶׂה שָׁלוֹם עָלֵינוּ, וְעַל כָּל יִשְׂרָאֵל, וְאִמְרוּ אָמֵן!

10 יְהִי רָצוֹן מִלְּפָנֶיךָ יְיָ אֱלֹהֵינוּ וֵאלֹהֵי אֲבוֹתֵינוּ, שֶׁיִּבָּנֶה בֵּית

11 הַמִּקְדָּשׁ בִּמְהֵרָה בְיָמֵינוּ, וְתֵן חֶלְקֵנוּ בְּתוֹרָתֶךָ. וְשָׁם

12 נַעֲבָדְךָ בְּיִרְאָה כִּימֵי עוֹלָם וּכְשָׁנִים קַדְמוֹנִיּוֹת. וְעָרְבָה

13 לַיְיָ מִנְחַת יְהוּדָה וִירוּשָׁלָיִם, כִּימֵי עוֹלָם וּכְשָׁנִים קַדְמוֹנִיּוֹת.

Continue the Service with:

Pages 163–164	קַדִּישׁ שָׁלֵם
Pages 165–166	עָלֵינוּ
Pages 167–168	קַדִּישׁ יָתוֹם
Pages 168–175	מִזְמוֹרִים שֶׁל יוֹם
Page 444	בָּרְכִי נַפְשִׁי

The following is recited over food on the
eve of a festival that is followed by a Sabbath:

1 בָּרוּךְ אַתָּה יְיָ, אֱלֹהֵינוּ מֶלֶךְ הָעוֹלָם, אֲשֶׁר

2 קִדְּשָׁנוּ בְּמִצְוֹתָיו, וְצִוָּנוּ עַל מִצְוַת עֵרוּב.

3 בַּהֲדֵין עֵרוּבָא יְהֵא שָׁרֵא לָנָא: לְמֵיפָא, וּלְבַשָּׁלָא,

4 וּלְאַטְמָנָא, וּלְאַדְלָקָא שְׁרָגָא, וּלְמֶעְבַּד כָּל צָרְכָּנָא מִיּוֹמָא

5 טָבָא לְשַׁבְּתָא, לָנוּ, וּלְכָל הַדָּרִים בָּעִיר הַזֹּאת.

הַדְלָקַת הַנֵּרוֹת לְיוֹם טוֹב

For comment see page 220

On kindling the Festival lights say:

(When the Festival falls on the Sabbath, add words in the brackets)

6 בָּרוּךְ אַתָּה יְיָ, אֱלֹהֵינוּ מֶלֶךְ הָעוֹלָם, אֲשֶׁר קִדְּשָׁנוּ

7 בְּמִצְוֹתָיו, וְצִוָּנוּ לְהַדְלִיק נֵר שֶׁל (שַׁבָּת וְשֶׁל) יוֹם טוֹב:

8 בָּרוּךְ אַתָּה יְיָ, אֱלֹהֵינוּ מֶלֶךְ הָעוֹלָם, שֶׁהֶחֱיָנוּ וְקִיְּמָנוּ

9 וְהִגִּיעָנוּ לַזְּמַן הַזֶּה:

THE THREE FESTIVALS שָׁלֹשׁ רְגָלִים

The שָׁלֹשׁ רְגָלִים refer to the Three Pilgrimage Festivals.

These holidays were originally agricultural in nature. פֶּסַח marked the spring barley harvest in Israel, שָׁבוּעוֹת commemorated the summer wheat harvest and סֻכּוֹת celebrated the autumn harvest in the Holy Land.

During the festival seasons the Israelites would march with song and dance from all four corners of the land to the Holy Temple in Jerusalem.

Each farmer carried a portion of the choicest of his harvest as a gift of gratitude to the Lord for sending the rain to water the land, and the sun to warm it.

שָׁלֹשׁ means "three". According to Ibn Ezra the name רְגָלִים is derived from the custom of "marching on foot" (עוֹלֵי רֶגֶל). Thus the holidays became known as רְגָלִים.

THE FESTIVAL OF PASSOVER חַג הַפֶּסַח

פֶּסַח celebrates Israel's deliverance from Egyptian bondage; it begins on the fifteenth of Nisan.

The Hebrews were freed not merely to gain personal and political independence but to go forth "to serve the Lord" and to receive the תּוֹרָה, which liberated their souls. The most important Passover observance is the eating of מַצּוֹת, unleavened bread.

After the tenth plague Pharaoh was forced to set the Jews free and he sent them out in a great hurry. The Jews therefore had no time to mix yeast with their dough and wait for it to rise; instead, they just mixed flour and water together and baked it in flat, thin loaves.

The Bible prohibits the eating of all bread but מַצּוֹת during the holiday of פֶּסַח, to remind us of the Exodus from the land of Egypt.

The סֵדֶר is marked by the reading of the Passover story, hymns and blessings, all of which are in the הַגָּדָה.

FEAST OF WEEKS חַג הַשָּׁבוּעוֹת

The Feast of Weeks takes place seven weeks from פֶּסַח and after the beginning of the counting of the עֹמֶר. These seven weeks were the time of the gathering of the grain harvest in ancient Israel. So שָׁבוּעוֹת is the Feast of First Fruits and of the early grain harvest. It falls in Sivan, late May or early June. But its major significance is זְמַן מַתַּן תּוֹרָתֵנוּ, the "Time of the Giving of Our Torah," for on שָׁבוּעוֹת Moses ascended Mount Sinai and received the Ten Commandments. As פֶּסַח is the birthday of the Jewish nation, so שָׁבוּעוֹת is the birthday of the Jewish religion. We eat honey and milk foods on שָׁבוּעוֹת because of the phrase in the Song of Songs, "Honey and milk shall be under your tongue." The sages interpret this as a hope that the words of the תּוֹרָה will be as pleasant and acceptable to our ears and hearts as are milk and honey to the tongue. Among the special readings for שָׁבוּעוֹת is the Book of Ruth; Ruth was the ancestor of King David. In the story of Ruth, relating her acceptance of the Jewish faith, there is an account of the early grain harvest in ancient Israel and of how poor people were helped during the reaping. One tradition has it that David was born and died on this festival. Every Jew who observes שָׁבוּעוֹת can imagine that he too stood at the foot of Mount Sinai and received the Ten Commandments.

On שָׁבוּעוֹת we also chant the אַקְדָמוּת, a hymn of praise to the Jewish people and its clinging devotion to God, Torah and Mitzvot.

FESTIVAL OF BOOTHS חַג הַסֻּכּוֹת

חַג הַסֻּכּוֹת (Festival of Booths) is known by two other names.

As a harvest festival it is known as חַג הָאָסִיף (Festival of Ingathering).

At this period of year the farmers were thankful for the bountiful harvest; therefore the Festival also acquired the name of זְמַן שִׂמְחָתֵנוּ (Festival of our Rejoicing).

סֻכּוֹת also commemorates the dwelling of the Israelites in the desert in temporary huts (סֻכּוֹת), partly open to the sky. Jews have observed the nine-day festival of סֻכּוֹת, which occurs shortly after יוֹם כִּפּוּר, by building such open huts. The סֻכָּה may not be too tall or too low; through the vegetation on its latticed roof more shade than sun must be seen. It is decorated with fruits and vegetables, showing God's bounties at this joyous time of harvest. As part of the religious service for סֻכּוֹת, four plant species are used.

We take the אֶתְרוֹג (citron), the לוּלָב (palm branch) and we bind them together with הֲדַסִּים (myrtles) and the עֲרָבוֹת (willows).

The Minha Service on a weekday preceding the Eve of the Festival is the same as on Friday, as follows: אַשְׁרֵי *page 156-158, Half Kaddish page 144-145, Shemoneh Esreh page 112-127, Complete Kaddish page 163-164,* עָלֵינוּ *page 165-166, Mourners Kaddish page 167-168:*

The Maariv Service for Festivals: Maariv Service for Sabbath and Festivals page 243-252 (If on a Friday night begin by saying מִזְמוֹר שִׁיר לְיוֹם הַשַּׁבָּת *page 234-235, and Mourners Kaddish page 236-237):*

The Shaharit Service for Festivals: pages 29-62 מַה־טֹּבוּ *to* קַדְמוֹנִיּוֹת *(followed by Rabbinical Kaddish page 62-64,)* מִזְמוֹר שִׁיר חֲנֻכַּת הַבַּיִת לְדָוִד: *page 284 through* גָּאַל יִשְׂרָאֵל *page 348:*

The Minha Service for Festivals: אַשְׁרֵי *page 156-158,* וּבָא לְצִיּוֹן *page 160-162, Half Kaddish page 331 (On Sabbath add:* וַאֲנִי תְפִלָּתִי *page 430, followed by Order of the Reading of the Torah, page 147, through page 150; page 151, line 5–page 152, line 6; page 153, line 8-155; Half Kaddish page 331):*

For comments see page 110

The following prayer is to be said standing:

For Minha :   כִּי שֵׁם יְיָ אֶקְרָא הָבוּ גֹדֶל לֵאלֹהֵינוּ:

1   אֲדֹנָי שְׂפָתַי תִּפְתָּח וּפִי יַגִּיד תְּהִלָּתֶךָ.

2   בָּרוּךְ אַתָּה יְיָ, אֱלֹהֵינוּ וֵאלֹהֵי אֲבוֹתֵינוּ,

3   אֱלֹהֵי אַבְרָהָם, אֱלֹהֵי יִצְחָק, וֵאלֹהֵי יַעֲקֹב,

4   הָאֵל הַגָּדוֹל, הַגִּבּוֹר וְהַנּוֹרָא, אֵל עֶלְיוֹן,

5   גּוֹמֵל חֲסָדִים טוֹבִים, וְקוֹנֵה הַכֹּל, וְזוֹכֵר

6   חַסְדֵי אָבוֹת, וּמֵבִיא גוֹאֵל לִבְנֵי בְנֵיהֶם,

7   לְמַעַן שְׁמוֹ בְּאַהֲבָה.

8   מֶלֶךְ עוֹזֵר וּמוֹשִׁיעַ וּמָגֵן. בָּרוּךְ אַתָּה יְיָ,

9   מָגֵן אַבְרָהָם. **Cong.** אָמֵן

10   אַתָּה גִבּוֹר לְעוֹלָם אֲדֹנָי, מְחַיֵּה מֵתִים אַתָּה,

11   רַב לְהוֹשִׁיעַ.

From שְׁמִינִי עֲצֶרֶת *till the first day of* פֶּסַח *say:*

1 מַשִּׁיב הָרוּחַ וּמוֹרִיד הַגָּשֶׁם.

2 מְכַלְכֵּל חַיִּים בְּחֶסֶד, מְחַיֵּה מֵתִים בְּרַחֲמִים

3 רַבִּים, סוֹמֵךְ נוֹפְלִים, וְרוֹפֵא חוֹלִים, וּמַתִּיר

4 אֲסוּרִים, וּמְקַיֵּם אֱמוּנָתוֹ לִישֵׁנֵי עָפָר. מִי

5 כָמוֹךָ בַּעַל גְּבוּרוֹת? וּמִי דוֹמֶה לָּךְ, מֶלֶךְ

6 מֵמִית וּמְחַיֶּה וּמַצְמִיחַ יְשׁוּעָה?

7 וְנֶאֱמָן אַתָּה לְהַחֲיוֹת מֵתִים. בָּרוּךְ אַתָּה יְיָ,

8 מְחַיֵּה הַמֵּתִים. Cong. אָמֵן ✡

✡

When the Reader repeats the שְׁמוֹנֶה עֶשְׂרֵה, *the following* קְדוּשָׁה *is said:*

For שַׁחֲרִית :

9 (Cong. & Reader) נְקַדֵּשׁ אֶת שִׁמְךָ בָּעוֹלָם, כְּשֵׁם שֶׁמַּקְדִּישִׁים

10 אוֹתוֹ בִּשְׁמֵי מָרוֹם, כַּכָּתוּב עַל יַד נְבִיאֶךָ, וְקָרָא זֶה

11 אֶל זֶה וְאָמַר: (Cong. & Reader) קָדוֹשׁ, קָדוֹשׁ, קָדוֹשׁ יְיָ

12 צְבָאוֹת! מְלֹא כָל הָאָרֶץ כְּבוֹדוֹ. (Reader) אָז, בְּקוֹל רַעַשׁ

13 גָּדוֹל אַדִּיר וְחָזָק, מַשְׁמִיעִים קוֹל, מִתְנַשְּׂאִים לְעֻמַּת שְׂרָפִים,

14 לְעֻמָּתָם בָּרוּךְ יֹאמֵרוּ. (Cong. & Reader) בָּרוּךְ כְּבוֹד יְיָ

15 מִמְּקוֹמוֹ. (Reader) מִמְּקוֹמְךָ מַלְכֵּנוּ תוֹפִיעַ וְתִמְלוֹךְ עָלֵינוּ,

1   כִּי מְחַכִּים אֲנַחְנוּ לָךְ. מָתַי תִּמְלוֹךְ בְּצִיּוֹן, בְּקָרוֹב בְּיָמֵינוּ

2   לְעוֹלָם וָעֶד תִּשְׁכּוֹן, תִּתְגַּדַּל וְתִתְקַדַּשׁ בְּתוֹךְ יְרוּשָׁלַיִם

3   עִירְךָ, לְדוֹר וָדוֹר וּלְנֵצַח נְצָחִים. וְעֵינֵינוּ תִרְאֶינָה מַלְכוּתֶךָ,

4   כַּדָּבָר הָאָמוּר בְּשִׁירֵי עֻזֶּךָ עַל יְדֵי דָוִד מְשִׁיחַ צִדְקֶךָ.

5   (Cong. & Reader) יִמְלֹךְ יְיָ לְעוֹלָם, אֱלֹהַיִךְ צִיּוֹן-לְדֹר וָדֹר,

6   **הַלְלוּיָהּ!**

7   (Reader) לְדוֹר וָדוֹר נַגִּיד גָּדְלֶךָ וּלְנֵצַח נְצָחִים קְדֻשָּׁתְךָ

8   נַקְדִּישׁ, וְשִׁבְחֲךָ אֱלֹהֵינוּ מִפִּינוּ לֹא יָמוּשׁ לְעוֹלָם וָעֶד, כִּי אֵל

9   מֶלֶךְ גָּדוֹל וְקָדוֹשׁ אָתָּה. בָּרוּךְ אַתָּה יְיָ, הָאֵל הַקָּדוֹשׁ.

The Reader continues with   **אתה בחרתנו**   *page 514, line 3:*
When the Reader repeats the **שְׁמוֹנֶה עֶשְׂרֵה**, *the following* **קְדוּשָׁה** *is said:*
For **מִנְחָה**

10   נְקַדֵּשׁ אֶת שִׁמְךָ בָּעוֹלָם כְּשֵׁם שֶׁמַּקְדִּישִׁים אוֹתוֹ בִּשְׁמֵי

11   מָרוֹם, כַּכָּתוּב עַל יַד נְבִיאֶךָ, וְקָרָא זֶה אֶל זֶה וְאָמַר:

12   (Cong. & Reader) קָדוֹשׁ, קָדוֹשׁ, קָדוֹשׁ יְיָ צְבָאוֹת! מְלֹא כָל הָאָרֶץ

13   כְּבוֹדוֹ. (Reader) לְעֻמָּתָם בָּרוּךְ יֹאמֵרוּ. (Cong. & Reader) בָּרוּךְ

14   כְּבוֹד יְיָ מִמְּקוֹמוֹ. (Reader) וּבְדִבְרֵי קָדְשְׁךָ כָּתוּב לֵאמֹר:

15   (Cong. & Reader) יִמְלֹךְ יְיָ לְעוֹלָם, אֱלֹהַיִךְ צִיּוֹן-לְדֹר וָדֹר,

16   **הַלְלוּיָהּ!**

17   (Reader) לְדוֹר וָדוֹר נַגִּיד גָּדְלֶךָ וּלְנֵצַח נְצָחִים קְדֻשָּׁתְךָ

18   נַקְדִּישׁ, וְשִׁבְחֲךָ אֱלֹהֵינוּ מִפִּינוּ לֹא יָמוּשׁ לְעוֹלָם וָעֶד, כִּי אֵל

19   מֶלֶךְ גָּדוֹל וְקָדוֹשׁ אָתָּה. בָּרוּךְ אַתָּה יְיָ, הָאֵל הַקָּדוֹשׁ.

The Reader continues with   **אתה בחרתנו**   *page 514, line 3:*

1 אַתָּה קָדוֹשׁ וְשִׁמְךָ קָדוֹשׁ, וּקְדוֹשִׁים בְּכָל יוֹם

2 יְהַלְלוּךָ, סֶּלָה. בָּרוּךְ אַתָּה יְיָ, הָאֵל הַקָּדוֹשׁ.

3 אַתָּה בְחַרְתָּנוּ מִכָּל הָעַמִּים, אָהַבְתָּ אוֹתָנוּ וְרָצִיתָ בָּנוּ,

4 וְרוֹמַמְתָּנוּ, מִכָּל הַלְּשׁוֹנוֹת, וְקִדַּשְׁתָּנוּ בְּמִצְוֹתֶיךָ, וְקֵרַבְתָּנוּ

5 מַלְכֵּנוּ לַעֲבֹדָתֶךָ וְשִׁמְךָ הַגָּדוֹל וְהַקָּדוֹשׁ עָלֵינוּ קָרָאתָ.

On Saturday night add:

6 וַתּוֹדִיעֵנוּ יְיָ אֱלֹהֵינוּ אֶת מִשְׁפְּטֵי צִדְקֶךָ, וַתְּלַמְּדֵנוּ לַעֲשׂוֹת

7 חֻקֵּי רְצוֹנֶךָ. וַתִּתֶּן לָנוּ יְיָ אֱלֹהֵינוּ, מִשְׁפָּטִים יְשָׁרִים וְתוֹרוֹת

8 אֱמֶת, חֻקִּים וּמִצְוֹת טוֹבִים. וַתַּנְחִילֵנוּ זְמַנֵּי שָׂשׂוֹן וּמוֹעֲדֵי קֹדֶשׁ

9 וְחַגֵּי נְדָבָה. וַתּוֹרִישֵׁנוּ קְדֻשַּׁת שַׁבָּת וּכְבוֹד מוֹעֵד וַחֲגִיגַת הָרֶגֶל,

10 וַתַּבְדֵּל יְיָ אֱלֹהֵינוּ בֵּין קֹדֶשׁ לְחוֹל, בֵּין אוֹר לְחֹשֶׁךְ, בֵּין

11 יִשְׂרָאֵל לָעַמִּים, בֵּין יוֹם הַשְּׁבִיעִי לְשֵׁשֶׁת יְמֵי הַמַּעֲשֶׂה: בֵּין

12 קְדֻשַּׁת שַׁבָּת לִקְדֻשַּׁת יוֹם טוֹב, הִבְדַּלְתָּ. וְאֶת יוֹם הַשְּׁבִיעִי

13 מִשֵּׁשֶׁת יְמֵי הַמַּעֲשֶׂה, קִדַּשְׁתָּ. הִבְדַּלְתָּ וְקִדַּשְׁתָּ אֶת עַמְּךָ

14 יִשְׂרָאֵל בִּקְדֻשָּׁתֶךָ.

וַתִּתֶּן לָנוּ יְיָ אֱלֹהֵינוּ בְּאַהֲבָה (לשבת שַׁבָּתוֹת לִמְנוּחָה וּ) מוֹעֲדִים לְשִׂמְחָה, חַגִּים וּזְמַנִּים לְשָׂשׂוֹן, אֶת יוֹם

On Sabbath:

(לשבת הַשַּׁבָּת הַזֶּה וְאֶת יוֹם)

On Shmini Atzeret and Simchat-Torah:	*On Sukkot:*	*On Shavuot:*	*On Passover:*
הַשְּׁמִינִי חַג הָעֲצֶרֶת הַזֶּה, זְמַן שִׂמְחָתֵנוּ	חַג הַסֻּכּוֹת הַזֶּה, זְמַן שִׂמְחָתֵנוּ	חַג הַשָּׁבֻעוֹת הַזֶּה, זְמַן מַתַּן תּוֹרָתֵנוּ	חַג הַמַּצּוֹת הַזֶּה, זְמַן חֵרוּתֵנוּ

(לשבת בְּאַהֲבָה) מִקְרָא קֹדֶשׁ, זֵכֶר לִיצִיאַת מִצְרָיִם.

אֱלֹהֵינוּ וֵאלֹהֵי אֲבוֹתֵינוּ, יַעֲלֶה וְיָבֹא וְיַגִּיעַ, וְיֵרָאֶה, וְיֵרָצֶה, וְיִשָּׁמַע, וְיִפָּקֵד וְיִזָּכֵר זִכְרוֹנֵנוּ וּפִקְדוֹנֵנוּ, וְזִכְרוֹן אֲבוֹתֵינוּ, וְזִכְרוֹן מָשִׁיחַ בֶּן דָּוִד עַבְדֶּךָ, וְזִכְרוֹן יְרוּשָׁלַיִם עִיר קָדְשֶׁךָ, וְזִכְרוֹן כָּל עַמְּךָ בֵּית יִשְׂרָאֵל לְפָנֶיךָ, לִפְלֵיטָה לְטוֹבָה, לְחֵן וּלְחֶסֶד וּלְרַחֲמִים, לְחַיִּים וּלְשָׁלוֹם, בְּיוֹם

On Shmini Atzeret and Simchat-Torah:	*On Sukkot:*	*On Shavuot:*	*On Passover:*
הַשְּׁמִינִי חַג הָעֲצֶרֶת	חַג הַסֻּכּוֹת	חַג הַשָּׁבֻעוֹת	חַג הַמַּצּוֹת

הַזֶּה, זָכְרֵנוּ יְיָ אֱלֹהֵינוּ בּוֹ לְטוֹבָה, וּפָקְדֵנוּ בוֹ לִבְרָכָה, וְהוֹשִׁיעֵנוּ בוֹ לְחַיִּים. וּבִדְבַר יְשׁוּעָה וְרַחֲמִים, חוּס וְחָנֵּנוּ, וְרַחֵם עָלֵינוּ וְהוֹשִׁיעֵנוּ, כִּי אֵלֶיךָ עֵינֵינוּ, כִּי אֵל מֶלֶךְ חַנּוּן וְרַחוּם אָתָּה.

וְהַשִּׂיאֵנוּ יְיָ אֱלֹהֵינוּ אֶת בִּרְכַּת מוֹעֲדֶיךָ: לְחַיִּים וּלְשָׁלוֹם, לְשִׂמְחָה וּלְשָׂשׂוֹן, כַּאֲשֶׁר רָצִיתָ וְאָמַרְתָּ לְבָרְכֵנוּ. (לשבת אֱלֹהֵינוּ וֵאלֹהֵי אֲבוֹתֵינוּ! רְצֵה בִמְנוּחָתֵנוּ) קַדְּשֵׁנוּ בְּמִצְוֹתֶיךָ, וְתֵן חֶלְקֵנוּ בְּתוֹרָתֶךָ, שַׂבְּעֵנוּ מִטּוּבֶךָ, וְשַׂמְּחֵנוּ בִּישׁוּעָתֶךָ, וְטַהֵר לִבֵּנוּ לְעָבְדְּךָ בֶּאֱמֶת. וְהַנְחִילֵנוּ יְיָ אֱלֹהֵינוּ (לשבת בְּאַהֲבָה וּבְרָצוֹן), בְּשִׂמְחָה וּבְשָׂשׂוֹן (שַׁבָּת וּ)מוֹעֲדֵי קָדְשֶׁךָ. וְיִשְׂמְחוּ בְךָ יִשְׂרָאֵל מְקַדְּשֵׁי שְׁמֶךָ. בָּרוּךְ אַתָּה יְיָ, מְקַדֵּשׁ (הַשַּׁבָּת וְ)יִשְׂרָאֵל וְהַזְּמַנִּים. Cong. אָמֵן

רְצֵה יְיָ אֱלֹהֵינוּ בְּעַמְּךָ יִשְׂרָאֵל וּבִתְפִלָּתָם, וְהָשֵׁב אֶת הָעֲבוֹדָה לִדְבִיר בֵּיתֶךָ וְאִשֵּׁי יִשְׂרָאֵל, וּתְפִלָּתָם בְּאַהֲבָה תְקַבֵּל בְּרָצוֹן, וּתְהִי לְרָצוֹן תָּמִיד עֲבוֹדַת יִשְׂרָאֵל עַמֶּךָ.

וְתֶחֱזֶינָה עֵינֵינוּ בְּשׁוּבְךָ לְצִיּוֹן בְּרַחֲמִים. בָּרוּךְ אַתָּה יְיָ, הַמַּחֲזִיר שְׁכִינָתוֹ לְצִיּוֹן.

Cong. אָמֵן

When saying מוֹדִים *bend the knees:*

מוֹדִים אֲנַחְנוּ לָךְ, שָׁאַתָּה הוּא יְיָ אֱלֹהֵינוּ

The Congregation silently:

מוֹדִים אֲנַחְנוּ לָךְ, שָׁאַתָּה הוּא יְיָ אֱלֹהֵינוּ וֵאלֹהֵי אֲבוֹתֵינוּ, אֱלֹהֵי

וֵאלֹהֵי אֲבוֹתֵינוּ לְעוֹלָם
וָעֶד, צוּר חַיֵּינוּ, מָגֵן
יִשְׁעֵנוּ, אַתָּה הוּא לְדוֹר
וָדוֹר. נוֹדֶה לְּךָ וּנְסַפֵּר
תְּהִלָּתֶךָ, עַל חַיֵּינוּ
הַמְּסוּרִים בְּיָדֶךָ, וְעַל
נִשְׁמוֹתֵינוּ הַפְּקוּדוֹת
לָךְ, וְעַל נִסֶּיךָ שֶׁבְּכָל
יוֹם עִמָּנוּ, וְעַל
נִפְלְאוֹתֶיךָ וְטוֹבוֹתֶיךָ
שֶׁבְּכָל עֵת–עֶרֶב וָבֹקֶר
וְצָהֳרָיִם. הַטּוֹב, –

כָּל בָּשָׂר, יוֹצְרֵנוּ,
יוֹצֵר בְּרֵאשִׁית.
בְּרָכוֹת וְהוֹדָאוֹת
לְשִׁמְךָ הַגָּדוֹל
וְהַקָּדוֹשׁ, עַל שֶׁהֶחֱיִיתָנוּ
וְקִיַּמְתָּנוּ. כֵּן תְּחַיֵּינוּ
וּתְקַיְּמֵנוּ, וְתֶאֱסוֹף
גָּלֻיּוֹתֵינוּ לְחַצְרוֹת
קָדְשֶׁךָ, לִשְׁמוֹר חֻקֶּיךָ,
וְלַעֲשׂוֹת רְצוֹנֶךָ,
וּלְעָבְדְּךָ בְּלֵבָב שָׁלֵם,
עַל שֶׁאֲנַחְנוּ מוֹדִים
לָךְ. בָּרוּךְ אֵל
הַהוֹדָאוֹת.

כִּי לֹא כָלוּ רַחֲמֶיךָ, וְהַמְרַחֵם, – כִּי לֹא

תַמּוּ חֲסָדֶיךָ – מֵעוֹלָם קִוִּינוּ לָךְ.

וְעַל כֻּלָּם יִתְבָּרַךְ וְיִתְרוֹמַם שִׁמְךָ מַלְכֵּנוּ

תָּמִיד לְעוֹלָם וָעֶד.

וְכֹל־הַחַיִּים יוֹדוּךָ סֶּלָה, וִיהַלְלוּ אֶת שִׁמְךָ בֶּאֱמֶת, הָאֵל יְשׁוּעָתֵנוּ וְעֶזְרָתֵנוּ סֶלָה! בָּרוּךְ אַתָּה יְיָ, הַטּוֹב שִׁמְךָ וּלְךָ נָאֶה לְהוֹדוֹת.

Cong. אָמֵן

At the repetition of שְׁמוֹנֶה עֶשְׂרֵה *the Reader says:*

אֱלֹהֵינוּ וֵאלֹהֵי אֲבוֹתֵינוּ, בָּרְכֵנוּ בַבְּרָכָה הַמְשֻׁלֶּשֶׁת, בַּתּוֹרָה, הַכְּתוּבָה עַל יְדֵי מֹשֶׁה עַבְדֶּךָ, הָאֲמוּרָה מִפִּי אַהֲרֹן וּבָנָיו כֹּהֲנִים עַם קְדוֹשֶׁךָ, כָּאָמוּר: יְבָרֶכְךָ יְיָ וְיִשְׁמְרֶךָ! יָאֵר יְיָ פָּנָיו, אֵלֶיךָ וִיחֻנֶּךָּ! יִשָּׂא יְיָ פָּנָיו אֵלֶיךָ וְיָשֵׂם לְךָ שָׁלוֹם!

For שַׁחֲרִית*:*

שִׂים שָׁלוֹם טוֹבָה וּבְרָכָה חֵן וָחֶסֶד וְרַחֲמִים עָלֵינוּ וְעַל כָּל יִשְׂרָאֵל עַמֶּךָ, בָּרְכֵנוּ אָבִינוּ כֻּלָּנוּ כְּאֶחָד בְּאוֹר פָּנֶיךָ, כִּי בְאוֹר פָּנֶיךָ נָתַתָּ לָּנוּ יְיָ אֱלֹהֵינוּ תּוֹרַת חַיִּים וְאַהֲבַת חֶסֶד, וּצְדָקָה וּבְרָכָה וְרַחֲמִים וְחַיִּים וְשָׁלוֹם, וְטוֹב בְּעֵינֶיךָ לְבָרֵךְ אֶת־עַמְּךָ יִשְׂרָאֵל בְּכָל־עֵת וּבְכָל־שָׁעָה בִּשְׁלוֹמֶךָ:

For מִנְחָה *and* מַעֲרִיב*:*

שָׁלוֹם רָב עַל יִשְׂרָאֵל עַמְּךָ תָּשִׂים לְעוֹלָם, כִּי אַתָּה הוּא מֶלֶךְ אָדוֹן לְכָל הַשָּׁלוֹם, וְטוֹב בְּעֵינֶיךָ לְבָרֵךְ אֶת־עַמְּךָ יִשְׂרָאֵל בְּכָל־עֵת וּבְכָל־שָׁעָה בִּשְׁלוֹמֶךָ:

בָּרוּךְ אַתָּה יְיָ, הַמְבָרֵךְ אֶת עַמּוֹ יִשְׂרָאֵל
בְּשָׁלוֹם.   Cong. אָמֵן

אֱלֹהַי! נְצוֹר לְשׁוֹנִי מֵרָע, וּשְׂפָתַי מִדַּבֵּר מִרְמָה;

וְלִמְקַלְלַי – נַפְשִׁי תִדֹּם, וְנַפְשִׁי כֶּעָפָר לַכֹּל תִּהְיֶה.

פְּתַח לִבִּי בְּתוֹרָתֶךָ, וּבְמִצְוֹתֶיךָ תִּרְדּוֹף נַפְשִׁי. וְכֹל

הַחוֹשְׁבִים עָלַי רָעָה, מְהֵרָה הָפֵר עֲצָתָם וְקַלְקֵל

מַחֲשַׁבְתָּם. עֲשֵׂה לְמַעַן שְׁמֶךָ, עֲשֵׂה לְמַעַן יְמִינֶךָ, עֲשֵׂה

לְמַעַן קְדֻשָּׁתֶךָ. עֲשֵׂה לְמַעַן תּוֹרָתֶךָ. לְמַעַן יֵחָלְצוּן

יְדִידֶיךָ, הוֹשִׁיעָה יְמִינְךָ וַעֲנֵנִי. יִהְיוּ לְרָצוֹן אִמְרֵי פִי וְהֶגְיוֹן

לִבִּי לְפָנֶיךָ, יְיָ צוּרִי וְגוֹאֲלִי! עֹשֶׂה שָׁלוֹם בִּמְרוֹמָיו, הוּא

יַעֲשֶׂה שָׁלוֹם עָלֵינוּ, וְעַל כָּל יִשְׂרָאֵל, וְאִמְרוּ אָמֵן!

יְהִי רָצוֹן מִלְּפָנֶיךָ יְיָ אֱלֹהֵינוּ וֵאלֹהֵי אֲבוֹתֵינוּ, שֶׁיִּבָּנֶה בֵּית

הַמִּקְדָּשׁ בִּמְהֵרָה בְיָמֵינוּ, וְתֵן חֶלְקֵנוּ בְּתוֹרָתֶךָ. וְשָׁם

נַעֲבָדְךָ בְּיִרְאָה כִּימֵי עוֹלָם וּכְשָׁנִים קַדְמוֹנִיּוֹת. וְעָרְבָה

לַיְיָ מִנְחַת יְהוּדָה וִירוּשָׁלָיִם, כִּימֵי עוֹלָם וּכְשָׁנִים קַדְמוֹנִיּוֹת.

*At Maariv: Continue with Complete Kaddish page
163, (On Friday Evening* וַיְכֻלּוּ *page 275 to page
276 through line 9 is said before the Complete
Kaddish with the exception of the First Evening of
Passover when only* וַיְכֻלּוּ *is said); Kiddush for
Shalosh Regalim page 521;·* עָלֵינוּ *page 165 and
Mourners Kaddish; On Sukkot* לְדָוִד *page 175.
At Shaharit: Continue with Hallel page 492; Order
of the Reading of the Torah Page 364:
At Minha: Complete Kaddish page 163,* עָלֵינוּ *page 165
and Mourners Kaddish:*

קִדּוּשׁ לְשָׁלשׁ רְגָלִים

OR

קִדּוּשׁ לְיוֹם טוֹב

KIDDUSH FOR THE FESTIVALS

The קִדּוּשׁ for holidays is said on פֶּסַח (Passover), שָׁבוּעוֹת (the Feast of Weeks or Pentecost), סֻכּוֹת (Tabernacles), and on שְׁמִינִי עֲצֶרֶת (the Eighth Day of Solemn Assembly) and שִׂמְחַת תּוֹרָה (the Rejoicing of the Law).

This קִדּוּשׁ is chanted in the home and in the synagogue on the night of the holiday. But on the first two nights of Passover, it is chanted only in the home at the start of the Seder. On the Feast of Tabernacles (סֻכּוֹת), it is chanted in the סֻכָּה (Sukkah or "booth"). When it is chanted in the home, it is always said before making the מוֹצִיא (reciting the blessing over bread).

When the holiday falls on a Sabbath, we add, at home, the paragraph beginning וַיְהִי־עֶרֶב וַיְהִי־בֹקֶר. Both in the home and in the synagogue we add the words in parentheses.

There are two important ideas in the קִדּוּשׁ for יוֹם טוֹב:

1. אֲשֶׁר בָּחַר בָּנוּ מִכָּל־עָם. God has chosen us from among all nations. By this we do not mean that we are better people than the people of other nations, but that we have more duties than the other nations. The people of other nations do not have to observe many of the laws and customs that we Jews have to keep.

2. The holidays remind us of the exodus or going out from Egypt, for if we were not a free people we would not be able to observe our beautiful holidays. Besides, even today the world is not completely free for all people. It is our duty to strive and fight for a truly free world. Our holidays are truly a זֵכֶר לִיצִיאַת מִצְרָיִם, "a reminder of the exodus from Egypt."

When a festival occurs on the Sabbath, begin here:

On Sabbath eve:

1   *Silently*   וַיְהִי־עֶֽרֶב וַיְהִי־בֹֽקֶר

2   יוֹם הַשִּׁשִּׁי:

3   וַיְכֻלּוּ הַשָּׁמַֽיִם וְהָאָֽרֶץ וְכָל־צְבָאָם:

4   וַיְכַל אֱלֹהִים בַּיּוֹם הַשְּׁבִיעִי,

5   מְלַאכְתּוֹ אֲשֶׁר עָשָׂה:

6   וַיִּשְׁבֹּת בַּיּוֹם הַשְּׁבִיעִי מִכָּל מְלַאכְתּוֹ

7   אֲשֶׁר עָשָׂה:

8   וַיְבָֽרֶךְ אֱלֹהִים אֶת יוֹם הַשְּׁבִיעִי וַיְקַדֵּשׁ אֹתוֹ,

9   כִּי בוֹ שָׁבַת מִכָּל מְלַאכְתּוֹ,

10   אֲשֶׁר בָּרָא אֱלֹהִים לַעֲשׂוֹת:

When a festival occurs on a weekday, begin here:

On Bread: —	*On Wine: —*
11 בִּרְשׁוּת מָרָנָן וְרַבּוֹתַי:	סַבְרִי מָרָנָן וְרַבּוֹתַי:
12 בָּרוּךְ אַתָּה יְיָ,	בָּרוּךְ אַתָּה יְיָ,
13 אֱלֹהֵֽינוּ מֶֽלֶךְ הָעוֹלָם,	אֱלֹהֵֽינוּ מֶֽלֶךְ הָעוֹלָם,
14 הַמּוֹצִיא לֶֽחֶם מִן הָאָֽרֶץ:	בּוֹרֵא פְּרִי הַגָּֽפֶן:

1 בָּרוּךְ אַתָּה יְיָ, אֱלֹהֵינוּ מֶלֶךְ הָעוֹלָם, אֲשֶׁר

2 בָּחַר בָּנוּ מִכָּל עָם וְרוֹמְמָנוּ מִכָּל לָשׁוֹן

3 וְקִדְּשָׁנוּ בְּמִצְוֹתָיו, וַתִּתֶּן לָנוּ יְיָ אֱלֹהֵינוּ

4 בְּאַהֲבָה (on Sabbath) שַׁבָּתוֹת לִמְנוּחָה וּ)מוֹעֲדִים

5 לְשִׂמְחָה, חַגִּים וּזְמַנִּים לְשָׂשׂוֹן אֶת יוֹם

6 (on Sabbath הַשַּׁבָּת הַזֶּה וְאֶת יוֹם)

On Passover:

7 חַג הַמַּצּוֹת הַזֶּה · זְמַן חֵרוּתֵנוּ

On Shavuot:

8 חַג הַשָּׁבֻעוֹת הַזֶּה · זְמַן מַתַּן תּוֹרָתֵנוּ

On Sukkot:

9 חַג הַסֻּכּוֹת הַזֶּה · זְמַן שִׂמְחָתֵנוּ

On Shmini-Atzeret and Simchat-Torah:

10 הַשְּׁמִינִי חַג הָעֲצֶרֶת הַזֶּה · זְמַן שִׂמְחָתֵנוּ

11 (on Sabbath בְּאַהֲבָה) מִקְרָא קֹדֶשׁ זֵכֶר לִיצִיאַת

12 מִצְרַיִם, כִּי בָנוּ בָחַרְתָּ וְאוֹתָנוּ קִדַּשְׁתָּ מִכָּל

1 הָעַמִּים, (on Sabbath וְשַׁבָּת) וּמוֹעֲדֵי קָדְשֶׁךָ

2 (on Sabbath בְּאַהֲבָה וּבְרָצוֹן) בְּשִׂמְחָה וּבְשָׂשׂוֹן

3 הִנְחַלְתָּנוּ: בָּרוּךְ אַתָּה יְיָ, מְקַדֵּשׁ (on Sabbath

4 הַשַּׁבָּת וְ)יִשְׂרָאֵל וְהַזְּמַנִּים:

On Saturday night, add the following:

5 בָּרוּךְ אַתָּה יְיָ, אֱלֹהֵינוּ מֶלֶךְ הָעוֹלָם, בּוֹרֵא מְאוֹרֵי הָאֵשׁ:

6 בָּרוּךְ אַתָּה יְיָ, אֱלֹהֵינוּ מֶלֶךְ הָעוֹלָם, הַמַּבְדִּיל בֵּין

7 קֹדֶשׁ לְחֹל, בֵּין אוֹר לְחֹשֶׁךְ, בֵּין יִשְׂרָאֵל לָעַמִּים, בֵּין

8 יוֹם הַשְּׁבִיעִי, לְשֵׁשֶׁת יְמֵי הַמַּעֲשֶׂה. בֵּין קְדֻשַּׁת שַׁבָּת

9 לִקְדֻשַּׁת יוֹם טוֹב הִבְדַּלְתָּ, וְאֶת יוֹם הַשְּׁבִיעִי מִשֵּׁשֶׁת

10 יְמֵי הַמַּעֲשֶׂה קִדַּשְׁתָּ. הִבְדַּלְתָּ וְקִדַּשְׁתָּ אֶת־עַמְּךָ יִשְׂרָאֵל

11 בִּקְדֻשָּׁתֶךָ: בָּרוּךְ אַתָּה יְיָ, הַמַּבְדִּיל בֵּין קֹדֶשׁ לְקֹדֶשׁ:

Omit on the last two nights of Passover:

12 בָּרוּךְ אַתָּה יְיָ, אֱלֹהֵינוּ מֶלֶךְ הָעוֹלָם,

13 שֶׁהֶחֱיָנוּ, וְקִיְּמָנוּ, וְהִגִּיעָנוּ לַזְּמַן הַזֶּה:

In the Sukkah: **On the first night of Sukkot say before** שֶׁהֶחֱיָנוּ:

14 בָּרוּךְ אַתָּה יְיָ, אֱלֹהֵינוּ מֶלֶךְ הָעוֹלָם,

15 אֲשֶׁר קִדְּשָׁנוּ בְּמִצְוֹתָיו וְצִוָּנוּ לֵישֵׁב בַּסֻּכָּה.

YIZKOR

Recited after the reading of the Torah on the
last day of Passover, on the second day of Shavuoth,
on Shmini-Atzeret, and on Yom Kippur:

If a Festival occurs on Sabbath, Yizkor is said after יְקוּם פֻּרְקָן:

✡ *The name of the departed is added:*   *In memory of a father:*

1 יִזְכּוֹר אֱלֹהִים נִשְׁמַת אָבִי מוֹרִי (✡) שֶׁהָלַךְ לְעוֹלָמוֹ,

2 בַּעֲבוּר שֶׁאֲנִי נוֹדֵר צְדָקָה בַּעֲדוֹ. בִּשְׂכַר זֶה תְּהֵא נַפְשׁוֹ

3 צְרוּרָה בִּצְרוֹר הַחַיִּים, עִם נִשְׁמַת אַבְרָהָם, יִצְחָק וְיַעֲקֹב,

4 שָׂרָה, רִבְקָה, רָחֵל וְלֵאָה, וְעִם שְׁאָר צַדִּיקִים וְצִדְקָנִיּוֹת שֶׁבְּגַן

5 עֵדֶן. וְנֹאמַר: אָמֵן!

In memory of a mother:

6 יִזְכּוֹר אֱלֹהִים נִשְׁמַת אִמִּי מוֹרָתִי (✡) שֶׁהָלְכָה

7 לְעוֹלָמָהּ, בַּעֲבוּר שֶׁאֲנִי נוֹדֵר צְדָקָה בַּעֲדָהּ. בִּשְׂכַר זֶה תְּהֵא

8 נַפְשָׁהּ צְרוּרָה בִּצְרוֹר הַחַיִּים עִם נִשְׁמַת אַבְרָהָם, יִצְחָק

9 וְיַעֲקֹב, שָׂרָה, רִבְקָה, רָחֵל וְלֵאָה, וְעִם שְׁאָר צַדִּיקִים

10 וְצִדְקָנִיּוֹת שֶׁבְּגַן עֵדֶן. וְנֹאמַר: אָמֵן!

In memory of relatives:

11 יִזְכּוֹר אֱלֹהִים נִשְׁמַת זְקֵנַי וּזְקֵנוֹתַי, דּוֹדַי וְדוֹדוֹתַי, אַחַי

12 וְאַחְיוֹתַי, וְנִשְׁמַת כָּל קְרוֹבַי וּקְרוֹבוֹתַי, הֵן מִצַּד אָבִי, וְהֵן

13 מִצַּד אִמִּי, שֶׁהָלְכוּ לְעוֹלָמָם, הֵן שֶׁהוּמְתוּ, הֵן שֶׁנֶּהֶרְגוּ, הֵן

14 שֶׁנִּשְׁחֲטוּ וְשֶׁנִּשְׂרְפוּ וְשֶׁנִּטְבְּעוּ וְשֶׁנֶּחְנְקוּ עַל קִדּוּשׁ הַשֵּׁם, בַּעֲבוּר

✡ *The name of the departed is added:*

1 שֶׁאֲנִי נוֹדֵר צְדָקָה בְּעַד הַזְכָּרַת נִשְׁמוֹתֵיהֶם. וּבִשְׂכַר זֶה

2 תִּהְיֶינָה נַפְשׁוֹתֵיהֶם צְרוּרוֹת בִּצְרוֹר הַחַיִּים, עִם נִשְׁמוֹתֵיהֶם

3 שֶׁל אַבְרָהָם, יִצְחָק וְיַעֲקֹב, שָׂרָה, רִבְקָה, רָחֵל וְלֵאָה, וְעִם

4 שְׁאָר צַדִּיקִים וְצִדְקָנִיּוֹת שֶׁבְּגַן עֵדֶן. וְנֹאמַר: אָמֵן!

For a man:

5 אֵל מָלֵא רַחֲמִים שׁוֹכֵן בַּמְּרוֹמִים, הַמְצֵא מְנוּחָה נְכוֹנָה

6 תַּחַת כַּנְפֵי הַשְּׁכִינָה, בְּמַעֲלוֹת קְדוֹשִׁים וּטְהוֹרִים כְּזֹהַר

7 הָרָקִיעַ מַזְהִירִים אֶת נִשְׁמַת (✡) שֶׁהָלַךְ לְעוֹלָמוֹ, בַּעֲבוּר

8 (✡ ✡) נָדַב לִצְדָקָה בְּעַד הַזְכָּרַת נִשְׁמָתוֹ, לָכֵן בַּעַל

9 הָרַחֲמִים יַסְתִּירֵהוּ בְּסֵתֶר כְּנָפָיו לְעוֹלָמִים, וְיִצְרוֹר בִּצְרוֹר

10 הַחַיִּים אֶת נִשְׁמָתוֹ, ה' הוּא נַחֲלָתוֹ, וְיָנוּחַ בְּשָׁלוֹם עַל מִשְׁכָּבוֹ.

11 וְנֹאמַר: אָמֵן!

For a woman:

12 אֵל מָלֵא רַחֲמִים שׁוֹכֵן בַּמְּרוֹמִים, הַמְצֵא מְנוּחָה נְכוֹנָה

13 תַּחַת כַּנְפֵי הַשְּׁכִינָה בְּמַעֲלוֹת קְדוֹשִׁים וּטְהוֹרִים כְּזֹהַר

14 הָרָקִיעַ מַזְהִירִים אֶת נִשְׁמַת (✡) שֶׁהָלְכָה לְעוֹלָמָהּ,

15 בַּעֲבוּר (✡ ✡) נָדַב לִצְדָקָה בְּעַד הַזְכָּרַת נִשְׁמָתָהּ, לָכֵן

16 בַּעַל הָרַחֲמִים יַסְתִּירֶהָ בְּסֵתֶר כְּנָפָיו לְעוֹלָמִים וְיִצְרוֹר

17 בִּצְרוֹר הַחַיִּים אֶת נִשְׁמָתָהּ, ה' הוּא נַחֲלָתָהּ, וְתָנוּחַ בְּשָׁלוֹם

18 עַל מִשְׁכָּבָהּ. וְנֹאמַר: אָמֵן.

✡ ✡ *The relationship of the person requesting the prayer:*

מִי שֶׁבֵּרַךְ אֲבוֹתֵינוּ אַבְרָהָם יִצְחָק וְיַעֲקֹב מֹשֶׁה וְאַהֲרֹן
דָּוִד וּשְׁלֹמֹה, הוּא יְבָרֵךְ אֶת ר׳ (✡) בַּעֲבוּר שֶׁנָּדַר צְדָקָה
בְּעַד הַנְּשָׁמוֹת שֶׁהִזְכִּיר הַיּוֹם לִכְבוֹד הַמָּקוֹם, לִכְבוֹד הַתּוֹרָה
וְלִכְבוֹד הָרֶגֶל (ביו״כ וְלִכְבוֹד הַיּוֹם הַדִּין), בִּשְׂכַר זֶה הקב״ה
יִשְׁמְרֵהוּ וְיַצִּילֵהוּ מִכָּל צָרָה וְצוּקָה מִכָּל נֶגַע וּמַחֲלָה, (ביו״כ
וְיִכְתְּבֵהוּ וְיַחְתְּמֵהוּ לְחַיִּים טוֹבִים בְּזֶה יוֹם הַדִּין) וְיִשְׁלַח
בְּרָכָה וְהַצְלָחָה בְּכָל מַעֲשֵׂה יָדָיו (בשלש רגלים וְיִזַכֵּהוּ
לַעֲלוֹת לְרֶגֶל), עִם כָּל יִשְׂרָאֵל אֶחָיו וְנֹאמַר: אָמֵן.

✡ *The name of the donor is added:*

Continue with אַב הָרַחֲמִים *page 382 till* כְּקֶדֶם *page 387 line 10, Half Kaddish page 331,*

Musaf of Shemoneh Esreh of Shalosh Regalim page 528:

On Yom Kippur use High Holiday Mahzor:

527 מוּסָף לְשָׁלֹשׁ רְגָלִים

עֲמִידָה שֶׁל מוּסָף לְשָׁלֹשׁ רְגָלִים

THE AMIDAH FOR THE ADDITIONAL SERVICE FOR THE FESTIVALS

The distinguishing features of the עֲמִידָה for מוּסָף לְשָׁלֹשׁ רְגָלִים are fourfold.

1. A tearful plea for the rebuilding of the Holy Temple and for the ingathering of the exiles.

2. The Biblical commands detailing the special Festival sacrifices.

3. A petition for the restoration of the Holy Temple and a resumption of the Temple Service by the Priests and the Levites.

4. A Festival prayer for the blessings of a life of gladness and peace sanctified by the observance of the תּוֹרָה and מִצְוֹת.

For comments see page 110 and 508

שְׁמוֹנֶה עֶשְׂרֵה

The following prayer is to be said standing:

כִּי שֵׁם יְיָ אֶקְרָא, הָבוּ גֹדֶל לֵאלֹהֵינוּ.

1 אֲדֹנָי שְׂפָתַי תִּפְתָּח וּפִי יַגִּיד תְּהִלָּתֶךָ.

2 בָּרוּךְ אַתָּה יְיָ, אֱלֹהֵינוּ וֵאלֹהֵי אֲבוֹתֵינוּ,

3 אֱלֹהֵי אַבְרָהָם, אֱלֹהֵי יִצְחָק, וֵאלֹהֵי יַעֲקֹב,

4 הָאֵל הַגָּדוֹל, הַגִּבּוֹר וְהַנּוֹרָא, אֵל עֶלְיוֹן,

5 גּוֹמֵל חֲסָדִים טוֹבִים, וְקוֹנֶה הַכֹּל, וְזוֹכֵר

6 חַסְדֵי אָבוֹת, וּמֵבִיא גוֹאֵל לִבְנֵי בְנֵיהֶם,

7 לְמַעַן שְׁמוֹ בְּאַהֲבָה.

8 מֶלֶךְ עוֹזֵר וּמוֹשִׁיעַ וּמָגֵן. בָּרוּךְ אַתָּה יְיָ,

9 מָגֵן אַבְרָהָם. Cong. אָמֵן

10 אַתָּה גִבּוֹר לְעוֹלָם אֲדֹנָי, מְחַיֵּה מֵתִים אַתָּה,

11 רַב לְהוֹשִׁיעַ.

From שְׁמִינִי עֲצֶרֶת *till the first day of* פֶּסַח *say:*

1.   מַשִּׁיב הָרוּחַ וּמוֹרִיד הַגָּשֶׁם.

2. מְכַלְכֵּל חַיִּים בְּחֶסֶד, מְחַיֵּה מֵתִים בְּרַחֲמִים

3. רַבִּים, סוֹמֵךְ נוֹפְלִים, וְרוֹפֵא חוֹלִים, וּמַתִּיר

4. אֲסוּרִים, וּמְקַיֵּם אֱמוּנָתוֹ לִישֵׁנֵי עָפָר. מִי

5. כָמוֹךָ בַּעַל גְּבוּרוֹת? וּמִי דוֹמֶה לָּךְ, מֶלֶךְ

6. מֵמִית וּמְחַיֶּה וּמַצְמִיחַ יְשׁוּעָה?

7. וְנֶאֱמָן אַתָּה לְהַחֲיוֹת מֵתִים. בָּרוּךְ אַתָּה יְיָ,

8. מְחַיֵּה הַמֵּתִים. ✡ Cong. אָמֵן.

On Festivals and Hoshana-Rabbah:

✡ *When the Reader repeats the* שְׁמוֹנֶה עֶשְׂרֵה, *the following* קְדוּשָׁה *is said:*

9. Cong. and Reader   נַעֲרִיצְךָ וְנַקְדִּישְׁךָ, כְּסוֹד שִׂיחַ שַׂרְפֵי

10. קֹדֶשׁ, הַמַּקְדִּישִׁים שִׁמְךָ, בַּקֹּדֶשׁ, כַּכָּתוּב עַל־יַד נְבִיאֶךָ,

11. וְקָרָא זֶה אֶל זֶה, וְאָמַר: Cong. and Reader קָדוֹשׁ, קָדוֹשׁ,

12. קָדוֹשׁ, יְיָ צְבָאוֹת, מְלֹא כָל־הָאָרֶץ כְּבוֹדוֹ: Reader כְּבוֹדוֹ

13. מָלֵא עוֹלָם. מְשָׁרְתָיו, שׁוֹאֲלִים זֶה לָזֶה, אַיֵּה מְקוֹם

14. כְּבוֹדוֹ, לְעֻמָּתָם, בָּרוּךְ יֹאמֵרוּ Cong. and Reader בָּרוּךְ

15. כְּבוֹד־יְיָ מִמְּקוֹמוֹ: Reader מִמְּקוֹמוֹ, הוּא יִפֶן בְּרַחֲמִים

16. וְיָחוֹן עַם, הַמְיַחֲדִים שְׁמוֹ, עֶרֶב וָבֹקֶר, בְּכָל־יוֹם תָּמִיד,

פַּעֲמַיִם בְּאַהֲבָה, שְׁמַע אוֹמְרִים Cong. and Reader שְׁמַע
יִשְׂרָאֵל, יְיָ אֱלֹהֵינוּ, יְיָ אֶחָד: Reader הוּא אֱלֹהֵינוּ, הוּא
אָבִינוּ, הוּא מַלְכֵּנוּ, הוּא מוֹשִׁיעֵנוּ, וְהוּא יַשְׁמִיעֵנוּ
בְּרַחֲמָיו, שֵׁנִית לְעֵינֵי כָּל־חָי, לִהְיוֹת לָכֶם לֵאלֹהִים:
Cong. and Reader אֲנִי יְיָ אֱלֹהֵיכֶם:

Cong. and Reader

אַדִּיר אַדִּירֵנוּ יְיָ אֲדֹנֵינוּ, מָה אַדִּיר שִׁמְךָ בְּכָל הָאָרֶץ.
וְהָיָה יְיָ לְמֶלֶךְ עַל כָּל הָאָרֶץ, בַּיּוֹם הַהוּא יִהְיֶה יְיָ אֶחָד וּשְׁמוֹ
אֶחָד.
Reader וּבְדִבְרֵי קָדְשְׁךָ כָּתוּב לֵאמֹר: Cong. and Reader יִמְלֹךְ
יְיָ לְעוֹלָם, אֱלֹהַיִךְ צִיּוֹן לְדֹר וָדֹר. הַלְלוּיָהּ:

On Hol Ha-Moed falling on weekdays:

When the Reader repeats the שְׁמוֹנֶה עֶשְׂרֵה, *the following* קְדוּשָּׁה *is said:*

נַקְדִּישׁ אֶת שִׁמְךָ בָּעוֹלָם, כְּשֵׁם שֶׁמַּקְדִּישִׁים אוֹתוֹ בִּשְׁמֵי
מָרוֹם. כַּכָּתוּב עַל יַד נְבִיאֶךָ. וְקָרָא זֶה אֶל זֶה וְאָמַר:
Cong. and Reader קָדוֹשׁ קָדוֹשׁ קָדוֹשׁ יְיָ צְבָאוֹת. מְלֹא כָל
הָאָרֶץ כְּבוֹדוֹ: Reader לְעֻמָּתָם בָּרוּךְ יֹאמֵרוּ.
Cong. and Reader בָּרוּךְ כְּבוֹד יְיָ מִמְּקוֹמוֹ:
Reader וּבְדִבְרֵי קָדְשְׁךָ כָּתוּב לֵאמֹר: Cong. and Reader יִמְלֹךְ
יְיָ לְעוֹלָם, אֱלֹהַיִךְ צִיּוֹן לְדֹר וָדֹר. הַלְלוּיָהּ:

אַתָּה קָדוֹשׁ וְשִׁמְךָ קָדוֹשׁ, וּקְדוֹשִׁים בְּכָל יוֹם

יְהַלְלוּךָ, סֶּלָה. בָּרוּךְ אַתָּה יְיָ, הָאֵל הַקָּדוֹשׁ.

אַתָּה בְחַרְתָּנוּ מִכָּל הָעַמִּים, אָהַבְתָּ אוֹתָנוּ וְרָצִיתָ בָּנוּ,

וְרוֹמַמְתָּנוּ מִכָּל הַלְּשׁוֹנוֹת, וְקִדַּשְׁתָּנוּ בְּמִצְוֹתֶיךָ, וְקֵרַבְתָּנוּ

מַלְכֵּנוּ לַעֲבוֹדָתֶךָ וְשִׁמְךָ הַגָּדוֹל וְהַקָּדוֹשׁ עָלֵינוּ קָרָאתָ.

וַתִּתֶּן לָנוּ יְיָ אֱלֹהֵינוּ בְּאַהֲבָה (לשבת שַׁבָּתוֹת לִמְנוּחָה וּ)

מוֹעֲדִים לְשִׂמְחָה, חַגִּים וּזְמַנִּים לְשָׂשׂוֹן, אֶת יוֹם (לשבת הַשַּׁבָּת

הַזֶּה וְאֶת יוֹם)

	On Shmini-Atzeret and on Simchat-Torah:	On Sukkot:	On Shavuot:	On Passover:
9	הַשְּׁמִינִי חַג	חַג הַסֻּכּוֹת	חַג הַשָּׁבֻעוֹת	חַג הַמַּצּוֹת
10	הָעֲצֶרֶת הַזֶּה,	הַזֶּה, זְמַן	הַזֶּה, זְמַן מַתַּן	הַזֶּה, זְמַן
11	זְמַן שִׂמְחָתֵנוּ.	שִׂמְחָתֵנוּ.	תּוֹרָתֵנוּ.	חֵרוּתֵנוּ.

(לשבת בְּאַהֲבָה) מִקְרָא קֹדֶשׁ, זֵכֶר לִיצִיאַת מִצְרָיִם.

וּמִפְּנֵי חֲטָאֵינוּ גָּלִינוּ מֵאַרְצֵנוּ, וְנִתְרַחַקְנוּ מֵעַל אַדְמָתֵנוּ,

וְאֵין אֲנַחְנוּ יְכוֹלִים לַעֲלוֹת וְלֵרָאוֹת וּלְהִשְׁתַּחֲוֹת לְפָנֶיךָ,

---

Reader לְדוֹר וָדוֹר נַגִּיד גָּדְלֶךָ, וּלְנֵצַח נְצָחִים קְדֻשָּׁתְךָ

נַקְדִּישׁ, וְשִׁבְחֲךָ אֱלֹהֵינוּ מִפִּינוּ לֹא יָמוּשׁ לְעוֹלָם וָעֶד,

כִּי אֵל מֶלֶךְ גָּדוֹל וְקָדוֹשׁ אָתָּה.

בָּרוּךְ אַתָּה יְיָ, הָאֵל הַקָּדוֹשׁ. **Cong.** אָמֵן

1 וְלַעֲשׂוֹת חוֹבוֹתֵינוּ בְּבֵית בְּחִירָתֶךָ, בַּבַּיִת הַגָּדוֹל וְהַקָּדוֹשׁ,

2 שֶׁנִּקְרָא שִׁמְךָ עָלָיו, מִפְּנֵי הַיָּד הַשְּׁלוּחָה בְּמִקְדָּשֶׁךָ. יְהִי רָצוֹן

3 מִלְּפָנֶיךָ, יְיָ אֱלֹהֵינוּ וֵאלֹהֵי אֲבוֹתֵינוּ, מֶלֶךְ רַחֲמָן, שֶׁתָּשׁוּב

4 וּתְרַחֵם עָלֵינוּ וְעַל מִקְדָּשְׁךָ בְּרַחֲמֶיךָ הָרַבִּים, וְתִבְנֵהוּ מְהֵרָה

5 וּתְגַדֵּל כְּבוֹדוֹ.

6 אָבִינוּ מַלְכֵּנוּ! גַּלֵּה כְּבוֹד מַלְכוּתְךָ עָלֵינוּ מְהֵרָה, וְהוֹפַע

7 וְהִנָּשֵׂא עָלֵינוּ לְעֵינֵי כָּל חָי. וְקָרֵב פְּזוּרֵינוּ מִבֵּין הַגּוֹיִם,

8 וּנְפוּצוֹתֵינוּ כַּנֵּס מִיַּרְכְּתֵי אָרֶץ. וַהֲבִיאֵנוּ לְצִיּוֹן עִירְךָ בְּרִנָּה,

9 וְלִירוּשָׁלַיִם, בֵּית מִקְדָּשְׁךָ, בְּשִׂמְחַת עוֹלָם. וְשָׁם נַעֲשֶׂה לְפָנֶיךָ

10 אֶת קָרְבְּנוֹת חוֹבוֹתֵינוּ: תְּמִידִים כְּסִדְרָם, וּמוּסָפִים כְּהִלְכָתָם.

11 וְאֶת מוּסַף יוֹם

On Sabbath

12 (לשבת וְאֶת מוּסְפֵי יוֹם הַשַּׁבָּת הַזֶּה וְיוֹם)

On Shmini-Atzeret and on Simchat-Torah:	*On Sukkot:*	*On Shavuot:*	*On Passover*
13 הַשְּׁמִינִי חַג	חַג הַסֻּכּוֹת	חַג הַשָּׁבֻעוֹת	חַג הַמַּצּוֹת
14 הָעֲצֶרֶת הַזֶּה.	הַזֶּה.	הַזֶּה.	הַזֶּה.

15 נַעֲשֶׂה וְנַקְרִיב לְפָנֶיךָ בְּאַהֲבָה, כְּמִצְוַת רְצוֹנֶךָ, כְּמוֹ שֶׁכָּתַבְתָּ

16 עָלֵינוּ בְּתוֹרָתֶךָ, עַל יְדֵי מֹשֶׁה עַבְדֶּךָ, מִפִּי כְבוֹדֶךָ, כָּאָמוּר:

17 on Sabbath וּבְיוֹם הַשַּׁבָּת שְׁנֵי־כְבָשִׂים בְּנֵי־שָׁנָה תְּמִימִם,

18 וּשְׁנֵי עֶשְׂרֹנִים סֹלֶת מִנְחָה בְּלוּלָה בַשֶּׁמֶן וְנִסְכּוֹ: עֹלַת שַׁבַּת

19 בְּשַׁבַּתּוֹ עַל עֹלַת הַתָּמִיד וְנִסְכָּהּ: זֶה קָרְבַּן שַׁבָּת וְקָרְבַּן

20 הַיּוֹם כָּאָמוּר:

On the first two days of Passover:

1   וּבַחֹדֶשׁ הָרִאשׁוֹן בְּאַרְבָּעָה עָשָׂר יוֹם לַחֹדֶשׁ–פֶּסַח לַיְיָ.

2   וּבַחֲמִשָּׁה עָשָׂר יוֹם לַחֹדֶשׁ הַזֶּה–חָג, שִׁבְעַת יָמִים מַצּוֹת יֵאָכֵל.

3   בַּיּוֹם הָרִאשׁוֹן מִקְרָא קֹדֶשׁ, כָּל מְלֶאכֶת עֲבוֹדָה לֹא תַעֲשׂוּ.

4   וְהִקְרַבְתֶּם אִשֶּׁה עֹלָה לַיְיָ: פָּרִים בְּנֵי בָקָר שְׁנַיִם, וְאַיִל אֶחָד,

5   וְשִׁבְעָה כְבָשִׂים בְּנֵי שָׁנָה, תְּמִימִם יִהְיוּ לָכֶם.

6   וּמִנְחָתָם וְנִסְכֵּיהֶם כִּמְדֻבָּר: שְׁלֹשָׁה עֶשְׂרֹנִים לַפָּר, וּשְׁנֵי

7   עֶשְׂרֹנִים לָאַיִל, וְעִשָּׂרוֹן לַכֶּבֶשׂ, וְיַיִן כְּנִסְכּוֹ, וְשָׂעִיר לְכַפֵּר,

8   וּשְׁנֵי תְמִידִים כְּהִלְכָתָם.

Continue with אֱלֹהֵינוּ וֵאלֹהֵי אֲבוֹתֵינוּ *on page 538, line 10:*

(On Sabbath יִשְׂמְחוּ *is said before)*

On Shavuot :

9   וּבְיוֹם הַבִּכּוּרִים, בְּהַקְרִיבְכֶם מִנְחָה חֲדָשָׁה לַיְיָ

10   בְּשָׁבֻעֹתֵיכֶם, מִקְרָא קֹדֶשׁ יִהְיֶה לָכֶם, כָּל מְלֶאכֶת עֲבֹדָה

11   לֹא תַעֲשׂוּ. וְהִקְרַבְתֶּם עֹלָה לְרֵיחַ נִיחֹחַ לַיְיָ: פָּרִים בְּנֵי בָקָר

12   שְׁנַיִם, אַיִל אֶחָד, שִׁבְעָה כְבָשִׂים בְּנֵי שָׁנָה.

13   וּמִנְחָתָם וְנִסְכֵּיהֶם כִּמְדֻבָּר: שְׁלֹשָׁה עֶשְׂרֹנִים לַפָּר, וּשְׁנֵי

14   עֶשְׂרֹנִים לָאַיִל, וְעִשָּׂרוֹן לַכֶּבֶשׂ, וְיַיִן כְּנִסְכּוֹ, וְשָׂעִיר לְכַפֵּר,

15   וּשְׁנֵי תְמִידִים כְּהִלְכָתָם.

Continue with אֱלֹהֵינוּ וֵאלֹהֵי אֲבוֹתֵינוּ *on page 538, line 10:*

(On Sabbath יִשְׂמְחוּ *is said before)*

On the first two days of Sukkot:

16   וּבַחֲמִשָּׁה עָשָׂר יוֹם לַחֹדֶשׁ הַשְּׁבִיעִי מִקְרָא קֹדֶשׁ יִהְיֶה

17   לָכֶם, כָּל מְלֶאכֶת עֲבֹדָה לֹא תַעֲשׂוּ, וְחַגֹּתֶם חַג לַיְיָ, שִׁבְעַת

1 יָמִים. וְהִקְרַבְתֶּם עֹלָה אִשֵּׁה רֵיחַ נִיחֹחַ לַיְיָ: פָּרִים בְּנֵי בָקָר

2 שְׁלֹשָׁה עָשָׂר, אֵילִם שְׁנָיִם, כְּבָשִׂים בְּנֵי שָׁנָה אַרְבָּעָה עָשָׂר,

3 תְּמִימִם יִהְיוּ.

4 וּמִנְחָתָם וְנִסְכֵּיהֶם כִּמְדֻבָּר: שְׁלֹשָׁה עֶשְׂרֹנִים לַפָּר, וּשְׁנֵי

5 עֶשְׂרֹנִים לָאָיִל, וְעִשָּׂרוֹן לַכֶּבֶשׂ, וְיַיִן כְּנִסְכּוֹ, וְשָׂעִיר לְכַפֵּר,

6 וּשְׁנֵי תְמִידִים כְּהִלְכָתָם.

Continue with **אֱלֹהֵינוּ וֵאלֹהֵי אֲבוֹתֵינוּ** *on page 538, line 10:*

(On Sabbath **יִשְׂמְחוּ** *is said before)*

On Sabbath:

7 יִשְׂמְחוּ בְמַלְכוּתְךָ שׁוֹמְרֵי שַׁבָּת וְקוֹרְאֵי עֹנֶג, עַם מְקַדְּשֵׁי

8 שְׁבִיעִי, כֻּלָם יִשְׂבְּעוּ וְיִתְעַנְּגוּ מִטּוּבֶךָ, וּבַשְּׁבִיעִי רָצִיתָ בּוֹ

9 וְקִדַּשְׁתּוֹ, חֶמְדַּת יָמִים אוֹתוֹ קָרָאתָ, זֵכֶר לְמַעֲשֵׂה בְרֵאשִׁית.

On Hol Ha-Moed Passover and the last two days of Passover:

10 וְהִקְרַבְתֶּם אִשֵּׁה עֹלָה לַיְיָ: פָּרִים בְּנֵי בָקָר שְׁנָיִם, וְאַיִל

11 אֶחָד, וְשִׁבְעָה כְבָשִׂים בְּנֵי שָׁנָה, תְּמִימִם יִהְיוּ לָכֶם.

12 וּמִנְחָתָם וְנִסְכֵּיהֶם כִּמְדֻבָּר: שְׁלֹשָׁה עֶשְׂרֹנִים לַפָּר, וּשְׁנֵי

13 עֶשְׂרֹנִים לָאָיִל, וְעִשָּׂרוֹן לַכֶּבֶשׂ, וְיַיִן כְּנִסְכּוֹ, וְשָׂעִיר לְכַפֵּר,

14 וּשְׁנֵי תְמִידִים כְּהִלְכָתָם.

Continue with **אֱלֹהֵינוּ וֵאלֹהֵי אֲבוֹתֵינוּ** *on page 538, line 10:*

(On Sabbath **יִשְׂמְחוּ** *is said before)*

On the first day of Hol-Ha Moed Sukkot

וּבַיּוֹם הַשֵּׁנִי: פָּרִים בְּנֵי בָקָר שְׁנֵים עָשָׂר, אֵילִם שְׁנָיִם, כְּבָשִׂים בְּנֵי שָׁנָה אַרְבָּעָה עָשָׂר תְּמִימִם.

וּמִנְחָתָם וְנִסְכֵּיהֶם כִּמְדֻבָּר: שְׁלֹשָׁה עֶשְׂרֹנִים לַפָּר, וּשְׁנֵי עֶשְׂרֹנִים לָאָיִל, וְעִשָּׂרוֹן לַכֶּבֶשׂ, וְיַיִן כְּנִסְכּוֹ, וְשָׂעִיר לְכַפֵּר, וּשְׁנֵי תְמִידִים כְּהִלְכָתָם.

וּבַיּוֹם הַשְּׁלִישִׁי: פָּרִים עַשְׁתֵּי עָשָׂר, אֵילִם שְׁנָיִם, כְּבָשִׂים בְּנֵי שָׁנָה אַרְבָּעָה עָשָׂר, תְּמִימִם.

וּמִנְחָתָם וְנִסְכֵּיהֶם כִּמְדֻבָּר: שְׁלֹשָׁה עֶשְׂרֹנִים לַפָּר, וּשְׁנֵי עֶשְׂרֹנִים לָאָיִל, וְעִשָּׂרוֹן לַכֶּבֶשׂ, וְיַיִן כְּנִסְכּוֹ, וְשָׂעִיר לְכַפֵּר, וּשְׁנֵי תְמִידִים כְּהִלְכָתָם.

Continue with **אֱלֹהֵינוּ וֵאלֹהֵי אֲבוֹתֵינוּ** *on page 538, line 10:*

(On Sabbath **יִשְׂמְחוּ** *is said before)*

On the second day of Hol-Ha Moed Sukkot

וּבַיּוֹם הַשְּׁלִישִׁי: פָּרִים עַשְׁתֵּי עָשָׂר, אֵילִם שְׁנָיִם, כְּבָשִׂים בְּנֵי שָׁנָה אַרְבָּעָה עָשָׂר, תְּמִימִם.

וּמִנְחָתָם וְנִסְכֵּיהֶם כִּמְדֻבָּר: שְׁלֹשָׁה עֶשְׂרֹנִים לַפָּר וּשְׁנֵי עֶשְׂרֹנִים לָאָיִל, וְעִשָּׂרוֹן לַכֶּבֶשׂ, וְיַיִן כְּנִסְכּוֹ, וְשָׂעִיר לְכַפֵּר, וּשְׁנֵי תְמִידִים כְּהִלְכָתָם.

וּבַיּוֹם הָרְבִיעִי: פָּרִים עֲשָׂרָה, אֵילִם שְׁנָיִם, כְּבָשִׂים בְּנֵי שָׁנָה אַרְבָּעָה עָשָׂר, תְּמִימִם.

וּמִנְחָתָם וְנִסְכֵּיהֶם כִּמְדֻבָּר: שְׁלֹשָׁה עֶשְׂרֹנִים לַפָּר, וּשְׁנֵי עֶשְׂרֹנִים לָאָיִל, וְעִשָּׂרוֹן לַכֶּבֶשׂ, וְיַיִן כְּנִסְכּוֹ, וְשָׂעִיר לְכַפֵּר, וּשְׁנֵי תְמִידִים כְּהִלְכָתָם.

Continue with **אֱלֹהֵינוּ וֵאלֹהֵי אֲבוֹתֵינוּ** *on page 538, line 10:*

(On Sabbath **יִשְׂמְחוּ** *is said before)*

On the third day of Hol-Ha Moed Sukkot

וּבַיּוֹם הָרְבִיעִי: פָּרִים עֲשָׂרָה, אֵילִם שְׁנָיִם, כְּבָשִׂים בְּנֵי שָׁנָה אַרְבָּעָה עָשָׂר, תְּמִימִם.

וּמִנְחָתָם וְנִסְכֵּיהֶם כִּמְדֻבָּר: שְׁלֹשָׁה עֶשְׂרֹנִים לַפָּר, וּשְׁנֵי עֶשְׂרֹנִים לָאָיִל, וְעִשָּׂרוֹן לַכֶּבֶשׂ, וְיַיִן כְּנִסְכּוֹ, וְשָׂעִיר לְכַפֵּר, וּשְׁנֵי תְמִידִים כְּהִלְכָתָם.

וּבַיּוֹם הַחֲמִישִׁי: פָּרִים תִּשְׁעָה, אֵילִם שְׁנָיִם, כְּבָשִׂים בְּנֵי שָׁנָה אַרְבָּעָה עָשָׂר, תְּמִימִם.

וּמִנְחָתָם וְנִסְכֵּיהֶם כִּמְדֻבָּר: שְׁלֹשָׁה עֶשְׂרֹנִים לַפָּר, וּשְׁנֵי עֶשְׂרֹנִים לָאָיִל, וְעִשָּׂרוֹן לַכֶּבֶשׂ, וְיַיִן כְּנִסְכּוֹ, וְשָׂעִיר לְכַפֵּר, וּשְׁנֵי תְמִידִים כְּהִלְכָתָם.

Continue with **אֱלֹהֵינוּ וֵאלֹהֵי אֲבוֹתֵינוּ** *on page 538, line 10:*

(On Sabbath **יִשְׂמְחוּ** *is said before)*

On the fourth day of Hol-Ha Moed Sukkot

וּבַיּוֹם הַחֲמִישִׁי: פָּרִים תִּשְׁעָה, אֵילִם שְׁנָיִם, כְּבָשִׂים בְּנֵי שָׁנָה אַרְבָּעָה עָשָׂר, תְּמִימִם.

וּמִנְחָתָם וְנִסְכֵּיהֶם כִּמְדֻבָּר: שְׁלֹשָׁה עֶשְׂרֹנִים לַפָּר, וּשְׁנֵי עֶשְׂרֹנִים לָאָיִל, וְעִשָּׂרוֹן לַכֶּבֶשׂ, וְיַיִן כְּנִסְכּוֹ, וְשָׂעִיר לְכַפֵּר, וּשְׁנֵי תְמִידִים כְּהִלְכָתָם.

1   וּבַיּוֹם הַשִּׁשִּׁי: פָּרִים שְׁמוֹנָה, אֵילִם שְׁנָיִם, כְּבָשִׂים בְּנֵי

2   שָׁנָה אַרְבָּעָה עָשָׂר, תְּמִימִם.

3   וּמִנְחָתָם וְנִסְכֵּיהֶם כִּמְדֻבָּר: שְׁלֹשָׁה עֶשְׂרֹנִים לַפָּר וּשְׁנֵי

4   עֶשְׂרֹנִים לָאַיִל, וְעִשָּׂרוֹן לַכֶּבֶשׂ, וְיַיִן כְּנִסְכּוֹ, וְשָׂעִיר לְכַפֵּר,

5   וּשְׁנֵי תְמִידִים כְּהִלְכָתָם.

Continue with אֱלֹהֵינוּ וֵאלֹהֵי אֲבוֹתֵינוּ *on page 538, line 10:*

(On Sabbath יִשְׂמְחוּ *is said before)*

On Hoshana-Rabbah

6   וּבַיּוֹם הַשִּׁשִּׁי: פָּרִים שְׁמוֹנָה, אֵילִם שְׁנָיִם, כְּבָשִׂים בְּנֵי

7   שָׁנָה אַרְבָּעָה עָשָׂר, תְּמִימִם.

8   וּמִנְחָתָם וְנִסְכֵּיהֶם כִּמְדֻבָּר: שְׁלֹשָׁה עֶשְׂרֹנִים לַפָּר, וּשְׁנֵי

9   עֶשְׂרֹנִים לָאַיִל, וְעִשָּׂרוֹן לַכֶּבֶשׂ, וְיַיִן כְּנִסְכּוֹ, וְשָׂעִיר לְכַפֵּר,

10   וּשְׁנֵי תְמִידִים כְּהִלְכָתָם.

11   וּבַיּוֹם הַשְּׁבִיעִי: פָּרִים שִׁבְעָה, אֵילִם שְׁנָיִם, כְּבָשִׂים בְּנֵי

12   שָׁנָה אַרְבָּעָה עָשָׂר, תְּמִימִם.

13   וּמִנְחָתָם וְנִסְכֵּיהֶם כִּמְדֻבָּר: שְׁלֹשָׁה עֶשְׂרֹנִים לַפָּר, וּשְׁנֵי

14   עֶשְׂרֹנִים לָאַיִל, וְעִשָּׂרוֹן לַכֶּבֶשׂ, וְיַיִן כְּנִסְכּוֹ, וְשָׂעִיר לְכַפֵּר,

15   וּשְׁנֵי תְמִידִים כְּהִלְכָתָם.

Continue with אֱלֹהֵינוּ וֵאלֹהֵי אֲבוֹתֵינוּ *on page 538, line 10:*

(On Sabbath יִשְׂמְחוּ *is said before)*

On Shmini Atzeret and Simchat-Torah

1 בַּיּוֹם הַשְּׁמִינִי: עֲצֶרֶת תִּהְיֶה לָכֶם, כָּל מְלֶאכֶת עֲבֹדָה

2 לֹא תַעֲשׂוּ. וְהִקְרַבְתֶּם עֹלָה אִשֵּׁה רֵיחַ נִיחֹחַ לַיְיָ: פַּר אֶחָד,

3 אַיִל אֶחָד, כְּבָשִׂים בְּנֵי שָׁנָה שִׁבְעָה, תְּמִימִם.

4 וּמִנְחָתָם וְנִסְכֵּיהֶם כִּמְדֻבָּר: שְׁלֹשָׁה עֶשְׂרֹנִים לַפָּר, וּשְׁנֵי

5 עֶשְׂרֹנִים לָאַיִל, וְעִשָּׂרוֹן לַכֶּבֶשׂ, וְיַיִן כְּנִסְכּוֹ, וְשָׂעִיר לְכַפֵּר,

6 וּשְׁנֵי תְמִידִים כְּהִלְכָתָם.

Continue with **אֱלֹהֵינוּ וֵאלֹהֵי אֲבוֹתֵינוּ** *on page 538, line 10:*
(*On Sabbath* **יִשְׂמְחוּ** *is said before*)

On Sabbath

7 יִשְׂמְחוּ בְמַלְכוּתְךָ שׁוֹמְרֵי שַׁבָּת וְקוֹרְאֵי עֹנֶג, עַם מְקַדְּשֵׁי

8 שְׁבִיעִי, כֻּלָּם יִשְׂבְּעוּ וְיִתְעַנְּגוּ מִטּוּבֶךָ, וּבַשְּׁבִיעִי רָצִיתָ בּוֹ

9 וְקִדַּשְׁתּוֹ, חֶמְדַּת יָמִים אוֹתוֹ קָרָאתָ, זֵכֶר לְמַעֲשֵׂה בְרֵאשִׁית.

10 אֱלֹהֵינוּ וֵאלֹהֵי אֲבוֹתֵינוּ, מֶלֶךְ רַחֲמָן! רַחֵם עָלֵינוּ; טוֹב

11 וּמֵטִיב! הִדָּרֶשׁ לָנוּ. שׁוּבָה אֵלֵינוּ בַּהֲמוֹן רַחֲמֶיךָ, בִּגְלַל אָבוֹת

12 שֶׁעָשׂוּ רְצוֹנֶךָ. בְּנֵה בֵיתְךָ כְּבַתְּחִלָּה, וְכוֹנֵן מִקְדָּשְׁךָ עַל מְכוֹנוֹ,

13 וְהַרְאֵנוּ בְּבִנְיָנוֹ וְשַׂמְּחֵנוּ בְּתִקּוּנוֹ. וְהָשֵׁב כֹּהֲנִים לַעֲבוֹדָתָם,

14 וּלְוִיִּם–לְשִׁירָם וּלְזִמְרָם, וְהָשֵׁב יִשְׂרָאֵל לִנְוֵיהֶם, וְשָׁם נַעֲלֶה

15 וְנֵרָאֶה וְנִשְׁתַּחֲוֶה לְפָנֶיךָ בְּשָׁלֹשׁ פַּעֲמֵי רְגָלֵינוּ, כַּכָּתוּב

16 בְּתוֹרָתֶךָ: שָׁלֹשׁ פְּעָמִים בַּשָּׁנָה, יֵרָאֶה כָל זְכוּרְךָ אֶת פְּנֵי יְיָ

17 אֱלֹהֶיךָ, בַּמָּקוֹם, אֲשֶׁר יִבְחָר, בְּחַג הַמַּצּוֹת, וּבְחַג הַשָּׁבֻעוֹת,

18 וּבְחַג הַסֻּכּוֹת: וְלֹא יֵרָאֶה אֶת פְּנֵי יְיָ רֵיקָם, אִישׁ כְּמַתְּנַת יָדוֹ,

19 כְּבִרְכַּת יְיָ אֱלֹהֶיךָ, אֲשֶׁר נָתַן לָךְ.

וְהַשִּׂיאֵנוּ יְיָ אֱלֹהֵינוּ אֶת בִּרְכַּת מוֹעֲדֶיךָ: לְחַיִּים
וּלְשָׁלוֹם, לְשִׂמְחָה וּלְשָׂשׂוֹן, כַּאֲשֶׁר רָצִיתָ וְאָמַרְתָּ לְבָרְכֵנוּ.
(לשבת אֱלֹהֵינוּ וֵאלֹהֵי אֲבוֹתֵינוּ! רְצֵה בִמְנוּחָתֵנוּ) קַדְּשֵׁנוּ
בְּמִצְוֹתֶיךָ, וְתֵן חֶלְקֵנוּ בְּתוֹרָתֶךָ, שַׂבְּעֵנוּ מִטּוּבֶךָ, וְשַׂמְּחֵנוּ
בִּישׁוּעָתֶךָ, וְטַהֵר לִבֵּנוּ לְעָבְדְּךָ בֶּאֱמֶת. וְהַנְחִילֵנוּ יְיָ אֱלֹהֵינוּ
(לשבת בְּאַהֲבָה וּבְרָצוֹן), בְּשִׂמְחָה וּבְשָׂשׂוֹן (שַׁבָּת וּ)מוֹעֲדֵי
קָדְשֶׁךָ. וְיִשְׂמְחוּ בְךָ יִשְׂרָאֵל מְקַדְּשֵׁי שְׁמֶךָ. בָּרוּךְ אַתָּה יְיָ,
מְקַדֵּשׁ (הַשַּׁבָּת וְ)יִשְׂרָאֵל וְהַזְּמַנִּים. Cong. אָמֵן

רְצֵה יְיָ אֱלֹהֵינוּ בְּעַמְּךָ יִשְׂרָאֵל וּבִתְפִלָּתָם, וְהָשֵׁב אֶת
הָעֲבוֹדָה לִדְבִיר בֵּיתֶךָ וְאִשֵּׁי יִשְׂרָאֵל, וּתְפִלָּתָם בְּאַהֲבָה
תְקַבֵּל בְּרָצוֹן, וּתְהִי לְרָצוֹן תָּמִיד עֲבוֹדַת יִשְׂרָאֵל עַמֶּךָ.

The Cohanim assemble before the ark and the Congregation and Reader say וְתֶעֱרַב *page 544*

וְתֶחֱזֶינָה עֵינֵינוּ בְּשׁוּבְךָ לְצִיּוֹן בְּרַחֲמִים.
בָּרוּךְ אַתָּה יְיָ, הַמַּחֲזִיר שְׁכִינָתוֹ לְצִיּוֹן.

Cong. אָמֵן

When saying מוֹדִים *bend the knees:*

The Congregation silently:

מוֹדִים אֲנַחְנוּ לָךְ,
שָׁאַתָּה הוּא יְיָ אֱלֹהֵינוּ
וֵאלֹהֵי אֲבוֹתֵינוּ לְעוֹלָם

מוֹדִים אֲנַחְנוּ לָךְ,
שָׁאַתָּה הוּא יְיָ אֱלֹהֵינוּ
וֵאלֹהֵי אֲבוֹתֵינוּ, אֱלֹהֵי
כָל בָּשָׂר, יוֹצְרֵנוּ,

וָעֶד, צוּר חַיֵּינוּ, מָגֵן יִשְׁעֵנוּ, אַתָּה הוּא לְדוֹר וָדוֹר. נוֹדֶה לְּךָ וּנְסַפֵּר תְּהִלָּתֶךָ, עַל חַיֵּינוּ הַמְּסוּרִים בְּיָדֶךָ, וְעַל נִשְׁמוֹתֵינוּ הַפְּקוּדוֹת לָךְ, וְעַל נִסֶּיךָ שֶׁבְּכָל יוֹם עִמָּנוּ, וְעַל נִפְלְאוֹתֶיךָ וְטוֹבוֹתֶיךָ שֶׁבְּכָל עֵת-עֶרֶב וָבֹקֶר וְצָהֳרָיִם. הַטּוֹב, –

יוֹצֵר בְּרֵאשִׁית. בְּרָכוֹת וְהוֹדָאוֹת לְשִׁמְךָ הַגָּדוֹל וְהַקָּדוֹשׁ, עַל שֶׁהֶחֱיִיתָנוּ וְקִיַּמְתָּנוּ. כֵּן תְּחַיֵּנוּ וּתְקַיְּמֵנוּ, וְתֶאֱסוֹף גָּלֻיּוֹתֵינוּ לְחַצְרוֹת קָדְשֶׁךָ, לִשְׁמוֹר חֻקֶּיךָ, וְלַעֲשׂוֹת רְצוֹנֶךָ, וּלְעָבְדְּךָ בְּלֵבָב שָׁלֵם, עַל שֶׁאֲנַחְנוּ מוֹדִים לָךְ. בָּרוּךְ אֵל הַהוֹדָאוֹת.

כִּי לֹא כָלוּ רַחֲמֶיךָ, וְהַמְרַחֵם, – כִּי לֹא תַמּוּ חֲסָדֶיךָ – מֵעוֹלָם קִוִּינוּ לָךְ.
וְעַל כֻּלָּם יִתְבָּרַךְ וְיִתְרוֹמַם שִׁמְךָ מַלְכֵּנוּ תָּמִיד לְעוֹלָם וָעֶד.

1 וְכָל־הַחַיִּים יוֹדוּךָ סֶּלָה, וִיהַלְלוּ אֶת שִׁמְךָ

2 בֶּאֱמֶת, הָאֵל יְשׁוּעָתֵנוּ וְעֶזְרָתֵנוּ סֶלָה! בָּרוּךְ

3 אַתָּה יְיָ, הַטּוֹב שִׁמְךָ וּלְךָ נָאֶה לְהוֹדוֹת.

Cong. אָמֵן

At the repetition of שְׁמוֹנֶה עֶשְׂרֵה *the Reader says:*

4 אֱלֹהֵינוּ וֵאלֹהֵי אֲבוֹתֵינוּ, בָּרְכֵנוּ בַבְּרָכָה הַמְשֻׁלֶּשֶׁת,

5 בַּתּוֹרָה, הַכְּתוּבָה עַל יְדֵי מֹשֶׁה עַבְדֶּךָ, הָאֲמוּרָה מִפִּי

6 אַהֲרֹן וּבָנָיו כֹּהֲנִים עַם קְדוֹשֶׁךָ, כָּאָמוּר: יְבָרֶכְךָ יְיָ

7 וְיִשְׁמְרֶךָ! יָאֵר יְיָ פָּנָיו, אֵלֶיךָ וִיחֻנֶּךָּ! יִשָּׂא יְיָ פָּנָיו אֵלֶיךָ

8 וְיָשֵׂם לְךָ שָׁלוֹם!

9 שִׂים שָׁלוֹם, טוֹבָה וּבְרָכָה, חֵן וָחֶסֶד

10 וְרַחֲמִים, עָלֵינוּ וְעַל כָּל יִשְׂרָאֵל עַמֶּךָ.

11 בָּרְכֵנוּ אָבִינוּ כֻּלָּנוּ כְּאֶחָד בְּאוֹר פָּנֶיךָ, כִּי

12 בְאוֹר פָּנֶיךָ נָתַתָּ לָנוּ יְיָ אֱלֹהֵינוּ תּוֹרַת חַיִּים

13 וְאַהֲבַת חֶסֶד, וּצְדָקָה וּבְרָכָה וְרַחֲמִים

14 וְחַיִּים וְשָׁלוֹם, וְטוֹב בְּעֵינֶיךָ לְבָרֵךְ אֶת

15 עַמְּךָ יִשְׂרָאֵל בְּכָל עֵת וּבְכָל שָׁעָה

16 בִּשְׁלוֹמֶךָ.

1 בָּרוּךְ אַתָּה יְיָ, הַמְבָרֵךְ אֶת עַמּוֹ יִשְׂרָאֵל

2 בַּשָׁלוֹם.   Cong. אָמֵן

3 אֱלֹהַי! נְצוֹר לְשׁוֹנִי מֵרָע, וּשְׂפָתַי מִדַּבֵּר מִרְמָה;

4 וְלִמְקַלְלַי – נַפְשִׁי תִדֹּם, וְנַפְשִׁי כֶּעָפָר לַכֹּל תִּהְיֶה.

5 פְּתַח לִבִּי בְּתוֹרָתֶךָ, וּבְמִצְוֹתֶיךָ תִּרְדּוֹף נַפְשִׁי. וְכָל

6 הַחוֹשְׁבִים עָלַי רָעָה, מְהֵרָה הָפֵר עֲצָתָם וְקַלְקֵל

7 מַחֲשַׁבְתָּם. עֲשֵׂה לְמַעַן שְׁמֶךָ, עֲשֵׂה לְמַעַן יְמִינֶךָ, עֲשֵׂה

8 לְמַעַן קְדֻשָּׁתֶךָ. עֲשֵׂה לְמַעַן תּוֹרָתֶךָ. לְמַעַן יֵחָלְצוּן

9 יְדִידֶיךָ, הוֹשִׁיעָה יְמִינְךָ וַעֲנֵנִי. יִהְיוּ לְרָצוֹן אִמְרֵי פִי וְהֶגְיוֹן

10 לִבִּי לְפָנֶיךָ, יְיָ צוּרִי וְגוֹאֲלִי! עֹשֶׂה שָׁלוֹם בִּמְרוֹמָיו, הוּא

11 יַעֲשֶׂה שָׁלוֹם עָלֵינוּ, וְעַל כָּל יִשְׂרָאֵל, וְאִמְרוּ אָמֵן!

12 יְהִי רָצוֹן מִלְּפָנֶיךָ יְיָ אֱלֹהֵינוּ וֵאלֹהֵי אֲבוֹתֵינוּ, שֶׁיִּבָּנֶה בֵּית

13 הַמִּקְדָּשׁ בִּמְהֵרָה בְיָמֵינוּ, וְתֵן חֶלְקֵנוּ בְּתוֹרָתֶךָ. וְשָׁם

14 נַעֲבָדְךָ בְּיִרְאָה כִּימֵי עוֹלָם וּכְשָׁנִים קַדְמוֹנִיּוֹת. וְעָרְבָה

15 לַיְיָ מִנְחַת יְהוּדָה וִירוּשָׁלָיִם, כִּימֵי עוֹלָם וּכְשָׁנִים קַדְמוֹנִיּוֹת.

Continue with the Complete Kaddish page 477,
אֵין כֵּאלֹהֵינוּ *page 404,* עָלֵינוּ *page 408, Mourners*
Kaddish page 414, Hymn of Glory 410, Psalm of the
Day page 168, Adon Olam page 418:

PRIESTLY BLESSING

This is the blessing in which the priests of the Holy Temple in Jerusalem would ask God to bless the people. It comes from the Bible (Numbers 6:24–26) and is said or chanted in the synagogue when the cantor repeats the עֲמִידָה, **the** silent prayer.

On holidays, in many of the synagogues men of the congregation who are כֹּהֲנִים (Priests), stand in front of the Holy Ark, face the congregation, and recite this blessing. They put their large prayershawls over their heads, so that the people should not see their faces and should think only of their prayers. The כֹּהֲנִים stand and face the people.

Before going up to the Holy Ark, the כֹּהֲנִים wash their hands. But they do not do it themselves. Instead, members of the congregation who are לְוִיִּם (Levites) pour water over the hands of the כֹּהֲנִים. The כֹּהֲנִים take off their shoes, just as was done in the Holy Temple in Jerusalem.

Our Rabbis explain the meaning of בִּרְכַּת כֹּהֲנִים as follows:

May the Lord bless you — with life, health and prosperity.

> *May He watch over you* — protect you against evil and sickness.

> *May the Lord make His face shine toward you* — when God's face shines on us, it means that He loves and pities us when we suffer. God's light is the תּוֹרָה, which will always shine in our homes and hearts if we study it and obey its laws.

May He be gracious to you — may He give you knowledge and understanding, so that your friends and neighbors will like you and will treat you well.

May the Lord lift up His face to you — may He turn to you with love and mercy.

May He give you peace — שָׁלוֹם means health, welfare, security and peace.

Congregation:

1 וְתֶעֱרַב עָלֶיךָ עֲתִירָתֵנוּ כְּעוֹלָה וּכְקָרְבָּן. אָנָּא

2 רַחוּם בְּרַחֲמֶיךָ הָרַבִּים הָשֵׁב שְׁכִינָתְךָ לְצִיּוֹן עִירֶךָ

3 וְסֵדֶר הָעֲבוֹדָה לִירוּשָׁלָיִם: וְתֶחֱזֶינָה עֵינֵינוּ בְּשׁוּבְךָ

4 לְצִיּוֹן בְּרַחֲמִים. וְשָׁם נַעֲבָדְךָ בְּיִרְאָה כִּימֵי עוֹלָם

5 וּכְשָׁנִים קַדְמוֹנִיּוֹת: Reader: בָּרוּךְ אַתָּה יְיָ שֶׁאוֹתְךָ

6 לְבַדְּךָ בְּיִרְאָה נַעֲבוֹד:

Congregation:

7 יְהִי רָצוֹן מִלְּפָנֶיךָ יְהֹוָה אֱלֹהֵינוּ וֵאלֹהֵי אֲבוֹתֵינוּ

8 שֶׁתְּהֵא הַבְּרָכָה הַזֹּאת (Cohanim שֶׁצִּוִּיתָנוּ) (Cong:) שֶׁצִּוִּיתָ

9 לְבָרֵךְ אֶת עַמְּךָ יִשְׂרָאֵל בְּרָכָה שְׁלֵמָה וְלֹא יִהְיֶה

10 בָּהּ שׁוּם מִכְשׁוֹל וְעָוֹן מֵעַתָּה וְעַד עוֹלָם:

Reader:

11 אֱלֹהֵינוּ וֵאלֹהֵי אֲבוֹתֵינוּ, בָּרְכֵנוּ בַּבְּרָכָה הַמְשֻׁלֶּשֶׁת,

12 בַּתּוֹרָה, הַכְּתוּבָה עַל יְדֵי מֹשֶׁה עַבְדֶּךָ, הָאֲמוּרָה מִפִּי

13 אַהֲרֹן.

14 Reader: כֹּהֲנִים Cong: עַם קְדוֹשֶׁךָ כָּאָמוּר:

Cohanim:

15 בָּרוּךְ אַתָּה יְיָ אֱלֹהֵינוּ מֶלֶךְ הָעוֹלָם אֲשֶׁר קִדְּשָׁנוּ בִּקְדֻשָּׁתוֹ

16 שֶׁל אַהֲרֹן וְצִוָּנוּ לְבָרֵךְ אֶת עַמּוֹ יִשְׂרָאֵל בְּאַהֲבָה: Cong. אָמֵן

Cohanim:	*Congregation:*
יְבָרֶכְךָ.	יְבָרֶכְךָ יְיָ מִצִּיּוֹן עֹשֵׂה שָׁמַיִם וָאָרֶץ:
יְהוָֹה.	יְיָ אֲדוֹנֵינוּ מָה אַדִּיר שִׁמְךָ בְּכָל הָאָרֶץ:
וְיִשְׁמְרֶךָ.	שָׁמְרֵנִי אֵל כִּי חָסִיתִי בָךְ:

Congregation:

רִבּוֹנוֹ שֶׁל עוֹלָם אֲנִי שֶׁלָּךְ וַחֲלוֹמוֹתַי שֶׁלָּךְ חֲלוֹם חָלַמְתִּי וְאֵינִי יוֹדֵעַ מַה הוּא. יְהִי רָצוֹן מִלְּפָנֶיךָ יְיָ אֱלֹהַי וֵאלֹהֵי אֲבוֹתַי שֶׁיִּהְיוּ כָּל חֲלוֹמוֹתַי עָלַי. וְעַל כָּל יִשְׂרָאֵל לְטוֹבָה. בֵּין שֶׁחָלַמְתִּי עַל עַצְמִי. וּבֵין שֶׁחָלַמְתִּי עַל אֲחֵרִים. וּבֵין שֶׁחָלְמוּ אֲחֵרִים עָלָי. אִם טוֹבִים הֵם חַזְּקֵם וְאַמְּצֵם וְיִתְקַיְּמוּ בִי וּבָהֶם כַּחֲלוֹמוֹת שֶׁל יוֹסֵף הַצַּדִּיק וְאִם צְרִיכִים רְפוּאָה רְפָאֵם כְּחִזְקִיָּהוּ מֶלֶךְ יְהוּדָה מֵחָלְיוֹ וּכְמִרְיָם הַנְּבִיאָה מִצָּרַעְתָּהּ וּכְנַעֲמָן מִצָּרַעְתּוֹ. וּכְמֵי מָרָה עַל יְדֵי מֹשֶׁה רַבֵּנוּ. וּכְמֵי יְרִיחוֹ עַל יְדֵי אֱלִישָׁע. וּכְשֵׁם שֶׁהָפַכְתָּ אֶת קִלְלַת בִּלְעָם הָרָשָׁע מִקְּלָלָה לִבְרָכָה כֵּן תַּהֲפוֹךְ כָּל חֲלוֹמוֹתַי עָלַי וְעַל כָּל יִשְׂרָאֵל לְטוֹבָה וְתִשְׁמְרֵנִי וּתְחָנֵּנִי וְתִרְצֵנִי: אָמֵן.

Cohanim:	*Congregation:*
יָאֵר.	אֱלֹהִים יְחָנֵּנוּ וִיבָרְכֵנוּ יָאֵר פָּנָיו אִתָּנוּ סֶלָה:
יְהוָֹה.	יְיָ יְיָ אֵל רַחוּם וְחַנּוּן אֶרֶךְ אַפַּיִם וְרַב חֶסֶד וֶאֱמֶת:
פָּנָיו.	פְּנֵה אֵלַי וְחָנֵּנִי כִּי יָחִיד וְעָנִי אָנִי:
אֵלֶיךָ.	אֵלֶיךָ יְיָ נַפְשִׁי אֶשָּׂא:
וִיחֻנֶּךָּ.	הִנֵּה כְעֵינֵי עֲבָדִים אֶל יַד אֲדוֹנֵיהֶם כְּעֵינֵי שִׁפְחָה אֶל יַד

Cohanim:	Congregation:
	גְּבִרְתָּה כֵּן עֵינֵינוּ אֶל יְיָ אֱלֹהֵינוּ עַד שֶׁיְּחָנֵּנוּ: *Cong.* רִבּוֹנוֹ שֶׁל עוֹלָם
יִשָּׂא.	יִשָּׂא בְרָכָה מֵאֵת יְיָ וּצְדָקָה מֵאֱלֹהֵי יִשְׁעוֹ וּמְצָא חֵן וְשֵׂכֶל טוֹב בְּעֵינֵי אֱלֹהִים וְאָדָם:
יְהֹוָה.	יְיָ חָנֵּנוּ לְךָ קִוִּינוּ הֱיֵה זְרוֹעָם לַבְּקָרִים אַף יְשׁוּעָתֵנוּ בְּעֵת צָרָה:
פָּנָיו.	אַל תַּסְתֵּר פָּנֶיךָ מִמֶּנִּי בְּיוֹם צַר לִי הַטֵּה אֵלַי אָזְנֶךָ בְּיוֹם אֶקְרָא מַהֵר עֲנֵנִי:
אֵלֶיךָ.	אֵלֶיךָ נָשָׂאתִי אֶת עֵינַי הַיֹּשְׁבִי בַּשָּׁמָיִם:
וְיָשֵׂם.	וְשָׂמוּ אֶת שְׁמִי עַל בְּנֵי יִשְׂרָאֵל וַאֲנִי אֲבָרְכֵם:
לְךָ.	לְךָ יְיָ הַגְּדֻלָּה וְהַגְּבוּרָה וְהַתִּפְאֶרֶת וְהַנֵּצַח וְהַהוֹד כִּי כֹל בַּשָּׁמַיִם וּבָאָרֶץ. לְךָ יְיָ הַמַּמְלָכָה וְהַמִּתְנַשֵּׂא לְכֹל לְרֹאשׁ:
שָׁלוֹם.	שָׁלוֹם שָׁלוֹם לָרָחוֹק וְלַקָּרוֹב אָמַר יְיָ וּרְפָאתִיו:

Congregation:

יְהִי רָצוֹן מִלְּפָנֶיךָ יְיָ אֱלֹהַי וֵאלֹהֵי אֲבוֹתַי, שֶׁתַּעֲשֶׂה לְמַעַן קְדוּשַּׁת חֲסָדֶיךָ וְגוֹדֶל רַחֲמֶיךָ הַפְּשׁוּטִים, וּלְמַעַן טַהֲרַת שִׁמְךָ הַגָּדוֹל הַגִּבּוֹר וְהַנּוֹרָא, בֶּן עֶשְׂרִים וּשְׁתַּיִם אוֹתִיּוֹת הַיּוֹצְאִים מֵהַפְּסוּקִים שֶׁל בִּרְכַּת כֹּהֲנִים, הָאֲמוּרָה מִפִּי אַהֲרֹן וּבָנָיו עַם קְדוֹשֶׁךָ, שֶׁתִּהְיֶה קָרוֹב לִי בְּקָרְאִי לָךְ, וְתִשְׁמַע תְּפִלָּתִי

1 נָאַקְתִּי וְאֶנְקָתִי תָּמִיד, כְּשֵׁם שֶׁשָּׁמַעְתָּ אֶנְקַת יַעֲקֹב תְּמִימֶךָ

2 הַנִּקְרָא אִישׁ תָּם. וְתִתֶּן לִי וּלְכָל נַפְשׁוֹת בֵּיתִי מְזוֹנוֹתֵינוּ

3 וּפַרְנָסָתֵנוּ בְּרֶוַח, וְלֹא בְצִמְצוּם, בְּהֶתֵּר וְלֹא בְאִסּוּר, בְּנַחַת

4 וְלֹא בְצַעַר, מִתַּחַת יָדְךָ הָרְחָבָה, כְּשֵׁם שֶׁנָּתַתָּ פִּסַּת לֶחֶם

5 לֶאֱכוֹל, וּבֶגֶד לִלְבּוֹשׁ לְיַעֲקֹב אָבִינוּ, הַנִּקְרָא אִישׁ תָּם. וְתִתְּנֵנוּ

6 לְאַהֲבָה לְחֵן וּלְחֶסֶד וּלְרַחֲמִים בְּעֵינֶיךָ וּבְעֵינֵי כָל רוֹאֵינוּ,

7 וְיִהְיוּ דְבָרַי נִשְׁמָעִים לַעֲבוֹדָתֶךָ, כְּשֵׁם שֶׁנָּתַתָּ אֶת יוֹסֵף

8 צַדִּיקֶךָ, בְּשָׁעָה שֶׁהִלְבִּישׁוֹ אָבִיו כְּתֹנֶת פַּסִּים לְחֵן וּלְחֶסֶד

9 וּלְרַחֲמִים, בְּעֵינֶיךָ וּבְעֵינֵי כָל רוֹאָיו. וְתַעֲשֶׂה עִמָּדִי נִפְלָאוֹת

10 וְנִסִּים וּלְטוֹבָה אוֹת, וְתַצְלִיחֵנִי בִּדְרָכַי, וְתֵן בְּלִבִּי בִּינָה לְהָבִין

11 וּלְהַשְׂכִּיל וּלְקַיֵּם אֶת כָּל דִּבְרֵי תַלְמוּד תּוֹרָתֶךָ וְסוֹדוֹתֶיהָ,

12 וְתַצִּילֵנִי מִשְּׁגִיאוֹת, וְטַהֵר רַעְיוֹנַי וְלִבִּי לַעֲבוֹדָתֶךָ וְתַאֲרִיךְ

13 יָמַי וִימֵי אִשְׁתִּי וּבָנַי וּבְנוֹתַי, （　　　　　　וִימֵי אָבִי וְאִמִּי），

14 בְּרוֹב עוֹז וְשָׁלוֹם, אָמֵן סֶלָה:

Congregation:

15 אַדִּיר בַּמָּרוֹם שׁוֹכֵן בִּגְבוּרָה אַתָּה שָׁלוֹם וְשִׁמְךָ שָׁלוֹם,

16 יְהִי רָצוֹן שֶׁתָּשִׂים עָלֵינוּ וְעַל כָּל עַמְּךָ בֵּית יִשְׂרָאֵל, חַיִּים

17 וּבְרָכָה לְמִשְׁמֶרֶת שָׁלוֹם:

Cohanim:

18 רִבּוֹנוֹ שֶׁל עוֹלָם, עָשִׂינוּ מַה שֶׁגָּזַרְתָּ עָלֵינוּ, אַף אַתָּה עֲשֵׂה

19 עִמָּנוּ כְּמָה שֶׁהִבְטַחְתָּנוּ. הַשְׁקִיפָה מִמְּעוֹן קָדְשְׁךָ מִן הַשָּׁמַיִם

20 וּבָרֵךְ אֶת עַמְּךָ אֶת יִשְׂרָאֵל, וְאֵת הָאֲדָמָה אֲשֶׁר נָתַתָּה לָנוּ,

21 כַּאֲשֶׁר נִשְׁבַּעְתָּ לַאֲבוֹתֵינוּ אֶרֶץ זָבַת חָלָב וּדְבָשׁ:

PRAYER FOR DEW

Israel is a hot, dry country and the welfare of the crops and its people depend upon a plentiful supply of water. Water then, as now was the "life blood" of the country.

The poems תְּהוֹמוֹת הֲדוֹם and טַל תֵּן לִרְצוֹת were composed by Rabbi Elazar Ha-Kallir in the seventh century.

Recited on the first day of Passover during the Musaf Service:

בָּרוּךְ אַתָּה יְיָ, אֱלֹהֵינוּ וֵאלֹהֵי אֲבוֹתֵינוּ,
אֱלֹהֵי אַבְרָהָם, אֱלֹהֵי יִצְחָק, וֵאלֹהֵי יַעֲקֹב,
הָאֵל הַגָּדוֹל, הַגִּבּוֹר וְהַנּוֹרָא, אֵל עֶלְיוֹן,
גּוֹמֵל חֲסָדִים טוֹבִים, וְקוֹנֵה הַכֹּל, וְזוֹכֵר
חַסְדֵי אָבוֹת, וּמֵבִיא גוֹאֵל לִבְנֵי בְנֵיהֶם,
לְמַעַן שְׁמוֹ בְּאַהֲבָה.
מֶלֶךְ עוֹזֵר וּמוֹשִׁיעַ וּמָגֵן.

בְּדַעְתּוֹ אַבִּיעָה חִידוֹת. בְּעַם זוּ בְּזוֹ בְּטַל לְהַחֲדוֹת. טַל
גֵּיא וּדְשָׁאֶיהָ לַחֲדוֹת. דָּצִים בְּצִלּוֹ לְהֵחָדוֹת. אוֹת יַלְדוּת טַל
לְהָגֵן לְתוֹלָדוֹת:

בָּרוּךְ אַתָּה יְיָ מָגֵן אַבְרָהָם:

אַתָּה גִבּוֹר לְעוֹלָם אֲדֹנָי, מְחַיֵּה מֵתִים אַתָּה רַב לְהוֹשִׁיעַ:

תְּהוֹמוֹת הֲדוֹם לִרְסִיסוֹ כְּסוּפִים

The depths of the earth are eager for the drops of dew

תְּהוֹמוֹת הֲדוֹם לִרְסִיסוֹ כְּסוּפִים. וְכָל נְאוֹת דֶּשֶׁא לוֹ
נִכְסָפִים. טַל זִכְרוֹ גְּבוּרוֹת מוֹסִיפִים. חָקוּק בְּגִישַׁת מוּסָפִים.
טַל לְהַחֲיוֹת בּוֹ נְקוּקֵי סְעִיפִים:

טַל תֵּן לִרְצוֹת אַרְצָךְ

Grant dew to favor your land

אֱלֹהֵינוּ וֵאלֹהֵי אֲבוֹתֵינוּ:

The Ark is opened:

The Reader recites each paragraph and the Congregation repeats:

טַל תֵּן, לִרְצוֹת אַרְצָךְ. שִׁיתֵנוּ בְרָכָה, בְּדִיצָךְ. רוֹב דָּגָן
וְתִירוֹשׁ, בְּהַפְרִיצָךְ. קוֹמֵם עִיר, בָּהּ חֶפְצָךְ, בְּטַל:
טַל צַוֵּה, שָׁנָה טוֹבָה, וּמְעֻטֶּרֶת, פְּרִי הָאָרֶץ, לְגָאוֹן וּלְתִפְאֶרֶת.
עִיר, כַּסֻּכָּה נוֹתֶרֶת. שִׂימָהּ, בְּיָדְךָ עֲטֶרֶת. בְּטַל:
טַל נוֹפֵף, עֲלֵי אֶרֶץ בְּרוּכָה. מִמֶּגֶד שָׁמַיִם, שַׂבְּעֵנוּ בְרָכָה,
לְהָאִיר מִתּוֹךְ חֲשֵׁכָה. כַּנָּה, אַחֲרֶיךָ מְשׁוּכָה. בְּטַל:
טַל יַעֲסִיס, צוּף הָרִים. טְעֵם בִּמְאוֹדֶיךָ, מוּבְחָרִים. חֲנוּנֶיךָ,
חַלֵּץ מִמַּסְגֵּרִים. זִמְרָה נַנְעִים, וְקוֹל נָרִים. בְּטַל:

The Reader recites each paragraph and the Congregation repeats:

טַל וָשֹׂבַע, מַלֵּא אֲסָמֵינוּ. הֲכָעֵת, תְּחַדֵּשׁ יָמֵינוּ. דּוֹד, כְּעֶרְכְּךָ הַעֲמֵד שְׁמֵנוּ. גַּן רָוֶה שִׂימֵנוּ, בְּטַל:

טַל בּוֹ תְּבָרֵךְ מָזוֹן. בְּמַשְׁמַנֵּינוּ, אַל יְהִי רָזוֹן. אֲיֻמָּה, אֲשֶׁר הִסַּעְתָּ כַּצֹּאן. אָנָּא, תָּפֵק לָהּ רָצוֹן. בְּטַל: שָׁאַתָּה הוּא, יְיָ אֱלֹהֵינוּ, מַשִּׁיב הָרוּחַ, וּמוֹרִיד הַטָּל:

Cong.	Cong. and Reader
אָמֵן	לִבְרָכָה, וְלֹא לִקְלָלָה:
אָמֵן	לְחַיִּים, וְלֹא לַמָּוֶת:
אָמֵן	לְשֹׂבַע, וְלֹא לְרָזוֹן:

COUNTING THE OMER

From the second day of פֶּסַח to the holiday of שָׁבוּעוֹת we count the עֹמֶר. The עֹמֶר is a measure of wheat and barley. These are sad days of mourning for our people, because when the Romans ruled over Palestine, the Jews were not allowed to study the תּוֹרָה or to celebrate their holidays. Bar Kochba ("Son of a Star") was a brave and fearless general who fought the Romans. Rabbi Akiba was a famous rabbi and teacher who supported Bar Kochba and urged the Jews to join his army. Rabbi Akiba's writings are found in the Talmud. There is a story that during the days of the עֹמֶר, a terrible plague or epidemic broke out and many Jews died. But on לַ״ג בָּעֹמֶר, the thirty-third day of the עֹמֶר, the plague suddenly stopped. But our story ends sadly, for both Rabbi Akiba and Bar Kochba were killed by the Romans.

So today we are sad during the counting of the עֹמֶר and do not have weddings or celebrations, but on לַ״ג בָּעֹמֶר we rejoice. It is a gay holiday on which children go to the forest or fields with bows and arrows as Bar Kochba and his soldiers did. On this day we also remember the great rabbi, Simeon Bar Yohai, who hid in a cave near Meron in Israel for thirteen years. He died on לַ״ג בָּעֹמֶר and was buried in Meron.

Because many of Rabbi Akiba's students were saved from death when the plague stopped, this holiday is also called the "Scholars' Holiday."

After the evening service, from the second night of Passover

until the night before Shavuot:

1 הִנְנִי מוּכָן וּמְזֻמָּן, לְקַיֵּם מִצְוַת עֲשֵׂה, שֶׁל־סְפִירַת הָעֹמֶר,

2 כְּמוֹ שֶׁכָּתוּב בַּתּוֹרָה, וּסְפַרְתֶּם לָכֶם מִמָּחֳרַת הַשַּׁבָּת, מִיּוֹם

3 הֲבִיאֲכֶם אֶת עֹמֶר הַתְּנוּפָה, שֶׁבַע שַׁבָּתוֹת, תְּמִימֹת

4 תִּהְיֶינָה. עַד מִמָּחֳרַת הַשַּׁבָּת הַשְּׁבִיעִית, תִּסְפְּרוּ חֲמִשִּׁים

5 יוֹם, וְהִקְרַבְתֶּם מִנְחָה חֲדָשָׁה לַיָי: וִיהִי נֹעַם יְיָ אֱלֹהֵינוּ

6 עָלֵינוּ, וּמַעֲשֵׂה יָדֵינוּ, כּוֹנְנָה עָלֵינוּ, וּמַעֲשֵׂה יָדֵינוּ, כּוֹנְנֵהוּ:

בָּרוּךְ אַתָּה יְיָ, אֱלֹהֵינוּ מֶלֶךְ הָעוֹלָם, אֲשֶׁר
קִדְּשָׁנוּ, בְּמִצְוֹתָיו, וְצִוָּנוּ עַל סְפִירַת הָעֹמֶר:

1st day הַיּוֹם, יוֹם אֶחָד, בָּעֹמֶר:

To be recited after the counting of the Omer:

הָרַחֲמָן הוּא יַחֲזִיר עֲבוֹדַת בֵּית הַמִּקְדָּשׁ לִמְקוֹמָהּ:

לַמְנַצֵּחַ בִּנְגִינוֹת, מִזְמוֹר שִׁיר: אֱלֹהִים יְחָנֵּנוּ וִיבָרְכֵנוּ,
יָאֵר פָּנָיו אִתָּנוּ, סֶלָה: לָדַעַת בָּאָרֶץ דַּרְכֶּךָ, בְּכָל גּוֹיִם,
יְשׁוּעָתֶךָ: יוֹדוּךָ עַמִּים אֱלֹהִים, יוֹדוּךָ עַמִּים כֻּלָּם: יִשְׂמְחוּ
וִירַנְּנוּ לְאֻמִּים, כִּי תִשְׁפֹּט עַמִּים מִישֹׁר, וּלְאֻמִּים בָּאָרֶץ
תַּנְחֵם, סֶלָה: יוֹדוּךָ עַמִּים אֱלֹהִים, יוֹדוּךָ עַמִּים כֻּלָּם:
אֶרֶץ נָתְנָה יְבוּלָהּ, יְבָרְכֵנוּ אֱלֹהִים אֱלֹהֵינוּ: יְבָרְכֵנוּ
אֱלֹהִים, וְיִירְאוּ אֹתוֹ, כָּל אַפְסֵי אָרֶץ:

אָנָּא, בְּכֹחַ גְּדֻלַּת יְמִינְךָ, תַּתִּיר צְרוּרָה: קַבֵּל רִנַּת
עַמְּךָ, שַׂגְּבֵנוּ, טַהֲרֵנוּ, נוֹרָא: נָא, גִבּוֹר, דּוֹרְשֵׁי יִחוּדְךָ,
כְּבָבַת שָׁמְרֵם: בָּרְכֵם, טַהֲרֵם, רַחֲמֵם, צִדְקָתְךָ, תָּמִיד,
גָּמְלֵם: חֲסִין קָדוֹשׁ, בְּרֹב טוּבְךָ, נַהֵל עֲדָתֶךָ: יָחִיד,
גֵּאֶה, לְעַמְּךָ, פְּנֵה, זוֹכְרֵי קְדֻשָּׁתֶךָ: שַׁוְעָתֵנוּ קַבֵּל, וּשְׁמַע
צַעֲקָתֵנוּ, יוֹדֵעַ תַּעֲלֻמוֹת: בָּרוּךְ שֵׁם כְּבוֹד מַלְכוּתוֹ,
לְעוֹלָם וָעֶד:

רִבּוֹנוֹ שֶׁל עוֹלָם, אַתָּה צִוִּיתָנוּ עַל יְדֵי מֹשֶׁה עַבְדֶּךָ, לִסְפֹּר סְפִירַת הָעֹמֶר, כְּדֵי לְטַהֲרֵנוּ מִקְּלִפּוֹתֵינוּ וּמִטֻּמְאוֹתֵינוּ, כְּמוֹ שֶׁכָּתַבְתָּ, בְּתוֹרָתֶךָ, וּסְפַרְתֶּם לָכֶם מִמָּחֳרַת הַשַּׁבָּת, מִיּוֹם הֲבִיאֲכֶם אֶת עֹמֶר הַתְּנוּפָה, שֶׁבַע שַׁבָּתוֹת, תְּמִימוֹת תִּהְיֶינָה, עַד מִמָּחֳרַת הַשַּׁבָּת הַשְּׁבִיעִית, תִּסְפְּרוּ חֲמִשִּׁים יוֹם. כְּדֵי שֶׁיִּטָּהֲרוּ נַפְשׁוֹת עַמְּךָ יִשְׂרָאֵל מִזֻּהֲמָתָם. וּבְכֵן יְהִי רָצוֹן מִלְּפָנֶיךָ יְיָ אֱלֹהֵינוּ וֵאלֹהֵי אֲבוֹתֵינוּ, שֶׁבִּזְכוּת סְפִירַת הָעֹמֶר, שֶׁסָּפַרְתִּי הַיּוֹם, יְתֻקַּן מַה שֶּׁפָּגַמְתִּי בִּסְפִירָה. וְאֶטָּהֵר, וְאֶתְקַדֵּשׁ בִּקְדֻשָּׁה שֶׁל מַעְלָה, וְעַל יְדֵי זֶה, יֻשְׁפַּע שֶׁפַע רַב בְּכָל הָעוֹלָמוֹת, וּלְתַקֵּן אֶת נַפְשׁוֹתֵינוּ, וְרוּחוֹתֵינוּ, וְנִשְׁמוֹתֵינוּ, מִכָּל סִיג וּפְגָם, וּלְטַהֲרֵנוּ, וּלְקַדְּשֵׁנוּ, בִּקְדֻשָּׁתְךָ הָעֶלְיוֹנָה, אָמֵן סֶלָה:

2nd הַיּוֹם, שְׁנֵי יָמִים, בָּעֹמֶר: הרחמן...

3rd הַיּוֹם, שְׁלֹשָׁה יָמִים, בָּעֹמֶר: הרחמן...

4th הַיּוֹם, אַרְבָּעָה יָמִים, בָּעֹמֶר: הרחמן...

5th הַיּוֹם, חֲמִשָּׁה יָמִים, בָּעֹמֶר: הרחמן...

6th הַיּוֹם, שִׁשָּׁה יָמִים, בָּעֹמֶר: הרחמן...

7th הַיּוֹם, שִׁבְעָה יָמִים, שֶׁהֵם שָׁבוּעַ אֶחָד, בָּעֹמֶר: הרחמן...

8th הַיּוֹם, שְׁמוֹנָה יָמִים, שֶׁהֵם שָׁבוּעַ אֶחָד וְיוֹם אֶחָד, בָּעֹמֶר: הרחמן...

9th הַיּוֹם, תִּשְׁעָה יָמִים, שֶׁהֵם שָׁבוּעַ אֶחָד וּשְׁנֵי יָמִים,
בָּעֹמֶר: הרחמן...

10th הַיּוֹם, עֲשָׂרָה יָמִים, שֶׁהֵם שָׁבוּעַ אֶחָד וּשְׁלֹשָׁה יָמִים,
בָּעֹמֶר: הרחמן...

11th הַיּוֹם, אַחַד עָשָׂר יוֹם, שֶׁהֵם שָׁבוּעַ אֶחָד וְאַרְבָּעָה
יָמִים, בָּעֹמֶר: הרחמן...

12th הַיּוֹם, שְׁנֵים עָשָׂר יוֹם, שֶׁהֵם שָׁבוּעַ אֶחָד וַחֲמִשָּׁה
יָמִים, בָּעֹמֶר: הרחמן...

13th הַיּוֹם, שְׁלֹשָׁה עָשָׂר יוֹם, שֶׁהֵם שָׁבוּעַ אֶחָד וְשִׁשָּׁה
יָמִים, בָּעֹמֶר: הרחמן...

14th הַיּוֹם, אַרְבָּעָה עָשָׂר יוֹם, שֶׁהֵם שְׁנֵי שָׁבוּעוֹת, בָּעֹמֶר:
הרחמן...

15th הַיּוֹם, חֲמִשָּׁה עָשָׂר יוֹם, שֶׁהֵם שְׁנֵי שָׁבוּעוֹת וְיוֹם אֶחָד,
בָּעֹמֶר: הרחמן...

16th הַיּוֹם, שִׁשָּׁה עָשָׂר יוֹם, שֶׁהֵם שְׁנֵי שָׁבוּעוֹת וּשְׁנֵי יָמִים,
בָּעֹמֶר: הרחמן...

17th הַיּוֹם, שִׁבְעָה עָשָׂר יוֹם, שֶׁהֵם שְׁנֵי שָׁבוּעוֹת וּשְׁלֹשָׁה
יָמִים, בָּעֹמֶר: הרחמן...

18th הַיּוֹם, שְׁמוֹנָה עָשָׂר יוֹם, שֶׁהֵם שְׁנֵי שָׁבוּעוֹת וְאַרְבָּעָה
יָמִים, בָּעֹמֶר: הרחמן...

19th הַיּוֹם, תִּשְׁעָה עָשָׂר יוֹם, שֶׁהֵם שְׁנֵי שָׁבוּעוֹת וַחֲמִשָּׁה
יָמִים, בָּעֹמֶר: הרחמן...

20th הַיּוֹם, עֶשְׂרִים יוֹם, שֶׁהֵם שְׁנֵי שָׁבוּעוֹת וְשִׁשָּׁה יָמִים, בָּעֹמֶר: הרחמן...

21st הַיּוֹם, אֶחָד וְעֶשְׂרִים יוֹם, שֶׁהֵם שְׁלשָׁה שָׁבוּעוֹת, בָּעֹמֶר: הרחמן...

22nd הַיּוֹם, שְׁנַיִם וְעֶשְׂרִים יוֹם, שֶׁהֵם שְׁלשָׁה שָׁבוּעוֹת וְיוֹם אֶחָד, בָּעֹמֶר: הרחמן...

23rd הַיּוֹם, שְׁלשָׁה וְעֶשְׂרִים יוֹם, שֶׁהֵם שְׁלשָׁה שָׁבוּעוֹת וּשְׁנֵי יָמִים, בָּעֹמֶר: הרחמן...

24th הַיּוֹם, אַרְבָּעָה וְעֶשְׂרִים יוֹם, שֶׁהֵם שְׁלשָׁה שָׁבוּעוֹת וּשְׁלשָׁה יָמִים, בָּעֹמֶר: הרחמן...

25th הַיּוֹם, חֲמִשָּׁה וְעֶשְׂרִים יוֹם, שֶׁהֵם שְׁלשָׁה שָׁבוּעוֹת וְאַרְבָּעָה יָמִים, בָּעֹמֶר: הרחמן...

26th הַיּוֹם, שִׁשָּׁה וְעֶשְׂרִים יוֹם, שֶׁהֵם שְׁלשָׁה שָׁבוּעוֹת וַחֲמִשָּׁה יָמִים, בָּעֹמֶר: הרחמן...

27th הַיּוֹם, שִׁבְעָה וְעֶשְׂרִים יוֹם, שֶׁהֵם שְׁלשָׁה שָׁבוּעוֹת וְשִׁשָּׁה יָמִים, בָּעֹמֶר: הרחמן...

28th הַיּוֹם, שְׁמוֹנָה וְעֶשְׂרִים יוֹם, שֶׁהֵם אַרְבָּעָה שָׁבוּעוֹת, בָּעֹמֶר: הרחמן...

29th הַיּוֹם, תִּשְׁעָה וְעֶשְׂרִים יוֹם, שֶׁהֵם אַרְבָּעָה שָׁבוּעוֹת וְיוֹם אֶחָד, בָּעֹמֶר: הרחמן...

30th הַיּוֹם, שְׁלשִׁים יוֹם, שֶׁהֵם אַרְבָּעָה שָׁבוּעוֹת וּשְׁנֵי יָמִים, בָּעֹמֶר: הרחמן...

31st הַיּוֹם, אֶחָד וּשְׁלשִׁים יוֹם, שֶׁהֵם אַרְבָּעָה שָׁבוּעוֹת
וּשְׁלשָׁה יָמִים, בָּעֹמֶר: הרחמן...

32nd הַיּוֹם, שְׁנַיִם וּשְׁלשִׁים יוֹם, שֶׁהֵם אַרְבָּעָה שָׁבוּעוֹת
וְאַרְבָּעָה יָמִים, בָּעֹמֶר: הרחמן...

לַ״ג בָּעוֹמֶר

33rd הַיּוֹם, שְׁלשָׁה וּשְׁלשִׁים יוֹם, שֶׁהֵם אַרְבָּעָה שָׁבוּעוֹת
וַחֲמִשָּׁה יָמִים, בָּעֹמֶר: הרחמן...

34th הַיּוֹם, אַרְבָּעָה וּשְׁלשִׁים יוֹם, שֶׁהֵם אַרְבָּעָה שָׁבוּעוֹת
וְשִׁשָּׁה יָמִים, בָּעֹמֶר: הרחמן...

35th הַיּוֹם, חֲמִשָּׁה וּשְׁלשִׁים יוֹם, שֶׁהֵם חֲמִשָּׁה שָׁבוּעוֹת,
בָּעֹמֶר: הרחמן...

36th הַיּוֹם, שִׁשָּׁה וּשְׁלשִׁים יוֹם, שֶׁהֵם חֲמִשָּׁה שָׁבוּעוֹת וְיוֹם
אֶחָד, בָּעֹמֶר: הרחמן...

37th הַיּוֹם, שִׁבְעָה וּשְׁלשִׁים יוֹם, שֶׁהֵם חֲמִשָּׁה שָׁבוּעוֹת וּשְׁנֵי
יָמִים, בָּעֹמֶר: הרחמן...

38th הַיּוֹם, שְׁמוֹנָה וּשְׁלשִׁים יוֹם, שֶׁהֵם חֲמִשָּׁה שָׁבוּעוֹת
וּשְׁלשָׁה יָמִים, בָּעֹמֶר: הרחמן...

39th הַיּוֹם, תִּשְׁעָה וּשְׁלשִׁים יוֹם, שֶׁהֵם חֲמִשָּׁה שָׁבוּעוֹת
וְאַרְבָּעָה יָמִים, בָּעֹמֶר: הרחמן...

40th הַיּוֹם, אַרְבָּעִים יוֹם, שֶׁהֵם חֲמִשָּׁה שָׁבוּעוֹת וַחֲמִשָּׁה
יָמִים, בָּעֹמֶר: הרחמן...

41st הַיּוֹם, אֶחָד וְאַרְבָּעִים יוֹם, שֶׁהֵם חֲמִשָּׁה שָׁבוּעוֹת וְשִׁשָּׁה יָמִים, בָּעֹמֶר: הרחמן...

42nd הַיּוֹם, שְׁנַיִם וְאַרְבָּעִים יוֹם, שֶׁהֵם שִׁשָּׁה שָׁבוּעוֹת, בָּעֹמֶר: הרחמן...

43rd הַיּוֹם, שְׁלשָׁה וְאַרְבָּעִים יוֹם, שֶׁהֵם שִׁשָּׁה שָׁבוּעוֹת וְיוֹם אֶחָד, בָּעֹמֶר: הרחמן...

44th הַיּוֹם, אַרְבָּעָה וְאַרְבָּעִים יוֹם, שֶׁהֵם שִׁשָּׁה שָׁבוּעוֹת וּשְׁנֵי יָמִים, בָּעֹמֶר: הרחמן...

45th הַיּוֹם, חֲמִשָּׁה וְאַרְבָּעִים יוֹם, שֶׁהֵם שִׁשָּׁה שָׁבוּעוֹת וּשְׁלשָׁה יָמִים, בָּעֹמֶר: הרחמן...

46th הַיּוֹם, שִׁשָּׁה וְאַרְבָּעִים יוֹם, שֶׁהֵם שִׁשָּׁה שָׁבוּעוֹת וְאַרְבָּעָה יָמִים, בָּעֹמֶר: הרחמן...

47th הַיּוֹם, שִׁבְעָה וְאַרְבָּעִים יוֹם, שֶׁהֵם שִׁשָּׁה שָׁבוּעוֹת וַחֲמִשָּׁה יָמִים, בָּעֹמֶר: הרחמן...

48th הַיּוֹם, שְׁמוֹנָה וְאַרְבָּעִים יוֹם, שֶׁהֵם שִׁשָּׁה שָׁבוּעוֹת וְשִׁשָּׁה יָמִים, בָּעֹמֶר: הרחמן...

49th הַיּוֹם, תִּשְׁעָה וְאַרְבָּעִים יוֹם, שֶׁהֵם שִׁבְעָה שָׁבוּעוֹת, בָּעֹמֶר: הרחמן...

AKDAMUT

An Aramaic hymn, composed by Rabbi Meir ben Isaac Nehorai, who was born in the year 1060. אַקְדָּמוּת is recited on the first day of the Feast of Weeks after the first verse of the portion of the תּוֹרָה read on that day. The poem consists of 90 verses, and contains acrostically a twofold alphabet, and the names of the author and his father.

Recited on the first day of Shavuot before the reading of the Torah:

אַ קְדָּמוּת מִלִּין וְשָׁרָיוּת שׁוּ   תָא:
אַוְלָא שָׁקִילְנָא הַרְמָן וּרְשׁוּ   תָא:
בְּ בָבֵי תְרֵי וּתְלַת דְּאֶפְתַּח בְּנַקְשׁוּ   תָא:
בְּבָרֵי דְבָרֵי וְטָרֵי עֲדֵי לְקַשִּׁישׁוּ   תָא:
גְּ בוּרָן עָלְמִין לֵיהּ וְלָא סִפֵּק פְּרִישׁוּ   תָא:
גְּוִיל אִלּוּ רְקִיעֵי קְנֵי כָּל חוּרְשָׁ   תָא:
דְּ יוֹ אִלּוּ יַמֵּי וְכָל מֵי כְנִישׁוּ   תָא:
דָּיְרֵי אַרְעָא סָפְרֵי וְרַשְׁמֵי רַשְׁוָ   תָא:
הֲ דַר מָרֵי שְׁמַיָּא וְשַׁלִּיט בְּיַבֶּשְׁ   תָא:
הֲקַם עָלְמָא יְחִידָאֵי וְכַבְּשֵׁיהּ בְּכַבְשׁוּ   תָא:
וּ בְלָא לֵאוּ שַׁכְלְלֵיהּ וּבְלָא תְּשָׁשׁוּ   תָא:
וּבְאָתָא קַלִּילָא דְּלֵית בָּהּ מְשָׁשׁוּ   תָא:
זַ מִּין כָּל עֲבִידְתֵּיהּ בְּהַךְ יוֹמֵי שִׁ   תָא:
זְהוֹר יְקָרֵיהּ עֲלֵי עֲלֵי כוּרְסֵיהּ דְּאֶשָּׁ   תָא:
חֲ יָל אֲלַף אַלְפִין וְרִבּוֹא לְשַׁמְּשׁוּ   תָא:
חַדְתִּין נְבוֹט לְצַפְרִין סַגִּיאָה טְרָשׁוּ   תָא:
טְ פֵי יְקִידִין שְׂרָפִין כְּלוּל גַּפֵּי שִׁ   תָא:
טְעֵם עַד יִתְיְהֵב לְהוֹן שְׁתִיקִין בְּאַדְּשָׁ   תָא:

יְ קַבְּלוּן דֵּין מִן דֵּין שָׁנֵי דְלָא בְשַׁשְׁ תָּא:
יְקַר מְלֵי כָל אַרְעָא לִתְלוּתֵי קְדוּשְׁ תָּא:
כְּ קָל מִן קֳדָם שַׁדַּי כְּקָל מֵי נְפִישׁוּ תָּא:
כְּרוּבִין קֳבֵל גַּלְגַּלִּין, מְרוֹמְמִין בְּאַוְשָׁ תָּא:
לְ מֶחֱזֵי בְּאַנְפָּא, עֵין כְּוַת גִּירֵי קַשְׁ תָּא:
לְכָל אֲתַר דְּמִשְׁתַּלְּחִין, זְרִיזִין בְּאַשְׁוָ תָּא:
מְ בָרְכִין בְּרִיךְ יְקָרֵהּ, בְּכָל לְשָׁן לְחִישׁוּ תָּא:
מֵאֲתַר בֵּית שְׁכִינְתֵּהּ, דְּלָא צָרִיךְ בְּחִישׁוּ תָּא:
נְ הִים כָּל חֵיל מְרוֹמָא, מְקַלְּסִין בַּחֲשַׁשְׁ תָּא:
נְהִירָא מַלְכוּתֵהּ, לְדָר וָדָר לְאַפְרַשְׁ תָּא:
סְ דִירָא בְהוֹן קְדוּשְׁתָּא. וְכַד חַלְפָא שַׁעְ תָּא:
סִיּוּמָא דִלְעָלַם, וְאוּף לָא לְשַׁבוּעֲ תָּא:
עֲ דַב יְקַר אַחְסַנְתֵּהּ, חֲבִיבִין דִּבְקַבְעְ תָּא:
עֲבִידִין לֵיהּ חֲטִיבָא, בִּדְנַח וּשְׁקַעְ תָּא:
פְּ רִישָׁן לְמָנָתֵהּ, לְמֶעְבַּד לֵיהּ רְעוּ תָּא:
פְּרִישׁוּתֵהּ, שְׁבָחֵהּ יְחַוּוּן בְּשָׁעוּ תָּא:
צְ בִי וְחָמִיד וְרָגִיג, דְּיִלְאוּן בְּלָעוּ תָּא:
צְלוֹתְהוֹן בְּכֵן מְקַבֵּל, וְהַנְיָא בָעוּ תָּא:
קְ טִירָא לְחַי עָלְמָא, בְּתָגָא בִשְׁבוּעְ תָּא:
קֳבֵל יְקַר טוֹטֶפְתָּא, יְתִיבָא בִקְבִיעוּ תָּא:
רְ שִׁימָא הִיא גוּפָא, בְּחָכְמְתָא וּבְדַעְ תָּא:
רְבוּתְהוֹן דְּיִשְׂרָאֵל, קָרָאֵי בִשְׁמַעְ תָּא:
שְׁ בַח רִבּוֹן עָלְמָא, אֲמִירָא דַכְוָ תָּא:
שְׁפַר עֲלֵיהּ לְחַוָּיָהּ, בְּאַפֵּי מַלְכְוָ תָּא:

תָּ אִין וּמִתְכַּנְּשִׁין, כְּחֵיזוּ אַדָּן תָּא:
תְּמֵהִין וְשַׁיְילִין לֵיהּ, בְּעֵסֶק אַתָּן תָּא:
מְ נָן וּמָאן הוּא רְחִימָךְ שַׁפִּירָא בְּרֵיוָן תָּא:
אֲרוּם בְּגִינֵיהּ סָפִית מְדוֹר אַרְיָוָן תָּא:
יְ קָרָה וְיָאָה אַתְּ אִין תְּעָרְבִי לְמָרָן תָּא:
רְעוּתֵךְ נַעֲבִיד לִיךְ בְּכָל אַתְרָן תָּא:
בְּ חָכְמְתָא מְתִיבָא לְהוֹן קְצָת לְהוֹדָעוּ תָּא:
יְדַעְתּוּן חַכְּמִין לֵיהּ בְּאִשְׁתְּמוֹדָעוּ תָּא:
רְ בוּתְכוֹן מָה חֲשִׁיבָא קֳבֵל הַהִיא שְׁבַח תָּא:
רְבוּתָא דְיַעְבֵּד לִי כַּד מַטְיָא שְׁעָ תָּא:
בְּ מֵיתֵי לִי נְהוֹרָא וְתַחֲפֵי לְכוֹן בַּהֲ תָּא:
יְקָרֵיהּ כַּד אִתְגְּלֵי בְּתָקְפָּא וּבִגְבוּרְ תָּא:
יְ שַׁלֵּם גְּמֻלַיָּא לְסַנְאֵי וְנַגְוָ תָּא:
צִדְקְתָא לְעַם חֲבִיב וְסַגְיָא זַכְוָ תָּא:
חֲ דוּ שְׁלֵימָא בְּמֵיתֵי וּמָנָא דַכְוָ תָּא:
קִרְיְתָא דִירוּשְׁלֵם כַּד יְכַנֵּשׁ גַּלְוָ תָּא:
יְ קָרֵיהּ מָטִיל עֲלֵיהּ בְּיוֹמֵי וְלֵילְוָ תָּא:
גְּנוּנֵיהּ לְמֶעְבַּד בַּהּ בְּתוּשְׁבְּחָן כְּלִילְ תָּא:
דְּ זִיהוֹר עֲנָנַיָּא לְמִשְׁפַּר כִּילְ תָּא:
לְפוּמֵהּ דַּעֲבִידְתָּא עֲבִידָן מְטַלַּלְ תָּא:
בְּ תַכְתְּקֵי דְהַב פִּיזָא וּשְׁבַע מַעֲלָ תָּא:
תְּחִימִין צַדִּיקֵי קֳדָם רַב פָּעֳלָ תָּא:
וְ רֵוֵיהוֹן דָּמֵי לְשָׁבְעָא חֶדְוָ תָּא:
רְקִיעָא בְּזִיהוֹרֵיהּ וְכוֹכְבֵי זִיוָ תָּא:

הֲ דָרָא דְלָא אֶפְשַׁר לְמִפְרַט בְּשִׁפְוָן תָא:
וְלָא אִשְׁתְּמַע וְחָמֵי נְבוּאָן חֶזְוָן תָא:
בְּ לָא שָׁלְטָא בֵיהּ עֵין בְּגוֹ עֵדֶן גִּנְ תָא:
מְטַיְלֵי בֵיהּ חִנְגָּא לְבַהֲדֵי דִשְׁכִינְ תָא:
עֲ לֵיהּ רַמְזֵי דֵין הוּא בְּרַם בְּאֻמְתָּנוּ תָא:
שַׁבַּרְנָא לֵיהּ בְּשִׁבְיָן תְּקוֹף הֵמָנוּ תָא:
יְ דַבֵּר לָן עָלְמִין עֲלֵמִין מְדַמּוּ תָא:
מְנָת דִּילָן דְּמִלְקַדְּמִין פָּרֵשׁ בַּאֲרָמוּ תָא:
טְ לוּלָא דְלִוְיָתָן וְתוֹר טוּר רָמוּ תָא:
וְחַד בְּחַד כִּי סָבִיךְ וְעָבֵיד קְרָבוּ תָא:
בְּ קַרְנוֹהִי מְנַגַּח בְּהֵמוֹת בְּרַבְרְבוּ תָא:
יְקַרְטַע נוּן לְקִבְלֵיהּ בְּצִיצוֹי בִּגְבוּרְ תָא:
מְ קָרֵב לֵיהּ בָּרְיֵהּ בְּחַרְבֵּיהּ רַבְרְבָ תָא:
אֲרִיסְטוֹן לְצַדִּיקֵי יְתַקֵּן וְשֵׁרוּ תָא:
מְ סַחֲרִין עֲלֵי תַכֵּי דְכַדְכּוֹד וְגוּמַרְ תָא:
נְגִידִין קָמֵיהוֹן אֲפַרְסְמוֹן נַהֲרָ תָא:
וּ מִתְפַּנְּקִין וְרָוֵי בְּכַסֵּי רְוָיְ תָא:
חֲמַר מְרַת דְּמִבְּרֵאשִׁית נְטִיר בֵּי נַעֲוָ תָא:
זַ כָּאִין כַּד שְׁמַעְתּוּן שְׁבַח דָּא שִׁירְ תָא:
קְבִיעִין כֵּן תֶּהֱווּן בְּהַנְהוּ חֲבוּרְ תָא:
וְ תִזְכּוּן דִּי תֵיתְבוּן בְּעֵילָא דָרָ תָא:
אֲרֵי תְצִיתוּן לְמִלּוֹי דְּנַפְקִין בְּהַדְרָ תָא:
מְ רוֹמָם הוּא אֱלָהִין בְּקַדְמָא וּבָתְרַיְ תָא:
צְבִי וְאִתְרְעִי בָן וּמְסַר לָן אוֹרַיְ תָא:

For comment see page 548

Recited on the Eighth Day of Sukkot during the Additional Service:

1 בָּרוּךְ אַתָּה יְיָ, אֱלֹהֵינוּ וֵאלֹהֵי אֲבוֹתֵינוּ,

2 אֱלֹהֵי אַבְרָהָם, אֱלֹהֵי יִצְחָק, וֵאלֹהֵי יַעֲקֹב,

3 הָאֵל הַגָּדוֹל, הַגִּבּוֹר וְהַנּוֹרָא, אֵל עֶלְיוֹן,

4 גּוֹמֵל חֲסָדִים טוֹבִים, וְקוֹנֵה הַכֹּל, וְזוֹכֵר

5 חַסְדֵי אָבוֹת, וּמֵבִיא גוֹאֵל לִבְנֵי בְנֵיהֶם,

6 לְמַעַן שְׁמוֹ בְּאַהֲבָה.

7 מֶלֶךְ עוֹזֵר וּמוֹשִׁיעַ וּמָגֵן. Cong. אָמֵן

Reader

8 אַף בְּרִי אֻתַּת שֵׁם שַׂר מָטָר. לְהַעֲבִיב וּלְהַעֲנִין לְהָרִיק

9 וּלְהַמְטַר. מַיִם אַבִּים בָּם גֵּיא לַעֲטַר. לְבַל יוּעֲצְרוּ בְּנִשְׁיוֹן

10 שְׁטַר. אֱמוּנִים גְּנוֹן בָּם שׁוֹאֲלֵי מָטָר:

11 בָּרוּךְ אַתָּה יְיָ מָגֵן אַבְרָהָם:

12 אַתָּה גִבּוֹר לְעוֹלָם אֲדֹנָי. מְחַיֵּה מֵתִים אַתָּה רַב לְהוֹשִׁיעַ:

13 יַטְרִיחַ לְפַלֵּג מִפֶּלֶג גֶּשֶׁם. לְמוֹגֵג פְּנֵי נֶשִׁי בְּצַחוֹת לֶשֶׁם.

14 מַיִם לְאַדְּרָךְ כְּנִּיתָ בְּרֶשֶׁם. לְהַרְגִּיעַ בְּרַעֲפָם לִנְפוּחֵי נֶשֶׁם.

15 לְהַחֲיוֹת מַזְכִּירִים גְּבוּרוֹת הַגֶּשֶׁם:

אֱלֹהֵינוּ וֵאלֹהֵי אֲבוֹתֵינוּ:

The Ark is opened:

1 זְכוֹר, אָב נִמְשַׁךְ אַחֲרֶיךָ, כַּמַּיִם. בֵּרַכְתּוֹ, כְּעֵץ שָׁתוּל עַל

2 פַּלְגֵי מָיִם, גְּנַנְתּוֹ, הִצַּלְתּוֹ, מֵאֵשׁ וּמִמַּיִם, דְּרַשְׁתּוֹ,

3 בְּזָרְעוֹ עַל כָּל מָיִם. Cong.: בַּעֲבוּרוֹ, אַל תִּמְנַע מָיִם:

4 זְכוֹר, הַנּוֹלָד בִּבְשׂוֹרַת יֻקַּח נָא, מְעַט מַיִם. וְשַׂחְתָּ לְהוֹרוֹ

5 לְשָׁחֲטוֹ, לִשְׁפּוֹךְ דָּמוֹ כַּמַּיִם. זֵהַר גַּם הוּא, לִשְׁפּוֹךְ

6 לֵב, כַּמַּיִם. חָפַר וּמָצָא בְּאֵרוֹת מָיִם. Cong.: בְּצִדְקוֹ

7 חוֹן חֲשֻׁרַת מָיִם:

8 זְכוֹר, טָעַן מַקְלוֹ, וְעָבַר יַרְדֵּן מַיִם, יִחַד לֵב, וְגָל אֶבֶן, מִפִּי

9 בְּאֵר מָיִם. כְּנֶאֱבַק לוֹ שַׂר, בָּלוּל מֵאֵשׁ וּמִמַּיִם. לָכֵן

10 הִבְטַחְתּוֹ, הֱיוֹת עִמּוֹ, בָּאֵשׁ וּבַמָּיִם: Cong.: בַּעֲבוּרוֹ, אַל

11 תִּמְנַע מָיִם:

12 זְכוֹר, מָשׁוּי, בְּתֵבַת גּוֹמֶא, מִן הַמַּיִם. נָמוּ, דָּלֹה דָלָה, וְהִשְׁקָה

13 צֹאן, מָיִם. סְגוּלֶיךָ, עֵת צָמְאוּ לַמַּיִם. עַל הַסֶּלַע הַךְ,

14 וַיֵּצְאוּ מָיִם: Cong.: בְּצִדְקוֹ, חוֹן, חֲשֻׁרַת מָיִם:

15 זְכוֹר, פָּקִיד שָׁתוֹת טוֹבֵל חָמֵשׁ טְבִילוֹת בַּמַּיִם. צוֹעֶה,

16 וּמַרְחִיץ כַּפָּיו בְּקִדּוּשׁ מַיִם. קוֹרֵא וּמַזֶּה טָהֳרַת מָיִם.

17 רוֹחַק, מֵעַם פַּחַז כַּמַּיִם. Cong.: בַּעֲבוּרוֹ אַל תִּמְנַע מָיִם:

18 זְכוֹר, שְׁנֵים עָשָׂר שְׁבָטִים. שֶׁהֶעֱבַרְתָּ, בְּגִזְרַת מָיִם. שֶׁהִמְתַּקְתָּ

19 לָמוֹ, מְרִירוּת מָיִם. תּוֹלְדוֹתָם, נִשְׁפַּךְ דָּמָם עָלֶיךָ,

1 כַּמַּיִם. תֶּפֶן, כִּי נַפְשֵׁנוּ, אָפְפוּ מָיִם: קָהָל בְּצִדְקָם, חוֹן,

2 חַשְׁרַת מָיִם:

Reader

3 שָׁאַתָּה הוּא, יְיָ אֱלֹהֵינוּ, מַשִּׁיב הָרוּחַ, וּמוֹרִיד הַגֶּשֶׁם:

Cong.	Cong. and Reader
אָמֵן	לִבְרָכָה, וְלֹא לִקְלָלָה:
אָמֵן	לְחַיִּים וְלֹא לַמָּוֶת:
אָמֵן	לְשֹׂבַע, וְלֹא לְרָזוֹן:

REJOICING OF THE LAW

For comments see page 508

In all lands outside Israel there are two days of שְׁמִינִי עֲצֶרֶת, the end of the סֻכּוֹת holiday. The second day is called שִׂמְחַת תּוֹרָה. In the land of Israel both festivals are observed together.

On שִׂמְחַת תּוֹרָה the reading of the תּוֹרָה for the year is completed and then begun anew. Both at evening and morning services the תּוֹרָה scrolls are taken from the Ark and carried about the synagogue, with song and dance, festivity and joy. Every man in the synagogue is called up to a תּוֹרָה reading; and even the youngest boys who usually are not called to the תּוֹרָה come up together and recite the blessings, often under a large טַלִּית. The man called to read the year's last portion of the Law is called the "Bridegroom of the Torah," חֲתַן תּוֹרָה. He who begins the first portion of the new reading is called the "Bridegroom of Genesis" חֲתַן בְּרֵאשִׁית.

In many synagogues there is a special children's procession on the eve of שִׂמְחַת תּוֹרָה, and the children carry the scrolls of the תּוֹרָה, large and small, wave flags, sing and participate in the services. This is truly a day of joy for all Jews.

PROCESSIONS הַקָּפוֹת

In the evening of שִׂמְחַת תּוֹרָה the Ark is opened and all the סִפְרֵי תּוֹרָה are taken from it. The תּוֹרוֹת are paraded in the synagogue seven times accompanied by Psalm and song.

The הַקָּפוֹת are usually led by the Rabbi or Cantor. As the procession winds its way around the inside of the Synagogue the Congregation recites the הַלֵּל verse (page 496 line 12)

אָנָּא ה׳ הוֹשִׁיעָה נָּא

O Lord save us, we implore You!

Children waving flags join the procession.

At the Maariv and Shaharit service: *Responsively*

אַתָּה הָרְאֵתָ לָדַעַת, כִּי יְיָ הוּא הָאֱלֹהִים, אֵין עוֹד מִלְּבַדּוֹ. לְעֹשֵׂה נִפְלָאוֹת גְּדֹלוֹת לְבַדּוֹ, כִּי לְעוֹלָם חַסְדּוֹ. אֵין כָּמְוֹךָ בָאֱלֹהִים אֲדֹנָי, וְאֵין כְּמַעֲשֶׂיךָ. יְהִי כְבוֹד יְיָ לְעוֹלָם, יִשְׂמַח יְיָ בְּמַעֲשָׂיו. יְהִי שֵׁם יְיָ מְבֹרָךְ, מֵעַתָּה וְעַד עוֹלָם. יְהִי יְיָ אֱלֹהֵינוּ עִמָּנוּ, כַּאֲשֶׁר הָיָה עִם אֲבוֹתֵינוּ, אַל יַעַזְבֵנוּ וְאַל יִטְּשֵׁנוּ. וְאִמְרוּ: הוֹשִׁיעֵנוּ אֱלֹהֵי יִשְׁעֵנוּ, וְקַבְּצֵנוּ וְהַצִּילֵנוּ מִן הַגּוֹיִם, לְהוֹדוֹת לְשֵׁם קָדְשֶׁךָ, לְהִשְׁתַּבֵּחַ בִּתְהִלָּתֶךָ. יְיָ מֶלֶךְ, יְיָ מָלָךְ, יְיָ יִמְלוֹךְ לְעוֹלָם וָעֶד. יְיָ, עֹז לְעַמּוֹ יִתֵּן, יְיָ יְבָרֵךְ אֶת עַמּוֹ בַשָּׁלוֹם. וְיִהְיוּ נָא אֲמָרֵינוּ לְרָצוֹן, לִפְנֵי אֲדוֹן כֹּל. וַיְהִי בִּנְסֹעַ הָאָרוֹן, וַיֹּאמֶר מֹשֶׁה: קוּמָה יְיָ וְיָפֻצוּ אֹיְבֶיךָ, וְיָנֻסוּ מְשַׂנְאֶיךָ מִפָּנֶיךָ. קוּמָה יְיָ לִמְנוּחָתֶךָ, אַתָּה וַאֲרוֹן עֻזֶּךָ. כֹּהֲנֶיךָ יִלְבְּשׁוּ צֶדֶק, וַחֲסִידֶיךָ יְרַנֵּנוּ. בַּעֲבוּר דָּוִד עַבְדֶּךָ, אַל תָּשֵׁב פְּנֵי מְשִׁיחֶךָ. וְאָמַר בַּיּוֹם הַהוּא: הִנֵּה אֱלֹהֵינוּ זֶה, קִוִּינוּ לוֹ וְיוֹשִׁיעֵנוּ, זֶה יְיָ קִוִּינוּ לוֹ, נָגִילָה וְנִשְׂמְחָה בִּישׁוּעָתוֹ. מַלְכוּתְךָ מַלְכוּת כָּל עֹלָמִים, וּמֶמְשַׁלְתְּךָ בְּכָל דּוֹר וָדוֹר. כִּי מִצִּיּוֹן תֵּצֵא תוֹרָה, וּדְבַר יְיָ מִירוּשָׁלָיִם.

אַב הָרַחֲמִים, הֵיטִיבָה בִרְצוֹנְךָ אֶת צִיּוֹן, תִּבְנֶה חוֹמוֹת יְרוּשָׁלָיִם. כִּי בְךָ לְבַד בָּטָחְנוּ, מֶלֶךְ אֵל רָם וְנִשָּׂא אֲדוֹן עוֹלָמִים.

For each of the Hakafot a different group of worshipers is called:

הקפה First

1　אָנָּא יְיָ הוֹשִׁיעָה נָּא, אָנָּא יְיָ הַצְלִיחָה נָא, אָנָּא יְיָ עֲנֵנוּ

2　בְיוֹם קָרְאֵנוּ. אֱלֹהֵי הָרוּחוֹת הוֹשִׁיעָה נָּא, בּוֹחֵן לְבָבוֹת

3　הַצְלִיחָה נָא, גּוֹאֵל חָזָק עֲנֵנוּ בְיוֹם קָרְאֵנוּ:

הקפה Second

4　דּוֹבֵר צְדָקוֹת הוֹשִׁיעָה נָּא, הָדוּר בִּלְבוּשׁוֹ הַצְלִיחָה נָא,

5　וָתִיק וְחָסִיד עֲנֵנוּ בְיוֹם קָרְאֵנוּ.

הקפה Third

6　זַךְ וְיָשָׁר הוֹשִׁיעָה נָּא, חוֹמֵל דַּלִּים הַצְלִיחָה נָא, טוֹב

7　וּמֵטִיב עֲנֵנוּ בְיוֹם קָרְאֵנוּ.

הקפה Fourth

8　יוֹדֵעַ מַחֲשָׁבוֹת הוֹשִׁיעָה נָּא, כַּבִּיר וְנָאוֹר הַצְלִיחָה נָא,

9　לוֹבֵשׁ צְדָקוֹת עֲנֵנוּ בְיוֹם קָרְאֵנוּ.

הקפה Fifth

10　מֶלֶךְ עוֹלָמִים הוֹשִׁיעָה נָּא, נָאוֹר וְאַדִּיר הַצְלִיחָה נָא,

11　סוֹמֵךְ נוֹפְלִים עֲנֵנוּ בְיוֹם קָרְאֵנוּ.

הקפה Sixth

12　עוֹזֵר דַּלִּים הוֹשִׁיעָה נָּא, פּוֹדֶה וּמַצִּיל הַצְלִיחָה נָא, צוּר

13　עוֹלָמִים עֲנֵנוּ בְיוֹם קָרְאֵנוּ.

Seventh הקפה

קָדוֹשׁ וְנוֹרָא הוֹשִׁיעָה נָּא, רַחוּם וְחַנּוּן הַצְלִיחָה נָא, שׁוֹמֵר הַבְּרִית עֲנֵנוּ בְיוֹם קָרְאֵנוּ: תּוֹמֵךְ תְּמִימִים הוֹשִׁיעָה נָּא, תַּקִּיף לָעַד הַצְלִיחָה נָא, תָּמִים בְּמַעֲשָׂיו עֲנֵנוּ בְיוֹם קָרְאֵנוּ.

שִׂישׂוּ וְשִׂמְחוּ בְּשִׂמְחַת תּוֹרָה, וּתְנוּ כָבוֹד לַתּוֹרָה, כִּי טוֹב סַחְרָהּ מִכָּל סְחוֹרָה, מִפָּז וּמִפְּנִינִים יְקָרָה. נָגִיל וְנָשִׂישׂ בְּזֹאת הַתּוֹרָה, כִּי הִיא לָנוּ עֹז וְאוֹרָה. אֲהַלְלָה אֱלֹהַי, וְאֶשְׂמְחָה בוֹ, וְאָשִׂימָה תִקְוָתִי בּוֹ, אֲהוֹדֶנּוּ בְּסוֹד עַם קְרוֹבוֹ, אֱלֹהֵי צוּרִי אֶחֱסֶה בּוֹ. נגיל בְּכָל לֵב אֲרַנֵּן צִדְקוֹתֶיךָ, וַאֲסַפְּרָה תְּהִלָּתֶךָ, בְּשָׂשׂוֹן הֲשִׁיבֵנוּ לְבֵיתֶךָ, עַל חַסְדְּךָ וְעַל אֲמִתֶּךָ. נגיל

הִתְקַבְּצוּ מַלְאָכִים זֶה אֶל זֶה, זֶה לְקָבֵל זֶה, וְאָמַר זֶה לָזֶה: מִי הוּא זֶה וְאֵי זֶה הוּא, מְאַחֵז פְּנֵי כִסֵּא, פַּרְשֵׁז עָלָיו עֲנָנוֹ. מִי עָלָה לַמָּרוֹם, מִי עָלָה לַמָּרוֹם, מִי עָלָה לַמָּרוֹם, וְהוֹרִיד עֹז מִבְטֶחָה. התקבצו מֹשֶׁה עָלָה לַמָּרוֹם, מֹשֶׁה עָלָה לַמָּרוֹם, מֹשֶׁה עָלָה לַמָּרוֹם, וְהוּא הוֹרִיד עֹז מִבְטֶחָה! התקבצו

אָגִיל וְאֶשְׂמַח בְּשִׂמְחַת תּוֹרָה, בֹּא יָבֹא צֶמַח בְּשִׂמְחַת תּוֹרָה, תּוֹרָה הִיא עֵץ חַיִּים, לְכֻלָּם חַיִּים, כִּי עִמְּךָ מְקוֹר חַיִּים. אַבְרָהָם שָׂמַח בְּשִׂמְחַת תּוֹרָה. יִצְחָק שָׂמַח בְּשִׂמְחַת תּוֹרָה, יַעֲקֹב שָׂמַח בְּשִׂמְחַת תּוֹרָה, מֹשֶׁה, אַהֲרֹן שָׂמְחוּ בְּשִׂמְחַת תּוֹרָה. אֵלִיָּהוּ, שְׁמוּאֵל, דָּוִד, שְׁלֹמֹה, שָׂמְחוּ בְּשִׂמְחַת

1 תּוֹרָה, תּוֹרָה הִיא עֵץ חַיִּים, לְכֻלָּם חַיִּים, כִּי עִמְּךָ מְקוֹר
2 חַיִּים. אַשְׁרֵיכֶם יִשְׂרָאֵל, אַשְׁרֵיכֶם יִשְׂרָאֵל, אַשְׁרֵיכֶם יִשְׂרָאֵל,
3 אֲשֶׁר בָּחַר בָּכֶם אֵל. וְהִנְחִילְכֶם הַתּוֹרָה מִמִּדְבָּר (נ״א מִסִּינַי)
4 מַתָּנָה.

The Torah is then read (after the others have been returned to the ark):

Reader and Congregation: —

5 שְׁמַע יִשְׂרָאֵל, יְיָ, אֱלֹהֵינוּ יְיָ אֶחָד.

Reader and Congregation: —

6 אֶחָד אֱלֹהֵינוּ, גָּדוֹל אֲדוֹנֵינוּ, קָדוֹשׁ שְׁמוֹ:

Reader: —

7 גַּדְּלוּ לַייָ אִתִּי, וּנְרוֹמְמָה שְׁמוֹ, יַחְדָּו:

LIGHTING THE CANDLES OF CHANUKAH

Although חֲנֻכָּה is a minor festival, it is one of our most beautiful holidays. חֲנֻכָּה means "dedication". It was given this name because it reminds us of the time, over two thousand years ago, when the Holy Temple in Jerusalem was rededicated to the worship of God.

On חֲנֻכָּה we remember the brave Maccabees who fought against the great armies of Syria and defeated them.

On the twenty-fifth day of the Hebrew month of כִּסְלֵו (Kislev), the Maccabees entered the Temple. They removed the idols that the Syrians had put there; they cleaned all the impure vessels and rededicated the Temple.

We are told that when the Maccabees were rededicating the Temple, a great miracle happened there (נֵס גָּדוֹל הָיָה שָׁם). When they wanted to light the מְנוֹרָה (candle-holder), they found only one little flask of oil that had not been touched and made impure by the Syrians, and that had on it the seal of the High Priest. It contained only enough oil to last for one day. But a miracle happened and it lasted eight whole days. That is why we now celebrate חֲנֻכָּה for eight days.

HOW WE LIGHT THE CANDLES

In the מְנוֹרָה there are places for eight candles. There is also a place for one special candle in front or on top of all the others. This special candle with which we light all the other candles, is called the שַׁמָּשׁ ("Sexton". The caretaker in a synagogue is called a שַׁמָּשׁ).

On the first night of חֲנֻכָּה, we face the מְנוֹרָה and put one נֵר (candle) in the place at our extreme right side.

We hold one נֵר in our hand — the שַׁמָּשׁ.

We light the שַׁמָּשׁ and begin chanting the first בְּרָכָה (blessing).

After chanting the בְּרָכָה, we light the נֵר at our extreme right with the שַׁמָּשׁ.

We then say the second blessing and the שֶׁהֶחֱיָנוּ.

The שֶׁהֶחֱיָנוּ is said *only on the first night.*

On the second night of חֲנֻכָּה, we face the מְנוֹרָה, and put two נֵרוֹת (candles) in the places at our right side. First we put in the נֵר that is second from our right, and then we put in the נֵר that is at our extreme right.

We then continue as on the first night, lighting *first* the נֵר that is second from our right.

We do *not* say the שֶׁהֶחֱיָנוּ.

We continue in the same way each following night of חֲנֻכָּה, always lighting the *new* נֵר first, and then lighting the other נֵרוֹת.

The נֵר at our extreme right is always lit last.

After chanting the בְּרָכוֹת, we sing the beautiful hymn, מָעוֹז צוּר, "Rock of Ages."

Before kindling the first light say:

בָּרוּךְ אַתָּה יְיָ, אֱלֹהֵינוּ מֶלֶךְ הָעוֹלָם, אֲשֶׁר
קִדְּשָׁנוּ בְּמִצְוֹתָיו, וְצִוָּנוּ לְהַדְלִיק נֵר שֶׁל
חֲנֻכָּה:

בָּרוּךְ אַתָּה יְיָ, אֱלֹהֵינוּ מֶלֶךְ הָעוֹלָם, שֶׁעָשָׂה
נִסִּים לַאֲבוֹתֵינוּ, בַּיָּמִים הָהֵם, בַּזְּמַן הַזֶּה:

The following Blessing is said on the first evening only:

1 בָּרוּךְ אַתָּה יְיָ, אֱלֹהֵינוּ מֶלֶךְ הָעוֹלָם,

2 שֶׁהֶחֱיָנוּ וְקִיְּמָנוּ וְהִגִּיעָנוּ לַזְּמַן הַזֶּה:

After kindling the first light, the following is said:

3 הַנֵּרוֹת הַלָּלוּ אֲנַחְנוּ מַדְלִיקִין, עַל הַנִּסִּים וְעַל הַנִּפְלָאוֹת

4 וְעַל הַתְּשׁוּעוֹת וְעַל הַמִּלְחָמוֹת, שֶׁעָשִׂיתָ לַאֲבוֹתֵינוּ בַּיָּמִים

5 הָהֵם בַּזְּמַן הַזֶּה, עַל יְדֵי כֹּהֲנֶיךָ הַקְּדוֹשִׁים. וְכָל שְׁמוֹנַת

6 יְמֵי חֲנֻכָּה, הַנֵּרוֹת הַלָּלוּ קֹדֶשׁ הֵם, וְאֵין לָנוּ רְשׁוּת

7 לְהִשְׁתַּמֵּשׁ בָּהֶם, אֶלָּא לִרְאוֹתָם בִּלְבָד. כְּדֵי לְהוֹדוֹת

8 וּלְהַלֵּל לְשִׁמְךָ הַגָּדוֹל, עַל נִסֶּיךָ וְעַל יְשׁוּעָתֶךָ, וְעַל

9 נִפְלְאוֹתֶיךָ:

מָעוֹז צוּר ROCK OF AGES

In the home recite the following :

10 מָעוֹז צוּר יְשׁוּעָתִי, לְךָ נָאֶה לְשַׁבֵּחַ. תִּכּוֹן בֵּית תְּפִלָּתִי,

11 וְשָׁם תּוֹדָה נְזַבֵּחַ. לְעֵת תָּכִין מַטְבֵּחַ, מִצָּר הַמְנַבֵּחַ. אָז

12 אֶגְמֹר בְּשִׁיר מִזְמוֹר, חֲנֻכַּת הַמִּזְבֵּחַ:

13 רָעוֹת שָׂבְעָה נַפְשִׁי, בְּיָגוֹן כֹּחִי כָלָה. חַיַּי מֵרְרוּ בְקֹשִׁי,

14 בְּשִׁעְבּוּד מַלְכוּת עֶגְלָה. וּבְיָדוֹ הַגְּדוֹלָה, הוֹצִיא אֶת־

15 הַסְּגֻלָּה. חֵיל פַּרְעֹה וְכָל זַרְעוֹ, יָרְדוּ כְאֶבֶן בִּמְצוּלָה:

16 דְּבִיר קָדְשׁוֹ הֱבִיאָנִי, וְגַם שָׁם לֹא שָׁקַטְתִּי. וּבָא נוֹגֵשׂ

17 וְהִגְלַנִי, כִּי זָרִים עָבַדְתִּי. וְיֵין רַעַל מָסַכְתִּי, כִּמְעַט

18 שֶׁעָבַרְתִּי. קֵץ בָּבֶל זְרֻבָּבֶל, לְקֵץ שִׁבְעִים נוֹשַׁעְתִּי:

1 כָּרוֹת קוֹמַת בְּרוֹשׁ, בִּקֵּשׁ אֲגָגִי בֶּן־הַמְּדָתָא. וְנִהְיְתָה לּוֹ

2 לְפַח וּלְמוֹקֵשׁ, וְגַאֲוָתוֹ נִשְׁבָּתָה. רֹאשׁ יְמִינִי נִשֵּׂאתָ, וְאוֹיֵב

3 שְׁמוֹ מָחִיתָ. רֹב בָּנָיו וְקִנְיָנָיו, עַל הָעֵץ תָּלִיתָ:

4 יְוָנִים נִקְבְּצוּ עָלַי, אֲזַי בִּימֵי חַשְׁמַנִּים. וּפָרְצוּ חוֹמוֹת

5 מִגְדָּלַי, וְטִמְּאוּ כָּל הַשְּׁמָנִים. וּמִנּוֹתַר קַנְקַנִּים, נַעֲשָׂה נֵס

6 לַשּׁוֹשַׁנִּים. בְּנֵי בִינָה, יְמֵי שְׁמוֹנָה, קָבְעוּ שִׁיר וּרְנָנִים:

7 חֲשׂוֹף זְרוֹעַ קָדְשֶׁךָ, וְקָרֵב יוֹם הַיְשׁוּעָה. עֲשֵׂה נָּא לְמַעַן

8 שְׁמֶךָ, לִהְיוֹת לָנוּ תְּשׁוּעָה. כִּי אָרְכָה לָּנוּ הַיְשׁוּעָה, וְאֵין

9 קֵץ לִימֵי הָרָעָה. דְּחֵה אַדְמוֹן בְּצֵל צַלְמוֹן, הָקֵם לָנוּ

10 רוֹעֶה שִׁבְעָה:

The following is recited before the reading of the Purim Megillah:

1 בָּרוּךְ אַתָּה יְיָ, אֱלֹהֵינוּ מֶלֶךְ

2 הָעוֹלָם, אֲשֶׁר קִדְּשָׁנוּ בְּמִצְוֹתָיו

3 וְצִוָּנוּ עַל מִקְרָא מְגִלָּה.

4 בָּרוּךְ אַתָּה יְיָ, אֱלֹהֵינוּ מֶלֶךְ

5 הָעוֹלָם, שֶׁעָשָׂה נִסִּים לַאֲבוֹתֵינוּ

6 בַּיָּמִים הָהֵם בַּזְּמַן הַזֶּה.

7 בָּרוּךְ אַתָּה יְיָ, אֱלֹהֵינוּ מֶלֶךְ

8 הָעוֹלָם, שֶׁהֶחֱיָנוּ וְקִיְּמָנוּ, וְהִגִּיעָנוּ

9 לַזְּמַן הַזֶּה.

אַרְבַּע קֻשְׁיוֹת לְחַג הַפֶּסַח

For comments see page 508

פֶּסַח, Passover, is the most famous and festive of all our holidays.

It begins on the eve of the fifteenth day of נִיסָן and lasts for eight days.

On פֶּסַח we remember how Moses freed the Jews who were slaves in Egypt.

פֶּסַח means "Passover". We have given it this name because when all the firstborn sons of the Egyptians were killed in the tenth plague, the Angel of Death *passed over* the homes of the Jews and their lives were spared.

פֶּסַח is also called חַג הַמַּצּוֹת because the Jews left Egypt in such a hurry that when they baked bread they did not have time to let the dough rise. The bread was flat. This flat, "unleavened bread" is called מַצָּה.

Today we eat מַצּוֹת during the entire eight days of פֶּסַח. We are not allowed to eat bread or any food that is made with yeast. The food that we are not allowed to eat is called חָמֵץ, meaning "leavened," or prepared with yeast. Today it also means food that is not properly supervised for Passover use.

פֶּסַח is also called זְמַן חֵרוּתֵנוּ, the "Season of our Freedom." We believe that every person in the world should be free. No man should have to serve another against his will. It is true that the Jews had slaves in Bible times, but our Rabbis explain that these were more like servants than slaves. A Hebrew slave could serve his master no longer than six years and had to be paid for his work. Our Rabbis say: "A Hebrew slave, like a hired man, cannot be forced to do anything other than his trade" (Mekilta to Exodus 21:2). On the Liberty Bell in Philadelphia the words of the Bible are inscribed, "Proclaim liberty throughout the land unto all the inhabitants thereof" (Leviticus 25:10).

On the first two nights of פֶּסַח (in Israel, only on the first night) an elaborate and beautiful feast is held. It is called the סֵדֶר, which means the "arrangement" or "order" of the home celebration.

During the סֵדֶר we read the הַגָּדָה, a book for conducting the סֵדֶר. It contains the story of פֶּסַח, prayers and songs.

During the סֵדֶר, the youngest son asks his father the אַרְבַּע קֻשְׁיוֹת, the Four Questions. They are all really only one question — Why is this night different from all other nights? The father answers with the Biblical story of the departure of the Children of Israel from Egypt. This night is different because on it we remember how we were freed from the slavery of Egypt.

אַרְבַּע קֻשְׁיוֹת

מַה נִּשְׁתַּנָּה הַלַּיְלָה הַזֶּה מִכָּל הַלֵּילוֹת?

1) שֶׁבְּכָל הַלֵּילוֹת אָנוּ אוֹכְלִין חָמֵץ וּמַצָּה. הַלַּיְלָה הַזֶּה כֻּלּוֹ מַצָּה:

2) שֶׁבְּכָל הַלֵּילוֹת אָנוּ אוֹכְלִין שְׁאָר יְרָקוֹת הַלַּיְלָה הַזֶּה מָרוֹר:

3) שֶׁבְּכָל הַלֵּילוֹת אֵין אָנוּ מַטְבִּילִין אֲפִילוּ פַּעַם אֶחָת. הַלַּיְלָה הַזֶּה שְׁתֵּי פְעָמִים:

4) שֶׁבְּכָל הַלֵּילוֹת אָנוּ אוֹכְלִין בֵּין יוֹשְׁבִין וּבֵין מְסֻבִּין.
הַלַּיְלָה הַזֶּה כֻּלָּנוּ מְסֻבִּין:

KIDDUSH FOR THE NEW YEAR

For comments see page 274

The קִדּוּשׁ for רֹאשׁ הַשָּׁנָה differs somewhat from the קִדּוּשׁ for יוֹם טוֹב. In it we call רֹאשׁ הַשָּׁנָה a "day of memorial", יוֹם הַזִּכָּרוֹן and a "day of the blowing of the Shofar," יוֹם תְּרוּעָה. Like the other holidays, רֹאשׁ הַשָּׁנָה also should remind us of the exodus from Egypt.

We are also told that God's word is true and lasts forever. It was with His word that God created the world. ("And God said, 'Let there be light,' and there was light," etc.) The Bible is full of the words of God. A great Hebrew poet, Judah Halevi, has said, "The words of God are pure; they are more precious than rubies. They are wrapped up in hearts; they are bound up in souls." (Judah Halevi, translated by Nina Salaman, 144)

After reciting the קִדּוּשׁ we follow the beautiful custom of dipping a piece of apple in honey and saying the יְהִי רָצוֹן. As we eat the sweetened apple, we pray for a good and sweet year.

On Sabbath eve:

When the festival occurs on the Sabbath, begin here:

1 *Silently* וַיְהִי־עֶרֶב וַיְהִי־בֹקֶר

2 יוֹם הַשִּׁשִּׁי:

3 וַיְכֻלּוּ הַשָּׁמַיִם וְהָאָרֶץ וְכָל־צְבָאָם:

4 וַיְכַל אֱלֹהִים בַּיוֹם הַשְּׁבִיעִי,

5 מְלַאכְתּוֹ אֲשֶׁר עָשָׂה:

6 וַיִּשְׁבֹּת בַּיוֹם הַשְּׁבִיעִי מִכָּל מְלַאכְתּוֹ

7 אֲשֶׁר עָשָׂה:

וַיְבָרֶךְ אֱלֹהִים אֶת יוֹם הַשְּׁבִיעִי וַיְקַדֵּשׁ אֹתוֹ,

כִּי בוֹ שָׁבַת מִכָּל מְלַאכְתּוֹ,

אֲשֶׁר בָּרָא אֱלֹהִים לַעֲשׂוֹת:

On Bread: —	On Wine: —
בִּרְשׁוּת מָרָנָן וְרַבּוֹתַי:	סַבְרִי מָרָנָן וְרַבּוֹתַי:
בָּרוּךְ אַתָּה יְיָ,	בָּרוּךְ אַתָּה יְיָ,
אֱלֹהֵינוּ מֶלֶךְ הָעוֹלָם,	אֱלֹהֵינוּ מֶלֶךְ הָעוֹלָם,
הַמּוֹצִיא לֶחֶם מִן הָאָרֶץ:	בּוֹרֵא פְּרִי הַגָּפֶן:

When the festival occurs on a weekday, begin here:

בָּרוּךְ אַתָּה יְיָ, אֱלֹהֵינוּ מֶלֶךְ הָעוֹלָם, אֲשֶׁר

בָּחַר בָּנוּ מִכָּל־עָם, וְרוֹמְמָנוּ מִכָּל־לָשׁוֹן,

וְקִדְּשָׁנוּ בְּמִצְוֹתָיו. וַתִּתֶּן־לָנוּ יְיָ אֱלֹהֵינוּ,

בְּאַהֲבָה אֶת־יוֹם (on Sabbath הַשַּׁבָּת הַזֶּה, וְאֶת־

יוֹם) הַזִּכָּרוֹן הַזֶּה, יוֹם (on Sabbath זִכְרוֹן) תְּרוּעָה

(on Sabbath בְּאַהֲבָה) מִקְרָא קֹדֶשׁ, זֵכֶר לִיצִיאַת

מִצְרָיִם. כִּי בָנוּ בָחַרְתָּ וְאוֹתָנוּ קִדַּשְׁתָּ מִכָּל־

הָעַמִּים, וּדְבָרְךָ אֱמֶת וְקַיָּם לָעַד. בָּרוּךְ

1 אַתָּה יְיָ, מֶלֶךְ עַל כָּל הָאָרֶץ, מְקַדֵּשׁ

2 (on Sabbath הַשַּׁבָּת וְ)יִשְׂרָאֵל, וְיוֹם הַזִּכָּרוֹן:

On Saturday night, add the following:

3 בָּרוּךְ אַתָּה יְיָ, אֱלֹהֵינוּ מֶלֶךְ הָעוֹלָם, בּוֹרֵא מְאוֹרֵי הָאֵשׁ:

4 בָּרוּךְ אַתָּה יְיָ, אֱלֹהֵינוּ מֶלֶךְ הָעוֹלָם, הַמַּבְדִּיל בֵּין

5 קֹדֶשׁ לְחֹל, בֵּין אוֹר לְחֹשֶׁךְ, בֵּין יִשְׂרָאֵל לָעַמִּים, בֵּין

6 יוֹם הַשְּׁבִיעִי, לְשֵׁשֶׁת יְמֵי הַמַּעֲשֶׂה. בֵּין קְדֻשַּׁת שַׁבָּת

7 לִקְדֻשַּׁת יוֹם טוֹב הִבְדַּלְתָּ, וְאֶת יוֹם הַשְּׁבִיעִי מִשֵּׁשֶׁת

8 יְמֵי הַמַּעֲשֶׂה קִדַּשְׁתָּ. הִבְדַּלְתָּ וְקִדַּשְׁתָּ אֶת־עַמְּךָ יִשְׂרָאֵל

9 בִּקְדֻשָּׁתֶךָ: בָּרוּךְ אַתָּה יְיָ, הַמַּבְדִּיל בֵּין קֹדֶשׁ לְקֹדֶשׁ:

10 בָּרוּךְ אַתָּה יְיָ, אֱלֹהֵינוּ מֶלֶךְ הָעוֹלָם,

11 שֶׁהֶחֱיָנוּ, וְקִיְּמָנוּ, וְהִגִּיעָנוּ לַזְּמַן הַזֶּה:

The following greeting is said for New Year:

12 לְשָׁנָה טוֹבָה תִּכָּתֵבוּ:

Dip a piece of apple in honey and say:

13 יְהִי רָצוֹן מִלְּפָנֶיךָ יְיָ אֱלֹהֵינוּ וֵאלֹהֵי

14 אֲבוֹתֵינוּ שֶׁתְּחַדֵּשׁ עָלֵינוּ שָׁנָה טוֹבָה וּמְתוּקָה:

Before eating fruit which grows on trees:

15 בָּרוּךְ אַתָּה יְיָ, אֱלֹהֵינוּ מֶלֶךְ הָעוֹלָם, בּוֹרֵא פְּרִי הָעֵץ.

שִׁירֵי חַג

HOLIDAY SONGS

רֹאשׁ הַשָּׁנָה

לְשָׁנָה טוֹבָה

1 לְשָׁנָה טוֹבָה תִּכָּתֵבוּ.

2 לְשָׁנָה טוֹבָה תִּכָּתֵבוּ. תִּכָּתֵבוּ.

These are the words with which we greet one another on רֹאשׁ הַשָּׁנָה, "May you be inscribed (written down) for a good year." Our rabbis tell us that on רֹאשׁ הַשָּׁנָה three books are opened in heaven. One book contains the names of the wicked who must die. The second book contains the names of the pious who will live. The third book contains the names of those who are neither good nor bad and who are judged between רֹאשׁ הַשָּׁנָה and יוֹם כִּפּוּר. Their fate is decided on יוֹם כִּפּוּר. The names are inscribed on רֹאשׁ הַשָּׁנָה and are sealed on יוֹם כִּפּוּר.

זָכְרֵנוּ לְחַיִּים

1 זָכְרֵנוּ לְחַיִּים, מֶלֶךְ חָפֵץ בַּחַיִּים, וְכָתְבֵנוּ בְּסֵפֶר הַחַיִּים,

2 לְמַעַנְךָ אֱלֹהִים חַיִּים.

This passage is from the prayer that is added to the עֲמִידָה from רֹאשׁ הַשָּׁנָה to יוֹם כִּפּוּר. We ask God to inscribe us in the Book of Life.

סֻכּוֹת

לָמָה סֻכָּה זוּ?

1   לָמָה סֻכָּה זוּ, אַבָּא טוֹב שֶׁלִּי? (2)

2   לֵישֵׁב בַּסֻּכָּה, יַקִּירִי. לֵישֵׁב בַּסֻּכָּה, חֲבִיבִי.

3   לֵישֵׁב בַּסֻּכָּה, יֶלֶד חֵן, יֶלֶד חֵן שֶׁלִּי. (2)

In this song a child is asking his father why we have a
סֻכָּה. The father answers that the reason is that we may
dwell (live or sit) in it. We are supposed to eat and
sleep in the סֻכָּה during all the first seven days of Sukkot.
The father and son in this song love each other very
much. The son calls his father "my good Daddy," and the
father calls his son "my precious, dear and lovely child."

שִׂמְחַת תּוֹרָה

אָנָּא יְיָ

1 אָנָּא יְיָ, הוֹשִׁיעָה נָּא. אָנָּא יְיָ, הַצְלִיחָה נָּא.

2 אָנָּא יְיָ, עֲנֵנוּ בְּיוֹם קָרְאֵנוּ:

This is part of the הַלֵּל that is sung on סֻכּוֹת, פֶּסַח, and other holidays. (See page496) We ask God to save us and to cause us to prosper. In this song for שִׂמְחַת תּוֹרָה, we add a verse asking God to answer us on the day that we call on Him.

חֲנֻכָּה

סְבִיבוֹן

1   סְבִיבוֹן, סֹב, סֹב, סֹב! חֲנֻכָּה הוּא חַג טוֹב!

2   חֲנֻכָּה.הוּא חַג טוֹב! סְבִיבוֹן, סֹב, סֹב, סֹב!

3   חַג שִׂמְחָה הוּא לָעָם! נֵס גָּדוֹל הָיָה שָׁם!

4   נֵס גָּדוֹל הָיָה שָׁם! חַג שִׂמְחָה הוּא לָעָם!

In this lovely little song we tell our *dreidel* to spin around.
We say that חֲנֻכָּה is a good holiday, a day of great rejoicing
for our people. We also remind ourselves that "a great miracle
happened there."

חֲנֻכָּה

1   חֲנֻכָּה, חֲנֻכָּה, חַג יָפֶה כָּל כָּךְ!

2   אוֹר חָבִיב מִסָּבִיב, גִּיל לְיֶלֶד רַךְ!

3   חֲנֻכָּה, חֲנֻכָּה, סְבִיבוֹן, סֹב, סֹב!

4   סֹב, סֹב, סֹב! סֹב, סֹב, סֹב! מַה נָּעִים וָטוֹב!

This pretty little ditty tells us that חֲנֻכָּה is a beautiful
holiday, a day on which we feel a loving light surrounding
us, a joyful day for the young child. As in the first song,
we tell our *dreidel* to spin around. The song closes by saying,
"How good and pleasant this is!"

ט"ו בִּשְׁבָט

עֲצֵי זֵיתִים עוֹמְדִים

1 עֲצֵי זֵיתִים עוֹמְדִים. (4) לַ, לַ, לַ, לַ, לַ, לַ. (3)

2 לַ, לַ, לַ, לַ, לַ, לַ, לַ, לַ, עֲצֵי זֵיתִים עוֹמְדִים. (2)

3 עֲצֵי זֵיתִים עוֹמְדִים. עֲצֵי זֵיתִים עוֹמְדִים.

This song has only three words, but they have much meaning. They tell us that olive trees (עֲצֵי זֵיתִים) are standing in the Land of Israel. We are very proud of our trees in Israel. The trees suck in swamp water, they keep the soil healthy. They give fruit and shade, and lumber for building. The fruit of the olive tree is not only eaten, but goes also to make olive oil which is used in food and in medicine.

Today, חֲמִשָּׁה עָשָׂר בִּשְׁבָט or טוּ בִּשְׁבָט is a children's holiday in Israel. All the children go out into the fields to plant trees, to sing and to dance.

פּוּרִים

חַג פּוּרִים

1 חַג פּוּרִים, חַג פּוּרִים, חַג גָּדוֹל הוּא לַיְּהוּדִים.

2 מַסֵּכוֹת, רַעֲשָׁנִים, זְמִירוֹת, רִקּוּדִים.

3 הָבָה נַרְעִישָׁה, רַשׁ, רַשׁ, רַשׁ! (3) בָּרַעֲשָׁנִים.

The songs of פּוּרִים are very jolly, for פּוּרִים is a very jolly holiday. When King Ahasuerus took the advice of beautiful Queen Esther and commanded that Haman should be hanged, and that Esther's uncle, Mordecai, should become Prime Minister in Haman's place, the Jews of Persia rejoiced, feasted and made merry. They also exchanged presents and gave gifts to the poor. We call this holiday פּוּרִים or "Feast of Lots" because Haman had cast lots (פּוּרִים) to decide on a "lucky day" on which to kill the Jews. That day was the fourteenth day of אֲדָר. Today, in the synagogue, we read the מְגִילָה, the Scroll or the Book of Esther in the Bible, on פּוּרִים. When we hear Haman's name, we twirl our *groggers* (noisemakers). In our homes we eat the three-cornered Hamantashen. We send שַׁלַח מָנוֹת, Purim gifts, to our friends. We also have masquerades on פּוּרִים.

This song tells us that פּוּרִים is a wonderful holiday of masks, noisemakers, songs, and dances.

עוּצוּ עֵצָה

1 עוּצוּ עֵצָה וְתֻפָר, (3)

2 דַּבְּרוּ דָבָר וְלֹא יָקוּם, כִּי עִמָּנוּ אֵל.

3 עוּצוּ עֵצָה וְתֻפָר, דַּבְּרוּ דָבָר וְלֹא יָקוּם, כִּי עִמָּנוּ אֵל.

4 עוּצוּ עֵצָה וְתֻפָר, דַּבְּרוּ דָבָר וְלֹא יָקוּם. (2)

5 כִּי עִמָּנוּ אֵל.

6 עוּצוּ עֵצָה וְתֻפָר, דַּבְּרוּ דָבָר וְלֹא יָקוּם, כִּי עִמָּנוּ אֵל.

The words of this song come from the Book of Isaiah (8:10). The song tells us that our enemies may scheme and plot against us, but they will not destroy us, for God is with us.

פֶּסַח

דַּיֵּנוּ

1 אִלּוּ הוֹצִיא, הוֹצִיאָנוּ, הוֹצִיאָנוּ מִמִּצְרַיִם,

2 הוֹצִיאָנוּ מִמִּצְרַיִם, דַּיֵּנוּ. (2)

3 דַּ, דַּיֵּנוּ, דַּ, דַּיֵּנוּ, דַּ, דַּיֵּנוּ, דַּיֵּנוּ, דַּיֵּנוּ. (2)

4 אִלּוּ נָתַן, נָתַן לָנוּ, נָתַן לָנוּ אֶת הַשַּׁבָּת, דַּיֵּנוּ.

5 אִלּוּ נָתַן, נָתַן לָנוּ, נָתַן לָנוּ אֶת הַתּוֹרָה, דַּיֵּנוּ.

6 אִלּוּ הִכְנִיס, הִכְנִיסָנוּ, הִכְנִיסָנוּ לְאֶרֶץ יִשְׂרָאֵל, דַּיֵּנוּ.

This song is from the Passover הַגָּדָה. It tells us that it would have been enough for us (we would have been satisfied) even if God had only taken us out of Egypt, or had only given us the Sabbath or the תּוֹרָה, or had only brought us to Israel.

אַדִּיר הוּא

1 אַדִּיר הוּא, אַדִּיר הוּא, יִבְנֶה בֵיתוֹ בְּקָרוֹב.

2 בִּמְהֵרָה, בִּמְהֵרָה, בְּיָמֵינוּ בְּקָרוֹב.

3 אֵל בְּנֵה, אֵל בְּנֵה, בְּנֵה בֵיתְךָ בְּקָרוֹב.

In this song, which comes from the הַגָּדָה, we ask the Almighty to build His House (the Holy Temple — the Land of Israel) very soon.

אֵלִיָּהוּ הַנָּבִיא

1 אֵלִיָּהוּ הַנָּבִיא, אֵלִיָּהוּ הַתִּשְׁבִּי,
2 אֵלִיָּהוּ, אֵלִיָּהוּ, אֵלִיָּהוּ הַגִּלְעָדִי.
3 בִּמְהֵרָה בְיָמֵינוּ, יָבֹא אֵלֵינוּ.
4 עִם מָשִׁיחַ בֶּן דָּוִד, עִם מָשִׁיחַ בֶּן דָּוִד.
5 אֵלִיָּהוּ הַנָּבִיא, וכו׳

This song is about the Prophet Elijah. There are many wonderful stories about him in the Book of Kings in the Bible. He fought against the worship of idols, and performed many miracles. The Bible tells us that when Elijah left the earth "there appeared a chariot of fire, and horses of fire . . . and Elijah went up by a whirlwind into heaven" (II Kings 2:11).

This song tells us about the beautiful legend that Elijah will come on Passover night and will announce the coming of the Messiah. That is why, at the סֵדֶר, we have an extra cup of wine on the table, and we open the door for Elijah.

לְשָׁנָה הַבָּאָה

1 לְשָׁנָה הַבָּאָה (3) בִּירוּשָׁלָיִם.
2 לְשָׁנָה הַבָּאָה (2) בִּירוּשָׁלָיִם.

"Next year in Jerusalem!" These are the words with which the סֵדֶר ends. We hope that next year we may have the privilege of celebrating Passover in Jerusalem.

לַ"ג בָּעֹמֶר

בַּר יוֹחַאי

1   בַּר יוֹחַאי (5) אַשְׁרֶיךָ.

2   שֶׁמֶן טוֹב, שֶׁמֶן שָׂשׂוֹן, נִמְשַׁחְתָּ מֵחֲבֵרֶיךָ.

3   בַּר יוֹחַאי (3) אַשְׁרֶיךָ.

4   שֶׁמֶן טוֹב, שֶׁמֶן שָׂשׂוֹן, נִמְשַׁחְתָּ מֵחֲבֵרֶיךָ.

5   בַּר יוֹחַאי (3) אַשְׁרֶיךָ.

6   שֶׁמֶן טוֹב, שֶׁמֶן שָׂשׂוֹן, נִמְשַׁחְתָּ מֵחֲבֵרֶיךָ.

This song tells us that Bar Yohai was very lucky, for from all the great Jews of his day, he was the one chosen to be our leader and hero.

שָׁבוּעוֹת

בָּרוּךְ אֱלֹהֵינוּ

1 בָּרוּךְ אֱלֹהֵינוּ שֶׁבְּרָאָנוּ לִכְבוֹדוֹ, (3) לִכְבוֹדוֹ.

2 עוֹד הַפַּעַם, עוֹד הַפַּעַם, לִכְבוֹדוֹ. (3)

3 וְהִבְדִּילָנוּ מִן הַתּוֹעִים, (3) מִן הַתּוֹעִים...

4 וְנָתַן לָנוּ תּוֹרַת אֱמֶת, (3) תּוֹרַת אֱמֶת...

5 וְחַיֵּי עוֹלָם נָטַע בְּתוֹכֵנוּ, (3) בְּתוֹכֵנוּ...

שָׁבוּעוֹת is a beautiful holiday. It is called the Feast of Weeks. שָׁבוּעוֹת means "weeks". The grain harvest lasted from פֶּסַח to שָׁבוּעוֹת, seven weeks in all. Like פֶּסַח and סֻכּוֹת, it is a "pilgrim festival." In the days of the Temple thousands of Jewish pilgrims gathered in Jerusalem on these holidays. On שָׁבוּעוֹת the pilgrims brought their first fruits to the Temple. That is why it is also called חַג הַבִּכּוּרִים or Festival of First Fruits. We believe that the Ten Commandments were given to Moses on Mount Sinai on this day, so it is also called זְמַן מַתַּן תּוֹרָה, the "Season of the Giving of the Torah". In the synagogue we read the beautiful story of the Book of Ruth in the Bible, in which the grain harvest in ancient Palestine is described. On שָׁבוּעוֹת the synagogue is decorated with flowers and green branches and leaves. At home we eat dairy foods.

This song comes from one of our שַׁחֲרִית prayers, called וּבָא לְצִיּוֹן. The words are very much like those in the blessings over the תּוֹרָה.

תִּשְׁעָה בְּאָב

אָבִינוּ מַלְכֵּנוּ

1 אָבִינוּ, מַלְכֵּנוּ, חָנֵּנוּ וַעֲנֵנוּ (2) כִּי אֵין בָּנוּ מַעֲשִׂים.

2 עֲשֵׂה עִמָּנוּ (3) צְדָקָה וָחֶסֶד וְהוֹשִׁיעֵנוּ.

3 עֲשֵׂה עִמָּנוּ צְדָקָה וָחֶסֶד וְהוֹשִׁיעֵנוּ.

Not all of our special days are holidays of feasting and fun. Some, like יוֹם כִּפּוּר are days of fasting. One of these is the ninth day in the month of אָב. On this day both the First and the Second Temple were destroyed. The First Temple was destroyed by the Babylonians in 586 before the Common Era, and the Second Temple was destroyed by the Romans in the year 70 of the Common Era. It was also on תִּשְׁעָה בְּאָב that the Jews were driven out of Spain in 1492. In the synagogue on תִּשְׁעָה בְּאָב Jews remove their shoes and sit on low benches like mourners. The synagogue is in semi-darkness, lit only by candles or by a few electric lights. The worshippers pour out their hearts as the cantor reads the Book of Lamentations, the words of the great prophet Jeremiah in the Bible.

This song comes from the אָבִינוּ מַלְכֵּנוּ prayer that is said during the Ten Days of Penitence and on all fast days.

שִׁירֵי אֶרֶץ יִשְׂרָאֵל

יִשְׂרָאֵל וְאוֹרַיְתָא

1 יִ, יִ, יִ, יִשְׂרָאֵל, יִ, יִשְׂרָאֵל וְאוֹרַיְתָא חַד הוּא. (2)

2 תּוֹרָה אוֹרָה, תּוֹרָה אוֹרָה, הַלְלוּיָהּ. (2) הַלְלוּיָהּ.

3 תּוֹרָה אוֹרָה, תּוֹרָה אוֹרָה, הַלְלוּיָהּ.

The words of this song come from our old Rabbis. They tell us that Israel and the Torah are one, and that the Torah is our light. Israel cannot succeed without observing the Torah. And the Torah without Israel to observe it, would, of course, be meaningless. Light is very important to us. We light candles for the Sabbath and for our holidays. We also light a candle or lamp to remember our dear ones who have died. We call the Torah light because it sheds the light of knowledge and truth for all who study it and observe its laws.

מַיִם, מַיִם

1 וּשְׁאַבְתֶּם מַיִם בְּשָׂשׂוֹן מִמַּעַיְנֵי הַיְשׁוּעָה. (2)

2 מַיִם, מַיִם, מַיִם, מַיִם, הוֹי מַיִם בְּשָׂשׂוֹן! (2)

3 הֵי, הֵי, הֵי, הֵי מַיִם, מַיִם, מַיִם, מַיִם,

4 מַיִם, מַיִם בְּשָׂשׂוֹן. (2)

The words for this song come from the Book of Isaiah (12:3). They are also chanted in the הַבְדָּלָה service on Saturday night, when we take leave of the Sabbath and recite blessings over the twisted הַבְדָּלָה candle, over wine, and over spices.

אַרְצָה עָלִינוּ

1 אַרְצָה עָלִינוּ. (6)
2 כְּבָר חָרַשְׁנוּ וְגַם זָרַעְנוּ, (2)
3 אֲבָל עוֹד לֹא קָצַרְנוּ. (4)

The songs of Israel are beautiful and inspiring. Most of them are gay, lively dance melodies. The popular dance in Israel is the Hora, a very fast and exciting group dance.

The words of this melody mean "We have gone up to the Land of Israel; we have already plowed and sown, but we have not yet reaped." This means that although we have begun to settle the Land of Israel, and the brave pioneers, the חֲלוּצִים, have given the Land the sweat of their brow, we have not yet seen the full fruit of our labor, for we still have much to do to make it once more "a land flowing with milk and honey."

הַתִּקְוָה

Anthem of the Zionist movement and the State of Israel, based on a poem by Naphtali Hertz Imber. Hatikvah means "The Hope."

1 כָּל עוֹד בַּלֵּבָב פְּנִימָה
2 נֶפֶשׁ יְהוּדִי הוֹמִיָּה,
3 וּלְפַאֲתֵי מִזְרָח קָדִימָה
4 עַיִן לְצִיּוֹן צוֹפִיָּה.
5 עוֹד לֹא אָבְדָה תִקְוָתֵנוּ,
6 הַתִּקְוָה שְׁנוֹת אַלְפַּיִם,
7 לִהְיוֹת עַם חָפְשִׁי בְּאַרְצֵנוּ,
8 בְּאֶרֶץ צִיּוֹן וִירוּשָׁלָיִם.

PRAYER
DICTIONARY

Selected from

THE ILLUSTRATED BOOK
OF JEWISH KNOWLEDGE

by
Edith and Oscar Tarcov

KTAV PUBLISHING HOUSE, INC.

ABRAHAM אַבְרָהָם

Son of Terah; first of the patriarchs, father of the Jewish people, the first man to believe in the One God and His sovereignty over the whole world. After God made the first covenant with Abraham, he and his wife, Sarah, went to Canaan, the land God had promised him. They had one son, Isaac. Hagar bore Abraham's other son, Ishmael. Abraham, who was born in Ur of the Chaldees, was buried in the Cave of Machpelah.

ABRAM אַבְרָם

Name of Abraham before God made His covenant with him.

ADAR אֲדָר

Sixth month in the Jewish calendar.

see Months, Jewish

ADAR SHENI אֲדָר שֵׁנִי

The month that is added to the Jewish calendar in leap years. It contains 29 days and is inserted after the month of Adar, before the month of Nisan. It is also called Veadar.

see Months, Jewish

ADDITIONAL SERVICE מוּסָף

see Musaf

AFTERNOON SERVICE מִנְחָה

see Minhah

AKDAMUT אַקְדָּמוּת

A poem recited in the synagogue on Shavuot which extols the greatness of God and the wisdom of Torah.

AKEDAH עֲקֵדָה

(Binding, sacrifice) the Biblical passage recited on Rosh Hashanah which relates the story of God's test of Abraham's faith when he was asked to sacrifice his son and only heir, Isaac.

(Genesis, chap. 22)

AKIBA, BEN JOSEPH עֲקִיבָא בֶּן יוֹסֵף

Rabbi, great Tannaitic scholar and teacher (about 50-135 C.E.), helped found the rabbinic tradition. A shepherd of humble birth, he became a scholar with the help of his devoted wife, Rachel. The brilliant views of Akiba and his students were recorded in the Mishnah. Rabbi Akiba supported Bar Kochba's revolt. He died a martyr's death at the hands of the Romans.

ALEPH BET אָלֶף בֵּית

The Hebrew alphabet, consists of twenty-two consonants (two of them silent) and five final letters. There are ten vowels in the Hebrew language which are indicated by seven vowel signs.

ALIYAH עֲלִיָּה

1. *(Going up)* the term for the honor extended a worshipper who is called up to the reading of the Torah.

2. In modern times the term is also used to describe Jewish immigration to Israel.

AMEN אָמֵן

(So be it) the response upon hearing a blessing or prayer in which the name of God is mentioned.

AMIDAH עֲמִידָה

Sephardic term for the Eighteen Benedictions (*Shemoneh Esreh*). Amidah means "standing."

see Shemoneh Esreh

AMOS עָמוֹס

Third of the Books of the Twelve (Minor) Prophets of the Bible. Amos, a shepherd from Tekoa, lived during the reign of Jeroboam II. He criticized the northern Kingdom of Israel for its frivolity and the great differences between its rich and poor. All men, all nations, Amos insisted, were children of the One God. He warned the Kingdom against the Assyrians and foretold its doom.

ANGEL מַלְאָךְ

Messenger of God, not necessarily in human form, who conveys God's will to man. The Hebrew word for angel is Malach (*messenger*).

ANOINTING מְשִׁיחָה

Rubbing of oil on the head, a religious ceremony that took place when high priests and kings were chosen to assume their new responsibilities. This rite ended with the destruction of the Second Temple. Objects were also anointed, giving them a sacred character.

ANTIOCHUS IV (EPIPHANES) אַנְטְיוֹכוּס הָרְבִיעִי (אֶפִּיפַנֶס)

The cruel despotic king of Syria. He tried to destroy the Jewish religion and replace it with the Greek gods. He was a cruel ruler to Judea and desecrated the Temple. The Maccabees led the successful revolt against him (165 B.C.E.).

APOCRYPHA כְּתוּבִים אַחֲרוֹנִים

In Hebrew called Ketubim Aharonim (*Other Writings*), books similar to those of the Bible but excluded from it. The Books of the Apocrypha are: I and II Esdras, Tobit, Judith, Additions to Esther, Wisdom of Solomon, Sirach (Ecclesiasticus), Baruch (including the Epistle of Jeremiah), three Additions to Daniel, the Prayer of Manasseh, and I and II Maccabees.

APPLES AND HONEY תַּפּוּחִים וּדְבַשׁ

Apples dipped in honey are traditionally eaten on Rosh Hashanah as an expression of hope that the coming new year will be sweet and fruitful.

ARAMAIC אֲרָמִית

Ancient Semitic language, closely related to Hebrew. Aramaic dialects were spoken by peoples from east of the Jordan to the borders of Assyria and Babylonia. In Babylonian Exile the Jews adopted Aramaic; as a result, parts of the Bible and Talmudic writings and the entire Zohar were written in Aramaic. Aramaic translations of the Bible are called Targum. Many important prayers are said in Aramaic, such as the Kaddish and the Kol Nidre.

ARAVAH עֲרָבָה

(*Willow*) one of the four plants used in the celebration of Sukkot.

(Leviticus, chap. 23:40)

see Sukkot, Four Plants of

see Hoshanot

ARBA KANFOT אַרְבַּע כַּנְפוֹת (כְּנָפוֹת)

(*Four corners*) a rectangular piece of cloth, with an opening for the head and with fringes at each of its four corners; sometimes referred to as Tzitzit. It is worn under a man's regular garments to remind him of God's commandments.

see Fringes

ARBOR DAY חֲמִשָּׁה עָשָׂר בִּשְׁבָט

see Hamishah Asar Bishvat

ARK OF THE COVENANT אֲרוֹן הָעֵדוּת

Built by Moses at God's command to house the Tablets of the Law; constructed by the artisan Bezalel. It was placed in the Holy of Holies of the Tabernacle in the wilderness. After the Israelites settled in Canaan, the Ark was taken to the sanctuary at Shiloh. At the time of Eli it was captured by the Philistines who later abandoned it. For a century it was guarded by faithful priests at Kiriath-jearim, until King David brought it to Jerusalem. Later it was deposited in Solomon's Temple. The eventual fate of the Ark is unknown.

(Samuel I, chaps. 4-7; Samuel II, chap 6; Kings I, chap. 8)

ARON HAB'RIT אֲרוֹן הַבְּרִית

Hebrew name for Ark of the Covenant.

ARON HAKODESH אֲרוֹן הַקֹּדֶשׁ

The holy ark which houses the Torah. Because it encloses the most precious spiritual possession of the Jew, the ark is considered holy. It is often the most beautifully decorated part of the synagogue.

ASARAH BETEVET עֲשָׂרָה בְּטֵבֵת

(*The Fast of the Tenth of Tevet*) a fast day commemorating the beginning of the siege against Jerusalem by the Babylonians in 586 B.C.E.

ASHKENAZIM אַשְׁכְּנַזִּים

Originally Jews from Germany (and France), as distinguished from Sephardim (Jews from Spain and Portugal). During the times of medieval oppressions, Ashkenazim migrated to the eastern countries of Europe, and later to other parts of the world. Today Ashkenazim no longer primarily refers to a geographical division of Jewry. Ashkenazic rituals and pronunciation of Hebrew differ somewhat from the Sephardic. The majority of Jews are Ashkenazim.

ASSYRIA אַשּׁוּר

Ancient empire of mighty warriors, artists and builders. From its capital Nineveh, on the upper Tigris, Assyria ruled the Middle East (about 2000-600 B.C.E.). It made Judah a vassal state and destroyed Israel (about 722 B.C.E.). The Assyrians were eventually overrun and defeated by the Babylonians (Chaldeans).

AV אָב

Eleventh month in the Jewish calendar.
see Months, Jewish

BAAL KORE בַּעַל קוֹרֵא

(*Master-reader*) the man who reads and chants from the Torah. In some synagogues he is a paid functionary.

BAAL MAFTIR בַּעַל מַפְטִיר

see Maftir

BAAL SHEM TOV בַּעַל שֵׁם טוֹב

Also called Baal Shem (*master of the good* [*divine*] *name, he who wrought miracles*), born Israel Ben Eliezer (1699-1760) in the Ukraine, founder of Hasidism, saintly rabbi and great mystic scholar and teacher. The Baal Shem's life and deeds have given rise to many Hasidic legends. The Bal Shem gave new religious strength and joy to the disheartened Jews of Eastern Europe. His ideas have influenced modern religious thought.

BAAL TOKEA בַּעַל תּוֹקֵעַ

(*Master-Blower*) an expert in the blowing of the Shofar on Rosh Hashanah and Yom Kippur.

BABYLONIA בָּבֶל

One of the great empires of antiquity, dates back to before the reign of King Hammurabi in the 20th century B.C.E. One of the later Babylonian (Chaldean) kings, Nebuchadnezzar, led the Jews into captivity to Babylon (586 B.C.E.). When the Persians conquered Babylonia, the Jews were allowed to return to their own land (538). After the destruction of the Second Temple (70 C.E.) and until the 11th century, it was a great center of Jewish life and learning.

(Kings II, chaps. 24-25; Ezra, chap. 1)

BABYLONIAN ACADEMIES יְשִׁיבוֹת בָּבֶל

see Academies, Babylonian

BABYLONIAN TALMUD תַּלְמוּד בַּבְלִי

see Talmud, Babylonian

BALAAM בִּלְעָם

Soothsayer asked by King Balak of Moab to curse the Israelites whom he feared. On his way, Balaam's ass spoke to him and reminded him of the will of God. Balaam blessed the Israelites instead of cursing them.

(Numbers, chaps. 22-24)

BALAK בָּלָק

Moabite king who sought to destroy the Israelites when they were passing around Moab, on their way to Canaan, by asking Balaam, the soothsayer, to curse them.

(Numbers, chap. 22)

BAMIDBAR בַּמִּדְבָּר

see Numbers, Book of

BAR KOCHBA בַּר כּוֹכְבָא

(*Son of a star*) leader of the ill-fated Jewish revolt against Rome (132-135 C.E.). His enthusiastic followers, included Rabbi Akiba, who, according to the Talmud, changed his name from Bar Kozeba to Bar Kochba, believing him to be the Messiah. At first his army retook many Judean towns, but later it was systematically defeated by Severus, Emperor Hadrian's general. The revolt ended with the fall of the fortress Betar. Many legends are told about Bar Kochba.

BAR MITZVAH בַּר מִצְוָה

(*Son of the Commandment*). A boy becomes Bar Mitzvah at the age of 13. On the Sabbath closest to his thirteenth birthday he is called up to the Bimah in the synagogue to read from the Torah, usually its concluding portion *(Maftir)*, and from the Haftarah. The ceremony signifies that he has become of age to assume full religious responsibilities as a Jew.

BAT MITZVAH בַּת מִצְוָה

(*Daughter of the Commandment*) the ceremony observed by Reform and Conservative congregations that celebrates the entrance of a Jewish girl into religious life. It is of recent origin. In some synagogues the Bat Mitzvah is called to the Bimah to the reading of the Torah.

BECHOR בְּכוֹר

First-born son.

see Pidyon Haben

BEDIKAT HAMETZ בְּדִיקַת חָמֵץ

(*The searching for leaven*) a symbolic ceremony that takes place the night before the eve of Passover. After all leaven is removed from the home, pieces of bread are placed about the house, and then searched for and collected with the aid of a wooden spoon, a candle and a feather.

BERESHIT בְּרֵאשִׁית

see Genesis

BESAMIM BOX קוּפְסָה שֶׁל בְּשָׂמִים

see Spicebox

BET HAKENESET בֵּית הַכְּנֶסֶת

(*House of Assembly*) one of several terms for a synagogue.

BET HAMIDRASH בֵּית הַמִּדְרָשׁ

(*House of Study*) a building for study and prayer for members of the community. In modern times, the Bet Hamidrash usually adjoins the synagogue. It is often equipped with a library and other facilities for study. Prayer is also held in the Bet Hamidrash.

BET HAMIKDASH בֵּית הַמִּקְדָּשׁ

(*The Holy Temple*) refers to the First and Second Temples in Jerusalem.

see Temple, First and Second.

BET HATEFILAH בֵּית הַתְּפִלָּה

(*House of Prayer*) another term for a synagogue.

BIBLE תַּנַ"ךְ

From the Greek word Biblia *(books)*, the collected sacred books. In Hebrew called Tanakh, it consists of 24 books (or 39, if the sub-divisions are counted separately). The Bible is also called the Holy Scriptures.

BIBLE, BOOKS OF THE סִפְרֵי הַתַּנַ"ךְ

see Tanakh

BILHAH בִּלְהָה

Maid of Rachel; secondary wife of Jacob, mother of Dan and Naphtali.

(Genesis, chap 30: 1-8)

BIMAH בִּימָה

The elevated platform in the synagogue, also called Almemar. From a desk on the platform, the Torah and Haftarah are read on the Sabbath and holidays.

BIRKAT COHANIM בִּרְכַּת כֹּהֲנִים

The Priestly Blessing of the congregation that was given daily by the priests *(Cohanim)* of the Temple. Today it is part of the synagogue service during morning prayers and during Musaf on holidays, especially on Yom Kippur. The Birkat Cohanim is said over the congregation with raised hands either by the cantor, rabbi or by a group of Cohanim. In some congregations it is customary for the rabbi or cantor to end the service with this prayer as a closing benediction.

(Numbers, chap. 6:22-27)

BIRKAT HAMAZON בִּרְכַּת הַמָּזוֹן

see Grace After Meals

BIUR HAMETZ בִּעוּר חָמֵץ

The traditional "burning of the leaven." On the morning preceding the first Seder on Passover Eve, the last leaven remaining in the house is burned.

BREASTPLATE חשֶׁן מִשְׁפָּט

1. (*Hoshen Mishpat* — Breastplate of Judgment) specifically the high priest's breastplate worn over his robe and attached to the Ephod. It was a finely made square shield of gold on which were set twelve precious stones in four rows *(Turim)*. Each tribe of Israel was represented by its own stone engraved with its name. Under the breastplate were, some believe, the Urim and Tummim, two small sacred objects, possibly lots. The high priest wore the Breastplate of Judgment over his heart when he stood before God in prayer and in search for advice and judgment, especially on the High Holy Days.

(Exodus, chaps. 28 and 39)

2. (*Tas*—plate) decorative shield suspended by silver chains over the Torah, resembling the breastplate worn by the high priests.

B'RIT בְּרִית

(Covenant) the holy bond God made with Abraham and that He renewed through Moses with the whole people of Israel by giving the Tables of the Covenant (*Luchot HaB'rit*) on which were written the Ten Commandments.

see Covenant

(Genesis, chap. 15; chap. 17: 1-14)

B'RIT MILAH בְּרִית מִילָה

The rite of circumcision performed when a boy is eight days old. The ceremony signifies the parents' agreement to raise their son as a member of the Jewish community.

see Covenant

CABALA קַבָּלָה

The tradition of Jewish mysticism. The Zohar is the basic book of Cabala. Cabalistic ideas on the hidden meanings in the Torah were never widely accepted, but they had an influence on Jewish thought. The Hasidim, for example, based many of their beliefs on the teachings of the Cabala.

CALENDAR, JEWISH הַלּוּחַ הָעִבְרִי

Consists of 12 months in ordinary years and 13 months in leap years, based on the revolutions of the moon, the lunar system (the secular calendar is based on the solar system). Leap years occur 7 times in every 19 years. The numbering of the years is based on the calculation that the Creation took place in 3761 B.C.E. The calendar took its present form in the 13th century and was based on the formulations made by Hillel II in the 4th century.

see Months, Jewish

CANAAN כְּנַעַן

Early name for the land of Israel; the territory between the Jordan and the Mediterranean, also called the Promised Land, the Holy Land and Palestine.

CANTOR חַזָּן

(Hazan) in modern times the official of the synagogue who assists the rabbi in leading the congregation in prayer. He sings many of the prayers and often possesses considerable musical ability.

CARO, JOSEPH יוֹסֵף קָרוֹ

see Shulhan Arukh

CHARITY צְדָקָה

see Zedakah

CHOIR מַקְהֵלָה

The use of choirs at religious services dates back to the time when the Levites sang in the First Temple. Later, there were periods of opposition to their use in the synagogue. Today many synagogues have well-trained choirs.

CHRONICLES, I AND II דִּבְרֵי הַיָּמִים א׳ב׳

(*Divre Hayamim*) the last two books of historical writings in the 3rd division (*Ketubim*) of the Bible. Chronicles retell the history of Israel from the time of Saul to the return of the Jews to Judea from Babylonian Exile.

CITRON אֶתְרֹג

see Ethrog

CODES OF JEWISH LAW שֻׁלְחָן עָרוּךְ

Systematic explanations of the laws governing Judaism. The Torah is the foundation of all Jewish law upon which all later codes are based. The Talmud, the greatest post-Biblical collection of Jewish law, elaborates and explains the laws of the Torah. The most famous post-Talmudic codes are: Maimonides' Mishneh Torah (12th century), Jacob Ben Asher's Turim (14th century), Joseph Caro's Shulhan Arukh and its Ashkenazic addition, Moses Isserles' Mappah (both 16th century).

COHANIM כֹּהֲנִים

(Singular, Cohen) the priests in Israel, descendants of Aaron. Today Cohanim still receive special honors in the synagogue service. They receive the first Aliyah and give the priestly blessing (*Birkat Cohanim*).

In the ancient Temple, only the Cohanim could perform the most sacred tasks and rituals.

COMMANDMENT מִצְוָה

see Mitzvah

CONFIRMATION בַּר מִצְוָה - בַּת מִצְוָה

Exercises held in some synagogues on the first day of Shavuot for young people (usually 15 or 16 years old) who have completed a course of Jewish studies, This ceremony is of recent origin.

COVENANT בְּרִית

(*B'rit*) the holy bond between God and man and specifically between God and Israel. The first covenant was made with Abraham. At Mount Sinai, God made the covenant with the whole people of Israel, through the Tablets of the Covenant (*Luchot HaB'rit*). Circumcision (*B'rit Milah*) is a symbol of the great Covenant.

CROWN OF THE TORAH כֶּתֶר תּוֹרָה

see Keter Torah

CUSH כּוּשׁ

Son of Ham; ancestor of the people of the land of Cush (Ethiopia).

DANIEL דָּנִיֵּאל

The wise man who was led into Babylonian captivity and miraculously saved from the lions' den. He interpreted the famous "writing on the wall," the Mene Tekel, at Belshazzar's feast, and predicted the end of his kingdom. Daniel's life and visions are recorded in the Book of Daniel.

DANIEL, BOOK OF   סֵפֶר דָּנִיֵּאל

First book of historical writings in the 3rd division (*Ketubim*) of the Bible. It records the events of the life and time of Daniel and describes his visions.

DAVID   דָּוִד

Son of Jesse of Bethlehem, of the tribe of Judah, descendant of Ruth, great second king of Israel who unified and strengthened the people, reigned about 1010 B.C.E. His loyal friend was Jonathan, whose father, King Saul, first cherished David and later turned against him. David conquered the Philistines and other enemies. A great warrior and religious leader, David was also a poet. He played the harp and wrote beautiful songs, recorded in the Book of Psalms and in the Books of Samuel.

DAVID, HOUSE OF   בֵּית דָּוִד

The dynasty of kings descended from David. David and Solomon ruled over all of Israel. After the division of the kingdom into Israel and Judah, the House of David ruled only over Judah, until the Babylonian Exile. Zedekiah was the last king of the House of David. The House of David ruled from about 1010-586 B.C.E.

DAYAN   דַּיָּן

A rabbi who is a judge in a rabbinical court of the Jewish community. The Dayan judges in legal and civil disputes as well as in religious and ceremonial matters.

DAY OF ATONEMENT   יוֹם כִּפּוּר, יוֹם הַכִּפּוּרִים

see Yom Kippur

DAY OF REMEMBRANCE   יוֹם הַזִּכָּרוֹן

see Rosh Hashanah

DAYS OF AWE   יָמִים נוֹרָאִים

(*Yamim Noraim*) refers to Rosh Hashanah and Yom Kippur.

DECALOGUE   עֲשֶׂרֶת הַדִּבְּרוֹת (הַדְּבָרִים)

(*Ten laws*) refers to the Ten Commandments.

see Ten Commandments

DEUTERONOMY, BOOK OF   סֵפֶר דְּבָרִים

(*Devarim*) last of the Biblical Five Books of Moses (the Torah). It contains several long addresses by Moses in which he restates and explains God's commandments and laws, and in which he blesses the 12 tribes before he dies. Deuteronomy's 34 chapters are divided into 11 portions for weekly Sabbath readings. Deuteronomy is also called "Mishneh Torah" (*Repetition of the Law*).

DEVARIM   דְּבָרִים

see Deuteronomy, Book of

ECCLESIASTES, BOOK OF   סֵפֶר קֹהֶלֶת

(*Kohelet*) fourth of the five Megillot of the Bible, a book of wise sayings that begins with the famous "Vanity of vanities, all is vanity . . ." This is considered to be one of three Biblical books written by King Solomon.

EGYPT   מִצְרַיִם

(*Mitzraim*) ancient civilization; empire on the Nile and its delta. At times of famine it was a refuge for Abraham, and later for Jacob-Israel and his sons when Joseph was second in command to Pharaoh. The tribes of Israel settled in Goshen where they

eventually became slaves. Under Moses, they left Egypt and returned to the Holy Land. Powerful Egypt was the great enemy of the northern Kingdom of Israel and also of Judah, which became Egypt's vassal towards the end of its existence. Later, at the time of the destruction of the First Temple, Egypt once again became a refuge for Jews. During the Alexandrian period the city of Alexandria became a center of Jewish learning.

EIGHTEEN BENEDICTIONS שְׁמֹנֶה עֶשְׂרֵה

see Shemoneh Esreh

EKHAH אֵיכָה

see Lamentations, Book of

ELIJAH אֵלִיָּהוּ

(The Tishbite) most beloved of Israel's prophets. He courageously opposed Ahab and Jezebel and fiercely fought idol worship and the prophets of Baal. It is said that Elijah did not die an ordinary death, but, before the eyes of his faithful follower, Elisha, rose to heaven in a whirlwind. It is believed that it will be Elijah who will announce the coming of the Messiah. He is known as the helper and comforter of the poor. On Passover, during the Seder, the door is opened to the prophet Elijah and a cup is filled for him at the table. At the B'rit Milah (circumcision) a chair is set for Elijah.

(Kings I, chaps. 17-21;
Kings II, chap. 2)

ELUL אֱלוּל

Twelfth month in the Jewish calendar.

see Months, Jewish

ESTHER, BOOK OF סֵפֶר אֶסְתֵּר

(Megillat Esther) last of the Five Megillot of the Bible, often simply called "The Megillah." It describes how Esther saved the Jews of Persia. It is read on Purim. Many beautiful medieval Megillot, with illustrations and ornaments, mounted on hand-tooled or carved rollers, have been preserved.

ETERNAL LIGHT נֵר תָּמִיד

see Ner Tamid

ETHICS OF THE FATHERS

see Pirke Avot

ETHROG אֶתְרֹג

A citron or fruit resembling a lemon, one of the four plants used in the celebration of Sukkot, considered one of the most beautiful fruits of ancient Israel.

(Lev., chap. 23:40)

see Sukkot, Four Plants of

ETZ HAYIM עֵץ חַיִּים

Symbolic name of the Torah and specifically the name of the wooden rollers to which the ends of the Torah scrolls are attached. The term means "tree of life" and is derived from the saying, "It (the Torah) is a tree of life to those who uphold it."

EVENING SERVICE מַעֲרִיב

see Maariv

EXILE, BABYLONIAN גָּלוּת בָּבֶל

The forced stay of the Jews in Babylonia (about 586-538 B.C.E.) away from their homeland. It occurred after Nebuchadnezzar's victory over Judah and the destruction of the First Temple. Captives from Judah were

deported to cultivate agricultural regions of the Babylonian provinces and some were sent to the city of Babylon itself.

EXODUS יְצִיאַת מִצְרַיִם

(Yetziat Mitzraim) the going out from Egypt of the Israelites, under Moses' guidance, to the Promised Land.

EXODUS, BOOK OF סֵפֶר שְׁמוֹת

(Shemot) second of the Biblical Five Books of Moses (the Torah). It relates the experiences of the Israelites in Egypt, the birth of Moses, his mission and the Exodus from Egypt. It includes chapters on the giving of the Ten Commandments at Mount Sinai and the building of the Tabernacle and the Ark. Exodus' 40 chapters are divided into 11 portions for weekly Sabbath readings.

EZEKIEL יְחֶזְקֵאל

Third of the Major Prophets, lived in the 6th century B.C.E., at the time of the Babylonian Exile. His words are recorded in the Biblical Book of Ezekiel. Ezekiel explained the meaning of the Exile. He gave the people faith, comfort and hope, and prophesied the rebuilding of Jerusalem and the Temple.

EZEKIEL, BOOK OF סֵפֶר יְחֶזְקֵאל

Third of the Books of the three Major Prophets of the Bible. It contains the words of the prophet Ezekiel.

EZION-GEBER עֶצְיוֹן גֶּבֶר

Important port at the time of Solomon. Solomon's famous copper mines were excavated near this site.
see Elath

EZRA עֶזְרָא

Priest, scribe and teacher who returned to Jerusalem from Babylon, and, with the aid of Nehemiah, helped restore the strength of the Jewish community of Judea. Ezra is regarded as the first of the Soferim (scribes) and the founder of the rabbinic tradition. His life and works are recorded in the Books of Ezra and Nehemiah.

EZRA, BOOK OF סֵפֶר עֶזְרָא

With the Book of Nehemiah, the second book of historical writings of the 3rd division (Ketubim) of the Bible. The book records the major events in the life of Ezra and his teachings.

FAST DAYS תַּעֲנִיּוֹת, צוֹמוֹת

Jews fast to express repentance or as a sign of mourning. But the main purpose of fasting is to enable man to commune better with God. In addition to the fast day of Yom Kippur, there are also commemorative fast days, of which the four best known are: Tisha B'Av, Taanit Esther, Tzom Gedaliah and Asarah Betevet.

FAST OF ESTHER תַּעֲנִית אֶסְתֵּר
see Taanit Esther

FAST OF GEDALIAH צוֹם גְּדַלְיָה
see Tzom Gedaliah

FAST OF (THE 17th DAY OF) TAMMUZ שִׁבְעָה עָשָׂר בְּתַמּוּז
see Shivah Asar Betammuz

FAST OF THE NINTH OF AV תִּשְׁעָה בְּאָב
see Tisha B'Av

FAST OF THE TENTH OF TEVET עֲשָׂרָה בְּטֵבֵת
see Asarah Betevet

FEAST OF FREEDOM זְמַן חֵרוּתֵנוּ, חַג הַפֶּסַח
see Passover

FEAST OF LIGHTS חֲנֻכָּה
see Hanukkah

FEAST OF LOTS פּוּרִים
see Purim

FEAST OF TABERNACLES סֻכּוֹת
see Sukkot

FEAST OF WEEKS
see Shavuot

פִּדְיוֹן הַבֵּן
FIRST BORN, REDEMPTION OF
see Pidyon Haben

FIVE BOOKS OF MOSES חֻמָּשׁ
see Humash

FIVE MEGILLOT חָמֵשׁ מְגִילּוֹת
see Megillot, Five

אַרְבַּע קֻשְׁיוֹת, מַה נִּשְׁתַּנָּה
FOUR QUESTIONS
see Mah Nishtanah

FRINGES צִיצִת
The custom of wearing fringes on the garments of Jewish men dates back to very ancient times. They are worn in fulfillment of the Biblical commandment to wear them as a reminder of God's commandments. Fringes are worn on the Tallit and the Arba Kanfot.
(Numbers, chap. 15:37-41)

FRONTLETS טֹטָפֹת, תְּפִלִּין
see Tefillin

שְׁלֹמֹה אִבְּן גַּבִּירוֹל
GABIROL, SOLOMON IBN
see Ibn Gabirol, Solomon

GAD גָּד
Seventh son of Jacob; oldest son of Zilpah, ancestor of the tribe of Gad.

GALUT גָּלוּת
(*Exile*) refers to the compulsory exile of Jews from the land of Israel after the destruction of the Second Temple.

see Diaspora.

GA'ON גָּאוֹן
(*Eminence, Excellency*) the title of the presidents of the Babylonian academies, Sura and Pumpadita, after the close of the Talmudic period. The Ga'onim (plural) were recognized as the spiritual heads of Judaism. The time of the Ga'onim is called the Ga'onic period (late 6th to 11th centuries C.E.).

GELILAH גְּלִילָה
The "rolling up" of the Torah scroll after it has been read. The person who receives the honor to perform the Gelilah is called the Golel (*he who rolls up*).

GEMARA גְּמָרָא
(*Study, learning*) second part of the Talmud, consists of discussions and commentaries on its first and basic part, the Mishnah. The Gemara, compiled (third to sixth centuries, C.E.), after the completion of the Mishnah, consists of the teachings of the Amoraim. Two distinct versions are in existence, the Palestinian and the Babylonian Gemara.

GENESIS, BOOK OF סֵפֶר בְּרֵאשִׁית
(*Bereshit*) first of the Biblical Five Books of Moses (the Torah). Genesis relates the origins of Israel, from the Creation to the death of Joseph. Its

50 chapters are divided into 12 portions for weekly Sabbath readings. The Hebrew name for Genesis (*Bereshit*) is the first word in the book and means "in the beginning."

GOLUS גָלוּת

Ashkenazic pronunciation of Galut.

see Galut

GRACE AFTER MEALS בִּרְכַּת הַמָּזוֹן

(*Birkat Hamazon*) a prayer of ancient origin recited by many Jews after meals.

GRACE BEFORE MEALS הַמּוֹצִיא

see Hamotzi

HABAKKUK חֲבַקּוּק

Eighth of the Books of Twelve (Minor) Prophets of the Bible. Little is known about the prophet himself. In addition to recording his prophecies, he explored the problem of why a wicked man may succeed and a righteous man may suffer. He concluded that man must be just and have faith in God, for He will make the final judgment.

HADAS הֲדַס

(*Myrtle*) one of the four plants used in the celebration of Sukkot.

(Lev., chap. 23: 40)

see Sukkot, Four Plants of

HADASSAH הֲדַסָּה

Hebrew name for Esther.

see Esther Book of

HAD GADYAH חַד גַּדְיָא

(*One Kid*) the title of a ballad sung at the conclusion of the Seder celebration.

HAFTARAH הַפְטָרָה

(*Conclusion*) passages from the Prophetic books read in the synagogue after the reading from the Torah. The Haftarah is read on Sabbath, special days and holidays. The Bar or Bat Mitzvah is often honored by being called to read from the Haftarah.

HAGBAAH הַגְבָּהָה

"The Lifting Up" of the Torah to the congregation by a worshipper who is thus honored, usually at the conclusion of the reading.

HAGGADAH, PASSOVER הַגָּדָה שֶׁל פֶּסַח

The text of the home service read during the Seder ceremony. It contains stories (*Haggadah*), and prayers and songs praising God for his deliverance of the Jews from Egyptian slavery. Many editions are beautifully printed and illustrated.

HAGGAI חַגַּי

Tenth of the Books of Twelve (Minor) Prophets. The prophet Haggai, after returning to Jerusalem from Babylonian Exile, inspired Zerubbabel and the high priest Joshua to build the Second Temple.

HAKAFOT הַקָּפוֹת

(*Rounds*) processions with the Torah around the Bimah and the synagogue on Simhat Torah. All the Torah scrolls are taken from the Ark and the men of the congregation take turns carrying them, singing psalms and prayers. Children, waving flags, join the joyous processions.

HALEVI, JUDAH   יְהוּדָה הַלֵּוִי

Great Jewish poet of the Middle Ages, born in Spain, about 1080, died in Palestine, about 1145.

HALLEL   הַלֵּל

Psalms of praise and prayer, recited between Shemoneh Esreh and the reading of the Torah on the Three Festivals, Rosh Hodesh and Hanukkah.

HAMETZ   חָמֵץ

(*Leavened bread*) during Passover all leavened food is removed from the home. Traditionally, Jews do not eat leavened food during Passover or use dishes and utensils employed during the rest of the year.

HAMISHAH ASAR BISHVAT   חֲמִשָּׁה עָשָׂר בִּשְׁבָט

(*The Fifteenth Day of the Month of Shevat*), also called Tu Bishvat, a holiday also known as Jewish Arbor Day. In Israel, this holiday signifies the beginning of spring. It is customary for this day to be observed by tree-planting ceremonies.

HAMOTZI   הַמּוֹצִיא

The words of the blessing over the bread which mean "Who brings forth." As bread is the most basic food, the Hamotzi grace is the customary one recited before meals.

HANUKKAH   חֲנֻכָּה

A holiday lasting eight days. It commemorates the rededication of the ancient Temple in Jerusalem by Judah Maccabee and his followers who defeated Antiochus. The lighting of candles on Hanukkah is a reminder of the miracle of the tiny jug of oil that burned for eight days and eight nights. Hannukah means "dedication." Hanukkah is also called "Feast of Lights."

HASMONEAN DYNASTY   מַלְכוּת בֵּית חַשְׁמוֹנַאי

The reign of priests and kings (141-37 B.C.E.) established by the high priest, Simon, and by his son, John Hyrcanus I. The first Hasmonean to assume the title of king was Aristobulus I and the last was Antigonus (Mattathiah), who was executed by the Romans and succeeded by Herod.

HATAN BERESHIT   חֲתַן בְּרֵאשִׁית

(*Bridegroom of Bereshit*) the person honored by being called to the reading of the first portion (Bereshit) of the Torah on Simhat Torah, when the reading of the Torah begins anew.

HATAN TORAH   חֲתַן תּוֹרָה

(*Bridegroom of the Torah*) the person honored by being called on Simhat Torah to the reading of the concluding portion of the Torah.

HATIKVAH   הַתִּקְוָה

Anthem of the Zionists and the State of Israel, based on a poem by Naphtali Hertz Imber. Hatikvah means "The Hope."

HAVDALAH   הַבְדָּלָה

(*Separation*) a ceremony that observes the end of the Sabbath or a festival. Wine, a spice box (Besamim box), and a braided candle are used in the ceremony that marks the separation of the sacredness of the Sabbath or festival from the ordinary workday.

HAZAN   חַזָּן

see Cantor

HEBREW עִבְרִית, לְשׁוֹן הַקֹּדֶשׁ

(*Ivrit*) the language of the Bible and of ancient Israel, part of the Semitic language group, related to Aramaic and Arabic, also called Leshon Hakodesh (*holy language*). Hebrew, like all Semitic languages, is written from right to left and consisted originally, in writing, only of consonants. Modern Hebrew, language of the State of Israel, uses the Sephardic pronunciation. The Ashkenazic pronunciation of Hebrew, however, is still used in many synagogues and schools.

HEBREWS עִבְרִים

A name occasionally applied to Israelites by people of other nations. Today "Hebrews" is sometimes used as a term to designate the Israelites from the time of Jacob's death to the Exodus from Egypt. The Hebrews were later called Israelites and eventually Jews.

HEBREW SCHOOL בֵּית סֵפֶר

Usually refers to afternoon religious schools which meet after the public school session. These schools are usually conducted under the auspices of the synagogue.

HESHVAN חֶשְׁוָן

Second month in the Jewish calendar, also called Mar-Heshvan.

see Months, Jewish

HIGH HOLY DAYS יָמִים נוֹרָאִים, רֹאשׁ הַשָּׁנָה וְיוֹם הַכִּפּוּרִים

see Rosh Hashanah

see Yom Kippur

HIGH PRIEST כֹּהֵן גָּדוֹל

The highest office in the priestly class (*Cohanim*), a hereditary office. The high priest lived by the Priestly Code, performing the most sacred tasks in the Temple. He alone was allowed to enter the Holy of Holies once a year, on Yom Kippur, to pray for all the people of Israel. Aaron was the first high priest.

HILLEL הִלֵּל

Great scholar and teacher of the 1st century B.C.E., one of the founders of Oral Torah, colleague and opponent of Shammai. Hillel, who was born in Babylonia, studied in Jerusalem, where he lived in poverty. He won many disciples. He rose to Nasi, the head of the Sanhedrin, a position and title inherited by his family. Discussions between Hillel and Shammai (his Av Bet Din), and their schools are recorded in the Mishnah. Hillel, unlike the quick-tempered Shammai, was lenient and gentle. His golden rule, which he believed to be the foundation of Judaism, was to love one's neighbor as one self.

see Zugot

HILLEL II הִלֵּל הַשֵּׁנִי

Nasi, formulated the Jewish calendar which, until his time, the 4th century C.E., had been secretly calculated each year and was proclaimed by messengers to the Jews of the various lands. The present Jewish calendar is based on the formulation of Hillel II.

HODESH חֹדֶשׁ

see Month

HOL HAMOED חוֹל הַמּוֹעֵד

Weekday of the holiday. It refers to the days between the first and last days of both the holidays of Passover and Sukkot. These days are half-holidays; services are held but the everyday work-tasks can be performed.

HOLY LAND אֶרֶץ הַקֹּדֶשׁ, אֶרֶץ יִשְׂרָאֵל

Israel, the Promised Land, the land promised to Abraham, Isaac, Jacob-Israel and to their descendants, the people of Israel.

see Canaan

see Israel

HOLY OF HOLIES קֹדֶשׁ הַקֳּדָשִׁים

(Kodesh Hakodashim) the most holy place in the Tabernacle, and later in the Temple, where the Ark of the Covenant was kept. The Holy of Holies was entered only by the high priest, once a year, on the holy day of Yom Kippur.

HOSEA הוֹשֵׁעַ

First of the Books of Twelve (Minor) Prophets of the Bible. The prophet Hosea wrote and preached in the 8th century B.C.E. in Israel, at the time of Jeroboam II and the disorder that followed the king's death. He preached against the immorality of his day, reminding the people that God wants men to be just and compassionate.

HOSHANAH RABBAH הוֹשַׁעְנָא רַבָּה

The seventh day of the Sukkot holiday. It is observed in the synagogue by seven processions around the pulpit, accompanied by chanting Hoshanah (a prayer for God's help and salvation), and the waving of palm branches. The concluding prayers (Hoshanot) are traditionally accompanied by the beating of Hoshanot (willow-branches) against the ground and benches.

HOSHANOT הוֹשַׁעְנוֹת

1. The Hoshanah prayers of Hoshanah Rabbah.

2. The willow-branches used on Hoshanah Rabbah during the prayer for rain and salvation. In ancient Israel, the willow was a symbol for the fruitfulness of rain.

see Aravah

HUMASH חֻמָּשׁ

Short form of Hamisha Humshe Torah (the five-fifths of the Torah). The Humash is the book containing the Five Books of Moses and the Prophetic passages read each week in the synagogue. The Five Books of Moses are: Genesis (Bereshit), Exodus (Shemot), Leviticus (Vayikra), Numbers (Bamidbar) and Deuteronomy (Devarim).

IBN EZRA אִבְּן עֶזְרָא, אַבְרָהָם

1. (Abraham) writer of famous Bible commentaries, grammarian, philosopher, astrologer and poet. He lived in Spain and Italy (about 1092-1167 C.E.).

2. (Moses) probably brother of Abraham, great poet, lived in Granada, Spain (died about 1139). He wrote in both Hebrew and Arabic.

אִבְּן גְּבִירוֹל, שְׁלֹמֹה

IBN GABIROL, SOLOMON

Great philosopher and poet, lived in Spain, about 1021-1058 C.E. He wrote many great works, in both Hebrew and Arabic.

ISAAC יִצְחָק

Second of the Patriarchs, son of Abraham, husband of Rebekah, father of Jacob and Esau. The most famous incident in Isaac's life is the Akedah (binding), when Isaac was bound on the altar by Abraham. God tested Abraham by asking him to sacrifice his son and only heir. Abraham and Isaac were willing to obey God's com-

mand, but God intended only a test of Abraham's faith and sent an angel to intervene. A ram was sacrificed instead of Isaac and God renewed His covenant with Abraham (and his descendants). Isaac, a successful farmer and cattle-breeder, was a pious man. He lived in Mamre (Hebron) and was buried in the Cave of Machpelah.

(Genesis, chap. 22)

ISAIAH יְשַׁעְיָהוּ

First of the Major Prophets. His words are recorded in the Book of Isaiah of the Bible. He lived during the reigns of Uzziah, Jotham, Ahaz and Hezekiah. Isaiah, son of Amoz, prophesied the destruction of Judah, but also foresaw Israel's reconstruction and a future time of peace and brotherhood throughout the world, when "Men shall beat their swords into plowshares . . . neither shall they learn war anymore . . ."

(Isaiah, chap. 2: 4)

ISAIAH, BOOK OF סֵפֶר יְשַׁעְיָה

First of the Books of the three Major Prophets of the Bible. It contains the words of the prophet Isaiah.

ISRAEL יִשְׂרָאֵל

The name given to Jacob—"he who strove with God"—eventually became the name for the people of Israel as a whole. Israel became the name for the northern Kingdom in particular, but it continued to be the national and religious name for the entire Jewish people.

(Genesis, chap. 32: 23-30)

ISRAEL, KINGDOM OF מַמְלֶכֶת יִשְׂרָאֵל

Founded by Saul about 1040 B.C.E., succeeding kings were David and Solomon. The Kingdom was divided (about 937 B.C.E.) at the time of Rehoboam, Solomon's son, into the northern Kingdom of Israel and the southern Kingdom of Judah. The northern Kingdom, founded by King Jeroboam, existed from 937-722 B.C.E. It was destroyed by Assyria.

ISRAEL, STATE OF מְדִינַת יִשְׂרָאֵל

In 1948 the new State of Israel was founded. It extends from the Mediterranean to the Jordan and the Dead Sea, from the Lebanon to Elath. Parts of ancient Israel now belong to Jordan and Lebanon. The remains of the Temple (the Wailing Wall), Hebron and the Cave of Machpelah, where the Patriarchs were buried, are all in Arab hands. The creation of the new State marks the first time Jews have been independent in their ancient land since the destruction of the Second Temple in 70 C.E.

IVRIT עִבְרִית, לְשׁוֹן הַקֹּדֶשׁ

see Hebrew

IYAR אִיָּר

Eighth month in the Jewish calendar.

see Months, Jewish

JACOB יַעֲקֹב

Third of the Patriarchs, son of Isaac and Rebekah, brother of Esau from whom he took his birthright, husband of Leah and Rachel, father of 12 sons who became the ancestors of the 12 tribes of Israel. Jacob's name was changed to Israel (he who wrestled with God) when he wrestled with the angel on his return from Haran to Canaan. In his old age he migrated to Egypt with his family where he was reunited with his son Joseph. Jacob was buried in the Cave of Machpelah.

JEREMIAH יִרְמְיָהוּ

Second of the three Major Prophets. His words are recorded in the Biblical Book of Jeremiah. He was active from the reign of King Josiah to that of King Zedekiah, at the time of the destruction of Judah. Jeremiah opposed war and advised Zedekiah not to revolt against Babylonia, in order to save Jerusalem from destruction. But his advice was not heeded. When the city was destroyed and Judah fell, Jeremiah gave comfort and hope to the people and prophesied the rebuilding of Jerusalem. After the assassination of his friend, the governor Gedaliah, Jeremiah was forced into exile to Egypt where he died.

JEREMIAH, BOOK OF סֵפֶר יִרְמְיָה

Second of the Books of the three Major Prophets of the Bible. It contains the words of the prophet Jeremiah.

JEREMIAH, EPISTLE OF אִגֶּרֶת יִרְמְיָהוּ

Sixth chapter of the Book of Baruch, part of the Apocrypha. Baruch was the loyal disciple of Jeremiah.

JERUSALEM יְרוּשָׁלַיִם

Beautiful, ancient city, the religious and political center of Israel and Judah. Taken by David from the Jebusites, he made it his capital and brought the Ark there. Solomon's Temple and the Second Temple stood in Jerusalem. It was the center of Jewish life until the destruction of the Temple in 70 C.E. After Bar Kochba's revolt (about 135 C.E.), Hadrian forbade Jews to live there. Today, only part of Jerusalem is in Israel; one part, including the Temple area, is in Jordan.

JESHURUN יְשֻׁרוּן

Poetic name for Israel, meaning "courageous one," or "righteous one."

JEW יְהוּדִי

(*Yehudi*) originally the name for a member of the tribe of Judah. After the return from Babylonian Exile, the name for all Israelites became Jews (*Yehudim*).

JONAH יוֹנָה

Fifth of the Books of Twelve (Minor) Prophets of the Bible. It is a narrative (the other Later Prophetic writings are mainly orations) relating how Jonah, son of Amittai, of the tribe of Zebulun, avoided God's command to go to the Assyrian capital Nineveh and preach against its wickedness, by taking a sea voyage. During a storm, he was thrown overboard and was swallowed by a great whale who spewed him out near Nineveh, where Jonah fulfilled his mission. The book of Jonah is read on Yom Kippur.

JOSHUA, BOOK OF סֵפֶר יְהוֹשֻׁעַ

First Book of the Early Prophets (*Nevi'im Rishonim*) of the Bible. It records Israel's history from after the death of Moses to the conquest and settling of Canaan, under Joshua's leadership.

JUDAH MACCABEE יְהוּדָה הַמַּכַּבִּי

(*The hammer*) leader of the Maccabean revolt, one of the five brave sons of Mattathias. He led the Judeans to victory and rededicated the Temple Antiochus had desecrated.

JUDAISM   יַהֲדוּת

The name of the religion of the Jewish people, apparently first used in the 1st century C. E. by Greek-speaking Jews to describe their religion as distinct from the religion of their neighbors, Hellenism. As the centuries passed, the term Judaism was used by Jews and non-Jews alike to distinguish it from other religions. Orthodox Judaism, Conservative Judaism, Reform Judaism and Reconstructionism are comparatively new terms used to describe the various branches of American Judaism. In general, these groups all accept the basic ethical, moral and social principles of Judaism and draw their inspiration from the same Biblical and rabbinical writings. They differ on the place of the law in Judaism, particularly the laws dealing with rites and ceremonies.

1. Orthodox Judaism maintains strictly the traditional laws of the Bible as they were interpreted and developed by the early rabbis in the Talmud and other works of Jewish law (the Rabbinic tradition).

2. Conservative Judaism accepts the authority of Jewish ceremonial and ritual laws and believes that these laws strengthen the Jewish community socially and spiritually. But it has adopted a number of important modifications in practicing them to meet the new conditions of modern life.

3. Reform Judaism maintains that the laws of the Bible and the Talmudic tradition may be changed (reformed) or developed to meet the needs of new situations, and that this process of development must continue. Reform Judaism has modified many rituals and observances.

4. Reconstructionism accepts from Orthodox Judaism the stress on a maximum of Jewish life and from Reform Judaism the concept of need for development. It maintains that it is important for the Jew to gain knowledge of Judaism and to participate meaningfully in Jewish life.

JUDGES   שׁוֹפְטִים

(*Shofetim*) in ancient times judges were leaders who functioned only incidentally as judges in the modern sense. As leaders, they were often soldiers or priests or prophets. Twelve Judges are described in the Book of Judges. But other men who judged are mentioned in other parts of the Bible. The lives of the Judges Eli and Samuel are described in Samuel I.

JUDGES, BOOK OF   סֵפֶר שׁוֹפְטִים

(*Shofetim*) second book of the Early Prophets (*Nevi'im Rishonim*) of the Bible. It records the period of the twelve Judges, Israel's history from the time of the death of Joshua to that of the birth of Samuel.

KADDISH   קַדִּישׁ

(*Holy*) ancient prayer in Aramaic declaring and blessing the greatness and holiness of God, and asking for the coming of the Messiah and God's kingdom of peace. The Kaddish is said several times during services, and usually at the conclusion. The Kaddish is best known as the prayer in memory of the dead, recited by close relatives at the time of mourning and at Yiskor and Yahrzeit.

KEDUSHAH   קְדוּשָׁה

(*Sanctification*) a dramatic daily prayer that acknowledges the majesty and holiness of God. It is recited in the form of alternate chanting by the cantor or reader and the congre-

gation. The Kedushah is based on the visions of Isaiah and Ezekiel.
(Isaiah, chap. 6: 1-4; Ezekiel, chap. 3: 12-14)

KERIAH קְרִיאָה

The ancient custom of rending a garment as an expression of grief over the death of a close relative. Today orthodox Jews observe a moderate form of Keriah *(rending)*.

KERIAT HATORAH קְרִיאַת הַתּוֹרָה

The "Reading of the Torah" during the synagogue services.

KERIAT SHEMA קְרִיאַת שְׁמַע

Also called Krishma, the reading of the Shema which occurs in the morning and evening prayers and before retiring.

see Shema

KETER TORAH כֶּתֶר תּוֹרָה

(*Crown of the Torah*) made of silver, part of the ornamentation of the Torah.

KETUBIM כְּתוּבִים

(Writings) the third and last division of the Bible. Ketubim contains eleven books, arranged in three parts. The first part, the three poetical books, or Sifre Emet (*Books of Truth*), contains: Psalms, Proverbs and Job. The second part, the Five Megillot (*Scrolls*), contains: Song of Songs, Ruth, Lamentations, Ecclesiastes and Esther. The third part, the historical writings, contains: Daniel, Ezra–Nehemiah, and Chronicles I and II. The Greek name for Ketubim is Hagiographa (*sacred writings*).

KETUBIM AHARONIM כְּתוּבִים אַחֲרוֹנִים

see Apocrypha.

KIDDUSH קִדּוּשׁ

(Sanctification) a blessing recited over a cup of wine at the beginning of every Sabbath and holiday. Kiddush in the synagogue is said at the end of Friday evening service *(Maariv)*. Since ancient times, Kiddush is best known as a home ceremony, said by the man of the household, ushering in the Sabbath at the beginning of the Friday evening meal.

KIDDUSH CUP גְּבִיעַ הַקִּדּוּשׁ

The special cup for the wine to be blessed at the Kiddush ceremony either in the synagogue or at home. Kiddush cups are usually made of silver and often beautifully decorated.

KINOT קִינוֹת

(Lamentations) a special service observed in the synagogue on Tisha B'Av, in commemoration of the destruction of the Temples, during which the Book of Lamentations is read.

KISLEV כִּסְלֵו

Third month in the Jewish calendar.

see Months, Jewish

KITZUR SHULHAN ARUKH קִצּוּר שֻׁלְחָן עָרוּךְ

Shortened popular edition of the Shulhan Arukh, widely used as a handbook on Jewish law by Orthodox Jews.

see Shulhan Arukh

KOHELET קֹהֶלֶת

see Ecclesiastes, Book of

KOL NIDRE כָּל נִדְרֵי

(*All vows*) a prayer chanted by the cantor at the beginning of the synagogue service on Yom Kippur eve.

The prayer asks God for forgiveness for all vows that will be made to Him (concerning only oneself and not one's fellowmen) and that will not be kept. The Kol Nidre is chanted to an ancient beautiful melody, and it serves as the name for the entire Yom Kippur eve service.

KRISHMA קְרִיאַת שְׁמַע
see Keriat Shema

LAG B'OMER לַ״ג בָּעוֹמֶר
A half-holiday that observes the thirty-third day of the period of 49 days of Omer or Sefirah, between Passover and Shavuot, known as the "counting of Omer." It is also called the "Scholar's Festival" for it commemorates the struggle of Rabbi Akiba and his disciple, Simeon Bar Yohai, for freedom to study and observe God's law at the time of the oppression of the Jews by the Roman Emperor Hadrian.

LAMENTATIONS, BOOK OF מְגִילַת אֵיכָה
(Ekhah) third of the Five Megillot of the Bible. It contains songs of sorrow (elegies), ascribed to the prophet Jeremiah, mourning the destruction of Jerusalem and the Temple. Lamentations are chanted on Tisha B'Av (9th of Av), the day commemorating that event.

LEAVEN חָמֵץ
see Hametz

LECHAH DODI לְכָה דוֹדִי
Beautiful song welcoming the Sabbath. The author, Solomon Halevi Alkabetz (1540), calls Sabbath the beautiful bride.

LE-SHANAH TOVAH לְשָׁנָה טוֹבָה
Greeting used during Rosh Hashanah and the Ten Days of Penitence. It means "a happy New Year."

LESHON HAKODESH לְשׁוֹן הַקֹּדֶשׁ
see Hebrew

LEVITES לְוִיִּם
Members of the tribe of Levi, served in the Tabernacle and later in the Temple as assistants to the Cohanim. Levites were in charge of sacrifices, the rites of cleanliness and the guarding of the Temple. They also provided the sacred music. Today, the Levites still receive special honors in the synagogue service, second after the Cohanim.

LEVI, TRIBE OF שֵׁבֶט לֵוִי
One of the tribes of Israel. The tribe of Levi, dedicated to temple service and the education of the people, received no portion of land in Israel—its portion was the Torah. Levi's banner was white, black and red; its emblem was the Urim and Tummim (priestly equipment). The stone representing Levi in the high priest's breastplate was probably a garnet.

LEVITICUS, BOOK OF סֵפֶר וַיִּקְרָא
(Vayikra) third of the Biblical Five Books of Moses (the Torah). In Leviticus are found the priestly laws, the holiness and cleanliness code, and the laws of Yom Kippur. Leviticus also describes the installation of Israel's first priests (Aaron and his sons). Its 27 chapters are divided into 10 portions for weekly Sabbath readings.

LUACH לוּחַ

(*Tablet*) Hebrew word for calendar.
see Calendar, Jewish

LUCHOT HA B'RIT לוּחוֹת הַבְּרִית

see Tables of the Law

LULAV לוּלָב

A palm branch, one of the four plants
used in the celebration of Sukkot.
During the synagogue service, the
branch is waved in all directions to
show that God is to be found every-
where.

(Lev., chap. 23:40)
see Sukkot, Four Plants of

MAARIV מַעֲרִיב

The Evening Service, first of the
three daily services (in the Jewish
calendar, the day begins after sun-
set). The prayers of Maariv are re-
cited after sunset.

MACCABEES מַכַּבִּים

Five sons of the Hasmonean priest
Mattathias, heroes of the Maccabean
victory over Antiochus. The five Mac-
cabees were Johanan, Simon, Elea-
zar, Jonathan and Judah Maccabee
(*the Hammer*), from whom their
name originated. The name Maccabee
is also applied to the whole Hasmon-
ean house and dynasty.

סֵפֶר הַמַּכַּבִּים א', סֵפֶר הַמַּכַּבִּים ב'
MACCABEES I and II

Books of the Apocrypha, a record of
the religious thought, historical events
and legends of the time of the Mac-
cabees.

MAFTIR מַפְטִיר

(*Conclusion*) originally the term re-
ferred to the person who concludes
the portion of the Torah read in the
synagogue on the Sabbath and holi-
days and who recites the reading
from the Prophets (the Haftarah).
It has now been extended to refer to
the concluding Torah portion itself.

MAGEN DAVID מָגֵן דָּוִד

see Shield of David

MAH NISHTANAH מַה נִּשְׁתַּנָּה

The opening words of the "Four
Questions" asked by the youngest
member of the family at the Passover
Seder service. The "Four Questions"
query the differences between the
Passover night and other nights.
"Why do we eat matzah? Why do we
eat herbs? Why do we dip in salt
water? Why do we recline instead of
sitting erect?"

MAHZOR מַחֲזוֹר

(*Repetition* or *cycle of the year*)
prayer book for the High Holy Days
and the Three Festivals, containing
the prayers, poetry and passages
from the Scriptures to be recited on
those days.

MAIMONIDES רַמְבַּ"ם

Greatest Jewish philosopher and codi-
fier of medieval times, often called
RaMBaM from his title of rabbi and
the initials of his name (Rabbi Moses
ben Maimon), one of the leaders of
the Jewish communities of his day,
eminent physician to the Sultan of
Egypt. He was born in Cordova,
Spain, 1135,; died in Fostat (Old
Cairo), Egypt, 1204. He was buried
in Tiberias. His family fled from
Islamic persecution in Spain and
found refuge in Fostat. Maimonides
wrote in Arabic and Hebrew. His
many great works include Mishneh
Torah, his brilliantly arranged code

of Jewish law; Moreh Nevuchim (*Guide for the Perplexed*), his great philosophic work; and a commentary on the Mishnah which contains his well-known 13 Articles of Faith.

MAJOR PROPHETS סִפְרֵי הַנְּבוּאָה הַגְּדוֹלִים (יְשַׁעְיָה, יִרְמְיָה, יְחֶזְקֵאל)

see Prophets, Major

MALACH מַלְאָךְ

see Angel

MALACHI מַלְאָכִי

Last of the Books of Twelve (Minor) Prophets of the Bible. Malachi (his real name is uncertain), a prophet of the fourth century B.C.E., talked against the evils of his time and proclaimed that all men are brothers, children of the One God, and that men should deal justly with one another.

MANTLE מַפָּה

see Mappah

MAOZ TZUR מָעוֹז צוּר

(*Rock of Ages*) a song sung at Hanukkah; the melody dates back to a German song of the 16th century.

MAPPAH מַפָּה

1. Decorative cover or mantle for the Torah, consisting of a headpiece, with two openings for the rollers of the Torah, and the covering piece itself.

2. Name of a code of law arranged by Moses Isserles, Ashkenazic scholar, published in Krakau, 1578. Mappah (*Tablecloth*) is a supplement to the Shulhan Arukh (*the Prepared Table*), the code of law arranged by Joseph Caro, in Safed.

MAR מַר

Hebrew word meaning "mister" or "sir."

MASHIAH מָשִׁיחַ

see Messiah

MEGILLAH מְגִלָּה

A small scroll of parchment mounted on one roller. The word generally refers to the Book of Esther, which is read on Purim.

MEGILLAT ESTHER מְגִלַּת אֶסְתֵּר

see Esther, Book of

MEGILLOT, THE FIVE חָמֵשׁ מְגִילוֹת

(*The scrolls*) five of the books of the last division *(Ketubim)* of the Bible. The Five Megillot are Song of Songs, Ruth, Lamentations, Ecclesiastes and Esther.

MELAVE MALKA מְלַוֶּה מַלְכָּה

(*The seeing out of the Queen Sabbath*) the festivities accompanying a special meal after Havdalah, prolonging the joy of the Sabbath. Among many Jews, especially the Hasidim, this is a time for joyous singing and prayer, as they usher out the Sabbath, and begin a new work-day week with hope and good wishes.

MENORAH מְנוֹרָה

Originally a seven-branched candlestick that was kept in the Tabernacle and later in the Temple in Jerusalem. It has become one of the important symbols of Judaism. It has never been reproduced in its seven-branched form; instead, six- or eight-branched Menorot are used in the synagogues.

MENORAH, HANUKKAH מְנוֹרַת חֲנֻכָּה

An eight-branched candlelabrum with an extra branch (called the Shamos, which is used to kindle the other lights.) The Menorah is lit (one light

the first night, two the second, etc.) in commemoration of the jug of oil that burned for eight days and nights after the cleansing of the Temple. The Menorah is considered a symbol of freedom and of the light of God that survives all difficulties.

MESSIAH מָשִׁיחַ

(Mashiah, anointed one) a man who, it is prophesied, will appear at the dawn of the Golden Age, when peace will reign throughout the world and when the holiness of God and the brotherhood of man will be recognized by all. It is envisioned that the Messiah will be a man of great wisdom and dedication, a prophet of God, and will be of the tribe of Judah, a descendant of David.

MEZUZAH מְזוּזָה

A wooden or metal case in which the Shema and another passage from Deuteronomy are hand written on a tiny scroll. The Mezuzah is placed on the right side of doorposts of homes and synagogues, in accordance with a Biblical commandment.

(Deut., chap. 6: 9)

MICAH מִיכָה

Sixth of the Books of Twelve (Minor) Prophets of the Bible. Micah, a humble peasant from Gath, prophesied in Judah at the time of Isaiah. He cried out against injustice and dishonesty. "What doth the Lord require of thee," said Micah, "save to do justice, and to love mercy, and to walk humbly with thy God?" Micah, as Isaiah, envisioned a future time when war would cease and all men would be at peace.

MICHAEL מִיכָאֵל

Angel and messenger of God, patron angel of Israel.

MIDRASH מִדְרָשׁ

Form of commentary on a Biblical passage, much like a sermon. There are two kinds of Midrashim; the Midrash Halachah, which tries to clarify a point of law, and the Midrash Aggadah, which illustrates a spiritual or ethical point. Both kinds of Midrashim seek to interpret the deeper meaning of a Biblical passage. Midrashic writings on all parts of the Bible have been collected over a thousand-year span.

MINHAH מִנְחָה

The Afternoon Service, the third (in the Jewish calendar, the day begins after sunset) of the three daily services. The Minhah prayers are recited in the afternoon up to sunset.

MINOR PROPHETS תְּרֵי עָשָׂר

see Prophets, Twelve

MINYAN מִנְיָן

Number or quorum. A minimum of ten men, above the age of thirteen, are required for public worship.

MIRIAM מִרְיָם

Sister of Moses and Aaron, prophetess. She watched over the baby Moses in the bulrushes of the Nile and arranged for Pharaoh's daughter, who found the baby, to employ Jochebed, Moses' mother, as his nurse. Miriam led the Hebrew women in grateful singing and dancing after the crossing of the Red Sea.

(Exodus, chap. 2: 1-9; chap. 15: 20-21)

MISHLE מִשְׁלֵי

see Proverbs, Book of

MISHNAH מִשְׁנָה

Basic part of the Talmud, first Jewish code of law since the Torah, the

core of "Oral Torah," based on the Torah. It consists of laws and commentaries passed on for generations by word of mouth. They were collected and edited by Judah Hanasi (about 200 C.E.). The teachers and scholars whose decisions and discussions are recorded in the Mishnah are called Tannaim.

MISHNAH, DIVISIONS OF שִׁשָּׁה סִדְרֵי מִשְׁנָה

see Sedarim

MITZVAH מִצְוָה

(*A commandment*). There are 613 commandments listed in the Bible; 248 positive commandments, and 365 negative. The fulfillment of these commandments is not for material gain but to perfect moral character and to express love of God. Mitzvah colloquially means "a good deed."

MIZRAH מִזְרָח

1. (*East*) the east wall of the synagogue. The congregation usually faces east, as a symbol of its hopes for the restoration of the Temple on Mount Zion in Jerusalem.
2. A drawing on parchment or paper, or a tapestry, hung on the east wall of a room.

MOAB מוֹאָב

Ancient kingdom of the Moabites, east of the Jordan and the Dead Sea, opposite Jericho. There were alternate periods of peace and warfare between Israel and Moab. Ruth, David's ancestor, was a Moabite. Moab was destroyed by Assyria.

MONTH חֹדֶשׁ

(*Hodesh*) in the Jewish calendar a month consists of 29 or 30 days, the period of time between one new moon and the next.

see Rosh Hodesh

MONTHS, JEWISH חָדְשֵׁי יִשְׂרָאֵל

The Jewish year begins with Rosh Hashanah on the first of Tishri. There are 12 months in the Jewish civil calendar: Tishri, Heshvan, Kislev, Tevet, Shevat, Adar, Nisan, Iyar, Sivan, Tammuz, Av and Elul. In leap years a 13th month is added: Adar Sheni or Veadar.

see Calendar, Jewish

MORIAH, MOUNT הַר הַמֹּרִיָּה, הַר צִיּוֹן, הַר הַבַּיִת

The mountain where God tested Abraham by commanding him to sacrifice his son Isaac. In David's time, Mount Moriah was called Mount Zion. Later Mount Zion was also called Temple Mount (*Har Habayit*), because the Temple of Jerusalem stood there.

MORNING SERVICE שַׁחֲרִית

see Shaharit

MOSES מֹשֶׁה

Son of Amram and Jochebed, brother of Miriam and Aaron, husband of Zipporah, father of Gershom and Eliezer. Moses was the greatest leader and prophet of Israel. He led the Israelites out of Egyptian bondage and received the Ten Commandments at Mount Sinai. He explained God's commandments to the people and installed Israel's first priests. Moses did not live to enter the Promised Land. His burial place on Mount Nebo, in the land of Moab, is not known. Moses was of the tribe of Levi.

MOSES BEN MAIMON מֹשֶׁה בֶּן מַיְמוֹן

see Maimonides

MOUNT SINAI הַר סִינַי

see Sinai, Mount

MUSAF מוּסָף

(*Additional Service*) a collection of prayers recited after the Morning Prayer (*Shaharit*) and the reading of the Torah. Musaf is said on Rosh Hodesh, Sabbath and on holidays.

MYRTLE הֲדַס

see Hadas

NAHUM נַחוּם

Seventh of the Books of the Twelve (Minor) Prophets of the Bible. Nahum prophesied the fall of the mighty Assyrians and the destruction of Nineveh, the great Assyrian capital.

NAOMI נָעֳמִי

Israelite mother-in-law of Ruth the Moabite; ancestor of King David. The Book of Ruth tells how Naomi, after the death of her husband and sons, returned to Bethlehem, followed by the faithful Ruth.

NEHEMIAH, BOOK OF סֵפֶר נְחֶמְיָה

With the Book of Ezra, the second book of historical writings of the 3rd division (*Ketubim*) of the Bible. The book is a record of the life and times of Nehemiah.

NEILAH נְעִילָה

(*Closing*) the concluding service on Yom Kippur. It is the climax of a day of prayer, and is conducted in a mood of solemnity and reverence.

NER TAMID נֵר תָּמִיד

(*Eternal light*) the light that burns continuously before the ark in the synagogue, a symbolic continuation of the holy light that burned in the Temple. The Ner Tamid reminds the congregation of the continuous presence of God.

NES GADOL HAYAH SHAM נֵס גָּדוֹל הָיָה שָׁם

(*A great miracle happened there*) refers to the rededication of the ancient Temple in Jerusalem, when it was liberated by Judah Maccabee and his followers. The first letter of each word of this saying appears on the four sides of the dreydel.

NEVI'IM נְבִיאִים

see Prophets

NEW MOON רֹאשׁ חֹדֶשׁ

see Rosh Hodesh

NEZIKIM נְזִיקִים (נְזִיקִין)

see Sedarim

NISAN נִיסָן

Seventh month in the Jewish calendar.

see Months, Jewish

NUMBERS, BOOK OF סֵפֶר בַּמִּדְבָּר

(*Bamidbar*) fourth of the Biblical Five Books of Moses (the Torah). Numbers records the 40 years of Israel's wanderings in the wilderness. Its 36 chapters are divided into 10 portions for weekly Sabbath readings. Its name is derived from an event it describes, the "numbering," or counting of the Israelites.

OBADIAH עוֹבַדְיָה

1. Fourth Book of the Twelve (Minor) Prophets of the Bible. Obadiah prophesied the destruction of Edom and the restoration of Israel.

2. Ahab's steward who courageously risked his life hiding many prophets in caves to save them from Queen Jezebel's persecutions.

(Kings I, chap. 18: 1-16)

OHEL MOED   אֹהֶל מוֹעֵד

Hebrew name for the Tabernacle that housed the Ark during Israel's wanderings in the desert.

see Tabernacle

OMER   עֹמֶר

Measure of grain in ancient Israel. An Omer of grain from the first harvest was taken to the Temple as a thanksgiving offering. The first harvest of the year took place during the 49 days between Passover and Shavuot, and was called the period of Omer or Sefirah (counting). No one ate of the new grain until the giving of Omer.

(Lev., chap. 23: 9-17)

ONEG SHABBAT   עֹנֶג שַׁבָּת

(Joy of Sabbath, rejoicing of the Sabbath) an hour of social gatherings and cultural activities on Friday evenings or Sabbath afternoons. The modern form of Oneg Shabbat was initiated in Israel (then Palestine) by the poet C. N. Bialik. Refreshments are often served for Oneg Shabbat, probably deriving from the ancient custom of the Se'udah Shelishit, the third and last prescribed Sabbath meal, which was often accompanied by festivities and singing.

PALESTINE   פְּלֶשְׁתִּינָה, פְּלֶשֶׁת, אֶרֶץ יִשְׂרָאֵל

Name for the land of Israel, the territory west of the Jordan from Dan to Beer-sheba. The name is a derivation from the word Philistine and was first used by the Greeks, and later by the Romans (Palestina). The name is not mentioned in the Bible.

PALESTINIAN ACADEMIES   יְשִׁיבוֹת אֶרֶץ יִשְׂרָאֵל

see Academies, Palestinian

PALESTINIAN TALMUD   תַּלְמוּד יְרוּשַׁלְמִי

see Talmud, Palestinian

PALM   לוּלָב

see Lulav

PARASHAH   פָּרָשָׁה

(Sidrah) the portion of the Torah read on the Sabbath. The Sefer Torah does not have chapters. It is divided into 54 portions (parshiyot) which are read during the year.

PAROKHET   פָּרֹכֶת

The curtain which hangs before the ark in the synagogue. It is usually made of beautiful cloth and is artistically decorated. It often bears the letters Kaf and Tav, the initials of Keter Torah (Crown of the Torah). Its color is usually red or blue. On the High Holy Days a white Parokhet is used.

PASSOVER   פֶּסַח

(Pesach) one of the three harvest and pilgrimage festivals, the holiday that marks the beginning of Spring. Passover celebrates the deliverance of the Israelites from Egyptian slavery. The name of the holiday is derived from the event of the angel of death "passing over" the Israelite houses when every Egyptian first-born son was smitten. Passover is also called the Feast of Freedom and the Feast of Matzot.

(Exodus, chap. 12)

PATRIARCHS, THE THREE   שְׁלֹשֶׁת הָאָבוֹת

The fathers of the Jewish people, Abraham, Isaac and Jacob.

PENITENCE, PRAYERS OF   סְלִיחוֹת

see Selihot

PENTATEUCH   חֻמָּשׁ

Greek name for Humash; the Five Books of Moses; the Torah.

PESACH   פֶּסַח

see Passover

PEZUKE DEZIMRA   פְּסוּקֵי דְזִמְרָא

(Passages of Song) passages from the Books of Chronicles and Psalms recited before the morning service (Shaharit).

PHYLACTERIES   תְּפִלִּין

see Tefillin

PIDYON HABEN   פִּדְיוֹן הַבֵּן

(The redemption of the first-born son) a ceremony that takes place 30 days after the birth of the first son. As a first son belongs traditionally to the service of God, he is symbolically redeemed by his father by an offering of money (5 shekels) to a Cohen, or a Levite, as the Levites and Cohanim were dedicated (instead of the first-born) to the service of God.

(Numbers, chap. 18: 15-16)

שָׁלֹשׁ רְגָלִים

PILGRIMAGE FESTIVALS, THREE

see Shalosh Regalim

PIRKE AVOT   פִּרְקֵי אָבוֹת

(Ethics of the Fathers) one of the best known parts of the Mishnah, wise sayings of the great rabbis and teachers; often read or studied on Sabbath afternoons, starting with the Sabbath after Passover until the Sabbath before Rosh Hashanah. Selections from Pirke Avot are included in many Siddurim.

PIYUT   פִּיּוּט

A religious poem. Many beautiful piyutim are part of the synagogue service.

PRAYER SHAWL   טַלִּית

see Tallit

PRIESTLY BLESSING   בִּרְכַּת כֹּהֲנִים

see Birkat Cohanim

PRIESTS   כֹּהֲנִים

see Cohanim

PROMISED LAND

see Holy Land

PROPHETS   נְבִיאִים

Men of God (Nevi'im) who conveyed God's will to the people. They fought idol worship and inspired the people to preserve their faith. They often rebuked men of power, kings and priests who were idolatrous and cruel. Some of the prophets traveled in groups through the land and preached to the people. They tried to make the people understand the deeper meanings of their religion. They taught that to bring sacrifices was not as important as to love God and to be just to men. Their histories and their writings are recorded in the Books of Prophets of the Bible.

סִפְרֵי נְבִיאִים, נְבִיאִים רִאשׁוֹנִים, נְבִיאִים

PROPHETS, BOOKS OF   אַחֲרוֹנִים

(Nevi'im) second major division of the Bible, consisting of:

1. The Books of Early Prophets (Nevi'im Rishonim), which include Joshua, Judges, Samuel, I and II, and Kings, I and II. These books tell the history of the Jewish people from the time of Joshua until the destruction of the First Temple, 586 B.C.E.

2. The Books of Later Prophets (*Nevi'im Aharonim*), which contain, often in beautiful literary form, the prophecies and orations of the Later Prophets. Later Prophets consist of four books, one of each of the three Major Prophets, and the Book of the Twelve (Minor) Prophets.

PROPHETS, MAJOR   סִפְרֵי הַנְּבוּאָה הַגְּדוֹלִים (יְשַׁעְיָה, יִרְמְיָה, יְחֶזְקֵאל)

The three great prophets, Isaiah, Jeremiah and Ezekiel, whose writings were recorded in Later Prophets (*Nevi'im Aharonim*), in the Books of Isaiah, Jeremiah and Ezekiel.

PROPHETS, MINOR   שְׁנֵים עָשָׂר סִפְרֵי הַנְּבוּאָה הַקְּטַנִּים

see Prophets, Twelve

PROPHETS, TWELVE   תְּרֵי עָשָׂר

Also called Minor Prophets. Their works are shorter than those of the Major Prophets, and together constitute the Fourth Book of Later Prophets. These Twelve Prophets are: Hosea, Joel, Amos, Obadiah, Jonah, Micah, Nahum, Habakkuk, Zephaniah, Haggai, Zechariah and Malachi.

PROVERBS, BOOK OF   סֵפֶר מִשְׁלֵי

(*Mishle*) second book of the 3rd division (*Ketubim*) of the Bible. It consists of a collection of wise sayings ascribed to King Solomon.

PSALMS, BOOK OF   סֵפֶר תְּהִלִּים

(*Tehillim*) first and longest of the three poetical books of the 3rd division (*Ketubim*) of the Bible, a collection of 150 beautiful poems. The book is also called the Psalms of David, though some of the poems were probably written by other people.

PULPIT   בִּימָה

see Bimah

PURIM   פּוּרִים

(*Feast of Lots*) a holiday that celebrates the escape of the Jews of Persia from Haman's evil plot to destroy them. Haman, a favorite of King Ahasuerus, was angered by Mordecai, a cousin of Queen Esther, who refused to bow down before him. Haman cast lots to choose the day of destruction of Mordecai and all the Jews of Persia, and tricked Ahasuerus to give his approval. The Book of Esther, which is read on Purim, recounts the courage of Queen Esther, who risked her life to expose Haman to the King. Purim is a joyous holiday and is celebrated with parties, costume plays and Shalach Manot.

RABBI   רַב

1. The spiritual leader of a congregation ordained by a theological seminary or a Yeshiva. The rabbi is expected to be devoted to the principles of Judaism, to be a scholar, and to lead an exemplary life. In the past a rabbi was ordained by another rabbi of great repute. The meaning of the Hebrew word "Rabbi" is "my master" or "my teacher."

2. Honorary name of Judah Hanasi.

RABBINISM   רַבָּנוּת

The tradition of safekeeping, study and interpretation of the Torah, founded by Ezra and the Soferim and carried on to the present day by rabbis, scholars and teachers. The greatest work embodying this tradition is the Talmud.

REBEKAH רִבְקָה

Daughter of Bethuel; wife of Isaac, mother of Jacob and Esau, one of the Four Mothers of Israel. Believing Jacob more deserving than Esau, she helped him to deceive ancient, blind Isaac and to receive the first-born's blessing instead of Esau. Rebekah was buried in the Cave of Machpelah.

(Genesis, chaps. 24 and 27)

RED SEA יַם סוּף

The oceanic gulf which extends from the Indian Ocean to the Gulf of Suez, the scene of the miraculous crossing by the Israelites, under Moses' guidance, in their escape from Egypt and Pharaoh's army. In Hebrew the Red Sea is called "Yam Suf" (*Sea of Reeds*).

(Exodus, chaps. 14-15)

ROCK OF AGES מָעוֹז צוּר

see Maoz Tzur

ROMANS רוֹמָאִים

Great conquerors of the ancient world, first allies and later enemies of the Hasmonean kings, protectors of the Herodians under whom Judea became a complete vassal of Rome. The Jews repeatedly revolted against Rome. In the Jewish War, Vespasian conquered them in Galilee (66 C.E.). Titus destroyed Jerusalem and the Temple, in 70 C.E. Hadrian's general, Severus, cruelly stamped out Bar Kochba's revolt (132-135) and many Jewish martyrs were put to death. Later Roman rulers were more friendly towards the Jews. Jews migrated to Rome where they became Roman citizens. Under Roman auspices, the first Jews settled as pioneers of trade in parts of Western Europe.

ROSH HASHANAH רֹאשׁ הַשָּׁנָה

(*Beginning of the year*) also called Yom Norah (*Day of Awe*) and Yom Hazikaron (*Day of Remembrance*); the Jewish New Year; first of the High Holy Days of the Jewish year; first of the Ten Days of Penitence. Rosh Hashanah is traditionally regarded as the day of the creation of the world. It is also considered a Day of Judgment, for it is believed that on this day God decides the destinies of all men for the coming year. Though a serious holiday, it is a time for festive joy, because men have an opportunity to repent and begin anew.

(Lev., chap. 23: 23-25; Numbers, chap. 29: 1-6)

ROSH HODESH רֹאשׁ חֹדֶשׁ

(*Beginning of the month*) also called New Moon (the new moon determines the beginning of the Jewish month). Rosh Hodesh, in ancient Israel, was a sacred rest day, like the Sabbath; now it is a half-holiday. The Torah is read and special prayers are recited in the synagogue on Rosh Hodesh.

RUTH רוּת

The young Moabite widow who faithfully followed Naomi, her Israelite mother-in-law, home to Bethlehem. She married Boaz who saw her work in his field. She was an ancestor of David. Her story is told in the Book of Ruth.

RUTH, BOOK OF סֵפֶר רוּת

Second of the Five Megillot of the Bible. It tells the story of Ruth, the Moabite great-grandmother of David. The Book of Ruth is read on Shavuot.

SABBATH שַׁבָּת

(Shabbat) the weekly holy day of

rest, the last day of the week, begins Friday night at sundown and ends at sundown on Saturday evening. A day of rest and a day of sanctification, it is ushered in on Friday night in the home with the lighting of Sabbath candles and the saying of Kiddush. Sabbath services are held in the synagogue on Friday evening and Saturday. At sundown on Saturday, the holy day of Sabbath is ended with the Havdalah ceremony, separating the Sabbath from the workday week.

SABBATH LIGHTS נֵרוֹת שַׁבָּת

Candles kindled by the woman of the household as she recites a blessing on Friday evening in honor of the coming of the Sabbath. If there is no woman in the home, the lights may be kindled by a man.

SALT SEA יָם הַמֶּלַח

Also called Salt Sea, or Sea of the Plain, 1,292 feet below sea level, lowest lake in the world.

שְׁמוּאֵל בַּר אַבָּא, מַר שְׁמוּאֵל

SAMUEL, BAR ABBA

see Mar Samuel

שְׁמוּאֵל א׳, שְׁמוּאֵל ב׳

SAMUEL I AND II, BOOKS OF

Third book of the Early Prophets (*Nevi'im Rishonim*) of the Bible. Samuel I records Israel's history from the time of the birth of Samuel to that of the death of Saul. Samuel II records the history of the reign of King David under whom the tribes united and grew into one nation.

SANHEDRIN סַנְהֶדְרִין

(*Assembly*—Hebraicized version of the Greek word "Synedrion"). Trial courts which ruled on matters of Jewish ritual law (Halachah), and on specific civic and criminal cases.

SARAH שָׂרָה

From Ur in the Chaldees, wife of Abraham. She was a beautiful woman of great courage and piety. Late in life she bore Abraham a son, Isaac. She was buried in the Cave of Machpelah. Sarah is the first of the Four Mothers of Israel.

(Genesis, chaps. 12; 18: 1-15; 21: 1-8; 23)

SARAI שָׂרַי

Name of Sarah before God's covenant with Abraham.

(Genesis, chap. 17: 15)

SCHOLAR'S FESTIVAL ל״ג בָּעֹמֶר

see Lag B'omer

SCROLLS, FIVE חָמֵשׁ מְגִילוֹת

see Megillot, The Five

שִׁשָּׁה סִדְרֵי מִשְׁנָה:
זְרָעִים, מוֹעֵד, נָשִׁים, נְזִיקִים, קָדָשִׁים,

SEDARIM (OF THE MISHNAH) טָהֳרוֹת

(*Divisions, orders*) the six divisions of the Mishnah, each of which is subdivided into Tractates (*massechtot*), chapters (*perakim*) and paragraphs. The six Sedarim are:

1. Zeraim (*Seeds*): laws concerning agriculture.

2. Moed (*Festival*): laws regulating the Sabbath, festivals and fast days.

3. Nashim (*Women*): laws concerning marriage and divorce.

4. Nezikim (*Damages*): civil and criminal laws.

5. Kodashim (*Holy Matters*): laws concerning the Temple services, sacrifices and Shehitah.

6. Toharot (*Purities*): laws of ritual purity and cleanliness.

SEDER סֵדֶר

The Passover service at home which celebrates the liberation of the Jew-

ish people from Egyptian bondage. In recent times community Seders are held as well as the home Seders. Seder means "order."

SEFER TORAH סֵפֶר תּוֹרָה

see Torah, Sefer

SEFIRAH סְפִירָה

Period of Omer, also a time of remembrance of the sufferings of Rabbi Akiba and his students and other scholars under the Roman Emperor Hadrian. According to tradition no weddings or parties are held during the Sefirah period, except on Lag B'omer.

see Lag B' omer

see Omer

SELIHOT סְלִיחוֹת

Prayers of penitence asking for forgiveness of sins. A special group of Selihot prayers are recited in the synagogue during the Ten Days of Penitence (from Rosh Hashanah to Yom Kippur).

SEPHARDIM סְפָרַדִּים

Jews of Spanish or Portuguese descent, a term applied especially to descendants of Jewish exiles and refugees from Spain and Portugal of the 14th and 15th centuries, but now no longer primarily signifying a geographical division of Jewry. Sephardim differ slightly from Ashkenazim in their form of worship and customs but not in their religious beliefs. Sephardic pronunciation of Hebrew differs from the Ashkenazic.

SERMON דְּרָשָׁה

The sermon which is given during services is a unique part of Judaism that has been adopted by other religious groups. The sermon is usually based on a verse from the Bible which is applied to present times. The popularity and the function of sermons have varied over the centuries.

SE'UDAH SHELISHIT סְעוּדָה שְׁלִישִׁית

Last of the three prescribed meals of Sabbath, held at the end of the day. Se'udah Shelishit is often accompanied by special festivities and singing.

SEXTON שַׁמָּשׁ

see Shamos

SHABBAT שַׁבָּת

see Sabbath

SHABBAT BERESHIT שַׁבַּת בְּרֵאשִׁית

The Sabbath immediately following Simhat Torah on which the yearly cycle of the Torah reading is begun. It is named for the first portion of the Torah, which begins with the word "Bereshit" (*In the beginning*), and which is read on this Sabbath.

SHABBAT HAGADOL שַׁבָּת הַגָּדוֹל

The Sabbath which immediately precedes the holiday of Passover. It is generally accepted that it is called Shabbat Hagadol (*the Great Sabbath*) because the portion from the prophet Malachi read on that day includes the verse: "Behold I will send you Elijah the prophet before the coming of the *great* and terrible day of the Lord" (3:23). On this Sabbath it is customary for the rabbi to deliver a special discourse on the laws and observance of the holiday of Passover.

SHABBAT SHALOM שַׁבָּת שָׁלוֹם

Greeting on Sabbath, meaning "may you have the Peace of Sabbath."

SHABBAT SHUVAH שַׁבַּת שׁוּבָה

The Sabbath that falls between Rosh Hashanah and Yom Kippur. It is called Shabbat Shuvah (*the Sabbath of Return*) because the portion read from the Prophets on that day begins with the words, "Return, O Israel, unto the Lord thy God." On this Sabbath it is customary for the rabbi to deliver a sermon on the laws and principles of teshuvah (*repentance*).

שַׁדְרַךְ, מֵישַׁךְ, עֲבֵד נְגוֹ

SHADRACH, MESHACH, ABED-NEGO

Daniel's three friends who miraculously survived the fiery furnace into which they were cast by King Nebuchadnezzar of Babylon.

(Daniel, chap. 3)

SHAHARIT שַׁחֲרִית

Morning Service, the second of the three daily services (in the Jewish calendar, the day begins at sunset). The prayers of Shaharit are recited early in the morning.

SHALACH MANOT מִשְׁלוֹחַ מָנוֹת

Exchange of gifts on the day of Purim. Children receive Shalach Manot, usually sweets, on Purim.

SHALOM שָׁלוֹם

(*Peace*) the traditional Jewish salutation used in greetings and farewells.

SHALOM ALECHEM שָׁלוֹם עֲלֵיכֶם

1. Traditional greeting which means "peace be unto you."

2. Beautiful Sabbath song, sung especially on the eve of Sabbath.

SHALOSH REGALIM שָׁלֹשׁ רְגָלִים

(*The Three Festivals of Pilgrimage*) Passover, Shavuot and Sukkot. In ancient times these festivals were observed by making pilgrimages to the Temple or other places of worship.

(Deut., chap. 16: 1-17)

SHAMOS שַׁמָּשׁ

1. (*Sexton*) also called Shamosh, the man in charge of the synagogue building.
2. The "helper" candle used to light the other eight candles of the Hanukkah Menorah.

SHAVUOT שָׁבוּעוֹת

(*The Feast of Weeks*) one of the three ancient harvest and pilgrimage festivals, a holiday that celebrates the first harvest and also commemorates the giving of the Ten Commandments at Mount Sinai. It is observed seven weeks after Passover. In some congregations, confirmation exercises are held during this festival.

(Lev., chap., 23: 15-21; Deut., chap. 16: 9-12)

SHEMA שְׁמַע

(*Hear*) the first word of the prayer which forms the central concept of the Jewish religion: "Hear O Israel: the Lord our God, the Lord is One."

(Deut., chap. 6: 4)

see Keriat Shema

SHEMINI ATZERET שְׁמִינִי עֲצֶרֶת

(*Eighth Day of Solemn Assembly*) eighth day of the Sukkot holiday. Technically a separate holiday, it is observed in practice as the concluding day of Sukkot. Special prayers for rain are recited on this day.

(Lev., chap. 23: 36)

SHEMONEH ESREH שְׁמוֹנֶה עֶשְׂרֵה

The Eighteen Benedictions recited at each of the daily services, the most important prayers of petition in the Jewish liturgy, and the core of religious service. The Shemoneh Esreh is recited in silent devotion, while the worshippers stand, facing east. Shemoneh Esreh means "eighteen." This prayer is also referred to as the "Amidah."

see Amidah

SHEMOT סֵפֶר שְׁמוֹת

see Exodus, Book of

SHEVARIM שְׁבָרִים

see Shofar

SHEVAT שְׁבָט

Fifth month in the Jewish calendar.

see Months, Jewish

SHIELD OF DAVID מָגֵן דָּוִד

(*Magen David*) a six-pointed star consisting of two interlaced triangles, in modern times the generally accepted symbol of Judaism. Its history is ancient and goes back to Biblical times. The Magen David occupies the center of the flag of Israel.

SHIR HAMAALOT שִׁיר הַמַּעֲלוֹת

1. (*Song of Ascents, Song of Steps*) refers to 15 Psalms from the Biblical Book of Psalms (120-134). The Shir Hamaalot were probably sung on the Three Pilgrimage Festivals and by the Judeans returning from Babylonian Exile. At the time of the Second Temple, the Levites sang these Psalms on fifteen designated steps of the Temple.

2. Refers specifically to Psalm 126 sung at Grace after Meals on the Sabbath and festivals.

SHIR HASHIRIM שִׁיר הַשִּׁירִים

see Song of Songs

SHIVAH שִׁבְעָה

(*Seven*) seven-day mourning period. Mourners refrain from work and sit Shivah at home during this week. Among some congregations the period of mourning has been shortened to three days.

שִׁבְעָה עָשָׂר בְּתַמּוּז

SHIVAH ASAR BETAMMUZ

(*Fast Day of the Seventeenth of Tammuz*) fast day observed in commemoration of the first break in the wall of Jerusalem by the Babylonians in the year 586 B.C.E.

SHOFAR שׁוֹפָר

A ram's horn, used in ancient times to signal an alarm or to assemble the people. The Shofar is sounded on Rosh Hashanah and Yom Kippur. Its stirring notes are understood as an announcement of the New Year and as a divine summons to repentance and improvement. The three notes sounded on the Shofar are called Tekiah (*blowing*), Teruah (*alarm*) and Shevarim (*tremolo*).

(Numbers, chap. 10:1-10; Lev., chap. 23:23-25)

SHOFETIM שׁוֹפְטִים, סֵפֶר שׁוֹפְטִים

see Judges

see Judges, Book of

SHULHAN ARUKH שֻׁלְחָן עָרוּךְ

Famous code of Jewish law, first published about 1565 in Safed, Palestine. It was written by Joseph Caro (born in Toledo, Spain, 1488, died in Safed, 1575). The Shulhan Arukh (based on the Arba Turim by Jacob ben Asher), which deals with ritual and legal matters, is simply arranged so that it can

be used by everyone. Shulhan Arukh means "the set table"—the laws are arranged so that everyone can help himself to them, as he would to food at a prepared table.

SIDDUR סִדּוּר

Prayer book, a volume containing the prayers for daily and Sabbath worship, arranged in a given order. The Siddur also contains some prayers for the holidays. Saadia compiled the first Siddur in the 10th century.

SIDRAH סִדְרָה

see Parashah

SIFRE EMET סִפְרֵי אֱמֶ״ת (אִיּוֹב, מִשְׁלֵי, תְּהִלִּים)

(Book of Truth) the three poetical books, the first part of Ketubim (the third division of the Bible), containing Psalms, Proverbs and Job.

See Ketubim

SIMEON BAR YOHAI שִׁמְעוֹן בַּר יוֹחַאי

Tannaitic scholar and teacher of the 2nd century C.E., student of Akiba. Simeon had to flee from the Romans, and for 13 years hid in a cave. Simeon was a mystic. Legend has it that he was the author of the Zohar (great work of Cabala which appeared in Spain in the 13th century). On Lag B'omer, the day of Simeon's death, pilgrims visit his grave at Merom, near Safed.

SIMHAT TORAH שִׂמְחַת תּוֹרָה

The holiday which occurs the day after Shemini Atzeret. It celebrates the end of a year's reading from the Torah, and the beginning of the year's new reading, which starts with the first chapter of Genesis (Bereshit). Simhat Torah means "rejoicing over the Torah."

SINAI, MOUNT הַר סִינַי

The mountain in the Sinai Desert where Moses received the Ten Commandments.

(Exodus, chaps. 19-20)

SIRACH בֶּן סִירָא

Book of the Apocrypha, also called Ecclesiasticus, containing wise sayings and rules for conduct.

SIVAN סִיוָן

Ninth month in the Jewish calendar.

see Months, Jewish

SKULLCAP כִּפָּה

Headpiece. The custom of covering the head, though not based on Biblical or Talmudic law, is observed by the majority of Jews. It developed in medieval times. The skullcap is called "Kippah" in Hebrew and "Yarmulka" in Yiddish.

SOFER סוֹפֵר

A scribe, the man who writes by hand the sacred Torah scrolls in accordance with prescribed rules. He is expected to be a very pious man.

SOLOMON שְׁלֹמֹה

Third king of Israel (about 977-937 B.C.E.), son of David and Bath-sheba, builder of the beautiful First Temple. During his peaceful reign, he made Jerusalem a great city and developed Israel's trade and commerce with Egypt, Phoenicia, Arabia and even India, through the construction of a fleet and the mining of copper. His wise judgments and sayings brought him fame. He is considered the author of three Biblical books: Song of Songs, Proverbs and Ecclesiastes.

(Kings I, chaps. 1-11)

SONG OF SONGS שִׁיר הַשִּׁירִים
(*Shir Hashirim*) first of the Five Me-
gillot of the Bible. This beautiful
poem is considered to represent the
love between God and Israel. It is as-
cribed to King Solomon. The poem
is read in the synagogue on Passover.

SPICEBOX קֻפְסָה שֶׁל בְּשָׂמִים
(*Besamim* box) used in the Havda-
lah ceremony marking the end of
the Sabbath and the festivals in the
traditional synagogue and home. A
prayer is made over the spices which
are inhaled as a remembrance of the
beauty of the Sabbath (or festival).

STAR OF DAVID מָגֵן דָּוִד
see Shield of David

SUKKAH סֻכָּה
A booth or hut made of branches and
decorated with fruits and flowers,
used during the holiday of Sukkot.
These temporary huts are a reminder
of the Israelites' wanderings in the
wilderness, and serve as a place to
thank God for His many blessings.
(Leviticus, chap. 23: 42-43)

SUKKOT חַג הַסֻּכּוֹת
(*Feast of Tabernacles*) one of the
three ancient harvest and pilgrimage
festivals, the thanksgiving and har-
vest holiday which occurs five days
after Yom Kippur. It was the custom
during this festival to dwell in Suk-
kot (*booths*).
(Lev., chap. 23: 33-43)

SUKKOT, FOUR PLANTS OF אַרְבָּעָה מִינִים: אֶתְרֹג, לוּלָב, הֲדַס, עֲרָבָה
Ethrog (*citron*), Lulav (*palm*), Ha-
das (*myrtle*) and Aravah (*willow*);
four plants used by the Jewish people
since ancient times when they carried
them in the joyous processions of the
Pilgrimage festival of Sukkot to the
Temple in Jerusalem. Lulav, Aravah
and Hadas, bound together, are held
with the Ethrog. These plants symbo-
lize that God is everywhere and that,
like the four plants, all Jews are
bound together in brotherhood.
(Lev., chap. 23: 40)

SYNAGOGUE בֵּית כְּנֶסֶת
Greek word meaning "assembly" or
"congregation," first used by the Jews
of Egypt in the 3rd century B.C.E. to
describe their houses of worship. To-
day most Orthodox and Conservative
congregations use this word; Reform
congregations usually use the Latin
word "temple." The Yiddish word for
synagogue is "shul."

TAANIT ESTHER תַּעֲנִית אֶסְתֵּר
(*The Fast of Esther*) a fast day com-
memorating the fast of the Jews of
Persia, led by Esther and Mordecai,
who were threatened with death by
Haman. Taanit Esther occurs on the
13th of Adar, the day before Purim.

TABERNACLE מִשְׁכָּן
The portable sanctuary used by the
Israelites during their wanderings in
the wilderness. The Ark of the Cove-
nant was kept in its inner shrine, the
Holy of Holies. The Tabernacle was
dedicated by Moses. It was also called
the "Tent of the Meeting."

See Ohel Moed

TABLES OF THE LAW לוּחוֹת הַבְּרִית
The two stone tablets upon which
were engraved the Ten Command-
ments, also called "Tablets of the
Law," or "Tablets of the Covenant"
(*Luchot Ha B'rit*).

TABOR, MOUNT הַר תָּבוֹר

Northeast of the Emek Jezreel, near the Kishon River, in ancient times a beautifully wooded mountain, often mentioned as a symbol of God's strength. Near Mount Tabor, Deborah and Barak defeated the army of Sisera and King Jabin.

TALLIT טַלִּית

A fringed prayer shawl, traditionally worn by men and boys over 13 when reciting prayers. Some worshippers kiss the Tallit before putting it on, as a token of reverence, and make a benediction. It is not worn by most Reform Jews.

TALMUD תַּלְמוּד

Great book of post-Biblical writings on Jewish law and lore based on Oral Torah which in turn is based on the Torah. The Talmud consists of the Mishnah and the Gemara. There are two different versions of the Talmud, the Palestinian and the Babylonian; each is based on the same Mishnah but has its own Gemara.

TALMUD, BABYLONIAN תַּלְמוּד בַּבְלִי

One of the two versions of the Talmud. It consists of the Mishnah, the Toseftah (supplement to the Mishnah) and the Babylonian Gemara. It was edited by Rabina and Ashi and was completed by the Saboraim in the beginning of the 6th century C.E. It is longer and more complete than the Palestinian Talmud and is more frequently used.

TALMUD, PALESTINIAN תַּלְמוּד יְרוּשַׁלְמִי

Consists of the Mishnah and the Palestinian Gemara, completed by the Palestinian Amoraim by the middle of the 4th century C.E. It is older and shorter than the Babylonian Talmud. Though not compiled in Jerusalem, its Hebrew name is "Talmud Yerushalmi."

TALMUD TORAH תַּלְמוּד תּוֹרָה

An afternoon school for the "teaching of the Torah," attended by students after their elementary school session.

TAMMUZ תַּמּוּז

Tenth month in the Jewish calendar.

see Months, Jewish

TANAKH תַּנַ"ךְ

The Bible in its entirety; an abbreviation of the names of the three major divisions of the Bible:

1. Torah (Five Books of Moses);
2. Nevi'im (the Prophetic Books);
3. Ketubim (Writings).
see Bible

TANNAIM תַּנָּאִים

(*Teachers* in Aramaic) teachers and scholars whose discussions and commentaries on Jewish law are recorded in the Mishnah. The period of the Tannaim (1st to 3rd centuries C.E.) started with the death of Hillel and ended with the death of Judah Hanasi.

TAS טַס

see Breastplate

TEFILLAH תְּפִלָּה

(*Prayer*) originally described only prayers of petition or thanksgiving, applied specifically to Shemoneh Esreh. Today the word is used to describe any prayer.

TEFILLIN תְּפִלִּין

Small leather boxes which contain four handwritten sections of the To-

rah and to which leather straps are attached. Traditionally, men and boys over 13 place these on the head and left arm during daily morning prayers except on Sabbaths and holidays. The tradition of putting on of Tefillin (*phylacteries*) is derived from the Biblical commandment, "And thou shalt bind them for a sign upon thy hand, and they shall be for frontlets between thine eyes."

(Deut., chap 6: 8)

TEHILLIM תְּהִלִּים

see Psalms, Book of

TEKIAH תְּקִיעָה

see Shofar

בֵּית רִאשׁוֹן, בַּיִת שֵׁנִי
TEMPLE, FIRST AND SECOND

The beautiful First Temple was built by King Solomon in Jerusalem. It was the spiritual center of Israel for about 400 years, until it was destroyed by Nebuchadnezzar in 586 B.C.E. The Second Temple was rebuilt by the returning Babylonian exiles in 520 B.C.E. It was in existence until 70 C.E., when it was leveled to the ground by the Romans. Since then the restoration of the Temple has been one of the cherished hopes of the Jews.

(Kings I, chaps 6-8; Kings II, chap. 25; Ezra, chaps. 5-6)

עֲשֶׂרֶת הַדִּבְּרוֹת (הַדְּבָרִים)
TEN COMMANDMENTS

The ten rules for conduct toward God and man that form the basis of Jewish religious and moral law. According to the Bible, these laws were given by God to Moses at Mount Sinai, and engraved upon the two Tablets of the Law.

1. I am the Lord thy God who brought thee out of the land of Egypt, out of the house of bondage.
2. Thou shalt have no other gods before me.
3. Thou shalt not take the name of the Lord thy God in vain.
4. Remember the Sabbath day to keep it holy.
5. Honour thy father and mother.
6. Thou shalt not murder.
7. Thou shalt not commit adultery.
8. Thou shalt not steal.
9. Thou shalt not bear false witness.
10. Thou shalt not covet.

(Exodus, chap. 20: 1-17; Deut., chap. 5: 6-18)

עֲשֶׂרֶת יְמֵי תְשׁוּבָה
TEN DAYS OF PENITENCE

The days from Rosh Hashanah to Yom Kippur, inclusive. These days are devoted to repentance. Penitential prayers (*Selihot*) are said during this time. These days are also called Days of Awe (*Yamim Noraim*).

TEVET טֵבֵת

Fourth month in the Jewish calendar.

see Months, Jewish

שְׁלֹשָׁה עָשָׂר עִקָּרִים
THIRTEEN ARTICLES OF FAITH

see Maimonides

THREE FESTIVALS שָׁלֹשׁ רְגָלִים

see Shalosh Regalim

TISHAH B'AV תִּשְׁעָה בְּאָב

(*The Ninth Day of the Month of Av*) a day of fasting and prayer in commemoration of the destruction of the First and the Second Temples in Jerusalem and the fall of the fortress of Betar at the end of Bar Kochba's revolt.

TISHRI תִּשְׁרִי

First month in the Jewish calendar.

see Months, Jewish

TORAH תּוֹרָה

The Five Books of Moses, the foundation of the Jewish tradition and faith; Torah also means learning, teaching, guidance and law. The Torah is the great spiritual inheritance of Israel. Torah, worship and benevolence are, according to the rabbis, the three pillars that uphold Judaism; but Torah is the strongest pillar on which the others are built.

TORAH, ORAL תּוֹרָה שֶׁבְּעַל פֶּה

Post-Biblical laws founded on the laws of the (written) Torah.

TORAH, READING OF קְרִיאַת הַתּוֹרָה

Portions (*parshiyot*) of the Torah are read in the synagogue on every Sabbath of the year and on holidays and special days, such as Rosh Hodesh. The portions which are read on Sabbath are so arranged that over the year the entire Pentateuch (the Torah) is completed. On holidays and special days, selected portions chosen for their relevance to that particular day are read. Originally, each person called up to the reading of the Torah was expected to read a section by himself, but it has now become the custom for especially trained people to read the portion for those given an Aliyah.

TORAH, SEFER סֵפֶר תּוֹרָה

The Scroll of the Torah, handwritten on special parchment by the sofer. The Sefer Torah is a large scroll, mounted on two rollers. Each synagogue usually has several scrolls, from which portions of the Torah are read at their prescribed times. If a Sefer Torah cannot be used any more, it is buried or stored in a Genizah.

TROPP טְעָמִים

The ancient musical signs used to indicate to the reader of the Torah, the Haftarah and other parts of the Bible, the melodies in which they are to be chanted.

TU BISHVAT ט״וּ בִּשְׁבָט

see Hamishah Asar Bishvat

TWELVE PROPHETS תְּרֵי עָשָׂר

see Prophets, Twelve

TZITZIT צִיצִית

The fringes on the prayer shawl (*Tallit*) and the Arba Kanfot.

(Numbers, chap. 15: 37-41)

see Fringes

TZOM GEDALIAH צוֹם גְּדַלְיָה

(*The Fast of Gedaliah*) a day of fasting and mourning commemorating the assassination of Gedaliah, the governor of Judea.

VASHTI וַשְׁתִּי

Queen of Persia, wife of King Ahasuerus. She refused to appear before his guests and was cast out of the royal household. Esther succeeded her as Queen of Persia.

VAYIKRA וַיִּקְרָא

see Leviticus, Book of

VEADAR וַאֲדָר, אֲדָר שֵׁנִי

see Adar Sheni

WAILING WALL   כֹּתֶל מַעֲרָבִי

(*Kotel Maaravi,* "western wall") last remnant of the Temple on the Temple Mount in Jerusalem. For centuries Jews made pilgrimages to pray at this sacred spot. Today it is in the part of Jerusalem that belongs to Jordan, and is inaccessible to Jews.

WILLOW   עֲרָבָה

see Aravah

see Hoshanot

WISDOM OF SOLOMON   חָכְמַת שְׁלֹמֹה

Book of the Apocrypha consisting of discourses and wise sayings.

YAD   יָד

(*Hand*) a pointer usually made of precious metal. It is used by the reader as a guide in pointing out the text to be read from the Torah.

YAHRZEIT   יוֹם הַשָּׁנָה

The anniversary of the day of the death of a parent or other close relative. It is observed by the lighting of a Yahrzeit candle or light in the home, and the recital of Kaddish in the synagogue.

YAMIM NORAIM   יָמִים נוֹרָאִים

see Rosh Hashanah

see Ten Days of Penitence

see Yom Kippur

YERUSHALMI   יְרוּשַׁלְמִי

see Talmud, Palestinian

YESHIVA   יְשִׁיבָה

(*Academy*) originally a school of higher Jewish learning for which students were eligible after completing Talmud Torah or Heder. In modern times the term is often applied to Jewish elementary all-day schools in which students receive a secular and a Jewish education. New York's Yeshiva University is a prominent school of higher Jewish learning in the United States.

YISKOR   יִזְכֹּר

(*May He Remember*) refers to the memorial services for the departed recited in the synagogue on Yom Kippur and on the last day of Passover and Shavuot and on Shemini Atzeret.

YOM HAZIKARON   יוֹם הַזִּכָּרוֹן

see Rosh Hashanah

YOM KIPPUR   יוֹם כִּפּוּר

(*Day of Atonement*) the holiest day of the Jewish religious year, the last day of the Ten Days of Penitence. It is a fast day during which the Jew seeks forgiveness for his sins and reconciliation with God and his fellowmen. Yom Kippur, the climax of the Ten Days of Penitence, is also called Yom Norah (*Day of Awe*).

(**Lev., chap. 23: 26-32**)

ZECHARIAH   זְכַרְיָה

1. Eleventh of the Books of Twelve (Minor) Prophets of the Bible. The prophet Zechariah was a contemporary of Zerubbabel, Haggai and the high priest Joshua. He helped in the building of the Second Temple. His writings contain visions and prophecies.

2. Fourteenth king of Israel, son of Jeroboam II. After a rule of six months, Zechariah was assassinated and succeeded by Shallum (about 741 B.C.E.).

(**Kings II, chap. 15: 8-12**)

ZEDAKAH   צְדָקָה

(*Charity*) righteousness, justice. The Jewish belief in Zedakah is based not simply on pity for the needy but also on the principle of justice and the belief that all men are brothers.

ZEPHANIAH   צְפַנְיָה

Ninth of the Books of Twelve (Minor) Prophets of the Bible. The prophet Zephaniah preached in the early years of the reign of King Josiah of Judah. He spoke bitterly against the corrupt conditions before Josiah's great reforms.

ZION, MOUNT   הַר צִיּוֹן

Mountain in Jerusalem, originally the site of the Jebusite fortress captured by David. David built his castle on Zion and Solomon built the Temple there. The Second Temple was also built on Mount Zion. Later, Zion became a symbol for Jerusalem and Israel. As it is said: "For out of Zion shall go forth the Torah, and the word of the Lord from Jerusalem." At the time of Abraham, Mount Zion was known as Mount Moriah.

see Moriah, Mount

Turn to the last page of

סִדּוּר מְפֹרָשׁ

for beginning pages of the

PRAYER DICTIONARY